CB021770

# FOGO & SANGUE

# GEORGE R.R. MARTIN

# FOGO & SANGUE

*Volume 1*

TRADUÇÃO
Leonardo Alves e Regiane Winarski

*17ª reimpressão*

*Grafia atualizada segundo o Acordo Ortográfico da Língua Portuguesa de 1990, que entrou em vigor no Brasil em 2009.*



*Título original*
Fire and Blood

*Capa*
Alceu Chiesorin Nunes

*Ilustração de capa*
Jean-Michel Trauscht

*Preparação*
Raphani Margiotta

*Revisão*
Márcia Moura
Dan Duplat

Dados Internacionais de Catalogação na Publicação (CIP)
(Câmara Brasileira do Livro, SP, Brasil)

---

Martin, George R.R.
Fogo e sangue, vol. 1 / George R.R. Martin ; tradução Leonardo Alves e Regiane Winarski. – 1ª ed. – Rio de Janeiro : Suma, 2018.

Título original: Fire and Blood.
ISBN 978-85-5651-076-1

1. Ficção fantástica norte-americana I. Título. II. Série

18-20091 CDD-813

---

Índice para catálogo sistemático:
1. Ficção : Literatura norte-americana 813

Iolanda Rodrigues Biode — Bibliotecária — CRB-8/10014


EDITORA SCHWARCZ S.A.
Praça Floriano, 19, sala 3001 — Cinelândia
20031-050 — Rio de Janeiro — RJ
Telefone: (21) 3993-7510
www.companhiadasletras.com.br
www.blogdacompanhia.com.br
facebook.com/editorasuma
instagram.com/editorasuma
twitter.com/Suma_BR

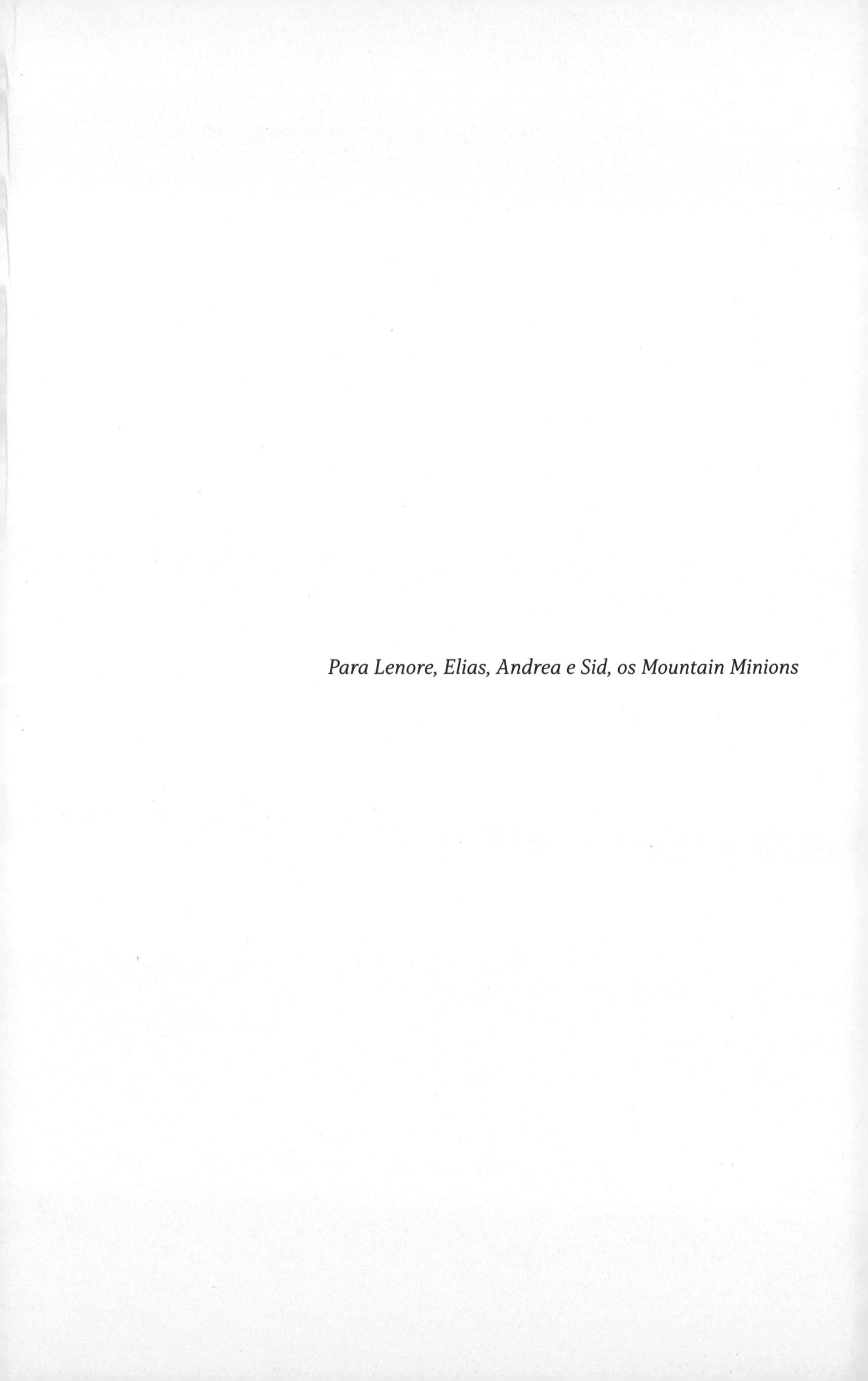

*Para Lenore, Elias, Andrea e Sid, os Mountain Minions*

# Sumário

# Fogo & Sangue

## Uma história dos reis Targaryen de Westeros

Volume 1

Desde Aegon I (o Conquistador) até a regência de Aegon III (Desgraça dos Dragões)

Por arquimeistre Gyldayn, da Cidadela de Vilavelha
(transcrito aqui por George R. R. Martin)

# A Conquista de Aegon

Os meistres da Cidadela que registram as histórias de Westeros usaram a Conquista de Aegon como marco de toque ao longo dos últimos trezentos anos. As datas de nascimentos, mortes, batalhas e outras ocasiões são classificadas ora como DC (Depois da Conquista), ora como AC (Antes da Conquista).

Eruditos genuínos sabem que essa datação está longe de ser precisa. A conquista dos sete reinos por Aegon Targaryen não ocorreu em um único dia. Passaram-se mais de dois anos entre o desembarque de Aegon e sua coroação em Vilavelha... e mesmo nesse momento a Conquista continuava incompleta, visto que Dorne permaneceu insubmissa. Tentativas esporádicas de trazer os dorneses ao domínio persistiram durante todo o reinado de Aegon e por boa parte do reinado de seus filhos, de modo que é impossível determinar uma data exata para o fim das Guerras da Conquista.

Até mesmo a data de início é alvo de equívocos. Muitos presumem, erroneamente, que o reinado de Aegon I Targaryen começou no dia em que ele desembarcou na foz da Torrente da Água Negra, sob as três colinas que viriam a se tornar a cidade de Porto Real. Não é verdade. O dia do Desembarque de Aegon foi celebrado pelo rei e por seus descendentes, porém, na realidade, o Conquistador considerava o início de seu reinado o dia em que ele foi coroado e ungido no Septo Estrelado de Vilavelha pelo Alto Septão da Fé. Essa coroação ocorreu dois anos após o Desembarque de Aegon, muito depois de todas as três maiores batalhas das Guerras da Conquista terem sido travadas e vencidas. Assim, pode-se considerar que a maior parte da verdadeira conquista de Aegon aconteceu entre 2 e 1 AC, Antes da Conquista.

Os Targaryen tinham puro sangue valiriano, eram senhores de dragões de linhagem ancestral. Doze anos antes da Destruição de Valíria (114 AC), Aenar Targaryen vendeu suas propriedades na Cidade Franca e nas Terras do Longo Verão e se mudou, com suas esposas, sua fortuna, seus escravos, dragões, irmãos, parentes e filhos para Pedra do Dragão, uma cidadela insular desolada sob uma montanha fumegante no mar estreito.

Em seu auge, Valíria foi a maior cidade do mundo conhecido, o centro da civilização. Atrás de seus muros reluzentes, dezenas de casas rivais disputavam o poder e a glória na corte e no conselho, ascendendo e caindo em uma luta interminável, sutil e muitas vezes selvagem pela dominação. Os Targaryen estavam longe de ser os mais poderosos dentre os senhores dos dragões, e seus rivais encararam a fuga deles para Pedra do Dragão como um ato de rendição e de covardia. Mas Daenys, a filha donzela do lorde Aenar que para sempre viria a ser conhecida como Daenys, a Sonhadora, havia antevisto a ruína de Valíria pelo fogo. E, com o advento da Destruição, doze anos depois, os Targaryen foram os únicos senhores dos dragões a sobreviver.

Pedra do Dragão fora durante dois séculos o posto avançado mais ocidental do domínio valiriano. Sua localização, defronte a Goela, proporcionava aos senhores o controle da Baía da Água Negra e permitia que tanto os Targaryen quanto seus aliados próximos, os Velaryon de Derivamarca (uma casa menor de ascendência valiriana), enchessem seus cofres com o comércio que passava por ali. Os navios dos Velaryon, assim como os de outra casa valiriana aliada, os Celtigar de Ilha da Garra, dominavam extensões a médio alcance do mar estreito, enquanto os Targaryen governavam os céus com seus dragões.

Contudo, ainda assim, durante quase cem anos após a Destruição de Valíria (que receberia a pertinente alcunha Século do Sangue), a Casa Targaryen manteve os olhos no leste, não no oeste, e pouco se interessou pelos assuntos de Westeros. Gaemon Targaryen, irmão e marido de Daenys, a Sonhadora, sucedeu Aenar, o Exilado como Senhor de Pedra do Dragão e se tornou conhecido como Gaemon, o Glorioso. Seu filho Aegon e sua filha Elaena governaram juntos após sua morte. Depois, o título foi passado ao filho deles, Maegon, ao irmão dele, Aerys, e aos filhos de Aerys: Aelyx, Baelon e Daemion. O último dos três irmãos era Daemion, cujo filho, Aerion, então os sucedeu em Pedra do Dragão.

O Aegon que entraria para a história como Aegon, o Conquistador, e Aegon, o Dragão, nasceu em Pedra do Dragão em 27 AC. Foi o segundo filho, e único menino, de Aerion, Senhor de Pedra do Dragão, e da senhora Valaena, que era também Targaryen pelo lado da mãe. Aegon teve duas irmãs legítimas: uma mais velha, Visenya, e uma mais nova, Rhaenys. Era um antigo costume entre os senhores dos dragões de Valíria o casamento entre irmão e irmã, para preservar a pureza da linhagem, mas Aegon desposou suas duas irmãs. Pela tradição, teria sido de esperar que ele se casasse apenas com a irmã mais velha, Visenya; a inclusão de Rhaenys como sua segunda esposa era incomum, ainda que não sem precedentes. Houve quem dissesse que Aegon desposou Visenya por dever e Rhaenys por desejo.

Todos os três irmãos tinham se revelado senhores dos dragões antes de se casarem. Dos cinco dragões que haviam voado com Aenar, o Exilado, a partir de Valíria, apenas um ainda vivia na época de Aegon: o grande animal chamado Balerion, o Terror Negro. Os dragões Vhagar e Meraxes eram mais jovens, nascidos na própria Pedra do Dragão.

Um mito comum, muito frequente entre os ignorantes, afirma que Aegon Targaryen jamais havia posto os pés no solo de Westeros antes do dia em que zarpou para conquistar o continente, mas isso não pode ser verdade. Anos antes dessa viagem, a Mesa Pintada fora esculpida e decorada por ordem do lorde Aegon: uma placa colossal de madeira, com cerca de quinze metros de comprimento, esculpida no formato de Westeros e pintada para representar todas as florestas e cidades, todos os rios e castelos dos Sete Reinos. Claramente, o interesse de Aegon por Westeros era muito anterior aos acontecimentos que o levaram à guerra. Ademais, existem registros confiáveis de que Aegon e a irmã Visenya visitaram a Cidadela de Vilavelha na juventude e falcoaram na Árvore a convite do lorde Redwyne. É possível que ele também tenha visitado Lannisporto; os registros divergem.

A Westeros da juventude de Aegon estava dividida entre sete reinos conflituosos, e raros foram os momentos em que não havia alguma guerra entre dois ou três desses reinos. O vasto, frio e pedregoso Norte era governado pelos Stark de Winterfell. Nos desertos de Dorne, o domínio pertencia aos príncipes Martell. As terras ocidentais ricas em ouro eram regidas pelos Lannister de Rochedo Casterly, e a fértil Campina, pelos Gardener de Jardim de Cima. O Vale, os Dedos e as Montanhas da Lua pertenciam à Casa Arryn... mas os reis mais beligerantes na época de Aegon eram os dois cujos domínios ficavam mais próximos de Pedra do Dragão: Harren, o Negro, e Argilac, o Arrogante.

No passado, de sua grande cidadela em Ponta Tempestade, os Reis da Tempestade da Casa Durrandon haviam governado a metade oriental de Westeros, desde o Cabo da Fúria até a Baía dos Caranguejos, mas seus poderes minguaram ao longo dos séculos. Os reis da Campina abocanharam porções de seus domínios a oeste, os dorneses os acossaram pelo sul, e Harren, o Negro, e seus homens de ferro os expulsaram do Tridente e das terras ao norte da Torrente da Água Negra. O rei Argilac, o último Durrandon, havia interrompido esse declínio por algum tempo, rechaçando uma invasão dornesa quando ainda era menino, atravessando o mar estreito para se unir à grande aliança contra os "tigres" imperialistas de Volantis, e matando Garse VII Gardener, rei da Campina, na Batalha de Campo Estival vinte anos depois. Mas Argilac envelhecera; sua famosa cabeleira negra ficara grisalha, e sua habilidade com as armas minguara.

Ao norte da Água Negra, as terras fluviais eram governadas pela mão brutal de Harren, o Negro, da Casa Hoare, Rei das Ilhas e dos Rios. Harwyn Mão-Dura, o avô de ferro de Harren, tomara o tridente do avô de Argilac, Arrec, cujos antepassados haviam derrubado o último dos reis fluviais séculos antes. O pai de Harren estendera seus domínios para o leste de Valdocaso e Rosby. O próprio Harren dedicara a maior parte de seu longo reinado, quase quarenta anos, à construção de um castelo gigantesco ao lado do Olho de Deus, mas, como Harrenhal finalmente se aproximava da conclusão, os homens de ferro logo estariam livres para partir em busca de novas conquistas.

Nenhum rei de Westeros era mais temido do que Harren Negro, cuja crueldade se tornara lendária por todos os Sete Reinos. E nenhum rei de Westeros se sentia mais ameaçado que Argilac, o Rei da Tempestade, último Durrandon, um guerreiro idoso cuja única herdeira era uma filha donzela. Foram essas as circunstâncias que fizeram o rei Argilac buscar os Targaryen em Pedra do Dragão e oferecer ao lorde Aegon sua filha em casamento, com todas as terras ao leste do Olho de Deus, desde o Tridente até a Torrente da Água Negra, como dote.

Aegon Targaryen rejeitou a proposta do Rei da Tempestade. Ele ressaltou que tinha duas esposas; não precisava de uma terceira. E as terras ofertadas como dote haviam pertencido a Harrenhal por mais de uma geração. Argilac não tinha o direito de dá-las. Na realidade, o idoso Rei da Tempestade pretendia estabelecer os Targaryen ao longo da Água Negra como um escudo entre suas próprias terras e as de Harren, o Negro.

O Senhor de Pedra do Dragão fez uma contraproposta. Ele aceitaria as terras oferecidas como dote se Argilac também cedesse o Gancho de Massey e as florestas e planícies desde o sul da Água Negra até o rio Guaquevai e a nascente do Vago. O pacto seria selado pelo casamento da filha de Argilac com Orys Baratheon, amigo de infância do lorde Aegon e seu campeão.

Argilac, o Arrogante, recusou com raiva esses termos. Dizia-se à boca pequena que Orys Baratheon era um indigno meio-irmão do lorde Aegon, e o Rei da Tempestade não comprometeria a honra da filha ao dar sua mão a um bastardo. A mera sugestão o enfurecera. Argilac deu ordem para que as mãos do emissário de Aegon fossem decepadas e enviadas de volta em uma caixa. "Estas são as únicas mãos que seu bastardo receberá de mim", escreveu ele.

Aegon não respondeu. Apenas convocou seus amigos, vassalos e principais aliados a Pedra do Dragão. Seus contingentes eram pequenos. Os Velaryon de Derivamarca eram juramentados à Casa Targaryen, assim como os Celtigar de Ilha da Garra. Do Gancho de Massey vieram o lorde Bar Emmon de Ponta Afiada e o lorde Massey de Bailepedra, ambos juramentados à Ponta Tempestade, mas com vínculo mais forte com Pedra do Dragão. O lorde Aegon e suas irmãs os consultaram e também visitaram o septo do castelo para rezar aos Sete de Westeros, embora ele nunca antes tivesse sido visto como um homem de fé.

No sétimo dia, uma nuvem de corvos alçou voo das torres de Pedra do Dragão para levar a palavra do lorde Aegon aos Sete Reinos de Westeros. Aos sete reis eles voaram, à Cidadela de Vilavelha, a senhores grandes e pequenos. Todos levavam a mesma mensagem: a partir daquele dia, haveria apenas um rei em Westeros. Aqueles que dobrassem o joelho para Aegon da Casa Targaryen preservariam terras e títulos. Aqueles que pegassem em armas contra ele seriam derrocados, humilhados e destruídos.

Os registros diferem quanto à quantidade de espadas que zarparam de Pedra do Dragão com Aegon e suas irmãs. Alguns dizem três mil; outros, que eram meras centenas. Essa modesta hoste Targaryen aportou na foz da Torrente da Água Negra, na margem norte onde três colinas cobertas de florestas se elevavam acima de um pequeno vilarejo de pescadores.

Nos tempos dos Cem Reinos, muitos reis mesquinhos haviam declarado domínio sobre a foz do rio, incluindo os reis Darklyn de Valdocaso, os Massey de

Bailepedra e os antigos reis fluviais, fossem eles os Mudd, os Fisher, os Bracken, os Blackwood ou os Hook. Em diversas ocasiões, as três colinas tinham sido coroadas com torres e fortes, que sempre acabavam por ser derrubados em uma ou outra guerra. Agora, restavam apenas pedras quebradas e ruínas cobertas pela vegetação para receber os Targaryen. Embora fosse disputada tanto por Ponta Tempestade quanto por Harrenhal, a foz do rio não tinha defesas, e os castelos mais próximos eram mantidos por senhores menores, desprovidos de muito poder ou competência militar, e senhores que tinham poucos motivos para amar seu suserano oficial, Harren, o Negro.

Aegon Targaryen logo erigiu uma paliçada com estacas e barro em torno da maior das três colinas e enviou suas irmãs para garantir a submissão dos castelos mais próximos. Rosby se rendeu a Rhaenys e aos olhos dourados de Meraxes sem lutar. Em Stokeworth, alguns homens armados com bestas dispararam setas contra Visenya, até as chamas de Vhagar incendiarem os telhados do castelo. E assim também eles se renderam.

O primeiro teste genuíno dos Conquistadores veio com o lorde Darklyn de Valdocaso e o lorde Mooton de Lagoa da Donzela, que uniram forças e marcharam ao sul com três mil homens a fim de expulsar os invasores de volta para o mar. Aegon enviou Orys Baratheon para atacá-los durante a marcha, enquanto ele próprio descia dos céus com o Terror Negro. Os dois senhores foram mortos na batalha unilateral que se seguiu; o filho de Darklyn e o irmão de Mooton depois ofereceram seus castelos e juraram lealdade à Casa Targaryen. Na época, Valdocaso era o principal porto de Westeros no mar estreito e se tornara uma cidade vasta e abastada graças ao comércio que passava por seus cais. Visenya Targaryen não permitiu que a cidade fosse saqueada, mas não hesitou em clamar para si suas riquezas, inflando em muito os cofres dos Conquistadores.

Aqui talvez seja um ponto apropriado para tratar das diferenças de caráter entre Aegon Targaryen e suas irmãs e rainhas.

Visenya, a mais velha dos três irmãos, era tão guerreira quanto o próprio Aegon e se sentia tão à vontade com uma cota de malha quanto com um vestido de seda. Ela portava a espada longa valiriana Irmã Sombria e a usava com habilidade, tendo treinado junto do irmão desde a infância. Embora fosse dotada dos cabelos loiro-prateados e dos olhos violeta de Valíria, sua beleza era ríspida, austera. Mesmo as pessoas que mais a amavam consideravam Visenya uma pessoa rígida, séria e impiedosa; havia quem dissesse que ela brincava com venenos e se envolvia com feitiçarias sinistras.

Rhaenys, a mais jovem dos três Targaryen, era tudo o que a irmã não era: brincalhona, curiosa, impulsiva, dada a arroubos de fantasia. Rhaenys não era uma guerreira genuína, amava música, dança e poesia, e apoiava muitos cantores, saltimbancos e marioneteiros. Contudo, dizia-se que Rhaenys passava mais tempo sobre um dragão do que o irmão e a irmã juntos, pois voar era o que ela amava acima de tudo. Certa vez ela teria dito que antes de morrer queria voar com Meraxes sobre o Mar do Poente, para ver o que havia na margem ocidental. Enquanto ninguém jamais questionava a fidelidade de Visenya ao irmão-marido, Rhaenys se cercava de homens jovens e belos e — corriam os boatos — até recebia alguns em seus aposentos nas noites em que Aegon estava com a irmã mais velha. No entanto, apesar desses boatos, não passava despercebido aos olhos da corte que o rei se encontrava dez noites com Rhaenys para cada noite com Visenya.

O próprio Aegon Targaryen, estranhamente, era tão enigmático para seus contemporâneos quanto o é para nós. Armado com a espada Fogonegro, de aço valiriano, ele era considerado um dos maiores guerreiros de sua era, mas não sentia prazer com feitos bélicos nem jamais tomava parte em torneios de justa ou corpo a corpo. Sua montaria era Balerion, o Terror Negro, mas ele voava apenas para as batalhas, ou para viajar rapidamente sobre terra e mar. Sua presença imponente atraía a lealdade dos homens, mas ele não possuía nenhum amigo próximo, salvo Orys Baratheon, seu companheiro da juventude. As mulheres o procuravam, mas Aegon permanecia fiel às irmãs. Como rei, depositava grande confiança nelas e em seu pequeno conselho, deixando a eles grande parte das atividades cotidianas da administração do reino… No entanto, não hesitava em assumir o controle quando julgava necessário. Embora fosse implacável ao lidar com rebeldes e traidores, era generoso com ex-inimigos que dobravam o joelho.

Isso ele demonstrou pela primeira vez no Aegonforte, o tosco castelo de madeira e barro que erigira sobre o que desde então e por todo o sempre viria a ser conhecido como Colina de Aegon. Após conquistar uma dúzia de castelos e assegurar o domínio nos dois lados da foz da Torrente da Água Negra, ele ordenou que os senhores derrotados fossem vê-lo. Lá, eles depositaram as espadas aos seus pés, e Aegon mandou que se erguessem e ratificou seus direitos sobre terras e títulos. A seus aliados mais antigos, ele concedeu novas honras. Daemon Velaryon, Senhor das Marés, tornou-se mestre dos navios e recebeu o comando da frota real. Triston Massey, Senhor de Bailepedra, foi intitulado mestre das leis, e Crispian Celtigar, mestre da moeda. E Orys Baratheon foi proclamado "meu escudo, meu defensor, minha forte mão direita". E, assim, Baratheon é considerado pelos meistres a primeira Mão do Rei.

Símbolos heráldicos eram uma tradição de longa data entre os senhores de Westeros, mas nunca haviam sido usados pelos senhores dos dragões da antiga Valíria. Quando os cavaleiros de Aegon desfraldaram seu grande estandarte de batalha de seda, com um dragão vermelho de três cabeças cuspindo fogo sobre um campo negro, os senhores viram ali um sinal de que ele se tornara genuinamente um deles, um rei supremo digno de Westeros. Quando a rainha Visenya depositou um diadema de aço valiriano cravejado de rubis na cabeça do irmão e a rainha Rhaenys o declarou "Aegon, primeiro do seu nome, rei de Westeros *inteira* e escudo do povo", os dragões rugiram e os senhores e cavaleiros gritaram vivas… Mas foi o povo comum, pescadores e lavradores e plebeias, quem gritou mais alto.

Entretanto, os sete reis que Aegon, o Dragão, pretendia destronar não celebraram. Em Harrenhal e em Ponta Tempestade, Harren, o Negro, e Argilac, o Arrogante, já haviam convocado seus vassalos. No oeste, o rei Mern da Campina cavalgou para o norte pela estrada do mar rumo a Rochedo Casterly, a fim de conferenciar com o rei Loren da Casa Lannister. A princesa de Dorne enviou um corvo a Pedra do Dragão, oferecendo-se para se unir a Aegon contra Argilac, o Rei da Tempestade... mas como aliada em condições de igualdade, não como súdita. Outra proposta de aliança veio de Ronnel Arryn, o rei menino do Ninho da Águia, cuja mãe pedia todas as terras ao leste do Ramo Verde do Tridente em troca do apoio do Vale contra Harren Negro. Até mesmo no Norte, o rei Torrhen Stark de Winterfell conferenciou com seus vassalos e conselheiros até tarde da noite, debatendo o que fazer a respeito desse pretendente a conquistador. Todo o território aguardava ansiosamente para ver aonde Aegon iria primeiro.

Dias depois de sua coroação, Aegon pôs novamente seus exércitos em marcha. A maior parte de suas forças cruzou a Torrente da Água Negra, seguindo rumo ao sul, para Ponta Tempestade, sob o comando de Orys Baratheon. A rainha Rhaenys o acompanhava, montada em Meraxes dos olhos dourados e das escamas de prata. A frota Targaryen, com Daemon Velaryon, saiu da Baía da Água Negra e virou para o norte, em direção a Vila Gaivota e ao Vale. Com eles foram a rainha Visenya e Vhagar. E o rei marchou ao noroeste, para Olho de Deus e Harrenhal, a colossal fortaleza que era objeto de orgulho e obsessão do rei Harren, o Negro.

As três investidas dos Targaryen enfrentaram ferrenha oposição. Os lordes Errol, Fell e Buckler, vassalos de Ponta Tempestade, surpreenderam as unidades avançadas da hoste de Orys Baratheon durante a travessia do Guaquevai, abatendo mais de mil homens antes de recuarem para dentro da floresta. Uma frota Arryn reunida às pressas, auxiliada por uma dúzia de navios de guerra braavosis, interceptou e derrotou a frota Targaryen no litoral de Vila Gaivota. Entre os mortos se encontrava Daemon Velaryon, o almirante de Aegon. E o próprio Aegon também foi atacado na margem sul do Olho de Deus, não só uma como duas vezes. A Batalha dos Caniços foi uma vitória para os Targaryen, mas eles sofreram pesadas baixas na Batalha dos Salgueiros Lamentosos, quando dois dos filhos do rei Harren usaram batéis para cruzar o lago e atacar sua retaguarda.

Porém, no fim, os inimigos de Aegon não tinham como escapar aos dragões. Os homens do Vale afundaram um terço da frota Targaryen e capturaram quase outro terço, mas, quando a rainha Visenya desceu do céu, também os navios deles queimaram. Os lordes Errol, Fell e Buckler se esconderam em suas florestas, até que a rainha Rhaenys soltou Meraxes e uma muralha de fogo varreu a mata, transformando as árvores em tochas. E os vitoriosos na Batalha dos Salgueiros Lamentosos, durante a travessia de volta no lago rumo a Harrenhal, estavam despreparados quando Balerion desceu do céu matinal sobre eles. Os batéis de Harren arderam. Assim como seus filhos.

Os inimigos de Aegon também se viram afligidos por outros adversários. Enquanto Argilac, o Arrogante, reunia suas tropas em Ponta Tempestade, piratas dos Degraus desembarcaram nas areias de Cabo da Fúria para tirar proveito da ausência dos senhores, e saqueadores dorneses avançaram desde as Montanhas Vermelhas para assolar as marcas. No Vale, o jovem rei Ronnel teve que lidar com uma revolta nas Três Irmãs, quando os ilhéus renegaram a autoridade do Ninho da Águia e proclamaram a senhora Marla Sunderland como rainha.

No entanto, esses foram apenas pequenos inconvenientes em comparação com o que recaiu sobre Harren, o Negro. Embora a Casa Hoare tivesse governado as terras fluviais por três gerações, os homens do Tridente não cultivavam amor algum por seus suseranos de ferro. Harren, o Negro, havia levado milhares de pessoas à morte durante a construção de seu grande castelo de Harrenhal, pilhando as terras fluviais em busca de materiais e empobrecendo senhores e plebeus com seu apetite por ouro. Então as terras fluviais se voltaram contra ele, lideradas pelo lorde Edmyn Tully de Correrrio. Chamado à defesa de Harrenhal, Tully decidiu se declarar a favor da Casa Targaryen, ergueu o estandarte do dragão sobre seu castelo e foi a campo com seus cavaleiros e arqueiros para unir forças com Aegon. Seu ato de rebeldia inspirou os outros senhores fluviais. Um a um, os senhores do Tridente rejeitaram Harren e se declararam a favor de Aegon, o Dragão. Blackwood, Mallister, Vance, Bracken, Piper, Frey, Strong... todos convocaram suas tropas e avançaram contra Harrenhal.

Ao se encontrar de repente em menor número, o rei Harren refugiou-se na fortaleza supostamente inexpugnável. Maior castelo jamais construído em Westeros, Harrenhal ostentava cinco torres colossais, uma fonte inesgotável de água doce, imensas cavernas subterrâneas bem abastecidas de suprimentos e gigantescas muralhas de pedra negra mais altas que qualquer escada e grossas demais para serem penetradas por qualquer aríete ou destruídas por catapultas. Harren trancou os portões e se abrigou com os filhos e aliados que lhe restavam para resistir a um cerco.

Aegon de Pedra do Dragão tinha outros planos. Após unir forças com Edmyn Tully e os outros senhores fluviais para cercar o castelo, ele enviou um meistre aos portões com uma bandeira de paz, para dialogar. Harren saiu para recebê-lo; um homem velho e grisalho, mas ainda imponente em sua armadura negra. Cada rei estava acompanhado de seu porta-estandarte e seu meistre, então as palavras trocadas ainda são lembradas.

— Renda-se agora — começou Aegon —, e você ainda poderá ser senhor das Ilhas de Ferro. Renda-se agora, e seus filhos viverão para governar depois de você. Tenho oito mil homens em volta de suas muralhas.

— O que está em volta das minhas muralhas não me interessa — disse Harren. — Essas muralhas são fortes e grossas.

— Mas não tão altas que impeçam a entrada de dragões. Dragões voam.

— Construí com pedras — disse Harren. — Pedras não queimam.

A isso, Aegon respondeu:

— Ao pôr do sol, sua linhagem chegará ao fim.

Dizem que Harren cuspiu em desprezo e voltou para seu castelo. Depois de entrar, ele enviou cada homem sob seu comando aos parapeitos, armados com lanças, arcos e bestas, e prometeu terras e riquezas a quem conseguisse abater o dragão.

— Se eu tivesse uma filha, aquele que matar o dragão conquistaria também sua mão — proclamou Harren, o Negro. — Mas eu lhe darei uma das filhas de Tully, ou todas três, se quiser. Ou pode escolher uma das crias de Blackwood, ou de Strong, ou qualquer menina gerada por esses traidores do Tridente, esses senhores de lama amarela. — Harren então se recolheu à sua torre e se cercou de sua guarda pessoal para cear com os filhos que lhe restavam.

Quando os últimos resquícios de luz do sol desapareceram, os homens de Harren Negro observaram fixamente a escuridão que se adensava, agarrados a suas lanças e bestas. Ao verem que não aparecia nenhum dragão, alguns talvez tenham pensado que as ameaças de Aegon eram vazias. Mas Aegon Targaryen levou Balerion até as alturas, através das nuvens, para cima, para cima, até o dragão ficar pequeno como uma mosca diante da lua. Só então ele desceu, direto dentro das muralhas do castelo. Com asas negras feito breu, Balerion mergulhou na noite e, quando as grandes torres de Harrenhal apareceram debaixo dele, rugiu com sua fúria e as cobriu de chamas negras, entremeadas de labaredas vermelhas.

Pedras não queimam, alardeara Harren, mas seu castelo não era feito apenas de pedra. Madeira e lã, cânhamo e palha, pão e carne salgada e grãos, tudo pegou fogo. E tampouco os homens de ferro de Harren eram feitos de pedra. Fumegantes, aos gritos, cobertos de chamas, eles correram pelos pátios e caíram dos adarves para morrer no chão abaixo. E até pedras racham e fundem sob um fogo quente o bastante. Os senhores fluviais em torno das muralhas do castelo disseram depois que as torres de Harrenhal brilharam vermelhas sob a noite, como cinco grandes velas... e, como tais, começaram a se retorcer e derreter, conforme regatos de pedra liquefeita corriam pelas laterais.

Harren e seus últimos filhos morreram nas chamas que engoliram sua monstruosa fortaleza naquela noite. A Casa Hoare morreu com ele, assim como o controle das Ilhas de Ferro sobre as terras fluviais. No dia seguinte, diante das ruínas fumegantes de Harrenhal, o rei Aegon aceitou o juramento de lealdade de Edmyn Tully, Senhor de Correrrio, e o nomeou senhor supremo do Tridente. Os outros senhores fluviais também prestaram juramento; a Aegon, o rei, e a Edmyn Tully, seu suserano. Quando as cinzas resfriaram o bastante para que os homens pudessem entrar em segurança no castelo, as espadas dos mortos, muitas destruídas ou retorcidas em tripas de aço pelo fogo de dragão, foram recolhidas e enviadas em carroças de volta ao Aegonforte.

Ao sul e ao leste, os vassalos do Rei da Tempestade se mostraram consideravelmente mais leais do que os do rei Harren. Argilac, o Arrogante, reuniu um grande exército à sua volta em Ponta Tempestade. A sede dos Durrandon era uma fortaleza poderosa, com uma vasta muralha mais grossa ainda do que os muros de Harrenhal. Também se considerava que fosse inexpugnável contra ataques. No entanto, notícias do fim do rei Harren logo chegaram aos ouvidos de seu antigo inimigo, o rei Argilac. Os lordes Fell e Buckler, em recuada do exército que se aproximava (o lorde Errol havia morrido), enviaram notícias da rainha Rhaenys e seu dragão. O velho rei guerreiro bradou que não pretendia morrer como Harren, cozido dentro do próprio castelo feito um leitão com uma maçã na boca. Veterano de batalhas, ele decidiria seu próprio destino de espada em punho. Então Argilac, o Arrogante, saiu de Ponta Tempestade cavalgando uma última vez, para enfrentar seus adversários em um descampado.

A aproximação do Rei da Tempestade não foi nenhuma surpresa para Orys Baratheon e seus homens; a rainha Rhaenys, voando com Meraxes, vira a saída de Argilac de Ponta Tempestade e pôde transmitir à Mão um relato completo do tamanho e da posição das forças inimigas. Orys assumiu uma posição forte nas colinas ao sul de Portabronze e aguardou ali, em terreno elevado, a chegada dos homens da tempestade.

Quando os exércitos se encontraram, as terras da tempestade fizeram jus ao nome. Uma chuva constante começou a cair naquela manhã e, ao meio-dia, era já uma tormenta feroz. Os vassalos do rei Argilac o instaram a adiar o ataque para o dia seguinte, na esperança de que a chuva parasse, mas as forças do Rei da Tempestade eram quase duas vezes maiores que as dos Conquistadores, e ele tinha quase quatro vezes mais cavaleiros e cavalos pesados. A visão dos estandartes Targaryen encharcados tremulando em suas próprias colinas o enfureceu, e o velho e experiente guerreiro não deixou passar despercebido o fato de que o vento soprava a chuva a partir do sul, contra o rosto dos homens Targaryen nas colinas. Então Argilac, o Arrogante, deu a ordem de ataque, e assim começou a batalha que entrou para a história como Tempestade Final.

O combate se estendeu noite adentro; um banho de sangue, e muito menos unilateral do que a conquista de Harrenhal por Aegon. Três vezes Argilac, o Arrogante, liderou seus cavaleiros contra as posições de Baratheon, mas o aclive era íngreme e a chuva deixara o solo mole e lamacento, então os cavalos de batalha se debatiam e atolavam, e as investidas perdiam toda a coesão e o ímpeto. Os homens da tempestade se saíram melhor quando mandaram os lanceiros subir a pé. Cegados pela chuva, os invasores só os viram se aproximando quando já era tarde demais, e as cordas molhadas dos arcos tornaram os arqueiros inúteis. Uma colina caiu, e outra, e então a quarta e última investida do Rei da Tempestade e seus cavaleiros rompeu o centro de Baratheon... para se verem diante da rainha Rhaenys e de Meraxes. Mesmo em solo, o dragão se mostrou formidável. Dickon Morrigen e o Bastardo de Portonegro, no comando da vanguarda, foram engolidos pelo fogo de dragão, assim como os cavaleiros da guarda pessoal do rei Argilac. Os cavalos de batalha entraram em pânico e fugiram apavorados, atropelando os cavaleiros que estavam atrás e transformando a investida em caos. O próprio Rei da Tempestade foi derrubado da sela.

Porém, ainda assim Argilac continuou a lutar. Quando Orys Baratheon desceu pela encosta lamacenta com os próprios homens, viu o velho rei enfrentando meia dúzia de homens, com outros tantos cadáveres aos seus pés.

— Afastem-se — exigiu Baratheon.

Ele desmontou, e ficou diante de Argilac em igualdade de condições, e ofereceu ao Rei da Tempestade uma última chance de se render. Argilac preferiu insultá-lo. Então eles lutaram, o velho rei guerreiro de fartos cabelos brancos e a feroz Mão de barba negra de Aegon. Dizem que cada homem infligiu um ferimento no outro, mas, no fim, o último Durrandon conseguiu seu desejo e morreu com uma espada na mão e uma praga nos lábios. A morte do rei eliminou toda a disposição dos homens da tempestade, e, conforme a notícia da queda de Argilac se espalhava, os senhores e cavaleiros da tempestade largaram suas espadas e fugiram.

Durante alguns dias, temeu-se que Ponta Tempestade pudesse sofrer o mesmo destino de Harrenhal, pois Argella, a filha de Argilac, trancou os portões diante da vinda da hoste de Baratheon e Targaryen e se declarou Rainha da Tempestade. Em vez de se renderem, os defensores de Ponta Tempestade morreriam até o último homem, prometeu ela quando a rainha Rhaenys voou com Meraxes para dentro do castelo a fim de dialogar.

— Você pode tomar meu castelo, mas ganhará apenas ossos e sangue e cinzas — anunciou ela. Porém os soldados da guarnição não se mostraram tão interessados em morrer.

Naquela noite, eles içaram uma bandeira de paz, abriram o portão do castelo e entregaram a senhora Argella amordaçada, acorrentada e nua ao acampamento de Orys Baratheon.

Diz-se que Baratheon soltou suas correntes com as próprias mãos, envolveu o corpo dela com seu manto, serviu-lhe vinho e conversou com ela delicadamente, contando-lhe da coragem de seu pai e da forma como ele morrera. E, depois, para honrar o rei derrubado, ele assumiu para si as armas e o lema de Durrandon. O veado coroado se tornou seu símbolo, Ponta Tempestade, sua sede, e a senhora Argella, sua esposa.

Agora que tanto as terras fluviais quanto as terras da tempestade estavam sob o controle de Aegon, o Dragão, e seus aliados, os outros reis de Westeros perceberam claramente que a vez deles chegaria. Em Winterfell, o rei Torrhen convocou seus vassalos; devido às imensas distâncias no Norte, ele sabia que levaria tempo até conseguir formar um exército. A rainha Sharra do Vale, regente em nome do filho Ronnel, refugiou-se no Ninho da Águia, reforçou suas defesas e enviou um exército ao

Portão Sangrento, que dava acesso ao Vale de Arryn. Na juventude, a rainha Sharra fora aclamada como a "Flor da Montanha", a donzela mais formosa de todos os Sete Reinos. Talvez com a esperança de usar sua beleza para influenciar Aegon, ela lhe enviou um retrato e se ofereceu em casamento, desde que ele declarasse Ronnel seu herdeiro. Embora o retrato tenha alcançado Aegon Targaryen, não se sabe se ele chegou a responder à proposta; ele já tinha duas rainhas, e Sharra Arryn se tornara uma flor murcha, dez anos mais velha que ele.

Enquanto isso, os dois grandes reis ocidentais haviam se aliado e reunido forças, determinados a pôr um fim a Aegon de uma vez por todas. De Jardim de Cima, marchou Mern IX da Casa Gardener, rei da Campina, com um poderoso exército. Sob as muralhas do Castelo de Bosquedouro, sede da Casa Rowan, ele encontrou Loren I Lannister, rei do Rochedo, à frente de sua própria hoste das terras ocidentais. Juntos, os dois reis comandavam o exército mais extraordinário jamais visto em Westeros: cinquenta mil homens, incluindo cerca de seiscentos senhores grandes e pequenos e mais de cinco mil cavaleiros montados.

— Nosso punho de ferro — alardeou o rei Mern.

Seus quatro filhos o acompanhavam, e seus dois jovens netos estavam a seu serviço como escudeiros.

Os dois reis não se demoraram em Bosquedouro; uma hoste daquele tamanho precisava permanecer em marcha, para não esgotar as reservas do campo à sua volta. Os aliados partiram imediatamente, seguindo rumo nor-nordeste através de capim alto e dourados trigais.

Avisado da vinda deles em seu acampamento à margem do Olho de Deus, Aegon reuniu as próprias forças e avançou para enfrentar os novos inimigos. Seu exército tinha apenas um quinto do tamanho das tropas dos dois reis, e grande parte desses homens havia sido juramentada aos senhores fluviais, cuja lealdade à Casa Targaryen era recente e nunca fora posta à prova. No entanto, com um exército menor, Aegon podia se deslocar com muito mais rapidez que seus inimigos. Na cidade de Septo de Pedra, ele reencontrou suas duas rainhas e seus dragões — Rhaenys, vinda de Ponta Tempestade, e Visenya, de Ponta da Garra Rachada, onde ela aceitara muitos juramentos fervorosos de lealdade dos senhores locais. Juntos, os três Targaryen observaram do céu conforme o exército de Aegon atravessava a nascente da Torrente da Água Negra e corria para o sul.

Os dois exércitos se encontraram em meio à ampla planície ao sul da Água Negra, perto de onde um dia viria a ser a Estrada do Ouro. Os dois reis celebraram quando os batedores voltaram com as informações a respeito do tamanho e do posicionamento das forças Targaryen. Aparentemente, eles tinham cinco homens para cada um de Aegon, e a disparidade de senhores e cavaleiros era maior ainda. E o terreno ainda era amplo e aberto, capim e trigo até onde a vista alcançava, ideal para cavalos pesados. Aegon Targaryen não teria a vantagem do terreno mais alto, como acontecera com Orys Baratheon na Tempestade Final; o solo era firme, não lamacento. E eles tampouco seriam perturbados pela chuva. Não havia nuvens, embora ventasse. Fazia mais de uma quinzena que não chovia.

O rei Mern havia contribuído com mais da metade das forças totais, então exigiu que o rei Loren lhe concedesse a honra de comandar o centro. Edmund, seu filho e herdeiro, recebeu o comando da vanguarda. O rei Loren e seus cavaleiros formariam o flanco direito, e o lorde Oakheart, o esquerdo. Como não havia barreiras naturais para firmar a hoste Targaryen, os dois reis pretendiam contornar Aegon pelos flancos e atacá-lo pela retaguarda, enquanto seu "punho de ferro", uma grande cunha de cavaleiros de armadura e grandes senhores, esmagava o centro de Aegon.

Aegon Targaryen organizou seus homens em uma formação vaga crescente, eriçada com lanças e piques, com arqueiros e besteiros logo atrás e a cavalaria leve nos flancos. Entregou o comando de suas forças a Jon Mooton, Senhor de Lagoa da Donzela, um dos primeiros adversários a se unir à sua causa. O próprio rei pretendia combater do céu, junto de suas rainhas. Aegon também havia percebido a falta de chuva; o capim e o trigo que cercavam os exércitos estavam altos e prontos para a colheita... e muito secos.

Os Targaryen esperaram até que os dois reis fizessem soar as trombetas e começassem a avançar sob um mar de estandartes. O próprio rei Mern, em seu garanhão dourado, liderou o ataque contra o centro, com o filho Gawen a seu lado trazendo o estandarte deles, uma grande mão verde sobre um campo branco. Com urros e gritos, instigados por cornetas e tambores, os Gardener e os Lannister avançaram por uma tempestade de flechas até os inimigos, afastando os lanceiros Targaryen e desintegrando as fileiras deles. Mas, àquela altura, Aegon e as irmãs já estavam no ar.

Aegon voou com Balerion por cima das fileiras de seus inimigos, através de uma tormenta de lanças, pedras e flechas, e desceu repetidas vezes para banhá-los em chamas. Rhaenys e Visenya lançaram fogo de encontro aos inimigos e em sua retaguarda. O capim e o trigo seco se inflamaram imediatamente. O vento espalhou as chamas e soprou a fumaça no rosto dos homens dos dois reis, que avançavam. O cheiro de queimado levou as montarias ao pânico, e, quando a fumaça se adensou, cavalos e cavaleiros perderam toda a visão. As fileiras começaram a se desfazer à medida que as muralhas de fogo se erguiam por todos os lados. Os homens do lorde Mooton, a favor do vento e protegidos da conflagração, esperaram com arcos e lanças e se apressaram a matar os homens queimados ou em chamas que saíam aos tropeços do incêndio.

Mais tarde, a batalha receberia o nome de Campo de Fogo.

Mais de quatro mil homens morreram nas chamas. Outros mil pereceram na ponta de espadas, lanças e flechas. Dezenas de milhares sofreram queimaduras, algumas tão graves que deixariam marcas para o resto da vida. O rei Mern IX foi um dos mortos, junto com seus filhos, netos, irmãos, primos e demais parentes. Um sobrinho sobreviveu por três dias. Quando ele morreu em decorrência das queimaduras, a Casa Gardener se foi também. O rei Loren do Rochedo sobreviveu, tendo cavalgado através de uma parede de fogo e fumaça até um lugar seguro quando viu que a batalha estava perdida.

Os Targaryen perderam menos de cem homens. A rainha Visenya foi atingida com uma flecha no ombro, mas não demorou a se recuperar. Enquanto os dragões se esbaldavam com os mortos, Aegon determinou que as espadas dos derrotados fossem reunidas e enviadas rio abaixo.

Loren Lannister foi capturado no dia seguinte. O rei do Rochedo depositou sua espada e sua coroa aos pés de Aegon, dobrou o joelho e lhe prestou juramento. E Aegon, fiel às suas promessas, fez o inimigo derrotado se levantar e ratificou seus direitos sobre terras e títulos, nomeando-o Senhor de Rochedo Casterly e Guardião do Oeste. Os vassalos do lorde Loren seguiram seu exemplo, assim como muitos dos senhores da Campina, os que haviam sobrevivido ao fogo de dragão.

No entanto, a conquista do oeste ainda não estava completa, então o rei Aegon se despediu das irmãs e marchou imediatamente para Jardim de Cima, na esperança de garantir a rendição antes que algum outro pretendente tomasse posse. Ele encontrou o castelo nas mãos de Harlan Tyrell, o intendente, cujos antepassados serviam os Gardener havia séculos. Tyrell entregou as chaves do castelo sem luta e jurou lealdade ao rei conquistador. Como recompensa, Aegon lhe deu Jardim de Cima e todos os domínios, nomeando-o Guardião do Sul e senhor supremo do Vago, além de conferir-lhe autoridade sobre todos os antigos vassalos da Casa Gardener.

A intenção do rei Aegon era seguir marcha rumo ao sul e decretar a submissão de Vilavelha, da Árvore e de Dorne, mas, enquanto se encontrava em Jardim de Cima, chegaram-lhe notícias de um novo desafio. Torrhen Stark, rei do Norte, havia atravessado o Gargalo e entrado nas terras fluviais, à frente de um exército de trinta mil bárbaros do Norte. Aegon partiu imediatamente ao norte para enfrentá-lo, voando à frente de seu exército nas asas de Balerion, o Terror Negro. E mandou que avisassem também suas duas rainhas, e todos os senhores e cavaleiros que haviam se submetido a ele após Harrenhal e o Campo de Fogo.

Quando Torrhen Stark chegou às margens do Tridente, encontrou uma hoste uma vez e meia maior que a sua à espera ao sul do rio. Senhores fluviais, homens das terras ocidentais, das terras da tempestade, da Campina... todos haviam comparecido. E, acima do acampamento deles, Balerion, Meraxes e Vhagar pairavam no ar em círculos cada vez mais largos.

Os batedores de Torrhen haviam visto as ruínas de Harrenhal, onde lentas chamas vermelhas ainda ardiam sob os destroços. O rei do Norte também havia escutado muitos relatos sobre o Campo de Fogo. Sabia que poderia sofrer o mesmo destino se tentasse atravessar o rio à força. Alguns de seus vassalos o instaram a atacar mesmo assim, insistindo que a bravura do Norte ganharia o dia. Outros o instaram a recuar para Fosso Cailin e concentrar a resistência ali em solo do Norte. Brandon Snow, o irmão bastardo do rei, se ofereceu para atravessar o Tridente sozinho sob a proteção da noite, para matar os dragões enquanto dormissem.

O rei Torrhen de fato mandou Brandon Snow atravessar o Tridente. Mas ele foi acompanhado de três meistres, não para matar, mas para negociar. Por toda a noite mensagens foram trocadas. Na manhã seguinte, o próprio Torrhen Stark atravessou o Tridente. Na margem sul do rio, ele se ajoelhou, depositou a antiga coroa dos reis do inverno aos pés de Aegon e lhe jurou lealdade. Ele se ergueu como Senhor de Winterfell e Guardião do Norte, e não mais um rei. Desde então e até hoje, Torrhen Stark é lembrado como o Rei que Ajoelhou... mas nenhum homem do Norte deixou ossos queimados junto ao Tridente, e as espadas que Aegon reuniu do lorde Stark e de seus vassalos não estavam retorcidas, derretidas nem tortas.

E então Aegon Targaryen e suas rainhas se separaram. Aegon voltou a se dirigir ao sul, marchando rumo a Vilavelha, enquanto suas irmãs montaram seus dragões — Visenya, para o Vale de Arryn, e Rhaenys, para Lançassolar e os desertos de Dorne.

Sharra Arryn havia reforçado as defesas de Vila Gaivota, levado um exército poderoso ao Portão Sangrento e triplicado as guarnições de Pedra, Neve e Céu, os castelos intermédios que protegiam o acesso ao Ninho da Águia. Todas essas defesas se mostraram inúteis contra Visenya Targaryen, que sobrevoou tudo nas asas finas de Vhagar e pousou no pátio interno do Ninho da Águia. Quando a regente do Vale saiu para confrontá-la, com uma dúzia de guardas sob suas ordens, ela viu Ronnel Arryn sentado no joelho de Visenya, olhando fascinado para o dragão.

— Mãe, posso voar com a moça? — perguntou o rei menino.

Não houve ameaças nem palavras exaltadas. As duas rainhas sorriram uma para a outra e trocaram apenas gentilezas. E então a senhora Sharra mandou que buscassem as três coroas (sua própria tiara de regente, a pequena coroa de seu filho e a Coroa Falcão da Montanha e do Vale que os reis Arryn haviam usado por mil anos) e as entregou à rainha Visenya, junto com as espadas de sua guarnição. E dizem que depois o pequeno rei voou três voltas em torno do cume da Lança do Gigante e, quando pousou, era um pequeno senhor. E foi assim que Visenya Targaryen trouxe o Vale de Arryn para o reino de seu irmão.

Rhaenys Targaryen não obteve uma conquista tão fácil. Um contingente de lanceiros dorneses guardava o Passo do Príncipe, a via de acesso através das Montanhas Vermelhas, mas Rhaenys não travou combate. Ela voou por cima do passo, por cima das areias vermelhas e brancas, e desceu em Vaith para exigir sua submissão, só que o castelo estava vazio e abandonado. Na cidade sob suas muralhas, restavam apenas mulheres, crianças e velhos. Quando ela perguntou aonde haviam ido os senhores, a única resposta foi "Embora". Rhaenys seguiu o curso do rio até Graçadivina, sede da Casa Allyrion, mas o local também estava deserto. De novo ela voou. Onde o Sangueverde encontrava o mar, Rhaenys chegou a Vila Tabueira, e ali centenas de jangadas, pesqueiros, balsas, botes e cascos jaziam ao sol, amarrados com cordas e correntes e tábuas, formando uma cidade flutuante, e no entanto apenas algumas idosas e crianças pequenas apareceram para lançar olhares ao alto enquanto Meraxes circulava no céu.

Por fim, a rainha voou até Lançassolar, a sede ancestral da Casa Martell, e no castelo abandonado ela encontrou a Princesa de Dorne à sua espera. Meria Martell tinha oitenta anos, segundo os meistres, e governara os dorneses durante sessenta. Era muito gorda, cega e quase careca, e sua pele era pálida e flácida. Argilac, o Arrogante, a chamara de "Rã Amarela de Dorne", mas nem a idade nem a cegueira haviam embotado sua inteligência.

— Não lutarei com você — anunciou a princesa Meria a Rhaenys —, nem me ajoelharei. Dorne não tem rei. Diga isso ao seu irmão.

— Direi — respondeu Rhaenys —, mas nós voltaremos, princesa, e da próxima vez traremos fogo e sangue.

— Esse é o seu lema — disse a princesa Meria. — O nosso é *Insubmissos, imbatíveis, inquebráveis*. Vocês podem nos queimar, senhora... mas não nos curvarão, não nos quebrarão, não nos submeterão. Aqui é Dorne. Vocês não são bem-vindos. Voltem por sua conta e risco.

E assim a rainha e a princesa se despediram, e Dorne permaneceu inconquistada.

No oeste, Aegon Targaryen teve uma recepção mais agradável. Maior cidade de toda Westeros, Vilavelha era cercada de imensas muralhas e governada pelos Hightower da Torralta, a mais antiga, rica e poderosa das casas nobres da Campina. Vilavelha era também o centro da Fé. Ali residia o alto septão, Pai dos Fiéis, a voz dos novos deuses na terra, que gozava da obediência de milhões de devotos em todos os reinos (exceto no Norte, onde os velhos deuses ainda tinham adoradores), e as espadas da Fé Militante, a ordem guerreira que o povo comum chamava de Estrelas e Espadas.

No entanto, quando Aegon Targaryen e seu exército se aproximaram de Vilavelha, encontraram os portões da cidade abertos e o lorde Hightower aguardando para se submeter. Na realidade, quando as primeiras notícias do desembarque de Aegon chegaram a Vilavelha, o alto septão se trancara no Septo Estrelado durante sete dias e sete noites, para pedir orientação aos deuses. Ele não se alimentou de nada além de pão e água e passou cada segundo acordado em orações, indo de um altar para outro. No sétimo dia, a Velha erguera sua lâmpada dourada para lhe mostrar o caminho. Sua Alta Santidade viu que, se Vilavelha pegasse em armas para combater Aegon, o Dragão, a cidade certamente arderia, e a Torralta e a Cidadela e o Septo Estrelado seriam derrubados e destruídos.

Manfred Hightower, Senhor de Vilavelha, era cauteloso — e pio. Um de seus filhos mais novos servia junto aos Filhos do Guerreiro e outro havia acabado de se sacramentar septão. Quando o alto septão contou da visão que a Velha lhe revelara, o lorde Hightower determinou que não faria oposição armada ao conquistador. Foi assim que nenhum homem de Vilavelha ardeu no Campo de Fogo, embora os

Hightower fossem vassalos dos Gardener de Jardim de Cima. E foi assim que o lorde Manfred saiu para receber Aegon, o Dragão, e lhe oferecer sua espada, sua cidade e seu juramento. (Dizem que lorde Hightower ofereceu também a mão de sua filha mais nova, que Aegon recusou educadamente, para não ofender suas duas rainhas.)

Três dias depois, no Septo Estrelado, Sua Alta Santidade em pessoa ungiu Aegon com os sete óleos, depositou uma coroa em sua cabeça e o proclamou Aegon da Casa Targaryen, Primeiro de Seu Nome, Rei dos Ândalos, dos Roinares e dos Primeiros Homens, Senhor dos Sete Reinos e Protetor do Território. ("Sete Reinos" foi o termo usado, embora Dorne não tivesse se submetido. E não se submeteria por mais de um século.)

Apenas alguns senhores estiveram presentes na primeira coroação de Aegon à foz da Água Negra, mas centenas puderam testemunhar a segunda, e dezenas de milhares o celebraram depois nas ruas de Vilavelha, enquanto ele atravessava a cidade no dorso de Balerion. Entre os presentes na segunda coroação de Aegon estavam os meistres e arquimeistres da Cidadela. Talvez seja esse o motivo por que essa coroação, e não a do Aegonforte no dia do desembarque de Aegon, foi considerada o início do reinado de Aegon.

E assim os Sete Reinos de Westeros foram forjados em um único e grande domínio pela determinação de Aegon, o Conquistador, e suas irmãs.

Muitos acreditavam que o rei Aegon estabeleceria sua sede real em Vilavelha após o fim das guerras, enquanto outros imaginaram que ele governaria de Pedra do Dragão, a antiga cidadela insular da Casa Targaryen. O rei surpreendeu a todos ao proclamar sua intenção de instalar a corte na nova cidade que já se erguia sobre as três colinas à foz da Torrente da Água Negra, onde ele e suas irmãs haviam pisado pela primeira vez no solo de Westeros. Porto Real, assim se chamaria a nova cidade. Dali, Aegon, o Dragão, governaria seu reino, sobre um grande trono de metal feito com as espadas derretidas, retorcidas, amassadas e quebradas de todos os seus inimigos derrotados, um assento perigoso que logo viria a ser conhecido por todo o mundo como o Trono de Ferro de Westeros.

# Reinado do Dragão

## As guerras do rei Aegon I

O longo reinado de Aegon I Targaryen (1 DC–37 DC) foi um período sobretudo de paz. Especialmente nos últimos anos. No entanto, antes da Paz do Dragão, como mais tarde os meistres da Cidadela chamaram as duas últimas décadas de seu governo, vieram as guerras do Dragão, das quais a última foi o conflito mais cruel e sangrento de toda a história de Westeros.

Embora se dissesse que as Guerras da Conquista tinham terminado quando Aegon foi coroado e ungido pelo alto septão no Septo Estrelado de Vilavelha, nem toda Westeros havia se submetido ainda à sua autoridade.

Na Dentada, os senhores das Três Irmãs haviam se aproveitado do caos da Conquista de Aegon para se declararem uma nação livre e coroaram a senhora Marla da Casa Sunderland como sua rainha. Como grande parte da frota Arryn havia sido destruída durante a Conquista, o rei deu ordem para que seu Guardião do Norte, Torrhen Stark de Winterfell, reprimisse a Rebelião das Irmãs, e um exército de nortenhos zarpou de Porto Branco com uma frota alugada de galés braavosis, sob o comando de sor Warrick Manderly. Ao verem as velas, e a súbita presença da rainha Visenya com Vhagar no céu acima de Vilirmã, os homens das Irmãs perderam o ímpeto; logo depuseram a rainha Marla em favor do irmão mais novo dela. Steffon Sunderland renovou sua lealdade ao Ninho da Águia, dobrou o joelho diante da rainha Visenya e entregou seus filhos de reféns como garantia de bom comportamento, um para ser criado junto dos Manderly e o outro, dos Arryn. Sua irmã, a rainha deposta, foi exilada e aprisionada. Cinco anos depois, ela teve a língua cortada e passou o resto da vida com as Irmãs Silenciosas, cuidando dos honrados mortos.

Do outro lado de Westeros, as Ilhas de Ferro estavam imersas no caos. A Casa Hoare havia governado os homens de ferro por longos séculos, mas fora extinta em uma única noite, quando Aegon derramara as chamas de Balerion sobre Harrenhal. Embora Harren, o Negro, tivesse perecido com os filhos nessas chamas, Qhorin Volmark de Harlaw, cuja avó havia sido irmã mais nova do avô de Harren, declarou-se o legítimo herdeiro "da linha negra" e assumiu a coroa.

No entanto, nem todos os homens de ferro aceitaram sua pretensão. Em Velha Wyk, sob os ossos de Nagga, o Dragão Marinho, os sacerdotes do Deus Afogado puseram uma coroa de madeira trazida pelo mar na cabeça de um dos seus, o homem santo descalço chamado Lodos, que se proclamou o filho vivo do Deus Afogado, e todos acreditavam que era capaz de realizar milagres. Outros pretendentes se declararam em Grande Wyk, Pyke e Montrasgo, e por mais de um ano seus defensores batalharam uns contra os outros em terra e no mar. Dizia-se que as águas entre as ilhas ficaram tão cheias de cadáveres que o sangue atraiu centenas de lulas-gigantes.

Aegon Targaryen pôs um fim à luta. Ele desceu sobre as ilhas em 2 DC, no dorso de Balerion. Com ele vieram as forças navais da Árvore, de Jardim de Cima e de Lannisporto, e até alguns dracares da Ilha dos Ursos, enviados por Torrhen Stark. Os homens de ferro, cujos números estavam reduzidos após um ano de guerra fratricida, ofereceram pouca resistência. Na realidade, muitos comemoraram a chegada dos dragões. O rei Aegon matou Qhorin Volmark com Fogonegro, mas permitiu que seu bebê herdasse as terras e o castelo do pai. Em Velha Wyk, o sacerdote-rei Lodos, suposto filho do Deus Afogado, invocou as lulas-gigantes das profundezas para que naufragassem os navios invasores. Como isso não aconteceu, Lodos encheu as vestes com pedras e entrou no mar, "para pedir conselhos ao meu pai". Milhares o seguiram. Durante anos, seus corpos inchados e mordidos por caranguejos iriam aparecer nas praias de Velha Wyk.

Depois, surgiu a questão de quem deveria governar as Ilhas de Ferro em nome do rei. Sugeriu-se que os homens de ferro fossem vassalos dos Tully de Correrrio, ou dos Lannister de Rochedo Casterly. Alguns até defenderam que eles fossem entregues a Winterfell. Aegon ouviu cada proposta, mas, no fim, decidiu que permitiria aos homens de ferro que elegessem seu próprio senhor supremo. Não foi nenhuma surpresa quando eles escolheram um deles mesmos: Vickon Greyjoy, Senhor Ceifeiro de Pyke. Lorde Pyke jurou lealdade ao rei Aegon, e o Dragão foi embora com suas frotas.

Contudo, a autoridade de Greyjoy se limitava apenas às Ilhas de Ferro; ele renunciou a todos os direitos às terras que a Casa Hoare havia capturado no continente. Aegon cedeu o castelo arruinado de Harrenhal e seus domínios a sor Quenton Qoherys, seu mestre de armas em Pedra do Dragão, mas exigiu que ele aceitasse lorde Edmyn Tully de Correrrio como suserano. O recém-intitulado lorde Quenton tinha dois filhos fortes e um neto rechonchudo para garantir a sucessão, mas, como sua primeira esposa fora levada pela febre maculosa três anos antes, ele aceitou também tomar como esposa uma das filhas de lorde Tully.

Com a submissão das Três Irmãs e das Ilhas de Ferro, toda Westeros ao sul da Muralha passou a ser governada por Aegon Targaryen, exceto Dorne. Então foi a Dorne que o Dragão dirigiu sua atenção em seguida. Antes, Aegon tentou conquistar os dorneses com palavras, enviando a Lançassolar uma delegação de altos senhores, meistres e septões para conferenciar com a princesa Meria Martell, a suposta Rã Amarela de Dorne, e persuadi-la das vantagens de unir os reinos. As negociações seguiram por quase um ano, mas nada conseguiram.

Costuma-se situar o início da Primeira Guerra Dornesa em 4 DC, quando Rhaenys Targaryen voltou a Dorne. Dessa vez, ela levou fogo e sangue, tal como havia ameaçado. Nas costas de Meraxes, a rainha desceu de um límpido céu azul e incendiou Vila

Tabueira, e as chamas saltaram de barco em barco até toda a foz do Sangueverde ficar abarrotada de destroços queimados, e mesmo de Lançassolar era possível enxergar a coluna de fumaça. Os habitantes da cidade flutuante fugiram para o rio, para se abrigar das chamas, então morreram menos de cem no ataque, mais deles por afogamento do que por fogo de dragão. No entanto, sangue foi derramado pela primeira vez.

Longe dali, Orys Baratheon liderou mil cavaleiros seletos pelo Caminho do Espinhaço, enquanto Aegon em pessoa marchava pelo Passo do Príncipe à frente de um exército de trinta mil homens, incluindo quase dois mil cavaleiros montados e trezentos senhores e vassalos. Lorde Harlan Tyrell, Guardião do Sul, teria dito que eles possuíam forças mais que suficientes para esmagar qualquer exército dornês que tentasse resistir, mesmo sem Aegon e Balerion.

Não há dúvida de que ele tinha razão nisso, mas a questão nunca foi posta à prova, pois os dorneses nunca deram combate. Eles apenas recuaram diante das hostes do rei Aegon, incendiando as plantações nos campos e envenenando todos os poços. Os invasores encontraram as torres de vigia dornesas nas Montanhas Vermelhas demolidas e abandonadas. Nos passos elevados, a vanguarda de Aegon encontrou o caminho bloqueado por uma muralha de carcaças de ovelhas, totalmente tosquiadas e podres demais para servir de alimento. As reservas de comida e ração do exército do rei já estavam baixas quando eles saíram do Passo do Príncipe para encarar as areias dornesas. Ali, Aegon dividiu suas forças, enviando lorde Tyrell ao sul contra Uthor Uller, senhor da Toca do Inferno, enquanto ele próprio se voltou para o leste, para sitiar lorde Fowler em Alcanceleste, seu baluarte nas montanhas.

Foi o segundo ano de outono, e se acreditava que o inverno não tardaria a chegar. Nessa estação, os invasores esperavam que o calor dos desertos fosse menor, e a água, mais abundante. Mas o sol dornês se revelou inclemente durante a marcha de lorde Tyrell rumo à Toca do Inferno. Naquele calor, os homens bebiam mais, e cada poço e oásis no caminho do exército havia sido envenenado. Os cavalos começaram a morrer, mais a cada dia, seguidos por aqueles que os montavam. Os orgulhosos cavaleiros descartaram seus estandartes, seus escudos, a própria armadura. Lorde Tyrell perdeu um quarto de seus homens e quase todos os cavalos para as areias dornesas e, quando finalmente chegou à Toca do Inferno, encontrou-a abandonada.

O ataque de Orys Baratheon não se saiu muito melhor. Os cavalos dele sofreram nas encostas pedregosas dos passos estreitos e sinuosos, mas muitos empacaram de vez quando alcançaram as partes mais íngremes da estrada, onde os dorneses haviam entalhado degraus nas montanhas. Pedregulhos caíram sobre os cavaleiros da Mão, obra de defensores que os homens da tempestade nunca viram. No ponto onde o Caminho do Espinhaço cruzava o rio Wyl, arqueiros dorneses apareceram de repente, enquanto a coluna atravessava uma ponte, e choveram milhares de flechas. Quando lorde Orys deu ordem para que seus homens recuassem, uma enorme avalanche bloqueou a retirada deles. Sem meios de seguir adiante ou recuar, os homens

da tempestade foram aniquilados feito porcos em um curral. Orys Baratheon foi poupado, junto com mais uma dúzia de senhores que poderiam valer um resgate, mas eles foram capturados por Wyl de Wyl, o brutal senhor das montanhas conhecido como Amante de Viúvas.

Já o rei Aegon teve mais sucesso. Em marcha rumo ao leste pelos sopés, onde os córregos das montanhas proporcionavam água e havia caça em abundância nos vales, ele fez uma poderosa investida contra o castelo Alcanceleste e conquistou Paloferro após um rápido cerco. O senhor da Penha havia morrido recentemente, e seu intendente se rendeu sem resistir. Mais ao leste, lorde Toland de Colina Fantasma enviou seu campeão para desafiar o rei em combate individual. Aegon aceitou e matou o homem, mas em seguida descobriu que aquele não era o campeão de Toland, apenas seu bobo. O verdadeiro lorde Toland havia fugido.

Também fugida estava Meria Martell, a princesa de Dorne, quando o rei Aegon desceu em Lançassolar montando Balerion, para se encontrar com sua irmã Rhaenys. Após incendiar Vila Tabueira, ela havia conquistado Limoeiros, Matamalhada e Aguafede, aceitando as reverências de velhas e crianças, mas sem jamais encontrar um inimigo de fato. Até mesmo a cidade periférica junto às muralhas de Lançassolar estava parcialmente deserta, e as pessoas que lá ficaram se recusaram a revelar o paradeiro dos senhores dorneses e da princesa.

— A Rã Amarela derreteu nas areias — disse a rainha Rhaenys ao rei Aegon.

A resposta de Aegon foi uma declaração de vitória. No grande salão de Lançassolar, ele se reuniu com os dignitários remanescentes e anunciou que Dorne agora fazia parte do reino, que dali por diante eles seriam seus fiéis súditos, que os antigos senhores eram rebeldes e criminosos. Foram oferecidas recompensas pela cabeça deles, especialmente a da Rã Amarela, a princesa Meria Martell. Lorde Jon Rosby foi nomeado Castelão de Lançassolar e Guardião das Areias e governaria Dorne em nome do rei. Intendentes e castelães foram indicados para todos os outros territórios e castelos que o conquistador havia tomado. Então o rei Aegon e suas hostes voltaram pelo caminho de onde vieram, ao oeste, pelos sopés e através do Passo do Príncipe.

Eles mal haviam chegado a Porto Real quando Dorne irrompeu às suas costas. Lanceiros dorneses apareceram do nada, como flores do deserto após uma chuva. Alcanceleste, Paloferro, Penha e Colina Fantasma foram reconquistadas em uma quinzena, e as guarnições reais, passadas na espada. Os castelães e intendentes de Aegon só tiveram permissão para morrer depois de um longo tormento. Dizia-se que os senhores dorneses apostaram quem conseguiria manter seus prisioneiros vivos por mais tempo enquanto os desmembravam. Lorde Rosby, Castelão de Lançassolar e Guardião das Areias, foi agraciado com um fim mais generoso do que grande parte dos outros. Depois que os dorneses surgiram da cidade periférica para recuperar o castelo, ele teve mãos e pés amarrados, foi arrastado até o topo da Torre da Lança e jogado de uma janela por ninguém menos que a idosa princesa Meria em pessoa.

Em pouco tempo, restou apenas lorde Tyrell e seu exército. O rei Aegon deixara Tyrell para trás ao ir embora. A Toca do Inferno, um castelo forte junto ao rio Sulfuroso, era considerada bem localizada para lidar com qualquer revolta. Mas o rio era rico em enxofre, e os peixes pescados nele provocaram doenças nos homens de Jardim de Cima. A Casa Qorgyle de Arenito nunca se rendera, e lanceiros de Qorgyle abatiam os grupos de caça e as patrulhas de Tyrell sempre que eles avançavam muito para o leste. Quando a notícia da Defenestração de Lançassolar chegou à Toca do Inferno, lorde Tyrell reuniu o que restava de suas forças e partiu deserto adentro. Sua intenção declarada era capturar Vaith, marchar ao leste à margem do rio, reconquistar Lançassolar e a cidade periférica e castigar os assassinos de lorde Rosby. No entanto, em algum lugar nas areias vermelhas ao leste da Toca do Inferno, Tyrell e seu exército inteiro desapareceram. Nenhum deles jamais foi visto outra vez.

Aegon Targaryen não era de aceitar derrotas. A guerra se prolongaria por mais sete anos, embora, depois de 6 DC, o conflito tenha degenerado até se tornar uma série sangrenta e interminável de atrocidades, incursões e retaliações, interrompida por longos períodos de inatividade, uma dúzia de tréguas curtas e vários assassinatos.

Em 7 DC, Orys Baratheon e os outros senhores capturados no Caminho do Espinhaço foram devolvidos a Porto Real em troca de seu peso em ouro, mas, quando eles voltaram, descobriu-se que o Amante de Viúvas havia decepado a mão da espada de cada um dos homens, para que eles nunca mais pegassem em armas contra Dorne. Em retaliação, o rei Aegon em pessoa desceu com Balerion sobre os baluartes dos Wyl nas montanhas e reduziu meia dúzia das fortalezas e torres a massas de pedra derretida. Os Wyl, porém, refugiaram-se em cavernas e túneis sob as montanhas, e o Amante de Viúvas viveu por mais vinte anos.

Em 8 DC, um ano muito árido, salteadores dorneses cruzaram o mar de Dorne com navios fornecidos por um rei pirata dos Degraus, atacando meia dúzia de cidades e vilarejos na costa sul do Cabo da Fúria e provocando incêndios que se alastraram por metade da Mata de Chuva.

— Fogo por fogo — teria dito a princesa Meria.

Isso era algo que os Targaryen não podiam permitir que passasse sem resposta. Mais tarde, no mesmo ano, Visenya Targaryen apareceu nos céus acima de Dorne, e as chamas de Vhagar se derramaram sobre Lançassolar, Limoeiros, Colina Fantasma e Penha.

Em 9 DC, Visenya voltou, dessa vez voando ao lado do próprio Aegon, e Arenito, Vaith e a Toca do Inferno arderam.

A resposta de Dorne veio no ano seguinte, quando lorde Fowler liderou um exército pelo Passo do Príncipe e adentrou a Campina, avançando com tanta rapidez que pôde incendiar uma dúzia de vilarejos e capturar o grande castelo fronteiriço Nocticantiga antes que os senhores da marca se dessem conta da presença do inimigo. Quando as notícias do ataque chegaram a Vilavelha, lorde Hightower enviou seu filho Addam com uma força poderosa para reconquistar Nocticantiga, mas os dorneses haviam se preparado justamente para isso. Sob o comando de sor Joffrey Dayne, um segundo exército dornês saiu de Tombastela e atacou a cidade. As muralhas de Vilavelha se revelaram fortes demais para os dorneses, mas Dayne queimou campos, fazendas e vilarejos em um raio de vinte léguas em torno da cidade e matou Garmon, o filho mais novo do lorde Hightower, quando o rapaz liderou uma surtida contra ele. Sor Addam Hightower chegou a Nocticantiga e descobriu que lorde Fowler já havia incendiado o castelo e passado a guarnição na espada. Lorde Caron, com esposa e filhos, fora levado de volta a Dorne como refém. Em vez de persegui-los, sor Addam marchou imediatamente de volta a Vilavelha para liberar a cidade, mas sor Joffrey e seu exército também haviam desaparecido pelas montanhas.

O velho lorde Manfred Hightower morreu pouco tempo depois. Sor Addam o sucedeu como senhor da Torre Alta, e Vilavelha clamou por vingança. O rei Aegon voou com Balerion até Jardim de Cima para conferenciar com seu Guardião do Sul, mas Theo Tyrell, o jovem senhor, exibiu grande relutância em contemplar outra invasão a Dorne após o destino que havia acometido seu pai.

Mais uma vez o rei lançou seus dragões contra Dorne. Aegon em pessoa caiu sobre Alcanceleste, prometendo transformar a sede dos Fowler em "um segundo Harrenhal". Visenya e Vhagar levaram fogo e sangue a Tombastela. E Rhaenys e Meraxes voltaram uma vez mais à Toca do Inferno... onde ocorreu uma tragédia. Os dragões dos Targaryen, criados e treinados para a batalha, haviam atravessado tormentas de lanças e flechas em muitas ocasiões e pouco sofreram. As escamas de um dragão adulto eram mais rígidas que aço, e até mesmo as flechas que as atingiam raramente penetravam o bastante para fazer mais do que enfurecer as grandes criaturas. Porém, quando Meraxes se aproximou da Toca do Inferno, um defensor no topo da torre mais alta do castelo disparou uma balista, e um dardo de ferro com um metro de comprimento atravessou o olho direito do dragão da rainha. Meraxes não morreu instantaneamente, mas desabou na terra em agonia mortal, destruindo a torre e uma grande porção da muralha da Toca do Inferno em seus estertores finais.

Até hoje não se sabe se Rhaenys Targaryen morreu antes ou depois de seu dragão. Há quem diga que ela foi lançada da sela e morreu com a queda, ou que ela foi esmagada debaixo de Meraxes no pátio do castelo. Alguns boatos afirmam que a rainha sobreviveu à queda do dragão, mas teve uma morte lenta e dolorosa nas masmorras dos Uller. Provavelmente ninguém jamais saberá as circunstâncias verdadeiras de seu fim, mas Rhaenys Targaryen, irmã e esposa do rei Aegon I, pereceu na Toca do Inferno, em Dorne, no ano 10 Depois da Conquista.

Os dois anos seguintes foram os anos da Ira do Dragão. Todos os castelos de Dorne arderam repetidamente a cada retorno de Balerion e Vhagar. Algumas porções das areias em torno da Toca do Inferno foram transformadas em vidro, tamanho era o calor do sopro flamejante de Balerion. Os senhores dorneses foram obrigados a se esconder, mas nem isso lhes garantiu a segurança. Lorde Fowler, lorde Vaith, a senhora Toland e quatro senhores da Toca do Inferno foram assassinados, um após o outro, pois o Trono de Ferro havia oferecido uma fortuna em ouro pela cabeça de qualquer senhor dornês. No entanto, só dois dos assassinos viveram para receber a recompensa, e os dorneses lançaram suas represálias, pagando sangue com sangue. Lorde Connington de Poleiro do Grifo foi morto durante uma caçada; lorde Mertyns de Matabruma, envenenado junto com todo mundo em sua residência por um barril de vinho dornês; e lorde Fell, sufocado em um bordel de Porto Real.

E os próprios Targaryen tampouco foram ignorados. O rei sofreu três atentados, e em duas dessas ocasiões ele teria morrido não fossem seus guardas. A rainha Visenya foi atacada uma noite em Porto Real. Dois de seus acompanhantes foram mortos antes que a própria Visenya abatesse o último agressor com Irmã Sombria.

O ato mais infame dessa era sangrenta ocorreu em 12 DC, quando Wyl de Wyl, o Amante de Viúvas, chegou de surpresa para o casamento de sor Jon Cafferen, herdeiro de Fawnton, com Alys Oakheart, filha do Senhor de Carvalho Velho. Após entrar por uma poterna que fora aberta por um criado traidor, os atacantes de Wyl mataram o lorde Oakheart e a maioria dos convidados, e então obrigaram a noiva a olhar enquanto castravam seu marido. Depois, eles se revezaram para estuprar a senhora Alys e suas aias e, por fim, venderam-nas a um traficante de escravos myriano.

Àquela altura, Dorne já era um deserto fumegante, afligido por fome, pragas e pestilências.

— Uma terra devastada — diziam os mercadores das Cidades Livres.

Contudo, a Casa Martell permanecia "insubmissa, imbatível, inquebrável", como rezava seu lema. Um cavaleiro dornês, levado diante da rainha Visenya como prisioneiro, insistiu que Meria Martell preferia ver seu povo morrer a se tornar escravo da Casa Targaryen. Visenya respondeu que ela e seu irmão atenderiam com prazer ao desejo da princesa.

Idade e doença finalmente realizaram o que dragões e exércitos não conseguiram. Em 13 DC, Meria Martell, a Rã Amarela de Dorne, morreu na cama (enquanto, insistiam seus inimigos, mantinha relações íntimas com um cavalo). Seu filho, Nymor, sucedeu-a como Senhor de Lançassolar e Príncipe de Dorne. Com sessenta anos, já de saúde frágil, o novo príncipe dornês não tinha disposição para mais massacres. Ele começou o reinado enviando uma delegação a Porto Real, para devolver o crânio do dragão Meraxes e oferecer ao rei Aegon condições para a paz. Sua própria herdeira, sua filha Deria, liderou a comitiva.

As propostas de paz do príncipe Nymor enfrentaram forte resistência em Porto Real. A rainha Visenya se opunha ferrenhamente.

— Nada de paz sem submissão — declarou ela, e seus amigos no conselho do rei ecoaram suas palavras.

Orys Baratheon, que em seus anos finais se tornara um velho encurvado e amargo, defendeu que a princesa Deria fosse devolvida ao pai sem uma das mãos. Lorde Oakheart enviou um corvo com a sugestão de que a menina dornesa fosse oferecida no "bordel mais imundo de Porto Real, até que todos os mendigos da cidade tenham podido se saciar com ela". Aegon Targaryen rejeitou todas essas propostas; a princesa Deria viera na condição de emissária sob a bandeira da paz, e ele jurou que ela não sofreria mal algum sob seu teto.

O rei estava cansado da guerra, todos concordavam, mas conceder a paz aos dorneses sem submissão seria equivalente a dizer que Rhaenys, sua amada irmã, havia morrido em vão, que todo o sangue, todas as mortes, de nada serviram. Os senhores em seu pequeno conselho o alertaram ainda que uma paz assim poderia ser vista como sinal de fraqueza e talvez incentivasse novas rebeliões, que então precisariam ser reprimidas. Aegon sabia que a Campina, as terras da tempestade e a marca haviam sofrido terrivelmente durante o conflito e não perdoariam, nem esqueceriam. Até em Porto Real, o rei não se atrevia a permitir que os dorneses saíssem do Aegonforte sem uma potente escolta, por receio de que o povo da cidade os despedaçasse. Por todos esses motivos, afirmou o grande meistre Lucan mais tarde, o rei estava prestes a recusar as propostas de Dorne e continuar com a guerra.

Foi nesse momento que a princesa Deria entregou ao rei uma carta selada de seu pai.

— Apenas para seus olhos, Sua Graça.

O rei Aegon leu as palavras do príncipe Nymor diante de toda a corte, impassível e calado, sentado no Trono de Ferro. Depois, quando se levantou, dizem que pingava sangue de sua mão. Ele queimou a carta e nunca mais falou dela, mas, naquela noite, montou em Balerion e voou sobre as águas da Torrente da Água Negra até a montanha fumegante de Pedra do Dragão. Quando voltou na manhã seguinte, Aegon Targaryen aceitou os termos oferecidos por Nymor. Pouco depois, assinou um tratado de paz eterna com Dorne.

Até hoje, ninguém sabe dizer com certeza o que havia na carta de Deria. Há quem diga que era um simples apelo de um pai para outro, palavras sinceras que comoveram o coração do rei Aegon. Outros insistem que era uma lista de todos os senhores e cavaleiros nobres que haviam perdido a vida durante a guerra. Certos septões chegaram até a sugerir que a missiva estava enfeitiçada, que a Rã Amarela a escrevera antes de morrer, com um frasco do sangue da própria rainha Rhaenys, para que o rei fosse incapaz de resistir à maligna magia.

O grande meistre Clegg, que foi a Porto Real vinte anos depois, concluiu que Dorne já não tinha mais forças para lutar. Movido pelo desespero, sugeriu Clegg, o príncipe Nymor talvez tenha ameaçado, caso a paz fosse rejeitada, contratar os Homens sem Rosto de Braavos para matar o filho e herdeiro do rei Aegon com a rainha Rhaenys, o pequeno Aenys, na época com apenas seis anos. Talvez fosse isso... mas ninguém jamais saberá de fato.

E assim se encerrou a Primeira Guerra Dornesa (4-13 DC).

A Rã Amarela de Dorne realizara o que Harren, o Negro, os dois reis e Torrhen Stark não conseguiram; ela derrotara Aegon Targaryen e seus dragões. Contudo, ao norte das Montanhas Vermelhas, suas táticas lhe renderam apenas escárnio. Entre os senhores e os cavaleiros nos reinos de Aegon, "coragem dornesa" se tornou um termo debochado para covardia. "A rã pula para dentro da toca quando ameaçada", registrou um escriba. Outro disse: "Meria lutou como uma mulher, com mentiras, trapaças e bruxarias". A "vitória" dornesa (se é que pode ser chamada de vitória) foi vista como desonrosa, e os sobreviventes do conflito e os filhos e irmãos dos que haviam perecido prometeram uns aos outros que ainda chegaria o dia do acerto de contas.

A vingança deles precisaria esperar outra geração, e a acessão de um rei mais jovem e sanguinário. Embora Aegon, o Conquistador, viesse a ocupar o Trono de Ferro por mais vinte e quatro anos, o conflito dornês foi sua última guerra.

# Três cabeças tinha o dragão

## O governo do rei Aegon I

Aegon I Targaryen era um renomado guerreiro, o maior conquistador da história de Westeros, mas muitos acreditam que suas realizações mais importantes ocorreram em tempos de paz. Dizia-se que o Trono de Ferro foi forjado com fogo e aço e terror, porém, após se esfriar, ele se tornou o lugar onde se assentava a justiça para toda Westeros.

A reconciliação dos Sete Reinos sob a autoridade Targaryen era a pedra angular das políticas de Aegon I como rei. Movido por esse propósito, ele fez grandes esforços para incluir homens (e até algumas mulheres) de todas as partes do reino em sua corte e nos conselhos. Incentivava seus antigos inimigos a enviar seus filhos (sobretudo os mais novos, visto que a maioria dos grandes senhores desejava manter seus herdeiros perto de casa) à corte, onde os meninos serviam como pajens, escanções e escudeiros, e as meninas, como aias e damas de companhia para as rainhas de Aegon. Em Porto Real, eles presenciavam em primeira mão a justiça do rei e eram instados a se considerar súditos leais de um grande reino, não homens do oeste, das terras da tempestade ou do Norte.

Os Targaryen também facilitaram muitos casamentos entre casas nobres das regiões mais distantes do continente, na esperança de que essas alianças ajudassem a firmar os laços entre as terras conquistadas e transformar os sete reinos em um. Visenya e Rhaenys, as rainhas de Aegon, nutriam um prazer especial ao arranjar essas uniões. Graças aos seus esforços, o jovem Ronnel Arryn, senhor do Ninho da Águia, casou-se com uma filha de Torrhen Stark de Winterfell, enquanto o filho mais velho de Loren Lannister, herdeiro de Rochedo Casterly, desposou uma moça Redwyne da Árvore. Quando três meninas, gêmeas, nasceram da Estrela da Tarde de Tarth, a rainha Rhaenys providenciou maridos para elas com a Casa Corbray, a Casa Hightower e a Casa Harlaw. A rainha Visenya intermediou um casamento duplo entre a Casa Blackwood e a Casa Bracken, cuja história de rivalidade remontava a séculos antes, unindo um filho de cada casa com uma filha da outra a fim de selar a paz entre ambas. E, quando uma garota Rowan a serviço de Rhaenys se viu grávida de um ajudante de cozinha, a rainha encontrou um cavaleiro de Porto Branco para desposá-la, e outro de Lannisporto que estava disposto a adotar o bastardo.

Embora ninguém duvidasse que Aegon Targaryen fosse a autoridade máxima em todos os assuntos relativos ao governo do reino, suas irmãs Visenya e Rhaenys continuaram suas parceiras no poder por todo o reinado. Exceto talvez pela Boa Rainha Alysanne, esposa do rei Jaehaerys I, nenhuma outra rainha na história dos Sete

Reinos jamais exerceu tanta influência na política quanto as irmãs do Dragão. Era costume do rei levar consigo uma das rainhas em todas as suas viagens, enquanto a outra permanecia em Pedra do Dragão ou em Porto Real, muitas vezes sentada no Trono de Ferro, decidindo quaisquer questões que lhe fossem apresentadas.

Ainda que Aegon tivesse estabelecido a sede do reino em Porto Real e instalado o Trono de Ferro na galeria fumacenta do Aegonforte, ele passava apenas um quarto do tempo ali. O máximo possível de seus dias e noites ele reservava a Pedra do Dragão, a cidadela insular de seus antepassados. O castelo sob o Monte Dragão era dez vezes mais espaçoso que o Aegonforte, com consideravelmente mais conforto, segurança e história. O Conquistador certa vez dissera que ele amava até o cheiro de Pedra do Dragão, onde o ar salgado sempre trazia aromas de fumaça e enxofre. Aegon passava cerca de metade do ano em suas duas sedes, dividindo o tempo entre uma e outra.

A outra metade ele dedicava a uma incessante turnê real, levando sua corte de um castelo a outro, hospedando-se com cada um de seus grandes senhores. Vila Gaivota e o Ninho da Águia, Harrenhal, Correrrio, Lannisporto e Rochedo Casterly, Paço de Codorniz, Carvalho Velho, Jardim de Cima, Vilavelha, a Árvore, Monte Chifre, Vaufreixo, Ponta Tempestade e até o Solar do Entardecer tiveram a honra de receber Sua Graça muitas vezes, mas Aegon podia e fazia questão de aparecer em praticamente qualquer lugar, às vezes com um séquito de até mil cavaleiros e senhores e senhoras. Ele viajou três vezes às Ilhas de Ferro (duas a Pyke e uma a Grande Wyk), passou uma quinzena em Vilirmã, em 19 DC, e visitou o Norte seis vezes, hospedando-se em três ocasiões em Porto Branco, duas vezes em Vila Acidentada e uma em Winterfell, em sua última turnê real, em 33 DC.

É famosa a resposta que Aegon deu quando lhe perguntaram o motivo dessas viagens:

— É melhor postergar uma rebelião do que reprimi-la.

Um rápido vislumbre do rei no auge de seu poder, montado em Balerion, o Terror Negro, e cercado por centenas de cavaleiros cintilantes vestidos com seda e aço, contribuía muito para inspirar lealdade em senhores irrequietos. O povo também precisava ver seus reis e rainhas de tempos e tempos, acrescentou o rei, e saber que pode ter a chance de lhes apresentar suas queixas e preocupações.

E isso o povo fez. Grande parte de cada turnê real era dedicada a banquetes e bailes e caçadas e falcoaria, à medida que cada senhor tentava superar os demais em esplendor e hospitalidade, mas Aegon também fazia questão de conceder audiências aonde quer que viajasse, fosse no estrado do castelo de algum grande senhor ou em cima de uma pedra coberta de limo no campo de um fazendeiro. Seis meistres o acompanhavam em suas viagens, para responder a qualquer pergunta que ele pudesse ter a respeito de leis e costumes ou da história do local, e para registrar quaisquer decretos ou decisões que Sua Graça declarasse.

— Um soberano precisa conhecer a terra que ele governa — disse o Conquistador mais tarde a seu filho Aenys. E em suas viagens Aegon aprendeu muito sobre os Sete Reinos e seu povo.

Cada um dos reinos conquistados tinha as próprias leis e tradições. O rei Aegon interferiu pouco nelas. Ele permitiu que seus senhores continuassem a governar praticamente como sempre haviam governado, com os mesmos poderes, as mesmas prerrogativas. As leis de herança e sucessão não sofreram alterações, as estruturas feudais existentes foram ratificadas, senhores grandes e pequenos preservaram o poder de justiça em seus territórios e o privilégio da primeira noite onde quer que esse costume prevalecesse no passado.

O principal interesse de Aegon era a paz. Antes da Conquista, as guerras entre os reinos de Westeros eram comuns. Mal se passava um ano sem que houvesse um em conflito com outro. Mesmo nos reinos supostamente em paz, senhores vizinhos muitas vezes resolviam suas diferenças na espada. A ascensão de Aegon deu fim a boa parte disso. Senhores menores e cavaleiros com terras agora deviam levar suas disputas a seus suseranos e acatar as decisões. Conflitos entre as grandes casas do reino eram julgadas pela Coroa.

— A primeira lei do país será a Paz do Rei — decretou o rei Aegon. — E qualquer senhor que mover guerra sem minha permissão será considerado um rebelde e inimigo do Trono de Ferro.

O rei Aegon também anunciou decretos para regularizar costumes, deveres e impostos em todo o reino, enquanto, no passado, cada porto e cada senhor menor tinha a liberdade de extrair o máximo possível de arrendatários, plebeus e mercadores. Ele também proclamou que os santos homens e mulheres da Fé, e todas as terras e propriedades deles, seriam isentos de impostos, e ratificou o direito dos tribunais da Fé de julgar e sentenciar qualquer septão, irmão juramentado ou irmã santa acusada de ilicitudes. Ainda que ele mesmo não fosse um homem devoto, o primeiro rei Targaryen sempre tratara de nutrir o apoio da Fé e do alto septão de Vilavelha.

Porto Real cresceu em torno de Aegon e sua corte, expandindo-se sobre as três grandes colinas e seus arredores junto à foz da Torrente da Água Negra. A maior dessas colinas se tornara conhecida como Colina de Aegon, e não demorou até que as menores fossem chamadas de Colina de Visenya e Colina de Rhaenys, e seus nomes antigos caíram no esquecimento. O tosco forte de mota que Aegon havia erigido tão rápido não tinha espaço nem pompa suficientes para abrigar o rei e sua corte e começara a se ampliar antes mesmo do fim da Conquista. Do lado de fora da paliçada, foram construídas uma nova fortaleza, de quinze metros de altura e toda de madeira, com uma galeria cavernosa no interior, e uma cozinha com paredes de pedra e telhado de ardósia para caso de incêndio. Apareceram estábulos e um celeiro. Erigiu-se uma nova torre de vigia, duas vezes maior que a mais antiga. Em pouco tempo, o Aegonforte já ameaçava extrapolar suas muralhas, então se ergueu uma nova paliçada, envolvendo

uma área maior da colina e criando espaço suficiente para um alojamento, um arsenal, um septo e uma torre baixa.

Sob as colinas, cais e armazéns eram instalados ao longo das margens do rio, e embarcações mercantes de Vilavelha e das Cidades Livres já apareciam amarradas ao lado dos dracares dos Velaryon e dos Celtigar, onde no passado só se viam alguns barcos de pesca. Grande parte do comércio que passava por Lagoa da Donzela e Valdocaso agora vinha a Porto Real. Um mercado de peixe emergiu junto ao rio, e um de tecido entre as colinas. Apareceu uma aduana. Um septo modesto surgiu na Água Negra, no casco de uma coca velha, substituído por outro mais robusto, de pau a pique, na margem. Depois, foi construído um segundo septo, duas vezes maior e três vezes mais grandioso, no topo da Colina de Visenya, financiado pelo alto septão. Lojas e casas se disseminaram como cogumelos após uma chuva. Homens abastados erguiam solares murados nas encostas, enquanto os pobres se aglomeravam em choças esquálidas de palha e barro nos espaços mais baixos intermediários.

Ninguém planejou Porto Real. Ela simplesmente cresceu... mas cresceu rápido. Na primeira coroação de Aegon, o lugar ainda era um vilarejo aninhado sob um castelo de mota. Na segunda, já era uma pequena e próspera cidade com milhares de almas. Em 10 DC, era uma verdadeira metrópole, quase tão grande quanto Vila Gaivota ou Porto Branco. Em 25 DC, ela superara ambas e se tornara a terceira cidade mais populosa do reino, perdendo apenas para Lannisporto e Vilavelha.

No entanto, ao contrário de suas rivais, Porto Real não tinha muralhas. Não era preciso, segundo gostavam de dizer alguns de seus residentes; nenhum inimigo jamais se atreveria a atacar a cidade enquanto ela fosse defendida pelos Targaryen e seus dragões. O próprio rei talvez tenha partilhado dessa opinião inicialmente, mas a morte de sua irmã Rhaenys e do dragão Meraxes em 10 DC e os atentados cometidos contra ele próprio certamente o fizeram reconsiderar...

E, no ano 19 Depois da Conquista, chegaram a Westeros notícias de uma ousada incursão nas Ilhas do Verão, onde uma frota pirata saqueara Vila das Árvores Altas, roubando uma fortuna e levando embora mil mulheres e crianças para serem vendidas como escravas. Os relatos causaram grande preocupação ao rei, que percebeu que Porto Real também estaria vulnerável a qualquer inimigo astuto o bastante para avançar sobre a cidade enquanto ele e Visenya estivessem ausentes. Em vista disso, Sua Graça deu ordem para que fosse construído um complexo de muralhas em torno de Porto Real, tão altas e fortes quanto as que protegiam Vilavelha e Lannisporto. Sua construção foi encarregada ao grande meistre Gawen e a sor Osmund Strong, a Mão do Rei. Para honrar os Sete, Aegon decretou que a cidade teria sete portões, cada um defendido por uma imensa guarita e por torres. As obras começaram no ano seguinte e se estenderam até 26 DC.

Sor Osmund era o quarto a assumir o posto de Mão do Rei. O primeiro tinha sido lorde Orys Baratheon, o meio-irmão bastardo do rei e companheiro de juventude, mas lorde Orys havia sido capturado durante a Guerra Dornesa e sofrera a perda da mão da espada. Quando o resgate foi pago e o senhor voltou, ele pediu que o rei o dispensasse.

— A Mão do Rei precisa ter mão — disse ele. — Não quero que os homens falem do Toco do Rei.

Aegon então convocou Edmyn Tully, Senhor de Correrrio, para assumir como Mão. Lorde Edmyn serviu entre 7 e 9 DC, mas, quando sua esposa morreu no parto, ele decidiu que seus filhos precisavam mais dele do que o reino e solicitou permissão para voltar às terras fluviais. Alton Celtigar, Senhor de Ilha da Garra, assumiu no lugar de Tully, servindo com competência como Mão até morrer de causas naturais em 17 DC, quando então o rei nomeou sor Osmund Strong.

O grande meistre Gawen era o terceiro a assumir o posto. Aegon Targaryen sempre mantivera um meistre em Pedra do Dragão, tal como haviam feito seu pai e, antes dele, o pai de seu pai. Todos os grandes senhores de Westeros, e muitos dos menores e dos cavaleiros com terras, empregavam meistres treinados na Cidadela de Vilavelha para servir como curandeiros, escribas e conselheiros, para criar e treinar os corvos que levavam suas mensagens (e escrever e ler essas mensagens aos senhores que não possuíam tal habilidade), ajudar seus intendentes com as contas da residência e lecionar aos seus filhos. Durante as Guerras da Conquista, Aegon e suas irmãs mantinham um meistre a serviço de cada um, e, depois, o rei às vezes empregava até meia dúzia para lidar com todas as questões que lhe eram apresentadas.

Mas os homens mais sábios e eruditos dos Sete Reinos eram os arquimeistres da Cidadela, cada um deles considerado a autoridade suprema em uma das grandes disciplinas. Em 5 DC, o rei Aegon, avaliando que o reino poderia se beneficiar de tamanha sapiência, solicitou que o Conclave lhe enviasse um desses para atuar como conselheiro e assessor em todas as questões relativas ao governo do reino. E assim foi criado o posto de grande meistre, a pedido do rei Aegon.

O primeiro homem a servir nessa função foi o arquimeistre Ollidar, guardião das histórias, cujos anel, bastão e máscara eram de bronze. Embora dotado de excepcional erudição, Ollidar também era excepcionalmente velho e deixou este mundo menos de um ano após assumir o mantelete de grande meistre. Para seu lugar, o Conclave escolheu o arquimeistre Lyonce, cujos anel, bastão e máscara eram de ouro amarelo. Ele se mostrou mais robusto que seu antecessor, servindo ao reino até 12 DC, quando escorregou na lama, fraturou a bacia e morreu pouco tempo depois, quando então o grande meistre Gawen foi promovido.

A instituição do pequeno conselho do rei só se desenvolveu plenamente no reinado do rei Jaehaerys, o Conciliador, mas isso não significa que Aegon I tenha governado sem o benefício de conselheiros. Sabe-se que ele se consultava frequentemente com seus diversos grandes meistres, e também com seus meistres pessoais. Em assuntos relativos a impostos, dívidas e receitas, ele buscava o conselho de seus mestres da moeda. Embora mantivesse um septão em Porto Real e outro em Pedra do Dragão, era mais comum que o rei escrevesse ao alto septão de Vilavelha para tratar de questões religiosas e sempre tratava de visitar o Septo Estrelado durante sua turnê anual. Mais do que com todos esses, o rei Aegon contava com a Mão do Rei e, claro, com suas irmãs, as rainhas Rhaenys e Visenya.

A rainha Rhaenys era uma grande patrona dos bardos e cantores dos Sete Reinos, cobrindo de ouro e presentes a todos que a agradavam. Embora a rainha Visenya considerasse a irmã frívola, havia nisso sabedoria que ia além de um simples amor pela música. Pois os cantores do reino, ansiosos para conquistar as graças da rainha, compunham muitas melodias para louvar a Casa Targaryen e o rei Aegon, e eles cantavam essas melodias em toda fortaleza, todo castelo e vilarejo entre a Marca de Dorne e a Muralha. E, assim, a Conquista se tornou gloriosa para o povo simples, enquanto Aegon, o Dragão, foi transformado em um rei heroico.

A rainha Rhaenys também nutria grande interesse pelo povo comum, e um amor especial por mulheres e crianças. Uma vez, quando ela estava recebendo a corte no Aegonforte, trouxeram-lhe um homem que havia espancado a própria esposa até a morte. Os irmãos da vítima queriam que ele fosse castigado, mas o marido defendeu que suas ações foram legítimas, pois ele encontrara a esposa na cama com outro homem. O direito de um marido de castigar uma esposa infiel era bem estabelecido em todos os Sete Reinos (exceto Dorne). O homem acrescentou, ainda, que o bastão que ele usara para espancar a mulher não era mais grosso que seu próprio polegar, e até apresentou o objeto como prova. No entanto, quando a rainha lhe perguntou quantos golpes ele dera, o marido não soube responder, mas os irmãos da mulher morta insistiram que haviam sido cem golpes.

A rainha Rhaenys se consultou com seus meistres e septões e, por fim, declarou sua decisão. O adultério de uma esposa era uma ofensa contra os Sete, que haviam criado as mulheres para serem fiéis e obedientes a seus maridos, e, portanto, ela devia ser punida. Contudo, como deus tem apenas sete faces, o castigo deveria consistir em somente seis golpes (pois o sétimo seria para o Estranho, e o Estranho é a face da morte). Assim, os primeiros seis golpes que o homem dera haviam sido legítimos... mas os demais noventa e quatro foram uma ofensa contra deuses e homens e precisavam ser punidos na mesma medida. A partir daquele dia, a "regra de seis" se tornou parte da lei. (O marido foi levado até a base da Colina de Rhaenys, onde os irmãos da mulher morta lhe desferiram noventa e quatro golpes com bastões de tamanho determinado pela lei.)

A rainha Visenya não partilhava do amor que sua irmã tinha por música e canto. No entanto, também não era desprovida de humor, e por muitos anos manteve seu próprio bobo, um corcunda hirsuto chamado lorde Cara de Macaco, cujas estripulias muito a divertiam. Quando ele morreu engasgado com um caroço de pêssego, a rainha adquiriu um símio e o vestiu com as roupas de lorde Cara de Macaco.

— O novo é mais esperto — dizia ela.

Contudo, havia um caráter sombrio em Visenya Targaryen. Para a maior parte do mundo, ela apresentava o rosto sério de uma guerreira, rigorosa e inclemente. Seus admiradores diziam que até mesmo sua beleza era afiada. A mais velha das três cabeças do dragão, Visenya viria a viver mais que os irmãos, e corriam boatos de que, em seus últimos anos, quando já não conseguia mais brandir uma espada, ela se dedicou às artes obscuras, misturando venenos e invocando feitiços malignos. Há até quem sugira que ela possa ter sido fratricida e regicida, embora jamais tenha sido apresentada qualquer prova para embasar tais calúnias.

Se fosse verdade, seria uma ironia cruel, pois, na juventude, ninguém se empenhou mais que ela para proteger o rei. Em duas ocasiões, Visenya brandiu Irmã Sombria em defesa de Aegon quando ele foi atacado por assassinos dorneses. Alternando-se entre desconfiança e ferocidade, ela não confiava em ninguém além do irmão. Durante a Guerra Dornesa, ela usava uma cota de malha noite e dia, inclusive sob seus trajes de gala, e instou o rei a fazer o mesmo. Como Aegon se recusou, Visenya ficou furiosa.

— Até mesmo com Fogonegro na mão, você é apenas um homem — disse ela. — E eu não posso estar sempre por perto.

Quando o rei destacou que estava cercado de guardas, Visenya sacou Irmã Sombria e fez um corte na bochecha dele, tão rápido que os guardas não tiveram tempo de reagir.

— Seus guardas são lentos e preguiçosos — avisou ela. — Eu poderia ter matado você com a mesma facilidade com que o cortei. Você precisa de mais proteção.

O rei Aegon, sangrando, foi obrigado a concordar.

Muitos reis tinham campeões para defendê-los. Aegon era o senhor dos Sete Reinos; portanto, a rainha Visenya decidiu que ele devia ter sete campeões. E assim se constituiu a Guarda Real; uma irmandade de sete cavaleiros, os melhores do reino, trajados com manto e armadura do branco mais puro, cujo único propósito era defender o rei, abrindo mão da própria vida se necessário. Para compor seus votos, Visenya se inspirou nos da Patrulha da Noite; tal como os corvos de mantos negros da Muralha, os Espadas Brancas serviam por toda a vida, abrindo mão de terras, títulos e bens materiais para levar uma vida de castidade e obediência, cuja única recompensa era a honra.

Foram tantos os cavaleiros que se ofereceram como candidatos para a Guarda Real que o rei Aegon considerou realizar um grande torneio para determinar quais eram os mais dignos. No entanto, Visenya não quis saber. Um cavaleiro da Guarda Real, disse ela, precisava de mais do que mera habilidade marcial. Ela não queria correr o risco de cercar o rei com homens de lealdade duvidosa, por melhor que fosse o desempenho deles em um combate corpo a corpo. Escolheria os cavaleiros pessoalmente.

Ela selecionou campeões jovens e velhos, altos e baixos, morenos e louros. Eles vieram de todos os cantos do reino. Alguns eram filhos caçulas, outros, herdeiros de casas ancestrais que abriram mão da herança para servir ao rei. Um era um cavaleiro andante, outro, um bastardo. Todos eram ágeis, fortes, observadores, habilidosos com espada e escudo, e dedicados ao rei.

Estes são os nomes dos Sete de Aegon, tal como foram escritos no Livro Branco da Guarda Real: sor Richard Roote; sor Addison Hill, Bastardo de Campodemilho; sor Gregor Goode; sor Griffith Goode, seu irmão; sor Humfrey, o Saltimbanco; sor Robin Darklyn, conhecido como Tordoscuro; e sor Corlys Velaryon, senhor comandante. A história confirmou que Visenya escolhera bem. Dois dos sete originais morreriam para proteger o rei, e todos serviriam bravamente até o fim da vida. Muitos homens valentes seguiram seus passos desde então, registrando seus nomes no Livro Branco e, portanto, vestindo o manto branco. A Guarda Real é até hoje sinônimo de honra.

Dezesseis Targaryen sucederam Aegon, o Dragão, no Trono de Ferro, até que a dinastia enfim foi derrubada com a Rebelião de Robert. Houve entre eles homens sábios e tolos, cruéis e piedosos, bondosos e malignos. Contudo, se os reis dragões forem classificados exclusivamente com base em seu legado, nas leis e instituições e melhorias que deixaram, o nome do rei Aegon I ocupa quase o topo da lista, na paz bem como na guerra.

# Os filhos do dragão

O rei Aegon I Targaryen desposou suas duas irmãs. Rhaenys e Visenya eram senhoras dos dragões, com cabelos loiro-prateados, olhos violeta e a beleza de verdadeiras Targaryen. À parte isso, as duas rainhas eram tão diferentes entre si quanto duas mulheres podiam ser... exceto em mais um aspecto. Cada uma delas deu ao rei um filho.

Aenys veio primeiro. Nascido em 7 DC da esposa mais jovem de Aegon, Rhaenys, o menino foi um bebê pequeno e enfermiço. Ele chorava o tempo todo, e dizia-se que tinha membros macilentos, olhos pequenos e lacrimosos, e que os meistres do rei temiam por sua sobrevivência. Ele rejeitava os mamilos de sua ama de leite e só aceitava os peitos da mãe, e correram boatos de que ele berrou por uma quinzena quando foi desmamado. Tão diferente do rei Aegon ele era que houve até quem se atrevesse a sugerir que Sua Graça não era o verdadeiro pai do menino, que Aenys era bastardo de um dos muitos belos preferidos da rainha Rhaenys, filho de algum cantor ou saltimbanco ou pantomimeiro. E o príncipe também demorou para crescer. Foi apenas quando recebeu a jovem dragão-fêmea Mercúrio, uma filhote nascida naquele ano em Pedra do Dragão, que Aenys Targaryen começou a se desenvolver.

O príncipe Aenys tinha três anos quando sua mãe e o dragão Meraxes foram mortos em Dorne. O menino ficou inconsolável com a morte dela. Ele parou de comer e até voltou a engatinhar tal como quando tinha um ano, como se não soubesse mais andar. Seu pai se angustiava com ele, e a corte fervilhou com boatos de que o rei Aegon talvez se casasse de novo, visto que Rhaenys estava morta e Visenya não tinha filhos e talvez fosse estéril. O rei não tratou com ninguém desses assuntos, então ninguém pode dizer o que ele teria pensado, mas muitos grandes senhores e nobres cavaleiros apareceram na corte com suas filhas donzelas, cada uma mais adorável que a outra.

Todas essas especulações cessaram em 11 DC, quando a rainha Visenya anunciou de repente que estava esperando o filho do rei. Um menino, proclamou ela confiante, e de fato foi. O príncipe veio ao mundo chorando em 12 DC. Era consenso entre meistres e parteiras que jamais houvera recém-nascido mais robusto que Maegor Targaryen; seu peso ao nascer era quase o dobro do peso do irmão mais velho.

Os meios-irmãos nunca foram próximos. O príncipe Aenys era o primeiro na linha de sucessão, e o rei Aegon o mantinha sempre por perto. Conforme o rei se deslocava de castelo em castelo pelo reino, também ia o príncipe. O príncipe Maegor permanecia com a mãe, sentando-se ao seu lado quando ela oferecia audiências. A rainha Visenya e o rei Aegon passaram muito tempo separados nesses anos. Quando não estava em uma de suas turnês reais, Aegon voltava para Porto Real e o Aegonforte, enquanto Visenya e o filho continuavam em Pedra do Dragão. Por esse motivo, nobres e plebeus começaram a se referir a Maegor como o Príncipe de Pedra do Dragão.

A rainha Visenya pôs uma espada na mão do filho quando ele tinha três anos. Dizem que a primeira coisa que ele teria feito com a arma foi matar um dos gatos do castelo... embora provavelmente isso tenha sido uma calúnia inventada por seus inimigos muitos anos mais tarde. No entanto, é inegável o fato de que o príncipe logo se dedicou à esgrima. O primeiro mestre de armas que sua mãe escolheu foi sor Gawen Corbray, o cavaleiro mais letal de todos os Sete Reinos.

O príncipe Aenys passava tanto tempo em companhia do pai que sua instrução nas artes da cavalaria foi fornecida sobretudo pelos cavaleiros da Guarda Real de Aegon, e às vezes pelo próprio rei. Seus instrutores concordavam que o menino era diligente, e não lhe faltava coragem, mas ele não possuía o tamanho nem a força do pai, e sua habilidade para a luta nunca se mostrava mais do que adequada, até mesmo quando o rei punha Fogonegro em suas mãos. Aenys não passaria vergonha em batalha, diziam seus tutores entre si, mas jamais se cantariam canções sobre sua destreza.

Os talentos desse príncipe eram outros. Aenys, por acaso, era um excelente cantor, com uma voz doce e forte. Era cortês e encantador, inteligente sem parecer intelectual. Fazia amigos com facilidade, e aparentemente as meninas o adoravam, fossem elas de berço nobre ou não. Aenys também adorava cavalgar. Seu pai lhe deu corcéis, palafréns e bucéfalos, mas sua montaria preferida era sua dragão, Mercúrio.

O príncipe Maegor também montava, mas não demonstrava nenhum grande amor por cavalos, cães ou qualquer animal. Quando tinha oito anos, um palafrém lhe deu um coice no estábulo. Maegor esfaqueou o cavalo... e rasgou metade do rosto do cavalariço que fora correndo ao ouvir os gritos do animal. O Príncipe de Pedra do Dragão teve muitos companheiros ao longo dos anos, mas nenhum amigo verdadeiro. Era um menino agressivo, que se ofendia fácil e perdoava pouco, temível em sua ira. Porém, seu domínio das armas era incomparável. Escudeiro aos oito anos, aos doze já conseguia derrubar rapazes quatro ou cinco anos mais velhos nas justas e derrotar experientes homens de armas no pátio do castelo. No décimo terceiro dia do seu nome, em 25 DC, sua mãe, a rainha Visenya, concedeu-lhe a própria espada de aço valiriano, Irmã Sombria... meio ano antes do casamento dele.

A tradição dos Targaryen sempre havia sido de casar parente com parente. Considerava-se que o ideal era casar irmão e irmã. Caso não fosse possível, uma menina poderia se casar com um tio, primo ou sobrinho, e um menino, com uma prima, tia ou sobrinha. Essa prática remontava à Antiga Valíria, onde era comum em muitas das famílias ancestrais, especialmente as que criavam e montavam dragões. *O sangue do dragão deve permanecer puro*, dizia o adágio. Alguns dos príncipes feiticeiros também se casavam com mais de uma mulher quando desejavam, embora isso fosse menos comum do que casamentos incestuosos. Homens sábios escreveram que em Valíria, antes da Destruição, mil deuses eram honrados, mas nenhum temido, então poucos se atreviam a se opor a esses costumes.

Isso não ocorria em Westeros, onde o poder da Fé era inconteste. Os antigos deuses ainda eram adorados no Norte, mas no restante do continente existia um único deus de sete faces, e sua voz na terra era o alto septão de Vilavelha. E as doutrinas da Fé, transmitidas ao longo dos séculos desde a própria Ândalos, condenavam os costumes matrimoniais valirianos que os Targaryen praticavam. O incesto era renegado como um terrível pecado, fosse entre pai e filha, mãe e filho, ou irmão e irmã, e os frutos dessas uniões eram considerados abominações aos olhos dos deuses e dos homens. Em retrospecto, pode-se ver que o conflito entre a Fé e a Casa Targaryen era inevitável. De fato, muitos entre os Mais Devotos esperavam que o alto septão se pronunciasse contra Aegon e suas irmãs durante a Conquista e ficaram profundamente contrariados quando o Pai dos Fiéis decidiu aconselhar lorde Hightower a não se opor ao Dragão, e inclusive o abençoou e ungiu em sua segunda coroação.

A familiaridade é mãe da aceitação, dizia-se. O alto septão que coroara Aegon, o Conquistador, permaneceu como Pai dos Fiéis até a morte, em 11 DC, quando então o reino já havia se acostumado à noção de um rei com duas rainhas, que eram tanto esposas quanto irmãs. O rei Aegon sempre tratou de honrar a Fé, ratificando seus direitos e privilégios tradicionais, isentando de impostos suas riquezas e propriedades, e afirmando que septões, septãs e outros servos dos Sete que fossem acusados de ilicitudes só poderiam ser julgados pelos tribunais da própria Fé.

O entendimento entre a Fé e o Trono de Ferro permaneceu durante todo o reinado de Aegon I. Entre 11 DC e 37 DC, seis alto septões usaram a coroa de cristal; Sua Graça manteve boas relações com todos eles, visitando o Septo Estrelado a cada ida a Vilavelha. No entanto, a questão do matrimônio incestuoso permanecia, fervilhando feito veneno sob as cortesias. Embora os alto septões do reinado de Aegon jamais tenham se pronunciado contra o casamento do rei com as irmãs, tampouco eles declararam sua legitimidade. Os membros mais humildes da Fé — septões locais, irmãs santas, irmãos mendicantes, Pobres Irmãos — ainda acreditavam que era pecado um irmão se deitar com uma irmã, ou um homem ter duas esposas.

No entanto, Aegon, o Conquistador não havia gerado nenhuma filha, então essas questões não vieram à tona imediatamente. Os filhos do Dragão não tinham irmãs para desposar, então cada um deles foi obrigado a buscar uma noiva em outro lugar.

O príncipe Aenys foi o primeiro a se casar. Em 22 DC, ele desposou a senhora Alyssa, filha donzela do Senhor das Marés, Aethan Velaryon, senhor almirante do rei e mestre dos navios. Ela tinha quinze anos, a mesma idade do príncipe, e era dotada dos mesmos cabelos prateados e olhos violeta, pois os Velaryon eram uma família antiga descendente de Valíria. A mãe do próprio rei Aegon fora uma Velaryon, então se considerou que foi um casamento entre primo e prima.

E logo ele se mostrou feliz e frutífero. No ano seguinte, Alyssa deu à luz uma filha. O príncipe Aenys a chamou Rhaena, em homenagem à sua mãe. Como o pai, a menina nasceu pequena, mas, ao contrário dele, revelou-se uma criança feliz e saudável, com vívidos olhos lilás e cabelos que reluziam como prata escovada. Foi escrito que o próprio rei Aegon chorou quando sua neta foi posta pela primeira vez em seus braços, e que desde então ele a mimara... talvez em parte porque ela lembrava sua rainha perdida, Rhaenys, cuja memória seu nome celebrava.

Quando as boas-novas do nascimento de Rhaena se espalharam pelo território, o reino comemorou... exceto, talvez, a rainha Visenya. Todos sabiam que o príncipe Aenys era o indubitável herdeiro do Trono de Ferro, mas então se pôs em questão se o príncipe Maegor continuava sendo o segundo na linha sucessória, ou se ele deveria ser preterido em favor da princesa recém-nascida. A rainha Visenya se propôs a resolver o problema prometendo a bebê Rhaena a Maegor, que acabara de fazer onze anos. Contudo, Aenys e Alyssa se opuseram à união. E, quando a notícia chegou ao Septo Estrelado, o alto septão enviou um corvo para alertar ao rei que esse casamento não seria encarado com olhos favoráveis pela Fé. Sua Alta Santidade propôs outra noiva para Maegor: sua própria sobrinha, Ceryse Hightower, filha donzela do Senhor de Vilavelha, Manfred Hightower (que não se deve confundir com seu avô de mesmo nome). O rei Aegon, ciente das vantagens que havia em um vínculo mais forte com Vilavelha e sua principal casa, percebeu a sabedoria da escolha e concordou.

E foi assim que, em 25 DC, Maegor Targaryen, Príncipe de Pedra do Dragão, desposou a senhorita Ceryse Hightower no Septo Estrelado de Vilavelha, em cerimônia celebrada pelo alto septão em pessoa. Maegor tinha treze anos, e sua noiva era dez anos mais velha... mas foi consenso entre os senhores que testemunharam a noite de núpcias que o príncipe era um marido ávido, e o próprio Maegor alardeou que ele havia consumado o casamento uma dúzia de vezes naquela noite.

— Fiz um filho para a Casa Targaryen ontem à noite — proclamou ele ao desjejum.

O filho chegou no ano seguinte... mas o menino, chamado Aegon em homenagem ao avô, nasceu da senhora Alyssa e do príncipe Aenys. Mais uma vez, os Sete Reinos se rejubilaram. O pequeno príncipe era robusto e forte e tinha "um ar de guerreiro", declarou seu avô, o próprio Aegon, o Dragão. Enquanto muitos ainda debatiam se a precedência na linha sucessória cabia ao príncipe Maegor ou à sua sobrinha Rhaena, parecia inquestionável que Aegon sucederia ao pai Aenys tal como Aenys sucederia a Aegon.

Nos anos seguintes, mais crianças chegaram à Casa Targaryen... para a felicidade do rei Aegon, ainda que não necessariamente da rainha Visenya. Em 29 DC, o príncipe Aegon ganhou um irmão quando Alyssa deu ao príncipe Aenys um segundo filho, Viserys. Em 34 DC, ela deu à luz Jaehaerys, seu quarto filho e terceiro menino. Em 36 DC veio mais uma filha, Alysanne.

A princesa Rhaena tinha treze anos quando sua irmã caçula nasceu, mas o grande meistre Clegg observou que "a menina amava tanto a bebê que seria de pensar que ela mesma fosse a mãe". A filha mais velha de Aenys e Alyssa era uma criança tímida e sonhadora, que parecia mais à vontade com animais do que com outras crianças. Quando pequena, muitas vezes ela se escondia atrás das saias da mãe ou se agarrava à perna do pai quando em presença de estranhos... mas adorava alimentar os gatos do castelo e sempre tinha um ou dois filhotes de cachorro na cama. Embora sua mãe lhe proporcionasse uma série de companheiras adequadas, filhas de senhores grandes e pequenos, Rhaena parecia nunca se afeiçoar a nenhuma, preferindo a companhia de um livro.

No entanto, aos nove anos, Rhaena foi presenteada com um filhote do fosso de Pedra do Dragão, e a amizade entre ela e a jovem dragão-fêmea que batizara de Dreamfyre foi instantânea. Com a dragão a seu lado, a princesa aos poucos começou a se libertar da timidez; aos doze anos, ela se lançou aos céus pela primeira vez, e desde então, embora continuasse uma menina calada, ninguém se atrevia a chamá-la de retraída. Pouco depois, Rhaena fez sua primeira amizade genuína com alguém, sua prima Larissa Velaryon. Por algum tempo, as duas foram inseparáveis... até que Larissa recebeu o chamado repentino para voltar a Derivamarca, a fim de se casar com o segundo filho da Estrela da Tarde de Tarth. Entretanto, os jovens são resilientes acima de tudo, e logo a princesa encontrou uma nova companheira em Samantha Stokeworth, a filha da Mão.

Reza a lenda que foi a princesa Rhaena quem pôs um ovo de dragão no berço da princesa Alysanne, tal qual fizera com o príncipe Jaehaerys dois anos antes. Se essas histórias forem verdade, foi desses ovos que vieram os dragões Asaprata e Vermithor, cujos nomes entrariam com tamanho peso para os anais de anos futuros.

O amor da princesa Rhaena pelos irmãos e a alegria do reino por todo novo herdeiro Targaryen não eram partilhados pelo príncipe Maegor ou sua mãe, a rainha Visenya, pois cada novo filho gerado por Aenys afastava ainda mais Maegor na linha sucessória, e havia ainda quem afirmasse que ele estava atrás das filhas de Aenys também. E o próprio Maegor continuava sem filhos, pois a senhora Ceryse não engravidou nos anos após seu casamento.

Contudo, em torneios e nos campos de batalha, as proezas do príncipe Maegor em muito superavam as do irmão. No grande torneio de Correrrio em 28 DC, Maegor derrubou três cavaleiros da Guarda Real em justas consecutivas antes de ser derrotado pelo que viria a ser o campeão. No combate corpo a corpo, nenhum homem era páreo para ele. Depois, ele foi armado cavaleiro em campo pelo pai, que usou nada menos que a espada Fogonegro para o ato. Aos dezesseis, Maegor se tornou o cavaleiro mais jovem dos Sete Reinos.

Houve outros feitos. Em 29 DC, Maegor acompanhou Osmund Strong e Aethan Velaryon aos Degraus para capturar o rei-pirata lyseno Sargoso Saan e lutou em vários confrontos sangrentos, revelando-se ao mesmo tempo destemido e mortífero. Em 31 DC, ele rastreou e matou nas terras fluviais um notório cavaleiro ladrão conhecido como Gigante do Tridente.

Maegor, no entanto, ainda não voava com dragões. Embora nos últimos anos do reinado de Aegon uma dúzia de filhotes tenha nascido entre as chamas de Pedra do Dragão e sido oferecida ao príncipe, ele recusou todos. Quando sua jovem sobrinha Rhaena, com apenas doze anos, lançou-se ao céu montada em Dreamfyre, o fracasso de Maegor virou assunto em Porto Real. Certa vez na corte, a senhora Alyssa o provocou a respeito disso, indagando em voz alta se "meu cunhado tem medo de dragões". A expressão no rosto do príncipe Maegor se obscureceu de fúria pelo deboche, e ele respondeu friamente que só um dragão era digno dele.

Os últimos sete anos do reinado de Aegon, o Conquistador, foram pacíficos. Após as frustrações de sua Guerra Dornesa, o rei aceitou a independência que Dorne preservava e, no aniversário de dez anos dos acordos de paz, voou até Lançassolar com Balerion para celebrar um "banquete de amizade" com Deria Martell, a princesa governante de Dorne. O príncipe Aenys o acompanhou com Mercúrio; Maegor permaneceu em Pedra do Dragão. Aegon unira os sete reinos com fogo e sangue, mas, após celebrar o sexagésimo dia do seu nome em 33 DC, ele se restringiu aos limites de seus castelos. Metade de cada ano ainda era dedicada a uma turnê real, mas agora eram o príncipe Aenys e sua esposa, a senhora Alyssa, que viajavam de castelo em castelo, enquanto o idoso rei continuava em casa, dividindo seus dias entre Pedra do Dragão e Porto Real.

O vilarejo de pescadores onde Aegon havia desembarcado crescera e se tornara uma vasta e fétida cidade de cem mil almas; apenas Vilavelha e Lannisporto eram maiores. No entanto, em muitos sentidos, Porto Real ainda era pouco mais que um acampamento de exército que se inflara até um tamanho grotesco: suja, fedorenta, não planejada, não permanente. E o Aegonforte, que àquela altura já ocupava metade da Colina de Aegon, era o castelo mais feio dos Sete Reinos, uma grande confusão de madeira e barro e tijolo que havia muito crescera para além das antigas paliçadas que no passado foram suas únicas paredes.

Certamente não era uma residência digna de um grande rei. Em 35 DC, Aegon se mudou, junto com toda a corte, de volta para Pedra do Dragão e deu ordens para que o Aegonforte fosse demolido e que um novo castelo fosse erigido em seu lugar. Dessa vez, ele decretou que construiria com pedra. Para dirigir o projeto e a construção do novo castelo, foram nomeados lorde Alyn Stokeworth, Mão do Rei (sor Osmund Strong havia morrido no ano anterior), e a rainha Visenya. (Circulou na corte um deboche de que o rei Aegon teria encarregado Visenya da construção da Fortaleza Vermelha para que não precisasse tolerar sua presença em Pedra do Dragão.)

Aegon, o Conquistador, morreu de derrame em Pedra do Dragão no ano 37 Depois da Conquista. Os netos Aegon e Viserys estavam com ele no momento de sua morte, na

Sala da Mesa Pintada; o rei estava mostrando aos dois os detalhes de suas conquistas. O príncipe Maegor, na época residente em Pedra do Dragão, fez o discurso fúnebre enquanto o corpo do pai era depositado sobre uma pira funerária no pátio do castelo. O rei estava vestido com armadura de batalha, e suas mãos, cobertas com sua cota de malha, cruzavam-se sobre o punho de Fogonegro. Desde os dias da antiga Valíria, sempre fora costume da Casa Targaryen queimar seus mortos, em vez de sepultar seus restos na terra. Vhagar contribuiu com as chamas para acender a pira. Fogonegro queimou junto com o rei, mas Maegor a recuperou depois, com a lâmina mais escura, porém ainda intacta. Nenhuma chama comum é capaz de danificar aço valiriano.

O Dragão deixou a irmã Visenya, os filhos Aenys e Maegor, e cinco netos. O príncipe Aenys tinha trinta anos quando o pai morreu, e o príncipe Maegor, vinte e cinco.

Aenys estava em sua turnê em Jardim de Cima na ocasião da morte do pai, mas Mercúrio o levou de volta a Pedra do Dragão para o funeral. Depois, ele vestiu a coroa de ferro e rubis do pai, e o grande meistre Gawen o proclamou Aenys da Casa Targaryen, Primeiro de Seu Nome, Rei dos Ândalos, dos Roinares e dos Primeiros Homens, Senhor dos Sete Reinos e Protetor do Território. Os senhores que haviam comparecido em Pedra do Dragão para se despedir do rei se ajoelharam e abaixaram a cabeça. Quando chegou a vez do príncipe Maegor, Aenys o fez se levantar, beijou-lhe o rosto e disse:

— Irmão, você jamais precisará se ajoelhar para mim de novo. Governaremos este reino juntos, você e eu. — Em seguida, o rei presenteou o irmão com a espada de seu pai, Fogonegro, dizendo: — Você é mais digno de portar esta espada do que eu. Use-a a meu serviço, e ficarei satisfeito.

Essa disposição se revelaria extremamente insensata, como acontecimentos posteriores viriam a demonstrar. Como a rainha Visenya já havia presenteado o filho com Irmã Sombria antes, o príncipe Maegor passou a possuir as duas espadas ancestrais de aço valiriano da Casa Targaryen. Contudo, a partir desse dia, ele brandiria apenas Fogonegro, enquanto Irmã Sombria permaneceria pendurada nas paredes de seus aposentos em Pedra do Dragão.

Após a conclusão dos ritos fúnebres, o novo rei e sua comitiva zarparam para Porto Real, onde o Trono de Ferro continuava em pé em meio a montanhas de entulho e lama. O antigo Aegonforte tinha sido demolido, fossos e túneis desfiguravam a colina em que os porões e as fundações da Fortaleza Vermelha estavam sendo cavados, mas o castelo novo ainda não havia começado a se erguer. No entanto, milhares de pessoas compareceram para celebrar o rei Aenys quando ele tomou para si o assento de seu pai.

Depois, Sua Graça partiu para Vilavelha a fim de receber a bênção do alto septão. Embora pudesse ter feito a viagem em poucos dias com Mercúrio, Aenys preferiu ir por terra, acompanhado por trezentos cavaleiros montados e seus séquitos. A rainha Alyssa cavalgou ao seu lado, junto com os três filhos mais velhos. A princesa Rhaena tinha catorze anos, uma bela moça que cativava o coração de todo cavaleiro que a

via; o príncipe Aegon tinha onze, e o príncipe Viserys, oito. (Os irmãos mais novos, Jaehaerys e Alysanne, foram considerados novos demais para uma viagem tão árdua, então permaneceram em Pedra do Dragão.) Após sair de Porto Real, a comitiva do rei seguiu rumo sul para Ponta Tempestade, e então para oeste através da marca dornesa até Vilavelha, fazendo paradas em cada castelo no caminho. Decretou-se que a viagem de volta seria via Jardim de Cima, Lannisporto e Correrrio.

Por toda a estrada, o povo apareceu às centenas e aos milhares para saudar o novo rei e a rainha e celebrar os jovens príncipes e a princesa. No entanto, enquanto Aegon e Viserys se deliciavam com as vivas da multidão e os banquetes e as diversões oferecidas em todos os castelos para entreter o novo monarca e sua família, a princesa Rhaena regrediu para sua antiga timidez. Em Ponta Tempestade, o meistre de Orys Baratheon chegou até a escrever que "a princesa parecia não querer estar ali, nem aprovava nada do que via ou escutava. Ela mal parecia comer, recusava-se a caçar ou falcoar, e, quando lhe insistiram que cantasse — pois diziam que sua voz era linda —, ela rejeitou grosseiramente e voltou a seus aposentos". A princesa detestara a ideia de se afastar de sua dragão, Dreamfyre, e de sua preferida mais recente, Melony Piper, uma donzela ruiva das terras fluviais. Foi só quando sua mãe, a rainha Alyssa, mandou buscar a senhora Melony para acompanhá-los na viagem que Rhaena finalmente abandonou a melancolia e se juntou às comemorações.

No Septo Estrelado, o alto septão ungiu Aenys Targaryen tal qual seu antecessor ungira o pai dele e o presenteou com uma coroa de ouro amarelo com os rostos dos Sete gravados em jade e pérola. Contudo, enquanto Aenys recebia a bênção do Pai dos Fiéis, havia quem pusesse em xeque sua aptidão para ocupar o Trono de Ferro. Westeros precisava de um guerreiro, corriam os murmúrios, e Maegor nitidamente era o mais forte dos dois filhos do Dragão. A principal voz entre os murmúrios era a da rainha viúva Visenya Targaryen.

— A verdade é clara — teria dito ela. — Até Aenys sabe disso. Por que mais ele teria dado Fogonegro ao meu filho? Ele sabe que só Maegor tem força para governar.

A fibra do novo rei seria testada mais cedo do que qualquer um poderia imaginar. As Guerras da Conquista haviam produzido cicatrizes em todo o reino. Filhos já maiores de idade sonhavam em vingar seus pais havia muito mortos. Cavaleiros lembravam os dias em que um homem com espada, cavalo e armadura podia conquistar riquezas e glórias com o fio de sua lâmina. Senhores recordavam a época em que não precisavam da permissão de um rei para taxar seu povo ou matar seus inimigos.

— As correntes que o Dragão forjou ainda podem ser rompidas — diziam entre si os insatisfeitos. — Podemos reconquistar nossa liberdade, mas a hora de atacar é agora, pois este novo rei é fraco.

As primeiras insinuações de revolta ocorreram nas terras fluviais, em meio às colossais ruínas de Harrenhal. Aegon concedera o castelo a sor Quenton Qoherys, seu antigo mestre de armas. Quando lorde Qoherys morreu ao cair do cavalo em 9 DC, o título foi passado a seu neto Gargon, um homem gordo e insensato, com um apetite indecente por meninas jovens, que veio a ser conhecido como Gargon, o Convidado. Lorde Gargon se tornou infame por comparecer a todo casamento celebrado em seus domínios a fim de poder desfrutar de seu direito como suserano à primeira noite. Difícil imaginar convidado menos bem-vindo em qualquer casamento. Ele também tirava proveito de esposas e filhas de seus próprios criados.

O rei Aenys ainda se encontrava em turnê, hospedado com lorde Tully de Correrrio em sua viagem de volta a Porto Real, quando o pai de uma donzela "honrada" por lorde Qoherys abriu uma poterna de Harrenhal para um fora da lei que se intitulava Harren, o Vermelho, e dizia ser neto de Harren, o Negro. Os salteadores tiraram o senhor da cama e o arrastaram até o bosque sagrado do castelo, onde Harren decepou seus órgãos genitais e deu para um cachorro comer. Alguns homens de armas leais foram mortos; o restante aceitou se juntar a Harren, que se declarou Senhor de Harrenhal e Rei dos Rios (como não era nascido no ferro, ele não reivindicou as ilhas).

Quando as notícias chegaram a Correrrio, lorde Tully instou o rei a montar Mercúrio e descer sobre Harrenhal como o pai havia feito. Mas Sua Graça, talvez lembrando da morte de sua mãe em Dorne, decidiu ordenar que Tully convocasse seus vassalos e esperou em Correrrio até a reunião das tropas. Foi somente quando mil homens estavam presentes que Aenys marchou... mas, quando seus homens chegaram a Harrenhal, encontraram apenas cadáveres. Harren, o Vermelho, havia passado os criados de lorde Gargon na espada e levado seu bando para dentro da floresta.

Quando Aenys voltou a Porto Real, as notícias eram ainda piores. No Vale, Jonos, o irmão mais novo do lorde Ronnel Arryn, havia deposto e aprisionado o irmão leal e se declarado rei da Montanha e do Vale. Nas Ilhas de Ferro, outro rei-sacerdote havia saído do mar, anunciando-se como Lodos, o Duplamente Afogado, filho do Deus Afogado, enfim de volta após visitar o pai. E, no alto das Montanhas Vermelhas de Dorne, um usurpador chamado rei Abutre apareceu e clamou que todos os verdadeiros dorneses vingassem os males que os Targaryen haviam infligido a Dorne. Embora a princesa Deria o renegasse, jurando que ela e todos os dorneses leais só queriam a paz, milhares se uniram a ele, descendo das colinas e subindo das areias, percorrendo trilhas de cabras pelas montanhas e adentrando a Campina.

— Esse rei Abutre é um louco, e seus seguidores são uma ralé, sem disciplina nem banho — disse lorde Harmon Dondarrion em carta ao rei. — Conseguimos sentir o cheiro deles se aproximando a cinquenta léguas de distância.

Pouco depois, essa mesma ralé atacou e tomou seu castelo de Portonegro. O rei Abutre decepou pessoalmente o nariz de Dondarrion antes de incendiar Portonegro e seguir em marcha.

O rei Aenys sabia que esses rebeldes precisavam ser reprimidos, mas parecia incapaz de decidir por onde começar. O grande meistre Gawen escreveu que o rei não conseguia entender por que aquilo estava acontecendo. O povo o amava, não? Jonos

Arryn, esse novo Lodos, o rei Abutre... havia ele lhes causado algum mal? Se tinham queixas, por que não as apresentar a ele? "Eu os teria ouvido." Sua Graça falou de enviar mensageiros aos rebeldes, para descobrir os motivos para suas ações. Com medo de que Porto Real não fosse um lugar seguro enquanto Harren, o Vermelho, estivesse vivo e próximo, ele enviou a rainha Alyssa e seus filhos mais novos a Pedra do Dragão. Ordenou que sua Mão, lorde Alyn Stokeworth, levasse uma frota e um exército ao Vale para reprimir Jonos Arryn e restaurar a senhoria de seu irmão, Ronnel. Mas, quando os navios estavam prestes a zarpar, ele cancelou a ordem, com medo de que a saída de Stokeworth deixasse Porto Real sem defesas. Então enviou a Mão com apenas algumas centenas de homens para caçar Harren, o Vermelho, e decidiu que convocaria um grande conselho para discutir a melhor maneira de reprimir os outros rebeldes.

Enquanto o rei vacilava, seus senhores foram a campo. Alguns agiram por conta própria, outros coordenados com a rainha viúva. No Vale, lorde Allard Royce de Pedrarruna reuniu quarenta vassalos leais e marchou contra o Ninho da Águia, derrotando facilmente os partidários do suposto rei da Montanha e do Vale. No entanto, quando eles exigiram a libertação do senhor legítimo, Jonos Arryn lhes entregou o irmão pela Porta da Lua. Esse foi o triste fim de Ronnel Arryn, que voara três voltas em torno da Lança do Gigante nas costas de um dragão.

O Ninho da Águia era inexpugnável por qualquer ataque convencional, então o "rei" Jonos e seus seguidores fiéis lançaram cusparadas de desafio aos legalistas e se prepararam para um cerco... até que o príncipe Maegor apareceu no céu, montando Balerion. O filho mais novo do Conquistador finalmente tinha reivindicado um dragão: nada menos que o Terror Negro, o maior de todos.

Para não enfrentar as chamas de Balerion, a guarnição do Ninho da Águia aprisionou o usurpador e o entregou a lorde Royce, abrindo a Porta da Lua mais uma vez e servindo o fratricida Jonos tal como ele fizera com o irmão. A rendição poupou do fogo os seguidores do usurpador, mas não da morte. Após tomar posse do Ninho da Águia, o príncipe Maegor executou cada um dos homens. Nem mesmo ao mais nobre foi concedida a honra de morrer pela espada; traidores mereciam apenas uma corda, decretou Maegor, e assim os cavaleiros capturados foram enforcados nus sobre as muralhas do Ninho da Águia, esperneando conforme sufocavam lentamente. Hubert Arryn, primo dos irmãos mortos, foi instalado como senhor do Vale. Como ele já havia gerado seis filhos com a senhora sua esposa, uma Royce de Pedrarruna, a sucessão da Casa Arryn foi considerada garantida.

Nas Ilhas de Ferro, Goren Greyjoy, senhor Ceifeiro de Pyke, deu ao "rei" Lodos (Segundo de Seu Nome) um fim igualmente rápido, liderando cem dracares contra Velha Wyk e Grande Wyk, onde se encontravam as maiores concentrações de seguidores do usurpador, e passando milhares na espada. Depois, ele mergulhou a cabeça do rei-sacerdote em salmoura e a enviou a Porto Real. O rei Aenys ficou tão satisfeito com o presente que ofereceu a Greyjoy qualquer gratificação que ele desejasse. Isso se revelou uma insensatez. Lorde Goren, interessado em provar que era um verdadeiro filho do Deus Afogado, pediu ao rei o direito de expulsar todos os septões e as septãs que haviam chegado às Ilhas de Ferro após a Conquista para converter os homens de ferro ao culto dos Sete. O rei Aenys foi obrigado a aceitar.

A maior e mais ameaçadora das rebeliões ainda era a do rei Abutre na Marca de Dorne. Embora a princesa Deria continuasse declarando sua rejeição, de Lançassolar, muitos desconfiavam que ela estivesse fazendo jogo duplo, pois não saía a campo para combater os rebeldes, e havia quem dissesse que ela lhes enviava homens, dinheiro e provisões. Verdade ou não, centenas de cavaleiros dorneses e milhares de lanceiros experientes tinham se unido à ralé do rei Abutre, e a própria ralé crescera tremendamente e já contava com mais de trinta mil homens. Tão grande se tornara seu exército que o rei Abutre tomou a decisão impensada de dividir suas forças. Quando ele marchou ao oeste com metade do poderio dornês para atacar Nocticantiga e Monte Chifre, a outra metade seguiu para o leste, para sitiar Pedrelmo, sede da Casa Swann, sob o comando de lorde Walter Wyl, filho do Amante de Viúvas.

As duas hostes foram desastrosas. Orys Baratheon, então conhecido como Orys Maneta, foi a campo uma última vez a partir de Ponta Tempestade para arrasar os dorneses sob as muralhas de Pedrelmo. Quando Walter Wyl foi levado até ele, ferido, mas vivo, lorde Orys disse:

— Seu pai tomou minha mão. Levarei a sua como pagamento.

E, assim, ele cortou a mão da espada de lorde Walter. Depois, decepou também a outra mão e os dois pés, declarando-os "usura". Curiosamente, o lorde Baratheon morreu na marcha de retorno a Ponta Tempestade, em decorrência dos ferimentos que ele também sofrera na batalha, mas seu filho Davos sempre disse que ele morreu satisfeito, sorrindo para as mãos e os pés apodrecidos que pendiam em sua barraca como uma réstia de cebolas.

O próprio rei Abutre não se saiu muito melhor. Ao falhar em capturar Nocticantiga, ele abandonou o cerco e marchou para oeste, mas a senhora Caron partiu atrás dele, para se juntar a uma grande força de homens da marca liderados por Harmon Dondarrion, o mutilado Senhor de Portonegro. Enquanto isso, o lorde Samwell Tarly de Monte Chifre apareceu subitamente defronte à linha de marcha dornesa com milhares de cavaleiros e arqueiros. Conhecido como Sam Sanguinário, ele se mostrou fiel à reputação na cruenta batalha que se seguiu, abatendo dezenas de dorneses com Veneno do Coração, sua grande espada de aço valiriano. O rei Abutre possuía duas vezes mais homens que a soma de seus três inimigos, mas a maioria deles não tinha treino nem disciplina, e, ao enfrentarem cavaleiros de armadura à frente e na retaguarda, suas fileiras se desintegraram. Os dorneses jogaram lanças e escudos ao chão e fugiram, tentando as montanhas distantes, mas os senhores da marca os perseguiram e abateram, no que depois se tornou conhecido como a "Caça de Abutres".

Quanto ao próprio rei rebelde, o homem que se intitulava rei Abutre foi capturado com vida e amarrado, nu, entre duas estacas por Sam Tarly Sanguinário. Os bardos gostam de dizer que ele foi despedaçado pelos mesmos abutres que inspiraram sua alcunha, mas a verdade é que pereceu de sede e exposição ao clima, e as aves só desceram sobre ele muito depois de sua morte. (Em anos posteriores, outros homens tomariam o título de "rei Abutre", mas ninguém sabe se eles eram do mesmo sangue do primeiro.) Costuma-se considerar que o fim dele marcou também o fim da Segunda Guerra Dornesa, embora essa designação não seja rigorosamente correta, visto que nenhum senhor dornês foi a campo, e que a princesa Deria aviltara continuamente o rei Abutre até a morte e não participara de suas campanhas.

O primeiro rebelde se revelou também o último, mas Harren, o Vermelho, finalmente foi capturado em um vilarejo a oeste do Olho de Deus. O rei insurgente não morreu passivamente. Em sua última luta, ele matou a Mão do Rei, lorde Alyn Stokeworth, antes de ser abatido pelo escudeiro de Stokeworth, Bernarr Brune. O rei Aenys, cheio de gratidão, alçou Brune a cavaleiro e recompensou Davos Baratheon, Samwell Tarly, Dondarrion Sem-Nariz, Ellyn Caron, Allard Royce e Goren Greyjoy com ouro, títulos e honras. As maiores graças ele ofereceu ao próprio irmão. Ao voltar a Porto Real, o príncipe Maegor foi exaltado como herói. O rei Aenys o abraçou diante de uma multidão em festa e o nomeou Mão do Rei. E, quando dois dragões jovens nasceram em meio às chamas de Pedra do Dragão no final do mesmo ano, a ocasião foi considerada um sinal.

Mas a amizade entre os filhos do Dragão não perdurou.

Talvez o conflito fosse inevitável, visto que os irmãos eram de naturezas muito distintas. O rei Aenys amava a esposa, seus filhos e o povo e só desejava amor em troca. Espada e lança perderam qualquer apelo que algum dia pudessem ter exercido sobre ele. Sua Graça preferia lidar com alquimia, astronomia e astrologia, deliciava-se com música e dança, vestia as melhores sedas, os melhores samitos e veludos, e apreciava a companhia de meistres, septões e sábios. Seu irmão Maegor, mais alto e largo, e de força temível, não tinha paciência para nada disso, vivia para a guerra, torneios e batalhas. Ele era considerado, com razão, um dos melhores cavaleiros de Westeros, embora sua selvageria no campo e sua brutalidade para com os inimigos derrotados também inspirassem muitos comentários. O rei Aenys sempre buscava agradar; quando se via diante de dificuldades, ele reagia com palavras brandas, enquanto a resposta de Maegor era sempre aço e fogo. O grande meistre Gawen escreveu que Aenys confiava em todo mundo, e Maegor, em ninguém. O rei era facilmente influenciável, observou Gawen, inclinando-se para um lado ou outro como junco ao vento, e costumava atender sempre ao último conselheiro que se dirigisse a ele. O príncipe Maegor, por sua vez, era rígido como um bastão de ferro, intransigente, inflexível.

Apesar dessas diferenças, os filhos do Dragão continuaram governando juntos de forma amigável durante quase dois anos. Mas, em 39 DC, a rainha Alyssa deu ao rei Aenys mais uma herdeira, uma menina chamada Vaella, que lamentavelmente morreu no berço pouco depois. Talvez tenha sido essa nova prova da fertilidade da rainha que levou o príncipe Maegor a fazer o que fez. Qualquer que tenha sido o motivo, o príncipe chocou tanto o reino quanto o rei ao anunciar de repente que a senhora Ceryse era estéril e que, portanto, ele se casara com uma segunda mulher, Alys Harroway, filha do novo Senhor de Harrenhal.

A cerimônia foi realizada em Pedra do Dragão, sob a égide da rainha viúva Visenya. Como o septão do castelo se recusou a celebrar a união, Maegor e a nova noiva foram casados em um ritual valiriano, "unidos por sangue e fogo". O casamento ocorreu sem a permissão, o conhecimento ou a presença do rei Aenys. Quando a notícia veio à tona, os dois meios-irmãos tiveram uma terrível discussão. E Sua Graça não foi o único tomado de ira. Manfred Hightower, pai da senhora Ceryse, declarou seu protesto ao rei, exigindo que a senhora Alys fosse afastada. E, no Septo Estrelado de Vilavelha, o alto septão foi além, renegando o casamento de Maegor como pecado e fornicação e chamando a noiva do príncipe de "essa meretriz de Harroway". Nenhum genuíno filho ou filha dos Sete jamais aceitaria isso, bradou ele.

O príncipe Maegor persistiu. Ele destacou que seu pai havia se casado com suas duas irmãs; as restrições da Fé podiam governar homens inferiores, mas não o sangue do dragão. Nada que o rei Aenys dissesse poderia regenerar a ferida que as palavras de seu irmão abriram, e muitos senhores pios em todos os Sete Reinos condenaram o casamento e começaram a falar abertamente da "Meretriz de Maegor".

Frustrado e furioso, o rei Aenys ofereceu ao irmão o direito de escolher: afastar Alys Harroway e voltar à senhora Ceryse ou sofrer cinco anos de exílio. O príncipe Maegor escolheu o exílio. Em 40 DC, ele saiu para Pentos, levando consigo a senhora Alys, o dragão Balerion e a espada Fogonegro (diz-se que Aenys solicitou que o irmão devolvesse Fogonegro, ao que o príncipe Maegor teria respondido que "Vossa Graça pode tentar tirá-la de mim"). A senhora Ceryse foi abandonada em Porto Real.

Para substituir Maegor como Mão, o rei Aenys recorreu ao septão Murmison, um clérigo piedoso que diziam ser capaz de curar os enfermos com o toque. (O rei o mandara tocar a barriga da senhora Ceryse todas as noites, na esperança de que seu irmão se arrependesse do erro caso sua esposa legítima se tornasse fértil, mas a senhora logo se cansou do ritual noturno e saiu de Porto Real para Vilavelha, onde reencontrou o pai na Torralta.) Sua Graça certamente esperava que a escolha aplacasse a Fé. Nesse caso, ele estava enganado. O septão Murmison não podia curar o reino tanto quanto não podia tornar Ceryse Hightower fecunda. O alto septão continuou a bradar, e por todo o reino os senhores falavam em seus salões da fraqueza do rei.

— Como ele pode governar os Sete Reinos se não é capaz de governar sequer o irmão? — diziam.

O rei permaneceu alheio à insatisfação no reino. A paz havia voltado, seu problemático irmão fora para o outro lado do mar estreito, e um grande castelo novo começara a se erguer sobre a Colina de Aegon: construída toda com pedras vermelho-claras, a nova sede do rei seria maior e mais magnífica que Pedra do Dragão, com imensas muralhas e barbacãs e torres capazes de resistir a qualquer inimigo. O povo de Porto Real a chamou de Fortaleza Vermelha. Sua construção se tornara a obsessão do rei.

— Meus descendentes governarão aqui por mil anos — declarou Sua Graça.

Talvez pensando nesses descendentes, em 41 DC Aenys Targaryen cometeu um erro desastroso ao anunciar sua intenção de dar a mão de sua filha Rhaena a Aegon, irmão dela e herdeiro do Trono de Ferro.

A princesa tinha dezoito anos, e o príncipe, quinze. Eles haviam sido próximos desde a infância, e brincavam juntos quando pequenos. Embora Aegon jamais tivesse reivindicado um dragão para si, em mais de uma ocasião ele subira aos céus com a irmã em Dreamfyre. Esbelto e belo, e mais alto a cada ano, dizia-se que Aegon era tal qual o avô na mesma idade. Três anos de serviço como escudeiro haviam aperfeiçoado seu domínio da espada e do machado, e ele era considerado por muitos o melhor jovem lanceiro de todo o reino. Em tempos recentes, o príncipe cativara o olhar de muitas jovens donzelas, e Aegon não era indiferente aos encantos delas.

— Se o príncipe não se casar logo — disse o grande meistre Gawen em carta para a Cidadela —, talvez não tarde até que Sua Graça precise lidar com um neto bastardo.

A princesa Rhaena também tinha muitos pretendentes, mas, ao contrário do irmão, ela não dava confiança a ninguém. Preferia passar os dias com os irmãos, com seus cães e gatos, e com sua favorita mais recente: Alayne Royce, filha do Senhor de Pedrarruna, uma menina rechonchuda e pouco atraente, mas tão querida que às vezes Rhaena a levava para voar nas costas de Dreamfyre, tal como fazia com o irmão Aegon. Porém era mais comum Rhaena subir aos céus sozinha. Depois do décimo sexto dia do seu nome, a princesa se declarou mulher adulta, "livre para voar onde eu quiser".

E ela voou. Dreamfyre foi vista em Harrenhal, Tarth, Pedrarruna, Vila Gaivota. Havia boatos (mas nunca provas) de que, em um desses voos, Rhaena entregou a flor de sua donzelice a um amante plebeu. Uns diziam que era um cavaleiro andante; outros, um bardo, o filho de um ferreiro, um septão local. À luz desses relatos, houve quem sugerisse que Aenys talvez tenha sentido necessidade de casar a filha o mais rápido possível. Qualquer que fosse a verdade dessas especulações, aos dezoito anos, Rhaena definitivamente tinha idade para se casar, sendo três anos mais velha que os pais quando eles se casaram.

Tendo em vista as tradições e práticas da Casa Targaryen, uma união dos dois filhos mais velhos deve ter parecido a opção óbvia para o rei Aenys. Era conhecido o afeto entre Rhaena e Aegon, e nenhum dos dois se opôs ao casamento; na realidade, há muitos indicativos de que ambos tinham previsto essa mesma aliança desde a primeira vez em que brincaram juntos em Pedra do Dragão e no Aegonforte.

A tempestade com que o anúncio do rei foi recebido pegou todos de surpresa, embora os alertas fossem claros o bastante para qualquer um que tivesse a perspicácia de percebê-los. A Fé havia aceitado, ou pelo menos ignorado, o casamento do Conquistador com as irmãs, mas não estava disposta a repetir o feito para os netos dele. Do Septo Estrelado veio uma ferrenha condenação, renegando o casamento de irmão e irmã como uma obscenidade. Qualquer criança fruto dessa união seria uma "abominação aos olhos de deuses e homens", proclamou o Pai dos Fiéis, em uma declaração que foi lida por dez mil septões em todos os Sete Reinos.

Aenys Targaryen era notoriamente indeciso, mas nesse caso, diante da fúria da Fé, ele enrijeceu e se tornou obstinado. A rainha viúva Visenya o advertiu que ele tinha apenas duas opções: abandonar o casamento e providenciar novas uniões para o filho e a filha, ou montar sua dragão, Mercúrio, e voar até Vilavelha para queimar o Septo Estrelado sobre a cabeça do alto septão. O rei Aenys não fez nem uma coisa nem outra. Ele simplesmente insistiu.

No dia do casamento, as ruas em torno do Septo da Memória — construído no topo da Colina de Rhaenys e chamado assim em homenagem à falecida rainha — estavam cercadas de Filhos do Guerreiro, com lustrosas armaduras prateadas, atentos a cada um dos convidados que passavam rumo ao casamento, fosse a pé, a cavalo ou em liteiras. Os senhores mais sensatos, talvez prevendo que isso ocorreria, não haviam comparecido.

Os que foram testemunharam não apenas um casamento. No banquete que se seguiu, o rei Aenys agravou seu equívoco ao conceder a seu herdeiro, o príncipe Aegon, o título de Príncipe de Pedra do Dragão. Um silêncio se abateu sobre o salão após essas palavras, pois todos ali presentes sabiam que o título até então pertencia ao príncipe Maegor. Na mesa alta, a rainha Visenya se levantou e saiu do salão sem o consentimento do rei. Naquela noite, ela montou Vhagar e voltou a Pedra do Dragão, e está escrito que, quando sua dragão-fêmea passou diante da lua, aquele orbe se tingiu de vermelho-sangue.

Aenys Targaryen aparentemente não compreendia até que ponto havia despertado a antipatia do reino contra ele próprio. Ansioso para reconquistar a satisfação do povo, decretou que o príncipe e a princesa fariam uma turnê real pelo reino, certamente relembrando os vivas que o haviam acompanhado por toda parte em suas viagens. Talvez mais sensata que o pai, a princesa Rhaena pediu sua permissão para levar Dreamfyre na turnê, mas Aenys proibiu. Como o príncipe Aegon ainda não havia reivindicado um dragão para si, o rei temia que os senhores e plebeus considerassem seu filho pouco viril se vissem a esposa dele em um dragão e ele, em um palafrém.

O rei havia cometido um grave erro de avaliação a respeito do ânimo do reino, da religiosidade do povo e do poder das palavras do alto septão. Desde o primeiro dia da viagem, Aegon e Rhaena e seu séquito foram vaiados por multidões de fiéis aonde quer que fossem. Em Lagoa da Donzela, não havia um septão sequer para pronunciar uma bênção no banquete que o lorde Mooton ofereceu em honra deles. Quando chegaram a Harrenhal, o lorde Lucas Harroway vetou-lhes o acesso ao castelo, a menos que reconhecessem sua filha Alys como verdadeira e legítima esposa do tio. A recusa não lhes rendeu nenhum amor dos fiéis, apenas uma noite fria e úmida sob as imensas muralhas do poderoso castelo de Harren Negro. Em um vilarejo nas terras fluviais, alguns Pobres Irmãos chegaram até a arremessar punhados de terra contra o casal real. O príncipe Aegon sacou a espada para castigá-los e teve que ser contido por seus próprios cavaleiros, pois a comitiva do príncipe estava em séria desvantagem numérica. Contudo, isso não impediu a princesa Rhaena de cavalgar até eles e dizer:

— Estou vendo que vocês são destemidos quando diante de uma menina sobre um cavalo. Da próxima vez, virei em um dragão. Por favor, joguem terra em mim de novo nesse dia.

Em outras partes do reino, a situação foi de mal a pior. O septão Murmison, Mão do Rei, foi expulso da Fé em castigo por ter celebrado as núpcias proibidas, e o próprio Aenys empunhou uma pena para escrever ao alto septão e pedir que Sua Alta Santidade restaurasse "meu bom Murmison" e explicar a longa história de casamentos entre irmão e irmã na antiga Valíria. A resposta do alto septão foi tão venenosa que Sua Graça empalideceu ao ler. Em vez de ceder, o Pai dos Fiéis se dirigiu a Aenys como "rei Abominação", declarando-o usurpador e tirano, sem o direito de governar os Sete Reinos.

Os fiéis estavam ouvindo. Menos de uma quinzena depois, quando o septão Murmison atravessava a cidade em sua liteira, um grupo de Pobres Irmãos emergiu de um beco e o despedaçou com seus machados. Os Filhos do Guerreiro começaram a fortificar a Colina de Rhaenys, transformando o Septo da Memória em sua própria cidadela. Como ainda faltavam anos para a conclusão da Fortaleza Vermelha, o rei decidiu que seu solar no topo da Colina de Visenya era vulnerável demais e fez planos para ir a Pedra do Dragão com a rainha Alyssa e seus filhos mais novos. Isso se revelou uma sábia precaução. Três dias antes da data em que eles partiriam, dois Pobres Irmãos escalaram as paredes do solar e invadiram o quarto do rei. Foi apenas a intervenção oportuna da Guarda Real que salvou Aenys de uma morte ignóbil.

Sua Graça estava trocando a Colina de Visenya pela própria Visenya. Em Pedra do Dragão, a rainha viúva o recebeu com a famosa declaração:

— Você é tolo e fraco, sobrinho. Acha que algum homem jamais se atreveria a falar dessa forma com seu pai? Você tem uma dragão. Use-a. Voe até Vilavelha e transforme esse Septo Estrelado em outra Harrenhal. Ou me dê permissão e deixe que eu torre esse idiota piedoso em seu nome.

Aenys não quis saber. Ele apenas mandou a rainha viúva se retirar para seus aposentos na Torre do Dragão Marinho e não sair de lá.

Ao final de 41 DC, grande parte do reino estava totalmente imerso em plena rebelião contra a Casa Targaryen. Os quatro reis falsos que haviam surgido após a morte de Aegon, o Conquistador, pareciam meros idiotas petulantes diante da ameaça representada por esse novo levante, pois os rebeldes agora se acreditavam soldados dos Sete, travando uma guerra santa contra a tirania profana.

Dezenas de senhores pios por todos os Sete Reinos se uniram à causa, removendo os estandartes do rei e se declarando a favor do Septo Estrelado. Os Filhos do Guerreiro tomaram os portões de Porto Real, assumindo o controle de quem podia entrar e sair da cidade, e afugentaram os homens que trabalhavam na Fortaleza Vermelha inacabada. Milhares de Pobres Irmãos saíram para as estradas, obrigando viajantes a declarar se eram a favor "dos deuses ou da abominação" e se manifestando diante dos portões dos castelos até que os senhores saíssem para condenar o rei Targaryen. Nas terras ocidentais, o príncipe Aegon e a princesa Rhaena foram obrigados a interromper a turnê e se abrigar no castelo de Paço de Codorniz. Um emissário do Banco de Ferro de Braavos, enviado a Vilavelha para tratar com Martyn Hightower, o novo senhor da Torre Alta e Voz de Vilavelha (seu pai, lorde Manfred, morrera algumas luas antes), escreveu para Braavos para comunicar que o alto septão era "o verdadeiro rei de Westeros em tudo menos no nome".

A chegada do novo ano recebeu o rei Aenys ainda em Pedra do Dragão, acometido de medo e indecisão. Sua Graça tinha apenas trinta e cinco anos, mas dizia-se que ele parecia um homem de sessenta, e o grande meistre registrou que ele muitas vezes se recolhia à cama com intestino solto e cólicas. Como nenhuma das curas do grande meistre demonstrou qualquer eficácia, a rainha viúva se encarregou dos cuidados com o rei, e Aenys pareceu apresentar alguma melhora por um tempo... mas então sofreu um colapso repentino quando recebeu notícias de que milhares de Pobres Irmãos haviam cercado Paço de Codorniz, onde seu filho e sua filha eram "hóspedes" relutantes. Três dias depois, o rei estava morto.

Como o pai, Aenys Targaryen, Primeiro do Seu Nome, foi entregue às chamas no pátio de Pedra do Dragão. Seu funeral teve a presença de seus filhos Viserys e Jaehaerys, respectivamente com doze e sete anos, e da filha Alysanne, de cinco. Sua viúva, a rainha Alyssa, cantou um hino fúnebre em seu nome, e sua adorada Mercúrio incendiou a pira, ainda que os registros mostrem que os dragões Vermithor e Asaprata contribuíram com as próprias chamas.

A rainha Visenya não se encontrava. Uma hora após a morte do rei, ela já estava montada em Vhagar e voando para o leste sobre o mar estreito. Quando ela voltou, estava acompanhada do príncipe Maegor e de Balerion.

Maegor desceu em Pedra do Dragão apenas pelo tempo necessário para reivindicar a coroa; não a peça dourada ornamentada que Aenys apreciava, com as imagens dos Sete, mas a coroa de ferro que seu próprio pai usara, com os rubis vermelho-sangue. Sua mãe a pôs em sua cabeça, e os senhores e cavaleiros reunidos ali se ajoelharam quando ele se proclamou Maegor da Casa Targaryen, Primeiro do Seu Nome, Rei dos Ândalos, dos Roinares e dos Primeiros Homens, Senhor dos Sete Reinos e Protetor do Território.

O grande meistre Gawen foi o único que se atreveu a contestar. O velho meistre afirmou que, de acordo com todas as leis de sucessão, leis que o próprio Conquistador havia ratificado após a Conquista, o Trono de Ferro devia passar ao filho do rei Aenys, Aegon.

— O Trono de Ferro irá para o homem que possui a força necessária para tomá-lo — respondeu Maegor.

Em seguida, ele decretou a execução imediata do grande meistre, removendo pessoalmente a velha e grisalha cabeça de Gawen com um único golpe de Fogonegro.

A rainha Alyssa e seus filhos não estavam lá para presenciar a coroação do rei Maegor. Ela os tirara de Pedra do Dragão horas após o funeral do marido, levando-os ao castelo do senhor seu pai em Derivamarca, perto dali. Quando foi informado, Maegor encolheu os ombros e se recolheu para a Sala da Mesa Pintada com um meistre, para ditar cartas a todos os grandes e pequenos senhores do reino.

Cem corvos levantaram voo naquele dia. No seguinte, Maegor também voou. Montado em Balerion, ele atravessou a Baía da Água Negra até Porto Real, acompanhado da rainha viúva Visenya e Vhagar. O retorno dos dragões provocou tumultos na cidade, à medida que centenas de pessoas tentavam fugir, mas os portões estavam fechados e trancados. Os Filhos do Guerreiro detinham o controle das muralhas da cidade, dos fossos e montes do que viria a ser a Fortaleza Vermelha, e da Colina de Rhaenys, onde eles haviam transformado o Septo da Memória em sua própria fortaleza. Os Targaryen ergueram seu estandarte no topo da Colina de Visenya e convocaram todos os homens leais. Milhares atenderam ao chamado. Visenya Targaryen proclamou que seu filho Maegor chegara para ser o rei.

— Um verdadeiro rei, sangue de Aegon, o Conquistador, que foi meu irmão, meu marido e meu amor. Se qualquer homem questionar o direito do meu filho ao Trono de Ferro, permita que ele prove sua pretensão com o corpo.

Os Filhos do Guerreiro não tardaram a aceitar o desafio. Desde a Colina de Rhaenys eles vieram, setecentos cavaleiros com armadura de aço prateado, liderados por seu grande capitão, sor Damon Morrigen, conhecido como Damon, o Devoto.

— Não vamos rebater palavras — disse Maegor para ele. — A questão será resolvida pelas espadas.

Sor Damon aceitou; os deuses concederiam a vitória àquele cuja causa fosse justa, disse ele.

— Que cada lado tenha sete campeões, como era feito na antiga Ândalos. Você pode chamar seis homens para lutarem ao seu lado? — Pois Aenys havia levado a Guarda Real a Pedra do Dragão, e Maegor estava sozinho.

O rei se dirigiu à multidão.

— Quem virá lutar ao lado de seu rei? — gritou ele.

Muitos recuaram de medo ou fingiram não ter escutado, pois todos conheciam a habilidade dos Filhos do Guerreiro. Até que um homem finalmente se ofereceu: não era um cavaleiro, apenas um simples homem de armas que se chamava Dick Bean.

— Eu sou um homem do rei desde pequeno — disse ele. — Pretendo morrer como homem do rei.

Só então o primeiro cavaleiro se pronunciou.

— Esse rapaz nos faz passar vergonha! — gritou ele. — Não há nenhum cavaleiro genuíno aqui? Nenhum homem leal? — Quem falou foi Bernarr Brune, o escudeiro que havia matado Harren, o Vermelho, e fora armado cavaleiro pelo rei Aenys em pessoa. Seu desdém inspirou outros a oferecer suas espadas. O nome dos quatro que Maegor escolheu está gravado na história de Westeros: sor Bramm de Casconegro, um cavaleiro andante; sor Rayford Rosby; sor Guy Lothston, conhecido como Guy, o Glutão; e sor Lucifer Massey, Senhor de Bailepedra.

O nome dos sete Filhos do Guerreiro também foi registrado. Foram: sor Damon Morrigen, conhecido como Damon, o Devoto, grande capitão dos Filhos do Guerreiro; sor Lyle Bracken; sor Harry Horpe, conhecido como Harry Cabeça da Morte; sor Aegon Ambrose; sor Dickon Flowers, o Bastardo de Tocabelha; sor Willam, o Errante; e sor Garibald das Sete Estrelas, o cavaleiro septão. Está escrito que Damon, o Devoto, conduziu uma oração, rogando força ao Guerreiro. Depois, a rainha viúva deu ordem para começar. E o comando foi atendido.

Dick Bean foi o primeiro a morrer, abatido por Lyle Bracken instantes após o início do combate. Depois disso, os relatos divergem consideravelmente. Um cronista afirma que, quando o imensamente gordo sor Guy, o Glutão foi dilacerado, derramaram-se os restos de quarenta tortas parcialmente digeridas. Outro alega que sor Garibald das Sete Estrelas entoava um panegírico durante a luta. Alguns relatam que lorde Massey decepou o braço de Harry Horpe. Segundo um registro, Harry Cabeça da Morte jogou o machado de batalha para a outra mão e o cravou entre os olhos de lorde Massey. Outros cronistas sugerem que sor Harry simplesmente morreu. Alguns dizem que a luta se estendeu por horas; outros, que a maioria dos combatentes estava no chão, moribunda, em poucos instantes. Todos concordam que houve grandes feitos e poderosos golpes, até que no final Maegor Targaryen se encontrava sozinho diante de Damon, o Devoto, e Willam, o Errante. Ambos os Filhos do Guerreiro estavam seriamente feridos, e Sua Graça empunhava Fogonegro, mas, ainda assim, foi equilibrado. Ao cair, sor Willam desferiu na cabeça do rei um terrível golpe que rachou seu elmo e o deixou inconsciente. Muitos acreditaram que Maegor havia morrido, até que sua mãe retirou o elmo quebrado.

— O rei respira — disse ela. — O rei vive.

A vitória era dele.

Sete dos mais poderosos dentre os Filhos do Guerreiro estavam mortos, incluindo o comandante, mas restavam ainda mais de setecentos, de armas e armadura, reunidos em torno do topo da colina. A rainha Visenya deu ordem para que seu filho fosse levado aos meistres. Enquanto os carregadores o levavam colina abaixo, as Espadas da Fé se ajoelharam em submissão. A rainha viúva ordenou que todos voltassem ao septo fortificado no topo da Colina de Rhaenys.

Durante vinte e sete dias, Maegor Targaryen pairou entre a vida e a morte, enquanto meistres o tratavam com poções e cataplasmas, e septões rezavam sobre seu leito. No Septo da Memória, os Filhos do Guerreiro também rezavam e debatiam o rumo a tomar. Alguns acreditavam que a ordem não tinha escolha e devia aceitar Maegor como rei, já que os deuses o haviam abençoado com a vitória; outros insistiam que eles haviam jurado obediência ao alto septão e que precisavam seguir lutando.

A Guarda Real chegou prontamente de Pedra do Dragão. Por ordem da rainha viúva, eles assumiram comando sobre os milhares de legalistas Targaryen da cidade e cercaram a Colina de Rhaenys. Em Derivamarca, a viúva rainha Alyssa proclamou que seu próprio filho Aegon era o legítimo rei, mas poucos lhe deram ouvidos. O jovem príncipe, prestes a atingir a maioridade, continuava em Paço de Codorniz, a meio reino de distância, preso em um castelo cercado por Pobres Irmãos e camponeses pios, a maioria dos quais o considerava uma abominação.

Na Cidadela de Vilavelha, os arquimeistres se reuniram em conclave para debater a sucessão e escolher um novo grande meistre. Milhares de Pobres Irmãos afluíram a Porto Real. Os que vinham do oeste seguiam o cavaleiro andante sor Horys Hill, e os do sul, um homem enorme armado com um machado e conhecido como Wat, o Lenhador. Quando os bandos maltrapilhos acampados aos pés de Paço de Codorniz foram se juntar aos companheiros de marcha, o príncipe Aegon e a princesa Rhaena finalmente puderam sair. Eles abandonaram a turnê real e seguiram para Rochedo Casterly, onde o lorde Lyman Lannister lhes ofereceu proteção. Segundo o meistre do lorde Lyman, foi a esposa dele, a senhora Jocasta, a primeira a perceber que a princesa Rhaena estava grávida.

No dia vinte e oito após o Julgamento dos Sete, um navio chegou de Pentos com a maré da noite, trazendo duas mulheres e seiscentos mercenários. Alys da Casa Harroway, a segunda esposa de Maegor Targaryen, havia voltado a Westeros... mas não sozinha. Com ela veio outra mulher, uma beleza de pele alva e cabelos cor de corvo conhecida apenas como Tyanna da Torre. Alguns diziam que a mulher era concubina de Maegor. Outros a chamaram de amante da senhora Alys. Filha bastarda de um magíster pentoshi, Tyanna era uma dançarina de taverna que se alçara à condição de cortesã. Corriam boatos de que ela lidava também com venenos e feitiçaria. Contavam-se muitas histórias peculiares a seu respeito... No entanto, assim que ela chegou, a rainha Visenya dispensou os meistres e septões do filho e entregou Maegor aos cuidados de Tyanna.

Na manhã seguinte, o rei acordou, levantando-se com o sol. Quando Maegor apareceu sobre as muralhas da Fortaleza Vermelha, entre Alys Harroway e Tyanna de Pentos, as multidões celebraram avidamente, e a cidade irrompeu em comemoração. Mas as festividades murcharam quando Maegor montou Balerion e desceu sobre a

Colina de Rhaenys, onde setecentos dos Filhos do Guerreiro realizavam as orações matinais no septo fortificado. Enquanto o fogo de dragão incendiava o edifício, arqueiros e lanceiros esperavam do lado de fora para receber qualquer um que saísse correndo pelas portas. Dizia-se que era possível ouvir os gritos dos homens em chamas por toda a cidade, e Porto Real passou dias encoberta por uma nuvem de fumaça. E assim a nata dos Filhos do Guerreiro encontrou seu ígneo fim. Embora ainda restassem outras congregações em Vilavelha, Lannisporto, Vila Gaivota e Septo de Pedra, a ordem nunca mais chegaria perto de sua antiga força.

Contudo, a guerra do rei Maegor contra a Fé Militante havia acabado de começar. Ela se prolongaria por todo o seu reinado. O primeiro ato do rei ao tomar o Trono de Ferro foi ordenar que os Pobres Irmãos que avançavam rumo à cidade deitassem as armas ao chão, sob pena de proscrição e morte. Como o decreto não surtiu efeito, Sua Graça determinou que "todos os senhores leais" fossem a campo e dispersassem à força as hordas maltrapilhas da Fé. Em resposta, o alto septão de Vilavelha convocou os "legítimos e pios filhos dos deuses" a pegar em armas para defender a Fé e dar um fim ao reinado de "dragões e monstros e abominações".

A primeira batalha foi deflagrada na Campina, na cidade de Pontepedra. Ali, nove mil Pobres Irmãos sob o comando de Wat, o Lenhador, se viram encurralados entre seis exércitos de senhores ao tentarem atravessar o Vago. Com metade dos homens ao norte do rio e a outra metade ao sul, as forças de Wat foram destroçadas. Seus seguidores sem treino nem disciplina, trajados com couro fervido, roupas grosseiras e pedaços de aço enferrujado, e armados principalmente com machados de lenhador, gravetos afilados e ferramentas agrícolas, se revelaram completamente incapazes de resistir à investida de cavaleiros de armadura montados em cavalos pesados. Tão terrível foi o massacre que as águas do Vago correram vermelhas por vinte léguas, e desde então a cidade e o castelo onde a batalha foi travada se tornaram conhecidos como Ponteamarga. O próprio Wat foi capturado com vida, mas não antes de matar meia dúzia de cavaleiros, entre eles o lorde Meadows de Vale d'Erva, comandante do exército real. O gigante foi levado a Porto Real acorrentado.

A essa altura, sor Horys Hill já havia chegado ao Grande Delta da Água Negra com um exército maior ainda; quase treze mil Pobres Irmãos, cujas fileiras foram reforçadas pelo acréscimo de duzentos Filhos do Guerreiro a cavalo vindos de Septo de Pedra, e dos cavaleiros e soldados feudais de uma dúzia de senhores rebeldes das terras ocidentais e das terras fluviais. Lorde Rupert Falwell, conhecido como Bobo Guerreiro, liderou as fileiras de devotos que haviam respondido ao chamado do alto septão; com ele cavalgavam sor Lyonel Lorch, sor Alyn Terrick, lorde Tristifer Wayn, lorde Jon Lychester e muitos outros cavaleiros poderosos. O exército dos fiéis contava com vinte mil homens.

No entanto, o exército do rei Maegor era do mesmo tamanho, e Sua Graça tinha quase o dobro da quantidade de cavalos de armadura, bem como um grande contin-

gente de homens armados com arcos longos, e o rei em pessoa, montado em Balerion. O Bobo Guerreiro matou dois cavaleiros da Guarda Real antes de ser derrubado pelo Senhor de Lagoa da Donzela. Grande Jon Hogg, lutando pelo rei, foi cegado pelo corte de uma espada no começo da batalha, mas convocou seus homens e liderou um ataque que rompeu as fileiras dos fiéis e debandou os Pobres Irmãos. Uma tempestade abafou as chamas de Balerion, mas não conseguiu apagá-las totalmente, e em meio à fumaça e aos gritos o rei Maegor desceu repetidas vezes para cobrir seus inimigos de fogo. Ao anoitecer, a vitória era dele, quando os Pobres Irmãos ainda vivos largaram seus machados e se dispersaram em todas as direções.

Triunfante, Maegor voltou a Porto Real para se sentar novamente no Trono de Ferro. Quando lhe entregaram Wat, o Lenhador, acorrentado, mas ainda obstinado, Maegor decepou seus membros com o machado do próprio gigante, mas ordenou que seus meistres mantivessem o homem vivo "para poder comparecer ao meu casamento". Sua Graça então anunciou sua intenção de fazer de Tyanna de Pentos sua terceira esposa. Embora corressem murmúrios de que sua mãe, a rainha viúva, não apreciasse a feiticeira pentoshi, só o grande meistre Myros se atreveu a contestar abertamente.

— Sua única esposa legítima o espera na Torralta — disse Myros. O rei o ouviu em silêncio e então desceu do trono, desembainhou Fogonegro e o matou de imediato.

Maegor Targaryen e Tyanna da Torre se casaram no topo da Colina de Rhaenys, em meio às cinzas e aos ossos dos Filhos do Guerreiro que haviam morrido ali. Diz-se que Maegor teve que executar uma dúzia de septões até encontrar algum disposto a realizar a cerimônia. Wat, o Lenhador, mutilado, foi mantido com vida para presenciar o casamento.

A rainha Alyssa, viúva do rei Aenys, também se encontrava lá, com os dois filhos mais novos, Viserys e Jaehaerys, e a filha Alysanne. Uma visita da rainha viúva com Vhagar a convencera a sair do santuário em Derivamarca e voltar à corte, onde Alyssa e seus irmãos e primos da Casa Velaryon prestaram homenagem a Maegor como legítimo rei. A viúva foi inclusive incentivada a se juntar às outras senhoras da corte para despir Sua Graça e acompanhá-lo até a câmara nupcial para a consumação do casamento, uma cerimônia que foi presidida pela segunda esposa do rei, Alys Harroway. Finda a tarefa, Alyssa e as outras senhoras saíram dos aposentos reais, mas Alys ficou, juntando-se ao rei e à nova esposa em uma noite de luxúria carnal.

Do outro lado do reino, em Vilavelha, o alto septão bradava suas condenações da "abominação e suas meretrizes", enquanto a primeira esposa do rei, Ceryse da Casa Hightower, continuava insistindo que era a única rainha legítima de Maegor. E, nas terras ocidentais, Aegon Targaryen, Príncipe de Pedra do Dragão, e sua esposa, a princesa Rhaena, persistiam rebeldes.

Durante todo o tumulto da ascensão de Maegor, o filho do rei Aenys e sua esposa, a princesa, haviam permanecido em Rochedo Casterly, onde a gravidez de Rhaena progrediu. A maioria dos cavaleiros e jovens fidalgos que haviam partido com eles na malfadada turnê real os abandonaram, correndo de volta a Porto Real para se submeter a Maegor. Até mesmo as aias e companheiras de Rhaena haviam arrumado desculpas para se ausentarem, exceto a amiga Alayne Royce e uma antiga preferida, Melony Piper, que chegaram a Lannisporto com os irmãos para jurar a lealdade de suas Casas.

Ao longo de toda a vida, o príncipe Aegon fora considerado o primeiro na linha de sucessão ao Trono de Ferro, mas agora, de repente, ele se viu aviltado pelos fiéis e abandonado por muitos dos que havia acreditado serem amigos leais. Os partidários de Maegor, cujo número parecia crescer a cada dia, não se constrangiam de dizer que Aegon era "filho do pai dele", insinuando que viam nele a mesma fraqueza que havia derrubado o rei Aenys. As pessoas destacavam que Aegon nunca montara um dragão, enquanto Maegor havia reivindicado Balerion, e a própria esposa do príncipe, a princesa Rhaena, voava com Dreamfyre desde os doze anos. A presença da rainha Alyssa no casamento de Maegor foi exaltada como prova de que a própria mãe de Aegon havia abandonado sua causa. Embora Lyman Lannister, Senhor de Rochedo Casterly, tenha se mantido firme quando Maegor exigiu que Aegon e a irmã fossem devolvidos a Porto Real "acorrentados, se necessário", nem ele se atreveu a jurar sua espada ao jovem que passara a ser chamado de "usurpador" e "Aegon, o Sem Coroa".

E assim foi que, em Rochedo Casterly, a princesa Rhaena deu à luz as filhas de Aegon, gêmeas que receberam os nomes Aerea e Rhaella. Do Septo Estrelado veio outra proclamação estridente. Essas crianças também eram abominações, declarou o alto septão; fruto de luxúria e incesto, amaldiçoadas pelos deuses. O meistre de Rochedo Casterly que ajudou no parto das crianças nos informa que, depois, a princesa Rhaena suplicou ao marido, o príncipe, que cruzasse o mar estreito e as levasse para Tyrosh, Myr ou Volantis, qualquer lugar longe do alcance do tio deles, pois "eu daria minha própria vida com alegria para que você fosse rei, mas não arriscarei a vida de nossas meninas". Suas palavras, porém, caíram em ouvidos de pedra e suas lágrimas se derramaram em vão, pois o príncipe Aegon estava determinado a reivindicar seu direito natural.

O alvorecer do ano 43 DC recebeu o rei Maegor em Porto Real, onde ele havia se encarregado pessoalmente da construção da Fortaleza Vermelha. Grande parte do que já estava concluído foi desfeita ou alterada, novos construtores e trabalhadores foram chamados, e as profundezas da Colina de Aegon se viram entremeadas de passagens secretas e túneis. Conforme as torres de pedra vermelha se erguiam, o rei exigiu a construção de um castelo dentro do castelo, um reduto fortificado cercado por um fosso seco, que logo viria a ser conhecido como Fortaleza de Maegor.

Nesse mesmo ano, Maegor nomeou o lorde Lucas Harroway, pai de sua esposa, a rainha Alys, sua nova Mão... mas não era na Mão que o rei confiava. Sua Graça podia governar os Sete Reinos, sussurravam os homens, mas ele mesmo era governado pelas três rainhas: sua mãe, a rainha Visenya, sua amante, a rainha Alys, e a bruxa-rainha pentoshi Tyanna. "A senhora dos segredos", era como chamavam Tyanna, e "o corvo do rei", devido ao cabelo preto. Diziam que ela falava com ratos e aranhas, e que todas as pestes de Porto Real a visitavam à noite para contar a respeito de qualquer tolo insensato o bastante para criticar o rei.

Enquanto isso, milhares de Pobres Irmãos ainda aterrorizavam as estradas e terras despovoadas da Campina, do Tridente e do Vale; embora nunca mais tenham reunido número grande o bastante para enfrentar o rei em campo aberto, as Estrelas travavam lutas menores, atacando viajantes e invadindo cidades, vilarejos e castelos mal defendidos, matando todo legalista que encontrassem. Sor Horys Hill havia escapado da batalha no Grande Delta, mas fora marcado pela derrota e pela fuga, e seus seguidores eram poucos. Os novos líderes dos Pobres Irmãos eram homens como Silas Maltrapilho, Septão Lua e Dennis, o Manco, praticamente indistinguíveis de bandidos comuns. Um dos capitães mais cruéis era uma mulher chamada Jeyne Poore Bexiguenta, cujos seguidores sanguinários deixavam as matas entre Porto Real e Ponta Tempestade praticamente intransponíveis para qualquer viajante honesto.

Nesse meio-tempo, os Filhos do Guerreiro haviam encontrado um novo grande capitão na pessoa de sor Joffrey Doggett, o Cachorro Vermelho das Colinas, que estava determinado a restaurar a ordem à antiga glória. Quando sor Joffrey partiu de Lannisporto para pedir a bênção do alto septão, cem homens o acompanharam. Quando chegou a Vilavelha, tinham sido tantos os cavaleiros e escudeiros e homens de armas que se uniram a ele que seus números haviam crescido para dois mil. Em outras partes do reino, outros senhores e homens de fé irrequietos também estavam juntando forças e tramando formas de derrubar os dragões.

Nada disso passou despercebido. Corvos voavam a todos os cantos do reino, convocando senhores e cavaleiros de terras de honra duvidosa para irem a Porto Real dobrar o joelho, jurar lealdade e entregar um filho ou uma filha de refém como garantia de obediência. Os Estrelas e Espadas foram considerados fora da lei; a partir de então, a participação em qualquer ordem seria castigada com a morte. O alto septão foi convocado a se apresentar na Fortaleza Vermelha, para ser julgado por alta traição.

Sua Alta Santidade respondeu do Septo Estrelado, exigindo que o rei se apresentasse em Vilavelha para suplicar o perdão dos deuses por seus pecados e atos de crueldade. Muitos dos fiéis faziam eco ao desafio dele. Alguns senhores pios chegaram a ir a Porto Real para prestar juramento e entregar reféns, mas foram mais os que não foram, confiando na proteção de seus números e na força de seus castelos.

O rei Maegor deixou o veneno inflamar durante quase meio ano, tão investido estava na construção de sua Fortaleza Vermelha. Foi sua mãe que atacou primeiro. A rainha viúva montou Vhagar e levou fogo e sangue às terras fluviais tal qual havia feito em Dorne. Em uma única noite, as sedes das casas Blanetree, Terrick, Deddings, Lychester e Wayn foram incendiadas. E então o próprio Maegor alçou voo, levando

Balerion às terras ocidentais, onde ele queimou o castelo dos Broome, dos Falwell, dos Lorch e dos outros "senhores pios" que haviam desafiado sua convocatória. Por fim, ele desceu sobre a sede da Casa Doggett e a reduziu a cinzas. As chamas tomaram a vida do pai, da mãe e da jovem irmã de sor Joffrey, e também a de espadas juramentadas, criados e animais. Enquanto colunas de fumaça subiam por todas as terras ocidentais e fluviais, Vhagar e Balerion se dirigiram ao sul. Outro lorde Hightower, aconselhado por outro alto septão, havia aberto os portões de Vilavelha durante a Conquista, mas agora parecia certo que a maior e mais populosa cidade de Westeros arderia.

Milhares fugiram de Vilavelha naquela noite, emergindo dos portões da cidade ou partindo em barcos para portos distantes. Outros milhares foram às ruas em farras bêbedas.

— Esta noite é para cantar e pecar e beber — disseram os homens entre si —, pois amanhã os virtuosos e os vis queimarão juntos.

Outros se reuniram em septos e templos e bosques ancestrais para rezar pela própria vida. No Septo Estrelado, o alto septão entoava e bradava, invocando a ira dos deuses contra os Targaryen. Os arquimeistres da Cidadela se reuniram em conclave. Os homens da Patrulha da Cidade encheram sacas de areia e baldes de água para combater as chamas que eles sabiam que se aproximavam. Ao longo das muralhas da cidade, bestas, balistas, catapultas e arremessadores de lanças foram içados para as ameias na esperança de derrubar os dragões quando eles aparecessem. Liderados por sor Morgan Hightower, um irmão mais novo do Senhor de Vilavelha, duzentos Filhos do Guerreiro emergiram de sua congregação para defender Sua Alta Santidade, cercando o Septo Estrelado com um anel de aço. No topo da Torralta, a grande fogueira assumiu um tom doentio de verde quando o lorde Martyn Hightower convocou seus vassalos. Vilavelha esperou a alvorada e a vinda dos dragões.

E os dragões vieram. Vhagar, primeiro, quando o sol estava nascendo, e depois Balerion, logo antes do meio-dia. Mas eles encontraram os portões da cidade abertos, as ameias, desguarnecidas, e os estandartes das casas Targaryen, Tyrell e Hightower tremulando lado a lado no topo das muralhas. A rainha viúva Visenya foi a primeira a receber a notícia. Em algum momento durante a hora mais escura daquela longa e terrível noite, o alto septão havia morrido.

Um homem de cinquenta e três anos, tão incansável quanto destemido, e aparentemente dotado de excelente saúde, esse alto septão havia sido famoso por sua força. Em mais de uma ocasião ele pregara dia e noite sem parar para dormir ou se alimentar. Sua morte repentina espantou a cidade e arrasou seus seguidores. Até hoje se debatem as causas. Alguns dizem que Sua Alta Santidade tirou a própria vida, no que poderia ser o ato de um covarde com medo de enfrentar a ira do rei Maegor ou um nobre sacrifício para poupar o povo de Vilavelha das chamas dos dragões. Há quem diga ainda que os Sete o levaram pelo pecado de orgulho, e por heresia, traição e arrogância.

Muitos ainda permanecem confiantes em que ele foi assassinado... mas por quem? Alguns dizem que foi sor Morgan Hightower, seguindo ordens do senhor seu irmão (e sor Morgan foi visto entrando e saindo dos aposentos particulares do alto septão naquela noite). Outros apontam para a senhora Patrice Hightower, tia donzela do lorde Martyn e suposta bruxa (que de fato solicitou audiência com Sua Alta Santidade ao entardecer, embora ele ainda estivesse vivo quando ela saiu). Os arquimeistres da Cidadela também são suspeitos, embora ainda seja alvo de debate se eles utilizaram as artes negras, um assassino ou um rolo de pergaminho envenenado (houve trocas constantes de mensagens entre a Cidadela e o Septo Estrelado ao longo da noite). E há ainda quem afirme que a culpa não cabe a nenhum desses e ateste que a morte do alto septão foi causada por outra suposta feiticeira, a rainha viúva Visenya Targaryen.

Provavelmente ninguém jamais saberá a verdade... mas a rápida reação do lorde Martyn ao receber a notícia na Torralta está além de qualquer dúvida. Ele imediatamente encaminhou os próprios cavaleiros para desarmarem e prenderem os Filhos do Guerreiro, incluindo seu próprio irmão. Os portões da cidade foram abertos, e os estandartes Targaryen, erguidos sobre as muralhas. Antes mesmo que as asas de Vhagar fossem avistadas, os homens do lorde Hightower estavam tirando os Mais Devotos da cama e levando-os ao Septo Estrelado diante da ponta de suas lanças para escolher um novo alto septão.

Bastou uma única votação. Em unanimidade quase total, os sábios homens e mulheres da Fé se voltaram para um tal septão Pater. Noventa anos de idade, cego, encurvado e frágil, mas notoriamente amistoso, o novo alto septão quase caiu sob o peso da coroa de cristal quando a recebeu sobre a cabeça... mas, quando Maegor Targaryen apareceu diante dele no Septo Estrelado, Sua Alta Santidade teve todo o prazer de abençoá-lo como rei e ungir sua cabeça com os óleos sagrados, mesmo esquecendo as palavras da oração.

A rainha Visenya logo voltou a Pedra do Dragão com Vhagar, mas o rei Maegor permaneceu em Vilavelha por quase meio ano, concedendo audiências e presidindo a julgamentos. Os Filhos do Guerreiro aprisionados receberam a chance de escolher. Os que renunciassem à ordem teriam permissão de viajar à Muralha e viver até seus últimos dias como irmãos da Patrulha da Noite. Os que se negassem poderiam morrer como mártires da Fé. Três quartos dos prisioneiros escolheram vestir o negro. O restante morreu. Sete desses, famosos cavaleiros e filhos de senhores, foram agraciados com a honra de perder a cabeça pelas mãos do próprio rei Maegor, com Fogonegro. Os demais condenados foram decapitados por seus antigos irmãos de armas. De todos eles, apenas um homem recebeu o perdão real: sor Morgan Hightower.

O alto septão dissolveu formalmente os Filhos do Guerreiro e os Pobres Irmãos, exigindo que os membros remanescentes abandonassem as armas em nome dos deuses. Os Sete já não tinham mais necessidade de guerreiros, proclamou Sua Alta Santidade; dali por diante, o Trono de Ferro protegeria e defenderia a Fé. O rei Maegor deu aos membros sobreviventes da Fé Militante até o fim do ano para entregarem as armas e desistirem de seus propósitos rebeldes. Depois disso, a cabeça daqueles que permanecessem revoltosos seria posta a prêmio: um dragão de ouro pela cabeça de qualquer Filho do Guerreiro impenitente, um veado de prata pelo "escalpo piolhento" de um Pobre Irmão.

O novo alto septão não fez objeção, nem os Mais Devotos.

Durante sua estada em Vilavelha, o rei também se reconciliou com sua primeira esposa, a rainha Ceryse, irmã de seu anfitrião, o lorde Hightower. Sua Graça concordou em aceitar as outras esposas do rei, tratá-las com respeito e honra e não mais falar mal delas, e Maegor jurou que restauraria todos os direitos, rendimentos e privilégios de Ceryse como legítima esposa e rainha. Foi oferecido um grande banquete na Torralta para celebrar a reconciliação; os festejos incluíram até uma "segunda consumação", para que todos soubessem que aquela era uma união verdadeira e amorosa.

Não se sabe por quanto tempo o rei Maegor permaneceria em Vilavelha, pois, no fim de 43 DC, surgiu outro desafio ao seu trono. A longa ausência de Sua Graça em Porto Real não passara despercebida por seu sobrinho, e o príncipe Aegon não tardou em tirar proveito. Saindo enfim de Rochedo Casterly, Aegon, o Sem Coroa, e sua esposa, Rhaena, atravessaram às pressas as terras fluviais com apenas alguns companheiros e entraram na cidade ocultos por baixo de sacas de milho. Com tão poucos seguidores, Aegon não se atreveu a se sentar no Trono de Ferro, pois sabia que não conseguiria preservá-lo. Eles estavam lá para buscar Dreamfyre, de Rhaena... e para que o príncipe pudesse reivindicar Mercúrio, a dragão-fêmea de seu pai. Para essa investida ousada, eles contaram com a ajuda de amigos na corte do próprio Maegor, que já estavam fartos das crueldades do rei. O príncipe e a princesa entraram em Porto Real dentro de uma carroça puxada por mulas, mas, quando saíram, foi nas costas de dragões, voando lado a lado.

Dali, Aegon e Rhaena voltaram às terras ocidentais, para reunir um exército. Como os Lannister de Rochedo Casterly ainda relutavam em apoiar abertamente a causa do príncipe Aegon, seus partidários se reuniram em Castelo de Donzelarrosa, sede da Casa Piper. Jon Piper, Senhor de Donzelarrosa, havia jurado a espada ao príncipe, mas era crença comum que fora sua pertinaz irmã Melony, amiga de infância de Rhaena, quem o conquistara para a causa. Foi ali em Donzelarrosa que Aegon Targaryen, montado em Mercúrio, desceu dos céus para condenar o tio como tirano e usurpador e para convocar todos os homens honestos às suas fileiras.

Os senhores e cavaleiros que atenderam eram sobretudo homens do ocidente e das terras fluviais; entre eles estavam os lordes Tarbeck, Roote, Vance, Charlton, Frey, Paege, Parren, Farman e Westerling, além do lorde Corbray do Vale, do Bastardo de Vila Acidentada, e do quarto filho do Senhor de Poleiro do Grifo. De Lannisporto, sob o estandarte de sor Tyler Hill, que era um bastardo de Lyman Lannister, chegaram quinhentos homens, recurso ao qual o astuto Senhor de Rochedo Casterly recorreu para prestar apoio ao jovem príncipe e permanecer de mãos limpas, caso Maegor triunfasse. Os homens de Piper não eram liderados pelo lorde Jon, nem por seus irmãos, mas por sua irmã Melony, que trajou uma cota de malha masculina e empunhou uma lança. Quinze mil homens haviam se unido à rebelião quando Aegon, o Sem Coroa, começou sua marcha pelas terras fluviais a fim de reivindicar o Trono de Ferro, liderados pelo príncipe em pessoa no dorso da amada dragão Mercúrio do rei Aenys.

Embora suas fileiras incluíssem comandantes experientes e cavaleiros poderosos, nenhum grande senhor se uniu à causa do príncipe Aegon... mas a rainha Tyanna, senhora dos segredos, escreveu para Maegor para alertá-lo de que Ponta Tempestade, o Ninho da Águia, Winterfell e Rochedo Casterly haviam mantido comunicações em segredo com Alyssa, a rainha viúva do irmão dele. Antes de se declararem a favor do Príncipe de Pedra do Dragão, eles queriam ser convencidos de que ele poderia vencer. O príncipe Aegon precisava de uma vitória.

Maegor lhe negou isso. De Harrenhal veio o lorde Harroway, e de Correrrio, o lorde Tully. Sor Davos Darklyn da Guarda Real reuniu cinco mil espadas em Porto Real e marchou ao oeste para enfrentar os rebeldes. Da Campina vieram os lordes Peake, Merryweather e Caswell, e suas hostes. O lento exército do príncipe Aegon se viu diante de forças que se aproximavam por todos os lados; cada um menor que seu próprio contingente, mas eram tantos que o jovem príncipe (ainda com escassos dezessete anos) não sabia para onde se virar. O lorde Corbray o aconselhou a enfrentar um inimigo por vez antes que eles pudessem unir forças, mas Aegon não desejava dividir suas tropas. Então ele decidiu marchar rumo a Porto Real.

Logo ao sul do Olho de Deus, ele encontrou os portorrealenses de Davos Darklyn em seu caminho, aguardando em terreno elevado atrás de uma muralha de lanças, enquanto batedores relatavam que os lordes Merryweather e Caswell avançavam desde o sul e os lordes Tully e Harroway, desde o norte. O príncipe Aegon deu ordem de ataque, na esperança de romper as fileiras dos portorrealenses antes que os outros legalistas se abatessem contra seus flancos, e montou em Mercúrio para liderar a investida pessoalmente. Mas ele mal havia alçado voo quando ouviu gritos e viu seus homens em terra apontando para onde Balerion, o Terror Negro, havia aparecido no céu ao sul.

O rei Maegor havia chegado.

Pela primeira vez desde a Destruição de Valíria, dragão combateu dragão no céu, enquanto no solo os homens batalhavam.

Mercúrio, com um quarto do tamanho de Balerion, não era páreo para o dragão mais velho e feroz, e suas fracas bolas de fogo foram engolidas e dispersadas por vastas explosões de chamas negras. E então o Terror Negro caiu sobre ela das alturas, fechando as mandíbulas em seu pescoço enquanto lhe arrancava uma das asas do corpo. Em meio a urros e fumaça, a jovem dragão caiu ao chão, e também o príncipe Aegon.

A batalha abaixo foi quase tão breve, ainda que mais sangrenta. Quando Aegon caiu, os rebeldes viram que sua causa era perdida e fugiram, descartando armas e armaduras conforme corriam. Mas os exércitos legalistas os cercaram completamente, e não havia escapatória. Ao fim do dia, dois mil dos homens de Aegon haviam morrido, contra cem dos homens do rei. Entre os mortos estavam o lorde Alyn Tarbeck, o Bastardo de Vila Acidentada Denys Snow, o lorde Ronnel Vance, sor Willam Whistler, Melony Piper e três de seus irmãos... e o Príncipe de Pedra do Dragão, Aegon, o Sem Coroa da Casa Targaryen. A única perda significativa entre os legalistas foi sor Davos Darklyn da Guarda Real, morto pelas mãos do lorde Corbray com Senhora Desespero.

Seguiu-se meio ano de julgamentos e execuções. A rainha Visenya convenceu o filho a poupar alguns dos senhores rebeldes, mas até mesmo os que permaneceram vivos perderam terras e títulos e foram obrigados a entregar reféns.

Um nome importante não se encontrava entre os mortos ou capturados: Rhaena Targaryen, irmã e esposa do príncipe Aegon, não se juntara ao exército. Até hoje se debate se foi por ordem de Aegon ou se por decisão própria. A única certeza é que Rhaena continuou em Castelo de Donzelarrosa com as filhas quando Aegon foi a campo... E, com ela, Dreamfyre. O acréscimo de uma segunda dragão às forças do irmão teria feito alguma diferença no momento da batalha? Jamais saberemos... ainda que tenha sido observado, com razão, que a princesa Rhaena não era guerreira, e Dreamfyre era mais jovem e menor que Mercúrio e, certamente, não representava nenhuma grande ameaça a Balerion, o Terror Negro.

Quando notícias da batalha chegaram ao oeste e a princesa Rhaena descobriu que tanto o marido quanto sua amiga, a senhora Melony, haviam perecido, diz-se que ela recebeu a notícia em pétreo silêncio.

— Não vai chorar? — perguntaram-lhe, ao que ela respondeu:

— Não tenho tempo para lágrimas.

Em seguida, temendo a ira do tio, ela recolheu as filhas, Aerea e Rhaella, e fugiu mais para o oeste, primeiro para Lannisporto, e depois pelo mar até Ilha Bela, onde o novo lorde Marq Farman (que havia perdido o pai e o irmão mais velho na batalha, lutando pelo príncipe Aegon) as abrigou e jurou que nenhum mal chegaria a elas sob seu teto. Durante quase um ano as pessoas de Ilha Bela olharam para o leste cheias de terror, com medo de avistarem as asas negras de Balerion, mas Maegor nunca veio. O rei vitorioso apenas voltou à Fortaleza Vermelha, onde se dedicou ferozmente a conseguir um herdeiro.

O ano 44 Depois da Conquista foi pacífico, em comparação com o anterior... mas os meistres que registraram a história daquela época escreveram que o cheiro de sangue e fogo persistia intenso no ar. Maegor I Targaryen permanecia sentado no Trono de Ferro conforme sua Fortaleza Vermelha se erguia à sua volta, mas sua corte era melancólica e soturna, apesar da presença de três rainhas... ou talvez por causa disso. A cada noite ele convocava uma delas para sua cama, mas ainda nenhum filho vinha, seus únicos herdeiros apenas os filhos e as filhas de seu irmão, Aenys. Ele foi chamado de Maegor, o Cruel, e também "assassino de familiares", mas dizê-lo em sua presença era a morte.

Em Vilavelha, o idoso alto septão morreu, e outro foi eleito em seu lugar. Embora ele não se pronunciasse contra o rei ou suas rainhas, a hostilidade entre o rei Maegor e a Fé perdurou. Os Pobres Irmãos haviam sido perseguidos e mortos às centenas, e seus escalpos, entregues aos homens do rei em troca da recompensa, mas ainda milhares vagavam pelas florestas e matas e terras despovoadas dos Sete Reinos, amaldiçoando vigorosamente os Targaryen. Um bando chegou até a coroar seu próprio alto septão, um bruto barbado chamado Septão Lua. E alguns Filhos do Guerreiro ainda resis-

tiam, liderados por sor Joffrey Doggett, o Cachorro Vermelho das Colinas. Proibida e condenada, a ordem já não possuía força para enfrentar os homens do rei em campo aberto, então o Cachorro Vermelho os enviava disfarçados de cavaleiros andantes, para caçar e matar legalistas Targaryen e "traidores da Fé". A primeira vítima deles foi sor Morgan Hightower, antigo membro de sua ordem, abatido e assassinado na estrada rumo a Bosquemel. O velho lorde Merryweather foi o segundo a morrer, seguido pelo filho e herdeiro do lorde Peake, pelo idoso pai de Davos Darklyn, e até pelo Cego Jon Hogg. Embora a recompensa pela cabeça de qualquer Filho do Guerreiro fosse de um dragão de ouro, os plebeus e camponeses do reino lhes davam abrigo e proteção, com a memória do que eles haviam sido.

Em Pedra do Dragão, a rainha viúva Visenya se tornara magra e frágil, e a carne se derretera de seus ossos. A rainha Alyssa também continuava na ilha, com o filho Jaehaerys e a filha Alysanne, onde eram prisioneiros em todos os propósitos. O príncipe Viserys, o filho mais velho ainda vivo de Aenys e Alyssa, foi convocado por Sua Graça a comparecer à corte. Um rapaz promissor de quinze anos, amado pelo povo, Viserys se tornou escudeiro do rei... seguido permanentemente por um cavaleiro da Guarda Real, para mantê-lo afastado de complôs e traições.

Por um breve período em 44 DC, parecia que o rei viria a receber o filho que ele desejava tão desesperadamente. A rainha Alys anunciou que estava grávida, e a corte celebrou. O grande meistre Desmond confinou Sua Graça à cama conforme sua barriga crescia e se encarregou de seus cuidados, com a assistência de duas septãs, uma parteira e as irmãs da rainha, Jeyne e Hanna. Maegor insistiu que suas outras esposas também servissem à rainha grávida.

No entanto, na terceira lua do confinamento, a senhora Alys começou a sangrar profusamente e perdeu a criança. Quando o rei Maegor foi ver o natimorto, ficou horrorizado ao descobrir que o menino era um monstro, com membros retorcidos, uma cabeça gigantesca, e sem olhos.

— Isto não pode ser meu filho! — bradou ele, angustiado.

Seu luto então deu lugar à fúria, e ele ordenou a execução imediata da parteira e das septãs que haviam se encarregado do cuidado da rainha, e também do grande meistre Desmond, poupando apenas as irmãs de Alys.

Dizem que Maegor estava sentado no Trono de Ferro com a cabeça do grande meistre nas mãos quando a rainha Tyanna foi lhe dizer que ele havia sido enganado. A criança não era de seu sangue. Ao ver a rainha Ceryse voltar à corte idosa, amargurada e infértil, Alys Harroway começara a temer que sofreria a mesma sina se não desse um filho ao rei, então recorrera ao senhor pai dela, a Mão do Rei. Nas noites em que o rei partilhava a cama com a rainha Ceryse ou com a rainha Tyanna, Lucas Harroway enviava homens à cama da filha para fecundá-la. Maegor se recusou a acreditar. Ele jogou a cabeça do grande meistre em Tyanna e declarou que ela era uma bruxa ciumenta, e estéril.

— Aranhas não mentem — respondeu a senhora dos segredos. E entregou ao rei uma lista.

Escritos ali estavam os nomes de vinte homens que supostamente teriam fornecido suas sementes à rainha Alys. Homens velhos e jovens, belos e feios, cavaleiros e escudeiros, senhores e criados, e até cavalariços e ferreiros e cantores; aparentemente, a Mão do Rei havia aberto bastante o leque. Os homens tinham apenas uma qualidade em comum: todos eram homens de comprovada potência e pais de filhos saudáveis.

Sob tortura, todos exceto dois confessaram. Um, pai de doze, ainda tinha o ouro que lorde Harroway pagara por seus serviços. O interrogatório foi conduzido rapidamente e em segredo, então o lorde Harroway e a rainha Alys só se deram conta das suspeitas do rei quando a Guarda Real avançou contra eles. Arrastada da cama, a rainha Alys viu as irmãs serem mortas diante de si quando tentaram protegê-la. Seu pai, examinando a Torre da Mão, foi empurrado do terraço para se estatelar nas pedras abaixo. Os filhos, irmãos e sobrinhos de Harroway também foram levados. Arremessados contra as estacas no fundo do fosso seco em torno da Fortaleza de Maegor, alguns levaram horas para morrer; o simplório Horas Harroway agonizou por dias. Os vinte nomes da lista da rainha Tyanna logo se juntaram a eles, e mais uma dúzia de homens, mencionados pelos primeiros vinte.

A pior morte foi reservada à própria rainha Alys, que foi cedida à sua irmã-esposa Tyanna para sofrer. De sua morte, não falaremos, pois há coisas que melhor seria que fossem enterradas e esquecidas. Basta dizer que sua morte se estendeu por quase uma quinzena, e que o próprio Maegor esteve presente do começo ao fim, para testemunhar sua agonia. Após a morte, o corpo da rainha foi esquartejado em sete partes, e seus pedaços foram cravados em estacas acima dos sete portões da cidade, onde permaneceram até apodrecer.

O próprio rei Maegor saiu de Porto Real, reunindo um contingente forte de cavaleiros e homens de armas, para marchar contra Harrenhal e completar a destruição da Casa Harroway. O grande castelo junto ao Olho de Deus tinha uma leve guarnição, e o castelão, um sobrinho do lorde Lucas e primo da falecida rainha, abriu os portões ao ver a aproximação do rei. A rendição não o salvou; Sua Graça passou toda a guarnição na espada, assim como qualquer homem, mulher e criança que ele acreditasse ter uma gota sequer de sangue Harroway. Em seguida, marchou para Vila do Lorde Harroway no Tridente e repetiu o feito.

Após todo o derramamento de sangue, o povo começou a dizer que Harrenhal estava amaldiçoado, pois todas as casas nobres que foram agraciadas com o castelo haviam sofrido um fim terrível e sangrento. No entanto, muitos homens ambiciosos do rei desejavam a poderosa sede de Harren Negro, com suas vastas e férteis terras... tantos que o rei Maegor se cansou das insistências e decretou que Harrenhal iria para o mais forte de todos. E, assim, vinte e três cavaleiros a serviço do rei lutaram com espada e maça e lança nas ruas sangrentas de Vila do Lorde Harroway. Sor Walton

Towers emergiu vitorioso, e Maegor o nomeou Senhor de Harrenhal... Mas o combate havia sido cruento, e sor Walton não viveu tempo suficiente para desfrutar o título, morrendo em decorrência de seus ferimentos depois de uma quinzena. Harrenhal então passou ao filho mais velho dele, seus domínios, porém, foram muito reduzidos, pois o rei concedeu Vila do Lorde Harroway ao lorde Alton Butterwell e o restante das propriedades dos Harroway ao lorde Darnold Darry.

Quando Maegor enfim voltou a Porto Real para se sentar mais uma vez no Trono de Ferro, foi informado de que sua mãe, a rainha Visenya, tinha morrido. Ademais, na confusão que se seguiu à morte da rainha viúva, a rainha Alyssa e seus filhos haviam fugido de Pedra do Dragão, com os dragões Vermithor e Asaprata... e ninguém sabia dizer para onde. Eles chegaram até mesmo a roubar Irmã Sombria durante a fuga.

Sua Graça deu ordem para que o corpo da mãe fosse queimado e os ossos e as cinzas, sepultados ao lado dos restos do Conquistador. Em seguida, mandou a Guarda Real capturar seu escudeiro, o príncipe Viserys.

— Acorrentem-no em uma cela negra e o interroguem vigorosamente — decretou Maegor. — Perguntem aonde a mãe dele foi.

— Talvez ele não saiba — protestou sor Owen Bush, um cavaleiro da Guarda Real de Maegor.

— Então deixem-no morrer — foi a famosa resposta do rei. — Talvez a vadia compareça para o funeral.

O príncipe Viserys não sabia aonde sua mãe havia ido, nem quando Tyanna de Pentos o trabalhou com suas artes negras. Depois de nove dias de interrogatório, ele morreu. Seu corpo foi abandonado no pátio da Fortaleza Vermelha durante uma quinzena, por ordem do rei.

— Deixem que sua mãe venha buscá-lo — disse Maegor.

Mas a rainha Alyssa nunca apareceu, e por fim Sua Graça entregou o sobrinho ao fogo. O príncipe tinha quinze anos quando foi morto, e fora muito amado tanto pelo povo comum quanto pelos nobres. O reino chorou por ele.

Em 45 DC, a construção da Fortaleza Vermelha finalmente foi concluída. O rei Maegor comemorou o término das obras oferecendo um banquete aos construtores e homens que haviam trabalhado no castelo, enviando-lhes carroças cheias de vinho forte e acepipes, e prostitutas dos melhores bordéis da cidade. Os festejos duraram três dias. Depois, os cavaleiros do rei avançaram e mataram todos os trabalhadores, para que eles jamais revelassem os segredos da Fortaleza Vermelha. Seus ossos foram sepultados sob o castelo que eles haviam erigido.

Pouco depois da conclusão do castelo, a rainha Ceryse foi acometida subitamente de uma doença e faleceu. Correu pela corte o boato de que Sua Graça havia ofendido o rei com algum comentário mordaz, então ele dera ordem para que sor Owen lhe cortasse a língua. Dizem que a rainha resistira, sor Owen perdera o controle da faca, e a garganta da rainha fora cortada. Embora nunca tenha sido comprovada, essa história recebeu grande crédito na época; contudo, hoje, a maioria dos meistres acredita que tenha sido uma calúnia concebida pelos inimigos do rei para macular mais ainda sua reputação. Qualquer que fosse a verdade, a morte da primeira esposa de Maegor o deixou com uma única rainha, a pentoshi Tyanna de cabelos negros, coração negro, senhora das aranhas, odiada e temida por todos.

A última pedra mal fora firmada na Fortaleza Vermelha quando Maegor decretou que as ruínas do Septo da Memória fossem removidas do topo da Colina de Rhaenys, junto com os ossos e as cinzas dos Filhos do Guerreiro que haviam morrido ali. Ele determinou que, em seu lugar, seria erigido um vasto "estábulo para dragões" feito de pedras, um covil digno de Balerion, Vhagar e seus descendentes. E assim começou a construção do Fosso dos Dragões. Talvez não fosse nenhuma surpresa a dificuldade de encontrar construtores, pedreiros e trabalhadores para o projeto. Foram tantos os homens que recusaram que o rei acabou sendo obrigado a usar prisioneiros das masmorras da cidade como mão de obra, sob a supervisão de construtores trazidos de Myr e Volantis.

No final do ano 45 DC, o rei Maegor foi a campo mais uma vez para continuar sua guerra contra os últimos renegados da Fé Militante, deixando a rainha Tyanna no governo de Porto Real junto com sua nova Mão, o lorde Edwell Celtigar. Na grande floresta ao sul da Água Negra, as forças do rei caçaram dezenas de Pobres Irmãos que haviam se refugiado ali, enviando vários à Muralha e enforcando os que se recusaram a tomar o negro. A líder deles, a mulher conhecida como Jeyne Poore Bexiguenta, voltou a escapar do rei até enfim ser traída por três de seus seguidores, que foram recompensados com o perdão real e títulos de cavalaria.

Três septões que viajavam com Sua Graça declararam que Jeyne Bexiguenta era uma bruxa, e Maegor deu ordem para que ela fosse queimada viva em um campo à margem do Guaquevai. Quando chegou o dia definido para a execução, trezentos seguidores dela, Pobres Irmãos e camponeses, emergiram da floresta para resgatá-la. Entretanto, o rei havia previsto essa ação, e seus homens estavam preparados para o ataque. A força de resgate foi cercada e massacrada. Um dos últimos a morrer foi o líder, ninguém menos que sor Horys Hill, o cavaleiro andante bastardo que havia escapado da carnificina no Grande Delta três anos antes. Dessa vez ele não teve tanta sorte.

No entanto, em outras partes do reino, a maré dos tempos havia começado a se virar contra o rei. Tanto senhores quanto o povo comum haviam passado a desprezá--lo por suas muitas crueldades, e vários começaram a fornecer ajuda e consolo a seus inimigos. Septão Lua, o "alto septão" exaltado pelos Pobres Irmãos em oposição ao homem de Vilavelha que eles chamavam de "alto lambe-botas", transitava livremente pelas terras fluviais e pela Campina, atraindo grandes multidões sempre que surgia dentre as florestas para pregar contra o rei. O território montanhoso ao norte de Dente Dourado era governado informalmente pelo Cachorro Vermelho, sor

Joffrey Doggett, que proclamara a si mesmo grande capitão dos Filhos do Guerreiro. Nem Rochedo Casterly nem Correrrio pareciam inclinados a persegui-lo. Dennis, o Manco, e Silas Maltrapilho continuavam foragidos, e, aonde quer que fossem, o povo ajudava a protegê-los. Muitos cavaleiros e homens de armas enviados para levá-los à justiça desapareceram.

Os conselheiros de Maegor estavam de acordo que já era mais do que hora de ele obter uma nova esposa... mas eles divergiam quanto a que esposa devia ser. O grande meistre Benifer sugeriu uma união com a orgulhosa e bela senhora de Tombastela, Clarisse Dayne, na esperança de desassociar de Dorne suas terras e sua casa. Alton Butterwell, mestre da moeda, ofereceu sua irmã viúva, uma mulher rotunda com sete filhos. Mesmo reconhecendo que ela não era nenhuma beldade, ele defendeu que sua fertilidade fora comprovada para além de qualquer dúvida. Lorde Celtigar, a Mão do Rei, tinha duas filhas donzelas jovens, respectivamente de treze e doze anos. Ele insistiu que o rei poderia escolher qualquer uma, ou se casar com as duas, se preferisse. Lorde Velaryon de Derivamarca recomendou que Maegor mandasse buscar sua sobrinha Rhaena, a viúva de Aegon, o Sem Coroa. Se a desposasse, Maegor poderia unir as pretensões de ambos, evitando que surgisse qualquer nova rebelião em torno dela e adquirindo uma refém contra qualquer complô que sua mãe, a rainha Alyssa, fomentasse.

O rei Maegor ouviu a todos um por vez. Ainda que, no final, tenha desprezado a maioria das mulheres sugeridas, ele aceitou alguns dos motivos e argumentos. Decidiu que teria uma mulher de fertilidade comprovada, mas não a irmã gorda e feia de Butterwell. E desposaria mais de uma mulher, como o lorde Celtigar sugerira. Duas esposas duplicariam sua chance de conseguir um filho; três esposas triplicariam. E uma dessas esposas definitivamente seria sua sobrinha; era sensato o conselho do lorde Velaryon. A rainha Alyssa e seus dois filhos mais jovens continuavam escondidos (acreditava-se que eles haviam fugido para além do mar estreito, até Tyrosh ou, talvez, Volantis), mas eles ainda representavam uma ameaça contra a coroa de Maegor, e contra qualquer filho que ele viesse a ter. Se ele desposasse a filha de Aenys, qualquer pretensão dos irmãos mais novos dela perderia força.

Depois da morte do marido e a fuga para Ilha Bela, Rhaena Targaryen se apressara em tomar providências para proteger as filhas. Se o príncipe Aegon tivesse sido de fato o rei, a lei determinava que Aerea, sua filha mais velha, era sua herdeira e, portanto, poderia reivindicar sua posição como legítima rainha dos Sete Reinos... mas Aerea e a irmã, Rhaella, tinham apenas um ano, e Rhaena sabia que alardear essa pretensão seria o mesmo que condená-las à morte. Então tingiu os cabelos delas, mudou seus nomes e as mandou para longe, confiando-as a certos aliados poderosos, que tratariam de encaminhá-las a bons lares com homens de valor que permaneceriam ignorantes quanto à sua identidade verdadeira. A princesa insistiu que nem ela soubesse aonde as filhas iriam; o que não sabia ela jamais poderia revelar, nem sob tortura.

Para a própria Rhaena Targaryen não haveria escapatória. Embora ela pudesse mudar de nome, tingir o cabelo e vestir os trapos de uma meretriz ou as vestes de uma septã, seria impossível disfarçar sua dragão. Dreamfyre era um animal esbelto e azul-claro com detalhes de prata e já havia produzido duas ninhadas de ovos, e Rhaena voava com ela desde os doze anos.

Não é fácil esconder um dragão. Então a princesa as levou para o mais longe possível de Maegor, até Ilha Bela, onde Marq Farman lhe ofereceu a hospitalidade de Belcastro, cujas altas torres brancas se erguiam acima do Mar do Poente. E ali ela repousou, lendo, rezando, perguntando-se quanto tempo teria até que seu tio mandasse buscá-la. Mais tarde, Rhaena disse que nunca duvidou que ele faria isso; era uma questão de *quando*, não de *se*.

A convocatória veio mais cedo do que ela gostaria, mas não tão cedo quanto ela temia. Resistir estava fora de questão. Isso só faria o rei descer com Balerion sobre Ilha Bela. Rhaena se afeiçoara ao lorde Farman, e mais do que se afeiçoara ao segundo filho dele, Androw. Não desejava retribuir sua gentileza com fogo e sangue. Ela montou Dreamfyre e voou até a Fortaleza Vermelha, onde foi informada de que se casaria com o tio, o assassino de seu marido. E ali também Rhaena foi apresentada às outras noivas, pois seria um casamento triplo.

A senhora Jeyne da Casa Westerling havia sido casada com Alyn Tarbeck, que morrera com o príncipe Aegon na Batalha sob o Olho de Deus. Alguns meses depois, ela dera ao falecido senhor um filho póstumo. Alta e esbelta, com lustrosos cabelos castanhos, a senhora Jeyne estava sendo cortejada por um filho mais jovem do Senhor de Rochedo Casterly quando Maegor mandou buscá-la, mas isso nada importava para o rei.

Mais perturbador foi o caso da senhora Elinor da Casa Costayne, esposa de sor Theo Bolling, um cavaleiro de terras que havia lutado em nome do rei em sua campanha mais recente contra os Pobres Irmãos. Embora tivesse apenas dezenove anos, a senhora Elinor já havia dado três filhos a Bolling quando o olhar do rei se voltou para ela. O menino mais novo ainda estava no peito da mãe quanto sor Theo foi preso pela Guarda Real e acusado de conspirar com a rainha Alyssa para assassinar o rei e colocar o menino Jaehaerys no Trono de Ferro. Embora Bolling tivesse se declarado inocente, foi considerado culpado e decapitado no mesmo dia. O rei Maegor deu à viúva sete dias de luto, em honra aos deuses, e então a convocou para informá-la de que eles se casariam.

Na cidade de Septo de Pedra, Septão Lua condenou os planos matrimoniais do rei Maegor, e centenas de pessoas gritaram seu apoio, mas poucos outros se atreveram a levantar a voz contra Sua Graça. O alto septão zarpou de Vilavelha até Porto Real para celebrar o rito nupcial. Em um dia quente de primavera no ano 47 Depois da Conquista, Maegor Targaryen se uniu a três esposas no pátio da Fortaleza Vermelha.

Embora cada uma de suas novas rainhas estivesse trajada com as cores da Casa de seus respectivos pais, o povo de Porto Real as chamou de "Noivas de Preto", pois eram todas viúvas.

A presença do filho da senhora Jeyne e dos três meninos da senhora Elinor na cerimônia garantiram que elas desempenhassem devidamente seus papéis, mas muitos esperaram algum sinal de rebeldia da princesa Rhaena. Essa esperança foi aniquilada quando a rainha Tyanna apareceu, acompanhando duas meninas pequenas com cabelos prateados e olhos violeta, vestidas com o vermelho e preto da Casa Targaryen.

— Foi tolice sua acreditar que poderia escondê-las de mim — disse Tyanna à princesa. Rhaena abaixou a cabeça e pronunciou seus votos com a voz fria como gelo.

Contam-se muitas histórias peculiares e contraditórias a respeito da noite que se seguiu, e, com a passagem de tantos anos, é difícil separar a verdade das lendas. As três Noivas de Preto partilharam da mesma cama, como afirmam alguns? Parece pouco provável. Sua Graça visitou todas as três mulheres ao longo da noite e consumou as três uniões? Talvez. A princesa Rhaena tentou matar o rei com uma adaga escondida sob os travesseiros, como alegaria mais tarde? Elinor Costayne arranhou as costas do rei até tirar sangue durante o coito? Jeyne Westerling bebeu a poção de fertilidade que a rainha Tyanna supostamente lhe entregou, ou ela a jogou no rosto da mulher mais velha? Essa poção de fato foi preparada ou oferecida? A primeira menção a ela só veio a acontecer já bem adentrado o governo do rei Jaehaerys, quando fazia vinte anos que as duas mulheres tinham morrido.

Eis o que sabemos. Após o casamento, Maegor declarou que Aerea, a filha de Rhaena, era sua legítima herdeira, "até o momento em que os deuses me concederem um filho", e enviou a irmã gêmea Rhaella a Vilavelha para ser educada como septã. Seu sobrinho Jaehaerys, o legítimo herdeiro segundo todas as leis dos Sete Reinos, foi expressamente deserdado pelo mesmo decreto. O filho da rainha Jeyne foi ratificado como Senhor de Solar Tarbeck e enviado a Rochedo Casterly para ser criado como protegido de Lyman Lannister. Os filhos mais velhos da rainha Elinor tiveram tratamento similar, um enviado ao Ninho da Águia e o outro, a Jardim de Cima. O bebê mais jovem da rainha foi entregue a uma ama de leite, visto que o rei tinha asco quando a rainha amamentava.

Meio ano depois, Edwell Celtigar, a Mão do Rei, anunciou que a rainha Jeyne estava esperando um filho. Mal a barriga começara a crescer, e o rei revelou pessoalmente que a rainha Elinor também estava grávida. Maegor cobriu as duas mulheres de presentes e honras, e concedeu terras e títulos aos pais, irmãos e tios de ambas, mas essa alegria se revelou breve. Três luas antes do previsto, a rainha Jeyne foi levada à cama com o início repentino de dores do parto e deu à luz uma criança natimorta tão monstruosa quanto a que Alys Harroway havia parido, uma criatura sem pernas e braços e dotada de órgãos genitais masculinos e femininos. E a mãe tampouco viveu muito mais que a criança.

Os homens disseram que Maegor estava amaldiçoado. Ele havia matado o sobrinho, entrado em guerra contra a Fé e o alto septão, desafiado os deuses, cometido assassinato e incesto, adultério e estupro. Suas partes íntimas estavam envenenadas, sua semente, cheia de vermes, e os deuses jamais lhe dariam um filho vivo. Ou assim diziam os murmúrios. O próprio Maegor optou por outra explicação e mandou que sor Owen Bush e sor Maladon Moore capturassem a rainha Tyanna e a levassem às masmorras. Lá, a rainha pentoshi confessou tudo enquanto os torturadores do rei ainda preparavam seus instrumentos: ela havia envenenado o filho de Jeyne Westerling dentro do útero, tal como ela fizera com o de Alys Harroway. Ela prometeu que aconteceria o mesmo com a cria de Elinor Costayne.

Dizem que o rei a matou pessoalmente, removendo seu coração com Fogonegro e dando-o de comer aos cachorros. Mas, mesmo ao morrer, Tyanna da Torre teve sua vingança, pois se realizou exatamente o que ela havia prometido. A lua mudou e voltou a mudar, e na escuridão da noite a rainha Elinor também deu à luz um bebê natimorto deformado, um menino sem olhos com asas rudimentares.

Isso aconteceu no ano 48 Depois da Conquista, o sexto ano do reinado de Maegor e o último de sua vida. Agora não havia quem duvidasse nos Sete Reinos que o rei estava amaldiçoado. Os seguidores que lhe restavam começaram a desaparecer, evaporando como orvalho ao sol da manhã. Chegaram a Porto Real notícias de que sor Joffrey Doggett fora visto entrando em Correrrio, não como prisioneiro, mas na condição de convidado do lorde Tully. Septão Lua apareceu mais uma vez, liderando milhares de fiéis em marcha através da Campina rumo a Vilavelha, com a intenção declarada de confrontar o lambe-botas do Septo Estrelado e exigir que ele condenasse "a Abominação no Trono de Ferro" e rescindisse sua proibição contra as ordens militares. Quando o lorde Oakheart e o lorde Rowan apareceram diante dele com suas tropas, não foi para atacar Septão Lua, e sim para se unir a ele. O lorde Celtigar renunciou ao posto de Mão do Rei e voltou à sua sede em Ilha da Garra. Informes da marca dornesa sugeriam que os dorneses estavam se reunindo nos passos, preparando-se para invadir o reino.

O pior golpe veio de Ponta Tempestade. Ali, nas margens da Baía dos Naufrágios, o lorde Rogar Baratheon proclamou o jovem Jaehaerys Targaryen como o verdadeiro e legítimo rei dos Ândalos, dos Roinares e dos Primeiros Homens, e o príncipe Jaehaerys o nomeou Protetor do Território e Mão do Rei. A rainha Alyssa e Alysanne, a mãe e a irmã do rei, respectivamente, estavam ao seu lado quando Jaehaerys desembainhou Irmã Sombria e jurou dar um fim ao reinado de seu tio usurpador. Cem vassalos e cavaleiros das terras da tempestade gritaram vivas diante da proclamação. O príncipe Jaehaerys tinha catorze anos quando reivindicou o trono; um belo rapaz, habilidoso com a lança e o arco longo, e competente cavaleiro. Ademais, ele montava uma grande fera bronze e bege chamada Vermithor, e sua irmã Alysanne, uma donzela de doze anos, possuía sua própria dragão, Asaprata.

— Maegor tem apenas um dragão — disse o lorde Rogar aos senhores da tempestade. — Nosso príncipe tem dois.

E logo eram três. Quando chegou à Fortaleza Vermelha a notícia de que Jaehaerys estava reunindo suas forças em Ponta Tempestade, Rhaena Targaryen montou Dreamfyre e voou para se unir a ele, abandonado o tio que ela fora obrigada a desposar. Ela levou consigo a filha Aerea… e Fogonegro, roubada da bainha do próprio rei enquanto ele dormia.

A reação do rei Maegor foi vagarosa e confusa. Ele exigiu que o grande meistre enviasse seus corvos, convocando todos os senhores e vassalos leais para se apresentarem em Porto Real, mas constatou que Benifer havia zarpado para Pentos. Ao descobrir que a princesa Aerea fugira, ele mandou um homem a Vilavelha para cobrar a cabeça de sua irmã gêmea, Rhaella, como castigo pela traição da mãe dela, mas o lorde Hightower apenas prendeu seu mensageiro. Dois membros da Guarda Real desapareceram certa noite, para se debandar para Jaehaerys, e sor Owen Bush foi encontrado morto ao lado de um bordel, com o membro enfiado na boca.

Lord Velaryon de Derivamarca foi um dos primeiros a se declarar a favor de Jaehaerys. Como os Velaryon eram os almirantes tradicionais do reino, Maegor acordou e descobriu que havia perdido toda a frota real. Os Tyrell de Jardim de Cima foram os seguintes, com todo o poderio da Campina. Os Hightower de Vilavelha, os Redwyne da Árvore, os Lannister de Rochedo Casterly, os Arryn do Ninho da Águia, os Royce de Pedrarruna… um a um, todos se rebelaram contra o rei.

Em Porto Real, uma tropa de senhores menores se reuniu por ordem de Maegor, incluindo o lorde Darklyn de Valdocaso, o lorde Massey de Bailepedra, o lorde Towers de Harrenhal, o lorde Staunton de Pouso de Gralhas, o lorde Bar Emmon de Ponta Afiada, o lorde Buckwell das Hastes, os lordes Rosby, Stokeworth, Hayford, Harte, Byrch, Rollingford, Bywater e Mallery. No entanto, eles lideravam um total de apenas quatro mil homens, e apenas um em dez destes era cavaleiro.

Maegor os reuniu na Fortaleza Vermelha certa noite para discutir seu plano de batalha. Quando eles viram a escassez de seu número e se deram conta de que nenhum dos grandes senhores chegaria, muitos se desanimaram, e o lorde Hayford chegou inclusive a insistir que Sua Graça abdicasse e tomasse o negro. Sua Graça deu ordem para que Hayford fosse decapitado imediatamente e continuou o conselho de guerra com a cabeça do senhor cravada em uma lança atrás do Trono de Ferro. Os senhores passaram o dia todo traçando planos, e avançaram noite adentro. Era já a hora do lobo quando Maegor enfim permitiu que eles se retirassem. O rei ficou para trás, ponderando no Trono de Ferro, enquanto eles saíam. Os lordes Towers e Rosby foram os últimos a ver Sua Graça.

Horas depois, ao raiar da alvorada, a última das rainhas de Maegor foi procurá-lo. A rainha Elinor o encontrou ainda no Trono de Ferro, pálido e morto, o manto encharcado de sangue. Seus braços haviam sido rasgados dos pulsos aos cotovelos em pontas irregulares, e outra lâmina havia atravessado seu pescoço até sair por baixo do queixo.

Até hoje, são muitos os que acreditam que foi o próprio Trono de Ferro que o matou. Dizem que Maegor ainda estava vivo quando Rosby e Towers saíram da sala do trono, e os guardas postados nas portas juraram que ninguém entrou depois, até o momento em que a rainha Elinor o descobriu. Há quem diga que foi a rainha quem o pressionou contra aquelas pontas e lâminas, para vingar o assassinato de seu primeiro marido. A Guarda Real poderia ter sido a responsável pelo ato, mas para isso ela precisaria ter agido em conluio, pois havia dois cavaleiros em cada porta. Também poderia ter sido um ou mais desconhecidos, que teriam entrado e saído por uma passagem oculta na sala do trono. A Fortaleza Vermelha tinha seus segredos, conhecidos apenas pelos mortos. Pode ser também que o rei tenha sentido o desespero nas escuras profundezas da noite e tirado a própria vida, retorcendo as lâminas necessárias e rasgando suas veias para se poupar da derrota e da desgraça certas que o aguardavam.

O reinado de Maegor I Targaryen, que entrou para a história e para as lendas como Maegor, o Cruel, durou seis anos e sessenta e seis dias. Depois de sua morte, seu corpo foi queimado no pátio da Fortaleza Vermelha, e suas cinzas, sepultadas em Pedra do Dragão ao lado das de sua mãe. Ele morreu sem filhos e não deixou nenhum herdeiro de sua própria semente.

# De príncipe a rei
## A ascensão de Jaehaerys I

Jaehaerys I Targaryen ascendeu ao Trono de Ferro em 48 DC, aos catorze anos, e governaria os Sete Reinos pelos cinquenta e cinco anos seguintes, até sua morte de causas naturais em 103 DC. Nos últimos anos de seu reinado e durante o reinado de seu sucessor, ele foi chamado de "o Velho Rei" por motivos óbvios, mas Jaehaerys foi um homem jovem e vigoroso por mais tempo do que foi envelhecido e frágil, e eruditos mais ponderados falam dele com reverência como "o Conciliador". O arquimeistre Umbert, ao escrever um ano depois, tem a fama de ter declarado que Aegon, o Dragão, e suas irmãs conquistaram os Sete Reinos (seis deles, pelo menos), mas foi Jaehaerys, o Conciliador, que realmente os tornou um só.

A tarefa não foi fácil, pois seus predecessores imediatos desfizeram boa parte do que o Conquistador tinha construído; Aenys por fraqueza e indecisão, Maegor com sua sede de sangue e crueldade. O reino que Jaehaerys herdou estava pobre, destruído pela guerra, sem lei e abalado por divisão e desconfiança, enquanto o novo rei era um garoto imaturo sem experiência de comando.

Nem sua reivindicação ao Trono de Ferro era totalmente inquestionável. Embora Jaehaerys fosse o único filho vivo do rei Aenys I, seu irmão mais velho, Aegon, tinha reivindicado o reino antes dele. Aegon, o Sem Coroa, morreu na batalha sob o Olho de Deus ao tentar destronar seu tio Maegor, mas antes tomou a irmã Rhaena como esposa e teve duas filhas, as gêmeas Aerea e Rhaella. Se Maegor, o Cruel, fosse considerado só um usurpador sem direito de governar, como certos meistres argumentavam, o príncipe Aegon foi o verdadeiro rei, e a sucessão por direito devia passar para sua filha mais velha, Aerea, e não para seu irmão mais novo.

Mas o sexo das gêmeas pesou contra elas, assim como a idade; as garotas tinham apenas seis anos na ocasião da morte de Maegor. Além disso, relatos deixados por contemporâneos sugerem que a princesa Aerea era uma criança tímida quando nova, dada a lágrimas e a molhar a cama, enquanto Rhaella, a mais ousada e robusta das duas, era uma noviça a serviço do Septo Estrelado e prometida à Fé. Nenhuma delas parecia ter o necessário para ser rainha; sua mãe, a rainha Rhaena, admitiu isso quando concordou que a coroa devia ir para seu irmão Jaehaerys e não para suas filhas.

Alguns sugerem que a própria Rhaena poderia ter feito a reivindicação mais forte à coroa, sendo filha primogênita do rei Aenys e da rainha Alyssa. Houve até alguns que sussurraram que foi a rainha Rhaena quem de alguma forma planejou livrar o reino de Maegor, o Cruel, embora nunca tenha se estabelecido precisamente de que forma ela poderia ter arquitetado a morte dele depois de fugir de Porto Real em sua dragão Dreamfyre. Entretanto, seu sexo depunha contra ela.

— Aqui não é Dorne — disse lorde Rogar Baratheon quando a ideia foi apresentada a ele —, e Rhaena não é Nymeria.

Ademais, a rainha duplamente enviuvada passou a odiar Porto Real e a corte e só desejava voltar à Ilha Bela, onde conseguiu encontrar certa paz antes de seu tio fazer dela uma de suas Noivas de Preto.

O príncipe Jaehaerys ainda estava a um ano e meio da maioridade quando subiu ao Trono de Ferro pela primeira vez. Assim, ficou determinado que sua mãe, a rainha viúva Alyssa, atuaria como regente dele, enquanto lorde Rogar serviria como sua Mão e Protetor do Território. Mas que não fique parecendo que Jaehaerys era uma mera marionete. Desde o começo, o menino-rei insistiu em ter voz em todas as decisões tomadas em seu nome.

Enquanto os restos mortais de Maegor I Targaryen eram queimados em uma pira funerária, seu jovem sucessor enfrentou sua primeira decisão crucial: como lidar com os apoiadores do tio que restavam. Quando Maegor foi encontrado morto no Trono de Ferro, a maioria das grandes casas do reino e muitos senhores menores já o tinham abandonado... mas *muitos* não são *todos*. Muitos daqueles cujas terras e castelos eram próximos de Porto Real e das terras da coroa ficaram ao lado de Maegor até a hora de sua morte, entre eles os lordes Rosby e Towers, os últimos homens a verem o rei vivo. Outros que seguiam seu estandarte eram os lordes Stokeworth, Massey, Harte, Bywater, Darklyn, Rollingford, Mallery, Bar Emmon, Byrch, Staunton e Buckwell.

No caos que sucedeu a descoberta do corpo de Maegor, lorde Rosby bebeu um cálice de cicuta para se juntar a seu rei na morte. Buckwell e Rollingford tomaram um navio para Pentos, enquanto a maioria dos outros fugiu para seus castelos e fortalezas. Só Darklyn e Staunton tiveram a coragem de permanecer com lorde Towers para entregar a Fortaleza Vermelha quando o príncipe Jaehaerys e suas irmãs Rhaena e Alysanne desceram no castelo em seus dragões. As crônicas da corte nos contam que quando o jovem príncipe saltou das costas de Vermithor, os "três lordes leais" se ajoelharam para colocar as espadas aos pés dele, aclamando-o rei.

— Vocês chegaram atrasados ao banquete — o príncipe Jaehaerys supostamente disse a eles, embora em tom brando —, e essas mesmas lâminas ajudaram a matar meu irmão Aegon sob o Olho de Deus.

Sob sua ordem, os três foram imediatamente acorrentados, embora alguns do grupo do príncipe tivessem pedido que eles fossem executados ali mesmo. Nas celas escuras logo se juntaram a eles o magistrado do rei, o senhor confessor, o carcereiro--chefe, o comandante da Patrulha da Cidade e os quatro cavaleiros da Guarda Real que permaneceram ao lado do rei Maegor.

Uma quinzena depois, lorde Rogar Baratheon e a rainha Alyssa chegaram a Porto Real com seu exército, e centenas de pessoas foram capturadas e aprisionadas. Fossem cavaleiros, escudeiros, intendentes, septões ou servos, a acusação contra eles era a mesma; eles eram acusados de terem ajudado e cooperado com Maegor Targaryen no ato de usurpar o Trono de Ferro e em todos os crimes, crueldades e atos irregulares que vieram em seguida. Nem mesmo as mulheres foram poupadas; as damas de nascimento nobre que assistiram as Noivas de Preto também foram presas, juntamente com um grupo de prostitutas de classe baixa citadas como putas de Maegor.

Com as masmorras da Fortaleza Vermelha lotadas, surgiu a questão do que deveria ser feito com os prisioneiros. Se Maegor fosse considerado usurpador, todo o reinado dele fora ilegal, e quem o apoiou era culpado de traição e precisava ser executado. Era isso o que desejava a rainha Alyssa. A rainha viúva tinha perdido dois filhos para a crueldade de Maegor e não pretendia conceder aos homens que cumpriram as ordens dele nem mesmo a dignidade de um julgamento.

— Quando meu menino Viserys foi torturado e morto, esses homens ficaram em silêncio e não disseram nada em protesto — disse ela. — Por que deveríamos ouvi-los agora?

Contra a fúria dela estava lorde Rogar Baratheon, Mão do Rei e Protetor do Território. Embora sua senhoria concordasse que os homens de Maegor eram merecedores de punição, ele observou que se os prisioneiros fossem executados, os homens ainda leais ao usurpador não ficariam inclinados a se submeter. Lorde Rogar não teria outra escolha além de entrar no castelo de cada um deles e os arrancar de suas fortalezas com aço e fogo.

— Pode ser feito, mas a que custo? — perguntou ele. — Seria uma empreitada sangrenta, que poderia acabar endurecendo o coração deles contra nós. Permita que os homens de Maegor enfrentem julgamento e confessem sua traição — pediu o Protetor. Os considerados culpados dos piores crimes poderiam ser executados; para o resto, que oferecessem reféns que garantissem sua futura lealdade e que entregassem parte de suas terras e castelos.

A sabedoria da abordagem de lorde Rogar ficou clara para a maioria dos outros apoiadores do jovem rei, mas as visões dele talvez não tivessem prevalecido se o próprio Jaehaerys não tivesse se envolvido. Embora só tivesse catorze anos, o menino-rei provou desde o começo que não aceitaria ficar sentado docilmente enquanto outros governavam em seu nome. Com seu meistre, sua irmã, Alysanne, e um grupo de jovens cavaleiros ao seu lado, Jaehaerys subiu ao Trono de Ferro e convocou seus lordes.

— Não vai haver julgamento, nem tortura nem execução — anunciou ele a todos. — O reino precisa ver que não sou meu tio. Não vou começar meu reinado com um banho de sangue. Alguns seguiram meu estandarte cedo, outros, tarde. Que o resto venha agora.

Jaehaerys ainda não tinha sido coroado nem ungido e ainda não tinha chegado à maioridade; seu pronunciamento, portanto, não tinha força legal, e ele não tinha autoridade de anular as decisões do seu conselho e da sua regente. Mas o poder de suas palavras foi tal, assim como a determinação que ele exibiu ao olhar para todos do Trono de Ferro, que os lordes Baratheon e Velaryon na mesma hora deram apoio ao príncipe, e o restante logo os acompanhou. Só sua irmã Rhaena ousou contrariá-lo.

— Vão aplaudir quando a coroa for colocada na sua cabeça — disse ela —, assim como já aplaudiram nosso tio e nosso pai antes dele.

No final, a questão ficou na mão da regente... e embora a rainha Alyssa desejasse vingança pelo que tinha sofrido, ela também não estava disposta a ir contra os desejos do filho.

— Faria ele parecer fraco — alegam que ela disse para lorde Rogar —, e ele *nunca* deve parecer fraco. Esse foi o declínio do pai dele.

E foi assim que a maioria dos homens de Maegor foi poupada.

Nos dias que se seguiram, as masmorras de Porto Real foram esvaziadas. Depois de receberem comida e bebida e trajes limpos, os prisioneiros foram levados à sala do trono em grupos de sete. Lá, perante os olhos de deuses e homens, eles renunciaram à fidelidade a Maegor e juraram lealdade ao sobrinho dele, Jaehaerys, de joelhos, para em seguida o jovem rei mandar cada homem se levantar, conceder-lhe perdão e devolver suas terras e títulos. Mas não se deve pensar que os acusados escaparam sem punição. Cada lorde e cavaleiro foi compelido a enviar um filho à corte para servir o rei e permanecer como refém; para os que não tinham filhos, uma filha foi exigida. Os mais ricos dos lordes de Maegor também entregaram certas terras, Towers, Darklyn e Staunton entre eles. Outros compraram seu perdão com ouro.

A clemência real não se estendeu a todos. Os carrascos, carcereiros e confessores de Maegor foram todos declarados culpados de cumplicidade com Tyanna da Torre na tortura e morte do príncipe Viserys, que foi brevemente herdeiro e refém de Maegor. As cabeças deles foram entregues à rainha Alyssa, junto com as mãos que eles ousaram erguer contra o sangue do dragão. Sua Graça se declarou "satisfeita" com os presentes.

Outro homem também perdeu a cabeça: sor Maladon Moore, um cavaleiro da Guarda Real, que foi acusado de ter segurado Ceryse Hightower, a primeira rainha de Maegor, enquanto seu irmão juramentado, sor Owen Bush, cortava a língua dela, sendo que as tentativas de Sua Graça de se soltar fizeram a lâmina escorregar e provocar sua morte. (É preciso deixar claro que sor Maladon insistia que a história era inventada e dizia que a rainha Ceryse morreu de "perversidade". Mas admitiu ter entregado Tyanna da Torre nas mãos do rei Maegor e ter testemunhado quando ele a matou, então havia sangue de rainha nas mãos dele de qualquer modo.)

Cinco dos Sete de Maegor sobreviveram. Dois deles, sor Olyver Bracken e sor Raymund Mallery, tiveram papel importante na queda do falecido rei ao virarem a casaca e passarem para o lado de Jaehaerys, mas o menino-rei observou corretamente que ao fazer isso eles romperam suas promessas de defender a vida do rei com a deles.

— Não aceito quebradores de promessas na minha corte — declarou ele.

Todos os cinco guardas do rei foram sentenciados à morte... mas, com uma súplica da princesa Alysanne, chegou-se ao consenso de que poderiam ser poupados se eles trocassem os mantos brancos por pretos ao se juntarem à Patrulha da Noite. Quatro dos cinco aceitaram essa clemência e partiram para a Muralha; junto com sor Olyver e sor Raymund, os vira-casacas, foram sor Jon Tollett e sor Symond Crayne.

O quinto guarda real, sor Harrold Langward, exigiu um julgamento por batalha. Jaehaerys concedeu o desejo dele e ofereceu enfrentar pessoalmente sor Harrold em combate, mas isso lhe foi negado pela rainha regente. Um jovem cavaleiro das terras da tempestade foi enviado como campeão da Coroa. Sor Gyles Morrigen, o homem escolhido, era sobrinho de Damon, o Devoto, o grande capitão dos Filhos do Guerreiro que os liderou no Julgamento dos Sete contra Maegor. Ansioso para provar a lealdade de sua casa ao novo rei, sor Gyles trabalhou rapidamente no idoso sor Harrold e foi condecorado senhor comandante da Guarda Real de Jaehaerys pouco depois.

Enquanto isso, a história da clemência do príncipe se espalhou pelo reino. Um a um, o restante dos aliados do rei Maegor dispensaram seus exércitos, deixaram seus castelos e fizeram a viagem até Porto Real para jurar fidelidade. Alguns agiram com relutância, com medo de Jaehaerys se mostrar um rei fraco e ineficiente como seu pai... mas como Maegor não tinha deixado herdeiros legítimos, não havia rival plausível para que sobreviesse oposição. Até os mais ardorosos dos apoiadores de Maegor foram conquistados quando conheceram Jaehaerys, pois ele era tudo que um príncipe deveria ser: desenvolto, generoso e tão cavalheiresco quanto corajoso. O grande meistre Benifer (em retorno recente do exílio autoimposto em Pentos) escreveu que ele era "instruído como um meistre e piedoso como um septão", e embora parte disso possa ser atribuído a lisonja, também havia certa verdade. Até sua mãe, a rainha Alyssa, supostamente chamou Jaehaerys de "o melhor dos meus três filhos".

Não deve ser considerado que a reconciliação dos lordes gerou a paz em Westeros da noite para o dia. Os esforços do rei Maegor de exterminar os Pobres Irmãos e os

Filhos do Guerreiro puseram muitos homens e mulheres pios contra ele e contra a Casa Targaryen. Enquanto ele colecionava cabeças de centenas de Estrelas e Espadas, outras centenas continuavam soltas, e dezenas de milhares de lordes menores, cavaleiros com terras e plebeus os abrigavam, alimentavam e ofereciam ajuda e consolo sempre que podiam. Silas Maltrapilho e Dennis, o Manco, comandaram grupos andarilhos de Pobres Irmãos, que iam e vinham como fantasmas, sumindo na vegetação sempre que ameaçados. Ao norte do Dente Dourado, o Cachorro Vermelho das Colinas, sor Joffrey Doggett, se deslocava entre as terras ocidentais e as terras fluviais como queria, com o apoio e a conivência da senhora Lucinda, a esposa devota do Senhor de Correrrio. Sor Joffrey, que assumiu o mantelete de grande capitão dos Filhos do Guerreiro, anunciou sua intenção de restaurar a orgulhosa ordem à sua antiga glória e estava recrutando cavaleiros para seu estandarte.

Mas a maior ameaça estava no sul, onde o Septão Lua e seus seguidores acampavam abaixo das muralhas de Vilavelha, defendida por lorde Oakheart e lorde Rowan e seus cavaleiros. Um homem corpulento e enorme, Lua foi abençoado com uma voz trovejante e presença física imponente. Embora seus Pobres Irmãos o tivessem proclamado "o verdadeiro alto septão", aquele septão (se é que era mesmo um) não era a imagem da piedade. Ele se gabava com orgulho de que *Estrela de sete pontas* era o único livro que já tinha lido, e muitos questionavam até isso, pois não se sabia de ele já ter citado aquele tomo sagrado, e nenhum homem o tinha visto ler ou escrever.

Descalço, barbado e tomado de imenso fervor, o "mais pobre irmão" podia falar durante horas, e muitas vezes fazia exatamente isso... e ele falava sobre pecado. "Sou um pecador" eram as palavras com as quais o Septão Lua começava todos os sermões, e era mesmo. Uma criatura de apetites imensos, glutão e bêbado renomado por sua depravação, Lua se deitava cada noite com uma mulher diferente e engravidou tantas que seus acólitos começaram a dizer que a semente dele era capaz de tornar uma mulher estéril fértil. Tal era a ignorância e insensatez de seus seguidores que essa história se espalhou como verdadeira; maridos começaram a oferecer suas esposas a ele e as mães, suas filhas. O Septão Lua nunca recusava essas ofertas, e depois de um tempo alguns dos cavaleiros andantes e homens de armas dentre seus seguidores começaram a pintar imagens da "Pica de Lua" nos escudos, e um comércio vigoroso de maças, pingentes e cajados entalhados para parecerem o membro de Lua surgiu. Acreditava-se que um toque na ponta desses talismãs concedia prosperidade e boa sorte.

Todos os dias, o Septão Lua se apresentava para denunciar os pecados da Casa Targaryen e o "lambe-botas" que permitia suas abominações, enquanto em Vilavelha o verdadeiro Pai dos Fiéis tinha se tornado um prisioneiro em seu próprio palácio, incapaz de sair do confinamento do Septo Estrelado. Embora lorde Hightower tivesse fechado os portões para o Septão Lua e seus seguidores e se recusado a permitir a entrada deles na cidade, não estava ansioso para pegar em armas contra eles, apesar dos repetidos pedidos de Sua Alta Santidade. Quando questionado sobre os motivos, sua senhoria citava um desprazer por derramar sangue piedoso, mas muitos alegavam que a verdadeira razão era sua falta de disposição de travar batalha com os lordes Oakheart e Rowan, que ofereceram sua proteção ao Septão Lua. A relutância dele lhe rendeu o apelido de "lorde Donnel, o Moroso", por parte dos meistres da Cidadela.

O longo conflito entre o rei Maegor e a Fé tornou imperativo que Jaehaerys fosse ungido rei pelo alto septão, como concordavam lorde Rogar e a rainha regente. Mas antes que isso pudesse acontecer, era preciso cuidar do Septão Lua e de sua horda maltrapilha, para que o príncipe conseguisse viajar em segurança até Vilavelha. A esperança era que a notícia da morte de Maegor fosse suficiente para persuadir os seguidores de Lua a se dispersar, e alguns fizeram isso mesmo... mas só algumas centenas em um grupo que chegava perto de cinco mil.

— Que importância a morte de um dragão pode ter quando outro surge para tomar o lugar dele? — declarou o Septão Lua para sua turba. — Westeros não voltará a ser limpa enquanto todos os Targaryen não forem mortos ou devolvidos ao mar.

Todos os dias ele voltava a pregar, suplicando ao lorde Hightower que entregasse Vilavelha para ele, convocando o "alto lambe-botas" a deixar o Septo Estrelado e enfrentar a ira dos Pobres Irmãos que ele traíra, e o povo do território a um levante. (E todas as noites ele voltava a pecar.)

Do outro lado do território de Porto Real, Jaehaerys e seus conselheiros pensavam em como livrar o reino dessa praga. O menino-rei e suas irmãs Rhaena e Alysanne tinham dragões, e alguns achavam que a melhor forma de lidar com o Septão Lua era a mesma com que Aegon, o Conquistador, e suas irmãs lidaram com os dois reis no Campo de Fogo. Mas Jaehaerys não gostava desse tipo de matança, e sua mãe, a rainha Alyssa, proibiu secamente, lembrando-os do destino de Rhaenys Targaryen e seu dragão em Dorne. Lorde Rogar, a Mão do Rei, disse com certa relutância que levaria seu exército pela Campina e dispersaria os homens de Lua com o uso da força das armas... embora isso significasse usar o povo da terra da tempestade e qualquer outra força que ele conseguisse reunir contra os lordes Rowan e Oakheart e seus cavaleiros e homens de armas, assim como contra os Pobres Irmãos.

— É provável que vençamos — disse o Protetor —, mas não sem pagar um preço.

Talvez os deuses estivessem ouvindo, pois enquanto o rei e o conselho discutiam em Porto Real, o problema foi resolvido da forma mais inesperada. O crepúsculo caía do lado de fora de Vilavelha quando o Septão Lua se recolheu à sua tenda para a refeição da noite, exausto depois de um dia de pregação. Como sempre, estava protegido por seus Pobres Irmãos, homens enormes portando machados e com barbas longuíssimas, mas quando uma bela jovem se apresentou na tenda do septão com um garrafão de vinho que desejava dar a Sua Santidade em troca de ajuda, eles a deixaram entrar na mesma hora. Eles sabiam qual era o tipo de ajuda que a mulher desejava; o tipo que colocaria um bebê em sua barriga.

Um período curto passou, durante o qual os homens do lado de fora da tenda ouviram gargalhadas ocasionais do Septão Lua lá dentro. Mas, de repente, houve um gemido, um grito de mulher e um berro de fúria em seguida. A aba da tenda foi aberta, e a mulher saiu, seminua e descalça, e disparou com olhos arregalados e expressão apavorada antes que qualquer um dos Pobres Irmãos pudesse pensar em impedi-la. O Septão Lua apareceu um momento depois, nu, rugindo, encharcado de sangue. Ele estava segurando o pescoço, e sangue escorria entre os dedos e pingava da barba onde a garganta tinha sido cortada.

Dizem que Lua cambaleou por metade do acampamento, indo de fogueira em fogueira atrás da prostituta que o cortou. Até que chegou um momento em que sua grande força falhou; ele desabou e morreu enquanto seus acólitos o cercavam, chorando sua morte. Não havia sinal da matadora; ela sumiu na noite e nunca mais foi vista. Os Pobres Irmãos furiosos reviraram o acampamento um dia e uma noite em busca da jovem, derrubando barracas, pegando dezenas de mulheres e batendo em qualquer homem que tentasse atrapalhar... mas a caçada não deu em nada. Os próprios guardas do Septão Lua não conseguiam concordar sobre a aparência da assassina.

Os guardas lembravam que a mulher tinha levado um garrafão de vinho como presente para o septão. Metade do vinho ainda estava na garrafa quando a tenda foi revistada, e quatro dos Pobres Irmãos o beberam quando o sol estava nascendo, depois de carregarem o cadáver do profeta de volta para a cama. Todos quatro estavam mortos antes do meio-dia. O vinho estava envenenado.

Depois da morte de Lua, o exército maltrapilho que ele levou até Vilavelha começou a se desintegrar. Alguns de seus seguidores já tinham partido quando a notícia da morte do rei Maegor e da ascensão do príncipe Jaehaerys chegou a eles. Agora esses poucos viraram muitos. Antes mesmo de o cadáver do septão começar a feder, uma dezena de pretendentes rivais se apresentou para reivindicar o mantelete dele, e lutas começaram a acontecer entre seus respectivos seguidores. Era de pensar que os homens de Lua procurariam os dois lordes entre eles para obter liderança, mas nada poderia estar mais distante da verdade. Os Pobres Irmãos não respeitavam nobreza... e a relutância dos lordes Rowan e Oakheart de comprometerem seus cavaleiros e homens de armas a um ataque às muralhas de Vilavelha os deixou desconfiados.

A posse dos restos mortais de Lua acabou se tornando o pomo da discórdia entre dois de seus possíveis sucessores, o Pobre Irmão conhecido como Rob, o Faminto, e um certo Lorcas, chamado Lorcas, o Estudado, que se gabava de saber *Estrela de sete pontas* inteiro de cor. Lorcas alegava ter tido uma visão em que Lua ainda entregaria Vilavelha nas mãos de seus seguidores, mesmo estando morto. Depois de tirar o corpo do septão de Rob, o Faminto, esse tolo "estudado" o amarrou em um cavalo, nu, ensanguentado e apodrecendo, para derrubar os portões de Vilavelha.

Menos de cem homens, porém, juntaram-se ao ataque, e a maioria deles morreu sob uma chuva de flechas, lanças e pedras antes mesmo de chegarem a cem metros das muralhas da cidade. Os que alcançaram as muralhas foram encharcados de óleo fervente ou postos em chamas com piche quente, entre eles o próprio Lorcas, o Estudado. Quando todos os homens dele estavam mortos ou morrendo, uma dezena dos cavaleiros mais ousados de lorde Hightower cavalgaram a partir de uma porta lateral, capturaram o corpo do Septão Lua e cortaram a cabeça dele. Curtido e empalhado, seria entregue posteriormente ao alto septão no Septo Estrelado como presente.

O ataque malogrado acabou sendo o último suspiro da cruzada do Septão Lua. Lorde Rowan desmontou acampamento em uma hora, com todos os seus cavaleiros e homens de armas. Lorde Oakheart foi no dia seguinte. O restante do grupo, cavaleiros andantes e Pobres Irmãos e seguidores de acampamento e mercadores, se dispersou em todas as direções (saqueando e pilhando todas as fazendas, vilarejos e fortificações no caminho). Menos de quatrocentos dos cinco mil que o Septão Lua levou para Vilavelha ainda estavam lá quando lorde Donnel, o Moroso, saiu armado para massacrar os retardatários.

O assassinato de Lua removeu o último grande obstáculo à ascensão de Jaehaerys Targaryen ao Trono de Ferro, mas daquele dia até hoje há um debate sobre quem foi responsável pela morte dele. Ninguém de fato acreditou que a mulher que tentou envenenar o "septão pecador" e acabou cortando a garganta dele estivesse agindo sozinha. Claramente, ela foi uma ferramenta... mas de quem? O próprio menino-rei a enviou, ou será que ela era uma agente da Mão dele, Rogar Baratheon, ou da mãe, a rainha regente? Alguns passaram a acreditar que a mulher era uma dos Homens sem Rosto, a famosa guilda de feiticeiros assassinos de Braavos. Para sustentar essa opinião, eles citaram o desaparecimento repentino dela, o jeito como ela pareceu "derreter na noite" depois do assassinato e o fato de os guardas do Septão Lua não conseguirem concordar sobre como era sua aparência.

Homens mais sábios e os mais familiarizados com os métodos dos Homens sem Rosto dão pouca credibilidade a essa teoria. O próprio jeito desastrado do assassinato de Lua depõe contra a possibilidade de ser trabalho de um deles, pois os Homens sem Rosto tomam grande cuidado para fazer seus assassinatos parecerem mortes naturais. É questão de orgulho para eles, a base de sua arte. Cortar a garganta de um homem e o deixar cambaleando na noite e gritando seu assassinato não é digno deles. A maioria dos eruditos de hoje acredita que a assassina era apenas uma seguidora de acampamento, agindo em nome de lorde Rowan ou de lorde Oakheart, ou talvez dos dois. Embora nenhum dos dois ousasse desertar Lua quando ele ainda estava vivo, o vigor com que abandonaram a causa depois de sua morte sugere que o agravo deles era com Maegor, não com a Casa Targaryen... E, de fato, ambos logo voltariam a Vilavelha, penitentes e obedientes, para se curvarem ao príncipe Jaehaerys em sua coroação.

Com o caminho para Vilavelha livre e seguro novamente, a coroação aconteceu no Septo Estrelado nos últimos dias do ano 48 Depois da Conquista. O alto septão — o "alto lambe-botas" que o Septão Lua queria derrubar — ungiu o jovem rei em pessoa e pôs a coroa de seu pai, Aenys, na cabeça dele. Sete dias de festa vieram em seguida, durante os quais centenas de senhores grandes e pequenos apareceram para se curvar e jurar suas espadas a Jaehaerys. Entre os presentes estavam suas irmãs Rhaena e Alysanne, suas jovens sobrinhas Aerea e Rhaella, sua mãe, a rainha regente Alyssa, a Mão do Rei, Rogar Baratheon, sor Gyles Morrigen, senhor comandante da Guarda Real, o grande meistre Benifer, os arquimeistres reunidos da Cidadela... e um homem que ninguém esperaria ver: sor Joffrey Doggett, o Cachorro Vermelho das Colinas, autoproclamado grande capitão dos insurgentes Filhos do Guerreiro. Doggett chegou em companhia do senhor e da senhora Tully de Correrrio... não acorrentado, como a maioria poderia esperar, mas com um salvo-conduto com o selo do próprio rei.

O grande meistre Benifer escreveu depois que a reunião entre o menino-rei e o cavaleiro insurgente "pôs a mesa" para todo o reino de Jaehaerys fazer o mesmo. Quando sor Joffrey e senhora Lucinda pediram que ele desfizesse os decretos do seu tio Maegor e readmitisse as Espadas e Estrelas, Jaehaerys recusou com firmeza.

— A Fé não precisa de espadas — declarou ele. — Eles têm a minha proteção. A proteção do Trono de Ferro. — Mas ele revogou as recompensas que Maegor tinha prometido pelas cabeças dos Filhos do Guerreiro e dos Pobres Irmãos. — Não farei guerra contra meu próprio povo — disse ele —, mas também não tolerarei traição e rebelião.

— Eu me insurgi contra seu tio, como você — respondeu o Cachorro Vermelho das Colinas, desafiador.

— Foi mesmo — concedeu Jaehaerys —, e lutou bravamente, nenhum homem pode negar. Os Filhos do Guerreiro não existem mais e suas promessas a eles estão no final, mas seu serviço não precisa estar. Tenho uma posição para você.

E, com essas palavras, o jovem rapaz chocou a corte ao oferecer a sor Joffrey uma posição ao seu lado como cavaleiro da Guarda Real. Um silêncio se espalhou, conta o grande meistre Benifer, e quando o Cachorro Vermelho puxou a espada longa, houve alguns que temeram que ele pudesse estar prestes a usá-la para atacar o rei... mas o cavaleiro se apoiou em um dos joelhos, baixou a cabeça e colocou a lâmina aos pés de Jaehaerys. Dizem que havia lágrimas em seu rosto.

Nove dias depois da coroação, o jovem rei partiu de Vilavelha para Porto Real. A maior parte da corte viajou com ele no que se tornou um grande cortejo pela Campina... mas sua irmã Rhaena ficou com eles só até Jardim de Cima, onde montou na dragão Dreamfyre para voltar para a Ilha Bela e para o castelo de lorde Farman acima do mar, despedindo-se não só do rei, mas de suas filhas. Rhaella, noviça prometida à Fé, ficou no Septo Estrelado, enquanto sua irmã gêmea Aerea seguiu com o rei até a Fortaleza Vermelha, onde ela serviria como copeira e dama de companhia da princesa Alysanne.

Mas aconteceu uma coisa curiosa com as meninas da rainha Rhaena depois da coroação do rei, como foi observado. As gêmeas sempre foram imagem espelhada uma da outra em aparência, mas não em temperamento. Enquanto Rhaella era famosa por

ser uma criança ousada e voluntariosa e um terror para as septãs encarregadas dela, Aerea era famosa por ser uma criatura tímida e acanhada, muito dada a lágrimas e medos. "Ela tem medo de cavalos, de cachorros, de garotos com vozes altas, de homens de barba e de dançar, e morre de medo de dragões", escreveu o grande meistre Benifer quando Aerea foi para a corte pela primeira vez.

Mas isso foi antes da queda de Maegor e da coroação de Jaehaerys. Depois, a gêmea que ficou em Vilavelha se dedicou às orações e ao estudo e nunca mais precisou ser repreendida, enquanto a gêmea que voltou para Porto Real se mostrou cheia de vida, perspicaz e aventureira, e em pouco tempo passava metade de seus dias nos canis, nos estábulos e nos pátios de dragões. Embora nada tenha sido provado, acreditava-se que alguém — talvez a própria rainha Rhaena, ou a mãe dela, a rainha Alyssa — aproveitou a ocasião da coroação do rei para trocar as meninas. Se foi isso que aconteceu, ninguém estava inclinado a questionar a mentira, pois até o momento em que Jaehaerys tivesse um herdeiro seu, a princesa Aerea (ou a gêmea que agora carregava esse nome) era a herdeira do Trono de Ferro.

Todos os relatos concordam em que o retorno do rei de Vilavelha para Porto Real foi um triunfo. Sor Joffrey cavalgou ao lado dele, e durante todo o trajeto eles foram aclamados por turbas barulhentas. Aqui e ali apareceram Pobres Irmãos, sujeitos magros e sujos com barbas longas e machados enormes, implorando a mesma clemência concedida ao Cachorro Vermelho. Jaehaerys concedia seu perdão com a condição de eles aceitarem viajar para o Norte e entrarem para a Patrulha da Noite na Muralha. Centenas juraram fazer isso, entre eles justamente o tal Rob, o Faminto. "Uma mudança de lua depois de ser coroado", escreveu o grande meistre Benifer, "o rei Jaehaerys reconciliou o Trono de Ferro com a Fé e pôs fim ao derramamento de sangue que perturbou o reinado de seu tio e de seu pai."

# O ANO DAS TRÊS NOIVAS 49 DC

O ano 49 Depois da Conquista de Aegon deu ao povo de Westeros um bem-vindo descanso do caos e dos conflitos que aconteceram antes. Seria um ano de paz, abundância e casamento, lembrado nos anais dos Sete Reinos como o Ano das Três Noivas.

O novo ano tinha só uma quinzena quando a notícia do primeiro dos três casamentos veio do oeste, da Ilha Bela no Mar do Poente. Lá, em uma cerimônia pequena e rápida a céu aberto, Rhaena Targaryen se casou com Androw Farman, o segundo filho do senhor da Ilha Bela. Era o primeiro casamento do noivo e o terceiro da noiva. Embora duas vezes viúva, Rhaena tinha apenas vinte e seis anos. Seu novo marido, com somente dezessete, era bem mais jovem, um rapaz bonito e simpático que parecia estar totalmente apaixonado pela nova esposa.

O casamento foi celebrado pelo pai do noivo, Marq Farman, senhor da Ilha Bela, e conduzido pelo septão dele. Lyman Lannister, Senhor de Rochedo Casterly, e sua esposa Jocasta foram os únicos nobres presentes. Duas das antigas favoritas de Rhaena, Samantha Stokeworth e Alayne Royce, foram até Ilha Bela apressadamente para ficar ao lado da rainha enviuvada, junto com a irmã animada do noivo, a senhora Elissa. O restante dos convidados era composto de vassalos e cavaleiros domésticos juramentados da Casa Farman ou da Casa Lannister. O rei e a corte permaneceram totalmente alheios ao casamento até um corvo de Rochedo levar a notícia, dias depois das bodas e das núpcias que selavam o acontecimento.

Cronistas de Porto Real relatam que a rainha Alyssa ficou profundamente ofendida por sua exclusão do casamento da filha e que o relacionamento entre elas nunca mais voltou a ser caloroso, enquanto lorde Rogar Baratheon ficou furioso de Rhaena ousar se casar outra vez sem permissão da Coroa... sendo a Coroa nesse caso ele mesmo, a Mão do jovem rei. Mas, se ela tivesse pedido permissão, não havia certeza de que seria concedida, pois Androw Farman, o segundo filho de um senhor menor, era visto por muitos como nem um pouco digno da mão de uma mulher que tinha sido rainha duas vezes e ainda era mãe da herdeira do rei. (Por acaso, o mais jovem dos irmãos de lorde Rogar permaneceu solteiro até o ano 49 DC, e sua senhoria tinha dois sobrinhos, filhos de outro irmão, que também tinham idade e linhagem adequadas para serem considerados pares potenciais para uma viúva Targaryen, fatos que podiam explicar a raiva da Mão e o segredo do casamento da rainha Rhaena.) O próprio rei Jaehaerys e sua irmã Alysanne ficaram felizes com o acontecimento e enviaram presentes e congratulações para Ilha Bela e mandaram que os sinos da Fortaleza Vermelha fossem tocados em comemoração.

Enquanto Rhaena Targaryen estava comemorando o casamento em Ilha Bela, em Porto Real o rei Jaehaerys e sua mãe, a rainha regente, estavam ocupados selecionando conselheiros que os ajudariam a governar o território nos dois anos seguintes. A conciliação permaneceu sendo seu princípio-guia, pois as divisões que atormentaram Westeros recentemente ainda não estavam curadas. Recompensar aqueles que eram leais a ele e excluir os homens de Maegor e os Fiéis do poder só exacerbaria as feridas e geraria novos ressentimentos, argumentou o jovem rei. Sua mãe concordou.

Assim, Jaehaerys procurou o Senhor de Ilha da Garra, Edwell Celtigar, que tinha sido Mão do Rei no reinado de Maegor, e o convocou a Porto Real para servir como senhor tesoureiro e mestre da moeda. Para ser senhor almirante e mestre dos navios, o jovem rei procurou seu tio, Daemon Velaryon, Senhor das Marés, irmão da rainha Alyssa e um dos primeiros senhores grandes a abandonar Maegor, o Cruel. Prentys Tully, Senhor de Correrrio, foi convocado à corte para servir como mestre das leis; com ele foi sua admirada esposa, senhora Lucinda, famosa por sua devoção. O comando da Patrulha da Cidade, a maior força armada de Porto Real, o rei confiou a Qarl Corbray, Senhor de Lar do Coração, que lutou ao lado de Aegon, o Sem Coroa sob o Olho de Deus. Acima de todos eles ficava Rogar Baratheon, Senhor de Ponta Tempestade e Mão do Rei.

Seria um erro subestimar a influência do próprio Jaehaerys Targaryen durante os anos de sua regência, pois apesar de sua juventude o menino-rei tinha lugar em quase todos os conselhos (mas não em todos, como será contado em breve) e nunca se intimidava na hora de fazer sua voz ser ouvida. Mas, no final, a autoridade durante todo esse período ficou com sua mãe, a rainha regente, e com a Mão, um homem muito admirado.

Com olhos azuis, barba preta e músculos de um touro, lorde Rogar era o mais velho de cinco irmãos, todos netos de Orys Maneta, o primeiro senhor Baratheon de Ponta Tempestade. Orys era irmão bastardo de Aegon, o Conquistador, e seu comandante de mais confiança. Depois de matar Argilac, o Arrogante, o último dos Durrandon, ele tomou a filha de Argilac como esposa. Lorde Rogar podia então alegar que tanto o sangue do dragão quanto o dos antigos reis da tempestade corria em suas veias. Não era espadachim e preferia brandir um machado de duas lâminas em batalha... um machado, ele costumava dizer, "grande e pesado o suficiente para quebrar o crânio de um dragão".

Essas foram palavras perigosas durante o reinado de Maegor, o Cruel, mas se Rogar Baratheon temia a ira de Maegor, disfarçava bem. Homens que o conheciam não ficaram surpresos quando ele deu abrigo à rainha Alyssa e seus filhos depois da fuga deles de Porto Real, nem quando ele foi o primeiro a proclamar o príncipe Jaehaerys como rei. Seu irmão Borys foi ouvido dizendo que Rogar sonhava em enfrentar o rei Maegor em combate individual e acertá-lo com o machado.

Esse sonho lhe foi negado pelo destino. Em vez de regicida, lorde Rogar se tornou um fazedor de reis e levou o príncipe Jaehaerys ao Trono de Ferro. Poucos questionaram seu direito de assumir seu lugar ao lado do jovem rei como Mão; alguns chegaram a sussurrar que seria Rogar Baratheon quem governaria o reino dali em diante, pois Jaehaerys era garoto e filho de um pai fraco, enquanto a mãe era apenas uma mulher. E quando foi anunciado que lorde Rogar e a rainha Alyssa se casariam, os sussurros ficaram mais altos... pois o que é o marido de uma rainha se não rei?

Lorde Rogar tinha sido casado uma vez, mas sua esposa morrera jovem, acometida de uma febre menos de um ano depois do casamento. A rainha regente Alyssa tinha quarenta e dois anos e todos achavam que já tinha passado de seus anos férteis. O Senhor de Ponta Tempestade tinha dez anos a menos. Ao escrever alguns anos depois, o septão Barth nos conta que Jaehaerys foi contra o casamento; o jovem rei achava que a Mão estava indo além do que lhe cabia, motivado mais por um desejo de poder e posição do que por afeto verdadeiro por sua mãe. Ele ficou com raiva porque nem sua mãe nem o pretendente dela foram pedir sua permissão, disse Barth... mas, como não tinha criado objeções ao casamento da irmã, o rei achava que não tinha o direito de impedir o da mãe. Assim, Jaehaerys se segurou e não deu indicação de suas apreensões exceto para alguns confidentes próximos.

A Mão era admirada por sua coragem, respeitada por sua força, temida por sua habilidade militar e capacidade de uso de armas. A rainha regente era amada. *Tão linda, tão corajosa, tão trágica*, as mulheres diziam sobre ela. Mesmo senhores que poderiam hesitar em ter uma mulher governando acima deles estavam dispostos a aceitá-la como sua suserana, tranquilos com a certeza de que ela tinha Rogar Baratheon ao lado e que o jovem rei estava a menos de um ano do décimo sexto dia do seu nome.

Ela fora uma criança linda, todos os homens concordavam, filha do poderoso Aethan Velaryon, Senhor das Marés, e da esposa dele, Alarra da Casa Massey. A linhagem dela era antiga, orgulhosa e rica; a mãe, estimada como dona de grande beleza, o avô, dentre os mais antigos e próximos amigos de Aegon, o Dragão, e suas rainhas. Os deuses abençoaram Alyssa em pessoa com olhos violeta profundos e cabelos prateados brilhantes da Antiga Valíria e deram a ela encanto, inteligência e gentileza também, e conforme ela foi crescendo, os pretendentes surgiam de todos os cantos do território. Mas nunca houve dúvida sobre com quem ela se casaria. Para uma garota como ela, só serviria a realeza, e no ano 22 DC ela se casou com o príncipe Aenys Targaryen, o herdeiro inquestionável do Trono de Ferro.

O casamento deles foi feliz. O príncipe Aenys era um marido gentil e atencioso, de natureza calorosa, generoso e nunca infiel. Alyssa lhe deu cinco filhos fortes e saudáveis, duas meninas e três meninos (um sexto bebê, outra filha, morreu no berço pouco depois do nascimento), e quando Sua Majestade morreu em 37 DC, a coroa foi passada para Aenys, e Alyssa se tornou sua rainha.

Nos anos seguintes, ela viu o reinado do marido desmoronar e virar cinzas com o surgimento de inimigos ao redor. Em 42 DC ele morreu, um homem destruído e desprezado, de apenas trinta e cinco anos. A rainha mal teve tempo de sofrer antes de o irmão dele tomar o trono que pertencia por direito a seu filho mais velho. Ela viu o filho se erguer contra o tio e morrer junto com seu dragão. Um curto período depois, seu segundo filho o seguiu na pira funerária, torturado até a morte por Tyanna da Torre. Junto com os dois filhos mais novos, Alyssa foi feita prisioneira, para todos os propósitos, pelo homem que levou seus filhos à morte e foi obrigada a ser testemunha quando sua filha mais velha foi forçada em casamento com o mesmo monstro.

Mas a guerra dos tronos tem muitas reviravoltas surpreendentes, e Maegor acabou caindo, graças em grande parte à coragem da rainha viúva Alyssa e à ousadia de lorde Rogar, que fez amizade com ela e a acolheu quando mais ninguém quis. Os deuses foram bons com eles e lhes concederam a vitória, e agora a mulher que tinha sido Alyssa da Casa Velaryon receberia uma segunda chance de felicidade com um novo marido.

O casamento da Mão do Rei com a rainha regente seria tão esplêndido quanto o da rainha viúva Rhaena tinha sido modesto. O alto septão em pessoa realizaria os ritos de casamento no sétimo dia da sétima lua do novo ano. O local seria o parcialmente finalizado Fosso dos Dragões, ainda a céu aberto, cujas arquibancadas de pedra permitiriam que dezenas de milhares de pessoas observassem as núpcias. As comemorações consistiriam em um grande torneio, sete dias de festas e celebrações e até a encenação de uma batalha no mar a acontecer nas águas da Baía da Água Negra.

Ninguém se lembrava de nenhum casamento de metade daquele porte celebrado em Westeros, e senhores grandes e pequenos de todos os Sete Reinos e além se reuniram para fazer parte do evento. Donnel Hightower veio de Vilavelha com cem cavaleiros e setenta e sete dos Mais Devotos, escoltando Sua Alta Santidade, o alto septão, enquanto Lyman Lannister trouxe trezentos cavaleiros de Rochedo Casterly. Brandon Stark, o Senhor de Winterfell, fez a longa jornada do Norte com seus filhos Walton e Alaric, assistido por doze vassalos corajosos do Norte e por trinta irmãos juramentados da Patrulha da Noite. Os lordes Arryn, Corbray e Royce representaram o Vale, e os lordes Selmy, Dondarrion e Tarly representaram a Marca de Dorne. Mesmo de além das fronteiras do reino, os grandes e poderosos compareceram: o príncipe de Dorne enviou sua irmã, o Senhor do Mar de Braavos enviou um filho. O Arconte de Tyrosh atravessou o mar estreito em pessoa com sua filha, assim como vinte e dois magistrados da Cidade Livre de Pentos. Todos trouxeram lindos presentes para a Mão e a rainha regente; os mais luxuosos foram dos que recentemente tinham sido homens de Maegor, e de Rickard Rowan e Torgen Oakheart, que marcharam com o Septão Lua.

Os convidados do casamento apareceram ostensivamente para celebrar a união de Rogar Baratheon com a rainha viúva, mas eles tinham outros motivos para o comparecimento, disso não se deveria ter dúvida. Muitos desejavam negociar com a Mão, que era visto como o verdadeiro poder do reino; outros almejavam avaliar o novo menino-rei. E Sua Graça não lhes negou essa oportunidade. Sor Gyles Morrigen, campeão do rei e escudo juramentado, anunciou que Jaehaerys ficaria satisfeito em conceder audiência para qualquer senhor ou cavaleiro de terras que desejasse se encontrar com ele, e seis vintenas aceitaram o convite. Deixando de lado o grande salão e a majestade do Trono de Ferro, o jovem rei recebeu os senhores na intimidade de seu solar, assistido apenas por sor Gyles, um meistre e alguns servos.

Dizem que lá ele encorajou cada homem a falar livremente e compartilhar suas opiniões sobre os problemas do reino e como poderiam ser superados.

— Ele não é como o pai — lorde Royce disse para seu meistre depois; foi um elogio contrariado, talvez, mas um elogio mesmo assim.

Lorde Vance de Pouso do Viajante foi ouvido dizendo:

— Ele escuta bem, mas fala pouco.

Rickard Rowan achou Jaehaerys gentil e de voz suave, Kyle Connington o considerou arguto e bem-humorado, Morton Caron o julgou cauteloso e sagaz.

— Ele ri com frequência e com facilidade, até de si mesmo — disse Jon Mertens com aprovação, mas Alec Hunter o achou severo, e Torgen Oakheart o considerou soturno.

Lorde Mallister o declarou mais sábio além de sua idade, enquanto lorde Darry disse que ele prometia ser "o tipo de rei perante o qual qualquer senhor deveria sentir orgulho de se curvar". O maior elogio veio de Brandon Stark, Senhor de Winterfell, que disse:

— Vejo nele o avô.

A Mão do Rei não compareceu a nenhuma dessas audiências, mas ninguém pensaria que lorde Rogar era um anfitrião desatento. Na verdade, as horas que sua senhoria passava com os convidados eram dedicadas a outros propósitos. Ele caçava com eles, falcoava com eles, jogava com eles, banqueteava com eles e "bebia até as adegas reais secarem". Depois do casamento, quando o torneio começou, lorde Rogar esteve presente em cada justa e cada disputa, cercado de um grupo animado e muitas vezes bêbado de grandes senhores e cavaleiros renomados.

Entretanto, o mais famoso dos entretenimentos de sua senhoria aconteceu dois dias antes da cerimônia. Embora não exista registro em nenhuma crônica da corte, histórias contadas por servos e repetidas por muitos anos depois pela plebe alegam que os irmãos de lorde Rogar levaram sete virgens pelo mar estreito das melhores casas de prazer de Lys. A rainha Alyssa tinha entregado sua virgindade muitos anos antes para Aenys Targaryen, então estava fora de possibilidade de lorde Rogar a deflorar na noite de casamento. As donzelas de Lys foram levadas para compensar isso. Se os sussurros ouvidos pela corte depois forem verdade, sua senhoria supostamente deflorou quatro das garotas antes da exaustão e a bebida o derrubarem; seus irmãos, sobrinhos e amigos cuidaram das outras três, junto com mais duas vintenas de beldades mais velhas que zarparam com eles de Lys.

Enquanto a Mão farreava e o rei Jaehaerys oferecia audiências para os senhores do território, sua irmã, a princesa Alysanne, distraía as mulheres nobres que tinham ido com eles para Porto Real. A irmã mais velha do rei, Rhaena, havia decidido não comparecer às núpcias e preferiu ficar em Ilha Bela com seu novo marido e sua corte, e a rainha regente Alyssa, por sua vez, estava ocupada com os preparativos para o casamento, então a tarefa de ser anfitriã das esposas, filhas e irmãs dos grandes e poderosos coube a Alysanne. Embora com apenas treze anos recém-completados, todos concordaram em que a jovem princesa enfrentou o desafio de forma brilhante. Por sete dias e sete noites, ela fez desjejum com um grupo de senhoras nobres, almoçou com um segundo e jantou com um terceiro. Mostrou a elas as maravilhas da Fortaleza Vermelha, velejou com elas na Baía da Água Negra e cavalgou com elas pela cidade.

Alysanne Targaryen, a filha mais nova do rei Aenys e da rainha Alyssa, era pouco conhecida entre os senhores e senhoras do reino antes disso. A infância dela foi passada na sombra dos irmãos e da irmã mais velha, Rhaena, e quando ela era mencionada, era como "a mocinha" e "a outra filha". Ela era pequena, era verdade; magra e miúda, Alysanne muitas vezes era descrita como bonita, mas raramente como linda, embora tivesse nascido em uma casa famosa pela beleza. Seus olhos eram azuis e não violeta, o cabelo uma coroa de cachos cor de mel. Nenhum homem jamais questionou sua inteligência.

Mais tarde, diriam que ela aprendeu a ler antes de desmamar, e que o bobo da corte fazia piadas sobre a pequena Alysanne babando leite materno em pergaminhos valirianos enquanto tentava ler mamando na teta da ama de leite. Se tivesse nascido menino, ela teria sido enviada à Cidadela para forjar uma corrente de meistre, diria o septão Barth sobre ela... pois o sábio a estimava mais do que ao marido, a quem ele serviu por muito tempo. Mas isso foi depois; em 49 DC, Alysanne era apenas uma garotinha de treze anos, porém todas as crônicas concordam em que ela provocou uma impressão poderosa em quem a conheceu.

Quando o dia do casamento enfim chegou, mais de quarenta mil plebeus subiram a Colina de Rhaenys até o Fosso dos Dragões para testemunhar a união da rainha regente com a Mão. (Alguns observadores fizeram um cálculo ainda maior.) Milhares de outros aclamaram lorde Rogar e a rainha Alyssa nas ruas quando a procissão percorreu a cidade, acompanhada de centenas de cavaleiros em palafréns cobertos de mantos e colunas de septãs tocando sinos. "Nunca houve tanta glória em todos os anais de Westeros", escreveu o grande meistre Benifer. Lorde Rogar estava vestido da cabeça aos pés em tecido de ouro por baixo de um meio elmo com chifres, enquanto a noiva usava um manto cintilante com pedras preciosas, com o dragão de três cabeças da Casa Targaryen e o cavalo marinho prateado dos Velaryons de frente um para o outro em um campo dividido.

Mas mesmo com todo o esplendor da noiva e do noivo, foi a chegada dos filhos de Alyssa que gerou comentários em Porto Real por anos. O rei Jaehaerys e a princesa Alysanne foram os últimos a aparecer, descendo do céu iluminado em seus dragões, Vermithor e Asaprata (é preciso lembrar que o Fosso dos Dragões ainda não tinha o grande domo que seria a coroação de sua glória), as grandes asas encouraçadas erguendo nuvens de areia conforme eles desciam lado a lado, para a surpresa e pavor da multidão reunida. (A história disseminada de que a chegada dos dragões fez o idoso alto septão sujar as vestes provavelmente é só calúnia.)

Sobre a cerimônia em si e o banquete e o ato de consumação que vieram depois, não precisamos dizer muito. A grandiosa sala do trono da Fortaleza Vermelha abrigou os maiores senhores e os mais distintos visitantes de além-mar; os senhores menores, assim como seus cavaleiros e homens de armas, comemoraram nos pátios e nos salões menores do castelo, enquanto a plebe de Porto Real celebrou em centenas de estalagens, tabernas, casas de pasto e bordéis. A despeito das supostas atividades duas noites antes, há relatos confiáveis de que lorde Rogar cumpriu seus deveres maritais com vigor e foi encorajado pelos irmãos bêbados.

Houve sete dias de torneio depois do casamento, que mantiveram os lordes e o povo da cidade arrebatados. As justas foram árduas e emocionantes, como não se via em Westeros havia muitos anos, todos concordaram... mas foram as batalhas travadas a pé com espada e lança e machado que realmente despertaram as paixões da multidão na ocasião, e por um bom motivo.

Será lembrado que três dos sete cavaleiros que serviram como Guarda Real de Maegor, o Cruel, estavam mortos; os quatro restantes tinham sido enviados para a Muralha para vestir o manto preto. No lugar deles, o rei Jaehaerys tinha nomeado apenas sor Gyles Morrigen e sor Joffrey Doggett. Foi a rainha regente, Alyssa, que surgiu primeiro com a ideia de que as cinco vagas restantes deviam ser preenchidas por um teste de armas, e que ocasião melhor para isso do que o casamento, quando cavaleiros de todo o reino estariam reunidos?

— Maegor tinha velhos, lambe-botas, covardes e brutos ao redor — declarou ela. — Quero que os cavaleiros protegendo meu filho sejam os melhores encontrados em toda a Westeros, homens verdadeiramente honestos cuja lealdade e coragem sejam inquestionáveis. Que eles conquistem seus mantos com feitos com armas enquanto o resto do reino observa.

O rei Jaehaerys logo apoiou a ideia da mãe, mas com um toque prático característico seu. Sabiamente, o jovem rei decretou que seus candidatos a protetores deviam provar habilidade a pé, não na justa.

— Homens que atacariam seu rei raramente fazem isso a cavalo, com a lança na mão — declarou Sua Graça.

E foi assim que as justas que vieram depois do casamento de sua mãe cederam um lugar orgulhoso para os combates selvagens e duelos sangrentos que os meistres chamariam de Guerra pelos Mantos Brancos.

Com centenas de cavaleiros ansiosos para competir pela honra de servir na Guarda Real, os combates duraram sete dias inteiros. Vários dos competidores mais peculiares se tornaram favoritos da plebe, que torcia ruidosamente cada vez que eles lutavam. Um deles era o "Cavaleiro Bêbado", sor William Stafford, um homem baixo, corpulento, de barriga volumosa, que sempre parecia estar tão embriagado que era surpreendente conseguir ficar de pé, e mais ainda lutar. O povo o batizou de "Barril de Cerveja" e cantava "Veja, veja, o Barril de Cerveja" sempre que ele entrava no campo. Outro favorito da plebe era o bardo da Baixada das Pulgas, Tom, o Dedilhador, que debochava dos adversários com canções desbocadas antes de cada combate. O cavaleiro magro e misterioso conhecido apenas como Serpente Escarlate também tinha muitos seguidores; quando foi finalmente derrotado e sua máscara foi retirada, todos viram que "ele" era uma mulher, Jonquil Darke, filha bastarda do Senhor de Valdocaso.

No final, nenhum deles conquistaria um manto branco. Os cavaleiros que conseguiram, embora menos excêntricos, se destacaram em valor, cavalheirismo e habilidade com as armas. Só um era descendente de uma casa senhorial: sor Lorence Roxton, da Campina. Dois eram espadas juramentadas: sor Victor, o Valoroso, da casa de lorde Royce de Pedrarruna, e sor William, a Vespa, que servia a lorde Smallwood de Solar de Bolotas. O campeão mais novo, Pate, o Galinhola, lutou com uma lança no lugar de espada, e alguns questionaram se ele era mesmo cavaleiro, mas ele se mostrou tão habilidoso com a arma de escolha que sor Joffrey Doggett resolveu a questão condecorando o rapaz ele mesmo enquanto centenas gritavam na plateia.

O campeão mais velho era um cavaleiro andante grisalho chamado Samgood de Monte Amargo, um homem de sessenta e três anos, cheio de cicatrizes e marcas, que alegava ter lutado em cem batalhas "e não importa de que lado, basta que eu e os deuses saibamos". Caolho, careca e quase desdentado, o cavaleiro chamado Sam Azedo era magro como um poste, mas em batalha exibia a agilidade de um homem com metade de sua idade e uma habilidade perversa apurada ao longo de décadas de batalhas grandes e pequenas.

Jaehaerys, o Conciliador, ocuparia o Trono de Ferro por cinquenta e cinco anos, e muitos cavaleiros usariam o manto branco a serviço dele durante esse longo reinado, mais do que qualquer monarca poderia se gabar. Mas era dito corretamente que nunca nenhum Targaryen possuiu uma Guarda Real que se igualasse aos primeiros Sete do menino-rei.

A Guerra pelos Mantos Brancos marcou o fim das festividades do que logo ficou conhecido como o Casamento Dourado. Quando os visitantes começaram a pegar o caminho para casa, para suas terras e fortalezas, todos concordaram em que fora um evento magnífico. O jovem rei tinha conquistado a admiração e o afeto de muitos senhores, grandes e pequenos, e suas irmãs, esposas e filhas só tinham elogios para o tratamento caloroso dado a elas pela princesa Alysanne. O povo de Porto Real também ficou satisfeito; o menino-rei demonstrava ter todos os sinais de ser um governante justo, misericordioso e honrado, e sua Mão, lorde Rogar, era tão generoso quanto ousado em batalha. Os mais felizes eram os estalajadeiros, taverneiros, cervejeiros, mercadores, carteiristas, prostitutas e donos de bordel da cidade, tendo todos lucrado muito com as moedas que os visitantes levaram para a cidade.

Mas embora o Casamento Dourado tivesse sido o mais extravagante e ilustre de 49 DC, foi o terceiro dos matrimônios feitos naquele fatídico ano que se mostrou ser o mais importante.

Com o próprio casamento já tendo passado, a rainha regente e a Mão do Rei agora voltaram a atenção para encontrar um par adequado para o rei Jaehaerys... E, em menor grau, para a irmã dele, a princesa Alysanne. Enquanto o menino-rei permanecesse solteiro e sem filhos, as filhas de sua irmã Rhaena seriam suas herdeiras... mas Aerea e Rhaella ainda eram crianças, e muitos achavam que não eram adequadas para a coroa.

Além disso, lorde Rogar e a rainha Alyssa temiam o que poderia acontecer com o reino se Rhaena Targaryen voltasse do oeste para servir de regente para uma das filhas. Embora ninguém ousasse dizer, estava claro que havia discórdia entre as duas rainhas, pois a filha não fora ao casamento da mãe nem a convidara para o seu. E havia alguns que iam mais longe e sussurravam que Rhaena era uma feiticeira que tinha usado as artes das trevas para assassinar Maegor no Trono de Ferro. Portanto, era fundamental que o rei Jaehaerys se casasse e tivesse um filho o mais rápido possível.

A questão de *com quem* o jovem rei poderia se casar era menos fácil de resolver. Lorde Rogar, que era conhecido por ter pretensões de estender o poder do Trono de Ferro pelo mar estreito até Essos, sugeriu uma aliança com Tyrosh através do casamento de Jaehaerys com a filha do Arconte, uma bonita garota de quinze anos que encantou a todos nas bodas com sua inteligência, jeito paquerador e cabelo azul-esverdeado.

Mas nisso sua senhoria encontrou oposição da própria esposa, a rainha Alyssa. O povo de Westeros jamais aceitaria como rainha uma garota estrangeira com madeixas tingidas, argumentou ela, por mais lindo que o sotaque dela fosse. E os pios se oporiam ferozmente à garota, pois era de conhecimento comum que os tyroshis não seguiam os Sete, mas idolatravam R'hllor, o Criador de Padrões, o Trios de três cabeças e outros deuses estranhos. A preferência da rainha era procurar nas casas que surgiram em apoio a Aegon, o Sem Coroa na batalha sob o Olho de Deus. Que Jaehaerys se casasse com uma Vance, uma Corbray, uma Westerling ou uma Piper, disse ela. A lealdade devia ser recompensada, e ao fazer uma união dessas, o rei honraria a memória de Aegon e o valor dos que lutaram e morreram por ele.

Foi o grande meistre Benifer quem falou mais alto contra tal decisão, observando que a sinceridade do compromisso deles com a paz e a reconciliação seria questionada se eles favorecessem os que lutaram por Aegon em detrimento dos que permaneceram com Maegor. Ele achava que uma escolha melhor seria uma filha de uma das grandes casas que pouco participaram ou não se envolveram nas batalhas entre tio e sobrinho: uma Tyrell, uma Hightower, uma Arryn.

Com a Mão do Rei, a rainha regente e o grande meistre divergindo tanto, outros conselheiros viram a oportunidade para nomear suas candidatas. Prentys Tully, o juiz real, indicou uma irmã mais nova de sua esposa Lucinda, famosa por sua devoção. Essa escolha agradaria à Fé. Daemon Velaryon, o senhor almirante, sugeriu que Jaehaerys devia se casar com a viúva rainha Elinor, da Casa Costayne. Que forma melhor de mostrar que os apoiadores de Maegor tinham sido perdoados do que tomar uma das Noivas de Preto dele como rainha, talvez até adotando os três filhos do seu primeiro casamento? A fertilidade comprovada da rainha Elinor era outro ponto a favor dela, argumentou ele. Lorde Celtigar tinha duas filhas solteiras e era sabido que tinha oferecido a Maegor a escolha de uma das duas; agora, ofereceu as mesmas garotas novamente para Jaehaerys. Lorde Baratheon não queria saber disso.

— Já vi suas filhas — disse Rogar para Celtigar. — Elas não têm queixo, nem tetas, nem bom senso.

A rainha regente e seus conselheiros discutiram a questão do casamento do rei repetidamente ao longo de uma fase da lua, mas não chegaram nem perto de um consenso. O próprio Jaehaerys não tinha conhecimento desses debates. Sobre isso a rainha Alyssa e o lorde Rogar concordavam. Embora Jaehaerys pudesse ser sábio para a idade, ele ainda era um garoto, guiado pelos desejos de um garoto, desejos que de forma alguma podiam suplantar o bem do reino. A rainha Alyssa em particular não tinha dúvida alguma sobre quem seu filho elegeria para se casar, se a escolha fosse dele: sua filha mais nova, irmã dele, a princesa Alysanne.

Os Targaryen casavam irmão e irmã havia séculos, claro, e Jaehaerys e Alysanne cresceram esperando se casar, assim como acontecera com seus irmãos mais velhos, Aegon e Rhaena. Além disso, Alysanne era apenas dois anos mais nova do que o irmão, e os dois sempre foram próximos, com afeição e respeito fortes um pelo outro. O pai deles, o rei Aenys, certamente desejaria que eles se casassem, e houve uma época em que esse também seria o desejo da mãe deles... mas os horrores testemunhados desde a morte do marido persuadiram a rainha Alyssa a pensar diferente. Embora os Filhos do Guerreiro e os Pobres Irmãos tivessem sido debandados e declarados como insurgentes, muitos antigos membros das duas ordens continuavam espalhados pelo reino e podiam muito bem empunhar suas espadas outra vez, se provocados. A rainha regente temia a ira deles, pois tinha lembranças vívidas de tudo que havia acontecido a seu filho Aegon e sua filha Rhaena quando o casamento deles foi anunciado.

— Não podemos percorrer esse caminho novamente. — Há indícios de que ela tenha dito isso mais de uma vez.

Nessa decisão ela foi apoiada pelo mais novo membro da corte, o septão Mattheus dos Mais Devotos, que tinha permanecido em Porto Real quando o alto septão e o resto da irmandade voltaram para Vilavelha. Um homem gigantesco, tão famoso por sua corpulência quanto pela magnificência de suas vestes, Mattheus alegava descender dos reis jardineiros de antigamente, que já haviam governado a Campina de seu trono em Jardim de Cima. Muitos viam como quase certa a escolha dele para ser o próximo alto septão.

O ocupante atual da posição sagrada, de quem o Septão Lua escarneceu chamando de alto lambe-botas, era cauteloso e amável, e havia pouco perigo ou mesmo nenhum de qualquer casamento ser denunciado por Vilavelha desde que ele continuasse a falar pelos Sete de sua posição no Septo Estrelado. Mas o Pai dos Fiéis não era um homem jovem; a viagem até Porto Real para celebrar o Casamento Dourado quase acabou com ele, diziam.

— Se coubesse a mim vestir o manto dele, Sua Graça sem dúvida teria meu apoio em qualquer escolha que fizesse — garantiu o septão Mattheus para a rainha regente e seus conselheiros —, mas nem todos da minha irmandade têm essa inclinação, e... ouso dizer... há outros Luas por aí. Considerando tudo que ocorreu, casar irmão e irmã nessa conjuntura pareceria uma afronta atroz para os devotos, e temo pelo que poderia acontecer.

Com a apreensão da rainha confirmada, Rogar Baratheon e os outros senhores deixaram de lado todas as considerações da princesa Alysanne como noiva do irmão Jaehaerys. A princesa tinha treze anos e havia comemorado recentemente seu primeiro florescimento, e por isso achava-se desejável casá-la o mais rápido possível. Embora ainda dividido em relação a um casamento adequado para o rei, o conselho escolheu rapidamente um par para a princesa: ela se casaria no sétimo dia do ano novo com Orryn Baratheon, o mais jovem dos irmãos de lorde Rogar.

Assim foi decidido pela rainha regente e pela Mão do Rei e por seus senhores conselheiros e orientadores. Mas como tantos arranjos ao longo das eras, o plano logo foi arruinado, pois eles subestimaram gravemente o desejo e a determinação da própria Alysanne Targaryen e do jovem rei Jaehaerys.

Ainda não havia sido feito nenhum anúncio do noivado de Alysanne, então não se sabe como a informação sobre a decisão chegou aos ouvidos dela. O grande meistre Benifer desconfiava de algum servo, pois muitos entraram e saíram enquanto os senhores debatiam no solar da rainha. Lorde Rogar desconfiava de Daemon Velaryon, o senhor almirante, um homem orgulhoso que pode ter acreditado que os Baratheons estavam se erguendo além de sua posição na esperança de tirar dos senhores da Maré o posto de segunda casa do reino. Anos depois, quando esses eventos tinham virado lenda, a plebe dizia que "ratos nas paredes" haviam ouvido os senhores conversando e correram até a princesa com a notícia.

Não há registro do que Alysanne Targaryen disse ou pensou quando soube que seria casada com um rapaz dez anos mais velho, que ela mal conhecia e (se for possível acreditar em rumores) de quem não gostava. Nós só sabemos o que ela fez. Outra garota poderia ter chorado ou tido um ataque de fúria ou ter corrido para fazer súplicas à mãe. Em muitas canções tristes, donzelas forçadas a se casar contra a vontade se jogam de torres altas para a morte. A princesa Alysanne não fez nenhuma dessas coisas. Ela foi diretamente falar com Jaehaerys.

O jovem rei ficou tão insatisfeito quanto a irmã com a notícia.

— Também vão fazer planos de casamento para mim, não tenho dúvida — deduziu ele na mesma hora.

Como a irmã, Jaehaerys não perdeu tempo com repreensões, recriminações nem apelos. Ele agiu. Convocou a Guarda Real e deu a ordem de zarparem imediatamente para Pedra do Dragão, onde os encontraria em pouco tempo.

— Vocês juraram suas espadas e sua obediência a mim — ele lembrou aos Sete. — Lembrem-se desse voto e não falem nada sobre a minha partida.

Naquela noite, sob o manto da escuridão, o rei Jaehaerys e a princesa Alysanne montaram em seus dragões, Vermithor e Asaprata, e partiram da Fortaleza Vermelha para a antiga cidadela Targaryen abaixo de Monte Dragão. Supostamente, as primeiras palavras que o jovem rei disse ao pousar foram:

— Preciso de um septão.

O rei, com razão, não confiava no septão Mattheus, que teria traído os planos deles, mas o septo de Pedra do Dragão ficava aos cuidados de um velho chamado Oswyck, que conhecia Jaehaerys e Alysanne desde que nasceram, e os instruiu nos mistérios dos Sete durante a infância. Quando mais jovem, o septão Oswyck foi sacerdote do rei Aenys, e quando garoto serviu como noviço na corte da rainha Rhaenys. Ele estava mais do que familiarizado com a tradição dos Targaryen de casamento entre irmãos, e quando soube da ordem do rei, concordou na mesma hora.

A Guarda Real chegou de Porto Real de galé alguns dias depois. Na manhã seguinte, quando o sol nasceu, Jaehaerys Targaryen, o Primeiro de Seu Nome, tomou como esposa sua irmã Alysanne no grande pátio de Pedra do Dragão, perante os olhos dos deuses, dos homens e dos dragões. O septão Oswyck celebrou os ritos de casamento; embora a voz do velho estivesse fraca e trêmula, nenhuma parte da cerimônia foi negligenciada. Os sete cavaleiros da Guarda Real foram testemunhas da união, os mantos brancos balançando ao vento. A guarnição e os servos do castelo também assistiram, junto com boa parte do povo do vilarejo pesqueiro abaixo da grandiosa muralha de barragem de Pedra do Dragão.

Houve uma festa modesta depois da cerimônia, e muitos brindes foram feitos à saúde do menino-rei e de sua nova rainha. Depois, Jaehaerys e Alysanne se recolheram aos aposentos em que Aegon, o Conquistador, tinha dormido com sua irmã

Rhaenys, mas considerando a juventude da noiva, não houve cerimônia de núpcias, e o casamento não foi consumado.

Essa decisão acabou sendo de grande importância quando lorde Rogar e a rainha Alyssa chegaram tardiamente de Porto Real em uma galé de guerra, acompanhados de doze cavaleiros, quarenta homens de armas, do septão Mattheus e do grande meistre Benifer, cujas cartas nos dão o relato mais completo do que se sucedeu.

Jaehaerys e Alysanne se encontraram com eles dentro dos portões do castelo, de mãos dadas. Dizem que a rainha Alyssa chorou quando os viu.

— Suas crianças tolas — disse ela. — Vocês não sabem o que fizeram.

Em seguida, o septão Mattheus falou, a voz trovejante quando ele repreendeu o rei e a rainha e profetizou que aquela abominação voltaria a mergulhar toda a Westeros em guerra.

— Vão amaldiçoar seu incesto da Marca de Dorne até a Muralha, e todo filho piedoso da Mãe e do Pai vai denunciar vocês como os pecadores que são. — O rosto do septão ficou vermelho e inchado enquanto ele falava, conta Benifer, a saliva jorrando de seus lábios.

Jaehaerys, o Conciliador, é com justiça homenageado nos anais dos Sete Reinos por seu comportamento calmo e temperamento mais calmo ainda, mas que nenhum homem pense que o fogo dos Targaryen não ardia nas suas veias. Ele demonstrou isso naquele momento. Quando o septão Mattheus enfim fez uma pausa para respirar, o rei disse:

— Aceito a repreensão de Sua Graça, minha mãe, mas não de você. Segure a língua, seu gordo. Se mais uma palavra sair de seus lábios, vou mandar costurá-los.

O septão Mattheus não falou mais nada.

Lorde Rogar não se intimidou com tanta facilidade. Direto ao ponto, ele só perguntou se o casamento tinha sido consumado.

— Diga a verdade, Sua Graça. Houve consumação? Ela não é mais uma donzela?

— Não — respondeu o rei. — Ela é nova demais.

Ao ouvir isso, lorde Rogar sorriu.

— Que bom. Vocês não estão casados. — Ele se virou para os cavaleiros que os acompanharam de Porto Real. — Separem essas crianças, gentilmente se puderem. Escoltem a princesa até a Torre do Dragão Marinho e a mantenham lá. Sua Graça vai nos acompanhar de volta à Fortaleza Vermelha.

Mas quando os homens dele se adiantaram, os sete cavaleiros da Guarda Real de Jaehaerys avançaram e puxaram as espadas.

— Não se aproximem — avisou sor Gyles Morrigen. — Qualquer homem que colocar a mão no nosso rei ou na nossa rainha morre hoje.

Lorde Rogar ficou consternado.

— Embainhem a espada e se afastem — ordenou ele. — Vocês esqueceram? Eu sou a Mão do Rei.

— Sim — respondeu o velho Sam Azedo —, mas nós somos a Guarda Real, não a guarda da Mão, e é o rapaz que ocupa o trono, não você.

Rogar Baratheon se irritou com as palavras de sor Samgood e respondeu:

— Vocês são sete. Tenho meia centena de espadas comigo. Uma palavra minha e eles cortarão vocês em pedaços.

— Eles podem nos matar — respondeu o jovem Pate, o Galinhola, brandindo a lança —, mas você será o primeiro a morrer, senhor, dou minha palavra quanto a isso.

O que teria acontecido depois, nenhum homem pode dizer, se a rainha Alyssa não tivesse escolhido aquele momento para falar.

— Já vi mortes suficientes — disse ela. — Assim como todos nós. Guardem as espadas, sors. O que está feito está feito, e agora nós todos vamos ter que viver com isso. Que os deuses tenham misericórdia do reino. — Ela se virou para os filhos. — Nós vamos em paz. Que nenhum homem fale sobre o que aconteceu aqui hoje.

— Como quiser, mãe. — O rei Jaehaerys puxou a irmã para mais perto e passou o braço em volta dela. — Mas não pense que conseguirá desfazer este casamento. Somos um agora, e nem os deuses nem os homens vão nos separar.

— Nunca — afirmou sua esposa. — Me enviem para os confins da terra e me casem com o rei de Mossovy ou com o senhor do Deserto Cinzento, mas Asaprata sempre me trará de volta para Jaehaerys. — E com isso ela ficou nas pontas dos pés, aproximando o rosto até o do rei, e ele a beijou intensamente nos lábios enquanto todos olhavam.*

Quando a Mão e a rainha regente partiram, o rei e sua jovem esposa fecharam os portões do castelo e voltaram para seus aposentos. Pedra do Dragão seria o refúgio e residência deles pelo resto da minoridade de Jaehaerys. Está escrito que o jovem rei e a jovem rainha raramente se separavam na época e compartilhavam todas as refeições, conversavam até tarde da noite sobre os dias de infância e sobre os desafios à frente, se misturavam com o povo da ilha nas tavernas do porto, liam um para o outro de tomos com capas de couro que eles encontraram na biblioteca do castelo, tinham aulas com os meistres de Pedra do Dragão ("Pois ainda temos muito a aprender", Alysanne supostamente lembrou ao marido), rezavam com o septão Oswyck. Eles também voavam juntos, em volta do Monte Dragão e muitas vezes indo até Derivamarca.

* Ou foi assim que o confronto no portão de Pedra do Dragão foi descrito pelo grande meistre Benifer, que estava lá e testemunhou tudo. Daquele dia até hoje, a história é favorita das donzelas apaixonadas e de seus escudeiros por todos os Sete Reinos, e muitos bardos cantaram sobre o valor da Guarda Real, sete homens de manto branco que enfrentaram meia centena. Mas todas essas histórias ignoram a presença da guarnição do castelo; esses registros da forma como chegaram a nós indicam que vinte arqueiros e a mesma quantidade de guardas estavam posicionados em Pedra do Dragão na ocasião, sob o comando de sor Merrell Bullock e seus filhos Alyn e Howard. Qual era a lealdade deles na ocasião e que papel eles teriam desempenhado em qualquer conflito jamais será sabido, mas sugerir que os Sete do rei estavam sozinhos talvez seja presumir demais.

Se podemos acreditar nas histórias dos criados, o rei e sua nova rainha dormiam nus e compartilhavam muitos beijos longos e duradouros, à mesa e na cama e em muitos outros momentos ao longo do dia, mas sem consumar sua união. Mais um ano e meio se passaria até que Jaehaerys e Alysanne finalmente se unissem como homem e mulher.

Sempre que senhores e membros do conselho viajavam até Pedra do Dragão para se consultarem com o jovem rei, como faziam de tempos em tempos, Jaehaerys os recebia na Sala da Mesa Pintada, onde o avô dele uma vez planejou a conquista de Westeros, sempre com Alysanne ao lado.

— Aegon não tinha segredos para Rhaenys e Visenya, e não tenho nenhum para Alysanne — disse ele.

Embora fosse possível que não houvesse segredos entre eles durante aqueles dias luminosos no começo do casamento, a união em si permaneceu em segredo para boa parte de Westeros. No retorno para Porto Real, lorde Rogar instruiu todos que os acompanharam a Pedra do Dragão a não dizerem nada sobre o que tinha acontecido lá se desejassem manter suas línguas. Também não houve nenhum anúncio feito ao reino. Quando o septão Mattheus tentou enviar notícia da união para o alto septão e para o mais devoto de Vilavelha, o grande meistre Benifer queimou a carta em vez de enviar um corvo, por ordens da Mão.

O Senhor de Ponta Tempestade queria tempo. Com raiva do desrespeito que achava que o rei havia tido com ele e pouco acostumado com derrotas, Rogar Baratheon continuou determinado a encontrar uma forma de separar Jaehaerys e Alysanne. Enquanto o casamento continuasse sem ser consumado, ele acreditava que ainda havia chance. Era melhor manter o casamento em segredo, para que pudesse ser desfeito sem que ninguém soubesse.

A rainha Alyssa também queria tempo, mas por um motivo diferente. *O que está feito está feito*, ela dissera nos portões de Pedra do Dragão, e nisso acreditava... mas as lembranças do derramamento de sangue e do caos que sucedeu ao casamento de seu outro filho e sua outra filha ainda assombravam suas noites, e a rainha regente estava desesperada para encontrar alguma forma de garantir que a história não se repetiria.

Enquanto isso, ela e seu marido ainda tinham um reino para governar durante quase um ano, até Jaehaerys chegar ao décimo sexto dia do seu nome e tomar o poder nas próprias mãos.

E assim ficaram as questões em Westeros quando o Ano das Três Noivas chegou ao fim e cedeu lugar a um novo ano, o quinquagésimo desde a Conquista de Aegon.

# Uma abundância de governantes

Todos os homens são pecadores, os Pais dos Fiéis nos ensinam. Até o mais nobre dos reis e o mais cavalheiresco dos cavaleiros pode ser tomado de fúria, luxúria e inveja e cometer atos que os envergonhem e manchem seu bom nome. E o mais perverso dos homens e a mais cruel das mulheres também podem fazer o bem de tempos em tempos, pois o amor, a compaixão e a pena podem ser encontrados no mais sombrio dos corações. "Nós somos como os deuses nos fizeram", escreveu o septão Barth, o homem mais sábio que já serviu como Mão do Rei. "Fortes e fracos, bons e maus, cruéis e gentis, heroicos e egoístas. Que saiba disso quem quer governar os reinos dos homens."

Raramente a verdade das palavras dele foram vistas com tanta clareza como durante o ano 50 Depois da Conquista de Aegon. Com o início de um novo ano, por todo o reino foram feitos planos para comemorar meio século de governo Targaryen em Westeros com banquetes, feiras e torneios. Os horrores do governo do rei Maegor estavam ficando para trás, o Trono de Ferro e a Fé estavam reconciliados e o jovem rei Jaehaerys I era amado tanto pelo povo quanto pelos grandes senhores, de Vilavelha até a Muralha. Mas, com o conhecimento de poucos, nuvens de tempestade estavam se formando no horizonte, e ao longe, vagamente, os homens sábios ouviam um ribombar de trovões.

Um reino com dois reis é como um homem com duas cabeças, segundo o ditado popular. No ano 50 DC, o reino de Westeros estava abençoado por um rei, uma Mão e três rainhas, como na época do rei Maegor... mas enquanto as rainhas de Maegor foram consortes, subservientes à vontade dele, vivendo e morrendo conforme seus impulsos, cada uma das rainhas do meio século era um poder por si só.

Na Fortaleza Vermelha de Porto Real estava a rainha regente Alyssa, viúva do falecido rei Aenys, mãe do filho dele, Jaehaerys, e esposa da Mão do Rei, Rogar Baratheon. Do outro lado da Baía da Água Negra, em Pedra do Dragão, uma rainha mais jovem surgiu quando a filha de Alyssa, Alysanne, uma donzela de treze anos, se entregou em casamento ao irmão, o rei Jaehaerys, contra os desejos da mãe e do senhor marido dela. E mais a oeste, em Ilha Bela, com toda a extensão de Westeros a separando da mãe e da irmã, estava a filha mais velha de Alyssa, a cavaleira de dragões Rhaena Targaryen, viúva do príncipe Aegon, o Sem Coroa. Nas terras ocidentais, nas terras fluviais e em partes da Campina, os homens já a chamavam de "Rainha do Oeste".

Duas irmãs e a mãe, as três rainhas unidas por sangue, dor e sofrimento... mas entre elas havia sombras antigas e novas, tornando-se mais escuras a cada dia. A amizade e união de objetivos que permitiu que Jaehaerys, suas irmãs e sua mãe derrubassem Maegor, o Cruel, tinha começado a enfraquecer, com o crescimento de ressentimentos passados e cisões. Pelo resto da regência, o menino-rei e sua pequena rainha se veriam em desacordo profundo com a Mão do Rei e com a rainha regente, em uma rivalidade que continuaria durante o reinado de Jaehaerys e ameaçaria mergulhar os Sete Reinos em nova guerra.*

A causa imediata da tensão foi o casamento repentino e secreto do rei com a irmã, que pegou a Mão e a rainha regente de surpresa e estragou os planos e esquemas de ambos. Mas seria um erro acreditar que essa foi a única causa da hostilidade; os outros casamentos que tornaram o ano 49 DC o Ano das Três Noivas também deixaram marcas.

Lorde Rogar nunca pediu a Jaehaerys permissão para se casar com a mãe dele, uma omissão que o menino-rei viu como sinal de desrespeito. Além do mais, Sua Graça não aprovava a união; como confessaria mais tarde ao septão Barth, ele valorizava lorde Rogar como conselheiro e amigo, mas não precisava de um segundo pai e achava que seu discernimento, temperamento e inteligência eram superiores ao de sua Mão. Jaehaerys também pensava que devia ter sido consultado sobre o casamento da irmã Rhaena, embora isso o tivesse afetado menos. A rainha Alyssa, por sua vez, ficou profundamente magoada de não ter sido avisada nem convidada para o casamento de Rhaena em Ilha Bela.

Longe, no Oeste, Rhaena Targaryen tinha as próprias queixas. Como confidenciou aos velhos amigos e favoritos que juntou ao seu redor, a rainha Rhaena não entendia nem compartilhava do afeto da mãe por Rogar Baratheon. Embora o respeitasse a contragosto por ter apoiado seu irmão Jaehaerys contra seu tio Maegor, a passividade dele quando o marido dela, o príncipe Aegon, enfrentou Maegor na batalha sob o Olho de Deus era uma coisa que ela não conseguia esquecer nem perdoar. Além disso, com o tempo a rainha Rhaena foi ficando ainda mais ressentida de sua reivindicação ao Trono de Ferro, e também a de suas filhas, ter sido desconsiderada em favor do "meu irmãozinho" (como ela costumava chamar Jaehaerys). Ela era a primogênita, lembrava a quem quisesse ouvir, e montara dragões antes de qualquer um dos irmãos, mas todos eles, "até minha própria mãe", tinham conspirado para passar por cima dela.

* É necessário citar, para não haver acusação de omissão, que houve uma quarta rainha em Westeros no ano 50 DC. A duplamente viúva rainha Elinor da Casa Costayne, que encontrara o rei Maegor morto no Trono de Ferro, partira de Porto Real depois da ascensão de Jaehaerys. Trajando vestes de penitente e acompanhada só de uma aia e um homem de armas leal, ela seguiu para o Ninho da Águia no Vale de Arryn para visitar o mais velho de seus três filhos, que estava com sor Theo Bolling, e depois para Jardim de Cima, na Campina, onde seu segundo filho foi criado com lorde Tyrell. Uma vez verificado o bem-estar de ambos, a antiga rainha pegou o filho mais novo e tomou o lugar de seu pai em Três Torres na Campina, onde declarou que viveria tranquilamente pelo resto da vida. O destino e o rei Jaehaerys tinham outros planos para ela, como veremos depois. Basta dizer que a rainha Elinor não teve papel nenhum nos eventos de 50 DC.

Olhando em retrospectiva, é fácil dizer que Jaehaerys e Alysanne estavam certos nos conflitos que surgiram durante o último ano da regência de sua mãe e classificar a rainha Alyssa e o lorde Rogar como vilões. Certamente, é assim que os cantores contam a história; o casamento rápido e repentino de Jaehaerys e Alysanne foi um romance sem igual desde os tempos de Florian, o Bobo e sua Jonquil, ouvia-se quando cantavam. E nas músicas, como sempre, o amor vence tudo. A verdade é um tanto menos simples. As questões da rainha Alyssa sobre a união eram fruto de preocupação genuína com os filhos, com a dinastia Targaryen e com o reino como um todo. E os medos dela não eram sem fundamento.

Os motivos de lorde Rogar Baratheon eram menos altruístas. Sendo um homem orgulhoso, ele ficou perplexo e enraivecido pela "ingratidão" do menino-rei que via como filho e humilhado quando foi forçado a sair pelos portões de Pedra do Dragão na frente de meia centena de seus homens. Um guerreiro até o último fio, que já tinha sonhado em enfrentar Maegor, o Cruel, em combate individual, Rogar não conseguia engolir ser envergonhado por um rapaz de quinze anos. Mas, para que não o julguemos com rigidez demais, seria bom lembrar as palavras do septão Barth. Embora fosse fazer algumas coisas cruéis, tolas e más durante seu último ano como Mão, ele não era um homem cruel e mau por natureza, nem mesmo tolo; ele já tinha sido um herói, e temos que lembrar que estamos analisando o ano mais sombrio da sua vida.

No período imediatamente após o confronto com Jaehaerys, lorde Rogar só conseguia pensar na humilhação que sofrera. O primeiro impulso de sua senhoria foi voltar a Pedra do Dragão com mais homens, o suficiente para dominar a guarnição do castelo e resolver a situação pela força. Quanto à Guarda Real, lorde Rogar lembrou ao conselho que os Espadas Brancas juraram dar a vida pelo rei e "vou ficar feliz em dar a eles essa honra". Quando lorde Tully observou que Jaehaerys podia simplesmente fechar os portões de Pedra do Dragão, lorde Rogar não se deixou abalar.

— Ele que feche. Posso tomar o castelo à força se necessário.

No final, só a rainha Alyssa conseguiu se comunicar com sua senhoria em meio a tanta fúria e dissuadi-lo dessa loucura.

— Meu amor — disse ela suavemente —, meus filhos montam dragões, e nós, não.

A rainha regente, assim como o marido, desejava que o casamento apressado do rei fosse desfeito, pois estava convencida de que a notícia novamente colocaria a Fé contra a Coroa. Seus medos foram aumentados pelo septão Mattheus; quando estava longe de Jaehaerys e seguro de que seus lábios não seriam costurados, o septão reencontrou a língua e falou de poucas coisas além de que "todas as pessoas decentes" condenariam a união incestuosa do rei.

Se Jaehaerys e Alysanne tivessem voltado para Porto Real a tempo de comemorar o Ano-Novo, como a rainha Alyssa rezava para que fizessem ("Eles verão a razão e se arrependerão dessa tolice", ela disse para o conselho), a reconciliação talvez tivesse sido possível, mas isso não aconteceu. Depois que uma quinzena se passou e depois outra, sem que o rei não reaparecesse na corte, Alyssa anunciou sua intenção de voltar a Pedra do Dragão, desta vez sozinha, para implorar aos filhos que retornassem para casa. Lorde Rogar a proibiu furiosamente.

— Se voltar rastejando, o garoto nunca mais vai ouvir você — disse ele. — Ele pôs seus próprios desejos à frente do bem do reino, e isso não pode ser permitido. Você quer que ele termine como o pai?

E assim, a rainha se dobrou à vontade dele e não foi.

"Que a rainha Alyssa pretendia fazer a coisa certa, nenhum homem deve duvidar", escreveu o septão Barth anos depois. "Mas é triste dizer que muitas vezes ela parecia não saber que coisa seria essa. Desejava mais do que tudo ser amada, admirada e elogiada, um anseio que compartilhava com o rei Aenys, seu primeiro marido. Um governante às vezes precisa tomar atitudes necessárias, ainda que impopulares, embora sabendo que a repreensão e a censura virão depois. Essas coisas a rainha Alyssa raramente conseguia se obrigar a fazer."

Dias se passaram e viraram semanas e quinzenas, enquanto corações endureciam e homens ficavam mais resolutos dos dois lados da Baía da Água Negra. O menino-rei e sua pequena rainha permaneceram em Pedra do Dragão, esperando o dia em que Jaehaerys tomaria o governo dos Sete Reinos nas próprias mãos. A rainha Alyssa e lorde Rogar continuavam segurando as rédeas do poder em Porto Real, procurando uma forma de desfazer o casamento do rei e desviar a calamidade que eles tinham certeza de que viria. Fora o conselho, eles não contaram para ninguém o que havia acontecido em Pedra do Dragão, e lorde Rogar ordenou aos homens que o acompanharam que não dissessem nada sobre o que tinham visto, sob penalidade de perderem a língua. Quando o casamento fosse anulado, sua senhoria argumentou, seria como se nunca houvesse ocorrido, no que dizia respeito a Westeros... desde que permanecesse em segredo. Até a união ser consumada, seria fácil deixá-la de lado.

Essa esperança acabaria sendo em vão, como sabemos agora, mas para Rogar Baratheon no ano 50 DC parecia possível. Por um tempo ele deve ter tirado encorajamento do silêncio do rei. Jaehaerys foi rápido na hora de se casar com Alysanne, mas depois do feito executado, ele não parecia ter pressa para anunciá-lo. Certamente tinha os meios para fazer isso, se desejasse. O meistre Culiper, ainda alerta aos oitenta anos, servia desde a época da rainha Visenya, e era habilmente assistido por dois meistres jovens. Pedra do Dragão possuía um bando completo de corvos. A uma palavra de Jaehaerys, o casamento dele poderia ter sido proclamado de uma ponta do reino a outra. Ele não pronunciou essa palavra.

Eruditos debatem desde então sobre o motivo desse silêncio. Ele estava arrependido de uma união feita de forma apressada, como a rainha Alyssa desejava? Alysanne o teria ofendido? Ele ficou com medo da reação do reino ao casamento depois de lembrar o que aconteceu a Aegon e Rhaena? Era possível que as profecias terríveis do septão Mattheus o tivessem abalado mais do que ele queria admitir? Ou ele era só um garoto de quinze anos que agira precipitadamente sem pensar nas consequências e acabou se vendo sem saber como proceder?

Argumentos podem ser e foram feitos para todas essas explicações, mas à luz do que sabemos sobre Jaehaerys I Targaryen, todos soam vazios. Jovem ou velho, ele era um rei que nunca agia sem pensar. A este escritor parece claro que Jaehaerys não estava arrependido do casamento e não tinha intenção de desfazê-lo. Ele havia escolhido a rainha que queria e deixaria o reino ciente disso no seu devido tempo, mas na época em que ele decidisse, da forma mais bem calculada para levar à aceitação: quando fosse um homem crescido e um rei governando sozinho, não um garoto que se casou em desafio aos desejos da regente.

A ausência do jovem rei da corte não passou despercebida por muito tempo. As cinzas das fogueiras acesas em comemoração ao Ano-Novo mal tinham esfriado quando o povo de Porto Real começou a fazer perguntas. Para restringir os rumores, a rainha Alyssa espalhou que Sua Graça estava descansando e refletindo em Pedra do Dragão, o antigo assento de sua casa... mas, com o passar do tempo, e ainda sem sinal de Jaehaerys, senhores e plebeus começaram a estranhar. O rei estaria doente? Tinha sido feito prisioneiro por motivos desconhecidos? O elegante e bonito menino--rei andava em meio ao povo de Porto Real com muita liberdade, aparentando gostar de se misturar com eles, e esse desaparecimento repentino não parecia coisa dele.

A rainha Alysanne, de sua parte, não estava com pressa de voltar para a corte.

— Aqui eu tenho você para mim, dia e noite — disse ela para Jaehaerys. — Quando nós voltarmos, terei sorte de conseguir uma hora, pois cada homem em Westeros vai querer um pouco de você. — Para ela, os dias em Pedra do Dragão foram um idílio. — Daqui a muitos anos, quando estivermos velhos e grisalhos, vamos olhar para trás e sorrir ao nos lembrarmos de como éramos felizes.

O próprio Jaehaerys compartilhava alguns desses sentimentos, mas o jovem rei tinha outros motivos para ficar em Pedra do Dragão. Diferentemente de seu tio Maegor, ele não tinha tendência a explosões de fúria, mas era mais do que capaz de sentir raiva, e jamais esqueceria nem perdoaria sua exclusão deliberada das reuniões do conselho em que seu casamento e o de sua irmã foram discutidos. E embora ele sempre fosse sentir gratidão por Rogar Baratheon por ajudá-lo a ascender ao Trono de Ferro, Jaehaerys não pretendia ser governado por ele.

— Eu tive um pai — disse ele para meistre Culiper durante seus dias em Pedra do Dragão. — Não preciso de um segundo.

O rei reconhecia e apreciava as virtudes da Mão, mas estava bem ciente de seus defeitos também, defeitos que ficaram bem aparentes nos dias que levaram ao Casamento Dourado, quando o próprio Jaehaerys foi a uma audiência com os senhores do território enquanto lorde Rogar estava caçando, bebendo e deflorando donzelas.

Jaehaerys também estava ciente das próprias deficiências; deficiências essas que ele pretendia corrigir antes de se sentar no Trono de Ferro. Seu pai, o rei Aenys, era visto como fraco, em parte porque não era o guerreiro que seu irmão Maegor era. Jaehaerys estava determinado a não permitir que nenhum homem questionasse sua coragem e sua habilidade com as armas. Em Pedra do Dragão, ele tinha sor Merrell Bullock, comandante da guarnição do castelo, seus filhos sor Alyn e sor Howard, um experiente mestre de armas em sor Elyas Scales, e seus Sete, os melhores guerreiros do reino. Todas as manhãs Jaehaerys treinava com eles no pátio do castelo, gritando para que fossem mais rigorosos, para que o pressionassem, o testassem, o atacassem de todas as formas que soubessem. Do nascer do sol até o meio-dia, ele treinava com eles, apurando suas habilidades com a espada, a lança, a clava e o machado enquanto sua nova rainha observava.

Era um regime duro e brutal. Cada embate só terminava quando o próprio rei ou seu oponente o declarava morto. Jaehaerys morria com tanta frequência que os homens da guarnição fizeram disso um jogo, gritando "O rei está morto" cada vez que ele caía, e "Vida longa ao rei" quando ele se levantava. Seus adversários começaram uma competição para ver quem conseguiria matar o rei mais vezes. (O vitorioso, pelo que soubemos, foi o jovem sor Pate, o Galinhola, cuja lança arrojada supostamente causava muitos problemas para Sua Graça.) Jaehaerys costumava ficar com hematomas e sangrando até a noite, para a consternação de Alysanne, mas a destreza dele melhorou tanto que no final do período passado em Pedra do Dragão, o próprio sor Elyas disse para ele:

— Vossa Graça nunca será um Guarda Real, mas se por alguma feitiçaria seu tio Maegor em pessoa se erguesse do túmulo, eu apostaria no senhor.

Uma noite, depois de um dia em que Jaehaerys foi severamente testado e machucado, meistre Culiper disse para ele:

— Majestade, por que a Vossa Graça se pune de forma tão rigorosa? O reino está em paz.

O jovem rei só sorriu e respondeu:

— O reino estava em paz quando meu avô morreu, mas meu pai mal tinha subido ao trono quando os inimigos surgiram de todos os lados. Eles o estavam testando, para descobrirem se ele era forte ou fraco. Também vão me testar.

Ele não estava errado, apesar de seu primeiro teste, quando aconteceu, ter sido de uma natureza bem diferente, para o qual nenhuma quantidade de treinamento nos pátios de Pedra do Dragão podia tê-lo preparado. Pois seriam seu valor como homem e seu amor pela sua pequena rainha que seriam postos à prova.

Sabemos pouco sobre a infância de Alysanne Targaryen; como quinta filha do rei Aenys e da rainha Alyssa, e por ser mulher, os observadores da corte a acharam menos interessante do que os irmãos mais velhos, em posição mais alta na linha de sucessão. Do pouco que chegou a nós, Alysanne era uma menina inteligente, mas sem destaque; pequena, mas nunca ficava doente; era gentil, obediente, tinha sorriso doce e voz agradável. Para o alívio dos pais, não exibiu nada da timidez que afligia

sua irmã mais velha Rhaena quando pequena. Também não exibiu o temperamento voluntarioso e teimoso da filha de Rhaena, Aerea.

Como princesa do lar real, Alysanne teve criados e damas de companhia desde cedo. Quando bebê, certamente teve ama de leite; como a maioria das mulheres nobres, a rainha Alyssa não amamentou os próprios filhos. Mais tarde, um meistre a ensinaria a ler e escrever e fazer contas, e uma septã a instruiria em devoção, conduta e mistérios da Fé. Suas criadas devem ter sido garotas de nascimento comum, lavando suas roupas e esvaziando sua comadre, e com o tempo ela teria tomado donzelas de idade similar e sangue nobre como damas de companhia, para cavalgar, brincar e costurar.

Alysanne não escolheu suas damas de companhia; elas foram selecionadas por sua mãe, a rainha Alyssa, e iam e vinham com certa frequência, para garantir que a princesa não passasse a gostar demais de nenhuma delas. A tendência de sua irmã Rhaena de distribuir uma quantidade enorme de afeição e atenção a uma sucessão de favoritas, algumas consideradas menos do que adequadas, foi fonte de muita fofoca na corte, e a rainha não queria que Alysanne fosse assunto de rumores similares.

Tudo isso mudou quando o rei Aenys morreu em Pedra do Dragão e seu irmão Maegor voltou do outro lado do mar estreito para tomar o Trono de Ferro. O novo rei tinha pouco amor e menos confiança ainda em cada um dos filhos do irmão, e dispunha de sua mãe, a rainha viúva Visenya, para executar sua vontade. Os cavaleiros domésticos e servos da rainha Alyssa foram dispensados, junto com os criados e companheiros dos filhos, e Jaehaerys e Alysanne ficaram na tutela da tia-avó, a temida Visenya. Reféns, mas sem serem chamados assim, eles passaram o reinado do tio sendo transitados entre Derivamarca, Pedra do Dragão e Porto Real conforme a vontade dos outros, até a morte de Visenya em 44 DC oferecer à rainha Alyssa a oportunidade de fugir, uma chance que ela agarrou com ardor, e fugiu de Pedra do Dragão com Jaehaerys, Alysanne e a espada Irmã Sombria.

Não sobrou nenhum relato confiável da vida da princesa Alysanne depois da fuga. Ela só volta a aparecer nos anais do reino nos dias finais do reinado sangrento de Maegor, quando sua mãe e lorde Rogar cavalgaram de Ponta Tempestade à frente de um exército enquanto Alysanne, Jaehaerys e sua irmã Rhaena desciam em Porto Real com seus dragões.

Indubitavelmente, a princesa Alysanne teve aias e companheiras nos dias que vieram depois da morte de Maegor. Seus nomes e detalhes sobre elas não chegaram a nós, infelizmente. Sabemos que nenhuma delas foi com a princesa quando ela e Jaehaerys fugiram da Fortaleza Vermelha em seus dragões. Fora os sete cavaleiros da Guarda Real e a guarnição do castelo, os cozinheiros, cavalariços e outros servos, o rei e sua noiva não tinham cuidados especiais em Pedra do Dragão.

Isso não era adequado para uma princesa, e menos ainda para uma rainha. Alysanne tinha que ter sua corte, e nisso sua mãe Alyssa viu uma oportunidade de minar e possivelmente desfazer o casamento. A rainha regente resolveu enviar a Pedra do Dragão um grupo cuidadosamente selecionado de companheiras e servas para encarregarem-se das necessidades da jovem rainha. O plano, garante o grande meistre Benifer, foi da rainha Alyssa... mas lorde Rogar concordou com satisfação, pois enxergou na mesma hora uma oportunidade de os acontecimentos se desenrolarem de acordo com seus próprios objetivos.

O envelhecido septão Oswyck, que tinha celebrado os ritos maritais para Jaehaerys e Alysanne, cuidava do septo em Pedra do Dragão, mas uma jovem de nascimento real exigia que alguém do mesmo gênero que ela cuidasse de sua instrução religiosa. A rainha Alyssa enviou três; a formidável septã Ysabel e duas noviças bem-nascidas da idade de Alysanne, Lyra e Edyth. Para supervisionar as criadas e servas do grupo de Alysanne, ela enviou a senhora Lucinda Tully, esposa do Senhor de Correrrio, cuja devoção intensa era famosa por todo o território. Com ela foi sua irmã mais nova, Ella da Casa Broome, uma donzela modesta cujo nome tinha sido brevemente oferecido como pretendente para Jaehaerys. As filhas de lorde Celtigar, há pouco tempo tão desprezadas pela Mão como sendo sem queixo, sem peitos e sem bom senso, também foram incluídas. ("É melhor dar algum uso para elas", lorde Rogar teria dito ao pai delas.) Três outras garotas de berço nobre formaram o restante do grupo, uma do Vale, uma das terras da tempestade e uma da Campina: Jennis da Casa Templeton, Coryanne da Casa Wylde e Rosamund da Casa Ball.

A rainha Alyssa queria que a filha tivesse companheiras adequadas de sua própria idade e posição, sem dúvida, mas esse não foi o único motivo para enviar essas damas para Pedra do Dragão. A septã Ysabel, as noviças Edyth e Lyra e a profundamente devota senhora Lucinda e sua irmã tinham mais uma incumbência. Era esperança da rainha regente que essas mulheres extremamente honradas pudessem passar para Alysanne e talvez até para Jaehaerys a ideia de que um irmão se deitar com uma irmã era uma abominação aos olhos da Fé. "As crianças" (como Alyssa insistia em chamar o rei e a rainha) não eram más, apenas jovens e voluntariosas; se instruídas da forma correta, talvez enxergassem o erro de seus atos e se arrependessem do casamento antes que dividissem o reino. Era o que ela rezava para que acontecesse.

Os motivos de lorde Rogar eram mais mesquinhos. Sem poder contar com a lealdade da guarnição do castelo nem com os cavaleiros da Guarda Real, a Mão precisava de olhos e ouvidos em Pedra do Dragão. Tudo que Jaehaerys e Alysanne diziam e faziam seria relatado para ele, como deixou claro para a senhora Lucinda e as outras. Ele estava particularmente ansioso para descobrir se e quando o rei e a rainha pretendiam consumar o casamento. Ele determinou enfaticamente que isso devia ser impedido.

E talvez houvesse mais.

E agora, infelizmente, temos que dedicar certa consideração a determinado livro de mau gosto que apareceria nos Sete Reinos uns quarenta anos depois dos eventos discutidos no momento. Exemplares do livro ainda passam de mão em mão nos lugares baixos de Westeros e muitas vezes podem ser encontrados em certos bordéis (os que atendem clientes que sabem ler) e nas bibliotecas de homens de moral baixa, onde são guardados trancados, escondidos dos olhos das donzelas, das patroas, das crianças e dos castos e devotos.

O livro em questão é conhecido por vários títulos, entre eles *Pecados da carne*, *Os altos e baixos*, *A história de uma devassa* e *A perversidade dos homens*, mas todas as versões traziam o subtítulo *Um alerta para garotas jovens*. É supostamente o testemunho de uma jovem donzela de berço nobre que entregou sua virtude para um cavalariço no castelo do senhor seu pai, deu à luz uma criança bastarda e se viu fazendo parte de todo tipo de devassidão imaginável durante uma longa vida de pecado, sofrimento e escravidão.

Se a história da autora for verdade (partes são de credulidade difícil), durante a vida, ela foi aia de uma rainha, amante de um jovem cavaleiro, seguidora de um acampamento nas Terras Disputadas de Essos, prostituta em Myr, pantomimeira em Tyrosh, brinquedo de uma rainha corsária nas Ilhas Basilisco, escrava na antiga Volantis (onde foi tatuada, perfurada e decorada com argolas), aia de um feiticeiro qarteno e finalmente dona de uma casa de prazer em Lys... antes de acabar voltando para Vilavelha e a Fé. Supostamente, ela terminou a vida como septã no Septo Estrelado, onde registrou a história da vida para alertar outras jovens donzelas a não seguirem o mesmo caminho que ela.

Os detalhes lascivos das aventuras eróticas da autora não nos dizem respeito aqui. Nosso único interesse é a parte inicial da narrativa sórdida, a história da juventude dela... pois a suposta autora de *Um alerta para garotas jovens* é justamente Coryanne Wylde, uma das garotas enviadas para Pedra do Dragão como dama de companhia da pequena rainha.

Não temos como garantir a veracidade da história dela, nem mesmo se foi ela a verdadeira autora do famoso livro (alguns argumentam de forma plausível que o texto é produto de várias mãos, pois o estilo da prosa varia amplamente de episódio para episódio). Mas a história do começo da vida da senhorita Coryanne foi confirmada pelos relatos do meistre que serviu em Casa de Chuva durante a juventude dela. Aos treze anos, registra ele, a filha mais nova de lorde Wylde foi realmente seduzida e deflorada por um "rapaz grosseiro" dos estábulos. Em *Um alerta para garotas jovens*, o jovem é descrito como um rapaz bonito da mesma idade que ela, mas o relato do meistre é diferente e pinta o sedutor como um canalha de trinta anos com cicatrizes de catapora, distinto apenas por um "membro masculino volumoso como o de um garanhão".

Seja qual for a verdade, o "rapaz grosseiro" foi castrado e enviado para a Muralha assim que se soube do que fizera, enquanto a senhorita Coryanne foi confinada aos seus aposentos para dar à luz seu filho ilegítimo. O bebê foi enviado para Ponta Tempestade logo depois do nascimento, e lá seria criado por um dos intendentes do castelo e sua esposa estéril.

O menino bastardo nasceu em 48 DC, de acordo com os registros do meistre. A senhorita Coryanne foi mantida sob olhares atentos depois, mas poucos fora dos muros de Casa de Chuva souberam da vergonha. Quando o corvo a convocou para ir a Porto Real, a senhora sua mãe disse severamente que ela nunca deveria falar do filho nem do pecado cometido.

— Na Fortaleza Vermelha, vão tratar você como donzela.

Mas quando a garota seguiu para a cidade, escoltada pelo pai e por um irmão, eles pararam para passar a noite em uma estalagem na margem sul da Torrente da Água Negra, ao lado do porto da barca. Lá ela encontrou certo grande senhor esperando sua chegada.

Aqui, a história fica ainda mais confusa, pois a identidade do homem na estalagem é questão de discussão, mesmo entre os que aceitam que *Um alerta para garotas jovens* contém um mínimo de verdade.

Ao longo dos anos e séculos, conforme o livro foi copiado e recopiado, muitas mudanças e emendas surgiram no texto. Os meistres que trabalham na Cidadela copiando livros são rigorosamente treinados para reproduzir o original palavra por palavra, mas poucos escribas comuns têm essa disciplina. Os septões, septãs e irmãs santas que copiam e ilustram livros para a Fé costumam remover ou alterar qualquer passagem que achem ofensiva, obscena ou teologicamente débil. Como quase todo *Um alerta para garotas jovens* é obsceno, não deve ter sido copiado por meistres nem septões. Considerando o número de exemplares que sabemos existir (centenas, embora a mesma quantidade tenha sido queimada por Baelor, o Abençoado), os escribas responsáveis provavelmente foram os septões expulsos da Fé por bebedeira, roubo ou fornicação, alunos reprovados que abandonaram a Cidadela sem a corrente, penas contratadas das Cidades Livres ou saltimbancos (os piores de todos). Sem o rigor dos meistres, esses escribas costumam se sentir à vontade para "melhorar" os textos que estão copiando. (Os saltimbancos têm uma tendência ainda maior de fazer isso.)

No caso de *Um alerta para garotas jovens*, essas "melhorias" consistiam no acréscimo de mais episódios de depravação e na mudança dos episódios existentes para deixá-los ainda mais perturbadores e lascivos. Com uma alteração depois da outra ao longo dos anos, foi ficando ainda mais difícil saber qual era o texto original, ao ponto de até os meistres da Cidadela não conseguirem concordar sobre o título do livro, como foi comentado. A identidade do homem que encontrou Coryanne Wylde na estalagem perto da barca, se esse encontro realmente aconteceu, é outra questão de discussão. Nos exemplares intitulados *Pecados da carne* e *Os altos e baixos* (que tendem a ser as versões mais antigas e mais curtas), o homem na estalagem é identificado como sor Borys Baratheon, o mais velho dos quatro irmãos de lorde Rogar. Em *A história de uma devassa* e *A perversidade dos homens*, entretanto, o homem é o próprio lorde Rogar.

Todas essas versões concordam sobre o que aconteceu em seguida. Depois de dispensar o pai e o irmão da senhorita Coryanne, o senhor ordenou que a garota se despisse para que ele a inspecionasse. "Ele passou as mãos por todo o meu corpo", escreveu ela, "e me mandou virar de um lado e de outro e me inclinar e me esticar e abrir as pernas para seu olhar, até finalmente se pronunciar satisfeito." Só então o homem revelou o propósito da convocação que a levou a Porto Real. Ela seria enviada a Pedra do Dragão, uma suposta donzela, para servir como uma das damas de companhia da princesa Alysanne, mas quando estivesse lá ela devia usar sua astúcia e seu corpo para seduzir o rei.

— Jaehaerys provavelmente gosta de mulheres e está apaixonado pela irmã — o homem teria dito para ela —, mas Alysanne é uma criança, e você é uma mulher que qualquer homem desejaria. Quando Sua Graça experimentar seus encantos, ele pode voltar a si e abandonar essa tolice de casamento. Talvez até decida ficar com você depois, quem vai saber? Não pode haver questão de casamento, claro, mas você teria joias, criados, o que desejasse. Há recompensas valiosas para quem esquenta a cama de um rei. Se Alysanne descobrir vocês na cama juntos, melhor ainda. Ela é uma garota orgulhosa e abandonaria rapidamente um cônjuge infiel. E se você engravidasse de novo, você e o bebê seriam bem cuidados, e seu pai e sua mãe serão recompensados pelo seu serviço à Coroa.*

Podemos dar alguma credibilidade a essa história? Tanto tempo depois, tão distante dos eventos em questão, com todos os personagens principais mortos há tempos, não há como ter certeza. Além do testemunho da garota em si, não temos fonte para verificar se esse encontro perto da barca aconteceu. E se algum Baratheon realmente se encontrou em particular com Coryanne Wylde antes de ela chegar a Porto Real, não temos como saber o que poderiam ter conversado. Ele poderia só ter dado instruções sobre os deveres dela como espiã e fofoqueira, da mesma forma que as outras garotas foram instruídas.

O arquimeistre Crey, ao escrever na Cidadela nos últimos dias do longo reinado do rei Jaehaerys, acreditava que o encontro na estalagem era uma calúnia mal elaborada com a intenção de sujar o nome de lorde Rogar e chegou a atribuir a mentira ao próprio sor Borys Baratheon, que tinha grandes desavenças com o irmão no fim da vida. Outros eruditos, inclusive meistre Ryben, o maior especialista da Cidadela em textos banidos, proibidos, fraudulentos e obscenos, relatou a história como apenas um conto obsceno do tipo que despertava a luxúria dos jovens rapazes, dos bastardos, das prostitutas e dos homens que faziam uso de seus favores. "Entre a plebe há sempre homens de personalidade lasciva que se deliciam com histórias de grandes senhores e cavaleiros nobres se aproveitando de donzelas", escreveu Ryben, "pois isso os convence de que seus superiores compartilham de seus desejos primitivos."

É possível. Mas há certas coisas que sabemos sem sombra de dúvida e que podem nos ajudar a chegarmos às nossas próprias conclusões. Sabemos que a filha mais nova de Morgan Wylde, Senhor de Casa de Chuva, foi deflorada em tenra idade e deu à luz um menino bastardo. Podemos ter uma certeza razoável de que lorde Rogar sabia da indiscrição dela; não só ele era o suserano de lorde Morgan, como também o filho foi entregue ao pessoal da casa dele. Sabemos que Coryanne Wylde estava entre as donzelas que foram enviadas para Pedra do Dragão como damas de companhia da rainha Alysanne... uma escolha singularmente curiosa, se era para ser apenas dama de companhia, pois vintenas de outras garotas de berço nobre e idade adequada também estavam disponíveis, garotas cuja virgindade estava intacta e cuja virtude estava além de qualquer repreensão.

"Por que ela?", muitos questionaram nos anos seguintes. Ela tinha algum dom especial, algum encanto específico? Se tinha, ninguém comentou na época. Era pos-

* Certos exemplares de *A história de uma devassa* incluem um episódio amoroso adicional em que o próprio lorde Rogar faz reconhecimento carnal da garota "por toda a noite", mas é quase certo que seja um acréscimo posterior feito por algum escriba libidinoso ou um cafetão depravado.

sível que lorde Rogar ou a rainha Alyssa tivessem alguma dívida com o senhor pai dela ou com a senhora mãe dela por causa de algum favor ou gentileza no passado? Não temos registro. Nenhuma explicação plausível para a escolha de Coryanne Wylde apareceu, exceto pela resposta simples e feia proferida por *Um alerta para garotas jovens*: ela foi enviada para Pedra do Dragão não para Alysanne, mas para Jaehaerys.*

Registros da corte indicam que a septã Ysabel, a senhora Lucinda e as outras mulheres escolhidas para a casa de Alysanne Targaryen subiram na galé mercante *Mulher Sábia* no amanhecer do sétimo dia da segunda lua de 50 DC e partiram para Pedra do Dragão na maré matinal. A rainha Alyssa havia enviado um comunicado da chegada delas por corvo, mas tinha certa preocupação de que as Mulheres Sábias, como elas ficaram conhecidas daquele dia em diante, encontrariam os portões de Pedra do Dragão fechados para elas. Seu medo não tinha fundamento. A pequena rainha e dois Guardas Reais as encontraram no porto quando elas desembarcaram, e Alysanne deu boas-vindas a cada uma com presentes e sorrisos alegres.

Antes de relatarmos o que aconteceu depois, voltemos o olhar brevemente para Ilha Bela, onde Rhaena Targaryen, a "Rainha do Oeste", residia com o novo marido e uma corte própria.

É preciso lembrar que a rainha Alyssa não ficou mais satisfeita com o terceiro casamento da filha mais velha do que com o que o filho teria logo depois, apesar de o casamento de Rhaena ser de menores consequências. Ela não estava sozinha nisso, pois na verdade Androw Farman foi uma escolha curiosa para alguém com sangue de dragão nas veias.

Segundo filho de lorde Farman, nem mesmo o herdeiro, Androw tinha fama de ser um rapaz bonito com olhos azul-claros e cabelo comprido e claro, mas ele era nove anos mais novo do que a rainha, e mesmo na corte do próprio pai havia alguns que debochavam dele como sendo "meio garota", pois tinha fala delicada e natureza gentil. Um fracasso singular como escudeiro, ele nunca chegou a se tornar cavaleiro, por não possuir nenhuma das habilidades marciais do senhor seu pai e do irmão mais velho. Por um tempo, o pai pensou em mandá-lo para Vilavelha para forjar a corrente de meistre, até seu próprio meistre lhe dizer que o rapaz não era inteligente o suficiente e mal conseguia ler e escrever. Mais tarde, à pergunta de por que escolhera um marido tão pouco promissor, Rhaena Targaryen respondeu:

— Ele foi gentil comigo.

* Dizem que muitos anos depois, quando o rei Aegon IV estava embriagado, alguém levantou a questão na presença dele. Sua Graça supostamente riu e declarou sua convicção de que se lorde Rogar não fosse tolo ele teria instruído *todas* as donzelas enviadas a Pedra do Dragão no ano 50 DC a irem para a cama com o jovem rei, pois a Mão não podia saber qual delas Jaehaerys preferiria. Essa sugestão infame se alastrou entre a plebe, mas não é sustentada por nenhum tipo de prova e pode ser descartada com segurança.

O pai de Androw também foi gentil com ela e lhe ofereceu refúgio na Ilha Bela depois da batalha sob o Olho de Deus, quando seu tio, o rei Maegor, exigiu a captura dela e os Pobres Irmãos do reino a denunciaram como pecadora devassa e suas filhas como abominações. Alguns aventaram a hipótese de que a rainha viúva tomou Androw como marido em parte para devolver essa gentileza ao pai dele, pois lorde Farman, também segundo filho que nunca esperou governar, era famoso por gostar muito de Androw, apesar de suas deficiências. É possível que haja certa verdade nessa declaração, mas outra possibilidade, elaborada primeiro pelo meistre de lorde Farman, pode chegar mais perto da verdade. "A rainha encontrou seu verdadeiro amor em Ilha Bela", escreveu meistre Smike para a Cidadela, "não com Androw, mas com a irmã dele, a senhorita Elissa."

Mais velha do que Androw três anos, Elissa Farman tinha os mesmos olhos azuis e cabelo claro e comprido do irmão, mas de resto era tão diferente dele quanto uma irmã pode ser. De inteligência perspicaz e língua mais perspicaz ainda, ela amava cavalos, cachorros e falcões. Era ótima cantora e arqueira habilidosa, mas seu grande amor era velejar. "Que o vento seja nosso corcel" era o lema dos Farman de Ilha Bela, que velejavam pelos mares ocidentais desde a Era da Aurora, e a senhorita Elissa as personificava. Quando criança, diziam que ela passava mais tempo no mar do que em terra. As tripulações do pai dela riam ao vê-la subindo pelos cordames como um macaco. Ela velejou em seu próprio barco em torno de Ilha Bela com a idade de catorze anos, e aos vinte já tinha viajado até Ilha dos Ursos no Norte e até Árvore no Sul. Muitas vezes, para o horror do senhor seu pai e da senhora sua mãe, ela falava de seu desejo de levar um navio para além do horizonte ocidental para descobrir que terras estranhas e surpreendentes podiam existir do outro lado do Mar do Poente.

A senhorita Elissa ficou noiva duas vezes, uma aos doze anos e outra aos dezesseis, mas assustou os dois pretendentes, como seu pai admitia com pesar. Mas em Rhaena Targaryen ela encontrou uma companheira de mente parecida, e nela a rainha encontrou uma nova confidente. Junto com Alayne Royce e Samantha Stokeworth, duas das amigas mais antigas de Rhaena, elas se tornaram inseparáveis, uma corte particular dentro da corte que sor Franklyn Farman, o filho mais velho de lorde Marq, chamava de "Besta de Quatro Cabeças". Androw Farman, o novo marido de Rhaena, era admitido no círculo de tempos em tempos, mas nunca com frequência suficiente para ser chamado de quinta cabeça. O mais impressionante foi que a rainha Rhaena nunca o levou para voar com ela nas costas da dragão Dreamfyre, uma aventura que compartilhava com frequência com as senhoritas Elissa, Alayne e Sam (na verdade, é mais do que possível que a rainha tenha convidado Androw para percorrer o céu com ela, mas ele tenha recusado, pois não tinha disposição aventureira).

Entretanto, seria um erro ver o tempo da rainha Rhaena em Belcastro como um idílio. Nem todos apreciavam a presença dela. Mesmo ali, naquela ilha distante, havia Pobres Irmãos, irritados por lorde Marq, como seu pai antes dele, ter dado apoio e abrigo para alguém que eles viam como inimiga da Fé. A presença constante de Dreamfyre na ilha também criava problemas. Vislumbrado em intervalos de poucos anos, um dragão era uma maravilha e um terror de se ver, e era verdade que alguns habitantes de Ilha Bela sentiam orgulho de terem "um dragão nosso". Mas outros ficavam nervosos com a presença da enorme fera, principalmente conforme ela foi ficando maior... e mais faminta. Alimentar um dragão em crescimento não é tarefa pouca. E quando ficou sabido que Dreamfyre produziu uma ninhada de ovos, um irmão mendicante das colinas interiores começou a pregar que Ilha Bela logo seria tomada por dragões "que devorariam as ovelhas, as vacas e os homens", a não ser que um matador de dragões aparecesse e desse fim à praga. Lorde Farman mandou cavaleiros para procurar o homem e o silenciar, mas não antes de milhares já terem ouvido as profecias. Embora o pregador tivesse morrido nos calabouços debaixo de Belcastro, suas palavras sobreviveram, enchendo os ignorantes de medo sempre que eram ouvidas.

Mesmo dentro das paredes da casa de lorde Farman, a rainha Rhaena tinha inimigos, e o principal dentre eles era o herdeiro de sua senhoria. Sor Franklyn lutara na batalha sob o Olho de Deus e sofreu um ferimento lá, sangue derramado a serviço do príncipe Aegon, o Sem Coroa. Seu avô morreu naquele campo de batalha junto com seu filho mais velho, e sobrou para ele levar os cadáveres para Ilha Bela. Mas parecia aos olhos dele que Rhaena Targaryen demonstrava pouco remorso por todo o sofrimento que havia causado à Casa Farman e pouca gratidão a ele pessoalmente. Ele também se ressentia da amizade dela com sua irmã, Elissa; em vez de encorajá-la no que ele via como seu jeito selvagem e voluntarioso, sor Franklyn achava que a rainha devia estar mandando-a fazer seu dever perante sua casa procurando um casamento adequado e gerando filhos. Ele também não gostava da forma como a Besta de Quatro Cabeças tinha se tornado o centro da vida da corte em Belcastro, enquanto o senhor seu pai e ele eram cada vez mais desdenhados. Nisso ele tinha justificativa. Mais e mais senhores bem-nascidos das terras ocidentais e além iam visitar Ilha Bela, observou meistre Smike, mas quando iam era para ter uma audiência com a Rainha do Oeste, não com o senhor menor de uma pequena ilha e seu filho.

Nada disso era de grande preocupação para a rainha e seus familiares enquanto Marq Farman mandasse em Belcastro, pois sua senhoria era um homem amável e de natureza bondosa que amava todos os filhos, inclusive a filha rebelde e o filho fraco, e amava Rhaena Targaryen por também amá-los. Mas menos de uma quinzena depois de a rainha e Androw Farman terem celebrado o primeiro aniversário de sua união, lorde Marq morreu subitamente à mesa, engasgado com uma espinha de peixe aos quarenta e seis anos. E com seu falecimento, sor Franklyn se tornou o Senhor de Ilha Bela.

Ele não perdeu tempo. No dia seguinte ao enterro do pai, convocou Rhaena para comparecer em seu grande salão (ele não se rebaixou indo até ela) e ordenou que ela saísse da ilha dele.

— Sua presença aqui não é bem-vinda — disse ele. — Não é desejada. Leve seu dragão junto, suas amigas e meu irmãozinho, que certamente mijaria na calça se fosse ordenado a ficar. Mas não pense em levar minha irmã. Ela vai ficar aqui e vai se casar com um homem escolhido por mim.

Não faltava coragem a Franklyn Farman, como meistre Smike escreveu em uma carta para a Cidadela. Mas lhe faltava bom senso, e naquele momento ele não pareceu perceber como estava próximo da morte.

— Eu vi o fogo nos olhos dela — disse o meistre —, e por um momento consegui ver Belcastro em chamas, as torres brancas ficando pretas e desabando no mar enquanto as chamas transpunham cada janela e o dragão voava ao redor repetidas vezes.

Rhaena Targaryen tinha sangue de dragão e era orgulhosa demais para ficar onde não era desejada. Ela partiu de Ilha Bela naquela mesma noite, voando para Porto Real montada em Dreamfyre depois de instruir o marido e as companheiras a seguirem-na de navio "com todos os que talvez me amem". Quando Androw, tomado de raiva, se ofereceu para enfrentar o irmão em combate individual, a rainha logo o dissuadiu.

— Ele faria picadinho de você, meu amor — disse ela —, e se eu ficasse viúva pela terceira vez, os homens me chamariam de bruxa ou coisa pior e me expulsariam de Westeros.

Lyman Lannister, Senhor de Rochedo Casterly, a tinha abrigado antes, lembrou-lhe ela. A rainha Rhaena estava confiante em que ele a receberia novamente.

Androw Farman, Samantha Stokeworth e Alayne Royce partiram na manhã seguinte, junto com mais de quarenta amigos, criados e bajuladores da rainha, pois Sua Graça havia formado um círculo de tamanho razoável como Rainha do Oeste. A senhorita Elissa estava com eles também, pois não tinha intenção de ficar para trás; seu barco, *Fantasia da Donzela*, havia sido preparado para a travessia. Mas quando o grupo da rainha chegou ao porto, encontrou sor Franklyn esperando. O resto podia ir, já iam tarde, anunciou ele, mas sua irmã ficaria em Ilha Bela para se casar.

Porém o novo senhor só tinha levado seis homens consigo, e tinha avaliado muito mal o amor que o povo nutria por sua irmã, particularmente os marinheiros, os carpinteiros navais, os pescadores, os estivadores e outros habitantes dos bairros portuários, muitos que a conheciam desde que ela era garotinha. Quando a senhorita Elissa enfrentou o irmão, o desafiando e exigindo que saísse da frente, um grupo se reuniu ao redor e foi ficando cada vez mais irritado. Alheio ao humor das pessoas, sua senhoria tentou agarrar a irmã... e nesse momento os espectadores se adiantaram e dominaram os homens dele antes que pudessem puxar as espadas. Três foram empurrados do porto no mar, enquanto o próprio lorde Franklyn foi jogado em um barco cheio de bacalhau recém-pescado. Elissa Farman e o restante dos amigos da rainha embarcaram no *Fantasia da Donzela* ilesos e partiram para Lannisporto.

Lyman Lannister, Senhor de Rochedo Casterly, tinha dado refúgio a Rhaena e ao marido dela, Aegon, o Sem Coroa, quando Maegor, o Cruel, estava exigindo a cabeça deles. O filho bastardo dele, sor Tyler Hill, lutou com o príncipe Aegon sob o Olho de Deus. A esposa dele, a extraordinária senhora Jocasta da Casa Tarbeck, fez amizade com Rhaena no tempo que ela passou em Rochedo e foi a primeira a perceber que ela estava esperando um filho. Como a rainha imaginava, eles lhe deram boas-vindas agora, e quando o restante do grupo pousou em Lannisporto, os Lannister também os acolheram. Uma festa farta foi preparada em homenagem a eles, um estábulo inteiro foi dado a Dreamfyre, e a rainha Rhaena, seu marido e suas companheiras da Besta de Quatro Cabeças receberam aposentos majestosos no interior do Rochedo, protegidos de qualquer mal. Lá ficaram por mais de uma fase da lua, apreciando a hospitalidade da casa mais abastada de toda a Westeros.

Mas, com o passar dos dias, essa hospitalidade foi ficando mais inquietante para Rhaena Targaryen. Ficou aparente para ela que as criadas de quarto e servas designadas para eles eram fofoqueiras e espiãs, que contavam tudo que eles faziam para o senhor e a senhora Lannister. Uma das septãs do castelo perguntou a Samantha Stokeworth se o casamento da rainha com Androw Farman havia sido consumado e, em caso positivo, quem tinha testemunhado o ato. Sor Tyler Hill, o atraente filho bastardo de lorde Lyman, era abertamente desdenhoso com Androw enquanto fazia tudo que podia para se insinuar para Rhaena, contando-lhe histórias de seus feitos na batalha sob o Olho de Deus e mostrando as cicatrizes ganhadas lá, "a serviço do seu Aegon". O próprio lorde Lyman começou a expressar um interesse inconveniente nos três ovos de dragão que a rainha havia trazido de Ilha Bela, questionando como e quando os filhotes nasceriam. Sua esposa, a senhora Jocasta, sugeriu em particular que um ou mais dos ovos seriam um lindo presente se Sua Graça desejasse demonstrar sua gratidão à Casa Lannister pelo acolhimento. Como isso não funcionou, lorde Lyman ofereceu comprar os ovos por uma soma assombrosa em ouro.

O Senhor de Rochedo Casterly queria mais do que uma hóspede bem-nascida, a rainha Rhaena percebeu. Por baixo da aparente cordialidade, ele era ardiloso e ambicioso demais para aceitar tão pouco. Ele queria uma aliança com o Trono de Ferro, possivelmente por meio de casamento entre ela e seu bastardo, ou um de seus filhos legítimos; uma união que elevasse os Lannister acima dos Hightower, dos Baratheon e dos Velaryon, a ponto de serem a segunda casa do reino. E ele queria *dragões*. Com cavaleiros de dragões próprios, os Lannister seriam iguais aos Targaryen.

— Eles já foram reis — lembrou ela a Sam Stokeworth. — Ele sorri, mas foi criado ouvindo histórias do Campo de Fogo, não terá esquecido. — Rhaena Targaryen também conhecia história; a história da Cidade Franca de Valíria, escrita em sangue e fogo. — Não podemos ficar aqui — confidenciou para suas queridas amigas.

Precisamos deixar a rainha Rhaena de lado por um tempo, enquanto olhamos para o leste novamente, para Porto Real e Pedra do Dragão, onde a regente e o rei continuavam com suas desavenças.

Por mais irritante que o assunto do casamento do rei fosse para a rainha Alyssa e para o lorde Rogar, não se deve pensar que era a única questão que os preocupava durante a regência. O dinheiro, ou a falta dele, era o maior problema da Coroa. As guerras do rei Maegor foram terrivelmente caras e exauriram o tesouro real. Para encher os cofres, o mestre da moeda de Maegor subiu os impostos existentes e criou novos, mas essas medidas geraram menos ouro do que previsto e só serviram para aumentar o rancor com o qual os senhores do território viam o rei. E a situação não melhorou com a ascensão de Jaehaerys. A coroação do jovem príncipe e o Casamento Dourado de sua mãe foram eventos esplêndidos que o ajudaram muito a conquistar o amor de senhores e da plebe, mas tudo isso teve um preço. Um gasto ainda maior estava por vir: lorde Rogar estava determinado a completar o trabalho no Fosso dos Dragões antes de entregar a cidade e o reino para Jaehaerys, mas faltavam fundos.

Edwell Celtigar, o Senhor de Ilha da Garra, foi uma Mão ineficiente para Maegor, o Cruel. Tendo recebido uma segunda chance na regência, ele se mostrou igualmente ineficiente como mestre da moeda. Sem querer ofender os outros senhores, Celtigar decidiu impor novos tributos ao povo de Porto Real, que ficava convenientemente próxima. Os impostos portuários triplicaram, certos bens foram taxados para entrar e sair da cidade, e impostos adicionais foram exigidos de estalajadeiros e construtores.

Nenhuma dessas medidas teve o efeito desejado de preencher os cofres do tesouro. Em vez disso, as construções quase pararam, as estalagens ficaram vazias e o comércio decaiu visivelmente quando os comerciantes desviaram seus navios de Porto Real para Derivamarca, Valdocaso, Lagoa da Donzela e outros portos onde podiam escapar da tributação. (Lannisporto e Vilavelha, as outras grandes cidades do reino, também foram incluídas nos novos impostos de lorde Celtigar, mas lá os decretos eram menos eficientes, principalmente porque Rochedo Casterly e Torralta os ignoravam e não faziam esforços para coletar.) Mas os novos tributos serviram para fazer lorde Celtigar ser odiado por toda a cidade. Lorde Rogar e a rainha Alyssa também receberam sua cota de reprovação. Outra vítima foi o Fosso dos Dragões; a Coroa não tinha mais fundos para pagar os construtores, e todo o trabalho no grande domo foi interrompido.

Tempestades também estavam surgindo no Norte e no Sul. Com lorde Rogar ocupado em Porto Real, os dorneses ficaram ousados e começaram a invadir a Marca com mais frequência, importunando até as terras da tempestade. Havia boatos de outro rei Abutre nas Montanhas Vermelhas, e os irmãos de lorde Rogar, Borys e Garon, insistiam que não dispunham de homens nem dos recursos necessários para eliminá-lo.

A situação no Norte era ainda pior. Brandon Stark, Senhor de Winterfell, morreu em 49 DC, pouco depois de retornar do Casamento Dourado; a viagem, disseram os nortenhos, exigiu muito dele. Seu filho Walton o sucedeu, e quando uma rebelião repentina se deflagrou em 50 DC entre os homens da Patrulha da Noite no Portão da Geada e no Solar das Trevas, ele reuniu suas forças e cavalgou até a Muralha para se juntar aos leais patrulheiros para sufocá-la.

Os rebeldes eram antigos Pobres Irmãos e Filhos do Guerreiro que aceitaram clemência do menino-rei, liderados por sor Olyver Bracken e sor Raymund Mallery, os dois cavaleiros vira-casaca que serviram na Guarda Real de Maegor pouco antes de abandoná-lo por Jaehaerys. O senhor comandante da Patrulha da Noite foi imprudente e deu a Bracken e Mallery o comando dos dois fortes previamente abandonados, com ordens de restaurá-los; em vez disso, os dois homens decidiram fazer dos castelos seus assentos e se estabelecer como senhores.

O levante deles durou pouco. Para cada homem da Patrulha da Noite que se juntou à rebelião deles, dez permaneceram fiéis a seus votos. Depois da vinda de lorde Stark e seus vassalos, os irmãos negros retomaram Portão da Geada e enforcaram os perjuros, exceto o próprio sor Olyver, que foi decapitado por lorde Stark com sua célebre espada Gelo. Quando a notícia chegou a Solar das Trevas, os rebeldes lá fugiram para trás da Muralha na esperança de se unirem aos selvagens. Lorde Walton foi atrás deles, mas, dois dias para o norte nas neves da floresta assombrada, ele e seus homens foram emboscados por gigantes. Foi escrito depois que Walton Stark matou dois antes de ser arrastado da sela e desmembrado. Os sobreviventes o carregaram de volta a Castelo Negro em pedaços.

Quanto a sor Raymund Mallery e os outros desertores, os selvagens os receberam com frieza. Rebeldes ou não, o povo livre não tinha utilidade para corvos. A cabeça de sor Raymund foi entregue em Atalaialeste meio ano depois. Quando perguntaram o que havia acontecido ao resto dos homens dele, o chefe dos selvagens riu e disse:

— Nós comemos.

O segundo filho de Brandon Stark, Alaric, se tornou senhor de Winterfell. Ele governaria o Norte por vinte e três anos, um homem capaz, ainda que severo... mas por muito tempo não teve coisa boa a dizer sobre o rei Jaehaerys, pois culpava a clemência do rei pela morte de seu irmão Walton e era ouvido com frequência dizendo que Sua Graça devia ter decapitado os homens de Maegor em vez de os mandar para a Muralha.

Distante dos problemas no Norte, o rei Jaehaerys e a rainha Alysanne permaneceram em seu exílio autoimposto da corte, mas não estavam ociosos. Jaehaerys continuou seu regime rigoroso de treinamento com os cavaleiros da Guarda Real todas as manhãs e dedicava as noites a ler relatos do reinado de seu avô Aegon, o Conquistador, que ele desejava ter como modelo para o seu. Os três meistres de Pedra do Dragão o ajudavam nessas pesquisas, assim como a rainha.

Com o passar dos dias, mais e mais visitantes seguiram para Pedra do Dragão para falar com o rei. Lorde Massey de Bailepedra foi o primeiro a aparecer, mas lorde Staunton de Pouso de Gralhas, lorde Darklyn de Valdocaso e lorde Bar Emmon de Ponta Afiada vieram logo depois, seguidos pelos lordes Harte, Rollingford, Mooton e Stokeworth. O jovem lorde Rosby, cujo pai tirou a própria vida quando o rei Maegor caiu, também apareceu e suplicou timidamente o perdão do jovem rei, que Jaehaerys ficou feliz em conceder. Embora Daemon Velaryon, como senhor almirante da Coroa e mestre dos navios, estivesse em Porto Real com os regentes, isso não impediu Jaehaerys e Alysanne de voarem de dragão até Derivamarca e visitar seus estaleiros, acompanhados pelos filhos dele, Corwyn, Jorgen e Victor. Quando a notícia desses encontros veio ao conhecimento de lorde Rogar em Porto Real, ele ficou furioso e chegou a perguntar a lorde Daemon se a frota de Velaryon podia ser usada para impedir que esses "senhores lambe-botas" rastejassem até Pedra do Dragão para entrarem nas graças do menino-rei. A resposta de lorde Velaryon foi seca.

— Não — disse ele.

A Mão encarou isso como outro sinal de desrespeito.

Enquanto isso, as novas damas de companhia e o resto do grupo da rainha Alysanne se acomodaram em Pedra do Dragão, e logo ficou aparente que a esperança da mãe dela de que aquelas "Mulheres Sábias" pudessem persuadir a pequena rainha de que o casamento dela era imprudente e herético tinha dado errado. Nem orações, nem sermões nem leituras de *Estrela de sete pontas* abalavam as convicções de Alysanne Targaryen de que os deuses queriam que ela se casasse com seu irmão Jaehaerys, que fosse sua confidente e ajudante e mãe de seus filhos.

— Ele vai ser um grande rei — ela disse para a septã Ysabel, para a senhora Lucinda e para as outras —, e eu vou ser uma grande rainha. — Ela tinha uma crença tão firme nisso e era tão gentil, generosa e amorosa em tudo que a septã e as outras Mulheres Sábias não foram capazes de condená-la, e a cada dia ficavam mais ao seu lado.

O plano de lorde Rogar de separar Jaehaerys e Alysanne também não ia bem. O jovem rei e sua rainha iam passar a vida juntos, e embora seja notório que brigariam e se separariam mais tarde na vida para acabarem ficando juntos novamente, o septão Oswyck e o meistre Culiper contam que nenhuma nuvem nem palavras duras abalaram o tempo deles em Pedra do Dragão, antes de Jaehaerys chegar à maioridade.

Coryanne Wylde fracassou na tarefa de ir para a cama com o rei? É possível que nunca tenha feito a tentativa? A história toda do encontro na estalagem pode ser ficção? Qualquer uma dessas opções é possível. Quem escreveu *Um alerta para garotas jovens* gostaria de dizer o contrário, mas aqui o famoso texto fica ainda menos confiável e se divide em umas seis versões contraditórias de eventos, cada uma mais vulgar do que a outra.

Não seria bom para a devassa no coração da história admitir que Jaehaerys a rejeitou, nem que ela nunca teve oportunidade de atraí-lo para o quarto. Então temos uma variedade de aventuras lascivas, um verdadeiro festival de imundície. *A história de uma devassa* insiste que a senhorita Coryanne não só foi para a cama com o rei, mas também com os sete membros da Guarda Real. Sua Graça supostamente a entregou para Pate, o Galinhola, depois que saciou seus desejos, e Pate a passou para sor Joffrey, e assim por diante. *Os altos e baixos* omite esses detalhes, mas relata que Jaehaerys não só recebeu a garota na cama, mas também levou a rainha Alysanne para brincar com os dois nos episódios frequentemente associados com as famosas casas de prazer de Lys.

Uma história um tanto mais plausível é contada em *Pecados da carne*, em que Coryanne Wylde realmente levou o rei Jaehaerys para a cama, mas encontrou um rei desajeitado, inseguro e apressado, como muitos garotos da idade dele costumam ser quando se deitam com uma mulher pela primeira vez. Àquela época, porém, a senhorita Coryanne tinha passado a admirar e respeitar a rainha Alysanne "como se ela fosse minha irmãzinha" e também desenvolveu sentimentos calorosos por Jaehaerys. Portanto, em vez de tentar desfazer o casamento do rei, ela assumiu a tarefa de ajudar a torná-lo um sucesso, ensinando a Sua Graça a arte de dar e receber prazer carnal, para que não se mostrasse incapaz quando chegasse a ocasião de ir para a cama com a jovem esposa.

Essa história poderia ser tão fantasiosa quanto as outras, mas tem certa doçura que levou alguns eruditos a aceitarem que talvez possa ter acontecido. Mas fábulas devassas não são história, e a história só tem uma coisa certa a nos contar sobre a senhorita Coryanne da Casa Wylde, a suposta autora de *Um alerta para garotas jovens*. No décimo quinto dia da sexta lua de 50 DC, ela partiu de Pedra do Dragão sob a proteção da noite na companhia de sor Howard Bullock, o filho mais novo do comandante da guarnição do castelo. Casado, sor Howard deixou a esposa para trás, mas levou boa parte das joias dela. Um barco pesqueiro o transportou junto com a senhorita Coryanne até Derivamarca, onde eles pegaram um navio para a Cidade Livre de Pentos. De lá, seguiram para as Terras Disputadas, onde sor Howard se inscreveu em uma companhia livre chamada, com singular falta de inspiração, a Companhia Livre. Ele morreria em Myr três anos depois, não em batalha, mas de uma queda do cavalo depois de uma noite de bebedeira. Sozinha e sem dinheiro, Coryanne Wylde seguiu para a próxima série de provações, atribulações e aventuras eróticas contada no livro. Não precisamos mais saber dela.

Quando a notícia da fuga da senhorita Coryanne com as joias roubadas e o marido roubado chegou aos ouvidos de lorde Rogar, na Fortaleza Vermelha, ficou óbvio que o plano dele tinha fracassado, assim como o da rainha Alyssa. A devoção e a luxúria se mostraram incapazes de quebrar o laço entre Jaehaerys Targaryen e sua Alysanne.

Além disso, a notícia do casamento do rei havia começado a se espalhar. Homens demais testemunharam o confronto nos portões do castelo, e os senhores que foram a Pedra do Dragão depois não deixaram de notar a presença de Alysanne ao lado do rei, nem a afeição óbvia entre eles. Rogar Baratheon podia falar em arrancar línguas, mas ficou impotente perante os murmúrios que se espalharam pelo território... e mesmo para além do mar estreito, onde os magísteres de Pentos e mercenários da Companhia Livre sem dúvida se divertiam com as histórias que a senhorita Coryanne Wylde tinha para contar.

— Está feito — disse a rainha regente para seus conselheiros quando ela enfim percebeu a verdade. — Está feito e não pode ser desfeito, que os Sete nos salvem. Temos que viver com isso e temos que usar todos os nossos poderes para os proteger do que pode vir. — Ela tinha perdido dois filhos para Maegor, o Cruel, e havia uma frieza entre ela e a filha mais velha; não conseguia suportar a ideia de ficar separada eternamente dos dois filhos que lhe restavam.

Mas Rogar Baratheon não conseguiu aceitar de forma tão elegante, e as palavras de sua esposa despertaram uma fúria nele. Na frente do grande meistre Benifer, do septão Mattheus, de lorde Velaryon e do resto, ele falou com ela com desprezo.

— Você é fraca — declarou ele —, tão fraca quanto seu primeiro marido, tão fraca quanto seu filho. Sentimentos são perdoáveis em uma mãe, mas não em uma regente, e nunca em um rei. Fomos tolos de coroar Jaehaerys. Ele só pensa nele mesmo e vai ser um rei pior do que o pai foi. Graças aos deuses não é tarde demais. Temos que agir agora e afastá-lo.

Um silêncio se espalhou no aposento após essas palavras. A rainha regente encarou horrorizada o senhor seu marido e, como se para provar a verdade de suas palavras, começou a chorar, as lágrimas correndo silenciosas pelas bochechas. Só então os outros senhores encontraram a voz.

— Você perdeu o bom senso? — perguntou lorde Velaryon.

Lorde Corbray, comandante da Patrulha da Cidade, balançou a cabeça e disse:

— Meus homens nunca vão apoiar.

O grande meistre Benifer trocou um olhar com Prentys Tully, o mestre das leis. Lorde Tully disse:

— Você quer tomar o Trono de Ferro para si, então?

Isso lorde Rogar negou com veemência.

— Nunca. Acha que sou um usurpador? Só quero o que é melhor para os Sete Reinos. Nenhum mal vai acontecer a Jaehaerys. Podemos enviá-lo para Vilavelha, para a Cidadela. Ele é um garoto dos livros, a corrente de meistre será boa para ele.

— E quem vai ocupar o Trono de Ferro? — perguntou lorde Celtigar.

— A princesa Aerea — respondeu lorde Rogar na mesma hora. — Há um fogo nela que Jaehaerys não tem. Ela é jovem, mas posso continuar como Mão e moldá--la, guiá-la, ensinar-lhe tudo que ela precisa saber. Ela tem o direito mais forte de reivindicação, a mãe e o pai dela foram o primeiro e o segundo filhos do rei Aenys, Jaehaerys foi o quarto. — Ele bateu com o punho na mesa, nos conta Benifer. — A mãe vai apoiá-la. A rainha Rhaena. E Rhaena tem um *dragão*.

O grande meistre Benifer registrou o que aconteceu em seguida. "Um silêncio se espalhou, embora as mesmas palavras estivessem nos lábios de todos: 'Jaehaerys e Alysanne também têm dragões'. Qarl Corbray lutou na batalha sob o Olho de Deus e testemunhou a terrível visão de dragão lutando com dragão. Para o resto de nós, as palavras da Mão conjuraram visões da antiga Valíria antes da Destruição, quando senhores dos dragões lutaram uns contra os outros pela supremacia. Foi uma visão tenebrosa."

Foi a rainha Alyssa quem quebrou o momento, em meio às lágrimas.

— Eu sou a rainha regente — lembrou ela a todos. — Até meu filho chegar à maioridade, todos vocês servem a mim. Inclusive a Mão do Rei. — Quando se virou para o senhor seu marido, Benifer nos conta que seus olhos estavam duros e escuros como obsidiana. — Seu serviço não me agrada mais, lorde Rogar. Nos deixe e volte para Ponta Tempestade, e nunca precisaremos falar novamente da sua traição.

Rogar Baratheon olhou para ela com incredulidade.

— Mulher. Você acha que pode *me* dispensar? Não. — Ele riu. — *Não.*

Foi nessa hora que lorde Corbray se levantou e puxou a espada, a lâmina de aço valiriano chamada Senhora Desespero que era o orgulho da casa dele.

— Sim — disse ele, e colocou a espada na mesa, a ponta virada para lorde Rogar. Só então sua senhoria percebeu que tinha ido longe demais, que estava sozinho contra todos os homens presentes. É o que Benifer nos conta.

Sua senhoria não disse mais nada. O rosto pálido, ele se levantou e removeu o broche de ouro que a rainha Alyssa tinha lhe dado como sinal de seu ofício, jogou nela com desprezo e saiu da sala. Ele foi embora de Porto Real naquela mesma noite e atravessou a Torrente da Água Negra com o irmão Orryn. Lá ficou por seis dias, enquanto seu irmão Ronnal reunia seus cavaleiros e homens de armas para a marcha para casa.

A lenda nos conta que lorde Rogar esperou a chegada deles na mesma estalagem ao lado da estação da barca onde ele ou seu irmão Borys se encontrou com Coryanne Wylde. Quando os irmãos Baratheon e seus homens finalmente partiram para Ponta Tempestade, eles tinham menos da metade dos homens que haviam marchado com eles dois anos antes para derrubar Maegor. O resto, parecia, preferia as vielas e estalagens e tentações da cidade grande ao bosque chuvoso, às colinas verdes e às cabanas cobertas de musgo das terras da tempestade.

— Eu nunca perdi tantos homens em batalha como para os prostíbulos e tavernas de Porto Real — diria lorde Rogar com amargura.

Uma das perdas foi Aerea Targaryen. Na noite da dispensa de lorde Rogar, sor Ronnal Baratheon e doze homens dele forçaram a entrada nos aposentos dela na Fortaleza Vermelha com a intenção de levá-la junto... e constataram que a rainha

Alyssa havia passado a perna neles. A garota já não estava mais lá, e seus servos não sabiam para onde tinha ido. Depois se descobriria que lorde Corbray a havia retirado de lá por ordem da rainha regente. Vestida em trapos de uma garota plebeia da menor ordem, com o cabelo prateado tingido de castanho, a princesa Aerea passaria o resto da regência trabalhando em um estábulo perto de Portão do Rei. Ela tinha oito anos e amava cavalos; anos depois, diria que foi a época mais feliz de sua vida.

É triste dizer que haveria pouca felicidade para a rainha Alyssa nos anos seguintes. A dispensa do marido como Mão do Rei destruiu qualquer afeição que lorde Rogar pudesse ter por ela; daquele dia em diante, o casamento deles foi um castelo destruído, uma casca vazia assombrada por fantasmas. "Alyssa Velaryon sobreviveu à morte do marido e de seus dois filhos mais velhos, a uma filha que faleceu no berço, a anos de terror de Maegor, o Cruel, e a uma rusga com os filhos que restavam, mas não conseguiu sobreviver a isso", escreveria o septão Barth quando analisou a vida dela. "Ela ficou destruída."

Relatos contemporâneos do grande meistre Benifer concordam. Depois da partida de lorde Rogar, a rainha Alyssa nomeou seu irmão, Daemon Velaryon, como Mão do Rei, enviou um corvo para Pedra do Dragão para contar ao filho Jaehaerys uma parte (mas não tudo) do que aconteceu e se recolheu aos seus aposentos na Fortaleza de Maegor. Durante o resto da regência, ela deixou o governo dos Sete Reinos nas mãos de lorde Daemon e não participou mais da vida pública.

Seria agradável relatar que Rogar Baratheon, depois de voltar para Ponta Tempestade, refletiu sobre o erro de suas ações, se arrependeu e se tornou um homem moderado. Infelizmente, essa não era a natureza de sua senhoria. Ele era um homem que não sabia ceder. O gosto da derrota era como bile no fundo da garganta. Na guerra, ele se gabava, nunca deitaria o machado enquanto ainda houvesse vida em seu corpo... e essa questão do casamento do rei tinha virado uma guerra para ele, uma que ele estava determinado a vencer. Ainda lhe restava uma última investida, e ele não se acovardou.

Foi assim que em Vilavelha, no convento contíguo ao Septo Estrelado, sor Orryn Baratheon apareceu de repente com doze homens de armas e uma carta com o selo de lorde Rogar, exigindo que a noviça Rhaella Targaryen fosse entregue para eles imediatamente. Quando questionado, sor Orryn só diria que lorde Rogar tinha necessidade urgente da garota em Ponta Tempestade. O plano poderia ter funcionado, mas a septã Karolyn, que estava na porta do convento naquele dia, tinha determinação de aço e natureza desconfiada. Enquanto acalmava sor Orryn com o pretexto de mandar chamar a garota, ela na verdade mandou chamar o alto septão. Sua Santidade estava (talvez felizmente, para a criança e para o reino) dormindo, mas seu intendente (um antigo cavaleiro, que tinha sido capitão dos Filhos do Guerreiro até eles serem abolidos) estava desperto e alerta.

No lugar de uma garota assustada, os homens de Baratheon se viram perante trinta septões armados sob o comando do intendente, Casper Straw. Quando sor Orryn puxou uma espada, Straw o informou calmamente que duas vintenas dos cavaleiros de lorde Hightower estavam a caminho (mentira), e os Baratheon se renderam. Ao ser interrogado, sor Orryn confessou o plano todo: ele entregaria a garota em Ponta Tempestade, onde lorde Rogar planejava obrigá-la a confessar que era a verdadeira princesa Aerea, não Rhaella. Em seguida, pretendia nomeá-la rainha.

O Pai dos Fiéis, um homem tão gentil quanto de determinação fraca, ouviu a confissão de Orryn Baratheon e o perdoou. Isso não impediu que lorde Hightower, depois de informado, aprisionasse os Baratheon em um calabouço e enviasse um relato completo do acontecido para a Fortaleza Vermelha e para Pedra do Dragão. Donnel Hightower, que tinha sido corretamente nomeado de "Donnel, o Moroso" por sua relutância em entrar em campo contra o Septão Lua e seus seguidores, pareceu não ter medo de ofender Ponta Tempestade ao aprisionar o próprio irmão de lorde Rogar.

— Ele que venha tentar libertá-lo — disse ele quando seu meistre demonstrou preocupação sobre como a antiga Mão poderia reagir. — A própria esposa tirou a mão dele e cortou-lhe as bolas fora, e em pouco tempo o rei vai receber sua cabeça.

Do outro lado de Westeros, Rogar Baratheon ficou furioso e irritado quando soube do fracasso e do aprisionamento do irmão... mas ele não chamou seus vassalos, como muitos temiam. Ele entrou em desespero.

— Estou acabado — disse para seu meistre com tristeza. — Só resta a Muralha para mim, se os deuses forem bons. Se não, o garoto vai cortar minha cabeça e dar de presente para a mãe.

Como não teve filhos com nenhuma esposa, ele ordenou que o meistre escrevesse um testamento e uma confissão, na qual absolveu seus irmãos Borys, Garon e Ronnal de terem participado de suas intrigas, implorou o perdão do irmão mais novo, Orryn, e indicou sor Borys como herdeiro de Ponta Tempestade.

— Tudo que fiz e tudo que tentei fazer foi para o bem do reino e do Trono de Ferro — concluiu ele.

Sua senhoria não teria que esperar muito para saber seu destino. A regência estava quase terminando. Com a antiga Mão e a rainha regente enfraquecidos e silenciados, lorde Daemon Velaryon e o restante dos membros do conselho da rainha governaram da melhor forma que puderam, "falando pouco e fazendo menos", nas palavras do grande meistre Benifer.

No vigésimo dia da nona lua de 51 DC, Jaehaerys Targaryen chegou ao décimo sexto dia do seu nome e se tornou um homem adulto. Pelas leis dos Sete Reinos, ele agora tinha idade para governar sozinho, sem necessidade de regente. Por todos os Sete Reinos, senhores e plebeus esperavam para ver que tipo de rei ele seria.

# Um tempo de testes

## Um reino refeito

O rei Jaehaerys I Targaryen voltou a Porto Real sozinho, nas asas de seu dragão Vermithor. Cinco cavaleiros de sua Guarda Real foram antes e chegaram três dias mais cedo para garantir que tudo estivesse pronto para a vinda do rei. A rainha Alysanne não o acompanhou. Considerando as incertezas que cercavam o casamento e a natureza frágil do relacionamento do rei com a mãe, a rainha Alyssa, e com os senhores do conselho, foi considerado prudente que ela permanecesse em Pedra do Dragão por um tempo, com suas Mulheres Sábias e o resto da Guarda Real.

O dia não foi auspicioso, conta o grande meistre Benifer. O céu estava cinzento, e uma chuvinha persistente caiu durante metade da manhã. Benifer e o restante do conselho esperavam a chegada do rei no pátio interno da Fortaleza Vermelha, protegidos da chuva por mantos e capuzes. Em todas as outras partes do castelo, cavaleiros, escudeiros, cavalariços, lavadeiras e vintenas de outros funcionários seguiam suas tarefas diárias, parando de tempos em tempos para olhar para o céu. E quanto finalmente o som de asas foi ouvido e um guarda da muralha oriental vislumbrou as escamas bronze de Vermithor ao longe, surgiu um grito que cresceu cada vez mais, rolou para além das muralhas da Fortaleza Vermelha, desceu a Colina de Aegon, atravessou a cidade e alcançou o campo.

Jaehaerys não pousou imediatamente. Ele sobrevoou a cidade três vezes, cada vez mais baixo do que antes, dando a cada homem e rapaz e prostituta descalça de Porto Real a chance de acenar, gritar e se maravilhar. Só então ele levou Vermithor para o pátio em frente à Fortaleza de Maegor, onde os senhores esperavam.

“Ele tinha mudado desde que o vi pela última vez”, registra Benifer. “O adolescente que havia voado para Pedra do Dragão tinha sumido, e no lugar dele havia um homem. Ele estava vários centímetros mais alto do que antes e o peito e os braços estavam mais fortes. O cabelo caía solto nos ombros, e uma penugem dourada cobria suas bochechas e o queixo onde antes só havia pele lisa. Evitando qualquer traje real, ele usava couro manchado de sal, um traje apropriado para caça ou montaria, só com uma brigantina como proteção. Mas, no cinto, ele carregava Fogonegro... a espada de seu avô, a espada dos reis. Mesmo embainhada, não tinha como confundir a lâmina com outra. Um tremor de medo me percorreu quando vi a espada. *É algum tipo de aviso?*, eu me perguntei enquanto o dragão pousava, fumaça saindo por entre os dentes. Fugi para Pentos quando Maegor morreu, com medo do destino que me aguardava nas mãos de seus sucessores, e por um instante fiquei ali na umidade me perguntando se tinha sido estúpido de voltar."

O jovem rei, não mais menino, logo afastou o medo do grande meistre. Quando desceu graciosamente das costas de Vermithor, ele sorriu. "Foi como se o sol tivesse surgido entre as nuvens", relatou lorde Tully. Os senhores se curvaram perante ele, vários ficando de joelhos. Por toda a cidade, sinos começaram a tocar em comemoração. Jaehaerys tirou as luvas e as prendeu no cinto, e disse:

— Meus senhores. Temos trabalho a fazer.

Uma pessoa importante não estava presente no pátio para receber o rei: sua mãe, a rainha Alyssa. Coube a Jaehaerys procurá-la na Fortaleza de Maegor, onde ela tinha se recolhido. O que se passou entre mãe e filho quando eles ficaram frente a frente pela primeira vez depois do confronto em Pedra do Dragão nenhum homem pode dizer, mas soubemos que o rosto da rainha estava vermelho e inchado de choro quando ela apareceu pouco tempo depois de braço dado com o rei. A rainha viúva, não mais regente, estava presente na festa de boas-vindas naquela noite, e em vários outros eventos da corte nos dias seguintes, mas não tinha mais lugar nas reuniões do conselho. "Sua Graça continuou a cumprir seu dever com o reino e o filho", escreveu o grande meistre Benifer, "mas não havia alegria nela."

O jovem rei começou seu reinado refazendo o conselho, mantendo alguns homens e substituindo outros que não se provaram à altura da posição. Confirmou a escolha da mãe de lorde Daemon Velaryon como Mão do Rei e manteve lorde Corbray como comandante da Patrulha da Cidade. Lorde Tully recebeu agradecimentos pelo serviço, se reencontrou com sua esposa, a senhora Lucinda, e foi enviado de volta a Correrrio. Para substituí-lo como mestre das leis, Jaehaerys nomeou Albin Massey, Senhor de Bailepedra, que estava entre os primeiros homens a procurá-lo em Pedra do Dragão. Massey estava forjando a corrente de meistre na Cidadela apenas três anos antes, quando uma febre levou seus dois irmãos mais velhos e o senhor seu pai. A coluna retorcida o condenava a andar mancando, mas como ele supostamente disse:

— Eu não manco quando leio nem quando escrevo.

Para senhor almirante e mestre dos navios, Sua Graça escolheu Manfryd Redwyne, Senhor da Árvore, que foi à corte com seus jovens filhos Robert, Rickard e Ryam, todos escudeiros. Isso marcou a primeira vez em que o almirantado foi para um homem que não era da Casa Velaryon.

Todo Porto Real se rejubilou quando foi anunciado que Jaehaerys também dispensou Edwell Celtigar como mestre da moeda. O rei falou com ele delicadamente, disseram, e até elogiou o serviço leal das filhas dele à rainha Alysanne em Pedra do Dragão, chegando a chamá-las de "dois tesouros". As filhas ficariam com a rainha depois, mas lorde Celtigar partiu para Ilha da Garra na mesma hora. E com ele foram seus tributos, cada um derrubado por decreto real três dias depois do início do governo do jovem rei.

Encontrar um homem adequado para assumir a posição de lorde Edwell como mestre da moeda não foi tarefa simples. Vários de seus conselheiros sugeriram que o rei Jaehaerys indicasse Lyman Lannister, supostamente o senhor mais rico de Westeros, mas Jaehaerys não queria.

— A não ser que lorde Lyman consiga encontrar uma montanha de ouro embaixo da Fortaleza Vermelha, não acho que ele tenha a resposta de que precisamos — disse Sua Graça.

Ele observou certos primos e tios de Donnel Hightower, pois a riqueza de Vilavelha derivava do comércio e não da terra, mas as lealdades incertas de Donnel, o Moroso ao enfrentar o Septão Lua o fizeram hesitar. No final, Jaehaerys fez uma escolha mais ousada e procurou seu homem do outro lado do mar estreito.

Ele não era senhor, nem cavaleiro, nem mesmo magíster. Rego Draz era um mercador, negociante e cambista que surgiu do nada e se tornou o homem mais rico de Pentos, mas acabou sendo isolado por seus semelhantes pentoshis e teve um lugar recusado no conselho de magísteres por causa do nascimento inferior. Cansado do escárnio de todos, Draz atendeu com satisfação o chamado do rei e levou seus familiares, amigos e sua ampla fortuna para Westeros. Para conceder-lhe honra similar aos outros membros do conselho, o jovem rei o nomeou senhor. Mas como ele era um senhor sem terras, sem homens juramentados e sem um castelo, algum espertinho do castelo o chamou de "Senhor do Ar". O pentoshi achou graça.

— Se fosse possível cobrar tributos do ar, eu seria mesmo um senhor.

Jaehaerys também dispensou o septão Mattheus, o prelado gordo e furioso que vociferou tão alto sobre uniões incestuosas e o casamento do rei. Mattheus não aceitou bem a dispensa.

— A Fé vai ver com maus olhos qualquer rei que pense em governar sem um septão ao lado — anunciou ele.

Jaehaerys tinha uma resposta pronta.

— Não nos faltará septão. O septão Oswyck e a septã Ysabel permanecerão conosco, e há um jovem vindo de Jardim de Cima para cuidar da nossa biblioteca. O nome dele é Barth.

Mattheus reagiu com desdém e declarou que Oswyck era um tolo debilitado e que Ysabel era mulher, embora não tivesse conhecimento do septão Barth.

— Nem de muitas outras coisas — respondeu o rei. (O famoso comentário de lorde Massey, que o rei precisou de três pessoas para substituir o septão Mattheus para equilibrar a balança, deve ter sido feito pouco depois, isso se foi mesmo feito.)

Mattheus partiu quatro dias depois para Vilavelha. Corpulento demais para montar em um cavalo, ele viajou em uma carruagem dourada, protegido por seus guardas e doze criados. A lenda nos conta que quando estava atravessando o Vago pela Ponteamarga, ele passou pelo septão Barth vindo da outra direção. Barth estava sozinho, montado em um burro.

As mudanças do jovem rei foram além dos nobres que formavam seu conselho. Ele também fez uma limpeza em dezenas de outras posições, substituindo o Guardião das Chaves, o intendente principal da Fortaleza Vermelha e todos os seus subintendentes, o mestre do porto de Porto Real (e, depois de um tempo, os mestres do porto de Vilavelha, de Lagoa da Donzela e de Valdocaso), o Guardião da Casa de Cunhagem Real, o Magistrado do Rei, o mestre de armas, o mestre do canil, o mestre dos cavalos e até os exterminadores de ratos do castelo. Ele também ordenou que as masmorras embaixo da Fortaleza Vermelha fossem limpas e esvaziadas, e que todos os prisioneiros encontrados nas celas escuras fossem levados para o sol e banhados, e lhes concedeu um apelo. Ele temia que alguns pudessem ser homens inocentes aprisionados por seu tio (nisso, Jaehaerys estava infelizmente correto, embora muitos dos prisioneiros tivessem ficado loucos durante os anos na escuridão e não pudessem ser soltos).

Só quando tudo isso havia sido feito do jeito que ele queria e seus novos homens estavam posicionados foi que Jaehaerys instruiu o grande meistre Benifer a enviar um corvo para Ponta Tempestade, convocando lorde Rogar Baratheon de volta à cidade.

A chegada da carta do rei deixou lorde Rogar e seus irmãos em conflito. Sor Borys, muitas vezes considerado o mais volátil e beligerante dos Baratheon, acabou sendo o mais sensato nessa ocasião.

— O garoto vai cortar sua cabeça se você fizer o que ele quer — disse ele. — Vá para a Muralha. A Patrulha da Noite vai receber você.

Garon e Ronnal, os irmãos mais novos, instigaram o desafio. Ponta Tempestade era tão forte quanto qualquer castelo do reino. Se Jaehaerys queria a cabeça dele, que fosse até lá pegar, disseram eles. Lorde Rogar só riu disso.

— Forte? — disse ele. — Harrenhal era forte. Não. Vou ver Jaehaerys primeiro e me explicar. Posso entrar para a Patrulha da Noite depois, ele não vai me negar isso.

Na manhã seguinte, ele partiu para Porto Real, acompanhado apenas de seis dos seus cavaleiros mais antigos, homens que o conheciam desde a infância.

O rei o recebeu sentado no Trono de Ferro com a coroa na cabeça. Os senhores do conselho dele estavam presentes, e sor Joffrey Doggett e sor Lorence Roxton da Guarda Real ficaram parados na base do trono com seus mantos brancos e suas escamas esmaltadas. Fora isso, a sala do trono estava vazia. Os passos de lorde Rogar ecoaram quando ele fez a longa caminhada da porta até o trono, conta o grande meistre Benifer. "O orgulho de sua senhoria era conhecido do rei", escreveu ele. "Sua Graça não tinha intenção de feri-lo mais ao forçá-lo a se humilhar perante toda a corte."

Mas ele se humilhou. O senhor de Ponta Tempestade se apoiou em um joelho, baixou a cabeça e pôs a espada na base do trono.

— Majestade — começou ele —, estou aqui como ordenou. Faça o que quiser comigo. Só peço que poupe meus irmãos e a Casa Baratheon. Tudo que fiz foi...

— ... pelo bem do reino, segundo sua visão. — Jaehaerys levantou a mão para silenciar lorde Rogar antes que ele pudesse dizer mais alguma coisa. — Sei o que você fez, e o que você disse, e o que você planejou. Acredito quando diz que não tinha intenção de fazer mal à minha pessoa e à minha rainha... e você não está errado, eu seria um meistre esplêndido. Mas espero ser um rei ainda melhor. Alguns homens dizem que agora somos inimigos. Prefiro nos ver como amigos que discordaram. Quando minha mãe procurou você em busca de refúgio, você nos acolheu com grande risco. Podia facilmente ter nos acorrentado e nos tornado um presente para o meu tio. Mas jurou sua espada a mim e chamou seus vassalos. Eu não esqueci.

"Palavras são como o vento", continuou Jaehaerys. "Vossa senhoria... meu querido amigo... falou de traição, mas não cometeu nenhuma. Você queria romper meu casamento, mas não podia fazer isso. Sugeriu colocar a princesa Aerea no Trono de Ferro em meu lugar, mas aqui estou eu. Enviou seu irmão para tirar minha sobrinha Rhaella do convento dela, é verdade... mas com que propósito? Talvez você só desejasse tê-la como protegida, por não ter nenhum filho ou filha.

"Atos de traição merecem punição. Palavras tolas são outra questão. Se você realmente desejar ir para a Muralha, não vou impedi-lo. A Patrulha da Noite precisa de homens fortes como você. Mas prefiro que fique aqui, a meu serviço. Eu não estaria neste trono se não fosse você, e o reino sabe disso. E ainda tenho necessidade de você. O *reino* tem necessidade de você. Quando o Dragão morreu e meu pai colocou a coroa, ele estava cercado de todos os lados por candidatos a rei e senhores rebeldes. O mesmo pode acontecer comigo, e pelo mesmo motivo... para testar minha determinação, minha perseverança, minha força. Minha mãe acredita que homens devotos por todo o reino vão se erguer contra mim quando meu casamento for de conhecimento geral. Pode ser que aconteça. Para enfrentar essas provações, preciso de bons homens à minha volta, *guerreiros* dispostos a lutar por mim, a morrer por mim... e pela minha rainha, se necessário. Você é um desses homens?"

Lorde Rogar, estupefato com as palavras do rei, ergueu os olhos e disse, com voz fraca e carregada de emoção:

— Sou, Majestade.

— Então eu perdoo suas ofensas — disse o rei Jaehaerys —, mas vai haver certas condições. — A voz dele ficou severa quando começou a listá-las. — Você nunca mais vai dizer nada contra mim e contra a minha rainha. De hoje em diante, será o defensor mais ferrenho dela e não vai tolerar nenhuma palavra dita contra ela na sua presença. Além disso, não posso e não vou tolerar desrespeito com a minha mãe. Ela vai voltar com você para Ponta Tempestade, onde vão viver como marido e esposa novamente. Nas palavras e nos atos você demonstrará por ela apenas honra e cortesia. Consegue seguir essas condições?

— Com prazer — disse lorde Rogar. — Posso perguntar... o que vai acontecer com Orryn?

Isso fez o rei hesitar.

— Vou ordenar que lorde Hightower liberte seu irmão sor Orryn e os homens que foram com ele para Vilavelha — disse Jaehaerys —, mas não posso permitir que eles permaneçam impunes. A Muralha é para sempre, então vou sentenciá-los a dez anos de exílio. Eles podem vender suas espadas nas Terras Disputadas ou zarpar para Qarth para fazer fortuna, não importa para mim... Se eles sobreviverem e não cometerem mais crimes, em dez anos podem voltar para casa. De acordo?

— Sim — respondeu lorde Rogar. — Vossa Graça é mais do que justo. — Em seguida, ele perguntou se o rei desejava reféns, como garantia de sua lealdade futura. Três dos irmãos dele tinham filhos pequenos que podiam ser enviados para a corte, observou.

Em resposta, o rei Jaehaerys desceu do Trono de Ferro e mandou lorde Rogar segui-lo. Ele levou sua senhoria do salão até um pátio fechado onde Vermithor estava sendo alimentado. Um touro tinha sido morto como refeição matinal e estava sobre as pedras, queimado e fumegando, pois dragões sempre queimam a carne antes de consumi-la. Vermithor estava se banqueteando, soltando grandes pedaços a cada mordida, mas quando o rei se aproximou com lorde Rogar, o dragão ergueu a cabeça e olhou para eles com olhos que pareciam poças de bronze derretido.

— Ele fica maior a cada dia — disse Jaehaerys enquanto coçava o wyrm embaixo do queixo. — Fique com suas sobrinhas e sobrinhos, meu senhor. Por que eu precisaria de reféns? Eu tenho a sua palavra e é só isso que exijo. — Mas o grande meistre Benifer ouviu as palavras que ele não disse. "*Todos os homens, donzelas e crianças nas terras da tempestade são meus reféns enquanto eu voar nele*, disse Sua Graça sem dizer nada", escreveu Benifer, "e lorde Rogar o ouviu claramente."

Assim as pazes foram feitas entre o jovem rei e sua antiga Mão, selada naquela noite por um banquete no grande salão, onde lorde Rogar se sentou ao lado da rainha Alyssa, marido e esposa novamente, e fez um brinde à saúde da rainha Alysanne, declarando seu amor e lealdade perante todos os senhores e senhoras reunidos. Quatro dias depois, quando lorde Rogar partiu de volta a Ponta Tempestade, a rainha Alyssa foi com ele, escoltada por sor Pate, o Galinhola, e cem homens de armas, para que passassem em segurança pela Mata de Rei.*

* Sor Orryn Baratheon nunca voltou a Westeros. Junto com os homens que o acompanharam até Vilavelha, ele foi para a Cidade Livre de Tyrosh, onde iniciou serviço para o arconte. Um ano depois, casou-se com a filha do arconte, a mesma donzela que seu irmão Rogar quis casar com o rei Jaehaerys como forma de garantir uma aliança entre o Trono de Ferro e a Cidade Livre. Uma donzela robusta com cabelo azul-esverdeado e modos encantadores, a esposa de sor Orryn logo lhe deu uma filha, embora houvesse certa dúvida se a menina era mesmo dele, pois como muitas das mulheres das Cidades Livres, ela era aberta nos favores que concedia. Quando o mandato de seu pai como arconte terminou, sor Orryn também perdeu a posição e foi obrigado a ir embora de Tyrosh e seguir para Myr, onde se juntou aos Homens da Donzela, uma companhia livre com reputação particularmente desagradável. Foi morto pouco depois nas Terras Disputadas, durante uma batalha com os Homens de Valor. Não temos conhecimento do destino da esposa e da filha.

Em Porto Real, o longo reinado de Jaehaerys I Targaryen começou de verdade. O jovem rei enfrentou vários problemas quando assumiu o comando dos Sete Reinos, mas dois eram maiores do que todo o resto: o tesouro estava vazio e a dívida da Coroa estava crescendo, e seu casamento "secreto", que ia ficando menos secreto a cada dia que passava, parecia um frasco de fogovivo sobre uma lareira, esperando para explodir. As duas questões precisavam de soluções, e logo.

A necessidade imediata de ouro foi resolvida por Rego Draz, o novo mestre da moeda, que procurou o Banco de Ferro de Braavos e seus rivais em Tyrosh e Myr para obter não um, mas três empréstimos substanciais. Ao jogar cada banco contra os outros, o Senhor do Ar negociou termos tão favoráveis quanto desejava. A obtenção dos empréstimos teve um efeito imediato: o trabalho no Fosso dos Dragões pôde ser retomado, e mais uma vez um pequeno exército de construtores e pedreiros ocupou a Colina de Rhaenys.

Mas lorde Rego e seu rei perceberam que os empréstimos eram uma medida temporária, na melhor das hipóteses; podiam segurar o sangramento, mas não estancariam o ferimento. Só tributos conseguiriam isso. Os impostos de lorde Celtigar não serviriam; Jaehaerys não tinha interesse em aumentar os tributos dos portos nem em extorquir as tavernas. Ele também não simplesmente exigiria ouro dos senhores do território, como Maegor fizera. Se fizesse muito disso, os senhores se rebelariam.

— Nada custa tão caro quanto sufocar rebeliões — declarou o rei.

Os senhores pagariam, mas por vontade própria; ele cobraria impostos nas coisas que eles desejavam, coisas refinadas e caras do outro lado do mar. A seda seria taxada, assim como o samito; pano de ouro e pano de prata; pedras preciosas; renda e tapeçarias de Myr; vinhos de Dorne (mas não os vinhos da Árvore); corcéis de areia de Dorne; elmos dourados e armadura com filigrana dos artesãos de Tyrosh, Lys e Pentos. O maior imposto seria das especiarias: pimenta em grãos, cravo, açafrão, noz-moscada, canela e todos os outros temperos raros que vinham de além dos Portões de Jade, já mais caros do que ouro, ficariam mais caros ainda.

— Estamos cobrando tributo de todas as coisas que me tornaram um homem rico — brincou lorde Rego.

— Nenhum homem pode alegar estar sendo oprimido por esses impostos — explicou Jaehaerys para o pequeno conselho. — Para evitá-los, basta deixar de lado sua pimenta, sua seda, suas pérolas. Assim, não vai ser preciso pagar um tostão. Mas os homens que querem essas coisas as desejam desesperadamente. De que outra forma eles podem exibir seu poder e mostrar ao mundo como são ricos? Eles podem reclamar, mas vão pagar.

Os tributos sobre especiarias e seda não foram o fim da história. O rei Jaehaerys também criou uma nova lei sobre construções. Qualquer senhor que desejasse construir um novo castelo ou expandir e consertar o que já tinha teria que pagar um preço alto pelo privilégio. O novo imposto tinha propósito duplo, Sua Graça explicou para o grande meistre Benifer.

— Quanto maior e mais forte o castelo, mais o senhor fica tentado a me desafiar. Era de pensar que eles aprenderiam com Harren Negro, mas muitos não conhecem a história. Esse imposto vai desencorajá-los de construir; já os que precisam construir de qualquer jeito vão encher nosso tesouro enquanto esvaziamos o deles.

Depois de fazer o que podia para recuperar as finanças da coroa, Sua Graça voltou a atenção para a outra grande questão que o aguardava. Finalmente mandou chamar a rainha. Alysanne Targaryen e sua dragão Asaprata partiram de Pedra do Dragão uma hora após a convocação, depois de estar separada do rei por metade de um ano. O resto do grupo dela foi em seguida, de navio. Àquela altura, até os mendigos cegos nas vielas de Baixada das Pulgas sabiam que Alysanne e Jaehaerys estavam casados, mas por questão de decoro o rei e a rainha dormiram separados por uma fase da lua inteira, enquanto eram feitos os preparativos para seu segundo casamento.

O rei não estava disposto a gastar o que não tinha em outro Casamento Dourado, por mais esplêndido e popular que aquele evento tivesse sido. Quarenta mil testemunharam sua mãe se casar com lorde Rogar. Mil se reuniram na Fortaleza Vermelha para ver Jaehaerys tomar a irmã Alysanne como esposa de novo. Desta vez, foi o septão Barth quem os declarou marido e esposa sob o Trono de Ferro.

Lorde Rogar Baratheon e a rainha viúva Alyssa estavam entre as testemunhas desta vez. Junto com os irmãos de sua senhoria, Garon e Ronnal, eles percorreram o caminho de Ponta Tempestade para assistir à cerimônia. Mas foi outra convidada que gerou mais falatório: a Rainha do Oeste também compareceu. Nas asas de Dreamfyre, Rhaena Targaryen voou para ver os irmãos se casarem... e para visitar sua filha Aerea.

Sinos tocaram por toda a cidade quando os ritos foram concluídos, e uma revoada de corvos subiu ao céu para todos os cantos do reino para anunciar "a união feliz". O segundo casamento do rei foi diferente do primeiro em um aspecto crucial: foi seguido de uma noite de núpcias. A rainha Alysanne, mais tarde, declararia que foi por insistência dela; estava pronta para perder a virgindade, e não queria mais questionamentos sobre se estava "realmente" casada. O próprio lorde Rogar, caindo de bêbado, liderou os homens que a despiram e a carregaram até a cama nupcial, enquanto as damas de companhia da rainha, Jennis Templeton, Rosamund Ball e Prudence e Prunella Celtigar, estavam entre as que fizeram as honras do rei. Em uma cama com dossel na Fortaleza de Maegor, na Fortaleza Vermelha de Porto Real, o casamento de Jaehaerys Targaryen e sua irmã Alysanne enfim foi consumado, selando a união por todos os tempos perante os olhos dos deuses e dos homens.

Com o fim do segredo, o rei e sua corte esperaram para ver como o reino reagiria. Jaehaerys havia concluído que a oposição violenta em resposta ao casamento de seu irmão Aegon teve várias causas. Quando seu tio Maegor se casou com uma segunda esposa em 39 DC, desafiando tanto o alto septão quanto o próprio irmão, o rei Aenys, ele destruiu o delicado relacionamento entre o Trono de Ferro e o Septo Estrelado, e assim o casamento entre Aegon e Rhaena fora visto como mais um ultraje. A denúncia então provocada ardeu como fogo pelo território, e as Espadas e Estrelas pegaram suas tochas, junto com uma vintena de senhores devotos que temiam mais os deuses do que os reis. O príncipe Aegon e a princesa Rhaena não eram muito conhecidos entre os plebeus e tinham começado sua turnê sem dragões (em boa parte porque Aegon ainda não era um cavaleiro de dragão), o que os deixou vulneráveis para as turbas que surgiram para os atacar nas terras fluviais.

Nenhuma dessas condições se aplicava a Jaehaerys e Alysanne. Não haveria denúncia do Septo Estrelado; enquanto alguns dentre os Mais Devotos ainda se irritavam com a tradição dos Targaryen do casamento entre irmãos, o atual alto septão, o "alto lambe-botas" do Septão Lua, era complacente e cauteloso, sem inclinação para despertar dragões adormecidos. As Espadas e Estrelas tinham sido destruídas e consideradas insurgentes; só na Muralha, onde dois mil antigos Pobres Irmãos agora usavam os mantos negros da Patrulha da Noite, eles tinham número suficiente para dar trabalho se quisessem. E o rei Jaehaerys não queria repetir o erro do irmão. Ele e sua rainha pretendiam ver a terra que governavam, descobrir suas necessidades em primeira mão, conhecer seus senhores e avaliá-los, permitir-se serem vistos pelo povo e ouvir seus problemas... mas, aonde quer que fossem, seria com seus dragões.

Por todos esses motivos, Jaehaerys acreditava que o reino aceitaria seu casamento... mas ele não era homem de confiar na sorte.

— Palavras são como o vento — ele disse para o seu conselho —, mas o vento pode alimentar o fogo. Meu pai e meu tio lutaram contra palavras com aço e chama. Nós combateremos palavras com palavras, e apagaremos o fogo antes que ele cresça. — E assim Sua Graça enviou não cavaleiros e homens de armas, mas pregadores. — Falem para todos os homens que encontrarem sobre a gentileza de Alysanne, sobre sua natureza doce e delicada e seu amor por todo o povo do nosso reino, grande e pequeno — instruiu o rei.

Sete partiram com a ordem dele; três homens e quatro mulheres. No lugar de espadas e machados, eles estavam armados só com inteligência, coragem e a língua. Muitas histórias seriam contadas sobre as viagens deles, e suas explorações se tornariam lenda (crescendo bastante no processo, como acontecia com lendas). Só um dos sete porta-vozes era conhecido da plebe do reino quando eles partiram: ninguém menos que a própria rainha Elinor, a Noiva de Preto que encontrou Maegor morto no Trono de Ferro. Usando trajes de rainha, que foram ficando mais surrados e puídos a cada dia, Elinor da Casa Costayne viajaria pela Campina dando testemunho eloquente da maldade de seu falecido rei e da bondade de seu sucessor. Em anos posteriores, depois de abrir mão de toda a reivindicação de nobreza, ela entraria para a Fé e acabaria se tornando madre Elinor no maior convento de Lannisporto.

Os nomes dos outros seis que viajaram para falar de Jaehaerys com o tempo ficariam quase tão famosos quanto o da rainha. Três eram jovens septões: o ardiloso

septão Baldrick, o estudado septão Rollo e o velho e impetuoso septão Alfyn, que perdera as pernas anos antes e era carregado para todo lado em uma liteira. As mulheres que o jovem rei escolheu não eram menos extraordinárias. A septã Ysabel foi conquistada pela rainha Alysanne quando a servia em Pedra do Dragão. A diminuta septã Violante era renomada por suas habilidades de curandeira. Aonde quer que fosse, diziam, ela executava milagres. Do Vale veio Mãe Maris, que ensinou gerações de garotas órfãs em um convento no porto de Vila Gaivota.

Em suas viagens pelo reino, os Sete Porta-Vozes falaram da rainha Alysanne, da devoção dela, da generosidade e do amor pelo rei, seu irmão... E para os septões, irmãos mendicantes e cavaleiros e senhores pios que os desafiavam citando passagens de *Estrela de sete pontas* ou os sermões de altos septões do passado, eles tinham uma resposta pronta, que o próprio Jaehaerys elaborou em Porto Real, habilmente assistido pelo septão Oswyck e (principalmente) pelo septão Barth. Em anos posteriores, a Cidadela e o Septo Estrelado chamariam de Doutrina do Excepcionalismo.

O princípio básico era simples. A Fé dos Sete nasceu nas colinas dos antigos Ândalos e atravessou o mar estreito com aquele povo. As leis dos Sete, como citadas em textos sagrados e ensinadas por septãs e septões em obediência ao Pai dos Fiéis, decretavam que irmão não podia se deitar com irmã, nem pai com filha, nem mãe com filho, e que os frutos dessas uniões eram abominações, desprezíveis aos olhos dos deuses. Tudo isso os excepcionalistas afirmavam, mas com a seguinte ressalva: *os Targaryen eram diferentes*. As raízes deles não estavam em Ândalos, mas na antiga Valíria, onde leis e tradições diferentes prevaleciam. Bastava olhar para eles para saber que não eram como os outros homens; seus olhos, seus cabelos e sua própria postura, tudo declarava as diferenças. *E eles voavam em dragões.* Apenas eles dentre todos os homens do mundo tinham recebido o poder de domar aquelas feras temíveis quando a Destruição chegou a Valíria.

— Um deus nos fez todos, ândalos e valirianos e primeiros homens — proclamava o septão Alfyn de sua liteira —, mas ele não nos fez todos iguais. Ele também fez os leões e os auroques, ambos animais nobres, mas certos dons ele deu para um e não para o outro, e o leão não pode viver como um auroque, e nem um auroque como um leão. Para você, deitar-se com sua irmã seria um pecado terrível, sor... mas você não tem sangue de dragão, assim como eu não tenho. O que eles fazem é o que sempre fizeram, e não cabe a nós julgá-los.

As lendas contam que em um pequeno vilarejo o astuto septão Baldrick foi confrontado por um cavaleiro andante corpulento, antes Pobre Irmão, que disse:

— Sim, e se eu quiser trepar com minha irmã também, tenho sua permissão?

O septão sorriu e respondeu:

— Vá até Pedra do Dragão e reivindique um dragão. Se conseguir fazer isso, sor, eu o caso com sua irmã.

Eis um dilema que todo estudante de história tem que enfrentar. Ao observar as coisas que ocorreram em anos passados, podemos dizer que isso e isso e aquilo foram as causas do que aconteceu. Ao observar as coisas que *não* aconteceram, entretanto, só podemos fazer suposições. Sabemos que o reino não se voltou contra o rei Jaehaerys e a rainha Alysanne no ano 51 DC como fizera contra Aegon e Rhaena dez anos antes. O *porquê* disso é um tanto menos certo. O silêncio do alto septão falou alto, sem dúvida, e os senhores e plebeus estavam cansados de guerra... mas, se palavras têm poder, sendo ou não vento, sem dúvida os Sete Porta-Vozes tiveram seu papel.

Embora o rei estivesse feliz com a rainha e o reino estivesse feliz com o casamento deles, Jaehaerys não se enganou quando previu que enfrentaria uma época de provações. Tendo refeito o conselho, reconciliado lorde Rogar e a rainha Alyssa e criado novos tributos para restaurar os cofres da Coroa, ele ficou de frente para o problema que se mostrou o mais complicado até então: sua irmã Rhaena.

Desde que deixaram para trás Lyman Lannister e Rochedo Casterly, Rhaena Targaryen e sua comitiva fizeram uma espécie de turnê real, visitando os Marbrand de Cinzamarca, os Reyne de Castamere, os Lefford em Dente Dourado, os Vance em Pouso do Viajante e finalmente os Piper de Donzelarrosa. Para onde quer que ela fosse, os mesmos problemas surgiam.

— Todos são calorosos no início — disse ela para o irmão quando o encontrou depois do casamento —, mas não dura. Ou não sou bem-vinda ou sou bem-vinda demais. Murmuram sobre os custos de receber a mim e aos meus, mas é Dreamfyre que desperta o ânimo deles. Alguns a temem, muitos outros a querem, e são esses que me incomodam mais. Eles desejam dragões para si. Isso eu não vou lhes dar, mas para onde devo ir?

— Para cá — sugeriu o rei. — Volte para a corte.

— E viver para sempre na sua sombra? Preciso de um assento meu. Um lugar onde nenhum senhor possa me ameaçar, me banir e nem incomodar aqueles que tomei sob minha proteção. Preciso de terras, de homens, de um castelo.

— Podemos conseguir terras — disse o rei —, construir um castelo.

— Todas as terras estão tomadas e todos os castelos estão ocupados — respondeu Rhaena —, mas tem um sobre o qual tenho direito... mais direito do que você, irmão. Tenho sangue de dragão. Eu quero o assento do meu pai, o lugar onde nasci. Quero Pedra do Dragão.

A isso, o rei Jaehaerys não tinha resposta e prometeu apenas levar o assunto em consideração. O conselho dele, quando a questão foi apresentada, se uniu em oposição a ceder o assento ancestral da Casa Targaryen para a rainha viúva, mas ninguém tinha solução melhor a oferecer.

Depois de refletir sobre o assunto, Sua Graça se encontrou com a irmã novamente.

— Vou lhe conceder Pedra do Dragão como seu assento — disse ele —, pois não há lugar mais adequado para o sangue do dragão. Mas você receberá a ilha e o castelo como presente meu, não por direito. Nosso avô fez de sete reinos um só com fogo e sangue, eu não posso e não vou dividi-lo em dois ao criar um reino diferente para você. Você é rainha por cortesia, mas eu sou rei, e minha palavra vale de Vilavelha até a Muralha... e também em Pedra do Dragão. Concordamos com isso, irmã?

— Você está tão inseguro com esse seu trono de ferro que precisa que seu próprio sangue se curve a você, irmão? — respondeu Rhaena. — Que seja. Me dê Pedra do Dragão e mais uma coisa e não vou incomodá-lo mais.

— Mais uma coisa? — perguntou Jaehaerys.

— Aerea. Quero que minha filha seja devolvida a mim.

— Feito — disse o rei... talvez rápido demais, pois é preciso lembrar que Aerea Targaryen, uma garota de oito anos, era sua sucessora admitida, aparente herdeira do Trono de Ferro. Mas as consequências dessa decisão só seriam sabidas muitos anos depois. Naquele momento, foi acertado, e a Rainha do Oeste de repente se tornou Rainha do Leste.

O ano seguiu sem nenhuma outra crise ou provação enquanto Jaehaerys e Alysanne começavam a governar. Se certos membros do pequeno conselho ficaram surpresos quando a rainha passou a comparecer às reuniões, eles só manifestaram suas objeções uns para os outros... e em pouco tempo nem isso, pois a jovem rainha se mostrou sábia, estudada e inteligente, uma voz bem-vinda em qualquer discussão.

Alysanne Targaryen tinha boas lembranças da infância, antes de seu tio Maegor tomar a coroa. Durante o reinado do pai, Aenys, sua mãe, a rainha Alyssa, fez da corte um lugar esplêndido, cheio de música, espetáculos e beleza. Músicos, saltimbancos e bardos competiam pelo favor dela e do rei. Vinhos da Árvore corriam como água nos banquetes, os salões e pátios de Pedra do Dragão eram tomados de risadas, e as mulheres da corte cintilavam com pérolas e diamantes. A corte de Maegor foi um lugar sombrio e escuro, e a regência não ofereceu muitas mudanças, pois as lembranças da época do rei Aenys eram sofridas para sua viúva, enquanto lorde Rogar era de um temperamento marcial e uma vez declarou os saltimbancos menos úteis do que macacos, pois "ambos saltitam por aí, dão cambalhotas, fazem cabriolas e dão gritinhos, mas se um homem estiver com muita fome, ele pode comer um macaco".

A rainha Alysanne, porém, lembrava-se das breves glórias da corte do pai com carinho, e transformou em seu objetivo fazer a Fortaleza Vermelha brilhar como nunca antes, comprando tapeçarias e tapetes das Cidades Livres e encomendando murais, estátuas e azulejos para decorar os salões e câmaras do castelo. Com a ordem dela, homens da Patrulha da Cidade reviraram a Baixada das Pulgas até encontrarem Tom, o Dedilhador, cujas músicas debochadas divertiram o rei e os plebeus durante a Guerra pelos Mantos Brancos. Alysanne o tornou cantor da corte, o primeiro de muitos que assumiriam a posição nas décadas seguintes. Ela trouxe um harpista de Vilavelha, uma companhia de saltimbancos de Braavos, dançarinos de Lys e deu à Fortaleza Vermelha seu primeiro bobo, um homem gordo chamado Patroa que se vestia como mulher e nunca era visto sem seus "filhos" de madeira, um par de marionetes detalhadamente entalhadas que diziam coisas desbocadas e chocantes.

Tudo isso agradava o rei Jaehaerys, mas nada o agradou tanto quanto o presente que a rainha Alysanne lhe deu várias luas depois, ao contar que estava esperando um bebê. E assim, o ano 51 DC terminou como tinha começado, com comemorações.

# Nascimento, morte e traição sob o governo do rei Jaehaerys I

Jaehaerys I Targaryen acabaria sendo um dos reis mais inquietos a se sentar no Trono de Ferro. Aegon, o Conquistador tinha fama de ter dito que o povo precisava ver seus reis e rainhas de tempos em tempos, para poderem expor suas dores e agravos.

— Quero que eles me vejam — declarou Jaehaerys ao anunciar sua primeira excursão, no fim de 51 DC.

Muitas outras vieram depois, nos anos e décadas seguintes. Em seu longo reinado, Jaehaerys passaria mais dias e noites hospedado com um senhor ou outro ou fazendo audiências em alguma cidade ou vilarejo comercial do que em Pedra do Dragão e na Fortaleza Vermelha somados. E era bem frequente que Alysanne fosse com ele, a dragão prateada voando ao lado de seu animal enorme de bronze polido.

Aegon, o Conquistador, levava até uns mil cavaleiros, homens de armas, cavalariços, cozinheiros e outros servos nas viagens. Embora inegavelmente grandiosas de ver, essas excursões criavam muitas dificuldades para os senhores agraciados com as visitas reais. Era difícil abrigar e alimentar tantos homens, e se o rei desejasse caçar, as florestas próximas já estariam tomadas. Até o mais rico dos senhores se via pobre quando o rei ia embora, as adegas desprovidas das garrafas de vinho, a despensa vazia e metade das criadas com bastardos nas barrigas.

Jaehaerys estava determinado a fazer as coisas de um jeito diferente. Não mais de cem homens o acompanhariam em qualquer excursão; vinte cavaleiros, o resto homens de armas e criados.

— Não preciso me cercar de espadas enquanto estiver montado em Vermithor — disse ele.

Números menores também lhe permitiam visitar senhores menores, aqueles cujos castelos nunca foram grandes o suficiente para receber Aegon. Sua intenção era ver e ser visto em mais lugares, mas ficar por menos tempo em cada um deles, para nunca se tornar um hóspede indesejado.

A primeira excursão do rei era para ser modesta, começando com as terras da coroa ao norte de Porto Real e seguindo até o Vale de Arryn. Jaehaerys queria Alysanne a seu lado, mas como Sua Graça estava grávida, ele se certificou de que as viagens não fossem exaustivas demais. Começaram com Stokeworth e Rosby, depois seguiram para o norte pela costa até Valdocaso. Lá, enquanto o rei visitava os estaleiros de lorde Darklyn e apreciava uma tarde de pescaria, a rainha fez a primeira de suas audiências de mulheres, que se tornaram parte importante de todas as excursões reais futuras.

Só mulheres e moças eram bem-vindas nessas audiências: bem-nascidas ou não, elas eram encorajadas a se apresentarem e compartilharem seus medos, preocupações e esperanças com a jovem rainha.

A viagem prosseguiu sem incidentes até o rei e a rainha chegarem a Lagoa da Donzela, onde seriam hóspedes do senhor e da senhora Mooton por uma quinzena antes de velejarem pela Baía dos Caranguejos até Tocalar, Vila Gaivota e o Vale. A cidade de Lagoa da Donzela era muito famosa pela lagoa de água doce onde a lenda dizia que Florian, o Bobo, viu Jonquil se banhando pela primeira vez durante a Era dos Heróis. Como milhares de outras mulheres antes, a rainha Alysanne desejava se banhar na lagoa de Jonquil, cujas águas tinham fama de ter propriedades curativas incríveis. Os senhores de Lagoa da Donzela tinham erigido uma grande casa de banho de pedra em volta da lagoa muitos séculos antes e a deram para uma ordem de irmãs santas. Nenhum homem tinha permissão de entrar no local, e quando a rainha foi entrar na água sagrada, estava acompanhada apenas das damas de companhia, empregadas e septãs (Edyth e Lyra, que serviram ao lado da septã Ysabel quando noviças, haviam feito pouco tempo antes seu juramento para virarem septãs, consagradas na Fé e dedicadas à rainha).

A bondade da pequena rainha, o silêncio do Septo Estrelado e as exortações dos Sete Porta-Vozes conquistaram a maior parte dos fiéis para Jaehaerys e Alysanne... mas sempre havia alguns que não se deixavam comover, e entre as irmãs que cuidavam da lagoa de Jonquil havia três mulheres assim, cujos corações estavam duros de ódio. Elas disseram umas para as outras que suas águas sagradas ficariam poluídas para sempre se a rainha tivesse permissão de se banhar nelas carregando a "abominação" do rei na barriga. A rainha Alysanne havia acabado de tirar a roupa quando elas partiram para cima com adagas que tinham escondido nas vestes.

Felizmente, as agressoras não eram guerreiras, e não haviam levado a coragem das companheiras da rainha em consideração. Nuas e vulneráveis, as Mulheres Sábias não hesitaram e se puseram entre as agressoras e sua senhora. A septã Edyth sofreu um corte no rosto, Prudence Celtigar foi esfaqueada no ombro e Rosamund Ball levou uma facada na barriga que, três dias depois, culminou na morte dela, mas nenhuma das lâminas assassinas tocou na rainha. Os gritos e berros da luta atraíram os protetores de Alysanne às pressas, pois sor Joffrey Doggett e sor Gyles Morrigen estavam vigiando a entrada da casa de banho, sem sonhar que o perigo aguardava lá dentro.

A Guarda Real cuidou rapidamente das agressoras, matando duas e mantendo a terceira viva para interrogatório. Quando encorajada, ela revelou que mais seis outras da ordem tinham ajudado a planejar o ataque, mesmo não tendo coragem de portar uma lâmina. Lorde Mooton enforcou as culpadas, e talvez tivesse enforcado inocentes se não fosse a intervenção da rainha Alysanne.

Jaehaerys ficou furioso. A visita deles ao Vale foi adiada; eles voltaram para a segurança da Fortaleza de Maegor. A rainha Alysanne ficaria lá até o bebê nascer, mas a experiência a abalou e a fez refletir.

— Preciso de uma protetora minha — disse ela para Sua Graça. — Seus Sete são homens leais e corajosos, mas são homens, e há lugares aonde os homens não podem ir.

Não havia como o rei discordar. Um corvo voou para Valdocaso naquela mesma noite, ordenando que o novo lorde Darklyn enviasse para a corte sua meia-irmã bastarda, Jonquil Darke, que empolgou a plebe durante a Guerra pelos Mantos Brancos como o cavaleiro misterioso conhecido como Serpente Escarlate. Ainda de escarlate, ela chegou a Porto Real alguns dias depois e aceitou com satisfação a tarefa de escudo juramentado da rainha. Com o tempo, ela seria conhecida pelo reino como Sombra Escarlate, pela proximidade que mantinha da rainha para protegê-la.

Pouco tempo depois que Jaehaerys e Alysanne voltaram de Lagoa da Donzela e a rainha foi para seus aposentos, uma notícia do tipo mais surpreendente e inesperado chegou de Ponta Tempestade. A rainha Alyssa estava grávida. Aos quarenta e quatro anos, consideravam que a rainha viúva tinha passado de seus dias férteis, e a gravidez foi recebida como milagre. Em Vilavelha, o alto septão em pessoa proclamou que era uma bênção dos deuses, "um presente da Mãe no Céu para uma mãe que tinha sofrido muito e bravamente".

Em meio à alegria, também havia preocupação. Alyssa não era mais tão forte quanto já havia sido; a época como rainha regente pesou nela, e seu segundo casamento não lhe trouxe a felicidade que ela esperava. Mas a perspectiva de um filho aqueceu o coração de lorde Rogar, e ele deixou a raiva de lado e se arrependeu de suas infidelidades para ficar ao lado da esposa. A própria Alyssa estava com medo, lembrando o último bebê que tivera com o rei Aenys, a garotinha Vaella, que morreu no berço.

— Não consigo passar por isso de novo — ela disse ao senhor seu marido. — Arrasaria meu coração.

Mas a criança, quando nasceu no começo do ano seguinte, se mostrou robusta e saudável, um garoto grande de rosto vermelho nascido com uma penugem de cabelo preto e "um choro que dava para se ouvir de Dorne até a Muralha". Lorde Rogar, que já tinha deixado de lado a esperança de ter filhos com Alyssa, chamou o filho de Boremund.

Os deuses dão sofrimento assim como dão alegria. Bem antes de a mãe parir, a rainha Alysanne também teve um filho, um menino que batizou de Aegon, em homenagem ao Conquistador e ao irmão perdido e muito lamentado, o Príncipe Sem Coroa. Todo o reino agradeceu, e Jaehaerys mais do que todos. Mas o jovem príncipe chegou cedo demais. Pequeno e fraco, ele morreu três dias depois do nascimento. A rainha Alysanne ficou tão desolada que os meistres temeram também pela sua vida. Ela sempre pôs a culpa da morte do filho nas mulheres que a atacaram em Lagoa da Donzela. Se ela tivesse podido se banhar nas águas curativas da Lagoa de Jonquil, dizia, o príncipe Aegon teria sobrevivido.

Pedra do Dragão, onde Rhaena Targaryen tinha estabelecido sua pequena corte, também estava tomada de descontentamento. Assim como fizeram com Jaehaerys, os senhores vizinhos começaram a procurá-la, mas a Rainha do Leste não era o irmão. Muitos dos visitantes eram recebidos com frieza, outros iam embora sem audiência.

A reunião da rainha Rhaena com a filha Aerea também não foi bem. A princesa não se lembrava da mãe, e a rainha não conhecia a filha nem tinha afeição alguma pelos filhos dos outros. Aerea adorava a empolgação da Fortaleza Vermelha, com senhores e senhoras e enviados de terras estrangeiras esquisitas indo e vindo, cavaleiros treinando nos pátios todas as manhãs, cantores, saltimbancos e bobos cabriolando à noite e todo o barulho, cor e tumulto de Porto Real logo além dos muros. Ela também amava a atenção dada a ela como herdeira do Trono de Ferro. Grandes senhores, cavaleiros galantes, criadas de quarto, lavadeiras e cavalariços a elogiavam, amavam e competiam por sua preferência, e ela era líder de um grupo de garotas de berço nobre e humilde que aterrorizava o castelo.

Tudo isso foi tirado dela quando a mãe a levou para Pedra do Dragão contra sua vontade. Em comparação a Porto Real, a ilha era um lugar chato, sonolento e tranquilo. Não havia garotas da idade dela no castelo, e Aerea não tinha permissão de se misturar com as filhas dos pescadores do vilarejo além da muralha. Sua mãe era uma estranha para ela, às vezes severa e às vezes tímida, dada a maus humores, e as mulheres ao redor dela pareciam se interessar pouco por Aerea. De todas, a única de quem a princesa gostava era Elissa Farman, de Ilha Bela, que lhe contava as histórias de suas aventuras e prometia ensiná-la a velejar. Mas a senhorita Elissa não estava mais feliz que Aerea em Pedra do Dragão; ela sentia falta dos mares ocidentais agitados e falava com frequência em voltar a eles.

— Me leve com você — a princesa Aerea dizia quando ela falava isso, e Elissa Farman ria.

Pedra do Dragão tinha uma coisa que Porto Real não tinha: dragões. Na grande cidadela sob a sombra do Monte Dragão, mais dragões nasciam a cada fase da lua, ao que parecia. Todos os ovos que Dreamfyre havia botado em Ilha Bela deram filhote de uma vez em Pedra do Dragão, e Rhaena Targaryen se certificou de que a filha os conhecesse.

— Escolha um e o torne seu — disse a rainha para a princesa —, e um dia você vai voar.

Havia dragões mais velhos no pátio também e, além das muralhas, dragões selvagens que fugiram do castelo fizeram toca em cavernas secretas do outro lado da montanha. A princesa Aerea conhecera Vermithor e Asaprata em seu período na corte, mas nunca tivera permissão de chegar perto. Ali, ela podia visitar os dragões sempre que quisesse: os filhotes, os jovens, Dreamfyre, de sua mãe... e os maiores de todos, Balerion e Vhagar, enormes e velhos e sonolentos, mas ainda apavorantes quando acordavam e se moviam e abriam as asas.

Na Fortaleza Vermelha, Aerea amava seu cavalo, seus cachorros e seus amigos. Em Pedra do Dragão, os dragões viraram seus amigos... seus únicos amigos além de

Elissa Farman... e ela começou a contar os dias até poder montar em um e ir embora voando para bem longe.

O rei Jaehaerys finalmente fez uma turnê pelo Vale de Arryn em 52 DC e visitou Vila Gaivota, Pedrarruna, Fortencarnado, Solar de Longarco, Lar do Coração e os Portões da Lua antes de voar em Vermithor sobre a Lança do Gigante até o Ninho da Águia, como a rainha Visenya havia feito durante a Conquista. A rainha Alysanne o acompanhou em parte das viagens, mas não em todas; ela ainda não tinha recuperado a força completamente depois do parto e da dor que veio em seguida. Ainda assim, com seus bons relacionamentos, o noivado da senhorita Prudence Celtigar e do lorde Grafton de Vila Gaivota foi arranjado. Sua Graça também organizou uma audiência de mulheres em Vila Gaivota e uma segunda nos Portões da Lua; o que ouviu e descobriu mudaria as leis dos Sete Reinos.

Os homens muitas vezes falam atualmente das leis da rainha Alysanne, mas esse termo é desastrado e incorreto. Sua Graça não tinha poder para criar leis, emitir decretos, fazer proclamações ou determinar sentenças. É um erro falar dela como podemos falar das rainhas do Conquistador, Rhaenys e Visenya. Mas a jovem rainha tinha enorme influência sobre o rei Jaehaerys, e quando ela falava, ele escutava... assim como fez quando eles voltaram do Vale de Arryn.

Foi do dilema das viúvas em todos os Sete Reinos que Alysanne ficou ciente nas audiências de mulheres. Principalmente em tempos de paz, não era incomum que um homem vivesse mais do que a esposa de sua juventude, pois os homens jovens muitas vezes falecem no campo de batalha e as mulheres jovens, no parto. Fossem de berço nobre ou humilde, os homens que ficavam sozinhos dessa forma muitas vezes se casavam novamente depois de um tempo, e a presença da segunda esposa no lar era ressentida pelos filhos da primeira. Onde não havia laços de afeição, com a morte do homem, os herdeiros podiam e expulsavam a viúva de casa, reduzindo-a à penúria; no caso dos senhores, os herdeiros podiam simplesmente retirar as regalias da viúva, sua renda e seus criados, reduzindo-a a uma mera pensionista.

Para consertar isso, o rei Jaehaerys em 52 DC promulgou a Lei da Viúva, reafirmando o direito do filho mais velho (ou filha mais velha, quando não houvesse filho) de herdar, mas exigindo que esses herdeiros mantivessem as viúvas vivas na mesma condição que tinham antes da morte do marido. Uma viúva de senhor, fosse a segunda, a terceira ou qualquer outra esposa, não podia mais ser expulsa do castelo dele, nem privada de criados, roupas e renda. Mas a mesma lei também proibia os homens de deserdarem os filhos de uma primeira esposa para dar suas terras, assento ou propriedade para uma segunda esposa ou para os filhos dela.

Construir foi a outra preocupação do rei naquele ano. O trabalho continuou no Fosso dos Dragões, e Jaehaerys visitava o local com frequência para ver o progresso com os próprios olhos. Mas enquanto voava da Colina de Aegon até a Colina de Rhaenys, Sua Graça reparou no estado lamentável da cidade. Porto Real tinha crescido rápido demais, com mansões, lojas e casebres e arenas de ratazanas brotando como cogumelos depois de uma chuva forte. As ruas eram apertadas, escuras e imundas, com construções tão próximas umas das outras que os homens podiam pular de uma janela para outra. As vielas eram sinuosas como cobras bêbadas. Havia lama, bosta e excremento humano por toda parte.

— Quem me dera poder esvaziar a cidade, derrubá-la e construir tudo de novo — disse o rei para o conselho.

Sem ter esse poder e o dinheiro que uma empreitada tão grandiosa exigiria, Jaehaerys fez o que podia. Ruas foram alargadas, acertadas e calçadas sempre que possível. As piores pocilgas e casebres foram derrubados. Uma grande praça central foi criada e ocupada com árvores, com mercados e arcadas embaixo. De lá saíam ruas longas e amplas, retas como lanças: o Caminho do Rei, o Caminho dos Deuses, a Rua das Irmãs, o Caminho da Água Negra (ou Caminho da Lama, como a plebe rebatizou a rua). Nada disso poderia ter sido feito em uma noite; o trabalho continuaria por anos, até décadas, mas foi no ano 52 que começou, pela ordem do rei.

O custo de reconstruir a cidade não passou sem consequências e sem piorar a situação do tesouro da Coroa. Essas dificuldades foram exacerbadas pela impopularidade crescente do Senhor do Ar, Rego Draz. Em pouco tempo, o mestre da moeda pentoshi se tornou tão odiado quanto seu predecessor, embora por motivos diferentes. Ele era chamado de corrupto, diziam que pegava o ouro do rei para engordar a própria bolsa, uma acusação que Rego tratava com escárnio.

— Por que eu roubaria do rei se sou duas vezes mais rico do que ele?

Diziam que ele não tinha deus, pois não idolatrava os Sete. Muitos deuses estranhos são adorados em Pentos, mas Draz era conhecido por seguir apenas um, um pequeno ídolo caseiro semelhante a uma mulher com a barriga enorme de gravidez, seios inchados e cabeça de morcego.

— Ela é a única deusa de que preciso — ele dizia sobre a questão.

Diziam que ele era mestiço, uma afirmação que não podia negar, pois todos os pentoshis são parte ândalo e parte valiriano, misturados com os escravos e povos mais antigos há muito esquecidos. Mais que tudo, ressentiam-se dele por sua riqueza, que ele não se dignava a esconder e exibia com suas vestes de seda, seus anéis de rubi e palanquim dourado.

O fato de que lorde Rego Draz era um mestre da moeda capaz nem seus inimigos podiam negar, mas o desafio de pagar pelo término do Fosso dos Dragões e pela reconstrução de Porto Real foi um esforço até para seus talentos. Os tributos sobre seda, especiarias e construções por si sós não bastavam, então lorde Rego impôs um novo imposto: um pedágio no portão, exigido de qualquer um que entrasse ou saísse da cidade, coletada pelos guardas nos portões. Havia taxas adicionais cobradas por cavalos, mulas, burros e bois, e carroças e carrinhos sofriam os tributos mais altos. Considerando a quantidade de tráfego que ia e vinha de Porto Real todos os dias, o imposto do portão se mostrou altamente lucrativo e trouxe mais dinheiro para cobrir as necessidades... todavia com um custo considerável para Rego Draz, pois as reclamações contra ele aumentaram em dez vezes.

Mas um verão longo, abundância de colheitas, paz e prosperidade em casa e fora ajudaram a diminuir o descontentamento, e conforme o ano foi chegando ao fim, a rainha Alysanne deu uma excelente notícia para o rei. Sua Graça estava novamente esperando um filho. Desta vez, prometeu que nenhum inimigo chegaria perto dela. Planos de uma segunda excursão real tinham sido feitos e anunciados antes que a condição da rainha se tornasse conhecida. Embora Jaehaerys houvesse decidido de imediato que permaneceria ao lado da esposa até o bebê nascer, Alysanne não quis aceitar. Ela insistiu que ele fosse.

E ele foi. A chegada do ano novo viu o rei subindo ao céu em Vermithor novamente, desta vez para as terras fluviais. A excursão começou com uma estada em Harrenhal como hóspede do novo senhor, Maegor Towers, de nove anos. De lá, ele e seu séquito seguiram para Correrrio, Solar de Bolotas, Donzelarrosa, Atranta e Septo de Pedra. A pedido da rainha, a senhorita Jennis Templeton viajou com o rei para fazer audiências de mulheres em Correrrio e Septo de Pedra no lugar dela. Alysanne ficou na Fortaleza Vermelha, liderando reuniões do conselho na ausência do rei e concedendo audiências de um assento de veludo na base do Trono de Ferro.

Conforme a barriga de Sua Graça foi crescendo por causa do bebê, do outro lado da Baía da Água Negra, perto da Goela, outra mulher pariu outra criança cujo nascimento, embora menos notado, com o tempo seria de grande importância para as terras de Westeros e para os mares além. Na ilha de Derivamarca, o filho mais velho de Daemon Velaryon se tornou pai pela primeira vez quando a senhora sua esposa lhe deu um menino lindo e saudável. O bebê foi batizado de Corlys, em homenagem ao tio-bisavô que serviu tão nobremente como senhor comandante da primeira Guarda Real, mas nos anos seguintes o povo de Westeros passaria a conhecer esse novo Corlys melhor como o Serpente Marinha.

O filho da rainha nasceu a termo. Ela foi levada para a cama durante a sétima lua de 53 DC, e desta vez deu à luz um bebê forte e saudável, uma menina que ela batizou de Daenerys. O rei estava no Septo de Pedra quando recebeu a notícia. Ele montou em Vermithor e voltou voando para Porto Real na mesma hora. Embora Jaehaerys desejasse outro filho que o seguisse no Trono de Ferro, ficou claro que se apaixonou pela filha assim que a tomou nos braços. O reino também adorou a pequena princesa... em toda parte, menos em Pedra do Dragão.

Aerea Targaryen, filha de Aegon, o Sem Coroa, e sua irmã Rhaena, tinha onze anos e era a herdeira do Trono de Ferro desde que lembrava (exceto pelos três dias que separavam o nascimento do príncipe Aegon de sua morte). Sendo uma garotinha determinada, de língua ousada e desafiadora, Aerea adorava a atenção que acompanhava o fato de ser uma rainha em espera e não ficou satisfeita de se ver destronada pela princesa recém-nascida.

Sua mãe, a rainha Rhaena, provavelmente compartilhava desses sentimentos, mas segurou a língua e não falou nada nem mesmo para os confidentes mais próximos. Ela já tinha muitos problemas em casa na época, pois havia uma divergência entre ela e sua amada Elissa Farman. Com sua parte da renda de Ilha Bela negada por seu irmão, o lorde Franklyn, Elissa pediu à rainha viúva ouro suficiente para construir um navio novo nos estaleiros de Derivamarca, uma embarcação grande e veloz para percorrer o Mar do Poente. Rhaena recusou seu pedido.

— Eu não suportaria que você me deixasse — disse ela, mas a senhorita Elissa só escutou "Não".

Com o retrospecto da história para nos guiar, podemos olhar para trás e ver que todos os sinais estavam lá, avisos ameaçadores de dias difíceis à frente, mas nem os arquimeistres do Conclave viram isso quando refletiram sobre o ano que estava terminando. Nenhum deles percebeu que o ano à frente seria um dos mais sombrios no longo reinado de Jaehaerys I Targaryen, um ano tão marcado por mortes, divisão e desastre que os meistres e o povo passariam a chamá-lo de Ano do Estranho.

A primeira morte de 54 DC veio dias depois das comemorações que marcaram a chegada do Ano-Novo, quando o septão Oswyck faleceu dormindo. Ele era um homem velho e estava doente havia um tempo, mas a morte dele deixou a corte abalada mesmo assim. Na época em que a rainha regente, a Mão do Rei e a Fé se opuseram ao casamento de Jaehaerys e Alysanne, Oswyck aceitou celebrar os ritos para eles, e sua coragem não foi esquecida. A um pedido do rei, os restos dele foram enterrados em Pedra do Dragão, onde ele serviu por tanto tempo e tão fielmente.

A Fortaleza Vermelha ainda estava de luto quando aconteceu o golpe seguinte, embora na época tenha parecido ocasião de alegria. Um corvo de Ponta Tempestade entregou uma mensagem impressionante: a rainha Alyssa estava novamente grávida, aos quarenta e seis anos.

— Um segundo milagre — proclamou o grande meistre Benifer quando contou a notícia ao rei.

O septão Barth, que tinha assumido os deveres de Oswyck depois da morte dele, ficou mais em dúvida. Sua Graça nunca se recuperou completamente do nascimento do filho Boremund, avisou ele; e questionou se ela ainda tinha força suficiente para carregar um filho a termo. Mas Rogar Baratheon ficou jubiloso com a perspectiva de outro filho e não previu dificuldades. A esposa dele tinha dado à luz sete filhos, insistiu ele. Por que não um oitavo?

Em Pedra do Dragão, problemas de outro tipo estavam surgindo. A senhorita Elissa Farman não conseguia mais suportar a vida na ilha. Tinha ouvido o chamado do mar, ela disse para a rainha Rhaena; era hora de ir embora. Não sendo do tipo que demonstra emoções, a Rainha do Leste recebeu a notícia com expressão pétrea.

— Eu pedi que você ficasse — disse ela. — Não vou implorar. Se você tiver que ir, vá.

A princesa Aerea não tinha a mesma restrição da mãe. Quando a senhorita Elissa foi se despedir, a princesa chorou e se agarrou nas pernas dela, suplicando que ficasse ou, como isso não deu certo, que a levasse junto.

— Quero ficar com você — disse Aerea —, quero navegar pelos mares e viver aventuras.

A senhorita Elissa também chorou, disseram, mas afastou a princesa delicadamente e lhe disse:

— Não, criança. Seu lugar é aqui.

Elissa Farman partiu de Derivamarca na manhã seguinte. De lá, pegou um navio pelo mar estreito até Pentos. Depois, seguiu caminho até Braavos, onde havia famosos construtores de barcos, mas Rhaena Targaryen e a princesa Aerea não sabiam qual havia sido seu destino final. A rainha acreditava que ela não tinha passado de Derivamarca. Mas a senhorita Elissa tinha bons motivos para querer mais distância entre si e a rainha. Uma quinzena após sua partida, sor Merrell Bullock, ainda comandante da guarnição do castelo, levou três palafreneiros apavorados e o guardião do pátio de dragões à presença de Rhaena. Três ovos de dragão haviam sumido, e os dias de busca não renderam frutos. Depois de interrogar todos os homens que tinham acesso aos dragões de perto, sor Merrell ficou convencido de que a senhorita Elissa partira com eles.

Se essa traição por uma pessoa que ela amara magoou Rhaena Targaryen, ela escondeu bem, mas não havia como esconder sua fúria. Ela ordenou que sor Merrell interrogasse os palafreneiros e os cavalariços com mais intensidade. Quando o interrogatório não deu em nada, ela o dispensou do posto e o expulsou de Pedra do Dragão, junto com seu filho, sor Adam, e mais doze homens de quem desconfiou. Ela chegou ao ponto de convocar o marido, Androw Farman, exigindo saber se ele fora cúmplice no crime da irmã. A negação dele só a fez ficar mais furiosa, até que seus gritos puderam ser ouvidos ecoando pelos corredores de Pedra do Dragão. Ela mandou homens até Derivamarca, mas descobriu que a senhorita Elissa havia partido de navio para Pentos. Enviou homens para Pentos, mas lá o rastro se perdeu.

Só então Rhaena Targaryen montou em Dreamfyre para ir voando até a Fortaleza Vermelha e informar ao irmão o que tinha acontecido.

— Elissa não tinha amor por dragões — ela disse ao rei. — Era ouro que ela queria, ouro para construir um navio. Ela vai vender os ovos. Eles valem...

— ... uma frota de navios. — Jaehaerys tinha recebido a irmã em seu solar, só com o grande meistre Benifer presente como testemunha do que era dito. — Se aqueles ovos forem chocados, vai haver outro senhor dos dragões no mundo, um que não vai ser da nossa casa.

— Pode ser que não sejam chocados — disse Benifer. — Não longe de Pedra do Dragão. O calor... É sabido que alguns ovos de dragão simplesmente viram pedra.

— Então algum vendedor de especiarias de Pentos vai obter três pedras muito caras — disse Jaehaerys. — Caso contrário... o nascimento de três dragões não é uma coisa que possa ser facilmente mantida em segredo. Quem estiver com eles vai querer se gabar. Temos que ficar de olhos e ouvidos voltados para Pentos, Tyrosh, Myr, todas as Cidades Livres. Oferecer recompensas por qualquer notícia de dragões.

— O que você pretende fazer? — perguntou sua irmã Rhaena.

— O que preciso fazer. O que *você* precisa. Não pense em lavar as mãos disso, querida irmã. Você desejava Pedra do Dragão e eu lhe dei, e você levou essa mulher para lá. Essa ladra.

O longo reinado de Jaehaerys Targaryen foi pacífico na maior parte; as guerras que ele lutou foram poucas e curtas. Mas que nenhum homem confunda Jaehaerys com seu pai, Aenys. Não havia nada de fraco nele, nada de indeciso, como sua irmã Rhaena e o grande meistre Benifer testemunharam então, quando o rei disse:

— Se os dragões aparecerem em qualquer lugar daqui até Yi Ti, vamos exigir a devolução deles. Foram roubados de nós, são nossos por direito. Se a exigência for negada, vamos ter que ir buscar. Pegar de volta se pudermos, matá-los se não pudermos. Nenhum filhote consegue enfrentar Vermithor e Dreamfyre.

— E Asaprata? — perguntou Rhaena. — Nossa irmã...

— ... não teve parte nisso. Não vou colocá-la em risco.

A Rainha do Leste sorriu nessa hora.

— Ela é Rhaenys e eu sou Visenya. Nunca achei que fosse diferente.

O grande meistre Benifer disse:

— Vossa Graça está falando de travar guerra do outro lado do mar estreito. Os custos...

— ... precisam ser suportados. Não vou permitir que Valíria se erga novamente. Imagine o que os triarcas de Volantis fariam com dragões. Rezemos para que não chegue a isso. — Com isso, Sua Graça encerrou a audiência e avisou a todos para não falarem sobre os ovos desaparecidos. — Ninguém pode saber disso além de nós três.

Mas era tarde demais para esse tipo de precaução. Em Pedra do Dragão, o roubo era conhecido, mesmo entre os pescadores. E os pescadores, como se sabe, viajam para outras ilhas, e assim a notícia se espalhou. Benifer, agindo através do mestre da moeda pentoshi, que tinha agentes em todos os portos, mandou avisar até o outro lado do mar estreito, como o rei ordenara... "pagam-se boas moedas para homens ruins" (nas palavras de Rego Draz) por qualquer notícia de ovos de dragão, dragões ou Elissa Farman. Um pequeno grupo de fofoqueiros, informantes, cortesãos e cortesãs trouxe centenas de relatos, sendo que uma vintena se mostrou de valor para o Trono de Ferro por outros motivos... mas todos os boatos dos ovos de dragão não deram em nada.

Sabemos agora que a senhorita Elissa foi até Braavos depois de Pentos, mas não sem assumir um novo nome primeiro. Tendo fugido de Ilha Bela e sido deserdada pelo irmão, lorde Franklyn, ela assumiu um nome bastardo que ela mesma inventou e passou a se chamar Alys Westhill. Com esse nome, conseguiu audiência com o Senhor do Mar de Braavos. O zoológico do Senhor do Mar era famoso, e ele ficou feliz em comprar os ovos de dragão. O ouro que recebeu em troca ela confiou ao Banco de Ferro e o usou para financiar a construção do *Caçador do Sol*, o navio com o qual sonhava havia muitos anos.

Nada disso, porém, ficou conhecido em Westeros na época, e em pouco tempo o rei Jaehaerys tinha uma nova preocupação. No Septo Estrelado de Vilavelha, o alto septão tinha caído ao subir um lance de escadas até seus aposentos. Ele estava morto antes de chegar embaixo. Por todo o reino, sinos de todos os septos cantaram uma canção dolorosa. O Pai dos Fiéis tinha ido se juntar aos Sete.

Mas o rei não tinha tempo para orações e luto. Assim que Sua Santidade fosse enterrado, os Mais Devotos se reuniriam no Septo Estrelado para escolher seu sucessor, e Jaehaerys sabia que a paz do reino dependia de o novo homem continuar com as políticas de seu predecessor. O rei tinha seu candidato para a coroa de cristal: o septão Barth, que fora cuidar da biblioteca da Fortaleza Vermelha e acabou se tornando um de seus conselheiros mais confiáveis. Barth levou metade da noite para persuadir Sua Graça da tolice da escolha: ele era jovem demais, pouco conhecido, com opiniões não ortodoxas, e nem era um dos Mais Devotos. Ele não tinha esperança de ser escolhido. Eles precisariam de outro candidato, um que fosse mais aceitável para seus irmãos da Fé.

O rei e os senhores do conselho ao menos concordaram em uma coisa: eles tinham que fazer tudo que pudessem para impedir que o septão Mattheus fosse o escolhido. Seu período em Porto Real deixara um legado de desconfiança, e Jaehaerys não podia perdoar nem esquecer as palavras dele nos portões de Pedra do Dragão.

Rego Draz sugeriu que subornos estratégicos poderiam produzir o resultado desejado.

— Espalhem o suficiente entre esses Mais Devotos e eles vão *me* escolher — brincou ele —, embora eu não fosse querer a função.

Daemon Velaryon e Qarl Corbray defenderam uma exibição de força, embora lorde Daemon desejasse enviar sua frota, enquanto lorde Qarl ofereceu liderar um exército. Albin Massey, o mestre das leis corcunda, questionou se o septão Mattheus não sofreria o mesmo destino do alto septão que causou tantos problemas para Aenys e Maegor; uma morte repentina e misteriosa. O septão Barth, o grande meistre Benifer e a rainha Alysanne ficaram todos horrorizados com essas propostas, e o rei as rejeitou de pronto. Ele e a rainha iriam para Vilavelha imediatamente, ele decidiu. Sua Alta Santidade tinha sido um servo leal dos deuses e um bom amigo do Trono de Ferro, e era certo que eles fossem até lá vê-lo ser colocado em seu descanso.

A única forma de chegar a Vilavelha a tempo era de dragão.

Todos os senhores do conselho, até o septão Barth, ficaram inquietos com a ideia de o rei e a rainha irem sozinhos para Vilavelha.

— Ainda há alguns dentre meus irmãos que não amam Vossa Graça — observou Barth.

Lorde Daemon concordou e lembrou a Jaehaerys o que tinha acontecido com a rainha em Lagoa da Donzela. Como o rei insistiu que teria a proteção dos Hightower, olhares inquietos foram trocados.

— Lorde Donnel é cheio de planos e ressentimentos — disse Manfryd Redwyne. — Não confio nele. E o senhor também não deveria confiar. Ele faz o que acha melhor para si, sua casa e Vilavelha e não liga para mais ninguém nem para mais nada. Nem mesmo para o rei.

— Então tenho que convencê-lo de que o que é melhor para o rei é o melhor para ele, para a casa dele e para Vilavelha — disse Jaehaerys. — Acredito que consigo fazer isso. — Com isso, ele encerrou a discussão e deu ordens para seus dragões serem trazidos.

Mesmo para um dragão, o voo de Porto Real até Vilavelha é longo. O rei e a rainha pararam duas vezes no caminho, uma vez em Ponteamarga e outra em Jardim de Cima, descansaram durante a noite e fizeram conselho com seus senhores. Os senhores do conselho insistiram para que eles levassem *alguma* proteção, pelo menos. Sor Joffrey Doggett voou com Alysanne, e a Sombra Escarlate Jonquil Darke com Jaehaerys, para equilibrar o peso que cada dragão carregava.

A chegada inesperada de Vermithor e Asaprata em Vilavelha levou às ruas milhares de pessoas, que apontavam e olhavam. Nenhum aviso da chegada deles tinha sido enviado, e muitos na cidade ficaram com medo, imaginando o que isso poderia querer dizer... mas nenhum, talvez, mais do que o septão Mattheus, que ficou pálido quando soube. Jaehaerys desceu com Vermithor na praça ampla de mármore em frente ao Septo Estrelado, mas foi a rainha que assombrou a cidade quando Asaprata pousou no alto de Torralta, batendo as asas e aumentando as chamas do famoso farol.

Embora os ritos funerários do alto septão fossem o pretenso motivo para a visita, Sua Alta Santidade já tinha sido enterrada nas criptas embaixo do Septo Estrelado quando o rei e a rainha chegaram. Jaehaerys fez uma eulogia mesmo assim, falando para uma multidão de septões, meistres e plebeus na praça. No fim do discurso, ele anunciou que ele e a rainha permaneceriam em Vilavelha até o novo alto septão ser escolhido, "para podermos pedir a bênção dele". Como o arquimeistre Goodwyn escreveu depois, "o povo comemorou, os meistres assentiram sabiamente e os septões se entreolharam e pensaram em dragões".

Durante o tempo que passaram em Vilavelha, Jaehaerys e Alysanne dormiram nos aposentos de lorde Donnel no alto de Torralta, com toda Vilavelha espalhada abaixo. Não temos conhecimento seguro de que palavras foram trocadas entre eles e o anfitrião, pois as discussões aconteceram por trás de portas fechadas sem nem a presença de um meistre. Mas, anos depois, o rei Jaehaerys contou ao septão Barth tudo que tinha acontecido, e Barth registrou um resumo para ficar para a história.

Os Hightower de Vilavelha eram uma família antiga, poderosa, rica, orgulhosa... e grande. Era costume deles de muito tempo que os filhos, irmãos, primos e bastardos mais novos da casa entrassem para a Fé, onde muitos se destacaram ao longo dos séculos. Lorde Donnel Hightower tinha um irmão mais novo, dois sobrinhos e seis primos servindo os Sete em 54 DC; o irmão, um sobrinho e dois primos usavam o pano de prata dos Mais Devotos. Era desejo de lorde Donnel que um deles se tornasse alto septão.

O rei Jaehaerys não se importava de que casa Sua Alta Santidade viria, nem se era de berço humilde ou nobre. Sua única preocupação era que o novo alto septão fosse Excepcionalista. A tradição Targaryen de casamento entre irmãos não devia mais ser questionada pelo Septo Estrelado. Ele queria que o novo Pai dos Fiéis fizesse do Excepcionalismo uma doutrina oficial da Fé. E embora Sua Graça não tivesse objeção ao irmão de lorde Donnel, nem ao resto dos parentes, nenhum deles havia mencionado ainda o assunto, então...

Depois de horas de discussão, eles chegaram a um acordo, selado com uma grande festa em que lorde Donnel elogiou a sabedoria do rei enquanto o apresentava a seus irmãos, tios, sobrinhos, sobrinhas e primos. Do outro lado da cidade, no Septo Estrelado, os Mais Devotos se reuniam para escolher seu novo pastor, com agentes de lorde Hightower e do rei entre eles, sem a maioria saber. Quatro votações eram necessárias. O septão Mattheus liderou a primeira, como previsto, mas não teve votos suficientes para obter a coroa de cristal. Depois disso, os seus números foram diminuindo a cada votação, enquanto outros homens subiam.

Na quarta votação, os Mais Devotos não seguiram a tradição e escolheram um homem que não era do meio deles. O selecionado foi o septão Alfyn, que havia atravessado a Campina mais de dez vezes na liteira representando Jaehaerys e sua rainha. Os Sete Reinos não tinham maior defensor do Excepcionalismo do que Alfyn, mas ele era o mais velho dos Sete Porta-Vozes, e também não tinha pernas; parecia provável que o Estranho fosse procurá-lo mais cedo e não mais tarde. Quando isso acontecesse, seu sucessor seria um Hightower, o rei garantiu a lorde Donnel, desde que seu parente se alinhasse com firmeza ao Excepcionalismo durante o período de Alfyn no comando.

Assim foi feito o acordo, se o relato do septão Barth pode ser considerado correto. O próprio Barth não o questionou, embora lamentasse a corrupção que tornava os Mais Devotos tão fáceis de manipular. "Seria melhor se os próprios Sete escolhessem sua Voz na terra, mas quando os deuses fazem silêncio, os senhores e reis se fazem ouvir", escreveu ele, e acrescentou que Alfyn e o irmão de lorde Donnel, que o sucedeu, foram mais merecedores da coroa de cristal do que o septão Mattheus poderia ter sido.

Ninguém ficou mais perplexo com a escolha do septão Alfyn do que o próprio septão Alfyn, que estava em Vaufreixo quando soube da notícia. Viajando de liteira, ele levou mais de uma quinzena para chegar a Vilavelha. Enquanto o esperava, Jaehaerys usou o tempo para visitar Bandallon, Três Torres, Terraltas e Bosquemel. Ele até voou em Vermithor para Árvore, onde experimentou alguns dos melhores vinhos da ilha. A rainha Alysanne ficou em Vilavelha. As irmãs silenciosas a abrigaram em seu convento para um dia de orações e contemplação. Ela passou um dia com as septãs que cuidavam dos doentes e indigentes da cidade. Dentre as noviças que conheceu estava sua sobrinha Rhaella, que Sua Graça declarou ser uma jovem estudada e devota, "embora muito dada a gaguejos e rubores". Durante três dias ela se embrenhou na grande biblioteca da Cidadela e só saiu para assistir à palestra sobre as guerras valirianas de dragões, a arte da cura e os deuses das Ilhas do Verão.

Depois, ela banqueteou com os arquimeistres reunidos no salão de jantar deles e até se propôs a falar para eles.

— Se eu não houvesse me tornado rainha, talvez tivesse gostado de ser meistre — disse ela para o Conclave. — Eu leio, escrevo, penso, não tenho medo de corvos... nem de um pouco de sangue. Há outras garotas bem-nascidas que compartilham do mesmo sentimento. Por que não as admitir na sua Cidadela? Se elas não conseguirem acompanhar, mandem-nas de volta para casa, da mesma forma que mandam garotos que não são inteligentes o suficiente. Se vocês dessem uma chance às garotas, ficariam surpresos com quantas forjariam a corrente.

Os arquimeistres, sem quererem contradizer a rainha, sorriram para as palavras dela e balançaram a cabeça e garantiram a Sua Graça que considerariam sua proposta.

Quando o novo alto septão chegou a Vilavelha, fez sua vigília no Septo Estrelado e foi devidamente ungido e consagrado aos Sete, deixando para trás seu nome terreno e todos os laços na terra, então abençoou o rei Jaehaerys e a rainha Alysanne em uma cerimônia pública solene. A Guarda Real e um grupo de servidores tinham se juntado ao rei e a rainha àquela altura, então Sua Graça decidiu voltar pela Marca de Dorne e pelas terras da tempestade. As visitas a Monte Chifre, Nocticantiga e Portonegro aconteceram em seguida.

A rainha Alysanne achou este último local particularmente simpático. Embora o castelo fosse pequeno e modesto em comparação aos grandes salões do reino, lorde Dondarrion era um anfitrião esplêndido, e seu filho Simon tocava harpa e também participava de justas e distraía o casal real à noite com canções tristes de amantes malfadados e quedas de reis. A rainha ficou tão encantada com ele que o grupo se delongou mais em Portonegro do que pretendiam. Eles ainda estavam lá quando chegou um corvo de Ponta Tempestade com uma notícia terrível: a mãe deles, a rainha Alyssa, estava à beira da morte.

Mais uma vez Vermithor e Asaprata foram para o céu, para levar o rei e a rainha para perto da mãe o mais rapidamente possível. O resto da comitiva real seguiria por terra passando por Pedrelmo, Ninho de Corvo e Poleiro do Grifo, sob o comando de sor Gyles Morrigen, senhor comandante da Guarda Real.

A grande fortaleza Baratheon em Ponta Tempestade só tem uma torre, a torre baixa e larga erguida por Durran Desgosto-Divino durante a Era dos Heróis para aguentar a ira do Deus da Tempestade. No alto da torre, embaixo apenas da cela do meistre e do aviário, Alysanne e Jaehaerys encontraram a mãe dormindo em uma cama que fedia a urina, encharcada de suor e magra como uma velha, exceto pela barriga inchada. Um meistre, uma parteira e três criadas de quarto cuidavam dela; cada um mais triste do que o outro. Jaehaerys encontrou lorde Rogar sentado do lado de fora do quarto, bêbado e em desespero. Quando o rei exigiu saber por que ele não estava com a esposa, o Senhor de Ponta Tempestade resmungou:

— O Estranho está naquele quarto. Consigo sentir o cheiro.

Um cálice de vinho com um toque de sonodoce foi o que permitiu à rainha Alyssa aquele breve descanso, explicou o meistre Kyrie; Alyssa estivera em sofrimento por algumas horas.

— Ela estava gritando tanto — acrescentou uma das criadas. — Cada pedacinho de comida que damos para ela volta, e ela está sentindo uma dor horrível.

— Ainda não estava na hora do parto — disse Alysanne, em lágrimas. — Ainda não.

— Ainda faltava uma fase da lua — confirmou a parteira. — Isso não é parto, meus senhores. Alguma coisa arrebentou dentro dela. O bebê está morrendo ou vai estar morto em pouco tempo. A mãe está velha demais, ela não tem força para empurrar, e o bebê está virado... não adianta. Eles terão morrido à primeira luz, os dois. Imploro seu perdão.

O meistre Kyrie não discordou. Leite de papoula aliviaria a dor da rainha, ele disse, e ele tinha uma mistura forte preparada... mas podia matar Sua Graça tanto quanto ajudá-la, e quase certamente mataria a criança dentro dela. Quando Jaehaerys perguntou o que era possível ser feito, o meistre disse:

— Pela rainha? Nada. Está além da minha capacidade salvá-la. Há uma chance bem pequena de eu conseguir salvar a criança. Para isso, eu teria que cortar a mãe e tirar a criança do útero. O bebê pode viver ou não. A mulher vai morrer.

As palavras dele fizeram a rainha Alysanne chorar. O rei só disse "A mulher é minha mãe e é rainha" com um tom grave. Ele saiu de novo, pôs Rogar Baratheon de pé e o arrastou para o quarto, onde mandou o meistre repetir o que tinha acabado de dizer.

— Ela é sua esposa — lembrou o rei Jaehaerys a lorde Rogar. — É você quem tem que dizer as palavras.

Dizem que lorde Rogar não conseguiu suportar olhar para a esposa. Também não conseguiu encontrar as palavras até o rei o segurar com firmeza pelo braço e o sacudir.

— Salve meu filho — disse Rogar para o meistre. Em seguida, se soltou e fugiu do quarto novamente. Meistre Kyrie baixou a cabeça e mandou buscar suas lâminas.

Por muitos dos relatos que chegaram a nós, soubemos que a rainha Alyssa despertou do sono antes de o meistre poder começar. Embora tomada de dores e convulsões violentas, ela chorou lágrimas de alegria ao ver os filhos presentes. Quando Alysanne contou o que aconteceria, Alyssa deu seu consentimento.

— Salvem meu bebê — sussurrou ela. — Vou ver meus meninos de novo. A Velha vai iluminar meu caminho.

É agradável acreditar que essas foram as últimas palavras da rainha. Infelizmente, outros relatos nos contam que Sua Graça morreu sem despertar quando o meistre Kyrie abriu a barriga dela. Sobre um ponto todos concordam: Alysanne segurou a mão da mãe do começo ao fim, até o primeiro choro do bebê reverberar pelo quarto.

Lorde Rogar não teve o segundo filho que tanto desejava. A criança era uma menina, nascida tão pequena e fraca que a parteira e o meistre não acreditavam que fosse sobreviver. Ela surpreendeu a ambos, como surpreenderia muitos outros em sua vida. Dias depois, quando finalmente tinha se recuperado o suficiente para considerar a questão, Rogar Baratheon batizou a filha de Jocelyn.

Mas primeiro sua senhoria tinha que lidar com uma chegada mais controversa. Era amanhecer, e o corpo da rainha Alyssa ainda não estava frio quando Vermithor ergueu a cabeça de onde estava encolhido dormindo, no pátio, e soltou um rugido que acordou metade de Ponta Tempestade. Ele sentiu a aproximação de outro dragão. Momentos depois, Dreamfyre desceu, a crista prateada brilhando nas costas enquanto as asas azuis e pálidas batiam no céu vermelho da aurora. Rhaena Targaryen tinha ido fazer as pazes com a mãe.

Ela chegou tarde, a rainha Alyssa já havia morrido. Apesar de o rei ter dito que ela não precisava ir olhar os restos mortais da mãe, Rhaena insistiu e arrancou os lençóis que a cobriam para olhar o trabalho do meistre. Depois de muito tempo, ela se virou para beijar o irmão na bochecha e abraçar a irmã mais nova. As duas rainhas se abraçaram por um longo tempo, pelo que dizem, mas quando a parteira ofereceu a Rhaena o bebê recém-nascido para segurar, ela recusou.

— Onde está Rogar? — perguntou ela.

Ela o encontrou abaixo, no grande salão, com seu jovem filho Boremund no colo, cercado dos irmãos e cavaleiros. Rhaena Targaryen passou por todos eles e parou na frente dele, então começou a amaldiçoá-lo.

— O sangue dela está nas suas mãos — disse ela, furiosa. — O sangue dela está no seu pau. Que você morra gritando.

Rogar Baratheon ficou furioso com as acusações.

— O que você está dizendo, mulher? É a vontade dos deuses. O Estranho vem para todos nós. Como poderia ser feito meu? O que eu fiz?

— Você enfiou seu pau nela. Ela lhe deu um filho, devia ter sido suficiente. *Salvem minha esposa*, você deveria ter dito, mas o que são esposas para homens como você? — Rhaena esticou a mão, pegou a barba dele e puxou o rosto dele para perto do dela. — Escute isso, meu senhor. Não pense em se casar de novo. Cuide dos filhotes que minha mãe lhe deu, meu meio-irmão e minha meia-irmã. Cuide para que não precisem de nada. Faça isso e o deixo em paz. Se eu ouvir um sussurro que seja de que você tomou uma pobre donzela como esposa, vou fazer outro Harrenhal em Ponta Tempestade, com você e ela dentro.

Depois que ela saiu do salão e voltou para o dragão no pátio, lorde Rogar e seus irmãos riram.

— Ela é louca — declarou ele. — Será que acha que me assusta? *A mim?* Eu não tive medo da ira de Maegor, o Cruel, devo ter medo da dela? — Depois, ele bebeu um cálice de vinho, chamou seu intendente para tomar as providências do enterro da esposa e enviou o irmão sor Garon para convidar o rei e a rainha para um banquete em honra à filha dele.*

Foi um rei mais triste o que voltou a Porto Real de Ponta Tempestade. Os Mais Devotos lhe deram o alto septão que ele queria, a Doutrina do Excepcionalismo seria um dos princípios da Fé, e ele tinha chegado a um acordo com os poderosos Hightower de Vilavelha, mas essas vitórias tiveram um gosto de fel em sua boca com a morte de sua mãe. Mas Jaehaerys não era de ficar se lamentando; como faria muitas vezes durante seu longo reinado, o rei afastou suas dores e mergulhou no comando do reino.

O verão abriu caminho para o outono e as folhas estavam caindo por todos os Sete Reinos, um novo rei Abutre tinha surgido nas Montanhas Vermelhas, a doença do suor tinha aparecido nas Três Irmãs e Tyrosh e Lys estavam indo em direção a uma guerra que quase certamente envolveria os Degraus e atrapalharia o comércio. Tudo isso precisava ser enfrentado, e foi isso que ele fez.

A rainha Alysanne encontrou uma resposta diferente. Depois de perder a mãe, ela encontrou consolo na filha. Embora só tivesse um ano e meio, a princesa Daenerys falava (do jeito dela) desde antes do primeiro dia do seu nome, e tendo passado da fase de engatinhar, cambalear e andar, já corria.

— Ela está com muita pressa, essa aí — disse a ama de leite para a rainha.

A pequena princesa era uma criança feliz, sempre curiosa e destemida, uma alegria para todos que a conheciam. Ela encantava tanto Alysanne que por um tempo Sua Graça até começou a não comparecer a sessões do conselho por preferir passar os dias brincando com a filha e lendo as histórias que sua mãe havia lido para ela.

— Ela é tão inteligente, vai estar lendo em pouco tempo — disse ela para o rei. — Ela vai ser uma grande rainha, eu sei.

Mas o Estranho ainda não tinha acabado seu trabalho com a Casa Targaryen naquele ano cruel de 54 DC. Do outro lado da Baía da Água Negra, em Pedra do Dragão, Rhaena encontrou novos sofrimentos a esperando quando voltou de Ponta Tempestade. Longe de ser um consolo para ela como Daenerys era para Alysanne, sua filha Aerea tinha se tornado um terror, uma criança descontrolada e voluntariosa que desafiava sua septã, sua mãe e seus meistres igualmente, tratava mal os criados,

* Rogar Baratheon nunca mais se casou.

se ausentava das orações, aulas e refeições sem pedir licença e tratava os homens e as mulheres da corte de Rhaena com nomes encantadores como "sor Burro", "senhor Cara de Porco" e "senhora Peidorrenta".

O marido de Sua Graça, Androw Farman, embora menos falastrão e menos abertamente desafiador, não sentia menos raiva. Quando chegou a notícia a Pedra do Dragão de que a rainha Alyssa estava mal, Androw anunciou que acompanharia a esposa até Ponta Tempestade. Como marido, ele disse, seu lugar era ao lado de Rhaena, para lhe dar consolo. Mas a rainha recusou, e não foi com gentileza. Uma discussão barulhenta aconteceu antes da partida dela, e ouviu-se Sua Graça dizer:

— O Farman errado fugiu.

O casamento dela, que nunca foi apaixonado, tinha virado uma farsa de pantomimeiro em 54 DC.

— E não uma farsa divertida — observou a senhorita Alayne Royce.

Androw Farman não era mais o rapaz com quem Rhaena havia se casado cinco anos antes em Ilha Bela, quando ele tinha dezessete. O adolescente atraente tinha ficado com o rosto inchado, os ombros redondos e corpulento. Nunca bem-visto por outros homens, ele se viu esquecido e ignorado pelos anfitriões senhoriais durante os passeios de Rhaena pelo Oeste. Pedra do Dragão acabou não sendo melhor. A esposa dele ainda era rainha, mas ninguém achava que Androw era rei, nem mesmo senhor consorte. Embora se sentasse ao lado da rainha Rhaena nas refeições, ele não compartilhava a cama com ela. Essa honra era de amigas e favoritas. O quarto dele ficava em uma torre diferente da dela. As fofocas na corte diziam que a rainha afirmara que era melhor que eles dormissem separados, para que não fosse incomodado caso encontrasse uma donzela bonita para compartilhar a cama com ele. Não há indicação de que ele tenha feito isso.

Os dias dele eram tão vazios quanto as noites. Embora tivesse nascido em uma ilha e agora morasse em outra, Androw não velejava, não nadava nem pescava. Escudeiro fracassado, ele não tinha habilidade com a espada, nem com o machado ou a lança, e quando os homens da guarnição do castelo treinavam todas as manhãs no pátio, ele ficava na cama. Pensando que ele pudesse ser do tipo que gostava de livros, o meistre Culiper tentou despertar seu interesse nos tesouros da biblioteca de Pedra do Dragão, os enormes tomos e pergaminhos valirianos antigos que fascinaram o rei Jaehaerys, mas descobriu que o marido da rainha não sabia ler. Androw cavalgava bem, e de tempos em tempos mandava um cavalo ser selado para que pudesse trotar pelo pátio, mas nunca passava pelos portões para explorar os caminhos rochosos do Monte Dragão nem o outro lado da ilha, nem mesmo o vilarejo pesqueiro e o porto abaixo do castelo.

"Ele bebe muito", escreveu meistre Culiper para a Cidadela, "e já passou dias inteiros na Sala da Mesa Pintada, mexendo soldados de madeira pintados sobre o mapa. Os amigos da rainha Rhaena dizem que ele está planejando a conquista de Westeros. Não debocham dele abertamente por consideração a ela, mas riem dele pelas costas. Os cavaleiros e homens de armas não dão atenção nenhuma a ele, e os criados o obedecem ou não, conforme desejarem, sem medo de desagrado da parte dele. As crianças são as mais cruéis, como costuma acontecer, e nenhuma tão cruel quanto a princesa Aerea. Ela uma vez esvaziou uma comadre na cabeça dele, não por ele ter feito alguma coisa, mas porque estava com raiva da mãe."

O descontentamento de Androw Farman em Pedra do Dragão só piorou depois da partida da irmã. A senhorita Elissa era sua melhor amiga, talvez a única, observou Culiper, e apesar das negações lacrimosas dele, Rhaena teve dificuldade de acreditar que ele não ajudou na questão dos ovos de dragão. Quando a rainha dispensou sor Merrell Bullock, Androw pediu que ela o indicasse para comandante da guarnição do castelo no lugar dele. Sua Graça estava fazendo o desjejum com quatro de suas damas de companhia na ocasião. As mulheres caíram na gargalhada com o pedido dele, e depois de um momento a rainha riu também. Quando Rhaena voou até Porto Real para informar ao rei Jaehaerys do roubo, Androw se ofereceu para ir com ela. Sua esposa recusou com desprezo.

— De que adiantaria? O que você poderia fazer além de cair do dragão?

A recusa da rainha Rhaena ao desejo dele de ir com ela até Ponta Tempestade foi a mais recente e última em uma série de humilhações para Androw Farman. Quando Rhaena voltou do leito de morte da mãe, ele já tinha passado do ponto de desejar consolá-la. Soturno e frio, ele ficava em silêncio nas refeições e evitava a companhia da rainha de modo geral. Se Rhaena Targaryen se incomodou com isso, não demonstrou. Ela encontrava consolo em suas damas, em velhas amigas como Samantha Stokeworth e Alayne Royce, e em companheiras novas como sua prima Lianna Velaryon, a bela filha de lorde Staunton, Cassella, e a jovem septã Maryam.

A paz que elas a ajudaram a encontrar acabou sendo curta. O outono havia chegado em Pedra do Dragão, assim como no resto de Westeros, e com ele vieram os ventos frios do Norte e as tempestades do Sul agitando o mar estreito. Uma escuridão tomou conta da antiga fortaleza, um lugar sombrio mesmo no verão; até os dragões pareciam sentir a umidade. E, com o ano chegando ao fim, a doença chegou a Pedra do Dragão.

Não era a doença do suor, nem a doença dos tremores, nem escamagris, declarou meistre Culiper. O primeiro sinal era sangue nas fezes, seguido de uma cólica terrível no intestino. Havia várias doenças que podiam ser a causa, ele disse para a rainha. Qual podia ser a culpada ele nunca determinou, pois Culiper foi o primeiro a morrer, menos de dois dias depois que começou a se sentir mal. Meistre Anselm, que tomou seu lugar, achou que a culpa foi da idade. Culiper estava mais perto de noventa anos do que de oitenta e não era forte.

Mas Cassella Staunton foi a próxima a sucumbir, e ela tinha apenas catorze anos. Em seguida, a septã Maryam ficou doente, e Alayne Royce, e até a grande e barulhenta Sam Stokeworth, que gostava de se gabar que nunca tinha ficado doente um único dia da vida. Todas três morreram na mesma noite, com intervalo de horas.

Rhaena Targaryen permaneceu intocada, embora suas amigas e queridas companheiras fossem morrendo uma a uma. Foi o sangue valiriano que a salvou, sugeriu meistre Anselm; doenças que levavam homens comuns em questão de horas não eram páreo para o sangue do dragão. Os homens também pareceram mais imunes a essa peste estranha. Fora meistre Culiper, só mulheres foram acometidas. Os homens de Pedra do Dragão, fossem cavaleiros, copeiros, cavalariços ou cantores, todos permaneceram saudáveis.

A rainha Rhaena mandou que os portões de Pedra do Dragão fossem fechados e trancados. Ainda não havia doença fora dos muros, e ela queria que continuasse assim, para proteger o povo. Quando mandou notícia para Porto Real, Jaehaerys agiu na mesma hora e mandou lorde Velaryon enviar suas galés para garantir que ninguém fugisse para espalhar a pestilência além da ilha. A Mão do Rei fez o que ele mandou, embora contrariado, pois sua sobrinha estava entre as mulheres ainda em Pedra do Dragão.

Lianna Velaryon morreu enquanto as galés do tio estavam saindo de Derivamarca. Meistre Anselm a purgou, fez sangria e a cobriu de gelo, mas nada adiantou. Ela morreu nos braços de Rhaena Targaryen, em convulsões enquanto a rainha chorava lágrimas amargas.

— Você chora por ela — disse Androw Farman quando viu as lágrimas no rosto da esposa —, mas choraria por mim? — As palavras dele despertaram fúria na rainha. Depois de bater na cara dele, Rhaena mandou que ele a deixasse e declarou que queria ficar sozinha. — Você vai ficar — disse Androw. — Ela era a última.

Mesmo então, a rainha estava tão perdida em sua dor que não percebeu o que tinha acontecido. Foi Rego Draz, o mestre da moeda pentoshi do rei, quem deu voz à desconfiança pela primeira vez quando Jaehaerys juntou seu pequeno conselho para discutir as mortes em Pedra do Dragão. Ao ler os relatos de meistre Anselm, lorde Rego franziu a testa e disse:

— Doença? Isso não é doença. Cólica intestinal, morte em um dia... isso é Lágrimas de Lys.

— Veneno? — disse o rei Jaehaerys, em choque.

— Nós ouvimos mais sobre essas coisas nas Cidades Livres — garantiu Draz. — É efeito das Lágrimas, não tenha dúvida. O velho meistre teria percebido logo, por isso teve que morrer primeiro. É assim que eu faria. Não que eu fosse fazer. Veneno é... desonroso.

— Só mulheres faleceram — protestou lorde Velaryon.

— Só mulheres receberam o veneno, então — disse Rego Draz.

Quando o septão Barth e o grande meistre Benifer concordaram com as palavras de lorde Rego, o rei enviou um corvo a Pedra do Dragão na mesma hora. Ao ler as palavras dele, Rhaena Targaryen não teve dúvida. Ela chamou o capitão da guarda e mandou que o marido fosse encontrado imediatamente e trazido até ela.

Androw Farman não foi encontrado em seus aposentos nem nos da rainha, nem no grande salão, nos estábulos, no septo e nem no Jardim de Aegon. Na Torre do Dragão Marinho, nos aposentos do meistre embaixo do aviário, depararam com meistre Anselm morto, com uma adaga entre as omoplatas. Com os portões fechados e trancados, não havia como sair do castelo, exceto de dragão.

— O verme do meu marido não tem coragem para isso — declarou Rhaena.

Androw Farman foi finalmente encontrado na Sala da Mesa Pintada, uma espada longa na mão. Ele não tentou negar os envenenamentos. Sŏ se gabou.

— Levei cálices de vinho, e eles beberam. Me *agradeceram* e beberam. Por que não? Um copeiro, um serviçal, era assim que me viam. Androw, o doce. Androw, o palhaço. O que *eu* podia fazer além de cair do dragão? Bom, eu poderia ter feito muitas coisas. Poderia ter sido senhor. Poderia ter feito leis e sido sábio e dado conselhos. Poderia ter matado seus inimigos com a mesma facilidade com que matei suas amigas. *Eu poderia ter lhe dado filhos.*

Rhaena Targaryen não se dignou a responder. Só falou com os guardas.

— Peguem-no e castrem-no, mas estanquem o ferimento. Quero o pau e as bolas dele fritos e dados para ele comer. Não deixem que ele morra enquanto não tiver comido cada pedacinho.

— Não — disse Androw Farman quando eles se moveram em volta da Mesa Pintada para pegá-lo. — Minha esposa pode voar, e eu também. — Ao dizer isso, ele atacou sem eficiência o homem mais próximo, recuou até a janela que havia atrás e pulou. Seu voo foi curto: para baixo, para a morte. Depois, Rhaena Targaryen mandou seu corpo ser cortado em pedaços e dado a seus dragões.

Essa foi a última morte notável de 54 DC, mas ainda houve mais coisas ruins que aconteceram naquele terrível Ano do Estranho. Assim como uma pedra jogada em um lago gera ondulações em todas as direções, o mal que Androw Farman fez se espalharia pelo território, tocando e afetando a vida de outros, bem depois que os dragões tinham acabado de se banquetear com seu restos mortais pretos e fumegantes.

A primeira ondulação foi sentida no pequeno conselho do rei, quando lorde Daemon Velaryon anunciou seu desejo de deixar a posição de Mão do Rei. A rainha Alyssa, como deve ser lembrado, era irmã de lorde Daemon, e sua jovem sobrinha Lianna estava entre as mulheres envenenadas em Pedra do Dragão. Alguns sugeriram que a rivalidade com lorde Manfryd Redwyne, que o substituiu como senhor almirante, teve papel na decisão de lorde Daemon, mas parece uma difamação mesquinha de se lançar em um homem que serviu de forma tão capaz por tanto tempo. É melhor acreditar na palavra de sua senhoria e aceitar que sua idade avançada e seu desejo de passar o resto dos dias com seus filhos e netos em Derivamarca foram a causa de sua partida.

O primeiro pensamento de Jaehaerys foi procurar o sucessor de lorde Daemon nos outros membros do conselho. Albin Massey, Rego Draz e o septão Barth se mostraram todos homens de grande capacidade, o que os fez conquistar a confiança e a gratidão do rei. Mas nenhum pareceu totalmente adequado. Desconfiava-se que o septão Barth tinha mais lealdade ao Septo Estrelado que ao Trono de Ferro. Além disso, ele era de berço humilde; os grandes senhores do reino jamais permitiriam que o filho de um ferreiro falasse com a voz do rei. Lorde Rego era um pentoshi sem deus e um mercador de especiarias convencido, e seu nascimento era ainda menos nobre que o do septão Barth. Lorde Albin, com seu coxeio e suas costas retorcidas, pareceria um tanto sinistro aos olhos dos ignorantes.

— Eles me olham e veem um vilão — o próprio Massey disse para o rei. — Posso servi-lo melhor das sombras.

Não podia ser considerado trazer de volta Rogar Baratheon nem nenhuma das Mãos do Rei Maegor que ainda estivessem vivas. O termo de lorde Tully no conselho durante a regência foi indistinto. Rodrik Arryn, Senhor do Ninho da Águia e Defensor do Vale, era um garoto de dez anos e assumiu a senhoria depois da morte do senhor seu tio Darnold e de seu avô, sor Rymond, nas mãos dos salteadores selvagens que eles perseguiram tolamente nas Montanhas da Lua. Jaehaerys tinha chegado a um acordo com Donnel Hightower havia pouco tempo, mas ainda não confiava completamente no sujeito, assim como não confiava em Lyman Lannister. Bertrand Tyrell, o Senhor de Jardim de Cima, era famoso pela bebedeira, e seus filhos bastardos indisciplinados trariam desgraça para a Coroa se fossem para Porto Real. Alaric Stark ficaria melhor em Winterfell; relatado como um homem teimoso, severo, tirânico e impiedoso, ele seria uma presença inquietante na mesa do conselho. Seria impensável levar um homem de ferro para Porto Real, claro.

Sem ter achado nenhum dos senhores grandes dos reinos adequado, Jaehaerys voltou o olhar para seus senhores vassalos. Julgavam desejável que a Mão fosse um homem mais velho, cuja experiência servisse de equilíbrio para a juventude do rei. Como o conselho incluía vários homens estudados com inclinações pelos livros, um guerreiro também seria bem-aceito, um homem com vivência e experiência em batalha, cuja reputação marcial desestimulasse os inimigos da Coroa. Depois de doze nomes terem sido apresentados e descartados, a escolha finalmente caiu em sor Myles Smallwood, Senhor de Solar de Bolotas nas terras fluviais, que havia lutado pelo irmão do rei, Aegon, sob o Olho de Deus, enfrentado Wat, o Lenhador, em Pontepedra e cavalgado com lorde Stokeworth para levar Harren, o Vermelho à justiça durante o reinado do rei Aenys.

Com fama justa devido à coragem, lorde Myles carregava as cicatrizes de mais de dez lutas corajosas no rosto e no corpo. Sor William, a Vespa, da Guarda Real, que tinha servido em Solar de Bolotas, jurou que não havia senhor melhor, mais corajoso e nem mais leal em todos os Sete Reinos, e Prentys Tully e a admirada senhora Lucinda, seus suseranos, também só tinham elogios para Smallwood. Persuadido, Jaehaerys concordou, um corvo partiu, e em uma quinzena lorde Myles estava a caminho de Porto Real.

A rainha Alysanne não teve nenhum papel na seleção da Mão do Rei. Enquanto o rei e o conselho deliberavam, Sua Graça ficou ausente de Porto Real depois de voar em Asaprata até Pedra do Dragão para ficar com a irmã e a consolar na dor.

Mas Rhaena Targaryen não era uma mulher fácil de consolar. A perda de tantas amigas e companheiras queridas a fez mergulhar em uma melancolia sombria, e a mera menção do nome de Androw Farman provocava nela ataques de fúria. Em vez de dar boas-vindas à irmã e a qualquer consolo que ela pudesse oferecer, Rhaena tentou mandá-la embora três vezes, chegando ao ponto de gritar com Sua Graça na frente de metade do castelo. Quando a rainha se recusou a ir, Rhaena se recolheu aos seus aposentos e travou a porta, saindo apenas para comer... e cada vez com menos frequência.

Como ficou sozinha, Alysanne Targaryen começou a restaurar uma ordem mínima em Pedra do Dragão. Um novo meistre foi enviado e instalado, um novo capitão foi escolhido para cuidar da guarnição do castelo. A septã Edyth, amada pela rainha, chegou para tomar o lugar da saudosa septã Maryam de Rhaena.

Expulsa pela irmã, Alysanne se voltou para a sobrinha, mas também encontrou raiva e rejeição.

— Que importância tem para mim se estão todas mortas? Ela vai encontrar novas, ela sempre encontra — disse a princesa Aerea para a rainha.

Quando Alysanne tentou contar histórias de sua infância e contou como Rhaena tinha colocado um ovo de dragão em seu berço e cuidado de Alysanne "como se fosse a minha mãe", Aerea disse:

— Ela não me deu ovo, só me deu para outras pessoas e saiu voando para Ilha Bela.

O amor de Alysanne pela filha também provocou a raiva da princesa.

— Por que ela deveria ser rainha? Eu deveria ser rainha, não ela.

Foi nessa hora que finalmente Aerea caiu no choro e suplicou para que Alysanne a levasse para Porto Real.

— A senhorita Elissa disse que me levaria, mas foi embora e me esqueceu. Quero voltar para a corte, com os cantores e bobos e senhores e cavaleiros. Por favor, me leve com você.

Comovida com as lágrimas da menina, a rainha Alysanne só pôde prometer tocar no assunto com a mãe dela. Mas quando Rhaena saiu novamente dos aposentos para fazer uma refeição, ela rejeitou a ideia de cara.

— Você tem tudo e eu não tenho nada. Agora, você também quer levar minha filha. Bom, você não vai tê-la. Você tem meu trono, satisfaça-se com isso.

Naquela mesma noite, Rhaena chamou a princesa Aerea para seus aposentos para repreendê-la, e os sons de mãe e filha gritando uma com a outra ecoaram pelo Tambor de Pedra. A princesa se recusou a falar com a rainha Alysanne depois disso. Limitada em todas as direções, Sua Graça finalmente voltou para Porto Real, para os braços do rei Jaehaerys e para as gargalhadas alegres de sua filha, a princesa Daenerys.

Quando o Ano do Estranho estava perto do fim, a obra no Fosso dos Dragões ficou pronta. O grande domo estava finalmente no lugar, os portões enormes de bronze estavam pendurados, a construção gigantesca dominava a cidade do alto da Colina de Rhaenys, menor apenas que a Fortaleza Vermelha no topo da Colina de Aegon. Para marcar o encerramento da obra e comemorar a chegada da nova Mão, lorde Redwyne propôs ao rei que eles fizessem um grande torneio, o maior e mais grandioso que o reino tinha visto desde o Casamento Dourado.

— Vamos deixar as dores para trás e começar o ano novo com pompa e comemoração — argumentou Redwyne.

As colheitas de outono foram boas, os tributos de lorde Rego estavam gerando um fluxo regular de dinheiro, o comércio estava em crescimento; pagar pelo torneio não seria uma preocupação, e o evento traria milhares de visitantes e suas bolsas para Porto Real. O resto do conselho foi a favor da proposta, e o rei Jaehaerys concordou que um torneio podia realmente dar algo para o povo comemorar "e nos ajudar a esquecer nossos desgostos".

Todos os preparativos foram atrapalhados pela chegada repentina e inesperada de Rhaena Targaryen de Pedra do Dragão. "Pode ser mesmo que os dragões sintam e ecoem o humor de seus passageiros", escreveu o septão Barth, "pois Dreamfyre desceu das nuvens como uma tempestade naquele dia, e Vermithor e Asaprata se ergueram e rugiram para a chegada dela, de uma tal forma que todos nós que vimos e ouvimos ficamos com medo de os dragões estarem prestes a sair voando um para cima do outro com chamas e garras e acabassem atacando uns aos outros como Balerion fez com Mercúrio sob o Olho de Deus."

No fim das contas, os dragões não lutaram, apesar de ter havido muitos chiados e mordidas no ar quando Rhaena pulou de Dreamfyre e entrou na Fortaleza de Maegor, gritando para chamar o irmão e a irmã. A fonte da fúria dela logo foi conhecida. A princesa Aerea tinha sumido. Fugira de Pedra do Dragão ao amanhecer depois de entrar no pátio e reivindicar um dragão para si. E não qualquer dragão.

— *Balerion!* — exclamou Rhaena. — Ela pegou Balerion, a criança louca. Nada de filhote para ela, não, não para ela, ela tinha que pegar o Terror Negro. O dragão de *Maegor*, a fera que matou o pai dela. Por que ele, senão para me fazer sofrer? O que eu dei à luz? A que tipo de animal? Eu pergunto, *o que eu dei à luz*?

— Uma garotinha — disse a rainha Alysanne —, ela é só uma garotinha com raiva.

Mas o septão Barth e o grande meistre Benifer nos contam que Rhaena não pareceu escutar. Ela estava desesperada para saber para onde a "criança louca" tinha fugido. Seu primeiro pensamento foi Porto Real, Aerea estava tão ansiosa para voltar à corte... mas, se ela não estava lá, onde?

— Desconfio que vamos descobrir em pouco tempo — disse o rei Jaehaerys, calmo como sempre. — Balerion é grande demais para ficar escondido ou passar despercebido. E tem um apetite voraz. — Ele se virou para o grande meistre Benifer e mandou que corvos fossem enviados a todos os castelos dos Sete Reinos. — Se algum homem em Westeros vislumbrar Balerion ou minha sobrinha, quero saber imediatamente.

Os corvos partiram, mas não houve notícia da princesa Aerea naquele dia, nem no dia seguinte, nem dois dias depois. Rhaena ficou na Fortaleza Vermelha o tempo todo, às vezes irada, às vezes tremendo, bebendo vinho doce para dormir. A princesa Daenerys ficou com tanto medo da tia que chorava sempre que estava na presença dela. Depois de sete dias, Rhaena declarou que não aguentava mais ficar sem fazer nada.

— Preciso encontrá-la. Se não conseguir encontrá-la, posso pelo menos procurar. — Depois de dizer isso, ela montou em Dreamfyre e partiu.

Não houve notícias da mãe nem da filha durante o que restava daquele ano cruel.

# Jaehaerys e Alysanne
## Triunfos e tragédias

As realizações do rei Jaehaerys I Targaryen são quase numerosas demais para listar. Na opinião da maioria dos historiadores, as mais importantes foram os extensos períodos de paz e prosperidade que marcaram seu tempo no Trono de Ferro. Não se pode dizer que Jaehaerys tenha evitado absolutamente todo conflito, pois tal feito seria impossível para qualquer rei mundano, mas as poucas guerras que ele travou foram breves, bem-sucedidas e combatidas sobretudo no mar ou em território estrangeiro. "É ruim o rei que leva batalha a seus próprios senhores e cobre seu reino de cinzas, sangue e cadáveres", escreveria o septão Barth. "Sua Graça era um homem sábio demais para isso."

Há arquimeistres que divergem quanto aos números, mas o consenso é de que a população de Westeros ao norte de Dorne duplicou durante o reinado do Conciliador, e a de Porto Real quadruplicou. Lannisporto, Vila Gaivota, Valdocaso e Porto Branco também cresceram, ainda que não na mesma proporção.

Como menos homens marchavam para a guerra, havia mais deles para lavrar a terra. Os preços dos grãos caíram continuamente durante todo o reinado, à medida que crescia a área total de terra arada. Os peixes se tornaram consideravelmente mais baratos, até mesmo para o povo comum, já que os vilarejos pesqueiros nos litorais prosperaram e lançaram mais barcos ao mar. Novos pomares surgiram desde a Campina até o Gargalo. Com a expansão dos rebanhos de cordeiro, a carne ganhou em quantidade e a lã, em qualidade. O comércio cresceu dez vezes, apesar das vicissitudes de ventos, intempéries e guerras, e dos transtornos que elas causavam de tempos em tempos. A manufatura também se desenvolveu; ferradores e ferreiros, pedreiros, carpinteiros, moleiros, curtidores, tecelões, forradores, tintureiros, cervejeiros, vinicultores, ourives, padeiros, açougueiros e queijeiros, todas as profissões conheceram uma prosperidade até então inédita a oeste do mar estreito.

Houve, claro, anos bons e ruins, mas pode-se dizer com justiça que, sob o governo de Jaehaerys e sua rainha, a qualidade dos anos bons foi duas vezes maior do que os infortúnios dos anos ruins. Houve tempestades, ventos desfavoráveis e invernos rigorosos, mas, quando hoje olhamos para o passado e contemplamos o reinado do Conciliador, é fácil tomá-lo como um extenso verão, verde e brando.

Pouco disso teria sido percebido pelo próprio Jaehaerys quando os sinos de Porto Real anunciaram o quinquagésimo quinto ano desde a Conquista de Aegon. As feridas provocadas pelo cruel ano anterior, o Ano do Estranho, ainda eram recentes demais...

e rei, rainha e conselho temiam o porvir, enquanto a princesa Aerea e Balerion continuavam desaparecidos e a rainha Rhaena estava ausente, tendo partido à sua procura.

Retirando-se da corte do irmão, Rhaena Targaryen voou primeiro até Vilavelha, na esperança de que a filha rebelde tivesse ido se juntar à irmã gêmea. Tanto o lorde Donnel quanto o alto septão a receberam com cortesia, mas nenhum pôde ajudá-la. A rainha teve chance de visitar por um tempo a filha Rhaella, tão semelhante e ao mesmo tempo tão diferente da irmã, e pode-se acreditar que ela tenha encontrado algum consolo para sua dor. Quando Rhaena expressou remorso por não ter sido uma mãe melhor, a noviça Rhaella a abraçou e disse:

— Eu tive a melhor mãe que qualquer criança poderia desejar, a Mãe no Céu, e você, graças a ela.

Ao sair de Vilavelha, Dreamfyre levou a rainha para o norte, primeiro até Jardim de Cima, depois a Paço de Codorniz e Rochedo Casterly, cujos senhores a haviam acolhido no passado. Nenhum dragão fora avistado, salvo a dela; não se ouvira sequer um suspiro da princesa Aerea. Depois, Rhaena voltou a Ilha Bela, para confrontar mais uma vez o lorde Franklyn Farman. Os anos não haviam amaciado o senhor para com a rainha, nem o tornaram mais sábio quanto à maneira com que ele decidiu se dirigir a ela.

— Eu tinha esperado que a senhora minha irmã pudesse voltar para casa e cumprir com suas obrigações após fugir de você — disse o lorde Franklyn —, mas não tivemos notícia dela, nem de sua filha. Não posso dizer que conheço a princesa, mas eu diria que foi bom para ela ficar longe de você, assim como foi para Ilha Bela. Se ela aparecer aqui, nós a expulsaremos, tal como fizemos com a mãe.

— Você não conhece Aerea, é verdade — respondeu Sua Graça. — Se ela decidir de fato visitar suas areias, senhor, você talvez constate que ela não é tão comedida quanto a mãe. Ah, e boa sorte caso tente "expulsar" o Terror Negro. Balerion saboreou muito seu irmão, e talvez já esteja com vontade de um segundo prato.

Depois de Ilha Bela, os rastros de Rhaena Targaryen se perderam para a história. Ela não voltaria para Porto Real ou Pedra do Dragão durante todo o resto do ano, nem se apresentaria na sede de qualquer outro senhor dos Sete Reinos. Temos relatos fragmentados segundo os quais Dreamfyre teria sido avistada nas terras acidentadas e nas margens do rio Febre, ao norte, e nas Montanhas Vermelhas de Dorne e nos vales do Torrentino, ao sul. Evitando castelos e cidades, Rhaena e sua dragão foram vislumbradas sobrevoando os Dedos e as Montanhas da Lua, as florestas verdes e enevoadas de Cabo da Fúria, as Ilhas Escudo e a Árvore... mas em lugar nenhum ela buscou companhia humana. Explorou apenas os lugares selvagens e solitários, pradarias e campos varridos pelo vento, pântanos lúgubres, penhascos e precipícios e vales montanhosos. Estaria ela ainda em busca de qualquer sinal da filha, ou era apenas a solidão que desejava? Nunca saberemos.

Contudo, sua longa ausência de Porto Real foi benéfica, pois o rei e seu conselho estavam cada vez mais constrangidos com ela. A notícia da confrontação de Rhaena com o lorde Farman em Ilha Bela consternara tanto o rei quanto seus senhores.

— Ela enlouqueceu de falar assim com um senhor no próprio salão dele? — disse o lorde Smallwood. — Fosse comigo, eu teria mandado lhe arrancar a língua.

Ao qual o rei respondeu:

— Espero que o senhor não seja realmente tão insensato. Seja o que for, Rhaena possui o sangue do dragão, e é minha irmã, e a amo.

Cabe destacar que Sua Graça não se opôs à opinião do lorde Smallwood, apenas às suas palavras.

O septão Barth foi quem melhor expressou: "O poder dos Targaryen deriva de seus dragões, essas criaturas temíveis que arrasaram Harrenhal e destruíram dois reis no Campo de Fogo. O rei Jaehaerys sabe disso, assim como sabia seu avô, Aegon; o poder está sempre lá, e também a ameaça. No entanto, Sua Graça também compreende uma verdade que escapa à rainha Rhaena: a ameaça é mais eficaz quando não enunciada. Os senhores do reino são todos homens orgulhosos, e pouco se ganha com sua humilhação. Um rei sábio sempre permitirá que eles preservem sua dignidade. Que eles vejam um dragão, sim. Eles lembrarão. Fale abertamente de queimar seus salões, gabe-se de ter dado seus parentes de comer aos dragões, e conseguirá apenas inflamá-los e conquistar sua hostilidade".

A rainha Alysanne rezava diariamente pela sobrinha Aerea e culpava a si mesma pela fuga da criança... porém culpava mais a irmã. Jaehaerys, que dera pouca atenção a Aerea até mesmo nos anos em que ela fora sua herdeira, agora se arrependia da negligência, mas era Balerion sua maior preocupação, pois ele compreendia muito bem o perigo representado por uma criatura tão poderosa nas mãos de uma menina irritada de treze anos. Nem as viagens infrutíferas de Rhaena Targaryen nem uma tempestade de corvos enviados pelo grande meistre revelaram qualquer informação sobre a princesa ou o dragão, exceto as mentiras, os erros e as sandices de sempre. Com o passar dos dias, e conforme a lua mudava e voltava a mudar, o rei começou a temer que a sobrinha houvesse morrido.

— Balerion é uma criatura obstinada e não pode ser tratado com leviandade — disse ele ao conselho. — Saltar em suas costas, sem nunca ter voado antes, e sair com ele... não para dar voltas no castelo, não, mas para atravessar a água... é provável que ele a tenha derrubado, coitada, e que ela agora repouse no fundo do mar estreito.

O septão Barth não concordava. Ele destacou que dragões não eram criaturas errantes. Geralmente, encontravam algum local abrigado, uma caverna ou ruína ou montanha, e instalavam ali seu ninho, saindo para caçar e depois voltando. Uma vez livre da pessoa em seu dorso, Balerion certamente teria voltado ao covil dele. A hipótese dele era de que, considerando que Balerion não fora avistado em Westeros, a princesa Aerea provavelmente voara com ele para o leste além do mar estreito, até o vasto continente de Essos. A rainha concordava.

— Se a menina estivesse morta, eu saberia. Ela ainda está viva. Tenho certeza.

Todos os agentes e informantes que Rego Draz havia encarregado de rastrear Elissa Farman e os ovos de dragão roubados receberam uma nova missão: encontrar a princesa Aerea e Balerion. Logo começaram a chegar informes de cima a baixo do mar estreito. A maioria se revelou inútil, tal como havia sido com os ovos de dragão; boatos, mentiras e falsos contatos, concebidos com vistas à recompensa. Alguns eram relatos de terceira ou quarta mão, e outros padeciam de tamanha escassez de detalhes que não iam muito além de "Eu talvez tenha visto um dragão. Ou alguma coisa grande, com asas".

O informe mais intrigante veio das colinas de Ândalos ao norte de Pentos, onde pastores relataram, em tom assustado, que havia um monstro à espreita, devorando rebanhos inteiros e deixando para trás apenas ossos ensanguentados. Nem os próprios pastores eram poupados se acontecesse encontrarem a tal criatura, pois o apetite dela de forma alguma se limitava a carne de carneiro. Porém os que tinham visto o monstro de fato não viveram para descrevê-lo... e nenhuma das histórias falava de fogo, do que Jaehaerys inferiu que Balerion não era o responsável. No entanto, para confirmar, ele enviou sor Willam, a Vespa, de sua Guarda Real, à frente de uma dúzia de homens até Pentos, do outro lado do mar estreito, para tentar rastrear essa criatura.

Além desse mesmo mar estreito, sem o conhecimento de Porto Real, os construtores navais de Braavos haviam concluído a construção do navio *Caçador do Sol*, o sonho que Elissa Farman havia comprado com os ovos de dragão roubados. Ao contrário das galés que eram lançadas à água todos os dias no Arsenal de Braavos, este não tinha remos; era uma embarcação feita para águas profundas, não baías e enseadas e águas rasas continentais. Com quatro mastros, ele tinha tantas velas quanto os navios cisnes das Ilhas do Verão, mas de vau mais largo e casco mais profundo, o que lhe permitiria armazenar provisões suficientes para viagens mais longas. Quando um braavosi perguntou se ela pretendia navegar até Yi Ti, a senhora Elissa riu e disse:

— Talvez... mas não pela rota que você imagina.

Na noite anterior ao dia de sua viagem, ela foi chamada ao Palácio do Senhor do Mar, onde ele o brindou com arenque, cerveja e cautela.

— Vá com cuidado, senhora — disse ele —, mas vá. Há homens à sua procura, por todos os cantos do mar estreito. Perguntas são feitas, recompensas são oferecidas. Eu não apreciaria se você fosse encontrada em Braavos. Viemos até aqui para nos libertarmos da antiga Valíria, e seus Targaryen são valirianos até os ossos. Navegue para longe. Navegue rápido.

Enquanto a mulher agora conhecida como Alys Westhill se despedia do Titã de Braavos, a vida em Porto Real seguia como sempre. Sem conseguir encontrar a sobrinha desaparecida, Jaehaerys Targaryen assumiu a mesma postura que viria a

adotar em períodos difíceis e se entregou ao trabalho. No silêncio da biblioteca da Fortaleza Vermelha, o rei começou aquela que seria uma de suas realizações mais importantes. Com o competente auxílio do septão Barth, do grande meistre Benifer, do lorde Albin Massey e da rainha Alysanne — um quarteto que Sua Graça apelidou de "meu conselho menor ainda" —, Jaehaerys se dedicou a codificar, organizar e reformar todas as leis do reino.

A Westeros que Aegon, o Conquistador, havia encontrado consistira em sete reinos de fato, não só de nome, cada um com suas próprias leis, práticas e tradições. E até mesmo dentro desses reinos havia considerável variação entre os lugares. Como viria a dizer o lorde Massey:

— Antes de existirem sete reinos, existiram oito. Antes disso, foram nove, e dez, doze ou trinta, e cada vez mais. Falamos dos Cem Reinos dos Heróis, quando na verdade chegou a haver noventa e sete em certo momento, cento e trinta e dois em outro, e por aí vai, e esse número mudava constantemente conforme guerras eram perdidas e vencidas e filhos se seguiam a pais.

Com frequência, as leis também mudavam. Esse rei era rigoroso, aquele era misericordioso, aquele outro se orientava pelo *Estrela de sete pontas*, e esse outro adotava as leis ancestrais dos Primeiros Homens, e este governava por capricho, e aquele fazia de um jeito quando sóbrio e outro quando bêbado. Depois de milhares de anos, o resultado foi uma salada tão confusa de precedentes contraditórios que cada suserano dotado de poder de justiça (e alguns que não eram) se sentia no direito de decidir como bem desejasse em qualquer caso que lhe fosse apresentado.

Confusão e desordem eram algo que Jaehaerys Targaryen considerava ofensivo, e, com a ajuda de seu "conselho menor", ele começou a "limpar o estábulo".

— Estes Sete Reinos têm um único rei. É hora de eles terem também uma única lei.

Uma obra tão monumental não seria trabalho para apenas um ano, ou dez; o mero esforço de reunir, organizar e estudar as leis existentes demandaria dois anos, e as reformas que se seguiriam continuariam durante décadas. Contudo, foi ali que o Grande Código do septão Barth (que acabaria por contribuir três vezes mais do que qualquer outro aos Livros da Lei resultantes) começou, no ano de outono de 55 DC.

Os esforços do rei continuariam por muitos anos, e os da rainha, por nove fases da lua. Mais cedo naquele mesmo ano, o rei Jaehaerys e os povos de Westeros se encheram de júbilo com a notícia de que a rainha Alysanne estava mais uma vez grávida. A princesa Daenerys também se alegrou, mas declarou firmemente à mãe que queria uma irmã.

— Você já parece uma rainha, impondo a lei — respondeu a mãe, rindo.

Havia muito que casamentos eram o método pelo qual as grandes Casas de Westeros se ligavam, uma forma confiável de estabelecer alianças e encerrar disputas. Tal como as esposas do Conquistador, Alysanne Targaryen também se deleitava em criar essas uniões. Em 55 DC, ela se orgulhou especialmente dos noivados que providenciou para duas das Mulheres Sábias que haviam servido sua família desde Pedra do Dragão: a senhorita Jennis Templeton se casaria com o lorde Mullendore de Terraltas, enquanto a senhorita Prunella Celtigar se tornaria a esposa de Uther Peake, Senhor de Piquestrela, Senhor de Dunstonbury e Senhor de Matabranca. Ambas as uniões foram consideradas excepcionais para as donzelas em questão, e um triunfo para a rainha.

O torneio que o lorde Redwyne havia proposto para comemorar a conclusão do Fosso dos Dragões finalmente foi realizado no meio do ano. Instalaram-se liças nos campos a oeste das muralhas da cidade, entre o Portão do Leão e o Portão do Rei, e dizem que as justas foram especialmente esplêndidas. Sor Robert, o filho mais velho do lorde Redwyne, demonstrou sua habilidade com uma lança contra os melhores que o reino tinha a oferecer, enquanto seu irmão Rickard venceu o torneio de escudeiros e foi armado cavaleiro no campo pelo rei em pessoa, mas os louros do campeão foram para o galante e belo sor Simon Dondarrion de Portonegro, que conquistou o amor do povo e da rainha quando coroou a princesa Daenerys como rainha do amor e da beleza.

Nenhum dragão havia sido instalado ainda no Fosso dos Dragões, então esse edifício colossal foi escolhido para sediar o grande combate corpo a corpo do torneio, um embate tal qual Porto Real nunca vira antes. Setenta e sete cavaleiros participaram, divididos em onze times. Os competidores começaram a cavalo, mas, ao serem desmontados, continuavam a pé, lutando com espada, maça, machado e mangual. Quando dez dos times foram eliminados, os membros sobreviventes do último se voltaram uns contra os outros, até que só restasse um único campeão.

Embora os concorrentes usassem apenas armas de torneio, sem corte, as lutas foram árduas e sangrentas, para o deleite da multidão. Dois homens morreram, e mais de quarenta saíram feridos. A rainha Alysanne, prudente, proibira Jonquil Darke e Tom, o Dedilhador, seus favoritos, de participarem, mas o velho "Barril de Cerveja" foi a campo uma vez mais, sob os urros de aprovação da plateia. Quando ele caiu, o povo se voltou para um novo favorito, o escudeiro promovido sor Harys Hogg, a quem o nome da casa e o elmo em forma de cabeça de porco renderam a alcunha Harry Presunto. Outros nomes notáveis no combate foram sor Adam Bullock, vindo de Pedra do Dragão, sor Borys, sor Garon e sor Ronnal, irmãos de Rogar Baratheon, um cavaleiro andante infame chamado sor Guyle, o Astuto, e sor Alastor Reyne, campeão das terras ocidentais e mestre de armas em Rochedo Casterly. Depois de horas de sangue e atritos, o último homem ainda de pé foi um jovem e robusto cavaleiro das terras fluviais, um brutamontes loiro de ombros largos chamado sor Lucamore Strong.

Pouco após a conclusão do torneio, a rainha Alysanne saiu de Porto Real rumo a Pedra do Dragão, para aguardar o nascimento do filho. A perda do príncipe Aegon depois de apenas três dias de vida ainda afetava profundamente Sua Graça. Em vez de se sujeitar aos rigores da viagem ou às demandas da vida na corte, a rainha buscou a tranquilidade da sede ancestral de sua casa, onde teria poucas obrigações. As septãs Edyth e Lyra permaneceram ao seu lado, junto com uma dúzia de donzelas novas escolhidas dentre cem que desejavam a distinção de servir como damas de companhia da rainha. Foram agraciadas com essa honra duas sobrinhas de Rogar Baratheon, além de filhas e irmãs dos lordes Arryn, Vance, Rowan, Royce e Dondarrion, e até uma mulher do Norte, Mara Manderly, filha do lorde Theomore de Porto Branco. Para alegrar as noites, Sua Graça levou também seu bobo preferido, o Patroa, com suas marionetes.

Na corte, havia quem visse com receio o desejo da rainha de se recolher em Pedra do Dragão. A ilha era úmida e melancólica nos melhores momentos, e, no outono, eram comuns ventos e tempestades fortes. As tragédias recentes só serviram para piorar ainda mais a reputação do castelo, e alguns temiam que os fantasmas das amigas envenenadas de Rhaena Targaryen assombrassem seus salões. A rainha Alysanne descartou essas preocupações como tolices.

— O rei e eu fomos muito felizes em Pedra do Dragão — disse ela aos inseguros. — Não consigo pensar em nenhum lugar melhor para o nascimento de nosso filho.

Havia outra turnê real prevista para 55 DC, agora para as terras ocidentais. Tal como quando estava grávida da princesa Daenerys, a rainha se recusou a deixar que o rei cancelasse ou adiasse a viagem e o mandou ir sozinho. Vermithor o levou por Westeros até Dente Dourado, onde o restante de sua comitiva o alcançou. Dali, Sua Graça visitou Cinzamarca, o Despenhadeiro, Kayce, Castamere, Solar Tarbeck, Lannisporto e Rochedo Casterly, e Paço de Codorniz. Notória exceção foi Ilha Bela. Ao contrário da irmã Rhaena, Jaehaerys Targaryen não era dado a fazer ameaças, mas ele tinha sua própria maneira de expressar desgosto.

O rei voltou do oeste uma fase de lua antes da data prevista para o nascimento, para que pudesse estar ao lado da rainha durante o parto. A criança chegou exatamente quando os meistres disseram que viria; um menino, saudável e de membros perfeitos, com olhos claros como lilás. Seu cabelo, quando cresceu, era claro também, reluzente como ouro branco, uma cor rara até mesmo na antiga Valíria. Jaehaerys o chamou Aemon.

— Daenerys vai ficar brava comigo — disse Alysanne, ao aproximar o pequeno príncipe do peito. — Ela insistiu muito que queria uma irmã.

Jaehaerys riu e respondeu:

— Da próxima vez.

Nessa noite, por sugestão de Alysanne, ele colocou um ovo de dragão no berço do príncipe.

Entusiasmado com a notícia do nascimento do príncipe Aemon, o povo ocupou aos milhares as ruas em torno da Fortaleza Vermelha quando Jaehaerys e Alysanne voltaram a Porto Real uma fase de lua depois, na esperança de captar um vislumbre do novo herdeiro do Trono de Ferro. Ouvindo os cantos e vivas do povo, o rei finalmente subiu à ameia sobre o portão principal do castelo e ergueu o menino por cima da cabeça para que todos vissem. Em seguida, dizem que ecoou um rugido tão alto que daria para escutar desde o outro lado do mar estreito.

Enquanto os Sete Reinos comemoravam, o rei foi informado de que sua irmã Rhaena havia sido vista mais uma vez, agora em Pedraverde, na ancestral sede da Casa Estermont, na ilha Estermonte, nas águas em torno de Cabo da Fúria. Ali ela decidiu permanecer algum tempo. A primeira das favoritas de Rhaena, sua prima Larissa Velaryon, se casara com o segundo filho da Estrela da Tarde de Tarth, como podemos lembrar. Embora seu marido estivesse morto, a senhora Larissa lhe gerara uma filha, que havia pouco tempo se casara com o idoso lorde Estermont. Em vez de continuar em Tarth ou voltar a Derivamarca, a viúva escolhera ficar com a filha em Pedraverde após o casamento. Não há dúvidas de que a presença da senhora Larissa atraiu Rhaena Targaryen a Estermonte, pois a ilha era especialmente desprovida de qualquer outro encanto, um lugar úmido, frio e pobre. Com a filha desaparecida e as amigas e favoritas mais queridas no túmulo, não surpreende que Rhaena tenha buscado consolo em uma companheira da infância.

A rainha teria ficado surpresa (e furiosa) se soubesse que outra antiga favorita sua estava passando perto dali naquele mesmo momento. Depois de parar em Pentos para se abastecer de suprimentos, Alys Westhill havia navegado com seu *Caçador do Sol* até Tyrosh, separada de Estermonte apenas pela faixa mais estreita do mar estreito. A passagem perigosa pelas águas infestadas de piratas nos Degraus a aguardava, e a senhorita Alys estava contratando besteiros e mercenários para garantir a segurança da travessia até o mar aberto, como faziam muitos capitães prudentes. Pelos caprichos dos deuses, no entanto, a rainha Rhaena e sua traidora permaneceram alheias à presença uma da outra, e o *Caçador do Sol* passou pelos Degraus sem incidentes. Alys Westhill dispensou seus mercenários em Lys, renovando o estoque de água e provisões antes de se dirigir para o oeste e zarpar rumo a Vilavelha.

O inverno chegou a Westeros em 56 DC, e com ele vieram notícias sombrias de Essos. Os homens que o rei Jaehaerys tinha enviado para investigar o grande monstro que andava caçando nas colinas ao norte de Pentos estavam todos mortos. O comandante, sor Willam, a Vespa, havia contratado um guia em Pentos, um nativo que dizia saber onde o monstro espreitava. No entanto, ele os levara a uma armadilha, e, em algum lugar nas Colinas de Veludo de Ândalos, sor Willam e seus homens foram atacados por bandidos. Embora eles tivessem oferecido uma resistência digna, os números eram desfavoráveis, e no fim eles foram dominados e mortos. Sor Willam fora o último a cair, pelo que disseram. Sua cabeça havia sido devolvida para um dos agentes do lorde Rego em Pentos.

— Não existe monstro algum — concluiu o septão Barth após ouvir a trágica história. — Só homens roubando ovelhas e espalhando contos para afugentar outros homens.

Myles Smallwood, a Mão do Rei, insistiu que o rei deveria castigar Pentos pela ofensa, mas Jaehaerys não estava disposto a travar uma guerra com uma cidade inteira pelos crimes de alguns bandidos. Então a questão foi abandonada, e o destino de sor Willam, a Vespa, foi registrado no Livro Branco da Guarda Real. Para seu lugar, Jaehaerys concedeu um manto branco a sor Lucamore Strong, o campeão do grande combate corpo a corpo no Fosso dos Dragões.

Os agentes do lorde Rego do outro lado do mar logo mandaram mais notícias. Um informe relatava que um dragão estava sendo exibido nas arenas de Astapor, na Baía dos Escravos, uma fera selvagem com asas cortadas que os comerciantes de escravos punham para lutar contra touros, ursos-da-caverna e bandos de escravos humanos armados com lanças e machados, em meio aos gritos e brados de milhares de pessoas. O septão Barth rechaçou a notícia imediatamente.

— Uma serpe, sem sombra de dúvida — declarou ele. — É muito comum que as serpes de Sothoryos sejam confundidas com dragões por homens que nunca viram um dragão na vida.

Muito mais interessante para o rei e o conselho era o vasto incêndio que havia se alastrado pelas Terras Disputadas uma quinzena antes. Espalhadas por ventos fortes e alimentadas pelo mato seco, as labaredas haviam ardido por três dias e três noites, engolindo meia dúzia de vilarejos e uma companhia livre, os Aventureiros, que se viram presos entre as chamas intensas e um exército tyroshi comandado pelo arconte em pessoa. Muitos haviam preferido morrer nas lanças tyroshis a queimarem vivos. Nenhum homem sobrevivera.

A origem do incêndio era um mistério.

— Um dragão — declarou sor Myles Smallwood. — O que mais poderia ser?

Rego Draz não estava convencido.

— Um raio — sugeriu ele. — Uma fogueira de acampamento. Um bêbado com uma tocha procurando alguma prostituta.

O rei concordou.

— Se isso fosse obra de Balerion, ele certamente teria sido visto.

As chamas de Essos não eram nenhuma preocupação para a mulher que se chamava Alys Westhill em Vilavelha; seus olhos estavam fixos no outro horizonte, nas águas ocidentais açoitadas por tempestades. Seu *Caçador do Sol* havia aportado nos últimos dias do outono, mas permanecia atracado enquanto a senhorita Alys procurava uma tripulação para navegá-lo. Ela estava propondo o que apenas alguns dos marujos mais ousados já haviam se atrevido a tentar antes: navegar para além do pôr do sol em busca de terras inimagináveis, e não queria levar a bordo homens que pudessem fraquejar, amotinar-se e obrigá-la a voltar. Ela procurava homens que partilhassem de seu sonho, e não era fácil encontrar desses, nem mesmo em Vilavelha.

Assim como hoje, naquela época pessoas ignorantes e marinheiros supersticiosos se aferravam à crença de que o mundo era plano e acabava em algum ponto no oeste distante. Algumas pessoas falavam de muralhas de fogo e mares ferventes, outras, de neblinas que se estendiam sem fim, e havia ainda os que citassem os portões do próprio inferno. Homens mais sensatos não se deixavam enganar. O Sol e a Lua eram esféricos, como qualquer um dotado de olhos poderia atestar; a lógica sugeria que o mundo também devia ser uma esfera, e séculos de estudo haviam convencido os arquimeistres do Conclave de que isso estava acima de qualquer dúvida. Os senhores de dragões da Cidade Franca de Valíria também haviam acreditado nisso, assim como os sábios de muitas terras distantes, de Qarth e Yi Ti até a ilha de Leng.

O mesmo consenso não valia quanto ao tamanho do mundo. Até mesmo entre os arquimeistres da Cidadela, essa questão era marcada por profundas divisões. Alguns acreditavam que o Mar do Poente era tão vasto que nenhum homem jamais conseguiria transpô-lo. Outros defendiam que ele talvez não fosse mais largo que a faixa do Mar do Verão entre a Árvore e Grande Moraq; uma distância tremenda, claro, mas algo que um capitão audacioso poderia navegar, com o navio certo. Uma rota ocidental até as sedas e especiarias de Yi Ti e Leng proporcionaria riquezas incalculáveis ao homem que a descobrisse... se a esfera do mundo fosse tão pequena quanto sugeriam esses sábios.

Alys Westhill não acreditava que fosse. Os escassos registros por escrito que ela deixou para trás indicam que até mesmo durante a infância Elissa Farman estava convencida de que o mundo era "muito maior e muito mais estranho do que os meistres imaginam". Não era seu o sonho de mercadores de chegar a Ulthos e Asshai por uma rota ao oeste. Sua visão era mais ousada. Ela acreditava que, entre Westeros e o litoral oriental de Essos e Ulthos, existiam outras terras e outros mares esperando para serem descobertos: outra Essos, outra Sothoryos, outra Westeros. Seus sonhos eram cheios de rios intransponíveis e planícies varridas pelo vento e montanhas colossais cujos ombros tocavam as nuvens, de ilhas verdejantes sob o sol, de feras estranhas que homem algum jamais domara e frutos curiosos que homem algum jamais provara, de cidades douradas brilhando sob estrelas desconhecidas.

Ela não foi a primeira a ter esse sonho. Milhares de anos antes da Conquista, quando os Reis do Inverno ainda governavam o Norte, Brandon, o Construtor Naval, havia formado uma frota inteira de navios para atravessar o Mar do Poente. Ele os liderou para o oeste pessoalmente e nunca mais voltou. Seu filho e herdeiro, também Brandon, ateou fogo aos estaleiros onde eles foram construídos e para sempre se tornou conhecido como Brandon, o Incendiário. Mil anos depois, homens de ferro que haviam zarpado de Grande Wyk foram desviados pelo vento e deram com um grupo de ilhas pedregosas a oito dias de viagem a noroeste de qualquer terra conhecida. O capitão erigiu ali uma torre e um farol, assumiu o nome de Farwynd e chamou sua sede de Luz Solitária. Seus descendentes ainda residiam lá, agarrados às rochas onde, para cada homem, havia cinquenta focas. Até mesmo os outros homens de ferro consideravam os Farwynd loucos; alguns os chamavam de homens-foca.

Brandon, o Construtor Naval e os homens de ferro depois dele haviam navegado os mares do norte, onde monstruosas lulas-gigantes, dragões marinhos e leviatãs grandes como ilhas nadavam por águas frias e cinzentas, e as brumas gélidas ocultavam montanhas flutuantes feitas de gelo. Alys Westhill não pretendia viajar pelo mesmo rumo. Ela levaria seu *Caçador do Sol* por uma rota mais ao sul, em busca de águas azuis quentes e dos ventos constantes que ela acreditava que a levariam ao outro lado do Mar do Poente. Mas antes precisava de uma tripulação.

Alguns homens riram, enquanto outros a chamaram de louca ou cuspiram insultos em sua cara.

— Feras estranhas, sim — disse um capitão rival a ela —, e é muito provável que você vá acabar na barriga de uma.

No entanto, uma porção considerável do ouro que o Senhor do Mar havia pagado por seus ovos de dragão roubados repousava em segurança nos cofres do Banco de Ferro de Braavos, e, com o apoio de tamanha riqueza, a senhorita Alys pôde tentar marinheiros com soldos três vezes maiores do que outros capitães conseguiam oferecer. Aos poucos, ela começou a reunir braços dispostos.

Inevitavelmente, notícias sobre seus esforços chamaram a atenção do Senhor da Torralta. Eustace e Norman, netos do lorde Donnel e marinheiros de boa reputação, foram enviados para interrogá-la... e agrilhoá-la, se considerassem prudente. Porém, ambos se uniram a ela, oferecendo suas próprias embarcações e tripulações para a missão. Depois disso, outros marinheiros se atropelaram para se juntar à tripulação dela. Se os Hightower estavam indo, havia fortunas à vista. O *Caçador do Sol* saiu de Vilavelha no vigésimo terceiro dia da terceira lua de 56 DC, partindo pela Enseada dos Murmúrios rumo ao mar aberto acompanhado do *Lua de Outono* de sor Norman Hightower e do *Senhora Meredith* de sor Eustace Hightower.

A saída aconteceu no último minuto... pois notícias de Alys Westhill e sua busca desesperada por uma tripulação finalmente haviam chegado a Porto Real. O rei Jaehaerys desvendou imediatamente a farsa do nome falso da senhorita Elissa e logo enviou corvos ao lorde Donnel em Vilavelha, ordenando que ele apreendesse a mulher e a mandasse para a Fortaleza Vermelha, para ser interrogada. Entretanto, os pássaros chegaram tarde demais... ou talvez, como ainda há quem sugira, Donnel, o Moroso, protelou de novo. Para não sofrer a ira do rei, sua senhoria enviou uma dúzia de seus próprios navios mais rápidos em perseguição a Alys Westhill e seus netos, mas cada um deles voltou ao porto derrotado. O mar é vasto e os navios, pequenos, e nenhuma das embarcações do lorde Donnel se equiparava à velocidade do *Caçador do Sol* quando o vento enchia suas velas.

Quando a notícia de sua fuga chegou à Fortaleza Vermelha, o rei ponderou longamente se ele mesmo devia perseguir Elissa Farman. Nenhum navio é capaz de viajar tão rápido quanto o voo de um dragão, pensou ele; talvez Vermithor pudesse ter mais sucesso do que os navios do lorde Hightower. No entanto, a mera noção apavorou a rainha Alysanne. Ela destacou que nem mesmo dragões são capazes de permanecer no ar para sempre, e os mapas existentes do Mar do Poente não revelavam nenhuma ilha ou rocha para proporcionar descanso. O grande meistre Benifer e o septão Barth concordaram, e, diante da oposição deles, Sua Graça relutou, mas acabou por descartar a ideia.

O décimo terceiro dia da quarta lua de 56 DC amanheceu frio e cinzento, com um vento agressivo soprando do leste. Documentos da corte nos indicam que Jaehaerys I Targaryen tomou o desjejum com um emissário do Banco de Ferro de Braavos, que havia chegado para receber o pagamento anual do empréstimo da Coroa. Foi uma reunião tensa. Elissa Farman continuava muito presente nos pensamentos do rei, e ele sabia com certeza que seu *Caçador do Sol* fora construído em Braavos. Sua Graça exigiu saber se o Banco de Ferro havia financiado a construção do navio, e se a instituição tinha algum conhecimento a respeito dos ovos de dragão roubados. O banqueiro, no que lhe tocava, negou tudo.

Em outro local na Fortaleza Vermelha, a rainha Alysanne passava a manhã com os filhos; a princesa Daenerys finalmente havia se afeiçoado ao irmão, mas ainda desejava uma irmãzinha. O septão Barth estava na biblioteca, e o grande meistre Benifer, no viveiro. Do outro lado da cidade, o lorde Corbray fazia uma inspeção na Caserna Leste da Patrulha da Cidade, enquanto Rego Draz entretinha uma jovem de virtude discutível em sua mansão sob o Fosso dos Dragões.

Todos eles se lembrariam do que estavam fazendo quando ouviram o toque de um berrante ecoar pelo ar da manhã.

— O som correu pela minha espinha como uma faca fria — diria a rainha mais tarde —, mas eu não saberia dizer por quê.

Em uma torre de vigia solitária acima das águas da Baía da Água Negra, um guarda havia captado um vislumbre de asas escuras ao longe e soara o alarme. Ele soprou o berrante de novo, quando as asas cresceram, e uma terceira vez, quando viu o dragão claramente, negro diante das nuvens.

Balerion havia voltado a Porto Real.

Haviam se passado longos anos desde que o Terror Negro fora visto pela última vez no céu acima da cidade, e a imagem encheu de terror o coração de muitos portorrealenses, incertos se de alguma forma Maegor, o Cruel, havia regressado do túmulo para montá-lo uma vez mais. Infelizmente, a pessoa que se pendurava em seu pescoço não era um rei morto, mas uma criança moribunda.

A sombra de Balerion correu pelos pátios e salões da Fortaleza Vermelha quando ele desceu, soprando o ar com suas asas imensas, até pousar no pátio interno diante da Fortaleza de Maegor. Mal ele tocara o solo, a princesa Aerea caiu de suas costas. Até mesmo para aqueles que melhor a conheceram em seus anos na corte, a menina estava quase irreconhecível. Ela se encontrava em tal estado de nudez que não chegava a fazer mais diferença, suas roupas meros trapos em farrapos que se dependuravam de seus braços e pernas. Seu cabelo estava embolado e imundo, seus membros, finos como gravetos.

— Por favor! — exclamou ela aos cavaleiros e escudeiros e criados que a viram descer. Depois, quando todos correram em sua direção, ela disse: — Eu nunca... — e desfaleceu.

Sor Lucamore Strong estava em seu posto na ponte sobre o fosso seco que cercava a Fortaleza de Maegor. Afastando os outros curiosos, ele ergueu a princesa nos braços e a levou pelo castelo até o grande meistre Benifer. Mais tarde, ele diria para qualquer um que quisesse escutar que a menina estava corada e ardendo de febre, a pele tão quente que ele conseguia sentir até mesmo pelas placas esmaltadas de sua armadura. O cavaleiro afirmou que ela tinha também sangue nos olhos, e que havia "alguma coisa dentro dela, alguma coisa que se mexia e a fazia tremer e se debater nos meus braços". (Porém ele não falou isso por muito tempo. No dia seguinte, o rei Jaehaerys mandou buscá-lo e ordenou que ele não comentasse mais sobre a princesa.)

O rei e a rainha foram chamados imediatamente, mas, quando chegaram aos aposentos do meistre, Benifer lhes negou a entrada.

— Vocês não querem vê-la assim — explicou-lhes ele —, e seria uma irresponsabilidade de minha parte permitir que se aproximassem.

Guardas foram posicionados na porta para impedir a entrada de criados também. Apenas o septão Barth pôde entrar, para ministrar os ritos finais. Benifer fez o possível pela princesa enferma, dando-lhe leite de papoula e mergulhando-a em uma banheira de gelo para baixar a febre, mas seus esforços foram em vão. Enquanto centenas de pessoas lotavam o septo da Fortaleza Vermelha para rezar por ela, Jaehaerys e Alysanne guardaram vigília diante da porta do meistre. O sol havia se posto e a hora do morcego se aproximava quando Barth saiu para anunciar que Aerea Targaryen estava morta.

A princesa foi entregue às chamas no dia seguinte, ao amanhecer, o corpo envolto em linho branco fino dos pés à cabeça. Em confidência aos filhos, o lorde Redwyne disse que o grande meistre Benifer, que a havia preparado para a pira funerária, também parecia meio morto. O rei anunciou que sua sobrinha havia sucumbido a uma febre e pediu que o reino rezasse por ela. Porto Real guardou luto por alguns dias antes de a vida retomar o rumo normal, e foi esse o fim da história.

Contudo, o mistério perdurou. Até hoje, depois de séculos, ainda não conseguimos nos aproximar da verdade.

Mais de quarenta homens serviram o Trono de Ferro na posição de grande meistre. Seus diários, registros e calendários, suas cartas e memórias são os melhores documentos de que dispomos para os acontecimentos que eles testemunharam, mas nem todos apresentaram o mesmo nível de diligência. Enquanto alguns nos deixaram volumes de cartas cheias de palavras vazias, jamais omitindo o que o rei comeu no jantar (e se ele gostou), outros não redigiram mais que meia dúzia de missivas por ano. Nesse aspecto, Benifer ocupa quase o topo da lista, e suas cartas e memórias nos fornecem registros detalhados de tudo o que ele viu, fez e presenciou enquanto permaneceu a serviço do rei Jaehaerys e de seu tio e antecessor, Maegor. Contudo, em todos os escritos de Benifer, não há uma palavra sequer que trate do retorno de Aerea Targaryen e seu dragão roubado a Porto Real, nem da morte da jovem princesa. Felizmente, o septão Barth não era tão reticente, e é aos relatos dele que agora devemos recorrer.

Barth escreveu: "Passaram-se três dias desde que a princesa faleceu, e não dormi ainda. Não sei se algum dia poderei dormir de novo. A Mãe é misericordiosa, sempre acreditei nisso, e o Pai do Céu julga cada homem com justiça... mas não houve misericórdia nem justiça no que acometeu nossa pobre princesa. Como os deuses poderiam ser tão cegos ou indiferentes para permitir tal horror? Ou é possível que existam outras divindades neste universo, deuses malignos e monstruosos como os que os sacerdotes de R'hllor pregam, diante de cuja malícia os reis dos homens e os deuses dos homens nada mais são que moscas?

"Não sei. Não quero saber. Se com isso eu sou um septão sem fé, então que seja. O grande meistre Benifer e eu decidimos não contar a ninguém tudo o que vimos e vivemos dentro de seus aposentos enquanto aquela pobre criança perecia... nem ao rei, nem à rainha, nem à mãe da criança, nem mesmo aos arquimeistres da Cidadela... mas as memórias se recusam a me abandonar, então as registrarei aqui. Talvez seja possível que, quando elas forem encontradas e lidas, os homens já tenham adquirido uma compreensão maior de tais males.

"Contamos ao mundo que a princesa Aerea morreu de febre, e isso é vagamente verdadeiro, mas foi uma febre tal qual eu nunca tinha visto antes e espero jamais voltar a ver. A menina estava *queimando*. Sua pele estava corada, vermelha, e, quando coloquei a mão em sua testa para atestar quão quente ela estava, foi como se eu tivesse tocado uma panela de óleo fervente. Quase não havia carne sobre seus ossos, tal era o estado de esqualidez e fome que ela aparentava, mas pudemos observar certos... inchaços... dentro dela, conforme sua pele se inflava e voltava a retrair, como se... não, não como se, pois esta era a verdade... havia *coisas* dentro dela, coisas vivas, se mexendo e retorcendo, talvez procurando alguma forma de sair, e provocando tanta dor à menina que nem o leite de papoula proporcionava trégua. Dissemos ao rei, tal como certamente diremos à mãe dela, que Aerea nunca falou, mas é mentira. Rezo para que eu não tarde a esquecer algumas das coisas que ela murmurou através de seus lábios rachados e ensanguentados. Não consigo esquecer a frequência com que ela suplicou pela morte.

"Todas as artes do meistre foram impotentes contra sua febre, se de fato podemos atribuir a tal horror um nome tão comum. A maneira mais simples de dizer é que a coitada estava cozinhando por dentro. Sua pele se escureceu mais e mais e começou a rachar, até se tornar algo que lembrava apenas, que os Sete me salvem, torresmo. Finos tentáculos de fumaça emergiram da boca, do nariz e até mesmo, obscenamente, de seus lábios inferiores. A essa altura, ela já havia parado de falar, embora as coisas dentro dela continuassem a se mexer. Seus olhos cozinharam dentro do crânio e finalmente estouraram, como dois ovos esquecidos dentro de uma panela de água fervente.

"Achei que essa foi a visão mais pavorosa que eu jamais contemplaria, mas logo fui corrigido de tal ideia, pois um horror pior me aguardava. Foi quando Benifer e eu depositamos a coitada dentro de uma banheira e a cobrimos de gelo. Repito para mim mesmo que o choque dessa imersão parou seu coração imediatamente... nesse caso, foi uma misericórdia, pois foi nesse momento que as coisas dentro dela saíram...

"As coisas... a Mãe tenha misericórdia, não sei como falar delas... eram... minhocas com rostos... cobras com mãos... coisas retorcidas, viscosas, impronunciáveis que pareciam se revolver e pulsar e revirar ao irromper da pele dela. Algumas eram menores que meu dedo mindinho, mas uma tinha no mínimo o tamanho do meu braço... ah, o Guerreiro me proteja, os *sons* que elas faziam...

"Mas elas morreram. Preciso me lembrar disso, me aferrar a isso. O que quer que tenham sido, eram criaturas de calor e fogo e não, elas não apreciavam o gelo. Uma após a outra, elas se debateram e reviraram e morreram diante dos meus olhos, graças aos Sete. Não me aventurarei a lhes dar nomes... eram horrores."

A primeira parte do relato do septão Barth termina aqui. Porém, alguns dias mais tarde, ele voltou e continuou:

"A princesa Aerea se foi, mas não foi esquecida. Os fiéis rezam por sua bela alma todas as manhãs e todas as noites. Do lado de fora dos septos, as mesmas perguntas residem em todos os lábios. A princesa passou mais de um ano desaparecida. Para onde ela teria ido? O que teria acontecido com ela? O que a trouxe de volta? Balerion era o monstro que se acreditava que assolava as Colinas de Veludo de Ândalos? Suas chamas começaram o incêndio que se alastrou pelas Terras Disputadas? Teria o Terror Negro voado até Astapor para ser o 'dragão' na arena? Não, não e não. Essas são fábulas.

"No entanto, se descartarmos tais distrações, o mistério permanece. Aonde Aerea Targaryen foi após fugir de Pedra do Dragão? No começo, a rainha Rhaena imaginou que ela teria voado para Porto Real; a princesa nunca escondera sua vontade de voltar à corte. Quando essa hipótese foi refutada, Rhaena considerou em seguida Ilha Bela e Vilavelha. Ambas faziam certo sentido, mas Aerea não se encontrava em nenhum dos dois lugares, nem em algum ponto de Westeros. Outras pessoas, incluindo a rainha e eu, deduziram a partir disso que a princesa havia voado para o leste, não o oeste, e que estaria em algum lugar de Essos. Era possível que a menina tivesse acreditado que as Cidades Livres estariam longe do alcance de sua mãe, e a rainha Alysanne, especialmente, parecia convencida de que Aerea estava fugindo tanto da mãe quanto de Pedra do Dragão. Contudo, os agentes e informantes do lorde Rego não encontraram nenhum sinal dela do outro lado do mar estreito... nem sequer um vestígio sobre seu dragão. Por quê?

"Embora eu não possa fornecer prova definitiva, posso sugerir uma resposta. Acredito que todos tenhamos feito a pergunta errada. Ainda faltava bastante para o

décimo terceiro dia do nome de Aerea Targaryen na manhã em que ela escapuliu do castelo da mãe. Ainda que não desconhecesse dragões, ela nunca havia voado com um antes... e, por motivos que talvez jamais compreendamos, ela escolheu Balerion como sua montaria, em vez de qualquer um dos dragões mais jovens e tratáveis que poderia ter adotado. Movida por seus conflitos com a mãe, talvez ela apenas quisesse uma criatura maior e mais temível do que a Dreamfyre da rainha Rhaena. Ou tenha sido um desejo de domar o monstro que havia matado seu pai e a dragão dele (embora a princesa Aerea nunca tenha conhecido o pai, e seja difícil saber quais seriam seus sentimentos a respeito dele e de sua morte). Quaisquer que tenham sido seus motivos, a escolha foi feita.

"A princesa talvez tivesse mesmo pretendido voar até Porto Real, tal como sua mãe havia desconfiado. Ou tivesse pensado em ir até a irmã gêmea em Vilavelha, ou em procurar a senhora Elissa Farman, que prometera levá-la em suas aventuras. Quaisquer que tenham sido seus planos, não eram importantes. Uma coisa é saltar sobre um dragão e outra muito diferente é dobrá-lo à vontade do domador, especialmente uma criatura tão antiga e feroz quanto o Terror Negro. Desde o início, perguntamos: *Aonde Aerea levou Balerion?* Devíamos ter perguntado: *Aonde Balerion levou Aerea?*

"Só uma resposta faz sentido. O leitor há de se lembrar que Balerion era o maior e *mais velho* dos três dragões que o rei Aegon e suas irmãs montaram em sua conquista. Vhagar e Meraxes haviam nascido em Pedra do Dragão. Apenas Balerion viera à ilha com Aenar, o Exilado, e Daenys, a Sonhadora, o dragão mais jovem dos cinco que eles haviam trazido. Os mais velhos morreram nos anos subsequentes, mas Balerion sobreviveu, cada vez maior, mais feroz, mais obstinado. Se ignorarmos as histórias acerca de certos feiticeiros e charlatães (com razão), talvez ele seja a única criatura viva no mundo que tenha conhecido Valíria antes da Destruição.

"E foi até lá que ele levou a pobre e malfadada criança agarrada ao seu dorso. Eu ficaria extremamente surpreso se ela foi por vontade própria, mas Aerea não possuía conhecimento nem força de vontade para fazê-lo voltar.

"O que a acometeu em Valíria, não posso saber. Considerando as condições em que voltou para nós, eu sequer me disponho a contemplar. Os valirianos eram mais do que senhores dos dragões. Eles praticavam magia de sangue e outras artes obscuras, mergulhando a fundo na terra em busca de segredos que melhor seria se permanecessem enterrados, e distorcendo as carnes de animais e homens para formar quimeras monstruosas e antinaturais. Por esses pecados, a ira dos deuses os arrasou. Valíria é uma terra amaldiçoada, todos sabem, e até mesmo o marinheiro mais audacioso se mantém longe de sua carcaça fumegante... mas seria um erro acreditar que nada vive ali hoje. As coisas que encontramos dentro de Aerea Targaryen vivem lá hoje, creio eu... assim como outros horrores tais que sequer sou capaz de imaginar. Escrevi aqui extensamente sobre a morte da princesa, mas há algo mais, algo ainda mais assustador, que demanda atenção:

"*Balerion também tinha ferimentos.* Aquela criatura monstruosa, o Terror Negro, o dragão mais temível que jamais voara pelos céus de Westeros, voltou a Porto Real com feridas parcialmente cicatrizadas que ninguém se lembrava de jamais ter visto, e um rasgo de quase três metros de comprimento ao longo do lado esquerdo de seu corpo, uma ferida vermelha enorme de onde ainda pingava sangue, quente e fumegante.

"Os senhores de Westeros são homens de orgulho, e os septões da Fé e os meistres da Cidadela são ainda mais orgulhosos, a seu próprio modo, mas ainda há muito acerca da natureza do mundo que não compreendemos, e que talvez nunca venhamos a compreender. Talvez isso seja uma bênção. O Pai fez com que o homem fosse curioso, e alguns dizem que é para testar nossa fé. Eu mesmo sou culpado do persistente pecado de, ao me ver diante de uma porta, sentir a necessidade de descobrir o que se encontra do outro lado, mas é melhor que algumas portas permaneçam fechadas. Aerea Targaryen passou por uma dessas portas."

O relato do septão Barth termina aqui. Ele nunca mais voltaria a abordar a sina da princesa Aerea em outros escritos, e até mesmo essas palavras viriam a ser guardadas junto com seus documentos pessoais, que permaneceriam ocultos por quase cem anos. Entretanto, os horrores que ele havia presenciado o afetaram profundamente, estimulando aquela fome de conhecimento que ele chamou de "persistente pecado". Foi depois disso que Barth começaria as pesquisas e investigações que por fim o levariam a escrever *Dragões, cocatrizes e serpes: Uma história antinatural*, um volume que a Cidadela condenaria como "provocador, mas impreciso" e que Baelor, o Abençoado, daria ordem para que fosse proibido e destruído.

É provável que o septão Barth tenha tratado suas suspeitas também com o rei. Embora a questão jamais tenha sido apresentada ao pequeno conselho, ainda naquele ano Jaehaerys publicou um decreto real que proibia que qualquer navio suspeito de ter visitado as ilhas valirianas ou navegado pelo Mar Fumegante atracasse em qualquer porto ou cais dos Sete Reinos. E os súditos do rei também estavam proibidos de visitar Valíria, sob pena de morte.

Não muito depois de Balerion, vieram os primeiros dragões Targaryen a se abrigar no Fosso dos Dragões. Os longos túneis revestidos de tijolos, escavados nas profundezas da colina, haviam sido construídos de modo a se assemelhar a cavernas e eram cinco vezes maiores que os covis de Pedra do Dragão. Três dragões mais jovens logo se juntaram ao Terror Negro sob a Colina de Rhaenys, enquanto Vermithor e Asaprata continuaram na Fortaleza Vermelha, perto de seus mestres. Para garantir que não se repetisse algo como a fuga da princesa Aerea com Balerion, o rei determinou que todos os dragões deveriam ficar sob guarda dia e noite, onde quer que estivessem abrigados. Foi criada uma nova ordem de guardas para esse fim: os Guardiões de Dragão, setenta e sete homens com armaduras negras reluzentes, cujos elmos eram decorados por uma fileira de escamas de dragão no topo que desciam, cada vez menores, pela parte de trás.

Pouco há que dizer da volta de Rhaena Targaryen de Estermonte após a morte da filha. Quando o corvo alcançou Sua Graça em Pedraverde, a princesa já estava morta e queimada. Apenas cinzas e ossos restavam para sua mãe quando Dreamfyre a levou até a Fortaleza Vermelha.

— Parece que estou condenada a sempre chegar tarde demais — disse ela. Quando o rei ofereceu sepultar as cinzas em Pedra do Dragão, ao lado das do rei Aegon e dos outros mortos da Casa Targaryen, Rhaena recusou. — Ela odiava Pedra do Dragão — lembrou Sua Graça. — Ela queria voar. — E, após dizer isso, ela levou as cinzas da menina ao céu com Dreamfyre e as dispersou pelos ventos.

Foi um período melancólico. Jaehaerys disse à irmã que Pedra do Dragão ainda era sua, caso ela quisesse, mas Rhaena também recusou.

— Não há mais nada ali para mim além de dor e fantasmas.

Quando Alysanne perguntou se ela voltaria a Pedraverde, Rhaena balançou a cabeça.

— Ali também tem um fantasma. É um fantasma mais gentil, mas não menos triste.

O rei sugeriu que ela ficasse com eles na corte, chegando até a oferecer um posto em seu pequeno conselho. Isso fez sua irmã rir.

— Ah, irmão, tão gentil, receio que você não gostaria de nenhum conselho que eu pudesse dar.

Então a rainha Alysanne pegou a mão da irmã e disse:

— Você ainda é uma mulher jovem. Se quiser, podemos encontrar algum senhor bondoso e gentil que teria tanto afeto por você quanto nós. Você poderia ter mais filhos.

Isso só serviu para produzir um esgar nos lábios de Rhaena. Ela recolheu a mão com rispidez e respondeu:

— Meu último marido eu dei de comer à minha dragão. Se você me fizer casar com outro, talvez eu mesma o coma.

O lugar onde o rei Jaehaerys acabou por estabelecer a irmã Rhaena talvez fosse o mais improvável de todos: Harrenhal. Jordan Towers, um dos últimos senhores a permanecer leal a Maegor, o Cruel, havia morrido de congestão do peito, e a vasta ruína do Harren Negro fora transmitida a seu último filho sobrevivente, batizado em homenagem ao falecido rei. Como todos os irmãos mais velhos dele haviam morrido nas guerras do rei Maegor, Maegor Towers era o último de sua linhagem, e um homem enfermiço e pobre. No castelo, construído para abrigar milhares de pessoas, Towers morava sozinho com apenas um cozinheiro e três homens de armas idosos.

— O castelo tem cinco torres colossais — destacou o rei —, e o rapaz Towers ocupa parte de uma. Você pode ficar com as outras quatro.

Rhaena achou graça.

— Uma basta, com certeza. Meu séquito é menor que o dele.

Quando Alysanne lhe lembrou que também se dizia que Harrenhal possuía fantasmas, Rhaena encolheu os ombros.

— Não são meus fantasmas. Não vão me incomodar.

E assim foi que Rhaena Targaryen, filha de um rei, esposa de dois, irmã de um terceiro, passou os últimos anos de sua vida na torre que recebeu o pertinente nome de Torre da Viúva de Harrenhal, enquanto do outro lado do pátio do castelo um jovem enfermiço com o mesmo nome do rei que matara o pai das filhas dela mantinha seu próprio séquito na Torre do Terror. Curiosamente, ao que consta, com o tempo Rhaena e Maegor Towers vieram a forjar uma espécie de amizade. Quando ele morreu, em 61 DC, Rhaena incorporou seus criados e os manteve até sua própria morte.

Rhaena Targaryen morreu em 73 DC, aos cinquenta anos. Após a morte de sua filha Aerea, ela nunca mais voltou a Porto Real ou Pedra do Dragão, nem desempenhou qualquer função na administração do reino, embora tenha voado até Vilavelha uma vez por ano para visitar sua outra filha, Rhaella, uma septã do Septo Estrelado. Seus cabelos de ouro e prata ficaram brancos perto do fim, e o povo das terras fluviais a temia como se fosse uma bruxa. Naqueles anos, viajantes que aparecessem diante dos portões de Harrenhal na esperança de conseguir alguma hospitalidade recebiam pão e sal e o privilégio de se abrigar por uma noite, mas não a honra da companhia da rainha. Os que tinham sorte diziam ter captado um vislumbre dela nas ameias do castelo, ou visto quando ela chegava ou saía com sua dragão, pois Rhaena continuou voando com Dreamfyre até o fim, tal como voara no começo.

Quando ela morreu, o rei Jaehaerys determinou que fosse queimada em Harrenhal, e que suas cinzas fossem sepultadas ali.

— Meu irmão Aegon morreu pelas mãos de nosso tio na batalha sob o Olho de Deus — disse Sua Graça diante da pira funerária. — A esposa dele, minha irmã Rhaena, não foi à batalha com ele, mas também morreu naquele dia.

Com a morte de Rhaena, Jaehaerys concedeu Harrenhal e todas as terras e rendimentos a sor Bywin Strong, irmão de sor Lucamore Strong da Guarda Real e também um renomado cavaleiro.

Contudo, nós nos adiantamos décadas em nossa história, pois o Estranho só veio buscar Rhaena Targaryen em 73 DC, e muito mais aconteceria em Porto Real e nos Sete Reinos de Westeros antes disso, para o bem e para o mal.

Em 57 DC, Jaehaerys e sua rainha tiveram causa de júbilo mais uma vez quando os deuses os abençoaram com mais um filho. Baelon, foi o nome que recebeu, em homenagem a um dos senhores Targaryen que haviam regido Pedra do Dragão antes da Conquista, também ele um segundo filho. Ainda que menor que o irmão Aemon ao nascer, o novo bebê era mais barulhento e esfomeado, e suas amas de leite reclamavam que nunca tinham visto uma criança sugar com tanta força. Apenas dois dias antes de ele nascer, os corvos brancos haviam voado da Cidadela para anunciar a chegada da primavera, então Baelon foi chamado imediatamente de Príncipe da Primavera.

O príncipe Aemon tinha dois anos quando seu irmão nasceu, e a princesa Daenerys, quatro. Os dois eram muito diferentes. A princesa era uma criança animada e risonha que passava dias e noites correndo pela Fortaleza Vermelha, "voando" para todo canto em um dragão de cabo de vassoura que tinha se tornado seu brinquedo preferido. Suja de lama e mato, ela era um suplício tanto para a mãe quanto para as criadas, pois elas viviam perdendo-a de vista. O príncipe Aemon, por sua vez, era um menino muito sério, cauteloso, atento e obediente. Embora ainda não soubesse ler, adorava que lessem para ele, e a rainha Alysanne, rindo, costumava dizer que as primeiras palavras dele tinham sido "Por quê?".

Conforme as crianças cresciam, o grande meistre Benifer as observava atentamente. As feridas causadas pela inimizade entre os filhos do Conquistador, Aenys e Maegor, continuavam vívidas na mente de muitos dos senhores mais velhos, e Benifer receava que os dois meninos pudessem também se voltar um contra o outro e banhar o reino em sangue. Ele não precisava ter se preocupado. Salvo gêmeos, talvez, não havia irmãos mais próximos que os filhos de Jaehaerys Targaryen. Desde que tinha idade para andar, Baelon seguia o irmão Aemon por todas as partes e tentava ao máximo imitá-lo em tudo. Quando Aemon recebeu sua primeira espada de madeira para começar o treinamento nas armas, Baelon foi considerado jovem demais para participar também, mas isso não o impediu. Ele fez sua própria espada com um graveto e correu para o pátio mesmo assim para começar a atacar o irmão, restando ao impotente mestre de armas dar gargalhadas.

Desde então, Baelon ia para todos os lados com seu graveto-espada, inclusive para a cama, para desespero da mãe e das criadas. Benifer observou que, a princípio, o príncipe Aemon era tímido perto dos dragões, mas não Baelon, que supostamente teria batido no focinho de Balerion quando entrou no Fosso dos Dragões pela primeira vez.

— Aquele ali é valente ou maluco — comentou o velho Sam Azedo, e a partir daquele dia o Príncipe da Primavera se tornou conhecido também como Baelon, o Valente.

Os jovens príncipes amavam loucamente a irmã, qualquer um podia ver, e Daenerys adorava os meninos, "especialmente lhes dar ordens". Entretanto, o grande meistre Benifer reparou em algo mais. Jaehaerys tinha um intenso amor por todos os três filhos, mas, desde o instante em que Aemon nasceu, o rei começou a se referir a ele como seu herdeiro, para o descontentamento da rainha Alysanne.

— Daenerys é mais velha — dizia ela a Sua Graça. — É a primeira na linha de sucessão, devia ser ela a rainha.

O rei nunca discordava, salvo para dizer:

— Ela será a rainha, quando ela e Aemon se casarem. Eles vão governar juntos, como nós dois.

Mas Benifer registraria em suas cartas que a rainha não ficou totalmente satisfeita com as palavras do rei.

Voltando mais uma vez a 57 DC, esse foi o ano também em que Jaehaerys dispensou o lorde Myles Smallwood do posto de Mão do Rei. Embora não houvesse dúvidas quanto à sua lealdade, e suas boas intenções, o senhor se revelara inadequado para o pequeno conselho. Como ele mesmo viria a dizer, "fui feito para me sentar em um cavalo, não em uma almofada". Sua Graça, um rei mais velho e sábio, disse então ao conselho que não pretendia desperdiçar uma quinzena analisando dezenas de nomes. Dessa vez, ele teria a Mão que queria: o septão Barth. Quando o lorde Corbray lembrou ao rei a ascendência popular de Barth, Jaehaerys ignorou as ressalvas.

— Se o pai dele marretava espadas e ferrava cavalos, que seja. Um cavaleiro precisa de espada, um cavalo precisa de ferraduras, e eu preciso de Barth.

Dias após a nomeação, a nova Mão do Rei zarpou para Braavos a fim de conferenciar com o Senhor do Mar e o Banco de Ferro. Ele foi acompanhado de sor Gyles Morrigen e seis guardas, mas apenas o septão Barth participou das conversas. O propósito de sua missão era sério: guerra ou paz. Como disse Barth ao Senhor do Mar, o rei Jaehaerys nutria grande admiração pela cidade de Braavos; fora por esse motivo que Sua Graça não havia ido em pessoa, ciente do passado infeliz da Cidade Livre com Valíria e seus senhores dos dragões. Contudo, se sua Mão não pudesse resolver a questão pendente de forma amigável, o rei seria obrigado a vir pessoalmente com Vermithor para o que Barth descreveu como "discussões vigorosas". Quando o Senhor do Mar perguntou qual seria essa questão pendente, o septão lhe deu um sorriso triste e respondeu:

— É assim que vamos proceder? Estamos falando de três ovos. Preciso dizer mais?

— Não admito nada — disse o Senhor do Mar. — Porém, se eu estivesse de posse desses ovos, seria apenas porque os comprei.

— De uma ladra.

— Como provar isso? Essa ladra foi capturada, julgada, condenada? Braavos é uma cidade de leis. Quem é o legítimo proprietário desses ovos? É possível apresentar prova de posse?

— Sua Graça pode mostrar prova de dragões.

Com isso, o Senhor do Mar sorriu.

— A ameaça velada. Seu rei é muito habilidoso nisso. Mais forte que o pai, mais sutil que o tio. Sim, eu sei o que Jaehaerys poderia fazer conosco, se quisesse. Os braavosis têm boa memória, e nós nos lembramos dos senhores dos dragões de antigamente. Contudo, existem certas coisas que poderíamos fazer com seu rei também. Devo listá-las? Ou você prefere uma ameaça velada?

— Como bem lhe aprouver.

— Como queira. Seu rei pode transformar minha cidade em cinzas, não duvido. Dezenas de milhares morreriam com as chamas dos dragões. Homens, mulheres e crianças. Não tenho o poder de infligir tamanha destruição em Westeros. Quaisquer mercenários que eu contratasse fugiriam diante de seus cavaleiros. Minhas frotas poderiam varrer as suas do mar por um tempo, mas meus navios são feitos de madeira, e madeira queima. No entanto, aqui nesta cidade existe certa... guilda, digamos assim... cujos integrantes são muito competentes em sua profissão. Eles não poderiam destruir Porto Real, nem encher suas ruas de cadáveres. Mas poderiam matar... alguns. Alguns *seletos*.

— Sua Graça tem a proteção da Guarda Real dia e noite.

— Cavaleiros, sim. Tal como o homem que o aguarda lá fora. Se é que ele continua aguardando. O que você diria se eu lhe falasse que sor Gyles já está morto? — Quando o septão Barth começou a se levantar, o Senhor do Mar gesticulou para que ele se sentasse de novo. — Não, por favor, não precisa sair correndo. Eu disse *e se*. Cheguei a considerar. Como eu disse, eles são *muito* habilidosos. No entanto, se eu tivesse feito isso, você talvez reagisse de forma insensata, e então muitas outras pessoas boas morreriam. Não é o que desejo. Ameaças me incomodam. Os westerosis podem ser guerreiros, mas nós, braavosis, somos negociantes. Vamos negociar.

O septão Barth voltou a se sentar.

— O que você oferece?

— Não tenho esses ovos, claro — disse o Senhor do Mar. — Você não pode provar o contrário. Contudo, se eu *tivesse*... bom, enquanto não chocarem, eles não passam de pedras. Seu rei me privaria de três pedras bonitas? Agora, se eu tivesse três... galinhas, sua preocupação seria compreensível. Mas eu realmente admiro seu Jaehaerys. Ele é muito melhor que o tio, e Braavos não gostaria de vê-lo tão infeliz. Então, em vez de pedras, permita-me oferecer... ouro.

E assim começou a verdadeira negociação.

Até hoje ainda há aqueles que insistem que o Senhor do Mar fez o septão Barth de tolo, que mentiu, enganou e humilhou a Mão. Esses destacam o fato de que ele voltou a Porto Real sem um único ovo de dragão. O que é verdade.

No entanto, o que ele trouxe de volta não tinha um valor insignificante. A pedido do Senhor do Mar, o Banco de Ferro de Braavos perdoou todo o restante do empréstimo que fora concedido ao Trono de Ferro. De repente, a dívida da Coroa fora reduzida à metade.

— E tudo em troca de três pedras — disse Barth ao rei.

— É bom o Senhor do Mar torcer para que elas continuem sendo pedras — disse Jaehaerys. — Se eu ouvir sequer um suspiro de... galinhas... o palácio dele vai ser o primeiro a arder.

O acordo com o Banco de Ferro produziria um grande impacto para todos os povos do reino nos anos e nas décadas seguintes, embora a dimensão total não fosse clara de imediato. Rego Draz, o astuto mestre da moeda do rei, se debruçou cuidadosamente sobre as dívidas e receitas da Coroa após a volta do septão Barth e concluiu que o dinheiro que antes teria sido enviado a Braavos poderia ser aplicado com segurança em um projeto que o rei havia muito desejava realizar em casa: mais aprimoramentos em Porto Real.

Jaehaerys havia alargado e aplainado as ruas da cidade, e instalara calçamento onde antes só havia lama, mas ainda restava muito a fazer. Porto Real, nas circunstâncias da época, não se comparava a Vilavelha, nem sequer a Lannisporto, e muito menos às esplêndidas Cidades Livres do outro lado do mar estreito. O rei estava determinado a mudar isso. Portanto, ele desenvolveu planos para escoadouros e uma rede de esgoto, para levar os dejetos da cidade sob as ruas até o rio.

O septão Barth chamou a atenção do rei para um problema ainda mais urgente: na opinião de muitas pessoas, a água potável de Porto Real só servia para cavalos e porcos. A água do rio era lamacenta, e a nova rede de esgotos do rei em breve pioraria a situação; as águas da Baía da Água Negra eram salobras na melhor das hipóteses, e salgadas na pior. Enquanto o rei, a corte e a aristocracia da cidade bebiam cerveja, hidromel e vinho, para os pobres geralmente as únicas opções eram essas águas imundas. Para resolver o problema, Barth sugeriu cavar poços, alguns dentro dos limites da cidade e outros ao norte, do outro lado das muralhas. Uma série de canos de barro envernizado e túneis levaria a água limpa para a cidade, onde ela seria armazenada em quatro cisternas imensas e disponibilizada para o povo em fontes públicas instaladas em certas praças e encruzilhadas.

Os planos de Barth eram caros, sem dúvida, e Rego Draz e o rei Jaehaerys não queriam arcar com os custos... até que a rainha Alysanne serviu a cada um deles um copo de água do rio na reunião seguinte do conselho e os desafiou a bebê-la. A água não foi bebida, mas os poços e canos foram aprovados rapidamente. A construção levaria mais de doze anos, mas, no fim, "as fontes da rainha" forneceriam água limpa a muitas gerações de portorrealenses.

Haviam se passado alguns anos desde a última turnê do rei, então foi planejada para 58 DC a primeira visita de Jaehaerys e Alysanne a Winterfell e ao Norte. Os dragões deles os acompanhariam, claro, mas, para além do Gargalo, as distâncias eram vastas e as estradas, ruins, e o rei estava cansado de voar à frente do cortejo e ter que esperar até o alcançarem. Dessa vez, ele determinou que sua Guarda Real, os criados e os conselheiros iriam na frente, a fim de preparar tudo para sua chegada. E assim foi que três navios zarparam de Porto Real rumo a Porto Branco, onde ele e a rainha fariam a primeira parada.

Contudo, os deuses e as Cidades Livres tinham outros planos. Enquanto as embarcações do rei navegavam rumo ao norte, emissários de Pentos e Tyrosh fizeram uma visita a Sua Graça na Fortaleza Vermelha. Fazia três anos que as duas cidades estavam em guerra, e agora elas desejavam a paz, mas não conseguiam chegar a um acordo quanto ao local do encontro para tratar das condições. O conflito causara sérios problemas ao comércio no mar estreito, a tal ponto que o rei Jaehaerys oferecera às duas cidades ajuda para cessar as hostilidades. Após longa discussão, o Arconte de

Tyrosh e o Príncipe de Pentos aceitaram se encontrar em Porto Real para resolver suas diferenças, desde que Jaehaerys atuasse como mediador e garantisse os termos de qualquer tratado que fosse firmado.

Era uma proposta que o rei e o conselho acreditavam que não podia ser recusada, mas isso significaria que a turnê prevista de Sua Graça ao Norte teria que ser adiada, e havia receios de que o Senhor de Winterfell, notoriamente melindroso, fosse se sentir ofendido. A rainha Alysanne deu a solução. Ela iria na frente, conforme planejado, sozinha, enquanto o rei recebia o príncipe e o arconte. Jaehaerys poderia se juntar a ela em Winterfell assim que fosse alcançada a paz. E assim se determinou.

As viagens da rainha Alysanne começaram na cidade de Porto Branco, onde dezenas de milhares de nortenhos saíram para recebê-la com vivas e fitar Asaprata com admiração e um toque de terror. Era a primeira vez que qualquer um ali via um dragão. O tamanho da multidão foi uma surpresa até para o Senhor de Porto Branco.

— Eu não sabia que o povo da cidade era tão grande — teria dito Theomore Manderly. — De onde veio todo mundo?

Os Manderly eram um caso especial entre as grandes casas do Norte. Tendo suas origens na Campina séculos antes, eles haviam se refugiado perto da foz do Faca Branca quando rivais os expulsaram de suas terras férteis à margem do Vago. Embora extremamente leais aos Stark de Winterfell, eles tinham trazido do sul seus próprios deuses e ainda adoravam os Sete e mantinham as tradições da cavalaria. Alysanne Targaryen, sempre interessada em estreitar os laços entre os Sete Reinos, viu uma oportunidade na família notoriamente grande do lorde Theomore e logo tratou de organizar uniões. Quando deixou a cidade, duas de suas damas de companhia já estavam prometidas aos filhos mais jovens de sua senhoria e uma terceira a um sobrinho; enquanto isso, a filha mais velha dele e três sobrinhas haviam se juntado à comitiva da rainha, com planos de viajar com ela ao sul e ali serem oferecidas a senhores e cavaleiros adequados da corte do rei.

O lorde Manderly esbanjou atenções à rainha. No banquete de boas-vindas foi assado um auroque inteiro, e Jessamyn, filha de sua senhoria, cuidou de servir a rainha à mesa, enchendo seu copo com uma cerveja forte local que Sua Graça declarou ser melhor do que qualquer vinho que ela já havia experimentado. Manderly também organizou um pequeno torneio em homenagem à rainha, para exibir as habilidades de seus cavaleiros. Um dos lutadores (ainda que não fosse cavaleiro) se revelou ser uma mulher, uma menina selvagem que fora capturada por patrulheiros ao norte da Muralha e adotada por um dos cavaleiros a serviço do lorde Manderly. Satisfeita com a ousadia da menina, Alysanne chamou seu próprio escudo juramentado, Jonquil Darke, e a selvagem e a Sombra Escarlate duelaram lança contra espada enquanto os homens do Norte davam brados de aprovação.

Alguns dias depois, a rainha realizou sua audiência de mulheres no salão do próprio lorde Manderly, algo até então inédito no Norte, e mais de duzentas mulheres e meninas se reuniram para expressar suas opiniões, queixas e preocupações a Sua Graça.

Depois de sair de Porto Branco, a comitiva da rainha navegou até as corredeiras do Faca Branca, e dali seguiu por terra até Winterfell, enquanto a própria Alysanne voava na frente com Asaprata. As calorosas boas-vindas que tivera em Porto Branco não seriam reproduzidas na ancestral sede dos Reis do Norte, onde Alaric Stark e seus filhos foram os únicos a sair para recebê-la quando sua dragão pousou diante dos portões do castelo. O lorde Alaric tinha uma reputação rigorosa; diziam as pessoas que ele era um homem duro, sério e inclemente, mão-fechada quase ao ponto da sovinice, sem senso de humor, sem alegria, frio. Até mesmo Theomore Manderly, seu vassalo, não discordara; Stark era muito respeitado no Norte, disse ele, mas não era amado. O bobo do lorde Manderly expressara de outra forma.

— Eu acho que o lorde Alaric num alivia as tripa desde que tinha doze anos.

A recepção dela em Winterfell não fez nada para dissipar os receios da rainha quanto ao que ela poderia esperar da Casa Stark. Antes mesmo de desmontar para se ajoelhar, o lorde Alaric lançou um olhar torto para as roupas de Sua Graça e disse:

— Espero que você tenha trazido algo mais quente que isso.

Ele então declarou que não queria a dragão dentro de suas muralhas.

— Não vi Harrenhal, mas sei o que aconteceu lá.

Os cavaleiros e as senhoras seriam recebidos quando chegassem, "e o rei também, se ele conseguir achar o caminho", mas eles não deviam estender a visita.

— Aqui é o Norte, e o inverno está chegando. Não podemos alimentar mil homens por muito tempo.

Quando a rainha assegurou que haveria apenas um décimo dessa quantidade, o lorde Alaric grunhiu e respondeu:

— Que bom. Menos seria melhor ainda.

Confirmando os receios, ele estava nitidamente insatisfeito com o fato de o rei Jaehaerys não ter se dignado a acompanhá-la e confessou não saber ao certo como entreter uma rainha.

— Se você espera bailes e mascaradas e danças, veio ao lugar errado.

O lorde Alaric havia perdido a esposa três anos antes. Quando a rainha disse lamentar nunca ter tido o prazer de conhecer a senhora Stark, o nortenho disse:

— Ela era uma Mormont da Ilha dos Ursos, e nada que você consideraria uma senhora, mas enfrentou uma matilha de lobos com um machado, matou dois e costurou um manto com as peles. Ela também me deu dois filhos fortes, e uma filha tão formosa quanto qualquer uma de suas sulistas.

Quando Sua Graça sugeriu que seria um prazer ajudar a organizar uniões entre os filhos dele e filhas de senhores grandes do sul, o lorde Stark respondeu com uma brusca recusa.

— Nós adoramos os Velhos Deuses no Norte — disse ele à rainha. — Quando meus garotos desposarem uma mulher, eles se casarão diante de uma árvore-coração, não em um septo sulista.

Entretanto, Alysanne Targaryen não se rendia com facilidade. Os senhores do sul também celebravam os Velhos Deuses, além dos Novos, explicou ela ao lorde Alaric; quase todos os castelos que ela conhecia tinham tanto um bosque sagrado quanto um septo. E ainda existiam algumas casas que nunca haviam aceitado os Sete, tal como os nortenhos, incluindo principalmente os Blackwood das terras fluviais, e talvez tivesse mais uma dúzia de outras. Até mesmo um homem sério e rígido como Alaric Stark se viu sem forças diante da simpatia obstinada da rainha Alysanne. Ele concedeu que pensaria no que ela dissera e discutiria a questão com os filhos.

Quanto mais a rainha ficava lá, mais o lorde Alaric se afeiçoava a ela, e, com o tempo, Alysanne veio a perceber que nem tudo do que se falava a seu respeito era verdade. Ele era cuidadoso com o dinheiro, mas não sovina; não era desprovido de humor em absoluto, mas seu humor era afiado, cortante como uma faca; aparentemente, seus filhos, a filha e o povo de Winterfell o amavam bastante. Quando o gelo inicial se desfez, sua senhoria levou a rainha para caçar alces e javalis selvagens na Mata de Lobos, mostrou-lhe os ossos de um gigante e permitiu que ela explorasse à vontade a modesta biblioteca de seu castelo. Ele aceitou inclusive se aproximar de Asaprata, ainda que com cautela. As mulheres de Winterfell também sucumbiram ao encanto da rainha, conforme a conheceram melhor; Sua Graça se afeiçoou especialmente a Alarra, a filha do lorde Alaric. Quando o resto da comitiva da rainha enfim chegou aos portões do castelo, depois de penar em brejos sem trilhas e nevascas de verão, a carne e o hidromel correram livremente, apesar da ausência do rei.

Enquanto isso, a situação não andava tão bem em Porto Real. As discussões de paz se arrastaram por muito mais tempo que o previsto, pois a animosidade entre as duas Cidades Livres era muito mais arraigada do que Jaehaerys imaginara. Quando Sua Graça tentou alcançar um equilíbrio, cada um dos lados o acusou de favorecer o outro. Enquanto o príncipe e o arconte barganhavam, começaram a ocorrer brigas entre os homens deles pela cidade, em estalagens, bordéis e tabernas. Um guarda pentoshi foi atacado e morto, e, três noites depois, a galé do próprio arconte foi incendiada no porto. A viagem do rei foi adiada e adiada.

No Norte, a rainha Alysanne se cansou de esperar e decidiu sair de Winterfell por um tempo e visitar os homens da Patrulha da Noite em Castelo Negro. A distância não era insignificante, nem mesmo voando; Sua Graça pousou na Última Lareira e em algumas fortificações menores ao longo do caminho, para a surpresa e alegria de seus senhores, enquanto uma porção de sua comitiva corria atrás dela (o restante permaneceu em Winterfell).

Mais tarde, Sua Graça diria ao rei que seu primeiro contato com a Muralha vista do alto foi de tirar o fôlego. Houve certo receio quanto à recepção que a rainha teria em Castelo Negro, visto que muitos dos irmãos negros haviam sido Pobres Irmãos ou Filhos do Guerreiro antes da dissolução das duas ordens, mas o senhor Stark enviou corvos com antecedência para avisá-los de sua ida, e o senhor comandante da Patrulha da Noite, Lothor Burley, reuniu oitocentos de seus melhores homens para recebê-la. Naquela noite, os irmãos negros ofereceram à rainha um banquete de carne de mamute, hidromel e cerveja escura.

Ao amanhecer, no dia seguinte, o lorde Burley levou Sua Graça ao topo da Muralha.

— Aqui termina o mundo — disse ele, indicando a vastidão verde da floresta assombrada do outro lado. Burley se desculpou pela qualidade da comida e da bebida oferecidas à rainha, e das acomodações rústicas em Castelo Negro. — Fazemos o possível, Majestade — explicou o senhor comandante —, mas nossas camas são duras, nossos salões são frios, e nossa comida...

— ... é nutritiva — concluiu a rainha. — E isso é tudo o que eu peço. Ficarei feliz de comer o mesmo que vocês.

Os homens da Patrulha da Noite ficaram tão fascinados pela dragão da rainha quanto o povo de Porto Branco, embora a rainha mesmo tenha observado que Asaprata "não gosta desta Muralha". Mesmo que fosse verão e a Muralha chorasse, o frio do gelo ainda se fazia sentir sempre que o vento soprava, e a cada rajada a dragão sibilava e mordia o ar. "Três vezes voei com Asaprata muito acima de Castelo Negro, e três vezes tentei levá-la para o norte além da Muralha", escreveu Alysanne para Jaehaerys, "mas em todas ela se virou para o sul de novo e se negou a ir. Ela nunca se negara a me levar aonde eu queria ir. Dei risada quando voltei a descer, para que os irmãos negros não percebessem que havia algo errado, mas aquilo me perturbou na ocasião, e ainda me perturba."

Em Castelo Negro, a rainha viu selvagens pela primeira vez. Um bando tinha sido capturado não muito tempo antes tentando escalar a Muralha, e uma dúzia de sobreviventes maltrapilhos da luta havia sido presa em jaulas para que ela inspecionasse. Quando Sua Graça perguntou o que seria feito deles, informaram-lhe que eles perderiam as orelhas antes de serem soltos ao norte da Muralha.

— Todos menos aqueles três — disse seu acompanhante, apontando para três prisioneiros que já haviam perdido as orelhas. — Aqueles três vão perder a cabeça. Eles já foram pegos uma vez. — Se os outros forem sensatos, explicou ele à rainha, aprenderiam a lição com a perda das orelhas e continuariam do seu lado da Muralha. — Mas a maioria não aprende — acrescentou ele.

Três dos irmãos tinham sido cantores antes de tomar o negro, e eles se revezaram tocando para Sua Graça à noite, deleitando-a com baladas, hinos marciais e desbocadas canções de caserna. O próprio senhor comandante Burley levou a rainha para a floresta assombrada (escoltados por cem patrulheiros a cavalo). Quando Alysanne expressou sua vontade de ver alguns dos outros fortes ao longo da Muralha, o primeiro patrulheiro Benton Glover a conduziu a oeste sobre a Muralha, passando pelo Portão da Neve até Fortenoite, onde eles desceram e passaram a noite. O trajeto, a rainha considerou uma viagem das mais estarrecedoras que já fizera, "tão estimulante quanto fria, e o vento lá em cima soprava com tanta força que era um medo meu que ele estivesse a ponto de nos jogar para fora da Muralha". Quanto a Fortenoite, ela achou sombrio e sinistro. "É tão imenso que os homens parecem pequenos dentro dele, como ratos em um salão arruinado", revelou ela a Jaehaerys, "e há uma escuridão lá... um sabor no ar... Fiquei feliz de sair daquele lugar."

Não se pense que os dias e as noites da rainha em Castelo Negro foram ocupados totalmente com tais atividades ociosas. Como lembrou ao lorde Burley, ela estava lá em nome do Trono de Ferro, e muitas tardes foram passadas com ele e seus oficiais para tratar dos selvagens, da Muralha e das necessidades da Patrulha.

— Acima de tudo, uma rainha precisa saber escutar — dizia Alysanne Targaryen com frequência.

Em Castelo Negro, ela deu prova dessas palavras. Escutou, ouviu e conquistou a eterna devoção dos homens da Patrulha da Noite por meio de suas ações. Ao lorde Burley, ela explicou que compreendia a necessidade de um castelo entre Portão da Neve e Marcagelo, mas Fortenoite estava se desintegrando, grande demais, e certamente era desastroso no calor. A Patrulha precisava abandoná-lo, disse ela, e construir um castelo menor mais ao leste. O lorde Burley não podia discordar... mas a Patrulha da Noite não dispunha de fundos para construir castelos novos, explicou ele. Alysanne havia previsto essa objeção. Ela respondeu ao senhor comandante que pagaria pessoalmente pelo castelo e ofereceu suas joias para cobrir o custo.

— Tenho muitas joias — disse ela.

O castelo novo levaria oito anos para ser construído e receberia o nome de Lago Profundo. Do lado de fora do salão principal, até hoje existe uma estátua de Alysanne Targaryen. Fortenoite foi abandonado antes mesmo da conclusão de Lago Profundo, tal como a rainha desejara. Também em sua homenagem, o senhor comandante Burley rebatizou o castelo Portão da Neve como Portão da Rainha.

A rainha Alysanne também queria ouvir as mulheres do Norte. Quando o lorde Burley explicou que não havia mulheres na Muralha, ela persistiu... até, com grande relutância, ele dar ordem para levarem-na até um vilarejo ao sul da Muralha que os irmãos negros chamavam de Vila Toupeira. Ela encontraria mulheres ali, explicou sua senhoria, embora fossem, em sua maioria, prostitutas. Os homens da Patrulha da Noite não tinham esposas, explicou ele, mas continuavam sendo homens, e alguns tinham certas necessidades. A rainha Alysanne disse que não se importava, e foi assim que ela realizou sua audiência de mulheres em meio às prostitutas e meretrizes de Vila Toupeira... e ali escutou certos relatos que mudariam para sempre os Sete Reinos.

Em Porto Real, o Arconte de Tyrosh, o Príncipe de Pentos e Jaehaerys I Targaryen de Westeros finalmente selaram um "Tratado de Paz Eterna". O fato de se haver obtido um pacto já foi considerado uma espécie de milagre, em grande parte graças à sutil

insinuação do rei de que até Westeros poderia entrar na guerra se não se chegasse a algum acordo. (Os resultados se revelariam ainda menos positivos que as negociações. Ao voltar a Tyrosh, o arconte teria dito que Porto Real era uma "pústula fétida" que não merecia ser chamada de cidade, enquanto os magísteres de Pentos ficaram tão insatisfeitos com os termos que sacrificaram o príncipe a seus deuses peculiares, tal qual o costume naquela cidade.) Foi só então que o rei Jaehaerys pôde voar para o Norte com Vermithor. Ele e a rainha se reencontraram em Winterfell, depois de quase meio ano afastados.

A estadia do rei em Winterfell começou com um tom agourento. Ao chegar, Sua Graça foi conduzida por Alaric Stark às criptas sob o castelo para ver o túmulo do irmão dele.

— Walton repousa aqui embaixo na escuridão em grande parte graças a você. Estrelas e Espadas, o refugo de seus sete deuses, o que são eles para nós? No entanto, você os enviou para a Muralha, às centenas, aos milhares, tantos que a Patrulha da Noite teve dificuldade de alimentá-los... e, quando os piores deles se rebelaram, os perjuros que você nos enviou, meu irmão pagou com a vida para derrubá-los.

— Um preço terrível — concordou o rei —, mas nunca foi nossa intenção. Eu lhe ofereço meu pesar, senhor, e minha gratidão.

— Eu preferiria ter meu irmão — respondeu o lorde Alaric, com um tom grave.

O lorde Stark e o rei Jaehaerys jamais seriam bons amigos; a sombra de Walton Stark para sempre pairaria entre eles. Foi somente graças aos ofícios da rainha Alysanne que eles encontraram algum entendimento. A rainha tinha visitado a Dádiva de Brandon, as terras ao sul da Muralha que Brandon, o Construtor, concedera à Patrulha da Noite para prover apoio e subsistência.

— Não é suficiente — disse ela ao rei. — O solo é raso e pedregoso, e as colinas, desabitadas. A Patrulha carece de dinheiro, e, quando o inverno chegar, também vai carecer de comida.

A resposta que ela propunha era uma Nova Dádiva, mais uma porção de terra ao sul da Dádiva de Brandon.

A ideia não agradou o lorde Alaric; embora tivesse forte amizade com a Patrulha da Noite, ele sabia que os senhores que no momento detinham as terras em questão não aceitariam que elas fossem cedidas sem sua permissão.

— Não tenho dúvida de que o senhor conseguirá convencê-los, lorde Alaric — disse a rainha. E por fim, encantado como nunca por ela, Alaric Stark respondeu que sim, ele conseguiria. E foi assim que a Dádiva dobrou de tamanho de repente.

Pouco mais resta a dizer do período que a rainha Alysanne e o rei Jaehaerys passaram no Norte. Após mais uma quinzena em Winterfell, eles seguiram para Praça de Torrhen e, dali, para Vila Acidentada, onde o lorde Dustin lhes mostrou o monte dos Primeiros Homens e organizou um pequeno torneio em homenagem a eles, embora fosse um evento pobre em comparação com os torneios do sul. Dali, Vermithor e

Asaprata levaram Jaehaerys e Alysanne de volta a Porto Real. Os homens e as mulheres de sua comitiva tiveram uma viagem mais árdua, seguindo por terra de Vila Acidentada até Porto Branco e lá embarcando para a capital.

Antes mesmo de os outros chegarem a Porto Branco, o rei Jaehaerys convocara seu conselho na Fortaleza Vermelha para tratar de uma petição da rainha. Quando o septão Barth, o grande meistre Benifer e os demais estavam reunidos, Alysanne lhes contou de sua visita à Muralha e do dia que ela passara com prostitutas e mulheres da vida em Vila Toupeira.

— Havia uma menina ali — disse a rainha —, não mais velha do que eu agora. Uma menina bonita, mas não creio que tão bonita quanto já havia sido. Seu pai era ferreiro e, quando ela era uma donzela de catorze anos, deu sua mão em casamento para seu aprendiz. Ela gostava do rapaz, e ele dela, então os dois se casaram propriamente... mas, mal os votos foram ditos, o senhor das terras deles chegou à cerimônia com seus homens de armas para exigir seu direito à primeira noite. Ele a levou para sua torre e a desfrutou, e na manhã seguinte seus homens a devolveram ao marido.

"Mas sua donzelice se perdera, assim como qualquer amor que o aprendiz nutrira por ela. Ele não podia erguer a mão contra o senhor sem arriscar a própria vida, então a ergueu contra a esposa. Quando ficou evidente que ela estava esperando um filho do senhor, ele a espancou até ela o perder. Desde então, ele nunca mais a chamou de nada além de "puta", até que por fim a menina decidiu que, se era para ser chamada de puta, que vivesse como uma, e então ela foi para Vila Toupeira. E ali mora até hoje, uma jovem triste, arruinada... mas, ao mesmo tempo, em outros vilarejos, outras donzelas estão se casando, e outros senhores estão exigindo sua primeira noite.

"A dela foi a pior história, mas não a única. Em Porto Branco, em Vila Toupeira, em Vila Acidentada, outras mulheres falaram também de suas primeiras noites. Eu nunca soube, senhores. Ah, eu conhecia a tradição. Até em Pedra do Dragão existem histórias de homens de minha própria casa, *Targaryen*, que se serviram à vontade de esposas de pescadores e criados, e que geraram filhos nelas..."

— Chamam de sementes de dragão — disse Jaehaerys, com evidente relutância. — Não é objeto de orgulho, mas aconteceu, talvez com mais frequência do que nós gostaríamos de admitir. Mas essas crianças são apreciadas. O próprio Orys Baratheon foi uma semente de dragão, um irmão bastardo de nosso avô. Eu não poderia dizer se ele foi concebido em uma primeira noite, mas o lorde Aerion foi seu pai, isso se sabia bem. Foram dados presentes...

— Presentes? — disse a rainha, com um tom ríspido de desdém. — Não vejo honra nenhuma nisso. Eu sabia que essas coisas aconteciam centenas de anos atrás, admito, mas nunca imaginei que o costume persistisse com tanta força até hoje. Talvez eu não quisesse saber. Fechei meus olhos, mas aquela pobre moça em Vila Toupeira os abriu. *O direito da primeira noite!* É chegado o momento de Vossa Graça e os senhores darem um fim a isto. Eu imploro.

Abateu-se um silêncio após a rainha terminar de falar, conforme nos revela o grande meistre Benifer. Os senhores do pequeno conselho se movimentaram em seus assentos, constrangidos, e trocaram olhares, até que por fim o próprio rei se pronunciou, compreensivo, mas relutante. O que a rainha propunha seria difícil, disse Jaehaerys. Os senhores se tornavam problemáticos quando reis começavam a reivindicar algo que eles consideravam legitimamente seu.

— Terras, ouro, direitos...

— ... esposas? — concluiu Alysanne. — Eu me lembro de nosso casamento, senhor. Se você tivesse sido um ferreiro e eu, uma lavadeira, e algum senhor tivesse vindo me buscar e tomar minha donzelice no dia em que trocamos nossos votos, o que você teria feito?

— Eu o teria matado — disse Jaehaerys —, mas não sou ferreiro.

— *Se*, foi o que eu disse — insistiu a rainha. — Um ferreiro ainda é um homem, não? Que homem além de um covarde aguardaria servilmente enquanto outro homem se aproveita de sua esposa? Não queremos que ferreiros matem senhores, claro. — Ela se voltou para o grande meistre Benifer e disse: — Eu sei como Gargon Qoherys morreu. Gargon, o Convidado. Quantos outros casos como esse já aconteceram, eu me pergunto?

— Mais do que eu gostaria de afirmar — admitiu Benifer. — Não se fala muito deles, por receio de que outros homens decidam fazer o mesmo, mas...

— A primeira noite é uma ofensa contra a Paz do Rei — concluiu a rainha. — Uma ofensa não apenas contra a donzela, mas também contra o marido dela... sem contar a esposa do senhor. O que essas senhoras nobres fazem enquanto seus maridos saem para desvirginar donzelas? Elas cosem? Cantam? Rezam? Se fosse comigo, eu talvez rezasse para o senhor meu marido cair do cavalo e quebrar o pescoço quando estivesse voltando para casa.

O rei Jaehaerys sorriu, mas era evidente que ele estava se sentindo cada vez mais incomodado.

— O direito da primeira noite é ancestral — contestou ele, ainda que sem grande entusiasmo —, tão parte dos poderes do senhor quanto o direito de justiça. Ao que me consta, ele raramente é aplicado ao sul do Gargalo, mas sua existência continuada é uma prerrogativa da aristocracia que alguns de meus súditos mais truculentos detestariam perder. Você não está errada, meu amor, mas às vezes é melhor deixar que um dragão continue adormecido.

— Nós somos os dragões adormecidos — retrucou a rainha. — Esses senhores que adoram suas primeiras noites são cães. Por que eles devem saciar seus desejos com donzelas que acabaram de jurar amor a outros homens? Eles não têm suas próprias esposas? Não existem prostitutas em suas terras? Eles perderam o domínio das mãos?

O juiz lorde Albin Massey então se pronunciou:

— Há mais por trás da primeira noite do que desejo, Vossa Graça. A prática é ancestral, mais antiga que os Ândalos, mais antiga que a Fé. Ela remonta à Era da Aurora, sem dúvida. Os Primeiros Homens eram uma raça brutal e, como os selvagens do outro lado da Muralha, seguiam apenas a força. Seus nobres e reis eram guerreiros, poderosos homens e heróis, e as pessoas queriam que seus filhos fossem iguais. Se um senhor decidisse conceder sua semente a alguma donzela na noite do casamento dela, isso era encarado como... uma espécie de bênção. E, se uma criança fosse gerada no encontro, tanto melhor. O marido então poderia ostentar a honra de criar o filho de um herói como se fosse seu.

— Talvez fosse assim, dez mil anos atrás — respondeu a rainha —, mas os senhores que reivindicam a primeira noite hoje não são heróis. Você não escutou a mulher que falou deles. Eu, sim. Homens velhos, gordos, cruéis, meninos bexiguentos, babões, homens cheios de escaras, cicatrizes, furúnculos, senhores que passam meio ano sem se lavar, homens com cabelos ensebados e piolhos. Esses são seus homens poderosos. Eu escutei aquelas meninas, e nenhuma delas se sentia abençoada.

— Os ândalos nunca praticaram a primeira noite em Ândalos — disse o grande meistre Benifer. — Quando eles vieram a Westeros e varreram os reinos dos Primeiros Homens, encontraram a tradição e decidiram mantê-la, tal como fizeram com os bosques sagrados.

O septão Barth então falou, dirigindo-se ao rei:

— Senhor, se me permite a ousadia, creio que Sua Graça tenha razão aqui. Os Primeiros Homens talvez tenham visto algum propósito nesse ritual, mas os Primeiros Homens lutavam com espadas de bronze e alimentavam seus represeiros com sangue. Não somos aqueles homens, e já passa da hora de darmos um fim a esse mal. Ele se opõe a todos os ideais da cavalaria. Nossos cavaleiros juram proteger a inocência das donzelas... exceto quando o senhor a que eles servem deseja deflorar alguma, aparentemente. Nós juramos nossos votos matrimoniais diante do Pai e da Mãe, prometendo fidelidade até que o Estranho venha nos separar, e em nenhum lugar do *Estrela de sete pontas* se diz que essas promessas não se aplicam aos nobres. Vossa Graça não está errado, alguns certamente vão reclamar, especialmente no Norte... mas todas as donzelas vão nos agradecer, e todos os maridos e pais e mães, tal como a rainha disse. Eu sei que os fiéis apreciarão. Sua Alta Santidade fará sua voz ecoar, tenha certeza.

Quando Barth terminou de falar, Jaehaerys levantou as mãos.

— Eu sei quando estou derrotado. Muito bem. Que se faça.

E assim foi promulgada a segunda das leis que a plebe veio a chamar de Leis da Rainha Alysanne: a abolição do ancestral direito de um senhor à primeira noite. Dali por diante, dizia o decreto, a donzelice da noiva pertenceria apenas ao marido dela, fosse a união realizada diante de um septão ou de uma árvore-coração, e qualquer homem, nobre ou plebeu, que a tomasse na noite do casamento ou em qualquer outra noite seria culpado do crime de estupro.

Conforme o ano 58 após a Conquista de Aegon se aproximava do fim, o rei Jaehaerys comemorou o décimo aniversário de sua coroação no Septo Estrelado de Vilavelha. O menino imaturo que o alto septão havia coroado naquele dia desaparecera; seu lugar fora ocupado por um homem de vinte e quatro anos que era rei até o último fio de cabelo. A barba e o bigode ralos que Sua Graça mantivera no começo de seu reinado se tornaram uma bela barba dourada, entremeada de tons de prata. Seu cabelo longo compunha uma trança grossa que descia quase até a cintura. Alto e belo, Jaehaerys se movimentava com elegância e tranquilidade, fosse em um baile fosse no pátio de treinamento. Seu sorriso, diziam, era capaz de acalentar o coração de qualquer donzela dos Sete Reinos; seu cenho franzido podia gelar o sangue de um homem. Sua irmã era uma rainha ainda mais amada do que ele. "Boa Rainha Alysanne", o povo a chamava, de Vilavelha à Muralha. Os deuses haviam abençoado os dois com três filhos fortes, dois jovens e esplêndidos príncipes e uma princesa que era adorada por todo o reino.

Nessa década de governo, eles tinham vivenciado tristeza e horror, traição e conflito, e a morte de entes queridos, mas resistiram às tempestades e sobreviveram às tragédias e emergiram mais fortes e melhores graças a tudo que haviam suportado. Suas realizações eram inegáveis; os Sete Reinos estavam em paz, e mais prósperos do que qualquer um podia lembrar.

Era uma data a celebrar e celebrada foi, com um torneio em Porto Real no aniversário da coroação do rei. A princesa Daenerys e os príncipes Aemon e Baelon ocuparam o camarote real junto com a mãe e o pai e se deleitaram com os vivas da multidão. No campo, o destaque da competição foi a genialidade de sor Ryam Redwyne, o filho mais jovem do lorde Manfryd Redwyne da Árvore, senhor almirante e mestre dos navios de Jaehaerys. Justa atrás de justa, sor Ryam derrubou Ronnal Baratheon, Arthor Oakheart, Simon Dondarrion, Harys Hogg (Harry Presunto, para a plebe) e dois cavaleiros da Guarda Real, Lorence Roxton e Lucamore Strong. Quando o jovem galante trotou até o camarote real e coroou a Boa Rainha Alysanne como sua rainha do amor e da beleza, o povo deu urros de aprovação.

As folhas das árvores tinham começado a se tornar marrons, alaranjadas e douradas, e as damas da corte trajaram vestidos com os mesmos tons. No banquete que se seguiu ao fim do torneio, o lorde Rogar Baratheon apareceu com os filhos Boremund e Jocelyn, recebidos com carinho pelo rei e pela rainha. Senhores de todo o reino compareceram para os festejos; Lyman Lannister de Rochedo Casterly, Daemon Velaryon de Derivamarca, Prentys Tully de Correrrio, Rodrik Arryn do Vale, e até os lordes Rowan e Oakheart, cujos exércitos haviam marchado com Septão Lua no passado. Theomore Manderly desceu do Norte. Alaric Stark não foi, mas seus filhos, sim, junto com a filha dele, Alarra, corada, para assumir suas novas obrigações como dama de companhia da rainha. O alto septão estava enfermo demais para a viagem, mas enviou sua septã mais nova, Rhaella que fora Targaryen, ainda tímida, mas sorridente. Dizem que a rainha chorou de felicidade ao vê-la, pois tanto o rosto quanto a forma eram idênticos à irmã Aerea, só mais velha.

Foi uma ocasião de abraços calorosos, de sorrisos, de brindes e reconciliações, de renovação de antigas amizades e formação de novas, de risadas e beijos. Foi uma boa ocasião, um outono dourado, uma época de paz e abundância.

Mas o inverno estava chegando.

# O longo reinado Jaehaerys e Alysanne

## Política, progênie e provação

No sétimo dia do ano 59 após a Conquista de Aegon, um navio avariado entrou bambeando pela Enseada dos Murmúrios até o porto de Vilavelha. Suas velas estavam remendadas e puídas e manchadas de sal, a pintura, desbotada e descascando, a bandeira que tremulava no mastro, tão descorada pelo sol a ponto de ser irreconhecível. Foi apenas quando a embarcação atracou no cais que enfim foi reconhecida naquele estado lamentável. Era o *Senhora Meredith*, visto pela última vez saindo de Vilavelha quase três anos antes para atravessar o Mar do Poente.

Quando a tripulação começou a desembarcar, um número sem conta de mercadores, carregadores, prostitutas, marujos e ladrões ficou boquiaberto de choque. Nove de cada dez homens que punham os pés em terra eram negros ou marrons. Ondas de empolgação se espalharam pelo cais. Será que o *Senhora Meredith* havia conseguido atravessar o Mar do Poente? Os povos das fantásticas terras do extremo ocidente tinham a pele tão escura quanto os ilhéus do verão?

Foi apenas quando o próprio sor Eustace Hightower surgiu que os murmúrios se calaram. O neto do lorde Donnel estava esquálido e queimado pelo sol, com rugas no rosto que não existiam antes quando ele zarpara. Junto dele estava um punhado de homens de Vilavelha, tudo o que restava de sua tripulação original. Um dos aduaneiros de seu avô o recebeu no cais, e seguiu-se uma breve conversa. Os tripulantes do *Senhora Meredith* não só pareciam ilhéus do verão; eles *eram* ilhéus do verão, contratados em Sothoryos ("Por um soldo desastroso", reclamou sor Eustace) para substituir os homens que ele havia perdido. O capitão disse que precisaria de carregadores. Seus porões estavam abarrotados de muitas riquezas... mas não das terras além do Mar do Poente.

— Aquilo foi um sonho — disse ele.

Não tardou e apareceram os cavaleiros do lorde Donnel, com ordens para acompanhá-lo até a Torralta. Ali, no alto salão de seu avô, com uma taça de vinho na mão, sor Eustace Hightower contou sua história. Os escribas do lorde Donnel tomavam notas conforme ele falava, e em questão de dias o relato havia se disseminado por toda Westeros, por mensageiro, bardo e corvo.

A viagem tinha começado tão bem quanto se poderia esperar, disse sor Eustace. Depois de passarem da Árvore, a senhorita Westhill dirigira seu *Caçador do Sol* rumo sul-sudoeste, em busca de águas mais quentes e ventos brandos, e o *Senhora Meredith* e o *Lua de Outono* o seguiram. Aquele grande navio braavosi era muito rápido quando o vento enchia suas velas, e os Hightower tiveram dificuldade para manter o ritmo.

— Os Sete estavam sorrindo para nós, no começo. Tínhamos o sol durante o dia e a lua à noite, e os ventos mais bondosos que qualquer homem ou mulher poderia desejar. Não estávamos totalmente sozinhos. Vez ou outra vislumbrávamos alguns pescadores, e uma vez um grande navio escuro que só podia ser um baleeiro de Ib. E peixes, tantos peixes... alguns golfinhos nadavam ao nosso lado, como se nunca tivessem visto um navio antes. Todos acreditávamos que havíamos sido abençoados.

Após doze dias de viagem tranquila desde Westeros, o *Caçador do Sol* e os dois companheiros tinham avançado tão ao sul quanto as Ilhas do Verão, pelos cálculos deles, e mais a oeste do que qualquer navio jamais fora antes... ou pelo menos qualquer navio que voltara para contar a história. No *Senhora Meredith* e no *Lua de Outono*, barris de dourado da Árvore foram abertos para celebrar a conquista; no *Caçador do Sol*, os marujos beberam um vinho doce condimentado de Lannisporto. E, se qualquer um dos homens estava inquieto por não ter visto um pássaro nos últimos quatro dias, ninguém falou nada.

Os deuses odeiam a arrogância do homem, é o que ensinam os septões, e o *Estrela de sete pontas* diz que o orgulho precede a queda. É bem possível que a comemoração de Alys Westhill e dos Hightower tenha sido estrepitosa e prematura demais, lá nas profundezas do oceano, pois, logo depois disso, a grande viagem começou a ir muito, muito mal.

— Perdemos o vento primeiro — disse sor Eustace à corte do avô. — Durante quase uma quinzena, não conseguimos sequer uma brisa, e os navios só avançavam se fosse a reboque. Descobrimos que uma dúzia de caixas de carne no *Lua de Outono* estava cheia de larvas. Não era nada tão grave por si só, mas trazia mau augúrio. O vento finalmente voltou um dia, perto do pôr do sol, quando o céu se tornou vermelho feito sangue, mas a aparência inspirou murmúrios entre os homens. Falei para todos que era um bom presságio, mas era mentira. Antes do amanhecer, as estrelas haviam desaparecido e o vento começou a uivar, e então o mar se ergueu.

Essa foi a primeira tempestade, disse sor Eustace. Houve outra dois dias depois, e uma terceira, e cada uma foi pior que a anterior.

— As ondas eram mais altas que nossos mastros, e trovões ecoavam por todos os lados, e caíam raios como eu jamais vira antes, grandes clarões estrondosos que queimavam os olhos. Um atingiu o *Lua de Outono* e rachou-lhe o mastro do cesto da gávea até o convés. No meio de toda essa loucura, um dos meus homens gritou que tinha visto braços saindo da água, a última coisa que qualquer capitão precisa ouvir. Nós já havíamos perdido o *Caçador do Sol* de vista, e só restavam meu *Senhora* e o *Lua*. O mar lavava nossos conveses a cada sacudida, e homens tombavam pelo costado, agarrando-se em vão às cordas. Vi o *Lua de Outono* naufragar com meus próprios olhos. Em um momento ele estava lá, quebrado e em chamas, mas lá. E então uma onda se ergueu e o engoliu, e pisquei, e ele desapareceu, rápido assim. Foi só isso, uma onda, uma onda monstruosa, mas todos os meus homens gritavam "*Lula-gigante, lula-gigante!*", e nada do que eu falasse jamais os convenceria do contrário.

"Nunca vou saber como sobrevivemos àquela noite, mas sobrevivemos. Na manhã seguinte, o mar estava calmo de novo, o sol brilhava, e a água era tão azul e inocente que ninguém jamais imaginaria que debaixo dela flutuava meu irmão, morto com todos os seus homens. O *Senhora Meredith* se achava em estado lamentável, velas rasgadas, mastros estilhaçados, nove homens desaparecidos. Rezamos orações pelos perdidos e tratamos de fazer os consertos que fossem possíveis... e, naquela tarde, nosso vigia enxergou velas ao longe. Era o *Caçador do Sol*, voltando para nos encontrar."

A senhorita Westhill não tinha apenas sobrevivido à tempestade. Ela encontrara terra. Os ventos e as águas furiosas que haviam separado seu *Caçador do Sol* dos Hightower a levaram para o oeste, e, quando raiou o dia, seu homem no cesto de gávea espiara pássaros contornando um pico de montanha nebuloso no horizonte. A senhorita Alys partiu nessa direção e encontrou três ilhas pequenas.

— Uma montanha acompanhada de duas colinas — foram suas palavras.

O *Senhora Meredith* não estava em condições de navegar, mas, com a ajuda de três botes de reboque do *Caçador do Sol*, conseguiu alcançar a segurança das ilhas.

Os dois navios avariados se abrigaram junto às ilhas por mais de uma quinzena, providenciando reparos e reabastecendo os estoques. A senhorita Alys se sentia triunfante; ali estavam eles, em terra mais a oeste do que qualquer outra terra conhecida, ilhas que não existiam em nenhum mapa de que se tinha notícia. Como eram três, ela as batizou de Aegon, Rhaenys e Visenya. As ilhas não eram habitadas, mas havia nascentes e córregos em abundância, então os navegantes puderam encher seus barris com toda a água doce de que precisavam. Havia porcos selvagens também, e imensos lagartos cinza do tamanho de veados, e árvores carregadas de nozes e frutas.

Após experimentar algumas delas, Eustace Hightower declarou que não era preciso ir mais longe.

— Isto é uma boa descoberta — disse ele. — Temos especiarias aqui que nunca provei antes, e estas frutas rosadas... temos nossa fortuna aqui, em nossas mãos.

Alys Westhill estava incrédula. Três ilhas pequenas, sendo a maior delas um terço do tamanho de Pedra do Dragão, não eram nada. As maravilhas de fato aguardavam mais a oeste. Talvez houvesse outra Essos logo além do horizonte.

— Ou talvez sejam mais mil léguas de oceano vazio — respondeu sor Eustace. E, por mais que a senhorita Alys o bajulasse e suplicasse e tecesse teias de palavras no ar, ela não conseguiu comovê-lo. — Mesmo se eu quisesse, minha tripulação não permitiria — disse ele ao lorde Donnel na Torralta. — Cada um dos homens estava convencido de que eles viram uma lula-gigante colossal arrastar o *Lua de Outono* para as profundezas. Se eu desse ordem para seguirmos viagem, eles teriam me lançado às ondas e arrumado outro capitão.

Então os navegantes se separaram ao deixar as ilhas. O *Senhora Meredith* se dirigiu ao leste para voltar para casa, enquanto Alys Westhill e seu *Caçador do Sol* rumaram para o oeste, caçando o sol. A viagem de volta de sor Eustace se revelaria quase tão perigosa quanto havia sido até então. Viriam mais tempestades para suportar, ainda que nenhuma tão terrível quanto a que tomara o navio de seu irmão. Os ventos prevalecentes eram desfavoráveis, obrigando-os a cambar repetidamente. Eles tinham levado três daqueles grandes lagartos cinzentos a bordo, e um mordeu seu timoneiro, cuja perna ficou verde e teve que ser amputada. Alguns dias depois, eles encontraram um grupo de leviatãs. Um deles, um macho branco enorme maior que um navio, havia batido no *Senhora Meredith* de propósito e rachado o casco. Depois disso, sor Eustace fizera uma mudança de curso, tentando alcançar as Ilhas do Verão, que ele imaginava que seria a terra mais próxima. No entanto, eles estavam mais ao sul do que ele pensara, e o navio acabou passando longe das ilhas, indo aportar na costa de Sothoryos.

— Passamos lá um ano inteiro — disse ele ao avô —, tentando reparar o *Senhora Meredith* o suficiente para poder navegar de novo, pois os danos eram muito mais graves do que tínhamos imaginado. Mas ali também havia fortunas, e não ignoramos isso. Esmeraldas, ouro, especiarias, sim, tudo isso e mais ainda. Criaturas estranhas... macacos que andam feito homens, homens que gritam feito macacos, serpes, basiliscos, cem tipos diferentes de cobras. Todas elas letais. Alguns dos meus homens simplesmente desapareceram da noite para o dia. Os que não sumiram começaram a morrer. Um foi picado por uma mosca, uma alfinetada pequena no pescoço, nada preocupante. Três dias depois, a pele começou a cair, e ele sangrava pelos ouvidos e pelo pau e pelo traseiro. Um homem que bebe água salgada enlouquece, todo marujo sabe disso, mas a água doce daquele lugar não é mais segura. Vermes nadam nela, quase pequenos demais para os olhos verem, e quando alguém os engole eles depositam ovos dentro do corpo. E as febres... praticamente não se passou um dia sem que metade dos meus homens estivesse sem condições de trabalhar. Nós todos teríamos morrido, eu acho, mas fomos socorridos por alguns ilhéus do verão que estavam de passagem. Eles conhecem aquele inferno muito melhor do que aparentam, eu acho. Com a ajuda deles, consegui levar o *Senhora Meredith* até Vila das Árvores Altas, e de lá para casa.

Aí terminou seu relato, e sua grande aventura.

Quanto à senhorita Alys Westhill, nascida Elissa da Casa Farman, não sabemos onde terminou a sua. O *Caçador do Sol* desapareceu no oeste, ainda em busca das terras além do Mar do Poente, e nunca mais foi visto.

Exceto...

Muitos anos depois, Corlys Velaryon, o menino nascido em Derivamarca em 53 DC, levaria seu navio *Serpente Marinha* a nove grandes viagens, navegando mais longe do que qualquer outro homem de Westeros antes dele. Na primeira delas, ele navegou para além dos Portões de Jade, até Yi Ti e a Ilha de Leng, e voltou com tamanha fortuna em especiarias e seda e jade que a Casa Velaryon se tornou, durante algum tempo, a casa mais rica de todos os Sete Reinos. Em sua segunda viagem, sor Corlys navegou ainda mais ao leste e se tornou o primeiro westerosi a alcançar Asshai da Sombra, a sinistra cidade negra dos umbromantes nos limites do mundo. Ali ele perdeu seu amor e metade da tripulação, se as histórias são verdadeiras... e ali também, no porto de Asshai, vislumbrou um navio antigo e muito desgastado que para sempre juraria que só podia ser o *Caçador do Sol*.

Porém, em 59 DC, Corlys Velaryon era um menino de seis anos que sonhava com o mar, então precisamos deixá-lo e voltar uma vez mais ao fim do outono daquele fatídico ano, quando os céus se escureceram, os ventos ganharam força, e o inverno voltou a Westeros.

O longo inverno de 59-60 DC foi excepcionalmente cruel, todos que sobreviveram concordam. O Norte foi o primeiro a ser atingido, e o que sofreu o golpe mais forte, quando plantações morreram nos campos, rios congelaram e ventos ferozes uivaram acima da Muralha. Embora o lorde Alaric Stark tenha dado ordem para que metade de toda colheita fosse preservada e separada com vistas ao inverno que se aproximava, nem todos os seus vassalos obedeceram. Quando as despensas e os celeiros se esvaziaram, a fome se alastrou pela terra, e os velhos se despediram de seus filhos e saíram para a neve a fim de morrer para que seus descendentes pudessem sobreviver. Colheitas fracassaram também nas terras fluviais, nas terras ocidentais e no Vale, e até na Campina. Quem tinha comida começou a estocá-la, e por todos os Sete Reinos o preço do pão começou a subir. O preço da carne subiu mais rápido ainda, e em cidades e vilarejos as frutas e hortaliças praticamente desapareceram.

E então vieram os Arrepios, e o Estranho vagou pela terra.

Os meistres conheciam os Arrepios. Eles já tinham visto algo semelhante, um século antes, e a progressão da praga foi registrada em seus livros. Acreditava-se que ela viera a Westeros pelo mar, de uma das Cidades Livres ou de terras ainda mais distantes. Cidades portuárias e vilarejos costeiros eram sempre os primeiros a sentir a mão da doença, e com mais força. Grande parte do povo comum acreditava que ela era disseminada por ratos; não os ratos cinzentos com que Porto Real e Vilavelha já estavam acostumados, grandes e atrevidos e ferozes, mas os ratos pretos menores que se viam fugindo dos porões de navios atracados e descendo pelas cordas que os prendiam. Embora a Cidadela nunca tenha obtido prova satisfatória da culpa dos ratos, de repente todas as casas nos Sete Reinos, desde o castelo mais grandioso até a choupana mais humilde, passaram a precisar de um gato. Antes de a epidemia dos Arrepios se esgotar naquele inverno, filhotes de gato chegavam a custar tanto quanto bucéfalos.

Os sinais da doença eram bem conhecidos. Ela começava de forma bastante simples, com uma friagem. As vítimas se queixavam de frio, jogavam mais lenha na lareira, enrolavam-se em um cobertor ou sob um monte de peles. Algumas pediam sopa quente, vinho com especiarias ou, curiosamente, cerveja. Nem os cobertores nem as sopas eram capazes de conter a evolução da pestilência. Logo começavam os tremores; brandos, no início, um estremecimento, mas se agravavam inexoravelmente. Calafrios subiam e desciam pelos membros da vítima como exércitos conquistadores. A essa altura, o enfermo tremia com tamanha violência que os dentes batiam, e as mãos e os pés começavam a se convulsionar e se debater. Quando os lábios da vítima ficavam azuis e ela começava a tossir sangue, o fim estava próximo. A partir da primeira sensação de friagem, os Arrepios agiam com rapidez. A morte ocorria em um dia, e apenas uma vítima em cinco se recuperava.

Tudo isso os meistres sabiam. O que eles não sabiam era de onde vinham os Arrepios, como contê-los, ou como curá-los. Tentou-se usar cataplasmas e poções. Foram sugeridas mostardas quentes e pimentas-dragão, e vinho temperado com veneno de cobra que embotava os lábios. Os enfermos eram mergulhados em bacias de água quente, algumas aquecidas quase até o ponto de fervura. Diziam que verduras tinham poder curativo; depois foi peixe cru; e carne vermelha, quanto mais sangrenta, melhor. Alguns curandeiros dispensaram a carne e aconselharam seus pacientes a beber sangue. Tentaram-se diversas fumaças e inalações de folhas queimadas. Um senhor deu ordem para que seus homens fizessem fogueiras em volta dele e se cercou de muralhas de fogo.

No inverno de 59 DC, os Arrepios chegaram pelo leste e avançaram pela Baía da Água Negra e corrente acima na Torrente da Água Negra. Antes mesmo de Porto Real, as ilhas perto das terras da coroa sentiram a friagem. Edwell Celtigar, que ocupara o posto de Mão de Maegor e fora amplamente detestado como mestre da moeda, foi o primeiro nobre a morrer. Seu filho e herdeiro o seguiu ao túmulo três dias depois. O lorde Staunton morreu em Pouso de Gralhas, e também sua esposa. Os filhos deles, assustados, se trancaram dentro do quarto e bloquearam as portas, mas isso não os salvou. Em Pedra do Dragão, a amada septã Edyth da rainha faleceu. Em Derivamarca, Daemon Velaryon, Senhor das Marés, se recuperou depois de ficar à beira da morte, mas seu segundo filho e três de suas filhas pereceram. O lorde Bar Emmon, o lorde Rosby, a senhora Jirelle de Lagoa da Donzela... os sinos dobraram por todos eles, e também por muitos homens e mulheres menores.

Por toda parte nos Sete Reinos, nobres e humildes foram igualmente acometidos. Os velhos e os jovens eram os que mais corriam risco, mas homens e mulheres no auge da vida não foram poupados. O rol dos falecidos incluía os senhores mais importantes, as senhoras mais nobres, os cavaleiros mais valentes. O lorde Prentys Tully morreu tremendo em Correrrio, seguido um dia depois por sua senhora Lucinda. Lyman Lannister, o poderoso Senhor de Rochedo Casterly, foi levado, assim como diversos outros senhores das terras ocidentais; o lorde Marbrand de Cinzamarca, o lorde Tarbeck de Solar Tarbeck, o lorde Westerling do Despenhadeiro. Em Jardim de Cima, o lorde Tyrell adoeceu, mas se recuperou, apenas para vir a falecer, bêbado, ao cair do cavalo quatro dias depois de seu restabelecimento. Rogar Baratheon não foi tocado pelos Arrepios, e o filho e a filha dele com a rainha Alyssa foram acometidos, mas se recuperaram; porém seu irmão, sor Ronnal, morreu, e também as esposas de seus outros dois irmãos.

A grande cidade portuária de Vilavelha sofreu um golpe especialmente forte, perdendo um quarto da população. Eustace Hightower, que regressara vivo da fatídica viagem de Alys Westhill através do Mar do Poente, voltou a sobreviver, mas sua esposa e os filhos não tiveram a mesma sorte. Nem seu avô, Senhor da Torralta. Donnel, o Moroso, não foi capaz de protelar a morte. Ele morreu tremendo. E também o alto septão, duas vintenas de Mais Devotos e um terço dos arquimeistres, meistres, acólitos e noviços da Cidadela.

Em todo o reino, nenhum lugar sofreu aflição maior que Porto Real em 59 DC. Entre os mortos figuravam dois cavaleiros da Guarda Real, o velho sor Sam de Monte Amargo e o bondoso sor Victor, o Valoroso, além de três senhores do conselho: Albin Massey, Qarl Corbray e o próprio grande meistre Benifer. Benifer havia servido por quinze anos em períodos de perigo e de prosperidade, chegando à Fortaleza Vermelha depois que Maegor, o Cruel, decapitara seus três antecessores.

— Um ato de singular coragem ou singular estupidez — observaria seu sardônico sucessor. — Eu não teria durado três dias com Maegor.

Todos os mortos deixariam lágrimas e saudades, mas, no período imediato após seu falecimento, a perda de Qarl Corbray foi a que mais se fez sentir. Com a morte do comandante e muitos homens da Patrulha da Cidade enfermos e trêmulos, as ruas e os becos de Porto Real foram dominados pela delinquência e licenciosidade. Lojas foram saqueadas, mulheres, estupradas, homens, roubados e assassinados unicamente pelo crime de terem entrado na rua errada na hora errada. O rei Jaehaerys enviou sua Guarda Real e seus próprios cavaleiros para restabelecer a ordem, mas eram poucos demais, e ele logo foi obrigado a chamá-los de volta.

Em meio ao caos, Sua Graça perderia outro de seus lordes, não para os Arrepios, mas para a ignorância e o ódio. Rego Draz nunca havia fixado residência na Fortaleza Vermelha, embora houvesse muito espaço para ele ali e o rei o tivesse oferecido muitas vezes. O pentoshi preferia sua própria mansão na Rua da Seda, com o Fosso dos Dragões imponente acima dele no topo da Colina de Rhaenys. Ali ele podia receber suas concubinas sem sofrer a desaprovação da corte. Depois de dez anos a serviço do Trono de Ferro, o lorde Rego havia se tornado bastante rotundo e não optava mais por andar a cavalo. Ele só se deslocava da mansão ao castelo e vice-versa em um palanquim ornamentado e folheado a ouro. Por falta de sensatez, sua rota o levava pelo coração fétido da Baixada das Pulgas, o bairro mais imundo e sem lei da cidade.

Naquele dia terrível, uma dúzia dos residentes menos agradáveis da Baixada das Pulgas perseguia um leitão por um beco quando viu por acaso o lorde Rego percorrendo as ruas. Alguns estavam bêbados e todos tinham fome — o leitão havia escapado —, e a visão do pentoshi os enfureceu, pois cada um deles atribuía ao mestre da moeda a culpa pelo alto custo do pão. Um tinha uma espada. Três tinham facas. O resto pegou pedras e paus e avançou contra o palanquim, afugentando os carregadores do lorde Rego e derrubando sua senhoria no chão. Testemunhas disseram que ele gritou por socorro em palavras que ninguém entendia.

Quando sua senhoria levantou as mãos para rechaçar os golpes que caíam sobre ele, ouro e pedras preciosas brilhavam em cada um dos dedos, e o ataque se tornou ainda mais ensandecido. Uma mulher gritou:

— Ele é pentoshi. Esses maldito trazeram os Arrepio pra cá!

Um dos homens arrancou uma pedra da rua recém-calçada do rei e a martelou na cabeça do lorde Rego repetidamente, até que restasse apenas uma massa vermelha de sangue e osso e cérebro. Assim morreu o Senhor do Ar, com o crânio esmagado por uma das pedras que ele próprio ajudara o rei a usar para calçar as ruas. Nem assim seus agressores se deram por satisfeitos. Antes de fugirem, eles lhe arrancaram as belas roupas e cortaram-lhe todos os dedos para levar seus anéis.

Quando a notícia chegou à Fortaleza Vermelha, Jaehaerys Targaryen foi pessoalmente buscar o corpo, cercado pela Guarda Real. Tamanha era a ira de Sua Graça diante do que viu que mais tarde sor Joffrey Doggett diria:

— Quando olhei o rosto dele, por um instante foi como se estivesse olhando para o tio.

A rua estava cheia de curiosos, que saíram para ver o rei ou contemplar o corpo ensanguentado do negociante pentoshi. Jaehaerys fez seu cavalo virar e gritou para todos:

— Quero o nome dos homens que fizeram isto. Falem agora, e vocês serão bem recompensados. Guardem suas línguas, e as perderão.

Muitos dos presentes recuaram, mas uma menina descalça deu um passo à frente, sibilando um nome.

O rei agradeceu e demandou que ela mostrasse aos cavaleiros onde esse homem poderia ser encontrado. Ela conduziu a Guarda Real até uma taberna, onde o vilão foi pego com uma prostituta no colo e três anéis do lorde Rego nos dedos. Sob tortura, ele logo revelou o nome dos outros agressores, e cada um deles foi capturado. Um deles alegou ter sido um Pobre Irmão e gritou que gostaria de tomar o negro.

— Não — respondeu Jaehaerys. — A Patrulha da Noite é formada por homens de honra, e vocês são piores que ratos.

Ele determinou que homens assim não eram dignos de uma morte limpa por espada ou machado. Eles seriam pendurados das muralhas da Fortaleza Vermelha, estripados, e se retorceriam até a morte, com as entranhas balançando-se nos joelhos.

A menina que havia conduzido o rei aos assassinos teve um destino mais favorável. Levada pela mão da rainha Alysanne, ela foi mergulhada em uma bacia de água quente para ser esfregada. Suas roupas foram queimadas, sua cabeça, raspada, e ela comeu pão quente e toucinho.

— Temos um lugar para você no castelo, se você quiser — disse Alysanne quando ela terminou de matar sua fome. — Nas cozinhas ou nos estábulos, como você preferir. Você tem pai?

A menina fez um gesto tímido com a cabeça e admitiu que tinha.

— Era um dos que vocês rasgaram a barriga. O bexiguento, com furunco. — Ela então disse a Sua Graça que queria trabalhar nas cozinhas. — É lá que fica o pão.

O ano velho se acabou e um novo começou, mas foram feitas poucas festas em toda Westeros para marcar a chegada do sexagésimo ano da Conquista de Aegon. Um ano antes, houvera grandes fogueiras em praças públicas, e homens e mulheres dançaram em torno delas, bebendo e rindo, enquanto os sinos cantavam a entrada do novo ano. Um ano mais tarde, as chamas consumiam cadáveres, e os sinos dobravam pelos mortos. As ruas de Porto Real estavam vazias, especialmente à noite, os becos, cobertos de neve, e pingentes de gelo pendiam feito lanças dos telhados.

No topo da Colina de Aegon, o rei Jaehaerys deu ordem para fecharem e trancarem os portões da Fortaleza Vermelha e duplicou a vigia nas muralhas do castelo. Ele, a rainha e os filhos compareciam aos cultos do pôr do sol no septo do castelo, retiravam-se à Fortaleza de Maegor para uma refeição modesta e então se recolhiam para a cama.

Era a hora da coruja quando a rainha Alysanne foi despertada pela filha, que sacudia delicadamente seu braço.

— Mãe — disse a princesa Daenerys —, estou com frio.

É desnecessário entrar em detalhes quanto ao que se seguiu. Daenerys Targaryen era a querida do reino, e tudo o que podia ser feito por qualquer homem foi feito por ela. Houve orações e cataplasmas, sopas quentes e banhos escaldantes, cobertores e peles e pedras quentes, chá de urtiga. A princesa tinha seis anos, e já havia muito que fora desmamada, mas chamaram uma ama de leite mesmo assim, pois era crença de alguns que o leite materno podia curar os Arrepios. Meistres chegaram e saíram, septões e septãs rezaram, o rei mandou que fossem contratados imediatamente cem caçadores de ratos novos e ofereceu um veado de prata para cada rato morto, cinza ou preto que fosse. Daenerys quis seu gatinho, e o gatinho lhe trouxeram, mas seus tremores haviam se tornado tão violentos que ele se esquivou de suas mãos e a arranhou. Perto do amanhecer, Jaehaerys se levantou de um salto e gritou que era preciso trazer um dragão, que sua filha precisava ter um dragão, e corvos voaram rumo a Pedra do Dragão com instruções para que os Guardiões de Dragão de lá trouxessem um filhote imediatamente à Fortaleza Vermelha.

Nada disso fez diferença. Um dia e meio depois de acordar a mãe na cama queixando-se de frio, a pequena princesa estava morta. A rainha desmoronou nos braços do rei, sacudindo-se com tanta violência que houve receios de que ela também estivesse com os Arrepios. Jaehaerys dera ordem para que ela fosse levada de volta aos seus aposentos e recebesse leite de papoula para conseguir dormir. Embora praticamente exausto, o rei em seguida foi ao pátio e soltou Vermithor, e dali voou para Pedra do Dragão para avisar que não era mais necessário enviar nenhum filhote. Após voltar a Porto Real, ele tomou um cálice de vinho dos sonhos e mandou chamar o septão Barth.

— Como é possível? — perguntou ele. — Que pecado ela cometeu? Por que os deuses a levaram? *Como é possível?*

Mas nem mesmo Barth, aquele homem sábio, pôde lhe dar alguma resposta.

O rei e a rainha não foram os únicos pais a perder uma criança para os Arrepios; milhares de outros, nobres ou não, conheceram essa mesma dor naquele inverno. Contudo, para Jaehaerys e Alysanne, a morte de sua amada filha deve ter parecido especialmente cruel, pois atingiu a essência da doutrina do Excepcionalismo. A princesa Daenerys havia sido Targaryen pelos dois lados, o puro sangue da Antiga Valíria corria em suas veias, e as pessoas de ascendência valiriana não eram como as outras. Os Targaryen tinham olhos violeta e cabelos cor de ouro e prata, dominavam os céus com dragões, as doutrinas da Fé e as proibições contra o incesto não se aplicavam a eles... *e eles não adoeciam.*

Isso se sabe desde o dia em que Aenar, o Exilado, tomou Pedra do Dragão para si. Os Targaryen não morriam de varíola nem diarreia sanguinolenta, não eram afligidos por vermelheira, castanheira ou a doença dos tremores, não sucumbiam de ossoverme, pulmão entupido, tripamarga ou qualquer uma das incontáveis pestilências e pragas que os deuses, por seus próprios motivos, decidiram lançar sobre homens e mulheres mortais. Acreditava-se que havia fogo no sangue do dragão, uma chama purificadora que incinerava todas essas pestes. Era inconcebível que uma princesa de sangue puro morresse trêmula, como se fosse uma criança comum.

Contudo, ela morrera.

E, mesmo sofrendo por ela e pela linda alma que havia sido, Jaehaerys e Alysanne também devem ter se confrontado com essa terrível compreensão. Talvez os Targaryen não fossem tão próximos dos deuses quanto pensavam antes. Talvez, no fim, também eles fossem apenas humanos.

Quando a epidemia dos Arrepios enfim se esgotou, o rei Jaehaerys, com seu coração entristecido, voltou ao trabalho. A primeira tarefa era penosa: substituir todos os amigos e conselheiros que ele havia perdido. Sor Robert, o filho mais velho do lorde Manfryd Redwyne, foi posto no comando da Patrulha da Cidade. Sor Gyles Morrigen apresentou dois bons cavaleiros para ingressar na Guarda Real, e Sua Graça entregou devidamente um manto branco a sor Ryam Redwyne e a sor Robin Shaw. O competente Albin Massey, seu encurvado juiz, não foi tão fácil de substituir. Para ocupar seu posto, o rei recorreu ao Vale de Arryn e convocou Rodrik Arryn, o jovem e erudito Senhor do Ninho da Águia, que era um menino de dez anos quando ele e a rainha o conheceram.

A cidadela já tinha enviado o sucessor de Benifer, o grande meistre Elysar e sua língua afiada. Vinte anos mais jovem do que o homem cujas correntes ele assumiu,

Elysar nunca tivera um pensamento que não sentira necessidade de compartilhar. Havia quem dissesse que o Conclave o enviara a Porto Real para se livrar dele.

A maior hesitação de Jaehaerys foi para a escolha do novo senhor tesoureiro e mestre da moeda. Rego Draz, apesar de detestado, fora um homem de grande habilidade.

— Sinto-me tentado a afirmar que homens como ele não se veem com facilidade pelas ruas, mas, verdade seja dita, é mais provável encontrarmos um lá do que sentado em algum castelo — disse o rei a seu conselho. O Senhor do Ar nunca se casara, mas tinha três filhos bastardos que haviam aprendido o ofício sentados em seu joelho. Por maior que fosse a vontade do rei recorrer a um desses, ele sabia que o reino jamais aceitaria outro pentoshi. — Precisa ser um senhor — concluiu ele, melancólico. Nomes conhecidos voltaram a circular: Lannister, Velaryon, Hightower, casas erigidas tanto sobre ouro quanto aço. — Todos eles são orgulhosos demais — afirmou Jaehaerys.

Foi o septão Barth o primeiro a propor um nome diferente.

— Os Tyrell de Jardim de Cima descendem de intendentes — lembrou ele —, mas a Campina é mais ampla que as terras ocidentais, com um tipo diferente de riqueza, e o jovem Martyn Tyrell poderia se revelar um acréscimo útil a este conselho.

O lorde Redwyne estava incrédulo.

— Os Tyrell são néscios — disse ele. — Sinto muito, Majestade, eles são meus suseranos, mas... os Tyrell são néscios, e o lorde Bertrand também era um bêbado.

— Pode ser que sim — reconheceu o septão Barth. — Contudo, o lorde Bertrand está no túmulo, e falo de seu filho. Martyn é mais jovem e disposto, mas não posso atestar a qualidade de sua mente. Sua esposa, contudo, é uma Fossoway, a senhora Florence, e conta maçãs desde que aprendeu a andar. Ela tem assumido todas as contas de Jardim de Cima desde o casamento, e dizem que aumentou em um terço os rendimentos da Casa Tyrell. Se optarmos por chamar seu marido, ela também viria à corte, sem dúvida.

— Alysanne gostaria disso — respondeu o rei. — Ela gosta da companhia de mulheres inteligentes. — A rainha não comparecia ao conselho desde a morte da princesa Daenerys. Talvez a esperança de Jaehaerys fosse que isso ajudasse a atraí-la de volta. — Nosso bom septão nunca nos orientou mal. Vamos experimentar o néscio com a esposa inteligente e torcer para que meu povo leal não esmague sua cabeça com uma pedra de calçamento.

Os Sete tiram e os Sete dão. Talvez a Mãe do Céu tenha observado o sofrimento da rainha Alysanne e se compadecido de seu coração partido. A lua não tinha dado ainda duas voltas desde a morte da princesa Daenerys quando Sua Graça soube que estava esperando um bebê mais uma vez. Com o reino ainda nas gélidas garras do inverno, a rainha optou uma vez mais pela cautela e se retirou para Pedra do Dragão para repousar. Ainda naquele ano, 60 DC, ela deu à luz o quinto filho, uma menina que ela chamou de Alyssa em homenagem à sua mãe.

— Uma honra que Sua Graça teria apreciado mais se estivesse viva — observou o novo Grande Meistre, Elysar... ainda que não em presença do rei.

O inverno cedeu pouco depois do parto da rainha, e Alyssa se revelou uma criança animada e saudável. Quando bebê, era tão parecida com a falecida irmã Daenerys que a rainha muitas vezes chorava ao vê-la, lembrando-se da filha que havia perdido. No entanto, a semelhança se dissipou conforme a princesa crescia; magra e de rosto comprido, Alyssa tinha pouco da beleza da irmã. Seu cabelo era uma maçaroca loura sem qualquer sinal de prata que evocasse os senhores dos dragões dos velhos tempos, e ela nascera com olhos de cores diferentes, um violeta, o outro um verde marcante. As orelhas eram grandes demais e o sorriso era inclinado, e aos seis anos, enquanto ela brincava no pátio, um golpe de espada de madeira no rosto quebrou seu nariz. Ele ficou torto, mas Alyssa não parecia se importar. A essa altura, sua mãe já havia se dado conta de que ela não puxara a Daenerys, e sim a Baelon.

Tal como Baelon seguia Aemon por todas as partes, Alyssa também seguia Baelon.

— Que nem um cachorrinho — reclamou o Príncipe da Primavera. Baelon era dois anos mais novo que Aemon, e Alyssa, quase quatro anos mais nova que ele... — E é menina. — O que na opinião dele piorava tudo.

No entanto, a princesa não se portava como uma menina. Ela usava roupas de menino sempre que podia, evitava a companhia de outras meninas, preferia cavalgar e escalar e duelar com espadas de madeira a costurar e ler e cantar, e se recusava a comer mingau.

Um velho amigo, e velho adversário, voltou a Porto Real em 61 DC, quando o lorde Rogar Baratheon veio de Ponta Tempestade para trazer três meninas à corte. Duas eram as filhas de seu irmão Ronnal, que morrera de Arrepios junto com a esposa e os filhos homens. A terceira era a senhorita Jocelyn, a filha do próprio senhor com a rainha Alyssa. A pequena e frágil bebê que viera ao mundo durante aquele terrível Ano do Estranho se tornara uma menina alta de porte solene, com grandes olhos escuros e cabelos pretos como o pecado.

Já o cabelo do próprio Rogar Baratheon havia se tornado grisalho, e os anos tinham cobrado seu preço da antiga Mão do Rei. Seu rosto estava pálido e enrugado, e ele emagrecera tanto que suas roupas pareciam folgadas, como se tivessem sido feitas para um homem muito maior. Quando se ajoelhou diante do Trono de Ferro, ele não conseguiu se levantar depois e precisou da ajuda de um homem da Guarda Real para ficar de pé.

O lorde Rogar disse ao rei e à rainha que viera para pedir uma gratificação. A senhora Jocelyn logo comemoraria o sétimo dia do seu nome.

— Ela nunca conheceu a mãe. As mulheres de meus irmãos cuidavam dela tanto quanto podiam, mas favoreciam os próprios filhos, como qualquer mãe, e agora ambas se foram. Se lhes aprouver, senhores, eu gostaria de pedir que Jocelyn e as primas fossem aceitas como protegidas, para serem criadas aqui na corte junto de seus filhos e filhas.

— Seria uma honra e um prazer — respondeu a rainha Alysanne. — Jocelyn é nossa irmã, nunca esquecemos. Nosso sangue.

O lorde Rogar parecia muito aliviado.

— Eu gostaria de lhes pedir que olhassem também por meu filho. Boremund continuará em Ponta Tempestade, aos cuidados de meu irmão Garon. É um bom menino, forte, e com o tempo se tornará um grande senhor, não duvido, mas tem apenas oito anos. Como Vossas Graças sabem, meu irmão Borys deixou as terras da tempestade alguns anos atrás. Ele se tornou soturno e furioso após o nascimento de Boremund, e a situação entre nós foi de mal a pior. Borys passou um tempo em Myr, e depois em Volantis, fazendo os deuses sabem o quê... mas agora ele está em Westeros de novo, nas Montanhas Vermelhas. O que se fala é que ele se juntou ao Rei Abutre e está saqueando o próprio povo. Garon é um homem capaz, e leal, mas nunca foi páreo para Borys, e Boremund é apenas um menino. Eu temo pelo que pode suceder a ele, e às terras da tempestade, quando eu me for.

Isso surpreendeu o rei.

— Quando você se for? Por que você iria? Aonde pretende ir, senhor?

O sorriso de resposta do lorde Rogar exibiu um lampejo de sua antiga ferocidade.

— Para as montanhas, Majestade. Meu meistre diz que estou morrendo. Eu acredito. Antes mesmo dos Arrepios, eu já sentia dor. Ela piorou desde então. Ele me dá leite de papoula, e isso ajuda, mas só uso um pouco. Não desejo passar dormindo a vida que me resta. E tampouco desejo morrer acamado, sangrando pelo traseiro. Pretendo encontrar meu irmão Borys e lidar com ele, e também com esse Rei Abutre. Uma insensatez, pelas palavras de Garon. Ele não está errado. Mas, quando eu morrer, quero que seja com um machado na mão, gritando uma maldição. Tenho sua permissão, meu rei?

Comovido pelas palavras do velho amigo, o rei Jaehaerys se levantou e desceu do Trono de Ferro para segurar o ombro do lorde Rogar.

— Seu irmão é um traidor, e esse abutre... não o chamarei de rei... já atormenta nossa marca há muito tempo. O senhor tem minha permissão. E, mais que isso, tem minha espada.

O rei foi fiel à sua palavra. A luta que se seguiu entrou para as histórias como a Terceira Guerra Dornesa, mas o nome não é adequado, pois o Príncipe de Dorne manteve seus exércitos longe do conflito. A plebe na época a chamou de Guerra do Lorde Rogar, um nome muito mais apropriado. Enquanto o Senhor de Ponta Tempestade liderava quinhentos homens pelas montanhas, Jaehaerys Targaryen subiu ao céu, com Vermithor.

— Ele se diz um abutre — declarou o rei —, mas não voa. Ele se esconde. Devia se dizer um rato.

Ele não estava errado. O primeiro Rei Abutre havia liderado exércitos, levando milhares de homens à batalha. O segundo não era nada além de um saqueador prepotente, filho desimportante de uma casa desimportante com algumas centenas de seguidores que partilhavam de sua predileção por roubo e estupro. Porém ele conhecia bem as montanhas e, quando perseguido, simplesmente desaparecia, para ressurgir quando quisesse. Os homens que tratavam de caçá-lo o faziam por sua própria conta e risco, pois ele também era habilidoso para armar emboscadas.

Entretanto, nenhum de seus truques de muito lhe valia contra um inimigo que podia caçá-lo das alturas. Dizia a lenda que o Rei Abutre tinha uma fortaleza inexpugnável nas montanhas, oculta pelas nuvens. Jaehaerys não encontrou nenhum reduto secreto, apenas uma dúzia de acampamentos toscos espalhados aqui e ali. Um a um, Vermithor incendiou todos, deixando ao Abutre apenas cinzas. A coluna do lorde Rogar, entranhando-se nas altitudes, logo foi obrigada a abandonar os cavalos e seguir a pé por trilhas de cabras, subindo encostas íngremes e atravessando cavernas, enquanto inimigos ocultos faziam rolar pedras sobre suas cabeças. No entanto, ainda assim eles avançaram, sem se intimidar. Enquanto os homens da tempestade avançavam do leste, Simon Dondarrion, Senhor de Portonegro, liderou uma pequena força de cavaleiros em marcha pelas montanhas a partir do oeste, para bloquear qualquer rota de fuga por esse lado. À medida que os caçadores se aproximavam lentamente, Jaehaerys observava do céu, movimentando-os tal como ele movimentara exércitos de brinquedo na Sala da Mesa Pintada.

No fim, eles encontraram suas presas. Borys Baratheon não conhecia as vias secretas da montanha tão bem quanto os dorneses, então foi o primeiro a ser encurralado. Os homens do lorde Rogar abateram os dele, mas, quando os irmãos se viram frente a frente, o rei Jaehaerys desceu das alturas.

— Não aceitarei que você seja chamado de fratricida, senhor — disse Sua Graça à antiga Mão. — O traidor é meu.

Sor Borys riu ao escutar isso.

— Antes eu seja chamado de regicida que ele de fratricida! — gritou ele, ao atacar o rei. Mas Jaehaerys empunhava Fogonegro e não se esquecera das lições que havia aprendido no pátio de Pedra do Dragão. Borys Baratheon morreu aos pés do rei, com um corte no pescoço que praticamente lhe arrancou a cabeça.

A vez do Rei Abutre chegou com a nova lua cheia. Acuado em um covil queimado onde tentara se refugiar, ele resistiu até o fim, despejando lanças e flechas sobre os homens do rei.

— Este é meu — disse Rogar Baratheon a Sua Graça quando o rei das montanhas foi levado até ele em grilhões. Por ordem sua, as correntes do bandido foram removidas, e ele recebeu lança e escudo. O lorde Rogar o enfrentou com o machado. — Se ele me matar, libertem-no.

O Abutre se revelou lamentavelmente aquém dessa tarefa. Mesmo emaciado e fraco e aflito de dor, Rogar Baratheon rechaçou os ataques do dornês com desdém e, então, rachou-o do ombro ao umbigo.

Após o fim, o lorde Rogar parecia cansado.

— Acho que não vou morrer com o machado na mão, afinal — disse ele ao rei, pesaroso. E não morreu. Rogar Baratheon, Senhor de Ponta Tempestade e antiga Mão do Rei e Protetor do Território, morreu em Ponta Tempestade meio ano depois, na presença de seu meistre, seu septão, o irmão sor Garon, e seu filho e herdeiro, Boremund.

A Guerra do Lorde Rogar havia durado menos de meio ano, iniciada e vencida toda em 61 DC. Com o fim do Rei Abutre, os saques sofreram uma queda brusca na marca dornesa por um tempo. À medida que relatos da campanha se espalhavam pelos Sete Reinos, até os senhores mais marciais ganharam um novo respeito pelo jovem rei. Qualquer dúvida que persistisse havia sido desfeita; Jaehaerys Targaryen não era seu pai Aenys. Para o rei propriamente dito, a guerra foi terapêutica.

— Contra os Arrepios eu era impotente — confessou ele ao septão Barth. — Contra o abutre, voltei a ser um rei.

Em 62 DC, os senhores dos Sete Reinos celebraram quando o rei Jaehaerys conferiu ao filho mais velho o título de Príncipe de Pedra do Dragão, confirmando-o como o herdeiro ao Trono de Ferro.

O príncipe Aemon tinha sete anos, um menino tão alto e belo quanto modesto. Ele ainda treinava todas as manhãs no pátio com o príncipe Baelon; os irmãos eram bons amigos, e equilibrados. Aemon era mais alto e mais forte, Baelon, mais rápido e feroz. As disputas entre eles eram tão vigorosas que costumavam atrair grande público. Criados e lavadeiras, cavaleiros e escudeiros, meistres e septões e cavalariços, todos se reuniam no pátio para torcer por um ou outro príncipe. Uma das pessoas que vinham assistir era Jocelyn Baratheon, filha de cabelos escuros da falecida rainha Alyssa, que se tornava mais alta e mais bonita a cada dia que passava. No banquete oferecido após a investidura de Aemon como Príncipe de Pedra do Dragão, a rainha trouxe a senhorita Jocelyn para se sentar ao seu lado, e os dois jovens foram vistos conversando e rindo juntos a noite toda, alheios a todos os demais.

Nesse mesmo ano, os deuses abençoaram Jaehaerys e Alysanne com mais uma criança, uma menina que eles chamaram de Maegelle. Uma menina delicada, generosa e doce, e excepcionalmente astuta, ela logo se agarrou à irmã Alyssa de modo muito semelhante a quando o príncipe Baelon se agarrara ao príncipe Aemon, ainda que não com o mesmo entusiasmo. Agora era a vez de Alyssa de chiar por ficar com "a bebê" pendurada na saia. Ela a evitava o máximo possível, e Baelon dava risada de sua fúria.

Já abordamos algumas das realizações de Jaehaerys. Conforme 62 DC se aproximava do fim, o rei olhou adiante para o ano que raiava, e todos os anos mais além, e começou a traçar planos para um projeto que transformaria os Sete Reinos. Ele dera calçamento, cisternas e fontes a Porto Real. Agora, ele erguia os olhos para além das muralhas da cidade, até os campos e montes e brejos que se estendiam da marca dornesa até a Dádiva.

— Meus senhores — disse ele ao conselho —, quando a rainha e eu saímos em nossas turnês, viajamos com Vermithor e Asaprata. Quando olhamos das nuvens nas alturas, vemos cidades e castelos, colinas e pântanos, rios e córregos e lagos. Vemos cidades mercantis e vilarejos de pescadores, florestas ancestrais, montanhas, prados e campinas, rebanhos de ovelhas e plantações de grãos, antigos campos de batalha, torres arruinadas, cemitérios e septos. Existe muito o que ver nestes nossos Sete Reinos. Sabem o que eu não vejo? — O rei bateu com força na mesa. — *Estradas*, senhores. Não vejo estradas. Vejo algumas trilhas, se voar baixo o bastante. Vejo alguns rastros de animais, e aqui e ali aparece um caminho pisado junto de um rio. Mas não vejo nenhuma *estrada* de fato. Senhores, quero estradas!

A construção de tantas léguas de estradas se estenderia por todo o restante do reinado de Jaehaerys e pelo de seu sucessor, mas começou naquele dia, na sala do conselho da Fortaleza Vermelha. Não se pense que não havia estradas em Westeros antes do reinado dele; centenas de estradas cortavam o território, muitas que remontavam a milhares de anos antes, desde os dias dos Primeiros Homens. Até mesmo os filhos da floresta tinham suas trilhas, quando se deslocavam de um lugar para outro sob suas árvores.

Contudo, as estradas que existiam eram atrozes. Estreitas, lamacentas, esburacadas, tortas, elas atravessavam colinas e florestas e riachos sem planejamento nem propósito. Só alguns desses riachos tinham pontes. Muitos vaus eram guardados por homens de armas que cobravam dinheiro ou mercadorias pelo direito de travessia. Alguns dos senhores em cujas terras essas estradas passavam faziam alguma manutenção, mas muitos outros, não. Tempestades as destruíam. Cavaleiros ladrões e homens perdidos se aproveitavam dos viajantes que as usavam. Antes de Maegor, os Pobres Irmãos forneciam alguma medida de proteção para o povo comum nas estradas (quando não eram eles próprios os ladrões). Com a destruição dessa ordem, as vias de passagem do reino se tornaram mais perigosas do que nunca. Até mesmo grandes senhores viajavam com escolta.

A correção de todos esses males em um único reinado seria impossível, mas Jaehaerys estava determinado a começar. Porto Real, cabe lembrar, era muito jovem em termos de cidades. Antes que Aegon, o Conquistador, e suas irmãs chegassem de Pedra do Dragão, havia apenas um modesto vilarejo de pescadores nas três colinas onde a Torrente da Água Negra se abria para a Baía da Água Negra. Evidentemente, poucas são as estradas dignas de nota que começam ou terminam em modestos vilarejos de pescadores. A cidade crescera rápido nos sessenta e dois anos desde a Conquista de Aegon, e com ela surgiram algumas estradas grosseiras, trilhas estreitas e poeirentas que acompanhavam o litoral até Stokeworth, Rosby e Valdocaso, ou que atravessavam as colinas até Lagoa da Donzela. Fora isso, não havia nada. Nenhuma estrada ligava a sede do rei às grandes sedes e cidades do reino. Porto Real era uma cidade costeira, muito mais acessível por mar do que por terra.

Era ali que Jaehaerys começaria. A floresta ao sul do rio era antiga, densa e extensa; boa para caçar, ruim para viajar. Ele determinou que uma estrada fosse aberta por ela, para ligar Porto Real a Ponta Tempestade. A mesma estrada continuaria ao norte da cidade, desde a Torrente até o Tridente e além, seguindo pelo Ramo Verde e subindo o Gargalo, e depois pelas terras vazias do Norte até Winterfell e a Muralha. O povo viria a chamá-la de *estrada do rei* — a maior e mais custosa das estradas de Jaehaerys, a primeira a ser iniciada, a primeira a ser concluída.

Outras vieram também: a estrada das rosas, a estrada do mar, a estrada do rio, a estrada de ouro. Algumas existiam havia séculos, em formas mais grosseiras, mas Jaehaerys as transformaria completamente, preenchendo valas, espalhando cascalho, construindo pontes. Outras estradas foram criadas do zero. O custo de todas essas obras não foi insignificante, claro, mas o reino estava próspero, e Martyn Tyrell, o novo mestre da moeda do rei — auxiliado por sua inteligente esposa, a "contadora de maçãs" —, se revelou quase tão habilidoso quanto o Senhor do Ar. Quilômetro a quilômetro, légua a légua, as estradas cresceram, ao longo de décadas. "Ele uniu nossa terra e fez dos Sete Reinos, um", são os dizeres na base do monumento ao Velho Rei que se encontra na Cidadela de Vilavelha.

É possível que os Sete também tenham sorrido para sua obra, pois continuaram abençoando Jaehaerys e Alysanne com filhos. Em 63 DC, o rei e a rainha comemoraram o nascimento de Vaegon, sétimo filho deles e terceiro menino. No ano seguinte, chegou mais uma filha, Daella. Três anos depois, a princesa Saera veio ao mundo, corada e aos berros. Outra princesa chegou em 71 DC, quando a rainha deu à luz a décima criança e sexta menina, a bela Viserra. Embora tenham nascido ao longo de uma década, seria difícil conceber quatro irmãos tão diferentes entre si quanto esses filhos mais novos de Jaehaerys e Alysanne.

O príncipe Vaegon era tão diferente dos irmãos mais velhos quanto a noite é do dia. Nunca robusto, ele era um menino calado com olhos atentos. Outras crianças, e até mesmo alguns dos senhores da corte, achavam-no rabugento. Ainda que não fosse covarde, ele não apreciava as brincadeiras brutas dos escudeiros e pajens, nem os heroísmos dos cavaleiros de seu pai. Preferia a biblioteca ao pátio e geralmente se encontrava lá, lendo.

A princesa Daella, a seguinte, era delicada e tímida. Assustava-se com facilidade e chorava à toa, e só disse a primeira palavra quando tinha já quase dois anos... e mesmo depois ela passava mais tempo com a língua amarrada do que solta. Sua irmã Maegelle se tornou sua estrela-guia, e ela idolatrava a mãe, a rainha, mas parecia apavorada com a irmã Alyssa e ficava corada e escondia o rosto quando estava na presença dos meninos mais velhos.

A princesa Saera, três anos mais nova, foi um suplício desde o começo; escandalosa, chorona, pirracenta, desobediente. Sua primeira palavra foi "Não", e ela a dizia com frequência e bem alto. Ela se recusou a ser desmamada antes de fazer quatro anos. Mesmo quando já corria pelo castelo e falava mais do que os irmãos Vaegon e Daella juntos, ela ainda queria o leite materno e esperneava e gritava sempre que a rainha dispensava mais uma ama de leite.

— Os Sete nos salvem — sussurrou Alysanne para o rei, certa noite. — Quando eu olho para ela, vejo Aerea.

Brava e teimosa, Saera Targaryen adorava atenção e se emburrava quando não a recebia.

A mais jovem dos quatro, a princesa Viserra, também era voluntariosa, mas nunca gritava e definitivamente nunca chorava. *Astuta* era uma palavra que se usava para descrevê-la. *Vaidosa* era outra. Viserra era bela, todos concordavam, abençoada com olhos de um intenso violeta e os cabelos de ouro e prata de uma verdadeira Targaryen, perfeita pele alva, traços delicados e uma elegância que chegava a ser perturbadora e sinistra em uma pessoa tão nova. Quando um jovem escudeiro lhe disse, gaguejando, que ela era uma deusa, ela concordou.

Voltaremos no devido tempo a esses quatro príncipes e princesas, e às agruras que eles causaram à mãe e ao pai, mas, neste instante, recuaremos um pouco para 68 DC, pouco depois do nascimento da princesa Saera, quando o rei e a rainha anunciaram o noivado de seu primogênito, Aemon, Príncipe de Pedra do Dragão, com Jocelyn Baratheon de Ponta Tempestade. Chegara a ser pensado, após a trágica morte da princesa Daenerys, que Aemon deveria se casar com a princesa Alyssa, a mais velha das irmãs que ele ainda tinha, mas a rainha Alysanne descartou a ideia com firmeza.

— Alyssa é para Baelon — declarou ela. — Ela o segue de um lado a outro desde que aprendeu a andar. Os dois são tão próximos quanto você e eu éramos nessa idade.

Dois anos depois, em 70 DC, Aemon e Jocelyn foram unidos em uma cerimônia cujo esplendor rivalizava com o do Casamento Dourado. A senhorita Jocelyn, aos dezesseis anos, era uma das grandes belezas do reino; uma donzela de pernas longas e corpo atraente, com cabelos espessos e lisos que desciam até a cintura e negros como as asas de um corvo. O príncipe era um ano mais novo, com quinze, mas todos concordavam em que os dois formavam um belo casal. Com quase um metro e oitenta de altura, Jocelyn superava a maioria dos senhores de Westeros, mas o Príncipe de Pedra do Dragão era oito centímetros mais alto.

— Aí está o futuro do reino — disse sor Gyles Morrigen ao contemplar os dois lado a lado, a senhora morena e o príncipe claro.

Em 72 DC, foi realizado um torneio em Valdocaso para celebrar o casamento do jovem lorde Darklyn com uma filha de Theomore Manderly. Os dois jovens príncipes compareceram, assim como a irmã Alyssa, e disputaram a luta corpo a corpo dos escudeiros. O príncipe Aemon foi o vitorioso, em parte por ter martelado o irmão até ele se render. Depois, ele se distinguiu também nas justas e foi agraciado com as esporas de cavaleiro em reconhecimento por sua habilidade. Ele tinha dezessete anos. Agora cavaleiro, o príncipe não perdeu tempo para conquistar também um dragão, subindo ao céu pela primeira vez pouco depois de voltar a Porto Real. Sua montaria foi o rubro Caraxes, o mais feroz de todos os dragões jovens do Fosso dos Dragões. Os Guardiões de Dragão, que conheciam melhor que ninguém os residentes do fosso, o chamavam de Wyrm de Sangue.

O ano de 72 DC também marcou o fim de uma era no Norte com o falecimento de Alaric Stark, Senhor de Winterfell. Os dois filhos fortes dos quais ele costumava se gabar haviam morrido antes dele, então a sucessão coube a seu neto Edric.

Dizia-se com humor na corte que aonde quer que o príncipe Aemon fosse, o que quer que o príncipe Aemon fizesse, o príncipe Baelon vinha logo atrás. Isso se provou verdade em 73 DC, quando Baelon, o Valente, seguiu o irmão na cavalaria. Aemon havia ganhado as esporas aos dezessete anos, então Baelon precisava repetir o feito aos dezesseis, viajando pela Campina até Carvalho Velho, onde o lorde Oakheart promoveu sete dias de justas para comemorar o nascimento de um filho. Apresentado como um cavaleiro misterioso e chamando-se de Bobo de Prata, o jovem príncipe derrubou o lorde Rowan, sor Alyn Ashford, os dois gêmeos Fossoway e sor Denys, o herdeiro do próprio lorde Oakheart, antes de ser derrotado por sor Rickard Redwyne.

Após ajudá-lo a se levantar, sor Rickard o desmascarou, mandou-o se ajoelhar e o armou cavaleiro na mesma hora.

O príncipe Baelon permaneceu lá apenas por tempo suficiente para aproveitar o banquete da noite e então voltou a galope para Porto Real a fim de completar sua missão e tomar para si um dragão. Avesso a ser superado, ele escolhera havia muito a fera que desejava montar, e então a reivindicou. Sem mestre desde a morte da rainha-viúva Visenya, vinte e nove anos antes, a grande dragão Vhagar abriu as asas, rugiu e se lançou aos céus mais uma vez, levando o Príncipe da Primavera acima da Baía da Água Negra até Pedra do Dragão para surpreender o irmão dele, Aemon, e Caraxes.

— A Mãe do Céu foi tão boa comigo, me abençoou com tantas crianças, todas inteligentes e lindas — declarou a rainha Alysanne em 73 DC, quando foi anunciado que sua filha Maegelle entraria para a Fé como noviça. — É justo que eu devolva uma.

A princesa Maegelle tinha dez anos e estava ansiosa para prestar o juramento. Menina calma e estudiosa, dizia-se que ela lia o *Estrela de sete pontas* todas as noites antes de dormir.

Contudo, mal uma criança saiu da Fortaleza Vermelha, outra chegou, pois, aparentemente, a Mãe do Céu ainda não havia acabado de abençoar Alysanne Targaryen. Em 73 DC, ela deu à luz seu décimo primeiro filho, um menino chamado Gaemon, em homenagem a Gaemon, o Glorioso, o maior dos senhores Targaryen que governou Pedra do Dragão antes da Conquista. Porém, dessa vez, a criança veio antes da hora, após um trabalho de parto longo e difícil que exauriu a rainha e fez os meistres temerem por sua vida. E Gaemon era uma criaturinha mirrada, quase metade do tamanho que o irmão Vaegon tinha ao nascer, dez anos antes. Com o tempo, a rainha se recuperou, mas infelizmente o bebê, não. O príncipe Gaemon morreu nos primeiros dias do ano novo, antes de completar três meses de idade.

Como sempre, a rainha sofreu muito com a perda de um filho, remoendo se o príncipe Gaemon falecera por causa de algo que ela havia feito ou deixado de fazer. A septã Lyra, sua confidente desde os tempos em Pedra do Dragão, garantiu que ela não tinha culpa alguma.

— O pequeno príncipe está com a Mãe do Céu agora —disse Lyra —, e ela vai cuidar dele muito melhor do que nós jamais conseguiríamos, aqui neste mundo de dor e sofrimento.

Essa não foi a única tristeza que se abateu sobre a Casa Targaryen em 73 DC. Convém lembrar que foi também nesse ano que a rainha Rhaena morreu em Harrenhal.

Perto do fim do ano, veio à luz uma revelação vergonhosa que estarreceu tanto a corte quanto a cidade. Descobriu-se que o simpático e amado sor Lucamore Strong da Guarda Real, querido pelo povo, havia se casado em segredo, apesar de seu juramento como Espada Branca. Para piorar, ele se casara não só com uma, mas com três mulheres, mantendo uma ignorante da outra e gerando nada menos que dezesseis filhos ao todo.

Na Baixada das Pulgas e na Rua da Seda, onde prostitutas e proxenetas exerciam seu ofício, homens e mulheres de classe baixa e moral mais baixa ainda sentiram um prazer mórbido diante da queda de um cavaleiro ungido e fizeram piadas vulgares a respeito de "sor Lucamore, o Safado", mas não se ouviu nenhuma risada na Fortaleza Vermelha. Jaehaerys e Alysanne haviam nutrido uma afeição especial por Lucamore Strong e ficaram chocados ao constatar que ele os fizera de idiotas.

Seus irmãos da Guarda Real ficaram ainda mais furiosos. Foi sor Ryam Redwyne quem descobriu as transgressões de sor Lucamore e chamou a atenção do senhor comandante da Guarda Real, que, por sua vez, chamou a atenção do rei. Falando em nome de seus Irmãos Juramentados, sor Gyles Morrigen declarou que Strong havia desonrado tudo o que eles defendiam e solicitou que ele fosse executado.

Quando foi arrastado até o Trono de Ferro, sor Lucamore se pôs de joelhos, confessou o crime e suplicou misericórdia ao rei. Jaehaerys bem poderia ter concedido, mas o cavaleiro transgressor cometeu o erro fatal de acrescentar "pelo bem de minhas esposas e meus filhos" ao apelo. Como observou o septão Barth, isso foi o mesmo que jogar os crimes na cara do rei.

— Quando eu me rebelei contra meu tio Maegor, dois homens de sua Guarda Real o abandonaram para lutar por mim — respondeu Jaehaerys. — É bem possível que eles tenham acreditado que receberiam permissão para manter o manto branco quando eu vencesse, talvez até que seriam honrados com títulos e maior prestígio na corte. Mas eu os enviei à Muralha. Não queria perjuros à minha volta, e não quero agora. Sor Lucamore, você prestou um juramento sagrado diante dos deuses e dos homens para defender a mim e aos meus com sua própria vida, me obedecer, lutar por mim, morrer por mim, se necessário. Você também jurou não se casar, não gerar filhos, e permanecer casto. Se você foi capaz de ignorar com tanta facilidade o segundo juramento, por que eu deveria acreditar que honraria o primeiro?

Em seguida, a rainha Alysanne se pronunciou:

— Você fez pouco de seus votos como cavaleiro da Guarda Real, mas não foram apenas esses os que você quebrou. Você desonrou também seus votos de matrimônio, e não apenas uma, mas três vezes. Nenhuma dessas mulheres está casada legalmente, então cada uma dessas crianças que vejo atrás de você é bastarda. Elas são as únicas inocentes em tudo isto, sor. Ao que consta, suas esposas ignoravam umas às outras, mas cada uma delas certamente sabia que você era uma Espada Branca, um cavaleiro da Guarda Real. Nesse sentido, elas partilham de sua culpa, assim como qualquer septão bêbado que você encontrou para casá-los. Para elas pode haver alguma clemência, mas para você... Não aceitarei sua presença perto de meu senhor.

Não havia mais nada a ser dito. Enquanto as esposas e os filhos do falso cavaleiro choravam ou praguejavam ou aguardavam em silêncio, Jaehaerys demandou que sor Lucamore fosse castrado imediatamente, agrilhoado e despachado para a Muralha.

— A Patrulha da Noite também exigirá um juramento — alertou Sua Graça. — Cuide de segui-lo, ou o que você perderá depois será a cabeça.

Jaehaerys deixou à rainha o encargo de lidar com as três famílias. Alysanne decretou que os filhos de sor Lucamore poderiam se juntar ao pai na Muralha, se assim desejassem. Os dois meninos mais velhos aceitaram. As meninas seriam aceitas pela Fé como noviças, se quisessem. Só uma escolheu esse caminho. As demais crianças ficariam com suas mães. A primeira das esposas, com seus filhos, foi entregue aos cuidados de Bywin, irmão de Lucamore, que recebera o título de Senhor de Harrenhal apenas meio ano antes. A segunda esposa e sua prole iriam para Derivamarca, onde seriam abrigadas por Daemon Velaryon, Senhor das Marés. A terceira, cujos filhos eram os mais novos (um ainda de peito), seria enviada a Ponta Tempestade, onde ficaria a cargo de Garon Baratheon e do jovem lorde Boremund. Nenhum dos filhos, decretou a rainha, jamais poderia se chamar Strong de novo; a partir daquele dia, as crianças levariam os nomes de bastardo Rivers, Waters e Storm.

— Por essa dádiva, vocês podem agradecer ao seu pai, o cavaleiro vão.

A vergonha que Lucamore, o Safado, causou à Guarda Real e à Coroa não foi a única dificuldade que Jaehaerys e Alysanne enfrentaram em 73 DC. Façamos um intervalo agora e reflitamos sobre a complicada questão do sétimo e do oitavo de seus filhos, o príncipe Vaegon e a princesa Daella.

A rainha Alysanne muito se orgulhava de arranjar matrimônios, e ela havia proporcionado centenas de uniões frutíferas entre senhores e senhoras de todos os cantos do reino, mas nunca enfrentara tanta dificuldade quanto ao buscar uniões para seus quatro filhos mais novos. O esforço viria a atormentá-la por anos, trazendo conflitos sem fim entre ela e as crianças (especialmente as filhas), fazendo-a se afastar do rei e, por fim, causando tanto sofrimento, tanta dor, que por um tempo Sua Graça chegou a considerar renunciar a seu próprio casamento e passar o resto da vida com as irmãs silenciosas.

As frustrações começaram com Vaegon e Daella. Com apenas um ano de diferença, o príncipe e a princesa pareciam combinar bem quando eram pequenos, e o rei e a rainha presumiram que os dois um dia se casariam. Os irmãos mais velhos Baelon e Alyssa haviam se tornado inseparáveis, e os planos para a união dos dois já estavam sendo feitos. Por que não Vaegon e Daella também?

— Seja bom com sua irmãzinha — disse o rei Jaehaerys ao príncipe quando o menino tinha cinco anos. — Um dia ela será sua Alysanne.

No entanto, conforme as crianças cresciam, tornou-se evidente que os dois não eram uma boa combinação. Vaegon tolerava a presença da irmã, mas nunca a procurava. Daella parecia ter medo do irmão soturno e estudioso, que preferia ler a brincar. O príncipe achava a princesa idiota; ela o achava um grosso.

— São só crianças — disse Jaehaerys, quando Alysanne chamou sua atenção para o problema. — Com o tempo eles vão aprender a gostar um do outro.

Eles nunca aprenderam. Na verdade, a hostilidade mútua só se agravou.

A questão chegou ao ápice em 73 DC. O príncipe Vaegon tinha dez anos e a princesa Daella, nove, quando uma das damas de companhia da rainha, nova na Fortaleza Vermelha, perguntou de brincadeira aos dois quando eles se casariam. Vaegon reagiu como se tivesse levado um tapa.

— Eu nunca me casaria com ela — disse o menino, na frente de metade da corte. — Ela mal sabe ler. Devia arranjar algum senhor interessado em ter filhos idiotas, pois esses são os únicos que ela vai poder dar.

A princesa Daella, como seria de esperar, desatou a chorar e fugiu do salão, e sua mãe, a rainha, saiu correndo atrás dela. Coube à irmã Alyssa, três anos mais velha que Vaegon, despejar um jarro de vinho sobre a cabeça dele. Nem isso fez o príncipe se arrepender.

— Você desperdiçou um bom dourado da Árvore — disse ele antes de sair do salão para mudar as roupas.

Depois disso, o rei e a rainha concluíram que claramente seria preciso providenciar alguma outra noiva para Vaegon. Eles consideraram por um breve instante as outras filhas mais novas. A princesa Saera tinha seis anos em 73 DC, e a princesa Viserra, apenas dois.

— Vaegon nunca olhou duas vezes para nenhuma delas — disse Alysanne ao rei. — Duvido até que ele saiba que elas existem. Talvez se algum meistre escrever sobre elas em um livro...

— Mandarei o grande meistre Elysar começar amanhã — respondeu o rei, brincando. E então ele disse: — Ele só tem dez anos. Não vê nenhuma menina, assim como elas não o veem, mas isso vai mudar em pouco tempo. Ele é razoavelmente bonito, e um príncipe de Westeros, terceiro na linha de sucessão ao Trono de Ferro. Daqui a alguns anos, as donzelas vão ficar rondando-o feito borboletas e corar sempre que ele olhar em sua direção.

A rainha não se convenceu. "Bonito" talvez fosse um termo muito generoso para o príncipe Vaegon, que tinha o cabelo loiro-prateado e os olhos violeta dos Targaryen, mas mesmo com dez anos já possuía rosto comprido e ombros curvos, e um esgar rabugento na boca que passava a impressão de que ele tinha acabado de chupar um limão. Sendo a mãe, Sua Graça talvez fosse cega a esses defeitos, mas não à sua natureza.

— Tenho medo por qualquer borboleta que vier rondando Vaegon. É capaz de ele esmagá-la com um livro.

— Ele passa tempo demais na biblioteca — disse Jaehaerys. — Vou conversar com Baelon. Nós vamos levá-lo ao pátio, colocar uma espada em sua mão e um escudo no braço, isso vai dar um jeito.

O grande meistre Elysar me informa que Sua Graça de fato conversou com o príncipe Baelon, que obedeceu e se encarregou do irmão, levou-o ao pátio, pôs uma espada em sua mão e um escudo no braço. Não deu jeito. Vaegon detestou. Ele era um lutador deprimente e tinha talento para deprimir todo mundo à sua volta também, inclusive Baelon, o Valente.

Baelon persistiu durante um ano, por insistência do rei.

— Quanto mais ele treina, pior parece — confessou o Príncipe da Primavera.

Um dia, talvez na tentativa de estimular Vaegon a se esforçar um pouco mais, ele trouxe a irmã Alyssa para o pátio, com uma reluzente cota de malha masculina. A princesa não havia esquecido o incidente do dourado da Árvore. Rindo e gritando deboches, ela dançou em volta do irmão mais novo e o humilhou meia dúzia de vezes, enquanto a princesa Daella olhava de uma janela no alto. Constrangido além dos limites, Vaegon jogou a espada no chão e saiu correndo do pátio, para nunca mais voltar.

Continuaremos com o príncipe Vaegon, e sua irmã Daella, no devido tempo, mas tratemos agora de um acontecimento feliz. Em 74 DC, o rei Jaehaerys e a rainha Alysanne foram abençoados uma vez mais pelos deuses quando a senhora Jocelyn, esposa do príncipe Aemon, deu à família o primeiro neto. A princesa Rhaenys nasceu no sétimo dia da sétima lua do ano, o que o septões avaliaram ser altamente auspicioso. Grande e feroz, a menina tinha os cabelos negros da mãe Baratheon e os olhos violeta-claros do pai Targaryen. Sendo a filha primogênita do Príncipe de Pedra do Dragão, muitos a exaltaram como a primeira na linha de sucessão ao Trono de Ferro após o pai. Quando a rainha Alysanne a segurou pela primeira vez, ouviram-na chamar a pequena de "nossa futura rainha".

Na reprodução, assim como em tantas outras coisas, Baelon, o Valente, não ficou muito atrás do irmão Aemon. Em 75 DC, a Fortaleza Vermelha foi palco de mais um casamento esplêndido, quando o Príncipe da Primavera desposou a mais velha de suas irmãs, a princesa Alyssa. A noiva tinha quinze anos, e o noivo, dezoito. Ao contrário do pai e da mãe, Baelon e Alyssa não esperaram para consumar a união; a noite de núpcias após o banquete de casamento inspirou muitas piadas picantes nos dias que se seguiram, pois diziam os homens que os sons de prazer da jovem noiva chegavam até Valdocaso. Uma moça mais tímida talvez tivesse ficado constrangida com isso, mas a própria Alyssa Targaryen gostava de dizer que era uma mulher tão vulgar quanto qualquer taberneira de Porto Real.

— Eu montei nele e cavalguei à vontade — gabou-se ela na manhã seguinte. — E pretendo repetir o feito hoje à noite. Adoro cavalgar.

E o valente príncipe não foi a única montaria que a princesa tomaria naquele ano. Como os irmãos antes dela, Alyssa Targaryen pretendia domar um dragão, e quanto antes melhor. Aemon tinha voado aos dezessete, Baelon, aos dezesseis. Alyssa pretendia voar aos quinze. Segundo os registros deixados pelos Guardiões de Dragão, eles quase não conseguiram convencê-la a não reivindicar Balerion. Os homens foram obrigados a explicar que "ele é velho e lento, princesa, e a senhora certamente preferiria uma montaria mais rápida". No fim, eles tiveram sucesso, e a princesa Alyssa subiu aos céus com Meleys, uma dragão escarlate esplêndida que nunca havia sido montada antes.

— Donzelas vermelhas, nós duas — gabou-se a princesa, dando risada. — Mas agora nós duas fomos montadas.

Depois desse dia, foram raros os períodos em que a princesa passou muito tempo longe do Fosso dos Dragões. Ela viria a dizer com frequência que voar era a segunda coisa mais deliciosa do mundo, e que a mais deliciosa de todas não podia ser mencionada na presença de senhoritas. Os Guardiões de Dragão não haviam se enganado; Meleys era a dragão mais veloz que jamais se vira em Westeros, superando com facilidade Caraxes e Vhagar quando Alyssa e os irmãos voavam juntos.

Enquanto isso, o problema do irmão deles, Vaegon, persistia, para a frustração da rainha. O rei não se enganara completamente a respeito das borboletas. Com o passar dos anos e o amadurecimento de Vaegon, as jovens da corte começaram a prestar alguma atenção nele. A idade e algumas conversas desconfortáveis com o pai e os irmãos haviam ensinado ao príncipe os rudimentos da cortesia, e ele não esmagou nenhuma das meninas, para alívio da rainha. Mas também não deu qualquer atenção especial a elas. Sua única paixão continuava sendo os livros: história, cartografia, matemática, idiomas. O grande meistre Elysar, jamais um refém da respeitabilidade, confessou ter dado um volume de desenhos eróticos ao príncipe, pensando que talvez as imagens de damas nuas juntando-se com homens e animais e outras damas pudessem estimular o interesse de Vaegon pelos encantos femininos. O príncipe guardou o livro, mas seu comportamento não apresentou nenhuma mudança.

Foi no décimo quinto dia do nome do príncipe Vaegon, em 78 DC, a um ano de chegar à maioridade, que Jaehaerys e Alysanne levantaram a solução óbvia junto ao grande meistre.

— Você acha que talvez Vaegon tenha a marca de um meistre?

— Não — respondeu Elysar, bruscamente. — Conseguem imaginá-lo ensinando os filhos de algum senhor a ler e escrever e fazer somas simples? Ele mantém um corvo em seus aposentos, ou qualquer pássaro? Conseguem imaginá-lo amputando a perna esmagada de um homem, ou realizando um parto? Tudo isso é exigido de um meistre. — O grande meistre se calou por um instante e, em seguida, disse: — Vaegon não é nenhum meistre... mas é bem possível que ele tenha a marca de um *arquimeistre*. A Cidadela é o maior repositório de conhecimento do mundo. Enviem-no para lá. Talvez ele se descubra na biblioteca. Ou isso, ou ele se perderá de tal modo entre os livros que vocês nunca mais precisarão se preocupar.

Suas palavras foram convincentes. Três dias depois, o rei Jaehaerys chamou o príncipe Vaegon em seu solário para lhe dizer que ele embarcaria para Vilavelha dali a uma quinzena.

— A Cidadela o receberá — disse Sua Graça. — Caberá a você determinar o que será de seu futuro.

O príncipe respondeu com brevidade, como de costume.

— Sim, pai. Ótimo.

Depois, Jaehaerys disse à rainha que achava que Vaegon quase sorrira.

O príncipe Baelon não havia parado de sorrir desde o casamento. Quando não se encontravam no ar, Baelon e Alyssa passavam todas as horas juntos, geralmente dentro do quarto. O príncipe Baelon era um rapaz cheio de energia, pois aqueles mesmos gritos de prazer que haviam ecoado pelos corredores da Fortaleza Vermelha na noite do casamento foram ouvidos muitas outras noites nos anos que se seguiram. E não tardou até que aparecesse o resultado muito aguardado e a barriga de Alyssa Targaryen crescesse. Em 77 DC, ela deu ao valente príncipe um filho que eles chamaram de Viserys. O septão Barth descreveu o menino como um "rapaz rechonchudo e agradável, que ria mais do que qualquer bebê que eu já vi, e que mamava com tanta vontade que secou a ama de leite". Contrariando todo mundo, a mãe do menino o enrolou com panos, prendeu-o ao peito e o levou para voar com Meleys quando ele tinha nove dias de vida. Depois, ela declarou que Viserys deu risada no passeio todo.

Carregar e dar à luz uma criança pode ser uma alegria para uma jovem de dezessete anos, como a princesa Alyssa, mas é algo totalmente distinto para uma mulher de quarenta, como a mãe dela, a rainha Alysanne. A alegria, portanto, não foi absolutamente inconspurcada quando se soube que Sua Graça estava grávida de novo. O príncipe Valerion nasceu em 77 DC, depois de mais um parto difícil que confinou Alysanne à cama por metade de um ano. Como o irmão Gaemon, quatro anos antes, o bebê era pequeno e enfermiço e nunca se desenvolveu. Meia dúzia de amas de leite se sucederam, em vão. Em 78 DC, Valerion morreu, a uma quinzena do primeiro dia do seu nome. A rainha recebeu o falecimento com resignação.

— Tenho quarenta e dois anos — disse ela ao rei. — Você precisa se contentar com os filhos que já lhe dei. Receio que agora esteja mais apta para ser avó do que mãe.

O rei Jaehaerys não partilhava da certeza dela.

— Nossa mãe, a rainha Alyssa, tinha quarenta e seis anos quando deu à luz Jocelyn — comentou ele com o grande meistre Elysar. — É possível que os deuses não estejam satisfeitos conosco ainda.

Ele não estava errado. Já no ano seguinte, o grande meistre informou à rainha Alysanne que ela estava grávida mais uma vez, para sua surpresa e preocupação. A princesa Gael nasceu em 80 DC, quando a rainha tinha quarenta e quatro anos. Chamada de Filha do Inverno em referência à estação de seu nascimento (e, disseram alguns, porque a rainha estava no inverno de seus anos férteis), ela era pequena, pálida e frágil, mas o grande meistre Elysar estava determinado a garantir que ela não sofreria o destino dos irmãos Gaemon e Valerion. E ela não sofreu. Com o auxílio da septã Lyra, que vigiou a bebê noite e dia, Elysar cuidou da princesa durante um primeiro ano difícil, até finalmente parecer que ela sobreviveria. Quando a menina chegou ao primeiro dia do seu nome, ainda saudável, embora não forte, a rainha Alysanne agradeceu aos deuses.

Ela deu graças naquele ano também por enfim ter providenciado um casamento para sua oitava filha, a princesa Daella. Tendo resolvido a situação de Vaegon, Daella havia sido a seguinte da fila, mas a chorosa princesa oferecia um problema totalmente distinto. "Minha pequena flor", assim a descrevia a rainha. Como a própria Alysanne, Daella era pequena; subindo na ponta dos pés, a menina não chegava a um metro e sessenta, e suas feições tinham um aspecto infantil que fazia todo mundo que a conhecia acreditar que ela era mais nova do que sua idade de fato. Diferente de Alysanne, ela era também delicada, de uma forma que a rainha nunca fora. Sua mãe havia sido destemida; Daella parecia sempre assustada. A menina tinha um gatinho e o adorava, até que o animal a arranhou; depois, ela nunca mais quis chegar perto de gato algum. Os dragões a apavoravam, até mesmo Asaprata. A bronca mais suave a reduzia às lágrimas. Uma vez, nos corredores da Fortaleza Vermelha, Daella havia encontrado um príncipe das Ilhas do Verão, trajado com manto de penas, e deu um grito de terror. A pele negra dele a fizera pensar que tinha visto um demônio.

Por mais que as palavras do irmão Vaegon tenham sido cruéis, havia alguma verdade nelas. Daella não era inteligente, até mesmo sua septã precisou admitir. Ela aprendera a ler, de certa forma, mas lia devagar e nunca compreendia perfeitamente o sentido das palavras. Ela não conseguia memorizar sequer as orações mais simples. Sua voz era bela, mas ela tinha medo de cantar; sempre errava as letras. Ela adorava flores, mas tinha medo de jardins; uma abelha quase a picara certa vez.

Jaehaerys se desesperava por ela, mais ainda que Alysanne.

— Ela não consegue sequer falar com um menino. Como é que vai se casar? Poderíamos entregá-la à Fé, mas ela não sabe as orações, e a septã diz que ela começa a chorar quando lhe pedem para ler em voz alta o *Estrela de sete pontas*.

A rainha sempre saía em sua defesa.

— Daella é delicada e bondosa e gentil. Seu coração é muito doce. Se você puder me dar um pouco de tempo, vou encontrar um senhor que a aprecie. Nem todo Targaryen precisa brandir espadas e montar dragões.

Nos anos que se seguiram a seu primeiro florescimento, Daella Targaryen chamou a atenção de muitos jovens fidalgos, tal como seria de esperar. Ela era filha de um rei, e a donzelice apenas incrementou sua beleza. Sua mãe também não descansou, tomando todas as providências possíveis para apresentar pretendentes adequados à princesa.

Aos treze anos, Daella foi enviada a Derivamarca para conhecer Corlys Velaryon, o neto do Senhor das Marés. Dez anos mais velho que ela, o futuro Serpente Marinha já era um renomado navegador e capitão de navio. Daella, no entanto, ficou enjoada na travessia da Baía da Água Negra e, ao voltar, reclamou que "ele gosta mais de barcos do que de mim". (Ela não estava errada.)

Aos catorze, ela fez companhia a Denys Swann, Simon Staunton, Gerold Templeton e Ellard Crane, todos escudeiros promissores de sua mesma idade, mas Staunton tentou fazê-la beber vinho e Crane a beijou nos lábios sem sua permissão, levando-a às lágrimas. Ao fim do ano, Daella já havia decidido que odiava todos os quatro.

Aos quinze anos, sua mãe a levou pelas terras fluviais até Corvarbor (em uma casa rolante, já que Daella tinha medo de cavalos), onde o lorde Blackwood não poupou esforços para entreter a rainha Alysanne, enquanto o filho dele cortejava a princesa. Alto, elegante, cortês e comunicativo, Royce Blackwood era habilidoso com o arco e a espada, e bom cantor, derretendo o coração de Daella com baladas que ele próprio havia composto. Por um breve instante, pareceu que um noivado seria iminente, e a rainha Alysanne e o lorde Blackwood até começaram a tratar de planos para um casamento. Tudo caiu por terra quando Daella descobriu que os Blackwood cultuavam os Velhos Deuses, e que se esperava que ela pronunciasse seus votos diante de um represeiro.

— Eles não acreditam nos *deuses* — disse ela à mãe, horrorizada. — Eu iria para o *inferno*.

O décimo sexto dia do seu nome se aproximava rapidamente e, com ele, a maioridade. A rainha Alysanne não sabia mais o que fazer, e o rei havia perdido a paciência. No primeiro dia do ano 80 desde a Conquista de Aegon, ele disse à rainha que queria Daella casada até o fim do ano.

— Se ela quiser, posso arranjar cem homens e deixá-los alinhados na frente dela, pelados, e ela pode escolher qualquer um — disse ele. — Eu preferiria que ela se casasse com um senhor, mas, se preferir um cavaleiro andante ou um mercador ou Pate Porqueiro, eu nem quero saber mais, só quero que ela escolha *alguém*.

— Cem homens pelados a assustariam — disse Alysanne, sem achar graça.

— Cem patos pelados a assustariam — respondeu o rei.

— E se ela não quiser se casar? — perguntou a rainha. — Maegelle disse que a Fé não vai querer uma menina que não consegue ler as orações.

— Tem ainda as irmãs silenciosas — disse Jaehaerys. — Será que precisa chegar a esse ponto? *Arranje alguém*. Alguém dócil como ela. Um homem delicado, que jamais erguerá a voz ou a mão contra ela, que falará com gentileza e dirá que ela é preciosa e a *protegerá*... contra dragões e cavalos e abelhas e gatinhos e meninos com verruga e tudo o mais que ela achar assustador.

— Farei o que puder, Majestade — prometeu a rainha Alysanne.

No fim, não foi preciso alinhar cem homens, pelados ou vestidos. A rainha explicou a Daella, delicada e firmemente, a ordem do rei e lhe ofereceu três opções de pretendentes, cada um dos quais ansiava por sua mão. Pate Porqueiro não era um deles, vale dizer; os três homens que Alysanne havia selecionado eram grandes senhores ou filhos de grandes senhores. Qualquer que fosse o homem que Daella desposasse, ela teria riqueza e prestígio.

Boremund Baratheon era o candidato mais imponente. Com vinte e oito anos, o Senhor de Ponta Tempestade era a imagem esculpida do pai, forte e poderoso, com uma risada potente, uma excelente barba negra, e uma farta cabeleira preta. Sendo filho do lorde Rogar com a rainha Alyssa, ele era meio-irmão de Alysanne e Jaehaerys, e Daella conhecia e amava a irmã dele, Jocelyn, dos anos que ela passara na corte, o que se acreditava que contasse em muito a favor dele.

Sor Tymond Lannister era o candidato mais rico, herdeiro de Rochedo Casterly e todo o ouro de lá. Aos vinte anos, era mais próximo da idade de Daella e considerado um dos homens mais belos de todo o reino; gracioso e esbelto, com longos bigodes dourados e cabelos do mesmo tom, sempre trajado de seda e cetim. A princesa estaria bem protegida em Rochedo Casterly; não havia castelo mais inexpugnável em toda Westeros. No entanto, o que pesava contra o ouro e a beleza dos Lannister era a própria reputação de sor Tymond. Dizia-se que ele apreciava excessivamente as mulheres, e mais ainda os vinhos.

O último dos três, e o mais inferior aos olhos de muitos, era Rodrik Arryn, Senhor do Ninho da Águia e Protetor do Vale. Ele era senhor desde os dez anos, um ponto a seu favor; nos últimos vinte anos, ele servira no pequeno conselho como senhor juiz e mestre das leis, e nesse período ele se tornara uma figura familiar na corte e um amigo leal tanto do rei quanto da rainha. No Vale, ele havia sido um senhor capaz, forte e justo, afável, generoso, amado tanto pelo povo quanto pelos senhores seus vassalos. E ele se saíra bem em Porto Real também; sensato, erudito, bem-humorado, era considerado um excelente acréscimo ao conselho.

Contudo, o lorde Arryn era o mais velho dos três candidatos; aos trinta e seis, era vinte anos mais velho que a princesa, e ainda por cima pai, com quatro filhos gerados por sua falecida primeira esposa. Baixo e calvo, com uma barriga saliente, a rainha Alysanne reconheceu que Arryn não era o homem dos sonhos para a maioria das donzelas, "mas é do tipo que você pediu, um homem bondoso e gentil, e ele disse que ama nossa pequena há anos; eu sei que ele vai protegê-la".

Para o espanto de todas as mulheres da corte, exceto talvez a rainha, a princesa Daella escolheu se casar com o lorde Rodrik.

— Ele parece bom e sábio, como o pai — disse ela à rainha Alysanne. — E tem quatro filhos! Eu vou ser a nova mãe deles!

As opiniões de Sua Graça a respeito desse comentário não foram registradas. As notas do grande meistre Elysar a respeito daquele dia dizem apenas: "*Pela bondade dos deuses*".

O noivado não seria longo. Como o rei desejara, a princesa Daella e o lorde Rodrik se casaram antes do fim do ano. Foi uma cerimônia pequena no septo de Pedra do Dragão, com a presença apenas de amigos e parentes próximos; um grupo maior de pessoas teria deixado a princesa extremamente constrangida. E tampouco houve a tradição de levar os noivos à cama.

— Ah, seria insuportável, eu morreria de vergonha — dissera a princesa ao futuro marido, e o lorde Rodrik atendera sua vontade.

Depois, o lorde Arryn voltou com sua princesa ao Ninho da Águia.

— Meus filhos precisam conhecer a nova mãe, e quero mostrar o Vale a Daella. A vida é mais devagar lá, e mais tranquila. Ela vai gostar. Eu juro a Vossa Graça que ela será protegida e feliz.

E ela foi, por um tempo. Dos quatro filhos que o lorde Rodrik tinha da primeira esposa, a mais velha era Elys, com três anos a mais que a nova madrasta. As duas entraram em conflito desde o primeiro momento. Contudo, Daella paparicava os três mais novos, e eles pareciam adorá-la também. O lorde Rodrik, fiel à sua palavra, foi um marido gentil e carinhoso que nunca deixava de mimar e proteger a noiva que ele chamava de "minha princesa preciosa". As cartas que Daella enviava à mãe (cartas quase totalmente escritas para ela por Amanda, a filha mais nova de Rodrik) exaltavam a felicidade que ela sentia, a beleza do Vale, o amor que ela tinha pelos lindos filhos do marido, a gentileza de todo mundo no Ninho da Águia para com ela.

O príncipe Aemon chegou ao vigésimo sexto dia do seu nome em 81 DC e se mostrou mais do que habilidoso tanto para a guerra quanto para a paz. Como principal herdeiro ao Trono de Ferro, considerou-se desejável que ele tivesse participação maior na administração do reino na condição de membro do conselho do rei. Portanto, o rei Jaehaerys nomeou o príncipe para o lugar de Rodrik Arryn, como juiz e mestre das leis.

— Deixarei a você o trabalho de fazer as leis, irmão — declarou o príncipe Baelon, brindando à nomeação do príncipe Aemon. — Prefiro fazer filhos.

E foi exatamente o que ele fez, pois, nesse mesmo ano, a princesa Alyssa deu ao Príncipe da Primavera um segundo filho, que recebeu o nome Daemon. A mãe do menino, irreprimível como sempre, levou o bebê ao céu com Meleys uma quinzena após o nascimento, tal como ela havia feito com o irmão da criança, Viserys.

Entretanto, no Vale, sua irmã Daella não estava nada bem. Após um ano e meio de casamento, um corvo trouxe à Fortaleza Vermelha uma mensagem de cunho diferente. Era muito curta, e escrita pela mão insegura da própria Daella.

— Estou esperando um bebê — dizia a mensagem. — Mãe, venha, por favor. Estou com medo.

A rainha Alysanne também ficou com medo ao ler essas palavras. Ela montou Asaprata dias depois e voou rapidamente ao Vale, com uma parada em Vila Gaivota antes de seguir para os Portões da Lua e depois subir até o Ninho da Águia. Era 82 DC, e Sua Graça chegou três luas antes da data prevista para o parto de Daella.

Embora a princesa tenha expressado alegria pela vinda da mãe e pedido desculpas pela carta "boba", seu medo era palpável. Ela desatava a chorar por qualquer motivo que fosse, e às vezes por motivo algum, segundo o lorde Rodrik. Elys, a filha dele, era indiferente, dizendo a Sua Graça que "seria de pensar que ela era a primeira mulher do mundo a ter um bebê", mas Alysanne estava preocupada. Daella era muito delicada, e ela estava muito pesada. "Ela é uma menina muito pequena para ter uma barriga tão grande", escreveu ela ao rei. "Eu também estaria assustada, em seu lugar."

A rainha Alysanne permaneceu ao lado da princesa durante todo o restante da gestação, sentada junto à sua cama, lendo para ela dormir à noite, acalmando seus medos.

— Vai ficar tudo bem — disse ela à filha, dezenas de vezes. — Será uma menina, você vai ver. Uma filha. Tenho certeza. Vai ficar tudo bem.

Ela acertou em parte. Aemma Arryn, a filha do lorde Rodrik com a princesa Daella, veio ao mundo uma quinzena antes do tempo, após um parto demorado e difícil.

— Dói — gritou a princesa, no meio da noite. — Dói muito. — Mas dizem que ela sorriu quando sua filha foi posta junto ao seu peito.

No entanto, nada estava bem. A princesa Daella foi acometida de febre de leite pouco depois do parto. Embora ela estivesse desesperada para amamentar a filha, não conseguia produzir leite, e mandaram chamar uma ama. Quando a febre se agravou, o meistre determinou que ela não poderia sequer segurar o bebê, diante do que a princesa começou a chorar. Ela chorou até adormecer, mas, durante o sono, debateu-se freneticamente, à medida que sua febre subia ainda mais. Na manhã seguinte, estava morta. Tinha dezoito anos.

O lorde Rodrik também chorou, e suplicou permissão à rainha para enterrar sua princesa preciosa no Vale, mas Alysanne recusou.

— Ela era do sangue do dragão. Será queimada, e suas cinzas serão sepultadas em Pedra do Dragão ao lado da irmã Daenerys.

A morte de Daella arrasou o coração da rainha, mas, vista em retrospecto hoje, é nítido que foi também o primeiro sinal da fissura que viria a se formar entre ela e o rei. Estamos todos nas mãos dos deuses, e vida e morte pertencem a eles para dar ou tomar, mas os homens, em seu orgulho, depositam a culpa em outros. Alysanne Targaryen, em seu luto, dirigia a culpa a si mesma, ao lorde Arryn e ao meistre do Ninho da Águia pela participação que cada um tivera na morte de sua filha... mas, acima de tudo, ela culpava Jaehaerys. Se ele não tivesse insistido para que Daella se casasse, que ela *escolhesse alguém* antes do fim do ano... que mal teria feito se ela continuasse menina por mais um ano, ou dois, ou dez?

— Ela não tinha idade nem força para gerar uma criança — disse ela a Sua Graça após voltar a Porto Real. — Nós nunca devíamos ter insistido em um casamento para ela.

A resposta do rei não foi registrada.

O ano 83 após a Conquista de Aegon é lembrado como o ano da Quarta Guerra Dornesa... mais conhecida pelo povo como a Loucura do Príncipe Morion ou a Guerra das Cem Velas. O velho Príncipe de Dorne havia morrido e fora sucedido pelo filho, Morion Martell, em Lançassolar. O príncipe Morion, um jovem destemperado e insensato, havia muito criticava a covardia do pai durante a Guerra do Lorde Rogar, quando os cavaleiros dos Sete Reinos marcharam incontestes pelas Montanhas Vermelhas enquanto os exércitos dorneses permaneciam em casa e deixavam o Rei

Abutre à própria sorte. Determinado a vingar essa mácula contra a honra de Dorne, o príncipe planejou sua própria invasão dos Sete Reinos.

Embora soubesse que Dorne jamais seria capaz de superar o poderio do Trono de Ferro, o príncipe Morion achou que poderia pegar o rei Jaehaerys desprevenido e conquistar as terras da tempestade até Ponta Tempestade, ou pelo menos até Cabo da Fúria. Em vez de atacar a partir do Passo do Príncipe, ele pretendia ir pelo mar. Ele reuniria suas forças em Colina Fantasma e na Penha, onde elas embarcariam em navios e navegariam pelo Mar de Dorne para surpreender os homens das terras da tempestade. Caso fosse derrotado ou rechaçado, paciência... mas, antes de partir, ele jurou queimar cem vilarejos e saquear cem castelos, para que as terras da tempestade soubessem que nunca mais poderiam marchar pelas Montanhas Vermelhas impunemente. (A loucura desse plano se revela no fato de que não existem cem vilarejos nem cem castelos em Cabo da Fúria, não existe sequer um terço dessa quantidade.)

Dorne não ostentava uma força naval desde que Nymeria queimara seus dez mil navios, mas o príncipe Morion tinha ouro e encontrou aliados dispostos em meio aos piratas dos Degraus, os mercenários de Myr e os corsários na Costa da Pimenta. Embora ele tenha levado quase um ano, por fim os navios foram chegando, e o príncipe e seus lanceiros embarcaram. Morion fora criado em meio a histórias da antiga glória dornesa e, como muitos jovens senhores dorneses, vira os ossos calcinados pelo sol da dragão Meraxes em Toca do Inferno. Portanto, cada navio de sua frota foi guarnecido com besteiros e equipado com enormes balistas, como a que havia derrubado Meraxes. Se os Targaryen se atrevessem a enfrentá-lo com dragões, ele encheria o céu com dardos e mataria todos.

Os planos do príncipe Morion eram de uma insanidade sem medida. Antes de mais nada, a esperança dele de pegar o Trono de Ferro desprevenido era risível. Além de Jaehaerys ter espiões na corte do próprio Morion e amigos entre os senhores dorneses mais astutos, os piratas dos Degraus, os mercenários de Myr e os corsários da Costa da Pimenta não eram conhecidos pela discrição. Bastaram algumas moedas serem repassadas. Quando Morion zarpou, já fazia meio ano que o rei sabia do ataque.

Boremund Baratheon, Senhor de Ponta Tempestade, também havia sido informado e estava aguardando em Cabo da Fúria para dar aos dorneses uma recepção rubra quando eles desembarcassem. Ele nunca teria a chance. Jaehaerys Targaryen e os filhos Aemon e Baelon também estavam esperando, e, enquanto a frota de Morion atravessava o Mar de Dorne, os dragões Vermithor, Caraxes e Vhagar desceram das nuvens e se lançaram sobre eles. Gritos soaram, e os dorneses encheram o ar de dardos de balista, mas uma coisa é disparar contra um dragão e outra bem diferente é matá-lo. Alguns dardos ricochetearam nas escamas dos dragões, e um atravessou a asa de Vhagar, mas nenhum atingiu qualquer ponto vulnerável enquanto os dragões mergulhavam e desviavam e despejavam grandes jatos de fogo. Um a um, os navios foram engolidos pelas chamas. Eles ainda estavam queimando quando o sol se pôs, "como cem velas flutuando no mar". Corpos carbonizados apareceram no litoral de Cabo da Fúria ao longo de metade de um ano, mas nem um dornês sequer chegou vivo às terras da tempestade.

A Quarta Guerra Dornesa foi travada e vencida em um único dia. Os piratas dos Degraus, os mercenários de Myr e os corsários da Costa da Pimenta criaram menos problemas por algum tempo, e Mara Martell se tornou a princesa de Dorne. Em Porto Real, o rei Jaehaerys e os filhos foram recebidos com estrondo. Nem mesmo Aegon, o Conquistador, conseguira vencer uma guerra sem perder um único homem.

O príncipe Baelon tinha também mais um motivo para comemorar. Sua esposa, Alyssa, estava grávida novamente. Dessa vez, ele disse ao irmão Aemon que estava rezando por uma menina.

A princesa voltou à cama em 84 DC. Depois de um parto demorado e difícil, ela deu ao príncipe Baelon um terceiro filho, um menino que recebeu o nome de Aegon, em homenagem ao Conquistador.

— As pessoas me chamam de Baelon, o Valente — disse o príncipe à esposa, no leito —, mas você é muito mais valente que eu. Prefiro lutar em uma dúzia de batalhas a fazer isso que você acabou de fazer.

A princesa Alyssa deu risada.

— Você foi feito para as batalhas, e eu fui feita para isto. Viserys e Daemon e Aegon, já são três. Assim que eu melhorar, vamos fazer outro. Quero lhe dar vinte filhos. Um exército todo seu!

Não era para ser. Alyssa Targaryen tinha o coração de um guerreiro dentro do corpo de uma mulher, e sua força a abandonou. Ela nunca se recuperou plenamente após o nascimento de Aegon e morreu pouco depois, com apenas vinte e quatro anos. E tampouco o príncipe Aegon durou muito. Ele faleceu meio ano depois dela, antes do primeiro dia do seu nome. Ainda que arrasado pela perda, Baelon encontrou consolo nos dois filhos fortes que ela lhe deixara, Viserys e Daemon, e nunca deixou de honrar a memória de sua bela senhora do nariz quebrado e olhos destoantes.

E, agora, receio que precisemos voltar nossa atenção a um dos capítulos mais perturbadores e lamentáveis do longo reinado de Jaehaerys e Alysanne: a questão da nona filha deles, a princesa Saera.

Nascida em 67 DC, três anos depois de Daella, Saera tinha toda a coragem que faltava à irmã, e também uma fome voraz... por leite, comida, afeto, elogios. Quando bebê, ela não chorava, mas berrava, e seus gritos ensurdecedores se tornaram o terror de todas as criadas da Fortaleza Vermelha. "Ela quer o que quer e quer agora", escreveu o grande meistre Elysar a respeito da princesa em 69 DC, quando a menina tinha apenas dois anos. "Os Sete nos salvem quando ela for mais velha. É melhor os Guardiões de Dragão trancarem os dragões." Ele não fazia ideia de como essas palavras seriam proféticas.

O septão Barth era mais ponderado, ao observar a princesa aos doze anos em 79 DC. "Ela é filha do rei e sabe muito bem disso. Criados atendem a toda e qualquer de suas necessidades, embora nem sempre com a *rapidez* com que ela gostaria. Grandes senhores e belos cavaleiros a tratam com toda a cortesia, as damas da corte lhe prestam obediência, as meninas da mesma idade disputam umas com as outras para serem suas amigas. Tudo isso Saera entende como um direito seu. Se fosse a primogênita do rei, ou, melhor ainda, filha única, ela seria muito satisfeita. Contudo, é a nona filha, com seis irmãos vivos mais velhos e ainda mais adorados que ela. Aemon é o futuro rei, Baelon provavelmente vai ser a Mão, Alyssa talvez seja tudo o que a mãe dela é e mais ainda, Vaegon é mais erudito que ela, Maegelle é mais santa, e Daella... existe algum dia em que Daella não precise ser amparada? E, enquanto ela está sendo atendida, Saera é ignorada. É uma criaturinha tão brava, dizem, que não precisa de amparo. Receio que as pessoas estejam enganadas. Todos precisam de amparo."

Aerea Targaryen fora considerada uma criança descontrolada e voluntariosa, afeita a atos de desobediência, mas, em comparação com a infância da princesa Saera, era um modelo de decoro. Nem sempre os jovens compreendem o limite entre brincadeiras inocentes, traquinagens excessivas e atos de malícia, mas não há dúvidas de que a princesa o superava sem restrições. Ela vivia colocando gatos para dentro do quarto da irmã Daella, ciente de que ela tinha medo. Uma vez, encheu o penico de Daella com abelhas. Aos dez anos, ela se esgueirou para dentro da Torre da Espada Branca, roubou todos os mantos brancos que conseguiu encontrar e tingiu-os de rosa. Aos sete, descobriu quando e como invadir as cozinhas para conseguir bolos e tortas e outros quitutes. Antes de fazer onze anos, ela já estava roubando vinho e cerveja. Aos doze, era comum ela chegar bêbada quando a chamavam ao septo para as orações.

O bobo simplório do rei, Tom Tonto, foi vítima de muitas de suas brincadeiras e instrumento involuntário para outras. Certa vez, antes de um grande banquete que teria a presença de muitos senhores e senhoras, ela convenceu Tom de que seria muito mais engraçado se ele se apresentasse nu. A recepção não foi boa. Mais tarde, e com muito mais crueldade, ela disse que ele seria rei se conseguisse escalar o Trono de Ferro, mas o bobo era desajeitado, na melhor das hipóteses, e sujeito a tremores, e o trono retalhou seus braços e suas pernas.

— Ela é uma menina maligna — disse sua septã, mais tarde. A princesa Saera passou por meia dúzia de septãs e outras tantas criadas de quarto antes de completar treze anos.

Isso não significa que a princesa carecesse de virtudes. Seus meistres afirmaram que ela era muito inteligente, comparável ao irmão Vaegon. Certamente era bonita, mais alta que a irmã Daella, mas nem um pouco tão delicada, e forte, ágil e enérgica como a irmã Alyssa. Quando ela queria ser encantadora, era difícil resistir. Os irmãos mais velhos Aemon e Baelon sempre se divertiam com suas "traquinagens" (embora não soubessem das piores), e ainda miúda ela já havia aprendido a arte de conseguir tudo o que quisesse do pai: um gatinho, um cachorro, um pônei, um falcão, um cavalo (Jaehaerys impôs um limite firme quando ela pediu um elefante). Já a rainha Alysanne era muito menos crédula, e o septão Barth nos diz que nenhuma das irmãs de Saera gostava dela, com variados graus de intensidade.

A donzelice chegou, e Saera realmente amadureceu depois de florir pela primeira vez. Depois de tudo o que eles haviam sofrido com Daella, o rei e a rainha devem ter se sentido aliviados ao ver a disposição com que Saera recebia os rapazes da corte, e vice-versa. Aos catorze anos, ela disse ao rei que pretendia se casar com o príncipe de Dorne, ou talvez com o Rei-para-lá-da-Muralha, para que pudesse ser uma rainha "como mamãe". Naquele ano, um mercador das Ilhas do Verão veio à corte. Longe de gritar ao vê-lo como Daella, Saera disse que talvez gostasse de se casar com ele também.

Aos quinze, ela já havia descartado essas fantasias tolas. Por que sonhar com monarcas distantes quando ela podia ter tantos escudeiros, cavaleiros e até senhores quanto desejasse? Dezenas a cortejavam, mas três logo se destacaram como seus preferidos. Jonah Mooton era o herdeiro de Lagoa da Donzela, Ruivo Roy Connington era um rapaz de quinze anos Senhor de Poleiro do Grifo, e Braxton Beesbury, chamado "Ferroada", era um cavaleiro de dezenove anos, o melhor lanceiro da Campina, e herdeiro de Bosquemel. A princesa também tinha meninas preferidas: Perianne Moore e Alys Turnberry, duas donzelas da idade dela, se tornaram suas grandes amigas. Saera as chamava de Perita Bonita e Bela Berry. Durante mais de um ano, as três donzelas e os três jovens senhores eram inseparáveis em todos os banquetes e bailes. Eles também caçavam e falcoavam juntos e, uma vez, navegaram pela Baía da Água Negra até Pedra do Dragão. Quando os três senhores disputavam justas ou se digladiavam nos pátios, as três donzelas estavam lá em sua torcida.

O rei Jaehaerys, sempre ocupado com a visita de senhores ou emissários do outro lado do mar estreito, ou em reuniões do conselho, ou planejando mais estradas, estava satisfeito. Eles não precisariam vasculhar todo o reino para encontrar algum marido para Saera, não com três jovens tão promissores já à disposição. A rainha Alysanne não estava tão convencida.

— Saera é inteligente, mas não é sábia — disse ela ao rei. As senhoritas Perianne e Alys, pelo que ela tinha visto, eram mocinhas bonitas, fúteis e tontas, enquanto Connington e Mooton eram meninos imaturos. — E não gosto desse Ferroada. Ouvi dizer que ele fez um bastardo na Campina e outro aqui em Porto Real.

Jaehaerys continuou tranquilo.

— Saera nunca chega a ficar sozinha com nenhum deles. Sempre tem gente em volta, criados e criadas, cavalariços e homens de armas. Que tipo de problema eles podem causar com tantos olhos à sua volta?

Quando a resposta chegou, ele não gostou.

Uma das brincadeiras de Saera foi sua perdição. Em uma noite quente de primavera em 84 DC, uma gritaria em um bordel chamado Pérola Azul chamou a atenção de dois homens da Patrulha da Cidade. Os gritos vinham de Tom Tonto, que corria desesperado em círculos para tentar fugir de meia dúzia de prostitutas peladas, enquanto os fregueses da casa davam gargalhadas e berravam para as putas. Jonah Mooton, Ruivo Roy Connington e Ferroada Beesbury estavam entre esses fregueses, um mais bêbado que o outro. Eles tinham achado que seria engraçado ver o velho Tonto chegar aos "finalmentes", confessou Ruivo Roy. E então Jonah Mooton riu e disse que a brincadeira tinha sido ideia de Saera, e que aquela menina era muito engraçada.

Os homens da Patrulha resgataram o bobo desafortunado e o acompanharam de volta à Fortaleza Vermelha. Os três senhores foram levados diante de sor Robert Redwyne, o comandante. Sor Robert os entregou ao rei, ignorando as ameaças de Ferroada e a tentativa desajeitada de Connington de suborná-lo.

"Nunca é agradável lancetar um furúnculo", escreveu o grande meistre Elysar a respeito do caso. "Nunca se sabe quanto pus vai sair, nem se vai cheirar muito mal." O pus que saiu do Pérola Azul viria a cheirar realmente muito mal.

Os três senhores bêbados já haviam recuperado um pouco da sobriedade quando o rei os confrontou do alto do Trono de Ferro, e exibiram alguma obstinação. Eles confessaram ter saído com Tom Tonto e levado o bobo até o Pérola Azul. Nenhum deles disse uma palavra sequer a respeito da princesa Saera. Quando Sua Graça mandou que Mooton repetisse o que ele tinha falado sobre a princesa, ele corou e gaguejou e alegou que o homem da patrulha havia entendido errado. Por fim, Jaehaerys deu ordem para que os três fidalgos fossem levados à masmorra.

— Deixem-nos dormir dentro de uma cela negra hoje, e talvez eles contem uma história diferente amanhã.

Foi a rainha Alysanne, que sabia quão próximas as senhoritas Perianne e Alys eram dos três senhores, que sugeriu interrogá-las também.

— Deixe-me falar com elas. Se elas virem Vossa Graça no Trono, encarando-as com severidade, ficarão tão assustadas que não dirão nada.

Era tarde da noite, e os guardas dela encontraram as duas meninas dormindo na mesma cama, nos aposentos da senhorita Perianne. A rainha mandara levá-las ao seu solário. Ela lhes disse que os três rapazes estavam na masmorra. Se elas não quisessem se juntar a eles, deviam contar a verdade. Ela só precisou falar isso. Bela Berry e Perita Bonita se atropelaram de ansiedade para confessar. Não tardou e as duas já estavam chorando e suplicando perdão. A rainha Alysanne as deixou suplicar, sem dizer uma palavra sequer. Ela ouviu, tal como havia feito antes em uma centena de audiências de mulheres. Sua Graça sabia ouvir.

Era só uma brincadeira no começo, disse Perita Bonita.

— Saera estava ensinando Alys a beijar, então perguntei se ela me ensinaria também. Os meninos treinam luta todas as manhãs, então por que nós não podíamos treinar beijos? É o que as meninas devem fazer, não é?

Alys Turnberry concordou.

— Beijar era gostoso — disse ela —, e uma noite começamos a beijar sem as roupas, e foi assustador, mas empolgante. Nós nos revezamos fingindo que éramos meninos. Nunca foi nossa intenção fazer maldade, só estávamos brincando. E então Saera me desafiou a beijar um menino de verdade, e desafiei Peri também, e nós duas desafiamos Saera, mas ela disse que faria melhor, que beijaria um homem-feito, um cavaleiro. Foi assim que começou com Roy e Jonah e Ferroada.

A senhora Perianne começou então a dizer que depois foi Ferroada que fez o treinamento de todas elas.

— Ele tem dois bastardos — sussurrou ela. — Um na Campina e um bem aqui na Rua da Seda. A mãe é uma prostituta no Pérola Azul.

Essa foi a única menção ao Pérola Azul. "As rameiras não sabiam absolutamente nada a respeito do coitado do Tom Tonto, ironia das ironias", escreveria o grande meistre Elysar, mais tarde, "mas elas sabiam muito sobre outras questões, das quais não tinham culpa."

— Onde estavam suas septãs enquanto isso tudo acontecia? — perguntou a rainha, quando terminou de ouvir as duas. — Onde estavam suas criadas? E os senhores, eles também estariam acompanhados. Onde estavam os cavalariços, os homens de armas, os escudeiros e criados?

A senhora Perianne estranhou a pergunta.

— Nós falamos para esperarem do lado de fora — disse ela, como se estivesse explicando que o sol nasce no leste. — Eles são serviçais, fazem o que mandamos. Os que sabiam, sabiam que tinham que ficar de boca fechada. Ferroada falou que arrancaria a língua de quem contasse. E Saera é mais inteligente que as septãs.

Foi nesse momento que Bela Berry desmoronou e começou a soluçar e a rasgar a camisola. Ela lamentava tanto, disse à rainha, ela nunca quis ser ruim, foi Ferroada que a obrigou e Saera disse que ela era covarde, então ela provou aos dois, mas agora estava grávida e não sabia quem era o pai, e *o que ela devia fazer?*

— Hoje a única coisa que lhe resta fazer é ir dormir — respondeu a rainha. — Amanhã, enviaremos uma septã, e você poderá confessar seus pecados. A Mãe a perdoará.

— A *minha* mãe, não — disse Alys Turnberry, mas obedeceu. A senhorita Perianne ajudou a amiga chorosa a voltar para o quarto.

Quando a rainha contou o que havia escutado, o rei Jaehaerys mal conseguiu acreditar em uma palavra. Guardas foram enviados, e uma série de escudeiros, cavalariços e criados foi arrastada diante do Trono de Ferro para ser interrogada. Muitos acabaram indo parar na masmorra com seus mestres após darem suas respostas. O sol já tinha raiado quando o último desses foi levado embora. Só então o rei e a rainha mandaram buscar a princesa Saera.

A princesa certamente sabia que havia algo errado quando o senhor comandante da Guarda Real e o comandante da Patrulha da Cidade apareceram juntos para acompanhá-la à sala do trono. Nunca era bom quando o rei recebia alguém enquanto estava sentado no Trono de Ferro. O grande salão estava quase vazio quando ela foi levada. Só o grande meistre Elysar e o septão Barth tinham sido convocados como testemunhas. Eles representavam a Cidadela e o Septo Estrelado, e o rei sentia que seus conselhos seriam necessários, mas provavelmente certas coisas seriam ditas que os outros senhores não precisavam saber.

Costuma-se dizer que não existem segredos na Fortaleza Vermelha, que as paredes têm ratos que ouvem tudo e sussurram nos ouvidos das pessoas adormecidas à noite. Talvez seja verdade, pois, quando a princesa Saera chegou diante do pai, parecia já saber de tudo o que havia acontecido no Pérola Azul, e não estava nem um pouco constrangida.

— Eu falei que eles deviam fazer isso, mas nunca imaginei que fariam mesmo — disse ela, tranquila. — Deve ter sido muito engraçado Tonto dançando com as prostitutas.

— Não para Tom — disse o rei Jaehaerys, do Trono de Ferro.

— Ele é um bobo — respondeu a princesa Saera, indiferente. — Bobos servem para fazer as pessoas rirem, qual é o problema? Tonto adora quando as pessoas riem dele.

— Foi uma brincadeira cruel — disse a rainha Alysanne —, mas agora estou mais preocupada com outras questões. Eu estive conversando com suas... damas. Você sabia que Alys Turnberry está grávida?

Foi só nesse momento que a princesa se deu conta de que não estava ali para responder por Tom Tonto, e sim por pecados mais vergonhosos. Por um instante, Saera ficou sem palavras, mas só por um instante. Ela então arquejou e disse:

— Minha Bela Berry? Mesmo? Ela... ah, o que ela fez? Ah, minha querida tolinha.

Se nos fiarmos no testemunho do septão Barth, uma lágrima desceu pelo rosto dela. Mas a mãe não se comoveu.

— Você sabe perfeitamente o que ela fez. O que vocês todas fizeram. Queremos a verdade de você agora, criança.

Quando a princesa olhou para o pai, não encontrou nenhum consolo ali.

— Minta mais uma vez, e a situação vai piorar muito para você — disse o rei Jaehaerys à filha. — É bom que você saiba que seus três senhores estão na masmorra, e o que você disser agora pode determinar onde você vai dormir hoje.

Saera então desmoronou, e as palavras saíram aos borbotões, uma torrente que deixou a princesa quase sem fôlego.

"Ela passou de negação para indiferença para evasivas para contrição para acusação para justificação para desafio em um período de uma hora, fazendo pausas para rir e chorar", escreveria o septão Barth. "Ela nunca fez nada, era mentira, nunca aconteceu, como eles podiam acreditar, foi só uma brincadeira, foi só uma piada, quem foi que disse, não foi assim que aconteceu, todo mundo gosta de beijar, ela lamentava,

Peri começou, foi muito divertido, ninguém se machucou, ninguém nunca falou que beijar era errado, Bela Berry tinha desafiado, ela estava tão envergonhada, Baelon beijava Alyssa sempre, depois de começar ela não sabia mais como parar, ela estava com medo de Ferroada, a Mãe do Céu a perdoara, todas as meninas estavam fazendo isso, na primeira vez ela estava bêbada, ela nunca quis, era o que os homens queriam, Maegelle disse que os deuses perdoavam todos os pecados, Jonah disse que a amava, os deuses lhe deram beleza, não era culpa dela, ela se comportaria dali por diante, vai ser como se nunca tivesse acontecido, ela se casaria com Ruivo Roy Connington, eles tinham que perdoá-la, ela nunca mais beijaria um homem ou faria nada daquelas outras coisas, não era ela a grávida, ela era filha deles, era a menininha deles, era uma *princesa*, se fosse rainha ela faria o que quisesse, por que eles não acreditavam, eles nunca a amaram, ela os odiava, eles podiam açoitá-la se quisessem, mas ela jamais seria uma escrava. Essa menina, ela me tirava o fôlego. Nunca em toda Westeros houve saltimbanco capaz de tamanho espetáculo, mas, no final, ela estava exausta e assustada, e sua máscara caiu."

— O que você fez? — perguntou o rei, quando finalmente se esgotaram as palavras da princesa. — Os Sete nos salvem, *o que você fez?* Você deu sua donzelice a algum desses meninos? Diga a verdade.

— Verdade? — disse Saera. Foi nesse momento, com essa palavra, que o desdém emergiu. — Não. Eu dei para os três. Todos eles acham que foram o primeiro. Meninos são tão bobinhos.

Jaehaerys ficou tão horrorizado que não conseguiu falar, mas a rainha manteve a compostura.

— Estou vendo que você está muito orgulhosa. Uma mulher-feita, e de quase dezessete anos. Imagino que você se ache muito inteligente, mas uma coisa é ser inteligente e outra é ser sábia. O que você imagina que vai acontecer agora, Saera?

— Eu vou me casar — disse a princesa. — Por que não? Vocês se casaram com a minha idade. Eu terei um casamento e uma noite de núpcias, mas com quem? Jonah e Roy me amam, eu poderia ficar com um deles, mas os dois são muito meninos. Ferroada não me ama, mas ele me faz rir e às vezes me faz gritar. Eu poderia me casar com todos três, por que não? Por que eu deveria ter só um marido? O Conquistador tinha duas esposas, e Maegor tinha seis ou oito.

Ela havia ido longe demais. Jaehaerys se levantou e desceu do Trono de Ferro, o rosto uma máscara de fúria.

— Você quer se comparar a *Maegor*? É isso que você almeja ser? — Sua Graça havia ouvido o bastante. — Levem-na de volta ao quarto dela — disse ele aos guardas —, e mantenham-na lá até eu mandar chamá-la de novo.

Quando a princesa ouviu suas palavras, ela correu para ele, gritando "Pai, pai!", mas Jaehaerys lhe deu as costas, e Gyles Morrigen a pegou pelo braço e a afastou.

Ela se recusou a ir por conta própria, então os guardas foram obrigados a arrastá-la para fora do salão, aos berros e soluços e apelos ao pai.

Até mesmo nesse momento, revela o septão Barth, a princesa Saera poderia ter sido perdoada e recuperado o afeto dos pais se tivesse obedecido, se tivesse permanecido quieta em seu quarto e refletisse acerca de seus pecados, rezando pelo perdão. Jaehaerys e Alysanne passaram todo o dia seguinte em conversa com Barth e o grande meistre Elysar, discutindo o que devia ser feito dos seis pecadores, especialmente da princesa. O rei estava bravo e intransigente, pois sua vergonha era intensa, e ele não podia perdoar as palavras de provocação de Saera a respeito das esposas do tio dele.

— Ela não é mais filha minha — disse ele, mais de uma vez.

A rainha Alysanne, por sua vez, era incapaz de ser tão dura.

— Ela é nossa filha — disse ela ao rei. — Precisa ser castigada, sim, mas ainda é uma criança, e onde há pecado pode haver redenção. Senhor, meu amor, você se reconciliou com os homens que lutaram por seu tio, você perdoou os homens que cavalgaram ao lado do Septão Lua, você se reconciliou com a Fé, e com o lorde Rogar quando ele tentou nos separar e colocar Aerea no seu trono. Com certeza você pode descobrir alguma forma de fazer as pazes com sua própria filha.

As palavras de Sua Graça eram suaves e delicadas, e Jaehaerys foi comovido, segundo o septão Barth. Alysanne era teimosa e persistente e sabia fazer o rei acatar o ponto de vista dela, por maior que fosse a distância entre eles no começo. Com o tempo, ela poderia ter atenuado sua postura em relação a Saera também.

Ela não teria esse tempo. Naquela mesma noite, a princesa Saera selou seu destino. Em vez de ficar em seus aposentos tal como fora instruída, ela escapuliu enquanto fazia uma visita à latrina, vestiu os mantos de uma lavadeira, roubou um cavalo dos estábulos e fugiu do castelo. Ela atravessou metade da cidade, até a Colina de Rhaenys, mas, quando tentou entrar no Fosso dos Dragões, foi encontrada e capturada pelos Guardiões de Dragão e levada de volta à Fortaleza Vermelha.

Alysanne chorou quando recebeu a notícia, pois soube que era uma causa perdida. Jaehaerys foi duro feito pedra.

— Saera com um dragão — disse ele, apenas. — Será que ela teria levado Balerion também?

Dessa vez, a princesa não teve permissão para voltar aos seus aposentos. Em vez disso, ela foi confinada a uma cela na torre, sob a guarda de Jonquil Darke dia e noite, até mesmo quando fosse à latrina.

Casamentos foram providenciados às pressas para suas irmãs de pecado. Perianne Moore, que não estava grávida, se casou com Jonah Mooton.

— Você teve papel na ruína dela, então pode ter um papel em sua redenção — disse o rei ao jovem fidalgo.

O casamento se revelou um sucesso, e, com o tempo, os dois se tornaram senhor e senhora de Lagoa da Donzela. Alys Turnberry, que *estava* grávida, foi uma situação mais complicada, pois Ruivo Roy Connington se recusou a desposá-la.

— Não vou fingir que o bastardo de Ferroada é meu filho, nem fazer dele o herdeiro de Poleiro do Grifo — disse ele, rebelde, ao rei.

Bela Berry então foi levada ao Vale para dar à luz (uma menina, com cabelos de um intenso vermelho) em um convento em uma ilha na enseada de Vila Gaivota, para onde muitos senhores enviavam suas filhas bastardas para serem criadas. Depois, ela se casou com Dunstan Pryor, Senhor de Seixos, uma ilha perto dos Dedos.

Connington pôde escolher entre passar o resto da vida na Patrulha da Noite ou dez anos em exílio. Ele, claro, escolheu o exílio e atravessou o mar estreito até Pentos, e dali seguiu para Myr, onde se misturou a mercenários e outras companhias de má reputação. Faltando apenas meio ano para poder voltar a Westeros, ele morreu esfaqueado por uma prostituta em um antro de jogo de Myr.

O castigo mais severo foi reservado a Braxton Beesbury, o orgulhoso e jovem cavaleiro conhecido como Ferroada.

— Eu poderia mandar castrá-lo e enviá-lo à Muralha — disse Jaehaerys. — Foi assim que tratei sor Lucamore, e ele era um homem melhor que você. Eu poderia tomar as terras e o castelo de seu pai, mas não haveria justiça nisso. Ele não teve nenhuma participação no que você fez, nem seus irmãos. No entanto, não podemos permitir que você espalhe histórias sobre minha filha, então pretendemos tomar sua língua. E seu nariz também, creio eu, para que você não tenha mais tanta facilidade de ludibriar donzelas. Você tem orgulho demais da sua habilidade com a espada e a lança, então também tomaremos isso. Quebraremos seus braços e pernas, e meus meistres garantirão que eles cicatrizem tortos. Você passará o resto da sua vida miserável como um aleijado. A menos que...

— A menos que? — Beesbury estava branco feito giz. — Tenho escolha?

— Qualquer cavaleiro acusado de algum crime tem escolha — lembrou o rei. — Você pode provar sua inocência arriscando o corpo.

— Então escolho julgamento por combate — disse Ferroada. Todos sabiam que ele era um rapaz arrogante, e que tinha confiança em sua habilidade com as armas. Ele olhou para os sete homens da Guarda Real diante do Trono, com seus longos mantos brancos e armaduras reluzentes, e disse: — Com qual desses velhos Vossa Graça quer que eu lute?

— Com este velho — anunciou Jaehaerys Targaryen. — Aquele cuja filha você seduziu e deflorou.

Eles se encontraram no dia seguinte, ao amanhecer. O herdeiro de Bosquemel tinha dezenove anos, e o rei, quarenta e nove, mas ainda estava longe de ser um velho. Beesbury se armou com uma maça-estrela, acreditando que talvez Jaehaerys estivesse menos acostumado a se defender contra essa arma. O rei empunhou Fogonegro. Os dois usavam armadura e levavam escudo. Quando começou o combate, Ferroada avançou com força contra Sua Graça, pretendendo surpreendê-lo com a velocidade e o vigor da juventude, fazendo a esfera de espinhos zunir, dançar e cantar. Porém Jaehaerys aparou todos os golpes com o escudo, limitando-se a defender enquanto o homem mais jovem se esgotava. Não tardou até chegar o momento em que Braxton Beesbury mal conseguia erguer o braço, e então o rei foi ao ataque. Nem mesmo a melhor das cotas de malha é páreo para o aço valiriano, e Jaehaerys sabia onde se encontravam todos os pontos fracos. Ferroada já estava sangrando de meia dúzia de ferimentos quando enfim caiu. Jaehaerys chutou o escudo destruído dele, abriu a viseira do elmo do rapaz, pôs a ponta de Fogonegro em cima de seu olho e mergulhou a espada.

A rainha Alysanne não assistiu ao duelo. Ela disse ao rei que não suportava a ideia de que ele pudesse morrer. A princesa Saera viu da janela de sua cela. Jonquil Darke, sua carcereira, se certificou de que ela não desviasse os olhos.

Uma quinzena depois, Jaehaerys e Alysanne deram mais uma de suas filhas à Fé. A princesa Saera, que ainda não havia completado dezessete anos, partiu de Porto Real rumo a Vilavelha, onde sua irmã, a septã Maegelle, se encarregaria de sua educação. Foi anunciado que ela seria uma noviça junto às irmãs silenciosas.

O septão Barth, que conhecia a mente do rei melhor do que ninguém, afirmaria mais tarde que a sentença pretendia ser uma lição. Ninguém podia tomar Saera por sua irmã Maegelle, especialmente o pai dela. Ela jamais seria uma septã, muito menos uma irmã silenciosa, mas precisava ser castigada, e se acreditava que alguns anos de orações silenciosas, intensa disciplina e contemplação lhe fariam bem, que a colocariam no caminho da redenção.

Contudo, não era esse o caminho que Saera Targaryen pretendia percorrer. A princesa suportou o silêncio, os banhos frios, os desconfortáveis mantos de tecido grosso, as refeições sem carne. Ela aceitou ter a cabeça raspada e ser esfregada com escovas de pelo de cavalo, e, quando agia com desobediência, aceitou também a vara. Tudo isso ela sofreu, por um ano e meio... mas, quando veio a oportunidade, em 83 DC, ela aproveitou, fugindo do convento na calada da noite e indo rumo ao cais. Ao encontrar uma irmã mais velha durante a fuga, ela derrubou a mulher por uma escada e pulou por cima dela para alcançar a porta.

Quando a notícia de sua fuga chegou a Porto Real, a suspeita era que Saera estaria escondida em algum lugar de Vilavelha, mas os homens do lorde Hightower esquadrinharam a cidade de porta em porta e não encontraram nem sinal dela. Pensou-se então que ela poderia voltar à Fortaleza Vermelha para suplicar perdão ao pai. Quando ela tampouco apareceu lá, o rei se perguntou se ela não tentaria fugir para suas antigas amigas, então Jonah Mooton e a esposa Perianne receberam a ordem de ficar atentos a ela em Lagoa da Donzela. A verdade só veio à tona um ano depois, quando a antiga princesa foi vista em um jardim de prazer de Lys, ainda trajada como noviça. A rainha Alysanne chorou ao saber.

— Eles transformaram nossa filha em prostituta — disse ela.

— Ela sempre foi — respondeu o rei.

Jaehaerys Targaryen comemorou o quinquagésimo dia do seu nome em 84 DC. Os anos haviam cobrado seu preço, e quem o conhecia bem dizia que ele nunca mais foi o mesmo desde que sua filha Saera o desonrara e abandonara. Ele tinha emagrecido, até ficar quase esquálido, e agora havia mais branco que ouro em sua barba, e em seus cabelos. Os homens passaram a chamá-lo de "Velho Rei" em vez de "Conciliador". Alysanne, abalada por todas as perdas que eles haviam sofrido, se distanciou mais e mais da administração do reino e raramente comparecia às reuniões do conselho, mas Jaehaerys ainda tinha seu fiel septão Barth, e seus filhos.

— Se houver mais uma guerra — disse ele aos dois —, ela será combatida por vocês. Tenho que terminar minhas estradas.

"Ele era melhor com estradas do que com filhas", escreveria mais tarde o grande meistre Elysar, em seu estilo afiado habitual.

Em 86 DC, a rainha Alysanne anunciou o noivado de sua filha Viserra, de quinze anos, com Theomore Manderly, o bravo e idoso Senhor de Porto Branco. O casamento contribuiria muito para a união do reino ao juntar uma das grandes casas do Norte ao Trono de Ferro, declarou o rei. O lorde Theomore havia conquistado grande renome como guerreiro na juventude e se revelara um senhor responsável cuja atuação trouxera enorme prosperidade a Porto Branco. A rainha Alysanne também gostava muito dele, relembrando a recepção calorosa que ele lhe dera em sua primeira visita ao Norte.

Entretanto, sua senhoria havia enviuvado quatro vezes, e, embora ainda fosse um guerreiro valoroso, ele se tornara muito rotundo, o que pouco ajudava para interessar a princesa Viserra. Ela tinha outro homem em mente. Desde pequena, Viserra sempre havia sido a mais bonita das filhas da rainha. Ela fora cortejada a vida inteira por grandes senhores, cavaleiros famosos e meninos imaturos, o que alimentara sua vaidade até transformá-la em um incêndio desenfreado. Seu maior prazer na vida era colocar um menino contra outro, incitando-os a se lançarem em missões e disputas insensatas. Para conquistarem sua prenda em uma justa, ela obrigava escudeiros fascinados a nadar na Torrente da Água Negra, escalar a Torre da Mão ou soltar todos os corvos do viveiro. Certa vez, ela levou seis meninos ao Fosso dos Dragões e disse que daria sua donzelice para quem enfiasse a cabeça dentro da boca de um dragão, mas os deuses foram bons naquele dia e os Guardiões de Dragão puseram um fim naquela história.

A rainha Alysanne sabia que nenhum escudeiro jamais conquistaria Viserra; não o coração dela, e definitivamente não sua donzelice. Ela era uma menina astuta demais para seguir pelo mesmo caminho da irmã Saera.

— Ela não tem nenhum interesse em brincadeiras de beijo, nem em meninos — disse a rainha a Jaehaerys. — Ela brinca com eles do mesmo jeito que brincava com seus cachorrinhos, mas não se deitaria com nenhum dos dois. Nossa Viserra aspira a muito mais. Já vi como ela se apruma e saltita em volta de Baelon. É esse o marido que ela deseja, e não por amor a ele. Ela quer ser a rainha.

O príncipe Baelon era catorze anos mais velho que Viserra, com vinte e nove diante dos quinze dela, mas ela bem sabia que senhores mais velhos já haviam se casado com donzelas mais jovens. Fazia dois anos desde a morte da princesa Alyssa, mas Baelon não demonstrara interesse em nenhuma outra mulher.

— Ele se casou com uma irmã, por que não com outra? — disse Viserra à sua amiga mais próxima, a sonsa Beatrice Butterwell. — Eu sou *muito* mais bonita do que Alyssa jamais foi, você a conheceu. Ela tinha *nariz quebrado*.

Se a princesa estava determinada a se casar com o irmão, a rainha estava igualmente decidida a impedi-la. Sua resposta foi o lorde Manderly e Porto Branco.

— Theomore é um bom homem — disse Alysanne à filha —, um homem sábio, de coração gentil e com uma boa cabeça entre os ombros. O povo dele o ama.

A princesa não se convenceu.

— Se você gosta tanto dele, mãe, case-se você — disse ela, antes de correr para reclamar com o pai.

Jaehaerys não lhe proporcionou nenhum consolo.

— É uma boa união — disse ele, antes de explicar a importância da aproximação do Norte com o Trono de Ferro. De qualquer forma, casamentos eram domínio da rainha; ele nunca interferia nesses assuntos.

Frustrada, Viserra se voltou então ao irmão Baelon na esperança de ser resgatada, se podemos nos fiar em fofocas da corte. Certa noite, ela teria conseguido evitar os guardas e se esgueirar para o quarto dele, onde se despiu e o esperou, desfrutando à vontade o vinho do príncipe enquanto aguardava. Quando o príncipe Baelon finalmente chegou, ele a encontrou bêbada e nua em sua cama e a mandou embora. A princesa estava tão trôpega que precisou da ajuda de duas criadas e um cavaleiro da Guarda Real para voltar em segurança a seus próprios aposentos.

Jamais saberemos como se teria resolvido a disputa de vontades entre a rainha Alysanne e sua obstinada filha de quinze anos. Pouco depois do incidente no quarto de Baelon, conforme a rainha tomava providências para a saída de Viserra de Porto Real, a princesa trocou de roupas com uma de suas criadas para fugir dos guardas que haviam sido designados para mantê-la longe de problemas e escapuliu da Fortaleza Vermelha para o que ela descreveu como "uma última noite de risadas antes de eu ir embora e congelar".

Seus companheiros eram todos homens, dois fidalgos menores e quatro jovens cavaleiros, todos imaturos como fruta verde e ansiosos por agradar Viserra. Um deles havia oferecido mostrar à princesa partes da cidade que ela nunca tinha visto: as casas de pasto e arenas de ratazanas da Baixada das Pulgas, as estalagens ao longo da Viela da Enguia e da Rua do Rio onde as taberneiras dançavam em cima das mesas, os bordéis da Rua da Seda. Cerveja, hidromel e vinho estiveram presentes nas travessuras da noite, e Viserra desfrutou com gosto.

Em algum momento, perto da meia-noite, a princesa e os companheiros que restavam (alguns dos cavaleiros tinham perdido a consciência de tanto beber) decidiram apostar corrida de volta até o castelo. Seguiu-se uma cavalgada desabalada pelas ruas da cidade, enquanto portorrealenses pulavam para fora do caminho para não serem atropelados e pisoteados. Risadas ecoavam pela noite e os ânimos estavam em alta até os jovens chegarem à base da Colina de Aegon, onde o palafrém de Viserra colidiu com um de seus companheiros. A égua do cavaleiro perdeu o equilíbrio e caiu, fazendo o palafrém quebrar a perna. A princesa foi arremessada da sela de cabeça contra uma parede. Seu pescoço se quebrou.

Era a hora do lobo, o momento mais sombrio da noite, quando coube a sor Ryam Redwyne da Guarda Real despertar o rei e a rainha para lhes dizer que a filha deles fora encontrada morta em um beco ao pé da Colina de Aegon.

Apesar das diferenças entre elas, a perda da princesa Viserra foi devastadora para a rainha. No curso de cinco anos, os deuses haviam levado três de suas filhas: Daella em 82, Alyssa em 84, Viserra em 87. O príncipe Baelon também ficou muito abalado, perguntando-se se devia ter falado de forma menos brusca com a irmã na noite em que a encontrara nua em sua cama. Embora ele e Aemon fossem uma fonte de força para o rei e a rainha nesse momento de luto, junto com a senhora Jocelyn, esposa de Aemon, e a filha deles, Rhaenys, foi às próprias filhas sobreviventes que Alysanne recorreu para se consolar.

Maegelle, uma septã de vinte e cinco anos, licenciou-se do septo para ficar com a mãe até o fim daquele ano, e a princesa Gael, uma doce e tímida menina de sete anos, se tornou companheira e consolo constante da rainha, chegando até a dormir na mesma cama que ela à noite. A rainha extraía forças da presença delas... mas, ainda assim, cada vez mais seus pensamentos se voltavam para a filha que não estava lá. Embora Jaehaerys tivesse proibido, Alysanne desafiara o decreto dele e incumbira agentes de vigiar em segredo a filha perdida do outro lado do mar estreito. Pelos informes que recebia, ela sabia que Saera continuava em Lys, ainda no jardim de prazer. Agora com vinte anos, ela costumava entreter seus admiradores ainda trajada como uma noviça da Fé; evidentemente, muitos lysenos sentiam prazer em violar jovens inocentes que haviam feito voto de castidade, até mesmo quando essa inocência era falsa.

Foi o luto pela perda da princesa Viserra que finalmente fez a rainha levantar a questão de Saera mais uma vez com Jaehaerys. Ela levou o septão Barth consigo, para falar das virtudes do perdão e dos poderes regenerativos do tempo. Foi apenas quando Barth terminou que Sua Graça mencionou o nome de Saera.

— Por favor — suplicou ela ao rei —, é hora de trazê-la para casa. Ela com certeza já teve castigo suficiente. É nossa filha.

Jaehaerys não se comoveu.

— Ela é uma puta lysena — respondeu Sua Graça. — Abriu as pernas para metade da minha corte, jogou uma mulher idosa escada abaixo e tentou roubar um dragão. O que mais você quer? Chegou a pensar em como ela conseguiu chegar a Lys? Ela não tinha dinheiro. Como você acha que ela pagou pela passagem?

A rainha se retraiu diante dessas palavras duras, mas se recusou a desistir.

— Se você não quer trazer Saera para casa por amor a ela, traga-a por amor a mim. Eu preciso dela.

— Você precisa dela tanto quanto um dornês precisa de uma víbora — disse Jaehaerys. — Sinto muito. Porto Real já tem prostitutas suficientes. Não quero ouvir o nome dela de novo. — Com essas palavras, ele se levantou para ir embora, mas, ao chegar à porta, parou e se virou. — Estamos juntos desde a infância. Eu a conheço tão bem quanto você me conhece. Agora você está pensando que não precisa de minha permissão para trazê-la para casa, que pode pegar Asaprata e voar pessoalmente até Lys. O que você faria lá? Visitaria o jardim de prazer? Imagina que ela vai voar para seus braços e implorar perdão? É mais provável que ela lhe dê um tapa no rosto. E como os lysenos vão reagir se você tentar levar embora uma de suas prostitutas? Ela tem valor para eles. Quanto você acha que custa para se deitar com uma princesa Targaryen? Na melhor das hipóteses, eles vão exigir um resgate. Na pior, pode ser que decidam ficar com você também. O que vai fazer se isso acontecer? Gritar para Asaprata queimar a cidade toda? Você gostaria que eu mandasse Aemon e Baelon com um exército para ver se eles conseguem libertá-la? Você a quer, sim, eu entendo, você precisa dela... mas ela não precisa de você, nem de mim, nem de Westeros. Ela está morta. Enterre-a.

A rainha Alysanne não voou até Lys, mas também nunca chegou a perdoar o rei pelas palavras que ele disse nesse dia. Já havia algum tempo que estavam em curso os preparativos para uma nova turnê no ano seguinte, quando os dois voltariam às terras ocidentais pela primeira vez em vinte anos. Pouco depois da briga, a rainha informou Jaehaerys de que ele deveria ir sozinho. Ela voltaria a Pedra do Dragão, só, para chorar as filhas mortas.

E foi assim que Jaehaerys Targaryen voou até Rochedo Casterly e as outras grandes sedes do oeste sozinho em 88 DC. Dessa vez, ele visitou inclusive Ilha Bela, pois o detestado lorde Franklyn se encontrava sepultado em segurança. O rei passou muito mais tempo fora do que os planos originais; ele precisava inspecionar as obras nas estradas e acabou por realizar paradas imprevistas em vilarejos e castelos menores, fazendo a alegria de muitos senhores pequenos e cavaleiros de terras. O príncipe Aemon o acompanhou em alguns castelos, o príncipe Baelon em outros, mas nenhum dos dois conseguiu convencê-lo a voltar à Fortaleza Vermelha.

— Faz muito tempo que não vejo meu reino e escuto meu povo — disse Sua Graça a eles. — Porto Real vai ficar bem nas mãos de vocês, e nas de sua mãe.

Quando enfim esgotou a hospitalidade dos homens das terras ocidentais, o rei não voltou a Porto Real, mas seguiu diretamente rumo à Campina, voando com Vermithor de Paço de Codorniz até Carvalho Velho para emendar uma segunda turnê no fim da primeira. A essa altura, a ausência da rainha não havia passado despercebida, e Sua Graça muitas vezes se via ao lado de alguma donzela graciosa ou de uma bela viúva em banquetes, ou cavalgando ao lado delas enquanto caçava ou falcoava, mas ele não deu atenção a nenhuma. Em Bandallon, quando a filha mais nova do lorde Blackbar teve a ousadia de se sentar em seu colo e tentar lhe dar uma uva na boca, ele afastou sua mão e disse:

— Perdoe-me, mas tenho uma rainha e não desejo amantes.

O rei passou todo o ano de 89 DC em viagens. Em Jardim de Cima, recebeu durante um tempo a companhia de sua neta, a princesa Rhaenys, que voou até ele com Meleys, a Rainha Vermelha. Juntos, eles visitaram as Ilhas Escudo, aonde o rei nunca tinha ido antes. Jaehaerys fez questão de pousar em todas as quatro Escudos. Foi em Escudoverde, no salão do lorde Chester, que a princesa Rhaenys lhe revelou seus planos de casamento e recebeu a bênção do rei.

— Você não poderia ter escolhido homem melhor — disse ele.

Suas viagens enfim terminaram em Vilavelha, onde ele visitou a filha Maegelle, foi abençoado pelo alto septão e celebrou um banquete com o Conclave, e apreciou um torneio organizado em sua homenagem pelo lorde Hightower. Sor Ryam Redwyne mais uma vez se sagrou campeão.

Os meistres da época se referiam ao distanciamento entre o rei e a rainha como o Grande Abismo. A passagem do tempo e uma briga subsequente quase tão séria quanto a primeira conferiram-lhe um novo nome: a Primeira Discórdia. É assim que a conhecemos até hoje. Falaremos da Segunda Discórdia no devido momento.

Foi a septã Maegelle que apaziguou a situação.

— Isso é uma besteira, pai — disse ela. — Rhaenys se casará no ano que vem, e deve ser uma grande ocasião. Ela vai querer todos nós lá, inclusive você e a mãe. Eu soube que os arquimeistres o chamam de Conciliador. É hora de vocês se conciliarem.

A bronca produziu o efeito desejado. Uma quinzena depois, o rei Jaehaerys finalmente voltou a Porto Real, e a rainha Alysanne regressou de seu exílio autoimposto em Pedra do Dragão. Jamais saberemos que palavras foram trocadas entre eles, mas, por um bom tempo depois, eles voltaram a ser tão próximos quanto antes.

No ano 90 após a Conquista de Aegon, o rei e a rainha viveram um dos últimos momentos de alegria que teriam juntos, ao comemorar o casamento de sua neta mais velha, a princesa Rhaenys, com Corlys Velaryon de Derivamarca, Senhor das Marés.

Aos trinta e sete anos, o homem conhecido como Serpente Marinha já era exaltado como o maior navegador westerosi de todos os tempos, mas, tendo realizado suas nove grandes viagens, ele voltara para casa para se casar e formar uma família.

— Só você poderia ter me conquistado a ponto de me tirar do mar — disse ele à princesa. — Voltei dos confins do mundo por você.

Rhaenys, aos dezesseis, era uma jovem bela e destemida, e mais do que páreo para seu navegador. Tendo domado sua dragão já aos treze anos de idade, ela insistiu em chegar para a cerimônia com Meleys, a Rainha Vermelha, a magnífica dragão escarlate que antes pertencera à sua tia Alyssa.

— Nós podemos voltar juntos para os confins do mundo — prometeu ela a sor Corlys. — Mas eu vou chegar lá primeiro, já que vou voando.

— Aquele foi um bom dia — diria a rainha Alysanne com um sorriso triste nos anos que lhe restavam. Ela tinha cinquenta e quatro anos, mas, infelizmente, não lhe restavam muitos dias bons.

Não pertence ao escopo desta história narrar as intermináveis guerras, intrigas e rivalidades das Cidades Livres de Essos, exceto quanto elas interferem no destino da Casa Targaryen e dos Sete Reinos. Uma ocasião dessas aconteceu nos anos de 91 a 93 DC, durante o que se conhece como Banho de Sangue Myriano. Não incomodaremos o leitor com detalhes. Basta dizer que, na cidade de Myr, duas facções rivais disputavam a supremacia. Houve assassinatos, rebeliões, envenenamentos, estupros, enforcamentos, torturas e batalhas marítimas até que um dos lados emergisse vitorioso. A facção derrotada, expulsa da cidade, tentou se estabelecer nos Degraus, mas foi escorraçada também dali quando o Arconte de Tyrosh se aliou a uma liga de reis piratas. Em seu desespero, os myrianos se dirigiram então à ilha de Tarth, onde seu desembarque surpreendeu a Estrela da Tarde. Em pouco tempo, eles haviam dominado toda a porção leste da ilha.

A essa altura, os myrianos já não passavam de piratas, um bando maltrapilho de bandidos. Tanto o rei quanto seu conselho acreditavam que não seria difícil expulsá-los de volta para o mar. Decidiu-se que o príncipe Aemon lideraria o ataque. Os myrianos tinham algum poder naval, então antes o Serpente Marinha precisaria levar a frota dos Velaryon ao sul, para proteger o lorde Boremund enquanto ele atravessava Tarth com seus homens da tempestade para se juntar às forças da própria Estrela da Tarde. O poderio combinado deles seria mais do que suficiente para reconquistar toda Tarth dos piratas de Myr. E, se houvesse qualquer dificuldade inesperada, o príncipe Aemon teria Caraxes.

— Ele adora queimar — afirmou o príncipe.

O lorde Corlys e sua frota zarparam de Derivamarca no nono dia da terceira lua de 92 DC. O príncipe Aemon partiu algumas horas depois, após se despedir da senhora Jocelyn e da filha Rhaenys. A princesa havia acabado de descobrir que estava grávida, caso contrário teria acompanhado o pai com Meleys.

— Para a batalha? — disse o príncipe. — Como se eu fosse permitir. Você tem sua própria batalha para travar. O lorde Corlys vai querer um filho, decerto, e eu gostaria de um neto.

Essas foram as últimas palavras que ele diria à filha. Caraxes logo ultrapassou o Serpente Marinha e sua frota, descendo dos céus em Tarth. O lorde Cameron, a Estrela da Tarde de Tarth, recuara para a cordilheira que cortava o centro de sua ilha e montara acampamento em um vale oculto de onde era possível observar a movimentação dos myrianos abaixo. O príncipe Aemon o encontrou lá, e os dois fizeram planos juntos, enquanto Caraxes devorava meia dúzia de cabras.

Mas o acampamento da Estrela da Tarde não era tão oculto quanto ele esperava, e a fumaça das chamas do dragão chamou a atenção de um par de batedores myrianos que estavam perambulando desapercebidos pelas montanhas. Um deles reconheceu a Estrela da Tarde caminhando pelo acampamento ao anoitecer, conversando com o príncipe Aemon. Os homens de Myr são marinheiros medíocres e soldados fracos; suas armas são o punhal, a adaga e a besta, de preferência envenenados. Um dos batedores de Myr armou a besta, atrás das pedras onde estava se escondendo. Ele se levantou, mirou na Estrela da Tarde a cem metros de distância e lançou o dardo. Com o crepúsculo e a distância, sua mira não foi tão certeira, e o dardo errou o lorde Cameron... e atingiu o príncipe Aemon, que se encontrava ao seu lado.

O dardo de ferro atravessou a garganta do príncipe e saiu por sua nuca. O Príncipe de Pedra do Dragão caiu de joelhos e agarrou o dardo da besta, como se quisesse puxá-lo da garganta, mas suas forças o abandonaram. Aemon Targaryen morreu tentando falar, afogando-se no próprio sangue. Tinha trinta e sete anos.

Como podem minhas palavras expressar o pesar que se abateu sobre os Sete Reinos, a dor que foi sentida pelo rei Jaehaerys e pela rainha Alysanne, a cama vazia e as lágrimas angustiadas da senhora Jocelyn, e a tristeza da princesa Rhaenys ao descobrir que seu pai jamais seguraria a criança que ela estava aguardando? Muito mais fácil é falar da ira do príncipe Baelon, e de seu aparecimento em Tarth no dorso de Vhagar, e de seus urros de vingança. As embarcações myrianas arderam como os navios do príncipe Morion nove anos antes, e, quando a Estrela da Tarde e o lorde Boremund desceram das montanhas, os myrianos não tinham para onde fugir. Foram abatidos aos milhares e abandonados para apodrecer nas praias, e durante dias toda onda que chegava às areias era tingida de rosa.

Baelon, o Valente, tomou parte no massacre, com Irmã Sombria em sua mão. Quando ele voltou a Porto Real com o corpo do irmão, o povo encheu as ruas para gritar seu nome e exaltá-lo como um herói. Mas dizem que, quando reencontrou a mãe, ele caiu em seus braços e chorou.

— Matei mil deles — disse Baelon —, mas isso não vai trazê-lo de volta.

E a rainha acariciou seu cabelo e disse:

— Eu sei, eu sei.

As estações chegaram e partiram nos anos seguintes. Houve dias quentes e dias agradáveis e dias em que o vento salgado soprava com força do mar, houve campos de flores na primavera, e colheitas fartas, e tardes douradas de outono, e em todo o reino as estradas progrediam e pontes novas cobriam córregos antigos. Pelo que os homens percebiam, nada disso aprazia o rei.

— É sempre inverno agora — disse ele ao septão Barth certa noite, depois de beber demais. Desde a morte de Aemon, ele sempre tomava uma ou três taças de vinho com mel à noite para ajudar a dormir.

Em 93 DC, Viserys, o filho de dezesseis anos do príncipe Baelon, entrou no Fosso dos Dragões e reivindicou Balerion. O velho dragão finalmente havia parado de crescer, mas estava lento e pesado e difícil de despertar, e ele fez muito esforço quando Viserys o instou a subir ao ar. O jovem príncipe deu três voltas em torno da cidade antes de pousar. Mais tarde, ele revelou ao pai que sua intenção fora voar até Pedra do Dragão, mas achou que o Terror Negro não teria forças para isso.

Menos de um ano depois, Balerion se foi.

"A última criatura viva no mundo que testemunhou a glória de Valíria", escreveu o septão Barth. O próprio Barth morreu quatro anos depois, em 98 DC. O grande meistre Elysar o precedeu por meio ano. O lorde Redwyne havia morrido em 89 DC, e seu filho, sor Robert, pouco depois. Homens novos os substituíram, mas a essa altura Jaehaerys já era de fato o Velho Rei, e havia momentos em que ele entrava na sala do conselho e pensava: "Quem são esses homens? Eu os conheço?".

Sua Graça guardou luto pelo príncipe Aemon até o fim de seus dias, mas o Velho Rei jamais imaginou que a morte de Aemon em 92 DC seria como os berrantes do inferno das lendas valirianas, despejando morte e destruição sobre todos os que ouviam seu som.

Os últimos anos de Alysanne Targaryen foram tristes e solitários. Na juventude, a Boa Rainha Alysanne amara seus súditos, nobres ou plebeus. Ela havia amado suas audiências de mulheres, escutando, aprendendo e fazendo o que fosse possível para transformar o reino em um lugar melhor. Ela tinha visto mais dos Sete Reinos do que qualquer outra rainha antes ou depois, dormido em uma centena de castelos, encantado uma centena de senhores, formado uma centena de casamentos. Ela amara ouvir música, dançar, ler. E, *ah*, como ela amara voar. Asaprata a levara até Vilavelha, até a Muralha, e a outros mil lugares entre uma e outra, e Alysanne viu todos esses como poucas outras pessoas jamais veriam, observando a tudo das alturas.

Todos esses amores ela perderia em sua última década de vida.

— Meu tio Maegor era cruel — disse Alysanne certa vez —, mas a idade é pior.

Esgotada pelos partos, pelas viagens e pelo luto, ela se tornou uma mulher esquálida e frágil após a morte de Aemon. O ato de subir colinas se tornou um martírio, e, em 95 DC, ela escorregou e caiu em uma escada sinuosa, fraturando a bacia. Depois disso, passou a andar com uma bengala. Sua audição também começou a desaparecer. A música perdeu o sentido, e, quando ela tentou participar das reuniões do conselho com o rei, já não conseguia entender metade do que se dizia. Ela estava instável demais para voar. A última vez que Asaprata a levou ao céu foi em 93 DC. Quando voltou ao solo e desceu dolorosamente do dorso do dragão, a rainha chorou.

Mais do que tudo isso, a rainha amara seus filhos. O grande meistre certa vez lhe disse, antes de ser levado pelos Arrepios, que nenhuma mãe amou mais seus filhos. Em seus últimos dias de vida, a rainha Alysanne refletiu sobre essas palavras. "Acho que ele se enganou", escreveu ela, "pois certamente a Mãe do Céu amou meus filhos mais que eu. Ela me tirou tantos."

— Nenhuma mãe deveria ter que queimar um filho — dissera a rainha diante da pira funerária de seu filho Valerion, mas, das treze crianças que ela dera ao rei Jaehaerys, apenas três viveriam mais que ela. Aegon, Gaemon e Valerion morreram ainda bebês. Os Arrepios levaram Daenerys aos seis anos de idade. Uma besta matou o príncipe Aemon. Alyssa e Daella morreram por complicações do parto, e Viserra, bêbada na rua. A septã Maegelle, aquela doce alma, morreu em 96 DC, com braços e pernas transformados em pedra por escamagris, pois ela havia passado seus últimos anos cuidando de pacientes acometidos dessa doença horrível.

A perda mais triste de todas foi a da princesa Gael, a "Filha do Inverno", nascida em 80 DC, quando a rainha Alysanne tinha quarenta e quatro anos e se acreditava que estivesse além de seus dias férteis. Menina gentil, mas frágil e um tanto ou quanto simples, ela continuou com a rainha muito após os outros irmãos terem crescido e ido embora, mas, em 99 DC, desapareceu da corte, e pouco depois se anunciou que havia morrido devido a uma febre de verão. Foi só após a morte de seus pais que a verdade veio à tona. Seduzida e abandonada por um cantor itinerante, a princesa dera à luz um filho natimorto e depois, atormentada de tristeza, entrara nas águas da Baía da Água Negra e se afogara.

Há quem diga que Alysanne nunca se recuperou dessa perda, pois sua Filha do Inverno havia sido uma verdadeira companheira durante seus anos de declínio. Saera ainda vivia, em algum lugar de Volantis (ela deixara Lys alguns anos antes, uma mulher infame, porém rica), mas estava morta para Jaehaerys, e as cartas que Alysanne lhe enviava em segredo de tempos em tempos jamais tiveram resposta. Vaegon era arquimeistre na Cidadela. Filho frio e distante, ele crescera e se tornara um homem frio e distante. Ele escrevia, como era próprio de um filho. Suas palavras eram respeitosas, mas não continham afeto algum, e fazia anos que Alysanne vira seu rosto pela última vez.

Apenas Baelon, o Valente, permaneceu perto dela até o fim. Seu Príncipe da Primavera a visitava sempre que podia e nunca deixava de conquistar um sorriso dela, mas Baelon era Príncipe de Pedra do Dragão, Mão do Rei, sempre indo e vindo, sentado ao lado do pai no conselho, tratando com os senhores.

— Você será um grande rei, maior ainda que seu pai — disse Alysanne, na última vez em que eles se viram. Ela não sabia. Como poderia saber?

Após a morte da princesa Gael, Porto Real e a Fortaleza Vermelha se tornaram lugares insuportáveis para Alysanne. Não podia mais servir como antes, uma parceira do rei em seu trabalho, e a corte era cheia de desconhecidos cujos nomes Alysanne não conseguia lembrar. Em busca de paz, ela voltou uma vez mais a Pedra do Dragão, onde passara os melhores dias de sua vida com Jaehaerys, entre o primeiro e o segundo casamento deles. O Velho Rei ia vê-la sempre que podia.

— Como é que agora eu sou o Velho Rei, mas você continua sendo a Boa Rainha? — perguntou ele, certa vez.

Alysanne riu.

— Também sou velha, mas ainda sou mais nova que você.

Alysanne Targaryen morreu em Pedra do Dragão no primeiro dia da sétima lua de 100 DC, um século inteiro após a Conquista de Aegon. Tinha sessenta e quatro anos.

# Herdeiros do dragão
## Uma questão de sucessão

As sementes da guerra muitas vezes são plantadas em tempos de paz. E foi assim em Westeros. A luta sangrenta pelo Trono de Ferro conhecida como Dança dos Dragões, que aconteceu de 129 a 131 DC, teve suas raízes meio século antes, durante o reinado mais longo e mais pacífico de qualquer um dos descendentes do Conquistador, o de Jaehaerys I Targaryen, o Conciliador.

O Velho Rei e a Boa Rainha Alysanne governaram juntos até a morte dela em 100 DC (fora dois períodos de distanciamento, conhecidos como Primeira e Segunda Discórdias) e tiveram treze filhos. Quatro deles, dois filhos e duas filhas, cresceram até a maturidade, se casaram e tiveram seus filhos. Nunca antes nem depois os Sete Reinos foram abençoados (ou amaldiçoados, na visão de alguns) com tantos príncipes e princesas Targaryen. Da união do Velho Rei e de sua amada rainha saiu uma confusão tão grande de reivindicações e postulantes que muitos meistres acreditam que a Dança dos Dragões ou alguma outra luta similar era inevitável.

Isso não ficou aparente nos anos iniciais do reinado de Jaehaerys, pois no príncipe Aemon e no príncipe Baelon Sua Graça tinha os proverbiais "herdeiro e um sobressalente", e raramente o reino foi abençoado com dois príncipes tão capazes. Em 62 DC, aos sete anos, Aemon foi formalmente ungido Príncipe de Pedra do Dragão e herdeiro do Trono de Ferro. Alçado cavaleiro aos dezessete anos e campeão de torneio aos vinte, tornou-se juiz e mestre das leis aos vinte e seis anos. Apesar de nunca ter servido o pai como Mão do Rei, isso só aconteceu porque a posição era ocupada pelo septão Barth, o amigo de mais confiança do Velho Rei e "companheiro dos meus esforços". Baelon Targaryen não ficava atrás em nada. O príncipe mais novo conquistou seu título de cavaleiro aos dezesseis anos e se casou aos dezoito. Embora ele e Aemon tivessem uma rivalidade saudável, nenhum homem duvidava do amor que os unia. A sucessão parecia sólida como pedra.

Mas a pedra começou a rachar em 92 DC, quando Aemon, o Príncipe de Pedra do Dragão, foi morto em Tarth por uma flecha de besta myriana disparada para o homem ao lado dele. O rei e a rainha sentiram a perda, e o reino também, mas nenhum homem ficou mais abalado do que o príncipe Baelon, que foi na mesma hora para Tarth e vingou seu irmão expulsando os myrianos para o mar. No retorno para Porto Real, Baelon foi celebrado como herói por multidões e abraçou seu pai, o rei, que o nomeou Príncipe de Pedra do Dragão e herdeiro do Trono de Ferro. Foi um decreto popular. A plebe amava Baelon, o Valente, e os senhores do reino o viam como sucessor óbvio do irmão.

Mas o príncipe Aemon tinha prole: sua filha Rhaenys, nascida em 74 DC, era uma jovem inteligente, capaz e bela. Em 90 DC, aos dezesseis anos, ela se casou com o almirante e mestre dos navios do rei, Corlys da Casa Velaryon, Senhor das Marés, conhecido como Serpente Marinha por causa do mais famoso de seus muitos navios. Além disso, a princesa Rhaenys estava grávida quando o pai morreu. Ao conceder Pedra do Dragão ao príncipe Baelon, o rei Jaehaerys estava não só passando por cima de Rhaenys, mas também (possivelmente) do filho ainda não nascido.

A decisão do rei estava de acordo com uma prática bem estabelecida. Aegon, o Conquistador, foi o primeiro senhor dos Sete Reinos, não sua irmã Visenya, dois anos mais velha. O próprio Jaehaerys sucedeu seu tio usurpador Maegor no Trono de Ferro, embora, se a ordem fosse de nascimento apenas, sua irmã Rhaena tivesse mais força de reivindicação. Jaehaerys não tomou essa decisão de forma leviana; sabe-se que ele discutiu a questão com seu pequeno conselho. Sem dúvida ele consultou o septão Barth, como fazia em todas as questões importantes, e a opinião do grande meistre Elysar também tinha grande peso. Todos concordaram. Baelon, um cavaleiro experiente de trinta e cinco anos, era mais adequado ao governo do que a princesa Rhaenys, de dezoito anos, ou seu bebê ainda não nascido (que podia ou não ser menino, enquanto o príncipe Baelon já tinha tido dois filhos saudáveis, Viserys e Daemon). O amor da plebe por Baelon, o Valente, também foi citado.

Alguns discordaram. A própria Rhaenys foi a primeira a levantar a objeção.

— Você prefere roubar do meu filho seu direito de nascença — disse ela para o rei com a mão na barriga inchada.

O marido dela, Corlys Velaryon, ficou tão furioso que abriu mão do almirantado e de sua posição no pequeno conselho e levou a esposa embora para Derivamarca. A senhora Jocelyn da Casa Baratheon, mãe de Rhaenys, também ficou furiosa, assim como seu extraordinário irmão Boremund, Senhor de Ponta Tempestade.

A divergência mais proeminente veio da Boa Rainha Alysanne, que ajudou o marido a governar os Sete Reinos por muitos anos e agora via a filha do seu filho ser ignorada por causa do sexo.

— Um governante precisa ter uma boa cabeça e um coração sincero — dizem que ela afirmou ao rei. — Um pênis não é essencial. Se Vossa Graça realmente acredita que as mulheres não têm inteligência para governar, está claro que não tem mais necessidade de mim.

E assim, a rainha Alysanne partiu de Porto Real e voou para Pedra do Dragão em seu dragão Asaprata. Ela e o rei Jaehaerys ficaram separados por dois anos, o período de afastamento registrado na história como Segunda Discórdia.

O Velho Rei e a Boa Rainha se reconciliaram em 94 DC pelos bons conselhos da filha deles, a septã Maegelle, mas nunca chegaram a um acordo sobre a sucessão. A rainha morreu de uma doença arrasadora em 100 DC, aos sessenta e quatro anos, ainda insistindo que a neta Rhaenys e os filhos dela sofreram uma trapaça injusta em seus direitos. "O garoto na barriga", a criança não nascida que foi assunto de tanto debate, acabou se revelando uma menina quando nasceu em 93 DC. Sua mãe a batizou de Laena. No ano seguinte, Rhaenys lhe deu um irmão, Laenor. O príncipe Baelon já tinha posição garantida de herdeiro aparente, mas a Casa Velaryon e a Casa Baratheon sustentavam a crença de que o jovem Laenor tinha mais direito ao Trono de Ferro, e alguns até discutiam a favor dos direitos da irmã mais velha dele, Laena, e da mãe deles, Rhaenys.

Nos últimos anos de vida, os deuses deram muitos golpes cruéis na rainha Alysanne, como já foi contado. Mas Sua Graça conheceu tanto tristezas quanto alegrias nos mesmos anos, sendo a principal delas os netos. Também houve casamentos. Em 93 DC, ela foi ao casamento do filho mais velho do príncipe Baelon, Viserys, com a senhorita Aemma da Casa Arryn, a filha de onze anos da falecida princesa Daella (o casamento só foi consumado quando a noiva floresceu, dois anos depois). Em 97, a Boa Rainha viu o segundo filho de Baelon, Daemon, tomar como esposa a senhorita Rhea da Casa Royce, herdeira do antigo castelo de Pedrarruna no Vale.

O grande torneio feito em Porto Real em 98 DC para comemorar o quinquagésimo ano do reinado do rei Jaehaerys também alegrou o coração da rainha, pois quase todos os seus filhos, netos e bisnetos sobreviventes voltaram para participar das festas e comemorações. Desde a Destruição de Valíria não havia tantos dragões no mesmo lugar ao mesmo tempo, foi dito verdadeiramente. A justa final, em que os cavaleiros da Guarda Real, sor Ryam Redwyne e sor Clement Crabb, quebraram trinta lanças um contra o outro até o rei Jaehaerys os anunciar ambos campeões, foi declarada a melhor justa já vista em Westeros.

Mas uma quinzena depois do fim do torneio, o velho amigo do rei, o septão Barth, morreu pacificamente dormindo depois de trabalhar com habilidade como Mão do Rei por quarenta e um anos. Jaehaerys escolheu o senhor comandante da Guarda Real para tomar o lugar dele, mas sor Ryam Redwyne não era o septão Barth, e sua habilidade indubitável com uma lança não foi de muito uso para ele como Mão.

— Alguns problemas não podem ser resolvidos com golpes de uma vara — foi a observação famosa do grande meistre Allar.

Sua Graça não teve alternativa além de afastar sor Ryam depois de apenas um ano na função. Ele chamou seu filho Baelon para substituí-lo, e em 99 DC o Príncipe de Pedra do Dragão também se tornou Mão do Rei. Ele executou sua função admiravelmente; embora menos estudado do que o septão Barth, o príncipe se mostrou um bom juiz dos homens e se cercou de subordinados e conselheiros leais. O reino seria bem governado quando Baelon Targaryen fosse para o Trono de Ferro, concordavam os senhores e a plebe.

Mas não seria assim. Em 101 DC, o príncipe Baelon reclamou de uma dor na lateral do corpo quando estava caçando na Mata de Rei. A dor piorou quando ele voltou para a cidade. Sua barriga inchou e endureceu, e a dor se tornou tão severa que ele ficou acamado. Runciter, o novo grande meistre que tinha acabado de chegar da Cidadela depois que Allar morreu de derrame, conseguiu baixar um pouco a febre e lhe dar certo alívio da dor com leite de papoula, mas a condição do príncipe só piorou. No quinto dia de doença, o príncipe Baelon morreu no quarto na Torre da Mão, com o pai sentado ao lado segurando sua mão. Depois de abrir o cadáver, o grande meistre Runciter declarou a causa de morte como barriga estourada.

Todos os Sete Reinos choraram por Baelon, o Valente, e ninguém mais do que o rei Jaehaerys. Desta vez, quando acendeu a pira funerária do filho, ele não teve nem o consolo da amada esposa ao lado. O Velho Rei nunca tinha ficado tão solitário. E agora, novamente Sua Graça se deparou com um dilema incômodo, pois mais uma vez havia dúvida sobre a sucessão. Com os dois herdeiros aparentes mortos e queimados, não havia mais um sucessor evidente para o Trono de Ferro... mas isso não queria dizer que não existiam pretendentes.

Baelon tivera três filhos com a irmã Alyssa. Dois, Viserys e Daemon, ainda estavam vivos. Se Baelon tivesse assumido o Trono de Ferro, Viserys seria seu sucessor sem questionamento, mas a morte trágica do príncipe aos quarenta e quatro anos complicou a sucessão. As reivindicações da princesa Rhaenys e de sua filha Laena

Velaryon foram feitas novamente... e mesmo que fossem desconsideradas por causa do sexo, o filho de Rhaenys, Laenor, não tinha esse impedimento. Laenor Velaryon era homem e podia alegar ser descendente do filho mais velho de Jaehaerys, enquanto os filhos de Baelon eram descendentes do mais novo.

Além do mais, o rei Jaehaerys ainda tinha um filho vivo: Vaegon, arquimeistre na Cidadela, portador do anel e do bastão e da máscara de ouro amarelo. Conhecido na história como Vaegon, o Sem Dragão, sua mera existência havia sido amplamente esquecida pela maior parte dos Sete Reinos. Embora com apenas quarenta anos, Vaegon era pálido e frágil, um homem dos livros dedicado à alquimia, astronomia, matemática e outras artes antigas. Mesmo quando garoto, ele nunca fora amado. Poucos o consideravam uma escolha viável para se sentar no Trono de Ferro.

Mas foi para o arquimeistre Vaegon que o Velho Rei se voltou, convocando seu último filho a comparecer em Porto Real. O que se passou entre os dois permanece sendo questão de discussão. Alguns dizem que o rei ofereceu o trono a Vaegon, que recusou. Outros garantem que ele só buscou aconselhamento. Relatos haviam chegado à corte de que Corlys Velaryon estava reunindo navios e homens em Derivamarca para "defender os direitos" de seu filho Laenor, enquanto Daemon Targaryen, um jovem esquentado e brigão de vinte anos, tinha convocado seu grupo de espadas juramentadas em apoio a seu irmão, Viserys. Uma luta violenta pela sucessão provavelmente aconteceria, sem importar quem o Velho Rei indicasse para sucedê-lo. Sem dúvida foi por isso que Sua Graça agarrou com ansiedade a solução oferecida pelo arquimeistre Vaegon.

O rei Jaehaerys anunciou sua intenção de convocar um Grande Conselho para discutir, debater e decidir sobre a questão da sucessão. Todos os senhores grandes e pequenos de Westeros seriam convidados, junto com meistres da Cidadela de Vilavelha e septãs e septões para falar pela Fé. Que os postulantes apresentassem seu caso perante os senhores reunidos, decretou Sua Graça. Ele seguiria a decisão do conselho, fosse lá quem eles escolhessem.

Ficou decidido que o conselho aconteceria em Harrenhal, o maior castelo no reino. Ninguém sabia quantos senhores compareceriam, pois nunca houvera um conselho assim antes, mas achava-se prudente ter espaço para pelo menos quinhentos senhores e seus acompanhantes. Mais de mil senhores compareceram. Foi preciso meio ano para que eles se reunissem (alguns chegaram até quando o conselho estava terminando). Nem Harrenhal conseguia abrigar uma multidão assim, pois cada senhor foi acompanhado por seu séquito de cavaleiros, escudeiros, cavalariços, cozinheiros e servos. Tymond Lannister, Senhor de Rochedo Casterly, levou trezentos homens. Sem querer ser superado, lorde Matthos Tyrell de Jardim de Cima levou quinhentos.

Compareceram senhores de todos os cantos do reino, da Marca de Dorne às sombras da Muralha, das Três Irmãs às Ilhas de Ferro. A Estrela da Tarde de Tarth estava presente, e o Senhor da Luz Solitária. De Winterfell compareceu o lorde Ellard

Stark; de Correrrio, o lorde Grover Tully; do Vale, Yorbert Royce, regente e protetor da jovem Jeyne Arryn, Senhora do Ninho da Águia. Até os dorneses foram representados; o príncipe de Dorne enviou a filha e vinte cavaleiros dorneses a Harrenhal como observadores. O alto septão foi de Vilavelha abençoar a assembleia. Mercadores e comerciantes chegaram a Harrenhal às centenas. Cavaleiros andantes e cavaleiros livres foram na esperança de encontrar trabalho para suas espadas, carteiristas foram atrás de dinheiro, mulheres velhas e garotas novas foram procurando maridos. Ladrões e prostitutas, lavadeiras e seguidoras de acampamento, cantores e saltimbancos vieram de leste e oeste e norte e sul. Uma cidade de barracas surgiu do lado de fora das muralhas de Harrenhal e ao longo da beira do lago por léguas em ambas as direções. Por um tempo, Harrenton foi a quarta cidade do reino; só Vilavelha, Porto Real e Lannisporto eram maiores.

Catorze reivindicações foram avaliadas e consideradas pelos senhores reunidos. De Essos vieram três competidores rivais, netos do rei Jaehaerys por sua filha Saera, cada um de um pai diferente. Diziam que um era a imagem do avô na juventude. Outro, um bastardo nascido de um triarca da antiga Volantis, chegou com sacos de ouro e um elefante anão. Os presentes generosos que ele distribuiu para os senhores mais pobres certamente ajudaram em sua reivindicação. O elefante acabou sendo menos útil. (A própria princesa Saera ainda estava viva e bem em Volantis, com apenas trinta e quatro anos; a reivindicação dela era superior à dos filhos bastardos, mas ela preferiu não fazê-la. "Tenho meu próprio reino aqui", disse ela quando perguntaram se pretendia voltar a Westeros.) Outro concorrente levou pilhas de pergaminhos que demonstravam sua descendência de Gaemon, o Glorioso, o maior dos senhores Targaryen de Pedra do Dragão antes da Conquista, por meio de uma filha mais nova e o pequeno senhor com quem ela se casou, seguindo por outras sete gerações. Havia também um robusto homem de armas ruivo que alegava ser filho bastardo de Maegor, o Cruel. Como prova, ele levou a mãe, filha de estalajadeiro idosa que dizia ter sido estuprada por Maegor. (Os senhores estavam inclinados a acreditar no estupro, mas não em que o ato a deixou grávida.)

O Grande Conselho deliberou por treze dias. As reivindicações fracas de nove concorrentes menores foram avaliadas e descartadas (um deles, um cavaleiro andante que se apresentou como filho natural do próprio rei Jaehaerys, foi capturado e aprisionado quando o rei o expôs como mentiroso). O arquimeistre Vaegon foi descartado por causa dos votos e a princesa Rhaenys e a filha por causa do sexo, restando os dois reclamantes com mais apoio: Viserys Targaryen, filho mais velho do príncipe Baelon com a princesa Alyssa, e Laenor Velaryon, filho da princesa Rhaenys e neto do príncipe Aemon. Viserys era neto do Velho Rei, Laenor, seu bisneto. O princípio da primogenitura favorecia Laenor, o princípio da proximidade favorecia Viserys. Viserys também foi o último Targaryen a montar em Balerion... embora, depois da morte do Terror Negro em 94 DC ele nunca tenha montado em outro dragão, enquanto o garoto Laenor ainda não havia feito seu primeiro voo em seu jovem dragão, um animal esplêndido cinza e branco chamado Fumaresia.

Mas a reivindicação de Viserys derivava do pai, a de Laenor, da mãe, e a maioria dos senhores achava que a linhagem masculina devia ter precedência sobre a feminina. Além do mais, Viserys era um homem de vinte e quatro anos, Laenor um garoto de sete. Por todos esses motivos, a reivindicação de Laenor era vista como a mais fraca, mas a mãe e o pai do menino eram figuras tão poderosas e influentes que não pôde ser totalmente descartada.

Talvez aqui seja um bom lugar para acrescentar algumas palavras sobre o pai dele, Corlys da Casa Velaryon, Senhor das Marés e Defensor de Derivamarca, renomado em canções e histórias como o Serpente Marinha e sem dúvida uma das figuras mais extraordinárias da época. Uma casa nobre com famosa linhagem valiriana, os Velaryon foram para Westeros antes mesmo dos Targaryen, se podemos acreditar nas histórias das famílias, e se estabeleceram na Goela, na ilha baixa e fértil de Derivamarca (que recebeu esse nome por causa dos troncos à deriva no mar que as marés levavam diariamente às suas margens) em vez de ir para a vizinha rochosa e fumegante Pedra do Dragão. Embora nunca tenham sido cavaleiros de dragões, os Velaryon foram por séculos os aliados mais antigos e próximos dos Targaryen. O mar era o domínio deles, não o céu. Durante a Conquista, foram os navios de Velaryon que levaram os soldados de Aegon pela Baía da Água Negra e mais tarde formaram a maior parte da frota real. Ao longo do primeiro século de reinado Targaryen, tantos Senhores das Marés serviram no pequeno conselho como mestres dos navios que a posição era amplamente vista como hereditária.

Mas mesmo com esses antepassados, Corlys Velaryon era um homem diferente, tão brilhante quanto inquieto, tão aventureiro quanto ambicioso. Era tradicional que os filhos do cavalo-marinho (o símbolo da Casa Velaryon) recebessem uma amostra da vida de marinheiro quando jovens, mas nenhum Velaryon antes dele ou depois incorporou a vida a bordo com a ansiedade do garoto que se tornaria o Serpente Marinha. Ele atravessou o mar estreito pela primeira vez aos seis anos para viajar até Pentos com um tio. Depois, Corlys fez viagens assim todos os anos. E ele não viajava como passageiro; ele subia em mastros, dava nós, esfregava conveses, remava, tapava buracos, erguia e baixava velas, cuidava da gávea, aprendeu a navegar e guiar. Seus capitães diziam que nunca tinham visto um marinheiro tão natural.

Aos dezesseis anos, ele se tornou capitão e levou um barco de pesca chamado *Rainha do Bacalhau* de Derivamarca até Pedra do Dragão e voltou. Nos anos seguintes, os navios dele foram ficando maiores e mais velozes, as viagens, mais longas e mais perigosas. Ele levou navios pela parte de baixo de Westeros para visitar Vilavelha, Lannisporto e Fidalporto, em Pyke. Viajou até Lys, Tyrosh, Pentos e Myr. Levou o *Donzela do Verão* até Volantis e as Ilhas do Verão, e o *Lobo de Gelo* para o norte, até Braavos, Atalaialeste do Mar e Durolar antes de entrar no Mar Tremente para ir a

Lorath e Porto de Ibben. Em uma viagem posterior, ele e o *Lobo de Gelo* seguiram novamente para o norte em busca de uma suposta passagem pelo alto de Westeros, mas só encontraram mares congelados e icebergs grandes como montanhas.

Suas viagens mais famosas foram as feitas no navio que ele mesmo desenhou e construiu, o *Serpente Marinha*. Mercadores de Vilavelha e da Árvore costumavam ir de navio até Qarth em busca de especiarias, seda e outros tesouros, mas Corlys Velaryon e o *Serpente Marinha* foram os primeiros a ir além, passando pelos Portões de Jade até Yi Ti e a ilha de Leng e voltando com um carregamento tão rico de seda e especiarias que ele dobrou a riqueza da Casa Velaryon de uma vez só. Em sua segunda viagem no *Serpente Marinha*, ele foi ainda mais longe, até Asshai da Sombra; na terceira, tentou o Mar Tremente e se tornou o primeiro westerosi a navegar as Mil Ilhas e visitar as margens desoladas e frias de N'ghai e Mossovy.

No final, o *Serpente Marinha* fez nove viagens. Na nona, sor Corlys o levou de volta a Qarth, carregado de ouro suficiente para comprar mais vinte navios e os carregar todos de açafrão, pimenta, noz-moscada, elefantes e rolos da mais fina seda. Só catorze navios da frota chegaram em segurança a Derivamarca, e todos os elefantes morreram no mar, e mesmo assim o lucro dessa viagem foi tão grande que os Velaryon se tornaram a casa mais rica dos Sete Reinos, eclipsando até os Hightower e Lannister, ainda que por pouco tempo.

Essa riqueza sor Corlys usou bem quando seu avô idoso morreu aos oitenta e oito anos e o Serpente Marinha se tornou Senhor das Marés. A sede da Casa Velaryon era o Castelo Derivamarca, um lugar escuro e sombrio que era sempre úmido e muitas vezes alagava. Lorde Corlys ergueu um novo castelo do outro lado da Ilha. Maré Alta foi construído com a mesma pedra clara que o Ninho da Águia, as torres estreitas coroadas com telhados de prata batida que cintilava ao sol. Quando as marés da manhã e do fim da tarde chegavam, o castelo ficava cercado do mar e só tinha ligação com Derivamarca por um talude. Para esse novo castelo, lorde Corlys transferiu o antigo Trono de Derivamarca (um presente do rei Bacalhau, de acordo com a lenda).

O Serpente Marinha também construiu navios. A frota real triplicou de tamanho nos anos em que ele serviu o Velho Rei como mestre dos navios. Mesmo depois de abrir mão da posição, ele continuou construindo, transportando mercadoria e negociando galés no lugar de navios de guerra. Embaixo das muralhas escuras e manchadas de sal do castelo Derivamarca, três modestos vilarejos pesqueiros cresceram, se uniram e viraram uma cidade próspera chamada Casco por causa das fileiras de cascos de navios que sempre podiam ser vistas embaixo do castelo. Do outro lado da ilha, perto de Maré Alta, outro vilarejo foi transformado em Vila Especiaria, os cais e píeres lotados de navios das Cidades Livres e além. Em posição transversal na Goela, Derivamarca ficava mais perto do mar estreito do que de Valdocaso ou de Porto Real, então a Vila Especiaria logo começou a captar boa parte dos navios que teriam ido para aqueles portos, e a Casa Velaryon ficou ainda mais rica e poderosa.

Lorde Corlys era um homem ambicioso. Durante suas nove viagens no *Serpente Marinha*, ele sempre queria ir mais longe, ir aonde ninguém tinha ido e ver o que havia além dos mapas. Apesar de ter conquistado muito na vida, ele raramente ficava satisfeito, diziam os homens que o conheciam melhor. Em Rhaenys Targaryen, filha do filho mais velho e herdeiro do Velho Rei, ele encontrou seu par perfeito; uma mulher mais energética linda e orgulhosa do que qualquer outra no reino, e também montadora de dragões. Seus filhos e filhas voariam pelos céus, esperava lorde Corlys, e um dia um deles se sentaria no Trono de Ferro.

Não foi surpreendente o Serpente Marinha sentir uma decepção amarga quando o príncipe Aemon morreu e o rei Jaehaerys ignorou sua filha Rhaenys em favor do irmão, Baelon, o Príncipe da Primavera. Mas agora, ao que parecia, a roda tinha girado novamente, e o erro poderia ser corrigido. Assim, lorde Corlys e a esposa, a princesa Rhaenys, chegaram a Harrenhal com expectativas, usando a riqueza e a influência da Casa Velaryon para persuadir os senhores reunidos de que seu filho Laenor devia ser reconhecido como herdeiro do Trono de Ferro. Nesses esforços juntou-se a eles o Senhor de Ponta Tempestade, Boremund Baratheon (tio-avô de Rhaenys e tio-bisavô do menino Laenor), lorde Stark de Winterfell, lorde Manderly de Porto Branco, lorde Dustin de Vila Acidentada, lorde Blackwood de Corvarbor, lorde Bar Emmon de Ponta Afiada, lorde Celtigar de Ilha da Garra e outros.

Eles não foram suficientes. Embora o senhor e a senhora Velaryon fossem eloquentes e generosos nos esforços em nome do filho, a decisão do Grande Conselho nunca foi questionada. Com uma grande margem de diferença, os senhores reunidos escolheram Viserys Targaryen como herdeiro legítimo do Trono de Ferro. Apesar de os meistres que contaram os votos nunca terem revelado os números, diziam depois que a votação fora de mais de vinte contra um.

O rei Jaehaerys não foi ao conselho, mas quando a notícia do veredito chegou a ele, Sua Graça agradeceu aos senhores pelo serviço e concedeu com gratidão o título de Príncipe de Pedra do Dragão a seu neto Viserys. Ponta Tempestade e Derivamarca aceitaram a decisão, ainda que com ressentimento; a votação foi tão discrepante que até o pai e a mãe de Laenor viram que não tinham como vencer. Aos olhos de muitos, o Grande Conselho de 101 DC estabeleceu um precedente de ferro nas questões de sucessão: independente de senioridade, o Trono de Ferro de Westeros não podia passar para uma mulher, nem por uma mulher a seus descendentes masculinos.

Dos últimos anos do reinado do rei Jaehaerys, pouco precisa ser dito. O príncipe Baelon tinha servido o pai como Mão do Rei, assim como Príncipe de Pedra do Dragão, mas depois de sua morte Sua Graça decidiu separar as honras. Como sua nova Mão, ele convocou sor Otto Hightower, irmão mais jovem do lorde Hightower de Vilavelha. Sor Otto levou a esposa e os filhos para a corte e serviu o rei Jaehaerys fielmente pelos anos que lhe restavam. Como a força e a sanidade do Velho Rei começaram a falhar, ele muitas vezes ficava confinado à cama. A filha precoce de quinze anos de sor Otto, Alicent, se tornou sua companheira constante, indo buscar as refeições de Sua Graça, lendo para ele, ajudando-o a se banhar e se vestir. O Velho Rei às vezes a confundia com uma de suas filhas e a chamava pelos nomes delas; perto do fim, ele passou a ter certeza de que ela era sua filha Saera que tinha voltado para ele do outro lado do mar estreito.

No ano 103 DC, o rei Jaehaerys I Targaryen morreu na cama enquanto a senhorita Alicent lia para ele o livro *História Antinatural*, do septão Barth. Sua Graça tinha sessenta e nove anos e havia reinado nos Sete Reinos desde que ascendera ao Trono de Ferro aos catorze. Seus restos foram queimados no Fosso dos Dragões, suas cinzas foram enterradas com as da Boa Rainha Alysanne em Pedra do Dragão. Toda a Westeros sofreu. Até em Dorne, onde seu poder não chegou, homens choraram e mulheres rasgaram as vestes.

De acordo com os desejos dele e com a decisão do Grande Conselho de 101, seu neto Viserys o sucedeu e subiu ao Trono de Ferro como rei Viserys I Targaryen. Na ocasião da ascensão, o rei Viserys tinha vinte e seis anos. Ele era casado havia uma década com uma prima, a senhora Aemma da Casa Arryn, neta do Velho Rei e da Boa Rainha Alysanne pela mãe, a falecida princesa Daella (morta em 82 DC). A senhora Aemma sofreu vários abortos espontâneos e a morte de um filho no berço ao longo do casamento (alguns meistres achavam que ela se casou e foi deflorada muito cedo), mas ela também deu à luz uma filha saudável, Rhaenyra (nascida em 97 DC). O novo rei e sua rainha adoravam a menina, sua única filha viva.

Muitos consideraram o reinado do rei Viserys I a representação do auge do poder Targaryen em Westeros. Sem dúvida, houve mais senhores e príncipes reivindicando o sangue do dragão do que em qualquer outro período antes ou depois. Embora os Targaryen tenham continuado a prática tradicional de casamento entre irmão e irmã, tio e sobrinha e primo e prima sempre que possível, também houve importantes uniões fora da família real, cujos frutos teriam papéis significativos na guerra que viria. Também havia mais *dragões* do que nunca, e vários dragões fêmeas produziam ovos regularmente. Nem todos geravam filhotes, mas muitos sim, e se tornou costumeiro que pais e mães de príncipes e princesas colocassem um ovo de dragão em seus berços, seguindo uma tradição que a princesa Rhaena começara anos antes; as crianças abençoadas assim invariavelmente criavam laços com os filhotes e se tornavam cavaleiras de dragões.

Viserys I Targaryen tinha uma natureza generosa e simpática e era amado pelos senhores e pela plebe. O reinado do Jovem Rei, como os plebeus o chamaram na ascensão, foi pacífico e próspero. A generosidade de Sua Graça era lendária, e a Fortaleza Vermelha se tornou um lugar de músicas e de esplendor. O rei Viserys e a rainha Aemma deram muitas festas e torneios e ofereciam ouro, posições importantes e honras a seus favoritos.

No meio da alegria, amada e adorada por todos, estava a única filha viva, a princesa Rhaenyra, a garotinha que os cantores da corte chamavam de Deleite do Reino. Apesar de só ter seis anos quando seu pai assumiu o Trono de Ferro, Rhaenyra Targaryen era uma criança precoce, inteligente e ousada e linda com uma beleza que só alguém com sangue do dragão pode ter. Aos sete anos, ela se tornou cavaleira de dragões e subiu ao céu na jovem dragão que batizou de Syrax, em homenagem a uma deusa da antiga Valíria. Aos oito anos, a princesa foi posta em serviço como escanção... mas do próprio pai, o rei. À mesa, em torneios e na corte, o rei Viserys raramente era visto sem a filha ao lado.

Enquanto isso, o tédio de governar cabia mais ao pequeno conselho do rei e sua Mão. Sor Otto Hightower continuou na função, servindo o neto como tinha servido o avô; um homem capaz, todos concordavam, embora muitos o achassem orgulhoso, brusco e arrogante. Quanto mais tempo servia, mais insuportável sor Otto se tornava, diziam, e muitos grandes senhores e príncipes passaram a se ressentir do jeito dele e a invejá-lo no acesso que tinha ao Trono de Ferro.

O maior de seus rivais era Daemon Targaryen, o irmão mais novo, ambicioso, impetuoso e mal-humorado do rei. Tão encantador quanto explosivo, o príncipe Daemon conquistou as esporas de cavaleiro aos dezesseis anos e recebeu Irmã Sombria do próprio Velho Rei em reconhecimento à sua destreza. Apesar de ter se casado com a Senhora de Pedrarruna em 97 DC, durante o reinado do Velho Rei, o casamento não foi um sucesso. O príncipe Daemon achava o Vale de Arryn chato ("No Vale, os homens trepam com ovelhas", escreveu ele. "Ninguém pode culpá-los. As ovelhas são mais bonitas que as mulheres.") e logo passou a desgostar da senhora sua esposa, que ele chamava de "minha vaca de bronze" por causa da armadura rúnica de bronze usada pelos senhores da Casa Royce. Na ocasião da ascensão de seu irmão ao Trono de Ferro, o príncipe fez uma petição para que seu casamento fosse suspenso. Viserys negou o pedido, mas permitiu que Daemon voltasse para a corte, onde ele passou a ocupar uma posição no pequeno conselho como mestre da moeda de 103 a 104 e como mestre das leis por metade de um ano em 104.

Mas administrar entediava esse príncipe guerreiro. Ele se saiu melhor quando o rei Viserys o fez comandante da Patrulha da Cidade. Ao encontrar os patrulheiros mal armados e vestidos com retalhos e trapos, Daemon equipou cada homem com uma adaga, uma espada curta e um porrete, os armou com cota de malha preta (com peitorais para os oficiais) e lhes deu mantos dourados compridos que eles pudessem usar com orgulho. Desde então, os homens da Patrulha da Cidade ficaram conhecidos como "mantos dourados".

O príncipe Daemon passou a trabalhar com dedicação com os mantos dourados e muitas vezes percorria as vielas de Porto Real com seus homens. Nenhum homem podia duvidar que ele deixou a cidade mais organizada, mas sua disciplina era brutal. Ele tinha prazer em cortar as mãos dos batedores de carteira, em castrar estupradores e cortar o nariz dos ladrões, e matou três homens em brigas de rua durante seu primeiro ano como comandante. Em pouco tempo, o príncipe era bem conhecido em todos os lugares mais baixos de Porto Real. Ele se tornou presença familiar em tabernas (onde bebia de graça) e antros de jogo (de onde sempre saía com mais dinheiro do que entrou). Embora tivesse experimentado incontáveis prostitutas da cidade e dissessem que ele tinha um apreço especial por deflorar donzelas, certa dançarina lysena logo se tornou sua favorita. O nome que ela usava era Mysaria, embora suas rivais e inimigos a chamassem de Miséria, o Verme Branco.

Como o rei Viserys não tinha nenhum filho vivo, Daemon se via como o herdeiro do Trono de Ferro por direito, e cobiçava o título de Príncipe de Pedra do Dragão, que Sua Graça se recusava a conceder-lhe... mas, no final do ano 105 DC, ele já era conhecido por seus amigos como Príncipe da Cidade e pela plebe como Lorde Baixada das Pulgas. Embora o rei não desejasse que Daemon o sucedesse, ele continuava gostando do irmão mais novo e perdoava rapidamente suas muitas ofensas.

A princesa Rhaenyra também gostava do tio, pois Daemon sempre era atencioso com ela. Toda vez que atravessava o mar estreito com o dragão, ele trazia algum presente exótico na volta. O rei se tornara flácido e gorducho com o passar dos anos. Viserys nunca pegou outro dragão depois da morte de Balerion, nem tinha muito gosto para justas, caçadas e esgrimas, enquanto o príncipe Daemon se destacava em todas essas atividades e parecia ser tudo que o irmão não era: magro e firme, um guerreiro famoso, ágil, ousado, mais do que um pouco perigoso.

E aqui precisamos divagar para falar um pouco sobre nossas fontes, pois muito do que aconteceu nos anos seguintes aconteceu atrás de portas fechadas, na privacidade de escadarias, salas de conselho e quartos de dormir, e a verdade completa provavelmente jamais será conhecida. Claro que temos crônicas escritas pelo grande meistre Runciter e seus sucessores, e muitos documentos da corte também, todos os decretos e proclamações reais, mas isso só conta uma pequena parte da história. Para saber o restante, temos que recorrer a relatos escritos décadas depois pelos filhos e netos de quem estava envolvido nos eventos da ocasião; senhores e cavaleiros relatando eventos testemunhados por seus antepassados, relembranças de terceira mão de servos idosos narrando os escândalos de sua juventude. Embora sejam sem dúvida úteis, tanto tempo se passou entre o evento e o registro que muitas confusões e contradições inevitavelmente surgiram. E essas relembranças nem sempre concordam entre si.

Infelizmente, isso também vale para os dois relatos de observadores diretos que chegaram a nós. O septão Eustace, que serviu no septo real na Fortaleza Vermelha durante boa parte da vida e depois subiu ao posto de Mais Devoto, registrou a história mais detalhada desse período. Como confidente e confessor do rei Viserys e suas rainhas, Eustace estava bem posicionado para saber muita coisa do que acontecia. E ele não foi reticente na hora de registrar mesmo os mais chocantes e lascivos boatos e acusações, embora o texto de *O reinado do rei Viserys, primeiro de seu nome, e a dança dos dragões que veio depois* continue sendo uma história sóbria e um tanto tediosa.

Para equilibrar Eustace, temos *O testemunho do Cogumelo*, baseado no relato verbal do bobo da corte (registrado por um escriba que não incluiu seu nome) que, em várias ocasiões, ofereceu distração para o rei Viserys, a princesa Rhaenyra e os dois Aegons, o Segundo e o Terceiro. Anão de noventa centímetros com uma cabeça enorme (e, afirma ele, um membro mais enorme ainda), Cogumelo era visto como imbecil, e por isso reis e senhores e princesas não se deram ao trabalho de esconder segredos dele. Enquanto o septão Eustace registra os segredos dos quartos de dormir e bordéis em tons de sigilo e condenatórios, Cogumelo tem prazer nisso, e seu testemunho consiste basicamente de histórias e fofocas desbocadas, muitos esfaqueamentos, envenenamentos, traições, seduções e deboche. No quanto disso podemos acreditar é uma questão que o historiador honesto não pode querer responder, mas vale comentar que o rei Baelor, o Abençoado, decretou que todos os exemplares da história do Cogumelo deveriam ser queimados. Felizmente para nós, alguns escaparam do fogo.

O septão Eustace e Cogumelo nem sempre concordam nos detalhes, e às vezes seus relatos são consideravelmente diferentes um do outro, e dos registros e crônicas da corte do grande meistre Runciter e seus sucessores. Mas as histórias explicam muita coisa que poderia parecer intrigante, e relatos posteriores confirmam o suficiente das histórias deles para sugerir que contêm pelo menos uma parcela de verdade. A questão de em que acreditar e de que duvidar fica a cargo de cada estudante.

Em um ponto Cogumelo, o septão Eustace, o grande meistre Runciter e todas as outras fontes concordam: sor Otto Hightower, Mão do Rei, passou a desgostar muito do irmão do rei. Foi sor Otto que convenceu Viserys a tirar o príncipe Daemon da posição de mestre da moeda e depois de mestre das leis, ações das quais ele logo se arrependeu. Como comandante da Patrulha da Cidade, com dois mil homens sob seu comando, Daemon ficou mais poderoso do que nunca. “De forma alguma o príncipe Daemon pode chegar a ascender ao Trono de Ferro”, escreveu a Mão para o irmão, Senhor de Vilavelha. “Ele seria um segundo Maegor, o Cruel, ou pior.” Era desejo de sor Otto (na ocasião) que a princesa Rhaenyra sucedesse o pai. “Melhor o Deleite do

Reino do que o Lorde Baixada das Pulgas", escreveu ele. E não estava sozinho em sua opinião. Mas seu séquito enfrentava um obstáculo enorme. Se o precedente instituído pelo Grande Conselho de 101 fosse seguido, um candidato homem deveria prevalecer perante uma mulher. Na ausência de um filho legítimo, o irmão do rei viria antes da filha do rei, assim como Baelon ficou na frente de Rhaenys em 92 DC.

Quanto às opiniões do rei, todos os registros concordam que o Viserys odiava discórdia. Embora não fosse cego aos defeitos do irmão, ele gostava das lembranças do garoto de espírito livre e aventureiro que Daemon tinha sido. Sua filha era a grande alegria de sua vida, ele costumava dizer, mas um irmão é um irmão. Repetidas vezes ele tentou fazer com que o príncipe Daemon e sor Otto se reconciliassem, mas a inimizade entre os dois homens seguia infinitamente por trás dos falsos sorrisos de ambos na corte. Quando o questionavam sobre o assunto, o rei Viserys só dizia que tinha certeza de que sua rainha logo lhe daria um filho. E, em 105 DC, ele anunciou à corte e ao pequeno conselho que a rainha Aemma estava novamente esperando um bebê.

Durante o mesmo fatídico ano, sor Criston Cole foi indicado para a Guarda Real para ocupar o lugar deixado pela morte do lendário sor Ryam Redwyne. Nascido como filho de um intendente a serviço de lorde Dondarrion de Portonegro, sor Criston era um cavaleiro jovem e bonito de vinte e três anos. Ele chamou a atenção da corte quando venceu a luta que aconteceu em Lagoa da Donzela em homenagem à ascensão do rei Viserys. Nos momentos finais da luta, sor Criston derrubou a Irmã Sombria da mão do príncipe Daemon com sua maça-estrela, para o prazer de Sua Graça e fúria do príncipe. Depois, ele deu à princesa Rhaenyra, de sete anos, a coroa de louro da vitória, e pediu a prenda dela para usar na justa. Na liça, ele derrotou o príncipe Daemon mais uma vez, e derrubou do cavalo ambos os celebrados gêmeos Cargyll, sor Arryk e sor Erryk da Guarda Real, antes de cair perante lorde Lymond Mallister.

Com olhos verde-claros, cabelo preto como carvão e charme fácil, Cole logo se tornou o favorito de todas as damas da corte... inclusive a própria Rhaenyra Targaryen. Ela estava tão apaixonada pelos encantos do homem que chamava de "meu cavaleiro branco" que implorou para que o pai nomeasse sor Criston como seu escudo e protetor pessoal. Sua Graça realizou seu desejo, como sempre fazia. Assim, sor Criston sempre usava a prenda dela nas liças, e se tornou presença constante ao lado dela durante banquetes e festas.

Não muito tempo depois de sor Criston começar a usar o manto branco, o rei Viserys convidou Lyonel Strong, Senhor de Harrenhal, para se juntar ao pequeno conselho como mestre das leis. Um homem grande, corpulento e calvo, lorde Strong tinha reputação formidável como lutador. Os que não o conheciam achavam que ele era um bruto e confundiam o silêncio e a lentidão da fala com estupidez. Isso estava longe da verdade. Lorde Lyonel tinha estudado na Cidadela quando jovem e conquistara seis elos da corrente antes de decidir que a vida de meistre não era para ele. Ele sabia ler e escrever e era estudado, e seu conhecimento das leis dos Sete Reinos era vasto. Três vezes casado e três vezes viúvo, o Senhor de Harrenhal levou duas filhas donzelas e dois filhos para a corte. As garotas se tornaram aias da princesa Rhaenyra, enquanto o irmão mais velho delas, sor Harwin Strong, chamado Quebra-Ossos, passou a ser capitão dos mantos dourados. O garoto mais novo, Larys, o Pé-Torto, se juntou aos confessores do rei.

A situação era essa em Porto Real no final do ano 105 DC, quando a rainha Aemma foi levada ao leito na Fortaleza de Maegor e morreu dando à luz o filho que o rei Viserys desejava havia tanto tempo. O menino (batizado de Baelon, em homenagem ao pai do rei) sobreviveu apenas um dia a mais do que ela, deixando o rei e a corte de luto... exceto talvez pelo príncipe Daemon, que foi visto em um bordel na Rua da Seda, fazendo piadas embriagadas com seus amigos bem-nascidos sobre o "herdeiro por um dia". Quando a notícia chegou ao rei (as lendas dizem que foi a prostituta sentada no colo de Daemon que informou a ele, mas as evidências sugerem que tenha sido um dos companheiros de bebedeira, um capitão dos mantos dourados que ansiava por uma promoção), Viserys ficou furioso. Sua Graça finalmente se cansou do irmão ingrato e das ambições dele.

Depois que o luto pela esposa e o filho seguiu seu caminho, o rei passou a cuidar mais rapidamente da antiga questão da sucessão. Descartando os precedentes criados pelo rei Jaehaerys em 92 e pelo Grande Conselho em 101, Viserys declarou sua filha Rhaenyra como herdeira por direito e a nomeou Princesa de Pedra do Dragão. Em uma cerimônia extravagante em Porto Real, centenas de senhores se curvaram perante o "Deleite do Reino" enquanto ela estava sentada aos pés do pai na base do Trono de Ferro, jurando honrar e defender seu direito de sucessão.

Mas o príncipe Daemon não estava entre eles. Furioso com o decreto do rei, o príncipe deixou Porto Real e abdicou da Patrulha da Cidade. Ele foi primeiro para Pedra do Dragão, levando junto sua amada Mysaria nas costas do dragão Caraxes, o animal magro e vermelho que a plebe chamava de Wyrm de Sangue. Lá ele ficou por metade de um ano, durante o qual engravidou Mysaria.

Quando soube que sua concubina estava grávida, o príncipe Daemon a presenteou com um ovo de dragão, mas nisso também foi longe demais e despertou a ira do irmão. O rei Viserys ordenou que ele devolvesse o ovo, mandasse a prostituta embora e voltasse para sua esposa, senão seria declarado traidor. O príncipe obedeceu, ainda que contra a vontade, e enviou Mysaria (sem ovo) de volta a Lys, enquanto voou para Pedrarruna no Vale na companhia indesejada de sua "vaca de bronze". Mysaria perdeu o filho durante uma tempestade no mar estreito. Quando a notícia chegou ao príncipe Daemon, ele não emitiu nenhum lamento, mas seu coração se endureceu em relação ao rei, seu irmão. Depois, ele só falava do rei Viserys com desdém, e começou a pensar dia e noite na sucessão.

Embora a princesa Rhaenyra tivesse sido declarada a sucessora do pai, havia muitos no reino, na corte e além, que ainda nutriam esperanças de que Viserys pudesse ser pai de um herdeiro homem, pois o Jovem Rei ainda não tinha nem trinta anos. O grande meistre Runciter foi o primeiro a sugerir que Sua Graça devia se casar novamente e até propôs uma escolha adequada: a senhorita Laena Velaryon, que acabara de completar doze anos. Uma jovem donzela intensa e recém-florescida, a senhorita Laena tinha herdado de sua mãe, Rhaenys, a beleza de uma verdadeira Targaryen e do pai, o Serpente Marinha, um espírito ousado e aventureiro. Tanto quanto lorde Corlys amava velejar, Laena amava voar, e reivindicou para si nada menos do que o poderoso Vhagar, o mais velho e maior dos dragões Targaryen desde o falecimento do Terror Negro em 94 DC. Ao tomar a menina como esposa, o rei diminuiria o afastamento que se criou entre o Trono de Ferro e Derivamarca, observou Runciter. E Laena seria uma rainha esplêndida.

Viserys I Targaryen não era o mais determinado dos reis, é preciso dizer; sempre afável e querendo agradar, ele contava amplamente com o conselho de homens à sua volta e fazia o que eles sugeriam com muita frequência. Mas, sobre aquele assunto, Sua Graça tinha ideia própria, e não havia questionamento que o desviasse do caminho escolhido. Ele se casaria de novo, sim... mas não com uma menina de doze anos, e não por razões de Estado. Outra mulher tinha chamado sua atenção. Ele anunciou sua intenção de se casar com a senhorita Alicent, da Casa Hightower, a filha inteligente e adorável de dezoito anos da Mão do Rei, a garota que lia para o rei Jaehaerys no leito de morte dele.

Os Hightower de Vilavelha eram uma família antiga e nobre, de linhagem impecável; não poderia haver objeção à escolha do rei. Mesmo assim, houve quem murmurasse que a Mão tinha subido mais do que devia, que ele tinha levado a filha para a corte com isso em mente. Alguns até lançaram dúvidas sobre a virtude da senhorita Alicent, sugerindo que ela havia recebido o rei Viserys na cama mesmo antes da morte da rainha Aemma. (Essas calúnias não foram provadas, embora Cogumelo as repita em seu testemunho e chegue ao ponto de alegar que a leitura não era o único serviço que a senhorita Alicent executava no quarto do Velho Rei.) No Vale, o príncipe Daemon supostamente deu uma surra no servo que lhe deu a notícia, deixando-o com um fio de vida. O Serpente Marinha também não ficou satisfeito quando a novidade chegou a Derivamarca. A Casa Velaryon havia sido deixada de lado novamente, sua filha Laena desprezada assim como seu filho Laenor fora desprezado pelo Grande Conselho, e sua esposa, pelo Velho Rei em 92 DC. Só a própria senhorita Laena não se incomodou. "A donzela mostra mais interesse em voar do que em meninos", escreveu o meistre de Maré Alta para a Cidadela.

Quando o rei Viserys tomou Alicent Hightower como esposa em 106 DC, a ausência da Casa Velaryon foi notável. A princesa Rhaenyra serviu sua madrasta no banquete, e a rainha Alicent a beijou e a chamou de "filha". A princesa estava entre as mulheres que despiram o rei e o levaram até o quarto da esposa. Risadas e amor tomaram conta da Fortaleza Vermelha naquela noite... enquanto, do outro lado da Baía da Água Negra, lorde Corlys, o Serpente Marinha, recebia o irmão do rei, o príncipe Daemon, para um conselho de guerra. O príncipe tinha sofrido tudo que podia aguentar do Vale de Arryn, de Pedrarruna e de sua esposa.

— Irmã Sombria foi feita para tarefas mais nobres do que matar ovelhas — ele supostamente disse ao Senhor das Marés. — Ela tem sede de sangue.

Mas não era rebelião que o príncipe tinha em mente; ele via outro caminho para o poder.

Os Degraus, a cadeia de ilhas rochosas entre Dorne e as Terras Disputadas de Essos, eram havia tempos um antro de elementos fora da lei, exilados, saqueadores e piratas. As ilhas em si tinham pouco valor, mas pela localização controlavam os caminhos de ida e volta do mar estreito, e navios mercantes que passavam por aquelas águas costumavam ser vítimas de seus habitantes. Ainda assim, por séculos esse tipo de ataque permaneceu sendo apenas um incômodo.

Mas dez anos antes as Cidades Livres de Lys, Myr e Tyrosh deixaram de lado seus antigos inimigos para se unirem em guerra contra Volantis. Depois de derrotar os volantinos na Batalha da Fronteira, as três cidades vitoriosas entraram em uma "aliança eterna" e formaram um novo poder: a Triarquia, mais conhecida em Westeros como Reino das Três Filhas (porque cada uma das Cidades Livres se considerava filha da antiga Valíria), ou, mais grosseiramente, o Reino das Três Rameiras (embora esse "reino" não tivesse rei e fosse governado por um conselho de trinta e três magísteres). Quando Volantis pediu paz e saiu das Terras Disputadas, as Três Filhas voltaram o olhar para o oeste e atacaram os Degraus com seus exércitos e frotas unidos sob o comando do príncipe-almirante myriano Craghas Drahar, que conquistou o apelido de Craghas Engorda Caranguejo quando deixou centenas de piratas capturados presos na areia molhada, para que se afogassem na maré crescente.

A conquista e anexação dos Degraus pelo Reino das Três Filhas de início só teve aprovação dos senhores de Westeros. A ordem substituía o caos, e se as Três Filhas exigiam um pedágio de qualquer navio que passasse por suas águas, parecia um preço baixo a pagar para que eles estivessem livres dos piratas.

Mas a avareza de Craghas Engorda Caranguejo e seus parceiros de conquista logo voltou os sentimentos contra eles; o pedágio era aumentado com frequência, e logo ficou tão alto que os mercadores que antes pagavam sem queixas agora tentavam passar despercebidos pelas galés da Triarquia como antes passavam pelos piratas. Drahar e seus coalmirantes lysenos e tyroshis pareciam estar competindo para ver quem era mais ganancioso, reclamavam os homens. Os lysenos começaram a ser especialmente odiados, pois exigiam mais do que dinheiro dos navios que passavam e pegavam mulheres, meninas e jovens garotos atraentes para servirem em seus jardins dos prazeres e casas dos travesseiros. (Dentre os que foram escravizados assim estava a senhorita Johanna Swann, uma sobrinha de quinze anos do Senhor de Pedrelmo. Como seu tio famosamente mesquinho se recusou a pagar o resgate, ela foi vendida a uma casa dos travesseiros, onde ganhou espaço e se tornou a celebrada cortesã conhecida como Cisne Negro e governante não oficial de Lys. Mas por mais fascinante que seja a história dela, não tem nada a ver com nossa história atual.)

Dentre todos os senhores de Westeros, nenhum sofreu mais com essas práticas do que Corlys Velaryon, Senhor das Marés, cujas frotas o tornaram o homem mais rico e poderoso dos Sete Reinos. O Serpente Marinha estava determinado a pôr fim ao governo da Triarquia nos Degraus, e em Daemon Targaryen encontrou um parceiro disposto, ansioso pelo ouro e pela glória que a vitória na guerra lhe daria. Ignorando o casamento do rei, eles fizeram seus planos em Maré Alta, na ilha de Derivamarca. Estariam em número bem menor do que as forças das Três Filhas... mas o príncipe também levaria para batalha o fogo do seu dragão Caraxes, o Wyrm de Sangue.

Não é nosso propósito aqui recontar os detalhes da guerra particular que Daemon Targaryen e Corlys Velaryon deflagraram contra os Degraus. Basta dizer que a luta começou em 106 DC. O príncipe Daemon teve pouca dificuldade de reunir um exército de aventureiros sem-terra e de segundos filhos, e conquistou muitas vitórias durante os dois primeiros anos de conflito. Em 108 DC, quando finalmente ficou cara a cara com Craghas Engorda Caranguejo, ele o matou com uma só mão e cortou sua cabeça com a Irmã Sombria.

O rei Viserys, sem dúvida satisfeito de estar livre do irmão encrenqueiro, apoiou seus esforços com injeções regulares de ouro, e em 109 DC Daemon Targaryen e seu exército de mercenários e degoladores controlavam todas as ilhas, menos duas, e as frotas do Serpente Marinha tinham tomado controle firme das águas entre elas. Durante seu breve momento de vitória, o rei Daemon se declarou Rei dos Degraus e do Mar Estreito, e lorde Corlys colocou uma coroa na cabeça dele... mas seu "reino" não estava nem um pouco seguro. No ano seguinte, o Reino das Três Filhas enviou uma nova força invasora sob o comando de um ardiloso capitão tyroshi chamado Racallio Ryndoon, sem dúvida um dos ladinos mais curiosos e exibicionistas dos anais da história, e Dorne entrou na guerra em aliança com a Triarquia. A luta recomeçou.

Embora os Degraus estivessem cobertos de sangue e fogo, o rei Viserys e sua corte permaneceram impassíveis.

— Que Daemon brinque de guerra — Sua Graça supostamente disse —, isso o deixa longe de confusão.

Viserys era um homem de paz, e durante aqueles anos Porto Real foi palco de eternas festas, bailes e torneios, onde saltimbancos e cantores proclamavam o nascimento de cada novo príncipe e princesa Targaryen. A rainha Alicent logo se mostrou tão fértil quanto bonita. Em 107 DC, ela deu ao rei um filho saudável e o chamou de Aegon em homenagem ao Conquistador. Dois anos depois, ela deu uma filha ao rei, Helaena; em 110 DC, ela lhe deu um segundo filho, Aemond, que diziam ter metade do tamanho do irmão mais velho, mas era duplamente mais impetuoso.

Mas a princesa Rhaenyra continuava se sentando no pé do Trono de Ferro sempre que seu pai presidia, e Sua Graça começou a levá-la também a reuniões do pequeno

conselho. Embora muitos senhores e cavaleiros buscassem o favor dela, a princesa só tinha olhos para sor Criston Cole, o jovem campeão da Guarda Real e seu companheiro constante.

— Sor Criston protege a princesa dos inimigos, mas quem protege a princesa de sor Criston? — perguntou a rainha Alicent na corte um dia.

A amizade entre Sua Graça e a enteada acabou se mostrando pouco duradoura, pois tanto Rhaenyra quanto Alicent aspiravam ser primeira-dama do reino... e embora a rainha tivesse dado ao rei não um, mas dois herdeiros homens, Viserys não fez nada para mudar a ordem de sucessão. A Princesa de Pedra do Dragão continuou sendo a herdeira reconhecida, com metade dos senhores de Westeros jurados a defender os direitos dela. Os que perguntavam "E as decisões do Grande Conselho de 101?" percebiam que suas palavras pareciam não ser ouvidas. A questão havia sido decidida, no que dizia respeito ao rei Viserys; não era uma questão que Sua Graça desejasse revisitar.

Ainda assim, as perguntas persistiam, e não só da própria rainha Alicent. O mais ruidoso entre seus apoiadores era o pai dela, sor Otto Hightower, Mão do Rei. Depois de muito pressionado, em 109 DC Viserys tirou sor Otto de seu serviço e nomeou no lugar dele o taciturno senhor de Harrenhal, Lyonel Strong.

— Essa Mão não vai me desafiar — proclamou Sua Graça.

Mesmo depois de sor Otto ter voltado a Vilavelha, um "séquito da rainha" ainda existia na corte; um grupo de senhores poderosos simpáticos à rainha Alicent e que apoiavam o direito dos filhos dela. Contra eles estava o "séquito da princesa". O rei Viserys amava tanto a esposa quanto a filha e odiava conflito e competição. Ele lutava todos os dias para manter a paz entre suas mulheres e para agradar as duas com presentes e ouro e honras. Enquanto estava vivo e governando e mantendo o equilíbrio, as festas e torneios continuaram como antes, e a paz prevaleceu por todo o reino... embora houvesse alguns mais alertas que observaram os dragões de um grupo ameaçando e cuspindo fogo nos dragões do outro grupo sempre que eles por acaso passavam perto uns dos outros.

Em 111 DC, um grande torneio foi organizado em Porto Real, no quinto aniversário do casamento do rei com a rainha Alicent. Na festa de abertura, a rainha estava usando um vestido verde, enquanto a princesa se vestiu dramaticamente de vermelho e preto dos Targaryen. Isso foi observado, e depois virou costume se referir aos "verdes" e aos "pretos" ao falar sobre o séquito da rainha e o séquito da princesa, respectivamente. No torneio em si, os pretos se saíram muito melhor quando sor Criston Cole, usando a prenda da princesa Rhaenyra, derrubou do cavalo todos os campeões da rainha, inclusive dois primos dela e seu irmão mais novo, sor Gwayne Hightower.

Mas havia uma pessoa lá que não usava nem verde nem preto, e sim dourado e prateado. O príncipe Daemon tinha finalmente voltado à corte. Usando coroa e se apresentando como Rei do Mar Estreito, ele apareceu sem aviso no céu acima de Porto Real, montado em seu dragão, e deu três voltas acima do local do torneio... quando enfim desceu, ajoelhou-se perante o irmão e ofereceu sua coroa como prova de seu amor e lealdade. Viserys devolveu a coroa e beijou as bochechas de Daemon, dando-lhe as boas-vindas ao lar, e os senhores e plebeus deram um grito alto quando os filhos do Príncipe da Primavera se reconciliaram. Entre os que mais comemoraram estava a princesa Rhaenyra, que se emocionou com o retorno de seu tio favorito e suplicou que ele ficasse por um tempo.

Isso tudo é conhecido. Quanto ao que aconteceu depois, temos que consultar nossos historiadores mais duvidosos. O príncipe Daemon ficou em Porto Real por metade de um ano, isso não é questionável. Ele até retomou seu lugar no pequeno conselho, de acordo com o grande meistre Runciter, mas nem a idade nem o exílio mudaram a natureza dele. Daemon logo se reuniu com os velhos companheiros dos mantos dourados e voltou ao estabelecimento na Rua da Seda, onde era um cliente tão apreciado. Apesar de tratar a rainha Alicent com toda a cortesia que a posição dela exigia, não havia calor entre eles, e os homens diziam que o príncipe era notavelmente frio com os filhos dela, sobretudo os sobrinhos Aegon e Aemond, cujo nascimento o pôs ainda mais para trás na ordem de sucessão.

Com a princesa Rhaenyra era diferente. Daemon passava longas horas em companhia dela, distraindo-a com histórias de suas viagens e batalhas. Ele lhe deu pérolas e sedas e livros e uma tiara de jade que diziam já ter pertencido à imperatriz de Leng, lia poemas para ela, jantava com ela, falcoava com ela, velejava com ela, a divertia debochando dos verdes da corte, os "lambe-botas" que babavam a rainha Alicent e seus filhos. Ele elogiava sua beleza e declarava ser ela a donzela mais linda de todos os Sete Reinos. O tio e a sobrinha começaram a voar juntos quase diariamente, fazendo Syrax e Caraxes competirem até Pedra do Dragão e de volta.

É aqui que nossas fontes divergem. O grande meistre Runciter diz só que os irmãos brigaram de novo e o príncipe Daemon partiu de Porto Real de volta para os Degraus e suas guerras. A causa da briga ele não menciona. Outros garantem que foi a pedido da rainha Alicent que Viserys mandou Daemon embora. Mas o septão Eustace e Cogumelo contam outra história... ou melhor, duas histórias, uma diferente da outra. Eustace, o menos malicioso dos dois, escreve que o príncipe Daemon seduziu a sobrinha princesa e tomou sua donzelice. Quando os amantes foram descobertos na cama juntos por sor Arryk Cargyll da Guarda Real e levados perante o rei, Rhaenyra insistiu que estava apaixonada pelo tio e suplicou ao pai permissão para se casar com ele. Mas o rei Viserys nem quis saber disso e lembrou à filha que o príncipe Daemon já tinha esposa. Em sua ira, ele confinou a filha nos aposentos, mandou o irmão ir embora e ordenou que os dois nunca falassem do que aconteceu.

A história na versão contada por Cogumelo é bem mais depravada, como costuma ser o caso nas histórias de *O testemunho do Cogumelo*. De acordo com o anão, era sor Criston Cole que a princesa desejava, não o príncipe Daemon, mas sor Criston era um verdadeiro cavaleiro, nobre e casto e ciente de seus votos, e embora estivesse em companhia dela dia e noite, nunca chegou nem a beijá-la, nem fez nenhuma declaração de seu amor.

— Quando ele olha para você, vê a garotinha que você foi, não a mulher que você se tornou — disse Daemon para a sobrinha —, mas eu posso ensiná-la a fazer com que ele a veja como mulher.

Ele começou lhe dando aulas de beijos, se podemos acreditar em Cogumelo. Em seguida, o príncipe foi mostrar à sobrinha a melhor forma de tocar num homem para lhe dar prazer, um exercício que às vezes envolvia o próprio Cogumelo e seu suposto membro enorme. Daemon ensinou a garota a se despir de forma sedutora, sugou as tetas dela para deixá-las maiores e mais sensíveis e voou com ela nas costas do dragão até as rochas solitárias da Baía de Água Negra, onde eles podiam se divertir nus o dia inteiro sem serem vistos e a princesa podia praticar a arte de dar prazer a um homem com a boca. À noite, ele a tirava dos aposentos vestida de pajem e a levava secretamente a bordéis da Rua da Seda, onde a princesa podia observar homens e mulheres no ato do amor e aprender mais sobre essas "artes femininas" com as prostitutas de Porto Real.

Cogumelo não diz quanto tempo as aulas duraram, mas, diferentemente do septão Eustace, ele insiste que a princesa Rhaenyra continuou virgem, pois ela desejava preservar a inocência como presente para seu amado. Mas quando ela enfim abordou o "cavaleiro branco" usando tudo o que tinha aprendido, sor Criston ficou horrorizado e a desdenhou. A história toda foi divulgada, em boa parte graças ao próprio Cogumelo. O rei Viserys primeiro se recusou a acreditar em uma palavra que fosse, até o próprio príncipe Daemon confirmar que era verdade.

— Me dê a garota para ser minha esposa — ele supostamente disse ao irmão. — Quem mais a quereria agora?

Mas o rei Viserys o mandou para o exílio, para que nunca voltasse aos Sete Reinos sob pena de morte. (Lorde Strong, a Mão do Rei, argumentou que o príncipe deveria ser executado imediatamente como traidor, mas o septão Eustace lembrou a Sua Graça que nenhum homem é tão maldito quanto o assassino de parentes.)

Sobre as consequências, estas coisas são certas. Daemon Targaryen voltou aos Degraus e retomou a luta pelas rochas estéreis acometidas por tempestades. O grande meistre Runciter e sor Harrold Westerling morreram em 112 DC. Sor Criston Cole foi nomeado senhor comandante da Guarda Real no lugar de sor Harrold, e os arquimeistres da Cidadela enviaram meistre Mellos para a Fortaleza Vermelha, para assumir a corrente e os deveres de grande meistre. Em todos os outros lugares, Porto Real retornou à costumeira tranquilidade durante quase dois anos… até 113 DC, quando a princesa Rhaenyra fez dezesseis anos, tomou posse de Pedra do Dragão como sua sede e se casou.

Bem antes de qualquer homem ter motivo para duvidar da inocência dela, a questão de selecionar um consorte adequado para Rhaenyra era preocupação do rei Viserys e do conselho. Grandes senhores e cavaleiros galantes orbitavam em torno dela como mariposas em volta da chama, querendo conquistar seus favores. Quando Rhaenyra visitou o Tridente em 112, os filhos de lorde Bracken e de lorde Blackwood lutaram um duelo por ela, e um filho mais novo da Casa Frey cometeu a ousadia de pedir abertamente a mão dela (o "Tolo Frey", ele passou a ser chamado depois). No Oeste, sor Jason Lannister e seu irmão gêmeo, sor Tyland, competiram por ela durante uma festa em Rochedo Casterly. Os filhos de lorde Tully de Correrrio, de lorde Tyrell de Jardim de Cima, de lorde Oakheart de Carvalho Velho e de lorde Tarly de Monte Chifre fizeram a corte para a princesa, assim como o filho mais velho da Mão, sor Harwin Strong. Quebra-Ossos, como ele era chamado, era herdeiro de Harrenhal e diziam ser o homem mais forte dos Sete Reinos. Viserys até falou em casar Rhaenyra com o príncipe de Dorne como forma de trazer os dorneses para o reino.

A rainha Alicent tinha seu próprio candidato: seu filho mais velho, o príncipe Aegon, meio-irmão de Rhaenyra. Mas Aegon era um garoto e a princesa era dez anos mais velha. Além disso, os dois meios-irmãos nunca se deram bem.

— Mais motivo ainda para uni-los por casamento — argumentou a rainha.

Viserys não concordava.

— O menino tem sangue de Alicent — ele disse para lorde Strong. — Ela o quer no trono.

A melhor escolha, o rei e o pequeno conselho finalmente concordaram, seria o primo de Rhaenyra, Laenor Velaryon. Embora o Grande Conselho de 101 tivesse decidido contra a reivindicação dele, o menino Velaryon continuava sendo o neto do príncipe Aemon Targaryen de consagrada memória, o bisneto do próprio Velho Rei. Uma combinação dessas uniria e fortaleceria a linhagem real e recuperaria para o Trono de Ferro a amizade da Serpente Marinha e sua poderosa frota.

Uma objeção foi feita: Laenor Velaryon tinha agora dezenove anos, mas nunca havia demonstrado nenhum interesse em mulheres. Ele se cercava de belos escudeiros de sua idade e diziam que preferia a companhia deles. Mas o grande meistre Mellos descartou essa preocupação.

— E daí? — disse ele. — Eu não gosto do sabor de peixe, mas quando peixe é servido, eu como.

Assim, a união foi decidida.

Mas o rei e o conselho não tinham consultado a princesa, e Rhaenyra se mostrou filha do pai dela, com ideias próprias sobre com quem desejava se casar. A princesa sabia muitas coisas sobre Laenor Velaryon e não desejava ser esposa dele.

— Meus meios-irmãos seriam mais do gosto dele — disse ela ao rei (a princesa sempre tomava o cuidado de se referir aos filhos da rainha Alicent como meios-irmãos, nunca como irmãos).

E embora Sua Graça tenha argumentado, suplicado, gritado com ela e a chamado de filha ingrata, nenhuma palavra a fez mudar de ideia... até o rei tocar no assunto da sucessão. O que um rei tinha feito, um rei podia desfazer, observou Viserys. Ela se casaria com quem ele mandasse, senão ele tornaria o meio-irmão dela Aegon seu herdeiro. Com esse argumento, a princesa cedeu. O septão Eustace diz que ela caiu aos joelhos do pai e implorou pelo perdão dele, Cogumelo diz que ela cuspiu na cara do pai, mas os dois concordam que, no fim, ela aceitou se casar.

E aqui novamente nossas fontes discordam. Naquela noite, o septão Eustace relata, sor Criston Cole entrou no quarto da princesa para confessar seu amor por ela. Ele disse a Rhaenyra que tinha um navio esperando na baía e implorou que ela fugisse com ele pelo mar estreito. Eles se casariam em Tyrosh ou na antiga Volantis, onde o pai dela não governava e ninguém se importaria se sor Criston havia traído seus votos como membro da Guarda Real. Sua habilidade com a espada e com a maça-estrela era tamanha que ele não duvidava que conseguiria encontrar um príncipe mercador para contratar seus serviços. Mas Rhaenyra recusou. Ela tinha o sangue do dragão, lembrou-lhe, e seu destino era mais do que viver a vida como esposa de um mercenário comum. E se ele podia deixar de lado o juramento à Guarda Real, por que o juramento do casamento seria mais importante?

Cogumelo conta uma história bem diferente. Na versão dele, foi a princesa Rhaenyra que procurou sor Criston, não o contrário. Ela o encontrou sozinho na Torre da Espada Branca, travou a porta e tirou o manto, revelando sua nudez por baixo.

— Guardei minha donzelice para você — disse ela. — Tome-a agora, como prova do meu amor. Vai significar muito pouco para meu noivo, e talvez me recuse quando souber que não sou casta.

Mas mesmo com toda a beleza dela, suas súplicas não foram atendidas, pois sor Criston era um homem de honra, fiel aos votos. Mesmo quando Rhaenyra usou as artes que aprendeu com o tio Daemon, Cole não hesitou. Desprezada e furiosa, a princesa vestiu o manto e saiu na noite... onde por acaso encontrou sor Harwin Strong voltando de uma noite de farra nos lupanares da cidade. Quebra-Ossos havia muito desejava a princesa e não tinha os escrúpulos de sor Criston. Foi ele quem tirou a inocência de Rhaenyra, derramando o sangue de donzela na espada de sua masculinidade... de acordo com Cogumelo, que alega tê-los encontrado na cama ao amanhecer.

Independentemente de como aconteceu, tenha sido a princesa que desdenhou do cavaleiro ou o contrário, daquele dia em diante o amor que sor Criston Cole sentia por Rhaenyra Targaryen virou ódio e desprezo, e o homem que até então era o companheiro constante e protetor da princesa se tornou o mais amargo de seus inimigos.

Não muito tempo depois, Rhaenyra partiu para Derivamarca no *Serpente Marinha*, acompanhada de suas aias (duas delas filhas da Mão e irmãs de sor Harwin), do bobo Cogumelo e de seu novo protetor, o próprio Quebra-Ossos. Em 114 DC, Rhaenyra Targaryen, Princesa de Pedra do Dragão, tomou como marido sor Laenor Velaryon (feito cavaleiro antes do casamento, pois era necessário que o príncipe consorte fosse cavaleiro). A noiva tinha dezessete anos, o noivo tinha vinte, e todos concordaram em que eles formavam um lindo casal. O casamento foi comemorado com sete dias de festas e justas, o maior torneio havia muitos anos. Entre os competidores estavam os irmãos da rainha Alicent, cinco Irmãos Juramentados da Guarda Real, Quebra-Ossos e o favorito do noivo, sor Joffrey Lonmouth, conhecido como Cavaleiro dos Beijos. Quando Rhaenyra entregou sua liga para sor Harwin, seu novo marido riu e deu uma para sor Joffrey.

Tendo o favor de Rhaenyra negado, Criston Cole se voltou para a rainha Alicent. Usando a prenda dela, o jovem senhor comandante da Guarda Real derrotou todos os desafiadores, lutando em fúria. Ele deixou Quebra-Ossos com a clavícula quebrada e o cotovelo estilhaçado (fazendo Cogumelo o chamar de "Ossos-Quebrados" depois), mas foi o Cavaleiro dos Beijos que recebeu o máximo da raiva dele. A arma favorita de Cole era a maça-estrela, e os golpes que ele deu no campeão de sor Laenor racharam o elmo dele e o deixaram desacordado na lama. Tirado ensanguentado do campo, sor Joffrey morreu sem recuperar a consciência seis dias depois. Cogumelo nos conta que sor Laenor passou todas as horas daqueles dias junto ao leito dele e chorou amargamente quando o Estranho o levou.

O rei Viserys ficou furioso; uma comemoração alegre tinha virado ocasião de sofrimento e recriminação. Mas diziam que a rainha Alicent não compartilhava dessa insatisfação; pouco tempo depois, ela pediu que sor Criston Cole fosse seu protetor pessoal. A frieza entre a esposa e a filha do rei estava clara para todos; até os enviados das Cidades Livres comentaram em cartas enviadas para Pentos, Braavos e Antiga Volantis.

Sor Laenor voltou para Derivamarca depois, deixando muitos questionando se o casamento havia sido consumado. A princesa ficou na corte, cercada de amigos e admiradores. Sor Criston Cole não estava entre eles e tinha passado completamente para o séquito da rainha, os verdes, mas o enorme e impressionante Quebra-Ossos (ou Ossos-Quebrados, segundo Cogumelo) tomou seu lugar, tornando-se o mais destacado dos pretos, sempre ao lado de Rhaenyra em festas e bailes e caçadas. O marido dela não fez objeções. Sor Laenor preferia os consolos de Maré Alta, onde logo encontrou um novo favorito em um cavaleiro doméstico chamado sor Qarl Correy.

Depois disso, apesar de se juntar à esposa em eventos importantes da corte onde sua presença era esperada, sor Laenor passava boa parte de seus dias longe da princesa. O septão Eustace diz que eles compartilharam a cama pouco mais de dez vezes. Cogumelo concorda, mas acrescenta que Qarl Correy muitas vezes também compartilhava dessa cama; excitava a princesa ver homens tendo prazer com homens, diz ele, e de tempos em tempos os dois a incluíam em seus prazeres. Mas Cogumelo se contradiz, pois em outra parte do testemunho ele alega que a princesa deixava o marido com o amante nessas noites e procurava consolo nos braços de Harwin Strong.

Seja qual for a verdade nessas histórias, em pouco tempo foi anunciado que a princesa estava esperando um filho. Nascido nos últimos dias de 114 DC, o menino era grande e forte, com cabelo castanho, olhos castanhos e nariz achatado (sor Laenor tinha nariz aquilino, cabelo branco-prateado e olhos violeta que confirmavam seu sangue valiriano). O desejo de Laenor de batizar a criança de Joffrey foi descartado pelo pai dele, lorde Corlys. A criança acabou por ganhar um nome Velaryon tradicional: Jacaerys (amigos e irmãos o chamariam de Jace).

A corte ainda estava comemorando o nascimento do filho da princesa quando a madrasta, a rainha Alicent, também entrou em trabalho de parto e deu a Viserys seu terceiro filho, Daeron... cuja coloração, diferentemente da de Jace, testificava seu sangue de dragão. Por ordem real, os bebês Jacaerys Velaryon e Daeron Targaryen tiveram a mesma ama de leite até desmamarem. Diziam que o rei nutria esperanças de impedir qualquer inimizade entre os meninos ao criá-los como irmãos de leite. Se foi assim, suas esperanças foram em vão.

Um ano depois, em 115 DC, houve um acontecimento trágico do tipo que orienta o destino de reinos: a "vaca de bronze" de Pedrarruna, a senhora Rhea Royce, caiu do cavalo enquanto falcoava e rachou a cabeça em uma pedra. Ela ficou entre a vida e a morte por nove dias, até que finalmente se sentiu bem o bastante para sair da cama... para desabar e morrer uma hora depois de se levantar. Um corvo foi enviado para Ponta Tempestade, e lorde Baratheon enviou um mensageiro de barco até Pedrassangrenta, onde o príncipe Daemon ainda lutava para defender seu mirrado reino contra os homens da Triarquia e seus aliados dorneses. Daemon voou na mesma hora para o Vale.

— Para levar minha esposa ao descanso — disse ele, embora fosse mais provável que ele tivesse esperança de reivindicar as terras, os castelos e as rendas dela. Nisso, ele fracassou; Pedrarruna passou para o sobrinho da senhora Rhea, e quando Daemon fez um apelo ao Ninho da Águia, não só seu apelo foi descartado, mas a senhora Jeyne o comunicou de que sua presença no Vale não era desejada.

Ao voltar para os Degraus depois, o príncipe Daemon pousou em Derivamarca para fazer uma visita de cortesia a seu antigo parceiro de conquista, o Serpente Marinha, e sua esposa, a princesa Rhaenys. Maré Alta era um dos poucos lugares nos Sete Reinos em que o irmão do rei podia ter certeza de que não seria recusado. Lá, seus olhos pousaram na filha de lorde Corlys, Laena, uma donzela de vinte e dois anos, alta, magra e absurdamente adorável (até Cogumelo ficou encantado com a beleza dela e escreveu que ela "era quase tão bonita quanto o irmão"), com uma cabeleira de cachos prateado-dourados que caía abaixo da cintura. Laena estava noiva desde os doze anos do filho do Senhor do Mar de Braavos... mas o pai tinha morrido antes de eles poderem se casar, e o filho se mostrou ser imprestável e tolo, e esgotou a riqueza e o poder da família antes de aparecer em Derivamarca. Sem conseguir uma forma decente de se livrar do constrangimento, mas sem querer ir em frente com o casamento, lorde Corlys foi adiando repetidamente o ato.

O príncipe Daemon se apaixonou por Laena, os cantores declararam. Homens de inclinação mais cínica acreditam que o príncipe a via como forma de garantir sua descendência. Antes visto como herdeiro do irmão, ele havia caído muito na linha de sucessão, e nem os verdes nem os pretos tinham lugar para ele... mas a Casa Velaryon era poderosa o suficiente para desafiar os dois grupos com impunidade. Cansado dos Degraus e finalmente livre de sua "vaca de bronze", Daemon Targaryen pediu a lorde Corlys a mão da filha dele em casamento.

O noivo braavosi exilado continuou sendo um impedimento, mas não por muito tempo; Daemon debochou do rapaz na cara dele de forma tão intensa que o garoto não teve escolha além de chamá-lo para defender sua honra com aço. Armado com a Irmã Sombria, o príncipe fez pouco do rival, e se casou com a senhorita Laena Velaryon quinze dias depois, abandonando o reino desolado dos Degraus. (Cinco outros homens vieram depois como Reis do Mar Estreito, até a história curta e sangrenta daquele "reino" selvagem de mercenários ser encerrada de vez.)

O príncipe Daemon sabia que seu irmão não ficaria satisfeito quando soubesse de seu casamento. De forma prudente, o príncipe e sua nova esposa foram para longe de Westeros depois das núpcias e atravessaram o mar estreito com seus dragões. Alguns diziam que eles voaram até Valíria, desafiando a maldição que pairava sobre aquele deserto fumegante, para procurar os segredos dos senhores dos dragões da antiga Cidade Franca. Cogumelo relata isso como fato em *O testemunho*, mas temos evidências abundantes de que a verdade foi bem menos romântica. O príncipe Daemon e a senhora Laena voaram primeiro para Pentos, onde foram recebidos com homenagens pelo príncipe da cidade. Os pentoshis temiam o poder crescente da Triarquia no Sul e viam Daemon como um aliado valioso contra as Três Filhas. De lá, eles atravessaram as Terras Disputadas até a Antiga Volantis, onde tiveram boas-vindas calorosas similares. Em seguida, voaram pelo Roine acima para visitar Qohor e Norvos. Nessas cidades, distantes das confusões de Westeros e do poder da Triarquia, as boas-vindas foram menos arrebatadoras. Mas em todos os lugares a que eles iam, grandes multidões se reuniam para dar uma olhada em Vhagar e Caraxes.

Os cavaleiros de dragões estavam novamente em Pentos quando a senhora Laena soube que estava grávida. Para evitar mais voos, o príncipe Daemon e sua esposa se estabeleceram em uma mansão fora das muralhas da cidade como hóspedes de um magíster pentoshi até chegar a hora de o bebê nascer.

Enquanto isso, em Westeros, a princesa Rhaenyra dera à luz um segundo filho no fim do ano 115 DC. A criança foi batizada de Lucerys (apelidado Luke). O septão Eustace nos conta que tanto sor Laenor quanto sor Harwin estavam ao lado de Rhaenyra no parto. Como seu irmão Jace, Luke tinha olhos castanhos e cabeleira castanha em vez do cabelo prateado-dourado dos príncipes Targaryen, mas era um bebê grande e vigoroso, e o rei Viserys ficou feliz da vida quando a criança foi apresentada na corte.

Esses sentimentos não eram compartilhados com a rainha.

— Continue tentando — disse a rainha Alicent para sor Laenor, de acordo com Cogumelo —, mais cedo ou mais tarde pode sair um parecido com você.

E a rivalidade entre verdes e pretos aumentou ainda mais, até chegar ao ponto em que a rainha e a princesa mal suportavam a presença uma da outra. Depois disso, a rainha Alicent ficou na Fortaleza Vermelha, enquanto a princesa passava os dias em Pedra do Dragão, acompanhada de suas damas, de Cogumelo e de seu campeão, sor Harwin Strong. Diziam que o marido dela, sor Laenor, a visitava "com frequência".

Em 116 DC, na Cidade Livre de Pentos, a senhora Laena deu à luz filhas gêmeas, as primeiras filhas legítimas do príncipe Daemon, que chamou as meninas de Baela (em homenagem ao pai dele) e Rhaena (em homenagem à mãe dela). Os bebês eram pequenos e frágeis, mas ambos tinham feições delicadas, cabelo branco-prateado e olhos violeta. Quando completaram meio ano de idade e estavam mais fortes, as garotas e a mãe navegaram até Derivamarca, enquanto Daemon foi voando na frente com ambos os dragões. De Maré Alta, ele enviou um corvo para o irmão em Porto Real, informando Sua Graça do nascimento das sobrinhas e implorando permissão para apresentar as meninas na corte e receber a bênção real. Embora a Mão e o pequeno conselho argumentassem contra, Viserys consentiu, pois o rei ainda amava o irmão que fora o companheiro de sua juventude.

— Daemon é pai agora — disse ele para o grande meistre Mellos. — Há de ter mudado. — E assim, os filhos de Baelon Targaryen se reconciliaram pela segunda vez.

Em 117 DC, em Pedra do Dragão, a princesa Rhaenyra teve outro filho. Sor Laenor finalmente teve permissão de batizar um filho em homenagem ao amigo morto, sor Joffrey Lonmouth. Joffrey Velaryon era tão grande e corado e saudável quanto os irmãos, mas, como eles, tinha olhos castanhos, cabelo castanho e feições que alguns na corte chamavam de "comuns". Os sussurros recomeçaram. Dentre os verdes, todos acreditavam que o pai dos filhos de Rhaenyra não era o marido Laenor, mas seu protetor, Harwin Strong. Cogumelo diz claramente em *O testemunho*, e o grande meistre Mellos dá a entender, enquanto o septão Eustace cita os boatos, mas os descarta.

Seja qual for a verdade dessas alegações, nunca houve dúvida de que o rei Viserys ainda pretendia que a filha o sucedesse no Trono de Ferro, e os filhos dela depois. Por decreto real, cada um dos meninos Velaryon ganhou de presente um ovo de dragão enquanto ainda estavam no berço. Os que duvidavam da paternidade dos filhos de Rhaenyra sussurravam que os ovos não gerariam filhotes, mas o nascimento de três jovens dragões provou que suas palavras não eram verdade. Os filhotes foram batizados de Vermax, Arrax e Tyraxes. E o septão Eustace nos conta que Sua Graça colocou Jace em seu joelho no Trono de Ferro enquanto recebia a corte e foi ouvido dizendo:

— Um dia este vai ser seu assento, rapaz.

Mas os partos tiveram custo para a princesa; o peso que Rhaenyra ganhou durante as gravidezes nunca a abandonou, e quando seu filho mais novo nasceu, ela estava corpulenta e com cintura grossa, a beleza da adolescência apenas uma fraca lembrança, embora só tivesse vinte anos. De acordo com Cogumelo, isso só serviu para aumentar seu ressentimento da madrasta, a rainha Alicent, que permanecia magra e graciosa mesmo sendo mais velha.

Os pecados dos pais muitas vezes atormentam os filhos, sábios já disseram; isso também é verdade sobre os pecados das mães. A rivalidade entre a rainha Alicent e a princesa Rhaenyra foi passada para os filhos de ambas, e os três meninos da rainha, os príncipes Aegon, Aemond e Daeron, cresceram e se tornaram rivais amargos dos sobrinhos Velaryon, ressentindo-se deles por terem roubado o que eles viam como seu direito de nascença: o Trono de Ferro. Embora os seis garotos frequentassem as mesmas festas, bailes e comemorações, e às vezes treinassem juntos no pátio com o mesmo mestre de armas e estudassem com os mesmos meistres, essa proximidade forçada só serviu para alimentar o ódio mútuo em vez de os unir como irmãos.

Enquanto a princesa Rhaenyra não gostava da madrasta, a rainha Alicent, ela passou a gostar cada vez mais da cunhada, a senhora Laena. Com Derivamarca e Pedra do Dragão tão próximos, Daemon e Laena costumavam visitar a princesa, e ela a eles. Muitas vezes eles voavam juntos em seus dragões, e a dragão-fêmea da princesa, Syrax, gerou vários ovos. Em 118 DC, com a bênção do rei Viserys, Rhaenyra anunciou o noivado de seus dois filhos mais velhos com as filhas do príncipe Daemon e da senhora Laena. Jacaerys tinha quatro anos e Lucerys tinha três, e as garotas, dois. E em 119 DC, quando Laena descobriu que estava grávida de novo, Rhaenyra voou até Derivamarca para ajudá-la no parto.

E foi assim que a princesa estava ao lado da cunhada no terceiro dia daquele ano amaldiçoado de 120 DC, o Ano da Primavera Vermelha. Um dia e uma noite de trabalho de parto deixaram Laena Velaryon pálida e fraca, mas ela finalmente deu à luz o filho que o príncipe Daemon tanto desejava — no entanto o bebê era retorcido e deformado, e morreu em uma hora. A mãe também não sobreviveu. O trabalho de parto difícil esgotou todas as forças da senhora Laena, e o luto a enfraqueceu ainda mais, deixando--a impotente quando veio a febre de leite. Conforme sua condição ia piorando, apesar dos esforços do jovem meistre de Derivamarca, o príncipe Daemon voou até Pedra do Dragão e trouxe o meistre da princesa Rhaenyra, um homem mais velho e mais experiente com fama pelas habilidades de curandeiro. Infelizmente, meistre Gerardys chegou tarde demais. Depois de três dias de delírio, a senhora Laena faleceu dessa doença mortal. Ela tinha apenas vinte e sete anos. Durante sua última hora, dizem, a senhora Laena se levantou da cama, empurrou as septãs que oravam ao seu lado e saiu do quarto, decidida a ir até Vhagar para voar uma última vez antes de morrer. Mas sua força falhou nos degraus da torre, e foi lá que ela caiu e faleceu. Seu marido, o príncipe Daemon, a carregou de volta à cama. Depois, conta Cogumelo, a princesa Rhaenyra fez vigília com ele junto ao cadáver da senhora Laena e o consolou na dor.

A morte da senhora Laena foi a primeira tragédia de 120 DC, mas não seria a última. Pois esse seria o ano em que muitas tensões e ciúmes antigos que acometiam os Sete Reinos finalmente ferveriam, um ano em que muitos mais teriam motivos para chorar e lamentar e rasgar as vestes... embora ninguém mais do que o Serpente Marinha, lorde Corlys Velaryon, e sua nobre esposa, a princesa Rhaenys, que poderia ter sido rainha.

O Senhor das Marés e sua esposa ainda estavam de luto pela amada filha quando o Estranho apareceu outra vez para levar seu filho. Sor Laenor Velaryon, marido da princesa Rhaenyra e reputado pai dos filhos dela, foi morto ao comparecer a uma feira em Vila Especiaria, esfaqueado pelo amigo e companheiro sor Qarl Correy. Os dois homens estavam brigando ruidosamente antes de as lâminas serem puxadas, contaram mercadores para lorde Velaryon quando ele foi buscar o corpo do filho. Correy já tinha fugido, ferindo vários homens que tentaram detê-lo. Alguns alegam que um navio o esperava perto do litoral. Ele nunca mais foi visto.

As circunstâncias do assassinato permanecem um mistério até hoje. O grande meistre Mellos escreve apenas que sor Laenor foi morto por um dos cavaleiros de sua casa depois de uma briga. O septão Eustace nos dá o nome do assassino e declara que o motivo do assassinato foi ciúme; Laenor Velaryon tinha se cansado da companhia de sor Qarl e estava enamorado de um novo favorito, um belo e jovem escudeiro de dezesseis anos. Cogumelo, como sempre, prefere a teoria mais sinistra e sugere que o príncipe Daemon pagou a Qarl Correy para se livrar do marido da princesa Rhaenyra, arrumou um navio para levá-lo embora, cortou sua garganta e o jogou no mar. Sendo um cavaleiro doméstico de berço relativamente humilde, Correy era famoso por ter gostos de senhor e bolsa de camponês, e era dado a apostas extravagantes, o que dá certa credibilidade à versão do bobo acerca dos eventos. Mas não havia nenhuma prova, nem na época nem agora, embora o Serpente Marinha tivesse oferecido uma recompensa de dez mil dragões dourados para qualquer homem que o levasse a sor Qarl Correy ou entregasse o assassino para a vingança de um pai.

Nem isso foi o fim das tragédias que marcariam aquele terrível ano. A seguinte aconteceu em Maré Alta depois do funeral de sor Laenor, quando o rei e a corte fizeram a viagem até Derivamarca para serem testemunhas da pira dele, muitos nas costas de seus dragões. (Havia tantos dragões presentes que o septão Eustace escreveu que Derivamarca tinha virado a nova Valíria.)

A crueldade das crianças é conhecida de todos. O príncipe Aegon Targaryen tinha treze anos, a princesa Helaena tinha onze, o príncipe Aemond, dez e o príncipe Daeron, seis. Tanto Aegon quanto Helaena eram cavaleiros de dragão. Helaena agora voava em Dreamfyre, a dragão-fêmea que já havia carregado Rhaena, a "Noiva de Preto" de Maegor, o Cruel, enquanto o jovem Sunfyre de seu irmão Aegon tinha fama de ser o dragão mais bonito a existir na terra. Até o príncipe Daeron tinha um dragão, uma fêmea azul linda chamada Tessarion, embora ele ainda não a montasse. Só o filho do meio, o príncipe Aemond, permaneceu sem dragão, mas Sua Graça nutria esperanças de corrigir isso e deu a entender que a corte poderia permanecer temporariamente em Pedra do Dragão depois dos funerais. Havia uma grande quantidade de ovos de dragão embaixo do Monte Dragão, assim como vários filhotes. O príncipe Aemond poderia escolher, "se o rapaz for ousado o suficiente".

Mesmo aos dez anos, não faltava ousadia a Aemond Targaryen. A brincadeira do rei magoou, e ele decidiu não esperar Pedra do Dragão. O que ele ia querer com um filhote inferior, ou com uma porcaria de ovo? Ali em Maré Alta havia um dragão digno dele: Vhagar, o dragão mais velho, mais corpulento e mais terrível do mundo.

Mesmo para um filho da Casa Targaryen, sempre há perigos em se aproximar de um dragão, em particular um dragão velho e mal-humorado que tinha perdido recentemente seu cavaleiro. Seu pai e sua mãe nunca permitiriam que ele chegasse perto de Vhagar, Aemond sabia, e menos ainda que tentasse montar nela. Assim, cuidou para que eles não soubessem e saiu da cama na aurora, quando eles ainda estavam dormindo, e desceu até o pátio externo, onde Vhagar e os outros dragões eram alimentados e dormiam. O príncipe tinha esperanças de voar em Vhagar em segredo, mas quando estava se aproximando do dragão, a voz de um garoto soou:

— Fique longe dela!

A voz pertencia ao mais novo de seus meios-sobrinhos, Joffrey Velaryon, um menino de três anos. Como sempre acordava cedo, Joff tinha saído da cama para ver seu jovem dragão, Tyraxes. Com medo de o menino levantar um alarme, o príncipe Aemond gritou para ele ficar calado, depois o empurrou de costas em uma pilha de bosta de dragão. Quando Joff começou a chorar e berrar, Aemond correu até Vhagar e subiu nas costas dela. Mais tarde, ele diria que teve tanto medo de ser pego que se esqueceu de sentir medo de morrer queimado e devorado.

Podemos chamar de ousadia, podemos chamar de loucura, podemos chamar de sorte ou de vontade dos deuses ou de capricho dos dragões. Quem pode saber o que passa na cabeça desses animais? Mas sabemos do seguinte: Vhagar rugiu, se levantou, se sacudiu violentamente... arrebentou as correntes e saiu voando. E o príncipe menino Aemond Targaryen se tornou cavaleiro de dragões e voou duas vezes em torno das torres de Maré Alta antes de descer.

Mas quando pousou, os filhos de Rhaenyra o estavam esperando.

Joffrey foi chamar seus irmãos quando Aemond subiu ao céu, e tanto Jace quanto Luke atenderam a seu chamado. Os príncipes Velaryon eram mais novos do que Aemond — Jace tinha seis anos, Luke tinha cinco, Joff só tinha três —, mas eles eram três, e se armaram com espadas de madeira do pátio de treinamento. Eles partiram para cima de Aemond com fúria. Aemond se defendeu, quebrou o nariz de Luke com um soco, arrancou a espada das mãos de Joff e a quebrou na parte de trás da cabeça de Jace, fazendo-o cair de joelhos. Quando os garotos menores se afastaram, feridos e machucados, o príncipe começou a debochar deles, rindo e os chamando de "os Strong". Jace pelo menos tinha idade suficiente para entender o insulto. Ele voou para cima de Aemond outra vez, mas o garoto mais velho começou a socá-lo violentamente... até que Luke, indo salvar o irmão, puxou a adaga e cortou a cara de Aemond, arrancando seu olho direito. Quando os cavalariços enfim chegaram para separar os brigões, o príncipe estava se contorcendo no chão, berrando de dor, e Vhagar também estava rugindo.

Depois, o rei Viserys tentou fazer com que eles fizessem as pazes, mandando cada menino dar um pedido de desculpas para seus rivais, mas essas cortesias não tranquilizaram as mães vingativas. A rainha Alicent exigiu que um dos olhos de

Lucerys Velaryon fosse arrancado, pelo olho que ele tirou de Aemond. A princesa Rhaenyra não quis saber disso, e insistiu que o príncipe Aemond devia ser interrogado "rigidamente" até revelar onde ouviu os filhos dela sendo chamados de "os Strong". Chamá-los assim era o mesmo que dizer que eles eram bastardos, sem direitos à sucessão... e que ela era culpada de traição. Ao ser pressionado pelo rei, o príncipe Aemond disse que foi seu irmão Aegon que disse que eles eram Strong, e o príncipe Aegon só disse:

— *Todo mundo* sabe. É só olhar para eles.

O rei Viserys pôs fim ao interrogatório e declarou que não queria mais saber daquilo. Nenhum olho seria arrancado, decretou ele... mas se alguém — "homem ou mulher ou criança, nobre ou plebeu ou real" — debochasse de seus netos chamando-os de "os Strong" de novo, teria sua língua arrancada com pinças quentes. Sua Graça ordenou que sua esposa e sua filha se beijassem e trocassem juras de amor e afeição. Mas seus sorrisos falsos e palavras vazias só enganaram ao rei. Quanto aos meninos, o príncipe Aemond disse depois que perdeu um olho e ganhou um dragão naquele dia, e achava que a troca era justa.

Para evitar mais conflitos e pôr fim a esses "boatos horríveis e calúnias baixas", o rei Viserys decretou também que a rainha Alicent e seus filhos voltariam com ele para a corte, enquanto a princesa Rhaenyra se confinou em Pedra do Dragão com os filhos. Dali em diante, sor Erryk Cargyll da Guarda Real serviria de escudo juramentado dela, enquanto Quebra-Ossos voltaria a Harrenhal.

Essas ordens não agradaram ninguém, escreve o septão Eustace. Cogumelo não concorda: um homem, pelo menos, ficou satisfeito com os decretos, pois Pedra do Dragão e Derivamarca eram bem próximos um do outro, e essa proximidade permitiria que Daemon Targaryen tivesse amplas oportunidades de consolar a sobrinha, a princesa Rhaenyra, sem que o rei soubesse.

Embora Viserys I fosse reinar por mais nove anos, as sementes sangrentas da Dança dos Dragões já tinham sido plantadas, e 120 DC foi o ano em que começaram a brotar. Os próximos a morrer foram os Strong mais velhos. Lyonel Strong, lorde de Harrenhal e Mão do Rei, acompanhou o filho e herdeiro Harwin em sua volta ao castelo grandioso e meio arruinado nas margens do lago. Logo depois da chegada deles, houve um incêndio na torre em que estavam dormindo, e tanto o pai quanto o filho morreram, junto com três vassalos e doze criados.

A causa do incêndio nunca foi determinada. Alguns classificam como mero azar, enquanto outros resmungaram que a sede do Harren Negro era amaldiçoada e só trazia mal a qualquer homem que a ocupava. Muitos desconfiavam que o fogo tinha sido gerado intencionalmente. Cogumelo sugere que o Serpente Marinha estava por trás, como ato de vingança contra o homem que corneou seu filho. O septão Eustace, de forma mais plausível, desconfia do príncipe Daemon, que queria eliminar um rival pelas afeições da princesa Rhaenyra. Outros aventaram a ideia de que Larys, o Pé-Torto, podia ter sido o responsável; com o pai e o irmão mais velho mortos, Larys Strong se tornou Senhor de Harrenhal. A possibilidade mais perturbadora foi apresentada por ninguém menos do que o grande meistre Mellos, que reflete que o próprio rei podia ter dado a ordem. Se Viserys tivesse aceitado que os boatos sobre a paternidade dos filhos de Rhaenyra eram verdade, ele podia ter desejado eliminar o homem que havia desonrado sua filha, para que ele não revelasse a paternidade bastarda dos filhos dela. Nesse caso, a morte de Lyonel Strong foi um acidente infeliz, pois a decisão de sua senhoria de acompanhar o filho na volta a Harrenhal não tinha sido prevista.

Lorde Strong era a Mão do Rei, e Viserys contava com a força e o conselho dele. Sua Graça havia chegado à idade de quarenta e três e estava muito corpulento. Não tinha mais o vigor de um jovem, e sofria de gota, dores nas juntas, dores nas costas e um aperto no peito que ia e vinha e muitas vezes o deixava com o rosto vermelho e sem ar. Governar o reino era uma tarefa assustadora; o rei precisava de uma Mão forte e capaz para carregar parte do fardo. Por um momento, ele considerou mandar chamar a princesa Rhaenyra. Quem melhor para governar com ele do que a filha que ele pretendia que o sucedesse no Trono de Ferro? Mas isso significaria trazer a princesa e os filhos dela de volta a Porto Real, onde mais conflitos com a rainha e os filhos seriam inevitáveis. Ele também pensou em seu irmão, até lembrar o período que Daemon passou no pequeno conselho. O grande meistre Mellos aconselhou algum homem mais novo e sugeriu vários nomes, mas Sua Graça escolheu a familiaridade e convocou à corte sor Otto Hightower, o pai da rainha, que tinha ocupado a posição anteriormente tanto para Viserys quanto para o Velho Rei.

Sor Otto mal tinha chegado à Fortaleza Vermelha para assumir a função quando veio à corte a notícia de que a princesa Rhaenyra havia se casado novamente, tomando como marido seu tio, Daemon Targaryen. A princesa tinha vinte e três anos, o príncipe Daemon, trinta e nove.

O rei, a corte e a plebe ficaram todos enfurecidos com a notícia. A esposa de Daemon e o marido de Rhaenyra estavam mortos não havia nem meio ano; casarem-se outra vez era um insulto à memória deles, Sua Graça declarou com raiva. O casamento foi realizado em Pedra do Dragão, de forma súbita e secreta. O septão Eustace alega que Rhaenyra sabia que o pai nunca aprovaria a união, e por isso se casou rapidamente, para garantir que ele não pudesse impedir o matrimônio. Cogumelo apresenta um motivo diferente: ela estava grávida de novo e não queria parir um bastardo.

E assim, aquele terrível ano de 120 DC terminou como havia começado, com uma mulher em trabalho de parto. A gravidez da princesa Rhaenyra teve resultado mais feliz do que a da senhora Laena. Com o fim do ano, ela trouxe ao mundo um filho pequeno, mas robusto, um principezinho pálido com olhos roxo-escuros e cabelo prateado pálido. Ela o batizou de Aegon. O príncipe Daemon finalmente tinha um filho vivo de seu próprio sangue... e esse novo príncipe, diferentemente dos três meios-irmãos, era claramente um *Targaryen*.

Mas em Porto Real a rainha Alicent ficou furiosa quando soube que o bebê foi batizado de Aegon e viu isso como afronta a seu próprio filho Aegon... o que, de acordo com *O testemunho do Cogumelo*, foi mesmo.*

Por tudo que aconteceu, o ano 122 DC deveria ter sido alegre para a Casa Targaryen. A princesa Rhaenyra foi ao leito de parto novamente e deu ao tio Daemon um segundo filho, batizado de Viserys em homenagem ao avô dele. A criança era menor e menos robusta do que o irmão Aegon e seus meios-irmãos Velaryon, mas acabou sendo uma criança precoce... embora, de forma um tanto nefasta, o ovo de dragão colocado no berço dele não tenha gerado um filhote. Os verdes viram isso como mau presságio e não se omitiam de dizer.

No mesmo ano, Porto Real também celebrou um casamento. Seguindo a antiga tradição da casa Targaryen, o rei Viserys casou seu filho Aegon mais velho com sua filha Helaena. O noivo tinha quinze anos; um menino preguiçoso e um tanto mal-humorado, conta o septão Eustace, mas com apetites mais do que saudáveis, um glutão à mesa, dado a entornar cerveja e vinho forte e que beliscava e passava a mão em qualquer criada que passasse perto. A noiva, sua irmã, tinha apenas treze anos.

* A partir daqui, para não haver confusão entre os dois príncipes, vamos nos referir ao filho da rainha Alicent como Aegon mais velho e ao filho da princesa Rhaenyra como Aegon mais novo.

Embora mais gorducha e menos deslumbrante do que a maioria das Targaryen, Helaena era uma menina agradável e feliz, e todos concordavam que ela seria ótima mãe.

E foi mesmo, e rapidamente. Menos de um ano depois, em 123 DC, a princesa de catorze anos deu à luz gêmeos, um menino que ela chamou de Jaehaerys e uma menina que chamou de Jaehaera. O príncipe Aegon tinha herdeiros agora, os verdes da corte proclamaram com alegria. Um ovo de dragão foi colocado no berço de cada bebê, e dois filhotes nasceram em pouco tempo. Mas nem tudo estava bem com os novos gêmeos. Jaehaera era pequena e crescia lentamente. Não chorava, não sorria, não fazia nada que um bebê devia fazer. Seu irmão, embora maior e mais robusto, também era menos perfeito do que esperado de um príncipe Targaryen, e exibia seis dedos na mão esquerda e seis dedos em cada pé.

Uma esposa e filhos não controlaram os apetites carnais do príncipe Aegon mais velho. Se podemos acreditar em Cogumelo, ele teve dois filhos bastardos no mesmo ano dos gêmeos: um menino de uma garota cuja virgindade ele ganhou em um leilão na Rua da Seda e uma menina com uma das criadas da mãe. E em 127 DC, a princesa Helaena deu à luz seu segundo filho, que ganhou um ovo de dragão e o nome Maelor.

Os outros filhos da rainha Alicent também estavam ficando mais velhos. O príncipe Aemond, apesar da perda do olho, se tornou espadachim proficiente e perigoso sob tutoria de sor Criston Cole, mas continuou sendo uma criança selvagem e obstinada, de pavio curto e implacável. Seu irmãozinho, o príncipe Daeron, era o mais popular dos filhos da rainha, tão inteligente quanto cortês e também muito bonito. Quando fez doze anos, em 126 DC, Daeron foi enviado a Vilavelha para trabalhar de escanção e escudeiro de lorde Hightower.

Naquele mesmo ano, do outro lado da Baía da Água Negra, o Serpente Marinha foi acometido de uma febre repentina. Quando estava de cama, cercado de meistres, surgiu o assunto de quem deveria sucedê-lo como Senhor das Marés e Mestre de Derivamarca caso a doença o levasse. Com os dois filhos legítimos mortos, por lei suas terras e títulos deveriam passar para seu neto mais velho, Jacaerys... mas como Jace presumivelmente subiria ao Trono de Ferro depois da mãe, a princesa Rhaenyra pediu a seu sogro que nomeasse seu segundo filho, Lucerys. Mas lorde Corlys também tinha alguns sobrinhos, e o mais velho deles, sor Vaemond Velaryon, protestou que a herança por direito deveria passar para ele... sob o argumento de que os filhos de Rhaenyra eram filhos bastardos de Harwin Strong. A princesa não demorou para reagir a essa acusação. Ela mandou o príncipe Daemon capturar sor Vaemond, cortar a cabeça dele e dar a carcaça para seu dragão Syrax.

Mas nem isso encerrou a questão. Os irmãos mais novos de sor Vaemond fugiram para Porto Real com a esposa e os filhos dele, para pedir justiça e expor suas reivindicações perante o rei e a rainha. O rei Viserys estava extremamente gordo e corado, e mal tinha forças para subir os degraus até o Trono de Ferro. Sua Graça os ouviu em silêncio pétreo e mandou que removessem a língua deles, de cada um.

— Vocês foram avisados — declarou ele quando estavam sendo levados. — Não quero mais ouvir essas mentiras.

Então, quando estava descendo, Sua Graça tropeçou e esticou a mão para se segurar, e cortou a mão esquerda até o osso em uma lâmina denteada do trono. Apesar de o grande meistre Mellos lavar o corte com vinho fervido e amarrar a mão com tiras de linho encharcadas de pomadas cicatrizantes, a febre veio em seguida, e muitos temeram a morte do rei. Só a chegada da princesa Rhaenyra de Pedra do Dragão mudou o rumo da situação, pois com ela foi seu curandeiro, o meistre Gerardys, que agiu rapidamente e cortou dois dedos da mão de Sua Graça para salvar-lhe a vida.

Embora muito abalado pelos acontecimentos, o rei Viserys logo voltou à sua posição. Para comemorar sua recuperação, houve uma festa no primeiro dia de 127 DC. A princesa e a rainha receberam ordem de comparecer com todos os filhos. Em uma demonstração de paz, cada mulher usou as cores da outra e muitas declarações de amor foram feitas, para o grande prazer do rei. O príncipe Daemon ergueu a taça para sor Otto Hightower e agradeceu a ele por seu serviço leal como Mão. Sor Otto, por sua vez, falou sobre a coragem do príncipe, enquanto os filhos de Alicent e os de Rhaenyra se cumprimentaram com beijos e comeram juntos à mesa. É o que os relatos da corte registram.

Mas, no fim daquela noite, depois que o rei Viserys tinha se recolhido (pois Sua Graça ainda se cansava facilmente), Cogumelo nos conta que Aemond Caolho se levantou para fazer um brinde a seus sobrinhos Velaryon e falou com admiração debochada sobre o cabelo castanho, os olhos castanhos... e a força.

— Nunca conheci ninguém tão *forte* quanto meus doces sobrinhos — terminou ele, fazendo alusão ao sobrenome *Strong*. — Portanto, bebamos a esses três meninos *fortes*.

Ainda mais tarde, relata o bobo, Aegon mais velho se ofendeu quando Jacaerys chamou sua esposa Helaena para dançar. Palavras ríspidas foram trocadas, e os dois príncipes poderiam ter chegado às vias de fato se não fosse a intervenção da Guarda Real. Se o rei Viserys foi informado desses eventos, não sabemos, mas a princesa Rhaenyra e seus filhos voltaram para Pedra do Dragão na manhã seguinte.

Depois da perda dos dedos, Viserys I nunca mais se sentou no Trono de Ferro. A partir daí, ele baniu a sala do trono e passou a preferir presidir em seu solar, e mais tarde no quarto, cercado de meistres, septões e seu fiel bobo Cogumelo, o único homem que ainda conseguia fazê-lo rir (diz Cogumelo).

A morte visitou a corte de novo pouco tempo depois, quando o grande meistre Mellos caiu uma noite subindo a escada sinuosa. A voz dele no conselho sempre foi moderadora, pedindo calma e consenso quando surgiam questões entre pretos e verdes. Mas, para a consternação do rei, o falecimento do homem que ele chamava de "meu amigo de confiança" só serviu para provocar mais disputas entre as facções.

A princesa Rhaenyra queria que o meistre Gerardys, que a servia fazia tempo em Pedra do Dragão, tomasse o lugar de Mellos; foram as habilidades de cura dele que salvaram a vida do rei quando Viserys cortou a mão no trono, alegou ela. Mas a rainha Alicent insistia que a princesa e seu meistre haviam mutilado Sua Graça sem necessidade. Se eles não tivessem "se metido", alegava ela, o grande meistre Mellos teria salvado os dedos do rei, assim como sua vida. Ela pediu a indicação de um tal meistre Alfador, então a serviço em Torralta. Viserys, acossado dos dois lados, não escolheu nenhum e lembrou tanto à princesa quanto à rainha que a escolha não era dele. A Cidadela de Vilavelha selecionava o grande meistre, não a coroa. No devido tempo, o Conclave entregou a corrente da função ao arquimeistre Orwyle, um deles.

O rei Viserys pareceu recuperar parte do antigo vigor quando o novo grande meistre chegou à corte. O septão Eustace nos conta que isso foi resultado de oração, embora a maioria acreditasse que as poções e tinturas de Orwyle eram mais eficazes do que a sangria que Mellos preferia. Mas essa recuperação foi breve, e a gota, as dores no peito e a falta de fôlego continuaram a perturbar o rei. Nos anos finais de reinado, conforme a saúde se fragilizava, Viserys deixou mais e mais o governo do reino com a Mão e o pequeno conselho. Precisamos dar uma olhada nos membros desse pequeno conselho na véspera dos grandes eventos de 129 DC, pois eles tiveram um papel importante em tudo que aconteceu depois.

A Mão do Rei continuou sendo sor Otto Hightower, pai da rainha e tio do Senhor de Vilavelha. O grande meistre Orwyle era o mais novo integrante do conselho e era visto como não favorecendo nem pretos nem verdes. Mas o senhor comandante da Guarda Real continuou sendo sor Criston Cole, e nele Rhaenyra tinha um inimigo amargo. O envelhecido lorde Lyman Beesbury era o mestre da moeda, posição que ocupava desde a época do Velho Rei. Os conselheiros mais jovens eram o senhor almirante e mestre dos navios, Tyland Lannister, irmão do Senhor de Rochedo Casterly, e o senhor confessor e mestre dos segredos, Larys Strong, Senhor de Harrenhal. Lorde Jasper Wylde, mestre das leis, conhecido entre os plebeus como "Barra de Ferro", completava o conselho. (As atitudes irredutíveis de lorde Wylde nas questões da lei foram o motivo do apelido, diz o septão Eustace. Mas Cogumelo declara que Barra de Ferro foi por causa da rigidez do membro dele, tendo sido pai de vinte e nove filhos com quatro esposas antes de a última morrer de exaustão.)

Enquanto os Sete Reinos recebiam o ano 129 desde a Conquista de Aegon com fogueiras, festas e bacanais, o rei Viserys I Targaryen ia ficando mais fraco. Suas dores no peito haviam se tornado tão severas que ele não conseguia mais subir um lance de escadas e tinha que ser carregado pela Fortaleza Vermelha em uma cadeira. Na segunda lua do ano, Sua Graça havia perdido todo o apetite e governava da cama... quando se sentia forte o suficiente para governar. Na maior parte dos dias, ele preferia deixar as questões de estado com sua Mão, sor Otto Hightower. Enquanto isso, em Pedra do Dragão, a princesa Rhaenyra estava novamente esperando um bebê. Ela também ficou acamada.

No terceiro dia da terceira lua de 129 DC, a princesa Helaena levou seus três filhos para visitar o rei em seus aposentos. Os gêmeos Jaehaerys e Jaehaera tinham seis anos e seu irmão Maelor tinha só dois. Sua Graça deu a Jaehaera um anel de pérola do próprio dedo para ela brincar e contou às crianças a história de como seu tataravô e homônimo Jaehaerys voou com o dragão para o Norte, até a Muralha, para derrotar um grupo enorme de selvagens, gigantes e wargs. Embora as crianças já tivessem escutado a história muitas vezes, elas ouviram com atenção. Depois, o rei os dispensou, alegando cansaço e um aperto no peito. Em seguida, Viserys da Casa Targaryen, o Primeiro de seu Nome, Rei dos Ândalos, dos Roinares e dos Primeiros Homens, Senhor dos Sete Reinos e Protetor do Território fechou os olhos e adormeceu.

Ele nunca acordou. Tinha cinquenta e dois anos e havia reinado por Westeros quase inteira por vinte e seis anos.

Depois a tempestade desabou e os dragões dançaram.

# A morte dos dragões

## Os pretos e os verdes

Dança dos Dragões é o nome floreado dado à luta selvagem e mortífera pelo Trono de Ferro de Westeros travada entre dois ramos rivais da Cara Targaryen durante os anos 129 e 131 DC. Caracterizar os feitos sombrios, turbulentos e sanguinolentos desse período como "dança" nos parece grotescamente inadequado. Sem dúvida a expressão surgiu com algum cantor. "A Morte dos Dragões" seria bem mais adequado, mas a tradição, o tempo e o grande meistre Munkun cravaram o uso mais poético nas páginas da história, então temos que dançar junto com o resto.

Com a morte do rei Viserys I Targaryen, havia dois pretendentes principais ao Trono de Ferro: sua filha, Rhaenyra, a única filha sobrevivente do primeiro casamento dele, e Aegon, seu filho mais velho com a segunda esposa. Em meio ao caos e à carnificina gerados pela rivalidade dos dois, outros pretensos reis também fariam suas reivindicações, rodeando-os como saltimbancos em um palco, por uma quinzena ou uma fase da lua, só para fracassar tão rapidamente quanto tinham surgido.

A Dança partiu os Sete Reinos em dois quando senhores, cavaleiros e plebeus se declararam a favor deste ou daquele lado e pegaram em armas uns contra os outros. Até a Casa Targaryen em si se dividiu quando amigos, parentes e os filhos de cada um dos pretendentes se envolveram na briga. Ao longo dos dois anos de luta, o preço foi alto para os grandes senhores de Westeros, seus vassalos, cavaleiros e plebeus. Embora a dinastia tenha sobrevivido, o poder dos Targaryen estava bastante diminuído no fim da luta e os últimos dragões do mundo em número bem reduzido.

A Dança foi uma guerra diferente de qualquer outra das que aconteceram na longa história dos Sete Reinos. Embora exércitos marchassem e se encontrassem em batalhas selvagens, boa parte da matança aconteceu na água, e — principalmente — no ar, com dragão lutando contra dragão com dentes e garras e chamas. Foi uma guerra também marcada por dissimulação, assassinato e traição, uma guerra lutada nas sombras e escadarias, câmaras do conselho e pátios de castelo com facas e mentiras e veneno.

Em ponto de fervura havia tempos, o conflito eclodiu abertamente no terceiro dia da terceira lua de 129 DC, quando o adoentado e acamado rei Viserys I Targaryen fechou os olhos para cochilar na Fortaleza Vermelha de Porto Real e morreu. Seu corpo foi encontrado por um servo na hora do morcego, quando era costume do rei tomar uma xícara de hipocraz. O servo correu para informar a rainha Alicent, cujos aposentos ficavam no andar abaixo dos aposentos do rei.

O septão Eustace, ao escrever sobre esses eventos alguns anos depois, observa que o servo deu a má notícia diretamente para a rainha e só para ela, sem gerar alarme geral. Eustace não acredita que tenha sido por sorte; a morte do rei era esperada havia um tempo, argumenta ele, e a rainha Alicent e seu séquito, os chamados verdes, tinham tomado o cuidado de instruir todos os guardas e servos de Viserys sobre o que fazer quando o dia chegasse.

(O anão Cogumelo sugere um cenário mais sinistro, em que a rainha Alicent apressou a partida do rei Viserys com uma pitada de veneno no hipocraz do rei. É preciso observar que Cogumelo não estava em Porto Real na noite em que o rei morreu, mas em Pedra do Dragão, a serviço da princesa Rhaenyra.)

A rainha Alicent foi na mesma hora para o quarto do rei, acompanhada de sor Criston Cole, senhor comandante da Guarda Real. Quando confirmaram que Viserys estava morto, Sua Graça ordenou que o quarto dele fosse isolado e colocado sob vigília. O servo que encontrou o corpo do rei foi isolado, para garantir que ele não espalhasse a história. Sor Criston voltou à Torre da Espada Branca e mandou seus irmãos da Guarda Real convocar os integrantes do pequeno conselho do rei. Era a hora da coruja.

Naquela época, assim como agora, os Irmãos Juramentados da Guarda Real consistiam de sete cavaleiros, homens de lealdade comprovada e suma habilidade que fizeram juramentos solenes de dedicar a vida a defender o rei e seus parentes. Só cinco dos mantos brancos estavam em Porto Real na ocasião da morte de Viserys: o próprio sor Criston, sor Arryk Cargyll, sor Rickard Thorne, sor Steffon Darklyn e sor Willis Fell. Sor Erryk Cargyll (gêmeo de sor Arryk) e sor Lorent Marbrand, junto com a princesa Rhaenyra em Pedra do Dragão, continuaram sem saber e sem se envolver enquanto seus irmãos de armas partiam na noite para despertar os membros do pequeno conselho, que dormiam em suas camas.

O conselho se reuniu nos aposentos da rainha na Fortaleza de Maegor. Muitos relatos foram feitos sobre o que foi dito e feito naquela noite. O mais detalhado e confiável deles é do grande meistre Munkun, *Dança dos Dragões, uma história verdadeira*. Embora a história exaustiva de Munkun só tenha sido escrita uma geração depois e tenha utilizado muitos tipos diferentes de fontes, incluindo as crônicas do meistre, memórias, registros de intendente e entrevistas com cento e quarenta e sete testemunhas sobreviventes dos grandes eventos da ocasião, o relato dele dos eventos internos da corte se baseia nas confissões do grande meistre Orwyle, registradas antes de sua execução. Diferentemente de Cogumelo e Eustace, cujas versões derivam de boatos, cochichos e lendas familiares, o grande meistre estava presente à reunião e participou das deliberações e decisões do conselho... embora seja preciso reconhecer que na ocasião em que escreveu, Orwyle estava ansioso para ser visto sob uma perspectiva favorável e se absolver de qualquer culpa pelo que aconteceria depois. A *História verdadeira* de Munkun, portanto, talvez pinte seu predecessor de um ponto de vista favorável demais.

Reunidos nos aposentos da rainha enquanto o corpo do senhor seu marido esfriava acima estavam a própria rainha Alicent; seu pai, sor Otto Hightower, Mão do Rei; sor Criston Cole, senhor comandante da Guarda Real; o grande meistre Orwyle; lorde Lyman Beesbury, mestre da moeda, um homem de oitenta anos; sor Tyland Lannister, mestre dos navios, irmão do Senhor de Rochedo Casterly; Larys Strong, chamado Larys Pé-Torto, Senhor de Harrenhal, mestre dos segredos; e lorde Jasper Wylde, chamado Barra de Ferro, mestre das leis. O grande meistre Munkun chama essa reunião de "conselho verde" em sua *História verdadeira*.

O grande meistre Orwyle abriu a reunião revisando as tarefas e procedimentos costumeiros exigidos quando da morte de um rei. Ele disse:

— O septão Eustace deve ser convocado para executar os ritos finais e rezar pela alma do rei. Um corvo precisa ser enviado a Pedra do Dragão imediatamente para informar a princesa Rhaenyra sobre o falecimento do pai dela. Será que Sua Graça, a rainha, não gostaria de escrever a mensagem para suavizar a má notícia com algumas palavras de condolências? Os sinos sempre são tocados para anunciar a morte de um rei, alguém precisa cuidar disso, e claro que temos que começar a fazer nossos preparativos para a coroação da rainha Rhaenyra...

Sor Otto Hightower o interrompeu.

— Tudo isso precisa esperar — declarou ele — até a questão da sucessão ser resolvida.

Como Mão do Rei, ele tinha poder de falar com a voz do rei, até de se sentar no Trono de Ferro na ausência do rei. Viserys concedeu a ele a autoridade de governar os Sete Reinos, e "até chegar a hora do nosso novo rei ser coroado" essa regra prevaleceria.

— Até nossa nova *rainha* ser coroada — disse alguém.

No relato do grande meistre Munkun, as palavras são de Orwyle, faladas baixo, pouco mais de um sussurro. Mas Cogumelo e o septão Eustace insistem que foi lorde Beesbury quem falou, e em um tom petulante.

— *Rei* — insistiu a rainha Alicent. — O Trono de Ferro por direito deve ser passado para o filho legítimo mais velho de Sua Graça.

A discussão que veio em seguida foi daquele momento até o amanhecer, conta o grande meistre Munkun. Cogumelo e o septão Eustace concordam. Nos relatos deles, só lorde Beesbury falou a favor da princesa Rhaenyra. O antigo mestre da moeda, que serviu o rei Viserys por todo o seu reinado, e seu avô Jaehaerys, o Velho Rei anterior, lembrou ao conselho que Rhaenyra era mais velha do que os irmãos e tinha mais sangue Targaryen, que o falecido rei a escolhera como sucessora, que ele se recusou repetidamente a alterar a sucessão, apesar das súplicas da rainha Alicent e seus verdes, que centenas de senhores e cavaleiros de terras se curvaram à princesa em 105 DC e fizeram juramentos solenes de defender os direitos dela. (O relato do grande meistre Orwyle difere só porque ele coloca muitos desses argumentos em sua própria boca e não na de Beesbury, mas eventos subsequentes sugerem que não foi assim, como veremos.)

Mas essas palavras caíram em ouvidos de pedra. Sor Tyland observou que muitos dos senhores que juraram defender a sucessão da princesa Rhaenyra já tinham morrido.

— Faz vinte e quatro anos — disse ele. — Eu mesmo não fiz esse juramento. Era criança na época.

Barra de Ferro, o mestre das leis, citou o Grande Conselho de 101 e a escolha do Velho Rei por Baelon em vez de Rhaenys em 92, depois fez um longo discurso sobre Aegon, o Conquistador, e suas irmãs e a tradição consagrada dos ândalos em que os direitos de um filho legítimo sempre entravam na frente dos direitos de uma mera filha. Sor Otto lembrou a ele que o marido de Rhaenyra era ninguém menos do que o príncipe Daemon e que "todos nós conhecemos a natureza dele. Não se enganem, se Rhaenyra se sentar no Trono de Ferro, vai ser o Lorde Baixada das Pulgas quem vai nos governar, um rei consorte tão cruel e implacável quanto Maegor foi. Minha cabeça será a primeira a ser cortada, não duvido, mas sua rainha, minha filha, virá logo em seguida".

A rainha Alicent ecoou o que ele disse.

— Eles também não vão poupar meus filhos — declarou ela. — Aegon e seus irmãos são os filhos legítimos do rei, com mais direito ao trono do que o bando de bastardos dela. Daemon vai encontrar algum pretexto para mandar matar todos. Até Helaena e os pequenos. Um desses Strong arrancou o olho de Aemond, nunca esqueçam. Ele era um menino, sim, mas o homem é produto do menino que foi, e bastardos são monstruosos por natureza.

Sor Criston se manifestou. Se a princesa reinasse, ele lembrou a todos, Jacaerys Velaryon governaria depois dela.

— Que os Sete salvem este reino se colocarmos um bastardo no Trono de Ferro. — Ele falou dos modos impudicos de Rhaenyra e da fama do marido. — Eles vão transformar a Fortaleza Vermelha em um bordel. A filha de nenhum homem estará segura, nem a esposa. Nem os meninos... nós sabemos o que Laenor era.

Não está registrado que lorde Larys Strong tenha dito uma palavra durante o debate, mas isso não era incomum. Embora eloquente quando precisava, o mestre dos segredos contava suas palavras como um sovina guardando moedas, e preferia ouvir a falar.

— Se fizermos isso — avisou o grande meistre Orwyle ao conselho, de acordo com a *História verdadeira* —, vamos acabar tendo guerra. A princesa não vai ficar de lado docilmente, e ela tem dragões.

— E amigos — declarou lorde Beesbury. — Homens de honra, que não vão esquecer os votos que juraram para ela e o pai. Sou um homem velho, mas não tão velho a ponto de ficar de lado docilmente enquanto gente como vocês planeja roubar a coroa dela. — Ao dizer isso, ele se levantou para sair.

Quanto ao que aconteceu em seguida, as fontes divergem.

O grande meistre Orwyle nos diz que lorde Beesbury foi capturado na porta por ordem de sor Otto Hightower e escoltado para a masmorra. Confinado em uma cela negra, ele acabaria perecendo de resfriado enquanto aguardava julgamento.

O septão Eustace conta outra história. Pelo relato dele, sor Criston Cole obrigou lorde Beesbury a se sentar e abriu a garganta dele com uma adaga. Cogumelo também acusa sor Criston da morte de sua senhoria, mas, na versão dele, Cole pegou o velho pela parte de trás da gola e o jogou pela janela, para morrer empalado pelos ferros no fosso seco abaixo.

Os três relatos concordam em um detalhe: o primeiro sangue derramado na Dança dos Dragões foi de lorde Lyman Beesbury, mestre da moeda e senhor tesoureiro dos Sete Reinos.

Não se ouviu nenhuma outra discordância depois da morte de lorde Beesbury. O resto da noite foi passado planejando a coroação do novo rei (devia ser feita rapidamente, todos concordavam) e elaborando a lista de possíveis aliados e potenciais inimigos, se a princesa Rhaenyra se recusasse a aceitar a ascensão do rei Aegon. Com a princesa confinada em Pedra do Dragão, prestes a parir, os verdes da rainha Alicent tinham uma vantagem; quanto mais tempo Rhaenyra permanecesse sem saber da morte do rei, mais tempo demoraria a agir.

— Pode ser que a prostituta morra no parto — a rainha Alicent supostamente disse (de acordo com Cogumelo).

Nenhum corvo levantou voo naquela noite. Nenhum sino tocou. Os criados que sabiam do falecimento do rei foram enviados para a masmorra. Sor Criston Cole recebeu a tarefa de aprisionar os "pretos" que permaneciam na corte, os senhores e cavaleiros que poderiam estar inclinados a favorecer a princesa Rhaenyra.

— Não aja com violência a não ser que resistam — ordenou sor Otto Hightower. — Os homens que se ajoelharem e jurarem lealdade ao rei Aegon não sofrerão nas nossas mãos.

— E os que não quiserem? — perguntou o grande meistre Orwyle.

— São traidores — disse o Barra de Ferro — e devem sofrer a morte de um traidor.

Lorde Larys Strong, mestre dos segredos, falou pela primeira e única vez.

— Que sejamos os primeiros a jurar — disse ele —, para que não haja traidores entre nós. — Ao puxar a adaga, o Pé-Torto a passou na palma da mão. — Um juramento de sangue — disse ele —, para nos unir, irmãos até a morte.

E assim, cada um dos conspiradores cortou a palma e apertou a mão dos outros, jurando irmandade. A única dentre eles a não precisar jurar foi a rainha Alicent, por ser mulher.

Estava amanhecendo na cidade quando a rainha Alicent despachou a Guarda Real para ir buscar seus filhos Aegon e Aemond para o conselho (o príncipe Daeron, o mais novo e mais gentil de seus filhos, estava em Vilavelha, servindo como escudeiro do lorde Hightower).

O príncipe caolho Aemond, de dezenove anos, foi encontrado no arsenal, vestindo cota de malha e armadura para seu treino da manhã no pátio do castelo.

— Aegon é rei? — perguntou ele a sor Willis Fell. — Ou temos que nos ajoelhar e beijar a vagina da prostituta velha?

A princesa Helaena estava tomando desjejum com os filhos quando a Guarda Real foi até ela... mas quando lhe perguntaram o paradeiro do príncipe Aegon, seu irmão e marido, só disse:

— Ele não está na minha cama, podem ter certeza. Fiquem à vontade para procurar embaixo dos cobertores.

O príncipe Aegon estava "na farra", diz Munkun vagamente na *História verdadeira*. *O testemunho do Cogumelo* alega que sor Criston encontrou o jovem futuro rei bêbado e nu em uma arena de ratazana na Baixada das Pulgas, onde duas mendigas de rua com dentes lixados estavam se mordendo e arranhando para a diversão dele enquanto uma garota que não devia ter mais de doze anos dava prazer ao seu membro com a boca. Mas vamos deixar essa imagem feia pintada por Cogumelo no papel de Cogumelo e considerar as palavras do septão Eustace.

Apesar de o bom septão admitir que o príncipe Aegon estava com uma amante quando foi encontrado, ele insiste que a garota era filha de um mercador abastado, além de bem cuidada. Além do mais, o príncipe se recusou a ser parte dos planos da mãe, a princípio.

— Minha irmã é a herdeira, não eu — diz ele no relato de Eustace. — Que tipo de irmão rouba o direito de nascença da irmã?

Só depois que sor Criston o convenceu de que a princesa provavelmente o executaria e aos irmãos se pusesse a coroa foi que Aegon cedeu.

— Enquanto houver um Targaryen legítimo vivo, nenhum Strong pode querer se sentar no Trono de Ferro — disse Cole. — Rhaenyra não tem escolha senão cortar suas cabeças se desejar que os bastardos governem depois dela.

Foi isso e só isso que persuadiu Aegon a aceitar a coroa que o pequeno conselho estava oferecendo a ele, insiste nosso gentil septão.

Enquanto os cavaleiros da Guarda Real estavam procurando os filhos da rainha Alicent, outros mensageiros convocaram o comandante da Patrulha da Cidade e seus capitães (eram sete, cada um no comando de um dos portões da cidade) para comparecerem à Fortaleza Vermelha. Cinco foram avaliados como solidários à causa do príncipe Aegon quando questionados. Os outros dois, junto com o comandante, foram considerados indignos de confiança e se viram acorrentados. Sor Luthor Largent, o mais temível dos "cinco leais", foi escolhido como novo comandante dos mantos dourados. Forte como um touro, com dois metros de altura, Largent era famoso por supostamente ter matado um cavalo de guerra com um único soco. Mas sor Otto, por ser um homem prudente, tomou o cuidado de indicar seu filho, sor Gwayne Hightower (irmão da rainha) como o segundo homem junto com Largent, e o instruiu a ficar de olho em sor Luthor para o caso de sinais de deslealdade.

Sor Tyland Lannister foi nomeado mestre da moeda no lugar do falecido lorde Beesbury e agiu imediatamente para tomar conta do tesouro real. O ouro da Coroa foi dividido em quatro partes. Uma parte foi confiada aos cuidados do Banco de Ferro de Braavos por segurança, outra enviada sob forte guarda para Rochedo Casterly, uma terceira para Vilavelha. A riqueza restante seria usada para subornos e presentes, e para contratar mercenários, se necessário. Para ocupar o lugar de sor Tyland como mestre dos navios, sor Otto procurou nas Ilhas de Ferro e enviou um corvo para Dalton Greyjoy, a Lula-Gigante Vermelha, o ousado e sedento de sangue Senhor Ceifeiro de Pyke, de dezesseis anos, e ofereceu a ele o almirantado e um assento no conselho em troca de sua lealdade.

Um dia se passou, depois outro. Nem as irmãs silenciosas nem os septões foram chamados ao quarto onde o rei Viserys estava, inchado e apodrecendo. Nenhum sino tocou. Corvos voaram, mas não para Pedra do Dragão. Foram para Vilavelha, Rochedo Casterly, Correrrio, Jardim de Cima e para muitos outros senhores e cavaleiros que a rainha Alicent tinha motivo para achar que pudessem ficar do lado de seu filho.

Os anais do Grande Conselho de 101 foram consultados, e houve verificação de quais senhores falaram a favor de Viserys e quais falaram por Rhaenys, Laena ou Laenor. Os senhores reunidos tinham preferido o postulante homem em lugar da mulher em vinte contra um, mas houve quem discordasse, e essas mesmas casas provavelmente dariam seu apoio à princesa Rhaenyra se a guerra acontecesse. A princesa teria o Serpente Marinha e suas frotas, avaliou sor Otto, e possivelmente os outros senhores da margem oriental: os lordes Bar Emmon, Massey, Celtigar e Crabb, talvez até a Estrela da Tarde de Tarth. Todos eram poderes menores, exceto pelos Velaryon. Os homens do Norte eram uma preocupação maior: Winterfell falou a favor de Rhaenys em Harrenhal, assim como os vassalos de lorde Stark, os Dustin de Vila Acidentada e os Manderly de Porto Branco. A Casa Arryn também não era de confiança, pois o Ninho da Águia estava sob o comando de uma mulher, a senhorita Jeyne, a Donzela do Vale, cujos direitos poderiam ser questionados se a princesa Rhaenyra fosse deixada de lado.

O maior perigo era visto como sendo Ponta Tempestade, pois a Casa Baratheon sempre foi firme no apoio às reivindicações da princesa Rhaenys e seus filhos. Embora o velho lorde Boremund tivesse morrido, seu filho Borros era ainda mais beligerante do que o pai, e os senhores da tempestade menores o seguiriam para onde quer que ele os levasse.

— Então temos que cuidar para que ele os lidere até nosso rei — declarou a rainha Alicent. Em seguida, mandou chamar seu segundo filho.

Assim, não foi um corvo que saiu voando para Ponta Tempestade naquele dia, mas Vhagar, a mais velha e maior dos dragões de Westeros. Nas costas dela estava o príncipe Aemond Targaryen, com uma safira no lugar do olho arrancado.

— Seu objetivo é conquistar a mão de uma das filhas de lorde Baratheon — disse seu avô Otto antes de ele levantar voo. — Qualquer uma das quatro serve. Encante-a e se case com ela, e lorde Borros vai entregar as terras da tempestade para seu irmão. Fracasse...

— Eu não vou fracassar — disse o príncipe Aemond. — Aegon vai ter Ponta Tempestade, e eu vou ter a garota.

Quando o príncipe Aemond partiu, o fedor do quarto do rei morto já estava se espalhando por toda a Fortaleza de Maegor, e muitas histórias e boatos estavam se alastrando pela corte e pelo castelo. As masmorras da Fortaleza Vermelha haviam recebido tantos homens suspeitos de deslealdade que até o alto septão tinha começado a questionar os desaparecimentos e mandou uma mensagem ao Septo Estrelado de Vilavelha perguntando por alguns dos desaparecidos. Sor Otto Hightower, o homem mais metódico a servir como Mão, queria mais tempo para os preparativos, mas a rainha Alicent sabia que eles não podiam adiar mais. O príncipe Aegon estava cansado de segredos.

— Sou rei ou não? — perguntou ele à mãe. — Se sou rei, me coroe.

Os sinos começaram a tocar no décimo dia da terceira lua de 129 DC, anunciando o final de um reinado. O grande meistre Orwyle finalmente teve permissão de enviar seus corvos, e as aves negras subiram ao céu às centenas, espalhando a notícia da ascensão de Aegon para todos os cantos distantes do reino. As irmãs silenciosas foram chamadas para preparar o cadáver para a pira, e cavaleiros foram enviados em cavalos claros para espalhar a notícia para o povo de Porto Real, gritando:

— O rei Viserys está morto, vida longa ao rei Aegon.

Ao ouvir os gritos, Munkun escreve, alguns choraram e outros comemoraram, mas a maior parte da plebe ficou olhando em silêncio, confusa e cautelosa, e de vez em quando uma voz gritava:

— Vida longa à nossa rainha.

Enquanto isso foram feitos preparativos apressados para a coroação. O Fosso dos Dragões foi escolhido como local. Embaixo do grandioso domo havia bancos de pedra suficientes para acomodar oitenta mil, e as paredes grossas do fosso, o telhado resistente e as portas enormes de bronze o tornavam defensável se traidores tentassem estragar a cerimônia.

No dia indicado, sor Criston Cole pôs a coroa de ferro e rubi de Aegon, o Conquistador, na cabeça do filho mais velho do rei Viserys e da rainha Alicent, declarando-o Aegon da Casa Targaryen, Segundo de seu Nome, Rei dos Ândalos, dos Roinares e dos Primeiros Homens, Senhor dos Sete Reinos e Protetor do Território. Sua mãe, a rainha Alicent, amada pelo povo, pôs sua coroa na cabeça de sua filha Helaena, esposa e irmã de Aegon. Depois de beijar as bochechas dela, a mãe se ajoelhou perante a filha, baixou a cabeça e disse:

— Minha rainha.

A quantidade de pessoas que foi ver a coroação ainda é discutível. O grande meistre Munkun, depois de consultar Orwyle, nos diz que mais de cem mil plebeus se espremeram no Fosso do Dragão, os gritos tão altos que sacudiram as paredes, enquanto Cogumelo diz que os bancos de pedra estavam só parcialmente ocupados. Com o alto septão em Vilavelha, velho e frágil demais para viajar até Porto Real, caiu nas mãos do septão Eustace ungir a testa do rei Aegon com óleos sagrados e o abençoar nos sete nomes de deus.

Alguns dos presentes, com olhares mais afiados do que a maioria, talvez tivessem notado que só havia quatro mantos brancos servindo o novo rei, não cinco como até então. Aegon II sofreu a primeira deserção na noite anterior, quando sor Steffon Darklyn da Guarda Real fugiu da cidade com seu escudeiro, dois intendentes e quatro guardas. Sob a proteção da escuridão, eles saíram por uma poterna até onde o barco a remo de um pescador esperava para levá-los para Pedra do Dragão. Eles estavam na posse de uma coroa roubada: um aro de ouro amarelo ornamentado com sete pedras de cores diferentes. Essa era a coroa que o rei Viserys usava, assim como o Velho Rei Jaehaerys antes dele. Quando o príncipe Aegon decidiu usar a coroa de ferro e rubi de seu homônimo, o Conquistador, a rainha Alicent mandou que a coroa de Viserys fosse trancada, mas o intendente que recebeu a incumbência fugiu com ela.

Depois da coroação, o restante da Guarda Real escoltou Aegon até sua montaria, uma criatura esplêndida com escamas douradas reluzentes e membranas rosa-pálidas nas asas. Sunfyre foi o nome dado àquele dragão da aurora dourada. Munkun nos diz que o rei voou três vezes em volta da cidade antes de pousar dentro das muralhas da Fortaleza Vermelha. Sor Arryk Cargyll levou Sua Graça até a sala do trono iluminada por tochas, onde Aegon II subiu os degraus do Trono de Ferro perante mil senhores e cavaleiros. Gritos ecoaram pelo salão.

Em Pedra do Dragão, não se ouviram comemorações. Gritos ecoaram pelos corredores e escadarias da Torre do Dragão Marinho, vindos dos aposentos da rainha, onde Rhaenyra Targaryen se esforçava e tremia em seu terceiro dia de trabalho de parto. A criança só deveria nascer depois de outra fase da lua, mas a notícia de Porto Real deixou a princesa com uma fúria sombria, e a ira pareceu adiantar o parto, como se o bebê dentro dela também estivesse com raiva, lutando para sair. A princesa gritou xingamentos por todo o trabalho de parto, chamando a ira dos deuses para seus meios-irmãos e a mãe deles, a rainha, e detalhando as tormentas que infligiria a eles antes de deixá-los morrer. Ela também amaldiçoou a criança dentro de sua barriga, conta Cogumelo, arranhando o ventre inchado enquanto meistre Gerardys e sua parteira tentavam controlá-la e gritando:

— *Monstro, monstro, saia, saia, SAIA!*

Quando o bebê enfim saiu, mostrou-se realmente um monstro: uma menina natimorta, retorcida e malformada, com um buraco no peito onde devia ficar o coração e um rabo curto com escamas. É assim que Cogumelo a descreve. O anão nos conta que foi ele quem carregou a coisinha para o pátio para ser queimada. A garota morta foi batizada de Visenya, anunciou a princesa Rhaenyra no dia seguinte, quando o leite de papoula já tinha apaziguado o pior da dor.

— Ela foi minha única filha, e eles a mataram. Roubaram minha coroa e assassinaram minha filha, e vão responder por isso.

E assim, a dança começou, quando a princesa convocou um conselho. "Conselho preto" é como a *História verdadeira* chama a reunião em Pedra do Dragão, comparando-o com o "conselho verde" de Porto Real. A própria Rhaenyra presidiu, sentada entre seu tio e marido, o príncipe Daemon, e seu conselheiro de confiança, meistre Gerardys. Seus três filhos estavam presentes, embora nenhum tivesse chegado à idade adulta (Jace tinha catorze anos, Luke, treze e Joffrey, onze). Dois Guardas Reais os acompanhavam: sor Erryk Cargyll, gêmeo de sor Arryk, e sor Lorent Marbrand, das terras ocidentais.

Trinta cavaleiros, cem arqueiros e trezentos homens de armas compunham o resto da guarnição de Pedra do Dragão. Isso sempre foi considerado suficiente para uma fortaleza com aquele nível de proteção.

— Mas, como instrumento de conquista, nosso exército deixa um pouco a desejar — observou amargamente o príncipe Daemon.

Uma dezena de senhores menores e vassalos de Pedra do Dragão também foram ao conselho preto: Celtigar da Ilha da Garra, Staunton de Pouso de Gralhas, Massey de Bailepedra, Bar Emmon de Ponta Afiada e Darklyn de Valdocaso entre eles. Mas o maior senhor a jurar sua força à princesa foi Corlys Velaryon de Derivamarca. Embora o Serpente Marinha estivesse velho, ele gostava de dizer que estava se agarrando à vida "como um marinheiro se afogando agarrado aos destroços de um navio naufragado. Talvez os Sete tenham me preservado para essa última luta". Com lorde Corlys também estava a esposa, a princesa Rhaenys, de cinquenta e cinco anos, o rosto magro e enrugado, o cabelo negro com mechas brancas, mas tão impetuosa e destemida quanto aos vinte e dois anos. "Rainha que Nunca Foi" é como Cogumelo a chama. ("O que Viserys tinha que ela não tinha? Uma linguicinha? É isso o necessário para ser rei? Que Cogumelo governe, então. Minha linguiça tem o triplo do tamanho da dele.")

Os que compareceram ao conselho preto se diziam leais, mas sabiam muito bem que o rei Aegon II os chamaria de traidores. Cada um já havia recebido uma convocação de Porto Real, exigindo que eles se apresentassem na Fortaleza Vermelha para fazer juramentos de lealdade ao novo rei. Todos os seus exércitos combinados não eram páreo para o poder que só os Hightower podiam reunir. Os verdes de Aegon também tinham outras vantagens. Vilavelha, Porto Real e Lannisporto eram as maiores e mais ricas cidades do reino; as três eram governadas por verdes. Todos os símbolos visíveis de legitimidade pertenciam a Aegon. Ele estava sentado no Trono de Ferro. Morava na Fortaleza Vermelha. Usava a coroa do Conquistador, portava a espada do Conquistador e tinha sido ungido por um septão da Fé perante os olhos de dezenas de milhares. O grande meistre Orwyle comparecia aos conselhos dele, e o senhor comandante da Guarda Real pusera a coroa na cabeça do príncipe. E ele era homem, o que aos olhos de muitos o tornava o rei por direito e sua meia-irmã, usurpadora.

Contra tudo isso, as vantagens de Rhaenyra eram poucas. Alguns senhores mais velhos ainda podiam lembrar os juramentos que fizeram quando ela foi nomeada Princesa de Pedra do Dragão e herdeira do pai. Houve uma época em que ela foi amada pelos bem-nascidos e plebeus, quando a celebraram como o Deleite do Reino. Muitos jovens senhores e cavaleiros nobres procuraram o favor dela na época... embora quantos ainda lutariam por ela agora que era uma mulher casada, com o corpo envelhecido e avolumado por seis partos, era uma pergunta que ninguém conseguia responder. Apesar de seu meio-irmão ter pilhado o tesouro do pai, a princesa tinha a seu dispor a riqueza da Casa Velaryon, e as frotas do Serpente Marinha davam a ela superioridade no mar. E seu consorte, o príncipe Daemon, com sua história nos Degraus, era mais experiente em guerras do que todos os seus inimigos somados. E por último, e não menos importante, Rhaenyra tinha seus dragões.

— Aegon também — observou o meistre Gerardys.

— Nós temos mais — disse a princesa Rhaenys, a Rainha que Nunca Foi, que montava seu dragão havia mais tempo do que todos eles. — E os nossos são maiores e mais fortes, exceto por Vhagar. Os dragões se desenvolvem melhor aqui em Pedra do Dragão.

Ela enumerou para o conselho. O rei Aegon tinha Sunfyre. Um animal esplêndido, mas jovem. Aemond Caolho montava Vhagar, e o perigo oferecido pelo dragão da rainha Visenya não podia ser negado. O da rainha Helaena era Dreamfyre, a dragão que já havia transportado a irmã do Velho Rei, Rhaena, pelas nuvens. O dragão do príncipe Daeron era Tessarion, com as asas escuras como cobalto e garras e escamas do peito e da barriga luminosas como cobre batido.

— São quatro dragões de tamanho suficiente para lutar — disse Rhaenys.

Os gêmeos da rainha Helaena possuíam dragões também, mas eram filhotes; o filho mais novo do usurpador, Maelor, só dispunha de um ovo.

Contra isso, o príncipe Daemon tinha Caraxes e a princesa Rhaenyra, Syrax, os dois animais enormes e formidáveis. Caraxes era especialmente temível e tinha experiência com sangue e fogo por causa dos Degraus. Os três filhos de Rhaenyra com Laenor Velaryon também montavam dragões: Vermax, Arrax e Tyraxes estavam saudáveis e ficando maiores a cada ano. Aegon mais novo, o filho mais velho dos dois que Rhaenyra tinha com o príncipe Daemon, era dono do jovem dragão Tempestade, apesar de ainda não ter montado nele; seu irmãozinho Viserys ia para todo lado com seu ovo. A dragão de Rhaenys, Meleys, a Rainha Vermelha, havia se tornado preguiçosa, mas ainda era assustadora quando provocada. Os gêmeos do príncipe Daemon com Laena Velaryon também ainda poderiam vir a voar com um dragão. O dragão de Baela, o pálido, magro e verde Bailalua, logo estaria grande o suficiente para carregar a menina nas costas... e embora o ovo de sua irmã Rhaena tivesse gerado uma coisinha quebrada que morreu horas depois de sair da casca, Syrax acabara de produzir ovos novos. Um dos ovos dela foi dado a Rhaena, e diziam que a menina dormia com ele todas as noites e rezava para o dragão ser à altura do da irmã.

Além disso, seis outros dragões fizeram toca nas cavernas fumegantes de Monte Dragão, acima do castelo. Havia Asaprata, a antiga montaria da Boa Rainha Alysanne; Fumaresia, um animal cinza-pálido que foi o orgulho e paixão de sor Laenor Velaryon; o respeitável Vermithor, que não era montado desde a morte do rei Jaehaerys. E atrás da montanha havia três dragões selvagens, nunca reivindicados nem montados por nenhum homem, vivo ou morto. A plebe os chamava de Roubovelha, Fantasma Cinza e Canibal.

— Encontrem cavaleiros para Asaprata, Vermithor e Fumaresia e vamos ter nove dragões contra os quatro de Aegon. Se montarmos e voarmos nos selvagens, vamos ter doze, mesmo sem Tempestade — observou a princesa Rhaenys. — É assim que vamos vencer essa guerra.

Os lordes Celtigar e Staunton concordaram. Aegon, o Conquistador, e suas irmãs provaram que cavaleiros e exércitos não aguentavam fogo e sangue. Celtigar urgiu a princesa para voar contra Porto Real imediatamente e reduzir a cidade a cinzas e ossos.

— E de que isso vai nos adiantar, meu senhor? — perguntou o Serpente Marinha. — Nós queremos governar a cidade, não destruí-la com fogo.

— Nunca vai chegar a isso — insistiu Celtigar. — O usurpador não vai ter escolha além de nos enfrentar com os dragões dele. Nossos nove certamente superarão os quatro dele.

— A que custo? — refletiu a princesa Rhaenyra. — Meus filhos estariam montados em três desses dragões, devo lembrá-lo. E não seriam nove contra quatro. Eu não estarei forte o suficiente para voar por um tempo. E quem vai montar Asaprata, Vermithor e Fumaresia? Você, meu senhor? Acho que não. Serão cinco contra quatro, e um desses quatro deles será Vhagar. Isso não é vantagem.

Surpreendentemente, o príncipe Daemon concordou com a esposa.

— Nos Degraus, meus inimigos aprenderam a correr e se esconder quando viam as asas de Caraxes ou ouviam seu rugido... mas eles não tinham dragões. Não é fácil para um homem ser matador de dragões, mas dragões podem matar dragões, e já mataram. Qualquer meistre que já estudou a história de Valíria pode dizer isso. Não vou jogar nossos dragões contra os do usurpador a não ser que não tenha escolha. Há outras formas de usá-los, formas melhores.

O príncipe então expôs suas estratégias para o conselho preto. Rhaenyra tinha que ter uma coroação em resposta à de Aegon. Depois, eles enviariam corvos para convocar os senhores dos Sete Reinos a declararem sua lealdade à verdadeira rainha.

— Temos que travar essa guerra com palavras antes de partir para a batalha — declarou o príncipe. Os senhores das grandes casas tinham a chave da vitória, insistiu

Daemon; seus vassalos os seguiriam aonde eles fossem. Aegon, o Usurpador, havia conquistado a lealdade dos Lannister de Rochedo Casterly, e lorde Tyrell de Jardim de Cima era um garoto chorão ainda de fralda, cuja mãe, agindo como regente, provavelmente alinharia a Campina com seus poderosos vassalos, os Hightower... mas o resto dos grandes senhores do rei ainda tinha que se declarar.

— Ponta Tempestade vai ficar do nosso lado — declarou a princesa Rhaenys. Ela tinha sangue Baratheon do lado da mãe, e o falecido lorde Boremund sempre foi o mais leal dos amigos.

O príncipe Daemon tinha bom motivo para acreditar que a Donzela do Vale também fosse levar o Ninho da Águia para o lado deles. Aegon procuraria o apoio de Pyke, ele avaliava; só as Ilhas de Ferro podiam ter esperança de ficar à altura das forças da Casa Velaryon no mar. Mas os homens de ferro eram notoriamente volúveis, e Dalton Greyjoy amava sangue e batalha; ele poderia ser persuadido com facilidade a apoiar a princesa.

O Norte era distante demais para ser de muita importância na luta, avaliou o conselho; quando os Stark reunissem seus vassalos e marchassem para o Sul, a guerra já poderia ter acabado. Só restavam os senhores fluviais, um grupo famoso por ser brigão, liderado ao menos oficialmente pela Casa Tully de Correrrio.

— Nós temos amigos nas terras fluviais — disse o príncipe —, embora nem todos ousem mostrar suas cores ainda. Precisamos de um lugar onde eles possam se reunir, um ponto de apoio no continente que seja grande o suficiente para abrigar um grupo razoavelmente grande e forte o bastante para resistir a qualquer força que o usurpador possa enviar contra nós. — Ele mostrou um mapa aos senhores. — Aqui. Harrenhal.

E assim, ficou decidido. O príncipe Daemon lideraria o ataque a Harrenhal, montado em Caraxes. A princesa Rhaenyra ficaria em Pedra do Dragão até ter recuperado as forças. A frota Velaryon fecharia a Goela, partindo de Pedra do Dragão e Derivamarca para bloquear todos os navios de entrarem ou saírem da Baía da Água Negra.

— Não temos forças para tomar Porto Real em um ataque surpresa — disse o príncipe Daemon —, assim como nossos inimigos não conseguiriam capturar Pedra do Dragão. Mas Aegon é um menino verde, e meninos verdes são fáceis de provocar. Pode ser que possamos espicaçá-lo para que faça um ataque precipitado.

O Serpente Marinha comandaria a frota, enquanto a princesa Rhaenys seguiria voando para impedir que seus inimigos atacassem os navios com dragões. Enquanto isso, corvos voariam até Correrrio, Ninho da Águia, Pyke e Ponta Tempestade para conquistar a lealdade dos senhores.

Em seguida, falou o filho mais velho da rainha, Jacaerys.

— *Nós* devíamos levar essas mensagens — disse ele. — Dragões vão conquistar esses senhores mais rapidamente do que corvos.

Seu irmão Lucerys concordou e insistiu que ele e Jace eram homens, ou quase, a ponto de não fazer diferença.

— Nosso tio nos chama de Strong, mas quando os senhores nos virem montados em dragões, eles saberão que isso é mentira. Só *Targaryen* voam em dragões.

Cogumelo nos conta que o Serpente Marinha grunhiu ao ouvir isso e insistiu que os três meninos eram Velaryon, mas sorriu ao falar, com orgulho na voz. Até o jovem Joffrey se manifestou e se ofereceu para montar em seu dragão Tyraxes e se juntar aos irmãos.

A princesa Rhaenyra proibiu isso; Joff só tinha onze anos. Mas Jacaerys tinha catorze e Lucerys, treze; eram rapazes ousados e bonitos, com habilidades com armas e que havia muito serviam como escudeiros.

— Se vocês forem, irão como mensageiros, não como cavaleiros — disse ela. — Vocês não devem participar de nenhuma luta.

Só quando os dois meninos fizeram juramentos solenes sobre um exemplar de *Estrela de sete pontas* foi que Sua Graça consentiu em usá-los como enviados. Ficou decidido que Jace, por ser o mais velho dos dois, pegaria a tarefa mais distante e perigosa e voaria primeiro até o Ninho da Águia para falar com a Senhora do Vale e depois para Porto Branco para conquistar lorde Manderly, e finalmente até Winterfell para se encontrar com lorde Stark. A missão de Luke seria mais curta e mais segura; ele voaria até Ponta Tempestade, onde era esperado que Borros Baratheon lhe desse boas-vindas calorosas.

Uma coroação apressada aconteceu no dia seguinte. A chegada de sor Steffon Darklyn, saído da Guarda Real de Aegon, foi ocasião de muita alegria em Pedra do Dragão, principalmente quando se soube que ele e seus companheiros leais ("vira-mantos", sor Otto os chamaria ao oferecer uma recompensa pela captura deles) levaram a coroa roubada do rei Jaehaerys, o Conciliador. Trezentos pares de olhos viram o príncipe Daemon Targaryen colocar a coroa do Velho Rei na cabeça da esposa, proclamando-a Rhaenyra da Casa Targaryen, Primeira de Seu Nome, Rainha dos Ândalos, dos Roinares e dos Primeiros Homens. O príncipe reivindicou para si o título de Protetor do Território, e Rhaenyra nomeou seu filho mais velho, Jacaerys, Príncipe de Pedra do Dragão e herdeiro do Trono de Ferro.

Seu primeiro ato como rainha foi declarar sor Otto Hightower e a rainha Alicent traidores e rebeldes.

— Quanto aos meus meios-irmãos e minha doce irmã Helaena — anunciou ela —, eles foram enganados pelo conselho de homens maus. Que eles venham para Pedra do Dragão, se curvem e peçam meu perdão, e vou poupar a vida deles com alegria e acolhê-los no meu coração, pois eles são sangue do meu sangue, e nenhum homem ou mulher é tão maldito quanto um assassino de parentes.

A notícia da coroação de Rhaenyra chegou à Fortaleza Vermelha no dia seguinte, para grande desprazer de Aegon II.

— Minha meia-irmã e meu tio são culpados de traição — declarou o jovem rei. — Quero os dois capturados, quero os dois presos e quero os dois mortos.

Cabeças mais frias no conselho verde desejavam conversar.

— A princesa precisa ver que a causa dela é impossível — disse o grande meistre Orwyle. — Irmão não devia guerrear com irmã. Me leve até ela, assim podemos conversar e chegar a um acordo amigável.

Aegon não quis saber. O septão Eustace conta que Sua Graça acusou o grande meistre de deslealdade e falou em mandar jogá-lo em uma cela negra "com seus amigos pretos". Mas quando as duas rainhas, sua mãe, a rainha Alicent, e sua esposa, a rainha Helaena, se pronunciaram a favor da proposta de Orwyle, o rei truculento cedeu com relutância. Assim, o grande meistre Orwyle foi enviado para atravessar a Baía da Água Negra com uma bandeira da paz, liderando um séquito que incluía sor Arryk Cargyll da Guarda Real e sor Gwayne Hightower dos mantos dourados, junto com uma vintena de escribas e septões, entre eles Eustace.

Os termos oferecidos pelo rei foram generosos, declara Munkun em sua *História verdadeira*. Se a princesa o reconhecesse como rei e se curvasse perante o Trono de Ferro, Aegon II confirmaria a posse dela de Pedra do Dragão e permitiria que a ilha e o castelo passassem para seu filho Jacaerys após a morte dela. Seu segundo filho, Lucerys, seria reconhecido como herdeiro legítimo de Derivamarca e das terras e posses da Casa Velaryon; seus meninos com o príncipe Daemon, Aegon mais novo e Viserys, receberiam posições de honra na corte, o primeiro como escudeiro do rei, o segundo como escanção dele. Seria concedido perdão aos senhores e cavaleiros que conspiraram traiçoeiramente com ela contra o verdadeiro rei.

Rhaenyra ouviu esses termos em silêncio pétreo e depois perguntou a Orwyle se ele se lembrava do pai dela, o rei Viserys.

— Claro, Majestade — respondeu o meistre.

— Talvez você possa nos dizer quem ele nomeou como herdeira e sucessora — disse a rainha, a coroa na cabeça.

— Foi a Vossa Majestade — respondeu Orwyle.

E Rhaenyra assentiu e disse:

— Com sua própria língua você admite que sou sua rainha por direito. Por que então serve a meu meio-irmão, o impostor?

Munkun nos conta que Orwyle deu uma resposta longa e erudita, citando a lei ândala e o Grande Conselho de 101. Cogumelo alega que ele gaguejou e esvaziou a bexiga. Seja qual for a verdade, a resposta dele não satisfez a princesa Rhaenyra.

— Um grande meistre devia conhecer a lei e servi-la — disse ela para Orwyle. — Você não é grande meistre e só traz vergonha e desonra à corrente que usa.

Enquanto Orwyle protestava fracamente, os cavaleiros de Rhaenyra tiraram a corrente da função do pescoço dele e o obrigaram a se ajoelhar enquanto a princesa entregava a corrente para seu seguidor, o meistre Gerardys, "um servo verdadeiro e leal do reino e suas leis". Quando mandou Orwyle e os outros enviados de volta, Rhaenyra disse:

— Diga a meu meio-irmão que ou vou ter meu trono ou a cabeça dele.

Bem depois que a Dança acabou, o cantor Luceon de Tarth comporia uma balada triste chamada “Adeus, meu irmão”, ainda cantada hoje. A canção pretende relatar o último encontro entre sor Arryk Cargyll e seu irmão gêmeo sor Erryk quando a comitiva de Orwyle estava subindo a bordo do navio que os levaria de volta a Porto Real. Sor Arryk tinha juramentado sua espada a Aegon e sor Erryk, a Rhaenyra. Na canção, cada irmão tenta persuadir o outro a mudar de lado; ao fracassar, eles trocam declarações de afeto e se separam, sabendo que o próximo encontro seria como inimigos. É possível que essa despedida tenha mesmo acontecido naquele dia em Pedra do Dragão; entretanto, nenhuma das nossas fontes a menciona.

Aegon II tinha vinte e dois anos, se enraivecia com rapidez e demorava a perdoar. A recusa de Rhaenyra em aceitar o governo dele o enfureceu.

— Eu ofereci uma paz honrosa a ela, e a prostituta cuspiu na minha cara — declarou ele. — O que vai acontecer agora é culpa toda dela.

O que aconteceu em seguida foi guerra.

# A MORTE DOS DRAGÕES
## UM FILHO POR UM FILHO

Aegon foi proclamado rei no Fosso dos Dragões e Rhaenyra foi proclamada rainha em Pedra do Dragão. Tendo todos os esforços de reconciliação falhado, a Dança dos Dragões começou de verdade.

Em Derivamarca, os navios do Serpente Marinha partiram de Casco e de Vila Especiaria para fechar a Goela, interrompendo o comércio de e para Porto Real. Pouco tempo depois, Jacaerys Velaryon estava voando para o Norte em seu dragão Vermax, seu irmão Lucerys para o Sul em Arrax, e o príncipe Daemon voou em Caraxes para o Tridente.

Vamos nos voltar primeiro para Harrenhal.

Embora grandes partes da enorme loucura de Harren estivessem em ruínas, a muralha de barragem do castelo ainda o tornava um forte mais formidável do que qualquer outro nas terras fluviais... mas Aegon, o Dragão, havia demonstrado ser vulnerável pelo céu. Com seu senhor, Larys Strong, fora, em Porto Real, o castelo tinha uma guarnição fraca. Sem desejar sofrer o destino do Harren Negro, o castelão mais velho, sor Simon Strong (tio do falecido lorde Lyonel, tio-avô de lorde Larys) baixou os estandartes rapidamente quando Caraxes pousou no alto da Pira do Rei. Além do castelo, o príncipe Daemon capturou rapidamente a fortuna nada desprezível da Casa Strong e uma dezena de reféns valiosos, entre eles sor Simon e seus netos. Os plebeus do castelo também se tornaram seus prisioneiros, e entre eles estava uma ama de leite chamada Alys Rivers.

Quem era essa mulher? Uma serva que fazia poções e feitiços, diz Munkun. Uma feiticeira da floresta, alega o septão Eustace. Uma bruxa maligna que se banhava com sangue de virgens para preservar sua juventude, Cogumelo quer que acreditemos. Seu nome sugere nascimento bastardo... mas sabemos pouco do pai dela e menos ainda da mãe. Munkun e Eustace nos contam que seu pai foi lorde Lyonel Strong em sua juventude imatura, tornando-a meia-irmã natural de seus filhos Harwin (Quebra-Ossos) e Larys (Pé-Torto). Mas Cogumelo insiste que ela era bem mais velha, que foi ama de leite dos dois meninos, talvez até do pai deles, uma geração antes.

Embora seus próprios filhos todos tenham sido natimortos, o leite que fluía com tanta abundância dos seios de Alys Rivers alimentou incontáveis outros bebês nascidos de outras mulheres em Harrenhal. Ela era na verdade uma bruxa que se deitava com demônios e gerava filhos mortos como pagamento pelo conhecimento que eles lhe davam? Era só uma vagabunda de pouca inteligência, como Eustace acredita? Uma devassa que usava seus venenos e poções para atrair homens para si, de corpo e alma?

Alys Rivers tinha pelo menos quarenta anos durante a Dança dos Dragões, isso é sabido; Cogumelo diz que era ainda mais velha. Todos concordam que ela parecia jovem para a sua idade, mas se era só acaso ou se era obtido pelas práticas dela com as artes sombrias os homens ainda debatem. Fossem quais fossem os poderes dela, parecia que Daemon Targaryen era imune a eles, pois pouco se sabe dessa suposta feiticeira enquanto o príncipe controlava Harrenhal.

A queda repentina e sem derramamento de sangue da sede do Harren Negro foi considerada uma grande vitória para a rainha Rhaenyra e seus pretos. Serviu como lembrete claro da habilidade marcial do príncipe Daemon e do poder de Caraxes, o Wyrm de Sangue, e deu à rainha uma fortaleza no coração de Westeros, onde seus apoiadores poderiam se reunir... e Rhaenyra tinha muitos nas terras banhadas pelo Tridente. Quando o príncipe Daemon convocou as forças aliadas, elas se manifestaram ao longo dos rios, cavaleiros e homens de armas e humildes plebeus que ainda se lembravam do Deleite do Reino, tão amada do pai, e da forma como ela sorria e os encantava conforme passeava pelas terras fluviais na juventude. Centenas e depois milhares de homens embainharam espadas e vestiram cota de malha, ou pegaram uma forquilha ou enxada e um escudo rudimentar de madeira e seguiram para Harrenhal para lutar pela garotinha de Viserys.

Os senhores do Tridente, por terem mais a perder, não reagiram tão rápido, mas em pouco tempo também começaram a se aliar à rainha. Das Gêmeas veio sor Forrest Frey, o mesmo "Tolo Frey" que já havia suplicado pela mão de Rhaenyra, agora um cavaleiro bem poderoso. Lorde Samwell Blackwood, que já tinha perdido um duelo pelos favores dela, ergueu os estandartes em Corvarbor (sor Amos Bracken, que venceu aquele duelo, seguiu o senhor seu pai quando a Casa Bracken se declarou a favor de Aegon). Os Mooton de Lagoa da Donzela, os Piper de Castelo de Donzelarrosa, os Roote de Harroway, os Darry de Darry, os Mallister de Guardamar e os Vance de Pouso do Viajante anunciaram seu apoio a Rhaenyra (os Vance de Atranta escolheram o outro caminho e declararam lealdade ao jovem rei). Petyr Piper, o grisalho senhor de Donzelarrosa, falou por muitos quando disse:

— Juramentei minha espada a ela. Estou mais velho agora, mas não tão velho a ponto de esquecer as palavras que eu disse, e por acaso ainda tenho a espada.

O Senhor Supremo do Tridente, Grover Tully, era velho mesmo na época do Grande Conselho de 101, quando falou pelo príncipe Viserys; embora agora doente, ele não era menos teimoso. Tinha favorecido os direitos do postulante homem em 101, e os anos não mudaram sua visão. Lorde Grover insistiu que Correrrio lutaria pelo jovem rei Aegon, mas a notícia não se espalhou. O velho senhor estava acamado e não viveria muito mais, o meistre de Correrrio declarara.

— Prefiro que o resto de nós não morra com ele — afirmou sor Elmo Tully, seu neto.

Correrrio não tinha defesas contra fogo de dragão, ele comentou com os filhos, e os dois lados nessa luta montavam dragões. E assim, enquanto lorde Grover trovejava e se enfurecia no leito de morte, Correrrio fechou os portões, montou guarda nas muralhas e ficou em silêncio.

Enquanto isso, uma história muito diferente se desenrolava no Leste, onde Jacaerys Velaryon pousou no Ninho da Águia em seu jovem dragão Vermax, para conquistar o Vale de Arryn para sua mãe. A Donzela do Vale, a senhorita Jeyne Arryn, tinha trinta e cinco anos, sendo vinte mais velha do que ele. Como nunca havia se casado, a senhorita Jeyne reinava no vale desde a morte do pai e dos irmãos mais velhos nas mãos dos Corvos de Pedra das colinas quando ela tinha três anos.

Cogumelo nos conta que essa famosa donzela era na verdade uma meretriz bem-nascida com apetite voraz por homens e nos relata uma história picante de que ela ofereceu ao príncipe Jacaerys a lealdade do Vale só se ele pudesse levá-la ao clímax com a língua. O septão Eustace repete o boato conhecido de que Jeyne Arryn preferia a companhia íntima de outras mulheres e afirma que aquilo não foi verdade. Sobre esse assunto, precisamos ficar agradecidos à *História verdadeira* do grande meistre Munkun, pois só ele se detém apenas no alto salão do Ninho da Águia em vez de nos quartos.

— Três vezes meus próprios parentes quiseram tomar meu lugar — contou a senhorita Jeyne ao príncipe Jacaerys. — Meu primo sor Arnold costuma dizer que mulheres são sentimentais demais para governar. Eu o botei em uma das minhas celas do Céu, se você quiser perguntar a ele. Seu príncipe Daemon usou a primeira esposa de forma cruel, é verdade... mas independente do mau gosto da sua mãe para consortes, ela continua sendo nossa rainha legítima, e do meu próprio sangue ainda por cima, uma Arryn pelo lado da mãe. Nesse mundo de homens, nós, mulheres, temos que nos unir. O Vale e seus cavaleiros ficarão ao lado dela... se Sua Graça me conceder um pedido. — Quando o príncipe perguntou o que era, ela respondeu: — Dragões. Não tenho medo de exércitos. Muitos foram derrotados no meu Portão Sangrento, e o Ninho da Águia é famoso por ser inexpugnável. Mas você chegou a nós do céu, como a rainha Visenya durante a Conquista, e fiquei impotente para impedi-lo. Não gosto de me sentir impotente. Me envie cavaleiros de dragão.

O príncipe concordou, e a senhorita Jeyne se ajoelhou perante ele, e mandou que seus guerreiros se ajoelhassem, e todos juramentaram suas espadas.

Jacaerys seguiu em frente, para o norte pelos Dedos e pelas águas da Dentada. Pousou brevemente em Vilirmã, onde lorde Borrell e lorde Sunderland se curvaram a ele e juraram o apoio das Três Irmãs, depois voou até Porto Branco, onde lorde Desmond Manderly se encontrou com ele em sua Corte do Tritão.

Ali, o príncipe deparou com um negociador sagaz.

— Porto Branco não é simpático à situação da sua mãe — declarou Manderly. — Meus antepassados foram privados de seus direitos de nascença quando nossos inimigos nos levaram ao exílio nessas costas frias do Norte. Quando o Velho Rei nos visitou tanto tempo atrás, ele falou do mal que havia sido feito a nós e prometeu reparação. Para selar isso, Sua Graça ofereceu a mão de sua filha, a princesa Viserra, ao meu bisavô, para que nossas duas casas pudessem ser uma, mas a menina morreu e a promessa foi esquecida.

O príncipe Jacaerys sabia o que estava sendo pedido a ele. Antes de sair de Porto Branco, foi elaborado e assinado um acordo cujos termos diziam que a filha mais nova de lorde Manderly se casaria com o irmão do príncipe, Joffrey, quando a guerra tivesse acabado.

Finalmente, Vermax levou Jacaerys Velaryon até Winterfell, para conversar com o formidável jovem senhor Cregan Stark.

Com o passar do tempo, Cregan Stark viria a ser conhecido como Velho do Norte, mas o senhor de Winterfell tinha apenas vinte e um anos quando o príncipe Jacaerys foi até ele em 129 DC. Cregan havia se tornado senhor aos treze anos, com a morte de seu pai, lorde Rickon, em 121 DC. Durante sua minoridade, seu tio Bennard governou o Norte como regente, mas em 124 DC Cregan fez dezesseis anos e encontrou um tio moroso para lhe passar o poder. O relacionamento entre os dois ficou tenso enquanto o jovem senhor lutava com os limites impostos a ele pelo irmão do pai. Finalmente, em 126 DC, Cregan Stark se ergueu, aprisionou Bennard e seus três filhos e tomou o poder do Norte em suas mãos. Pouco tempo depois, se casou com a senhora Arra Norrey, uma amada companheira desde a infância. Mas ela morreu em 128 DC dando à luz um filho e herdeiro, que Cregan batizou de Rickon em homenagem ao pai.

O outono estava bem avançado quando o príncipe de Pedra do Dragão foi até Winterfell. A neve fazia uma camada funda no chão, um vento frio soprava do norte, e lorde Stark estava no meio dos preparativos para o inverno, mas deu boas-vindas calorosas a Jacaerys. A neve e o gelo e o frio deixaram Vermax mal-humorado, dizem, então o príncipe não ficou muito tempo entre os nortenhos, mas muitas histórias curiosas surgiram daquela breve visita.

A *História verdadeira* de Munkun diz que Cregan e Jacaerys gostaram um do outro, pois o jovem príncipe lembrou ao Senhor de Winterfell seu irmão mais novo, que tinha morrido dez anos antes. Eles beberam juntos, caçaram juntos, treinaram juntos e fizeram um juramento de irmandade, selado em sangue. Isso parece mais crível do que a versão do septão Eustace, em que o príncipe passa a maior parte da visita tentando persuadir lorde Cregan a desistir de seus falsos deuses e aceitar a adoração aos Sete.

Mas nos voltamos para Cogumelo para encontrar as histórias que outros relatos omitem, e ele não nos decepciona. Seu relato introduz uma jovem donzela, ou "garota-lobo", como ele a chama, com o nome de Sara Snow. O príncipe Jacaerys ficou tão encantado por essa criatura, uma filha bastarda do falecido lorde Rickon Stark, que se deitou com ela uma noite. Ao saber que seu hóspede tinha tomado a donzelice de sua irmã bastarda, lorde Cregan ficou furioso, e só se acalmou quando Sara Snow disse que o príncipe a tomou como esposa. Eles fizeram seus votos no bosque sagrado de Winterfell perante uma árvore-coração, e só então ela se entregou a ele, embrulhada em peles sobre a neve enquanto os deuses antigos observavam.

É uma história encantadora, claro, mas, como muitos contos de Cogumelo, parece ser parte mais da imaginação febril de um bobo do que verdade histórica. Jacaerys Velaryon estava noivo da prima Baela desde que tinha quatro anos e ela dois, e por tudo que sabemos da personalidade dele, parece improvável que violasse um acordo tão solene para proteger a virtude incerta de uma bastarda do Norte, meio selvagem e suja. Se realmente houve uma Sara Snow, e se realmente o Príncipe de Pedra do Dragão se envolveu com ela, isso não é mais do que outros príncipes fizeram no passado e farão no futuro, mas falar de casamento é absurdo.

(Cogumelo também alega que Vermax deixou um montinho de ovos de dragão em Winterfell, o que é igualmente absurdo. Embora seja verdade que determinar o sexo de um dragão vivo é uma tarefa quase impossível, nenhuma outra fonte menciona a produção de um único ovo por Vermax, então devemos supor que era macho. A especulação do septão Barth de que os dragões mudam de sexo conforme a necessidade, sendo "tão mutantes quanto uma chama", é ridícula demais para ser considerada.)

O que sabemos é o seguinte: Cregan Stark e Jacaerys Velaryon chegaram a um consenso e assinaram e selaram o acordo que o grande meistre Munkun chama de "Pacto de Gelo e Fogo" em sua *História verdadeira*. Como tantos pactos assim, teria que ser selado com um casamento. O filho de lorde Cregan, Rickon, tinha um ano. O príncipe Jacaerys ainda era solteiro e não tinha filhos, mas era suposto que teria filhos seus depois que sua mãe se sentasse no Trono de Ferro. Sob os termos do pacto, a primeira filha do príncipe seria enviada para o Norte aos sete anos, para ser criada em Winterfell até quando tivesse idade para se casar com o herdeiro de lorde Cregan.

Quando o Príncipe de Pedra do Dragão levou seu dragão de volta ao céu frio de outono, ele o fez sabendo que havia conquistado três senhores poderosos e todos os seus vassalos para sua mãe. Embora o décimo quinto dia do seu nome estivesse a meio ano ainda, o príncipe Jacaerys tinha se mostrado um homem, um herdeiro digno do Trono de Ferro.

Se o voo "mais curto e mais seguro" de seu irmão tivesse ido tão bem, muito derramamento de sangue e sofrimento teriam sido evitados.

A tragédia que acometeu Lucerys Velaryon em Ponta Tempestade nunca foi planejada, sobre isso todas as fontes concordam. As primeiras batalhas da Dança dos Dragões foram lutadas com penas e corvos, com ameaças e promessas, decretos e bajulações. O assassinato de lorde Beesbury no conselho verde ainda não era amplamente conhecido; a maioria acreditava que sua senhoria estava preso em alguma masmorra. Enquanto alguns rostos familiares não eram mais vistos na corte, nenhuma cabeça apareceu acima dos portões do castelo, e muitos ainda nutriam esperanças de que a questão da sucessão pudesse ser resolvida pacificamente.

O Estranho tinha outros planos. Sem dúvida foi sua mão terrível por trás do azar que uniu os dois principezinhos em Ponta Tempestade, quando o dragão Arrax correu debaixo de uma tempestade que se armava para levar Lucerys Velaryon até a segurança do pátio do castelo e deu de cara com Aemond Targaryen na frente dele.

Borros Baratheon era um homem de personalidade bem diferente do pai. "Lorde Boremund era pedra, duro e forte e inabalável", conta o septão Eustace. "Lorde Borros era o vento que sopra e uiva e vai para um lado e para o outro." O príncipe Aemond não sabia bem que tipo de recepção teria quando partiu, mas Ponta Tempestade o recebeu com festas, caçadas e justas.

Lorde Borros se mostrou mais do que disposto a entreter seu visitante.

— Tenho quatro filhas — disse ele ao príncipe. — Escolha a que preferir. Cass é a mais velha, vai ser a primeira a florescer, mas Floris é mais bonita. E se for uma esposa inteligente que você quer, tem Maris.

Rhaenyra fez pouco caso da Casa Baratheon por tempo demais, sua senhoria contou a Aemond.

— Sim, a princesa Rhaenys é minha parente, uma tia-avó que não conheci foi casada com o pai dela, mas os dois estão mortos, e Rhaenyra... ela não é Rhaenys, é? — Ele não tinha nada contra mulheres, lorde Borros disse; amava suas meninas, uma filha é uma coisa preciosa... mas um *filho*, ahhh... se os deuses lhe concedessem um filho de sangue, Ponta Tempestade iria para ele, não para as irmãs. — Por que o Trono de Ferro seria diferente?

Com um casamento real na proposta... a causa de Rhaenyra estava perdida, ela saberia quando descobrisse que perdeu Ponta Tempestade, ele diria a ela pessoalmente... para se curvar para o irmão, sim, é o melhor, suas garotas brigavam umas com as outras às vezes, como as garotas fazem, mas ele cuidava para que elas sempre fizessem as pazes depois...

Não temos registro de que filha o príncipe Aemond escolheu (embora Cogumelo diga que ele beijou as quatro, para "experimentar o néctar dos lábios delas"), apenas que não foi Maris. Munkun escreve que o príncipe e lorde Borros estavam discutindo datas e dotes na manhã em que Lucerys Velaryon apareceu. Vhagar sentiu primeiro a chegada dele. Os guardas nas ameias da muralha de barragem do castelo pegaram as lanças com terror repentino quando ela acordou com um rugido que fez tremerem as bases do Desafio de Durran. Até Arrax se assustou com o som, dizem, e Luke usou o chicote livremente para levá-lo até o chão.

Cogumelo queria que acreditássemos que os relâmpagos estavam faiscando no Leste e uma chuva forte estava caindo quando Lucerys saltou do dragão, a mensagem de sua mãe na mão. Ele tinha que saber o que a presença de Vhagar significava, então não deve ter sido surpresa quando Aemond Targaryen o confrontou no Salão Redondo, perante os olhos de lorde Borros, suas quatro filhas, o septão e o meistre, e também duas vintenas de cavaleiros, guardas e servos. (Entre os que testemunharam o encontro estava sor Byron Swann, segundo filho do Senhor de Pedrelmo na Marca de Dorne, que teria seu pequeno papel na Dança, mais à frente.) Aqui, pela primeira vez não precisamos confiar totalmente no grande meistre Munkun, em Cogumelo e no septão Eustace. Nenhum deles estava presente em Ponta Tempestade, mas muitas outras pessoas estavam, e não são poucos os relatos em primeira pessoa.

— Olhe esta criatura infeliz, meu senhor — exclamou o príncipe Aemond. — O pequeno Luke Strong, o bastardo. — Para Luke, ele disse: — Você está molhado, bastardo. Está chovendo ou você se mijou de medo?

Lucerys Velaryon só se dirigiu a lorde Baratheon.

— Lorde Borros, eu trouxe uma mensagem da minha mãe, a rainha.

— Ele quer dizer a prostituta de Pedra do Dragão. — O príncipe Aemond se adiantou e tentou arrancar a carta da mão de Lucerys, mas lorde Borros gritou uma ordem e seus cavaleiros intervieram e separaram os príncipes. Um levou a carta de Rhaenyra até a plataforma, onde sua senhoria ocupava o trono dos Reis da Tempestade de antigamente.

Nenhum homem pode saber realmente o que Borros Baratheon estava sentindo naquele momento. Os relatos dos que estavam lá diferem acentuadamente uns dos outros. Alguns dizem que sua senhoria ficou vermelho e envergonhado, como um homem poderia ficar se sua legítima esposa o pegasse na cama com outra mulher. Outros declaram que Borros pareceu apreciar o momento, pois satisfez sua vaidade ver o rei e a rainha procurando seu apoio. Cogumelo (que não estava lá) diz que ele estava bêbado. O septão Eustace (que não estava lá) diz que ele estava com medo.

Mas todas as testemunhas concordam sobre o que lorde Borros disse e fez. Nunca tendo sido um homem de letras, ele entregou a carta da rainha para seu meistre, que rompeu o selo e sussurrou a mensagem no ouvido de sua senhoria. A testa franzida dominou o rosto de lorde Borros. Ele coçou a barba, fez expressão de desprezo para Lucerys Velaryon e disse:

— E se eu fizer o que sua mãe pede, com qual das minhas filhas *você* vai se casar, garoto? — Ele indicou as quatro garotas. — Escolha uma.

O príncipe Lucerys corou.

— Meu senhor, eu não tenho liberdade para me casar — respondeu ele. — Estou noivo da minha prima Rhaena.

— Foi o que pensei — disse lorde Borros. — Vá para casa, filhote, e diga para a vaca da sua mãe que o Senhor de Ponta Tempestade não é um cachorro que ela possa chamar com um assovio quando precisa para jogar contra os inimigos dela. — E o príncipe Lucerys se virou para sair do Salão Redondo.

Mas o príncipe Aemond puxou a espada e disse:

— Pare, Strong. Primeiro pague a dívida que tem comigo. — Ele arrancou o tapa--olho e jogou no chão, para mostrar a safira embaixo. — Você tem uma faca, como tinha na época. Arranque o próprio olho e deixo você ir. Um serve. Eu não cegaria você.

O príncipe Lucerys se lembrou da promessa feita à mãe.

— Não vou lutar com você. Eu vim como enviado, não como cavaleiro.

— Você veio como covarde e traidor — respondeu o príncipe Aemond. — Quero seu olho ou sua vida, Strong.

Ao ouvir isso, lorde Borros ficou inquieto.

— Não aqui — resmungou ele. — Ele veio como enviado. Não quero sangue derramado debaixo do meu teto.

Assim, os guardas dele se colocaram entre os príncipes e escoltaram Lucerys Velaryon do Salão Redondo até o pátio do castelo, onde seu dragão Arrax estava encolhido na chuva, esperando sua volta.

E poderia ter terminado aí se não fosse a garota Maris. A segunda filha de lorde Borros, menos bonita do que as irmãs, estava com raiva de Aemond por preferir as outras a ela.

— Foi um dos seus olhos que ele tirou ou um dos seus colhões? — perguntou Maris ao príncipe, em tom doce como mel. — Estou *tão* feliz de você ter escolhido minha irmã. Quero um marido com todas as partes do corpo.

A boca de Aemond Targaryen se retorceu de raiva, e ele se virou novamente para lorde Borros, pedindo permissão para sair. O Senhor de Ponta Tempestade deu de ombros e respondeu:

— Não sou eu quem decide o que você vai fazer quando não está debaixo do meu teto. — E seus cavaleiros chegaram para o lado enquanto o príncipe Aemond corria até a porta.

Lá fora, a tempestade caía. Trovões ribombavam em volta do castelo, a chuva caía em volume pesado, e de tempos em tempos grandes explosões de relâmpagos branco-azulados iluminavam o mundo como se fosse dia. O tempo estava péssimo para voar, mesmo para um dragão, e Arrax estava com dificuldade de pairar no ar quando o príncipe Aemond montou em Vhagar e foi atrás dele. Se o céu estivesse calmo, o príncipe Lucerys talvez conseguisse escapar de seu perseguidor, pois Arrax era mais novo e mais veloz... mas o dia estava "tão escuro quanto o coração do príncipe Aemond", diz Cogumelo, e assim os dragões se encontraram acima da Baía dos Naufrágios. Observadores nas muralhas do castelo viram explosões distantes de chamas e ouviram um berro cortar os trovões. Em seguida, os dois animais estavam atracados, relâmpagos caindo em volta. Vhagar tinha cinco vezes o tamanho do inimigo, sobrevivente experiente de cem batalhas. Se houve luta, não pode ter durado muito.

Arrax caiu, quebrado, e foi engolido pelas águas agitadas pela tempestade. Sua cabeça e seu pescoço apareceram abaixo dos penhascos junto a Ponta Tempestade três dias depois, um banquete para caranguejos e gaivotas. Cogumelo alega que o cadáver do príncipe Lucerys também apareceu e nos conta que o príncipe Aemond cortou os olhos dele e entregou para a senhorita Maris em uma cama de algas marinhas, mas isso parece excessivo. Alguns dizem que Vhagar arrancou Lucerys das costas do dragão dele e o engoliu inteiro. Até já foi alegado que o príncipe sobreviveu à queda, nadou até um lugar seguro, mas perdeu a memória de quem era e passou o resto da vida como um simples pescador.

A *História verdadeira* dá a todos esses relatos o respeito que merecem... o que quer dizer nenhum. Lucerys Velaryon morreu com seu dragão, insiste Munkun. Isso está indubitavelmente correto. O príncipe tinha treze anos. Seu corpo nunca foi encontrado. E, com a morte dele, a guerra dos corvos e enviados e pactos de casamento acabou e a guerra de fogo e sangue começou de verdade.

Aemond Targaryen — que a partir de então ficaria conhecido como Aemond, Assassino de Parentes entre seus inimigos — voltou a Porto Real, depois de ter conseguido o apoio de Ponta Tempestade para seu irmão Aegon e a inimizade eterna da rainha Rhaenyra. Se pensava que receberia as boas-vindas de herói, ele ficou decepcionado. A rainha Alicent ficou pálida quando soube o que ele fez e exclamou:

— Que a Mãe tenha misericórdia de todos nós.

Sor Otto também não ficou satisfeito.

— Você só perdeu um olho — ele supostamente disse. — Como pode ter ficado tão cego?

O rei, porém, não teve as mesmas preocupações deles. Aegon II recebeu o príncipe Aemond com uma grande festa, chamou-o de "verdadeiro sangue do dragão" e anunciou que ele tinha feito "um bom começo".

Em Pedra do Dragão, a rainha Rhaenyra desabou quando soube da morte de Luke. O irmão mais novo de Luke, Joffrey (Jace ainda estava longe, na missão pelo Norte) fez um juramento terrível de vingança contra o príncipe Aemond e lorde Borros. Só a intervenção do Serpente Marinha e da princesa Rhaenys impediram que o garoto subisse em seu dragão na mesma hora. (Cogumelo queria que acreditássemos que ele também teve parte nisso.) Quando o conselho preto se reuniu para pensar em como reagir, chegou um corvo de Harrenhal. "Olho por olho, filho por filho", escreveu o príncipe Daemon. "Lucerys será vingado."

Que não seja esquecido: na juventude, Daemon Targaryen foi o Príncipe da Cidade, seu rosto e suas risadas eram familiares para todos os carteiristas, prostitutas e apostadores da Baixada das Pulgas. O príncipe ainda tinha amigos nos lugares mais baixos de Porto Real e seguidores dentre os mantos dourados. Sem que o rei Aegon, a Mão ou a Rainha Viúva soubessem, ele também tinha aliados na corte, até no conselho verde... E um outro intermediário, um amigo especial em quem ele confiava completamente, que conhecia as tabernas e arenas de ratazana que supuravam nas sombras da Fortaleza Vermelha, como o próprio Daemon já tinha conhecido, e se

deslocava com facilidade nas sombras da cidade. Ele procurou esse estranho pálido então, por meios secretos, para botar em ação uma vingança terrível.

Nos lupanares da Baixada das Pulgas, o intermediário do príncipe Daemon encontrou instrumentos adequados. Um tinha sido sargento da Patrulha da Cidade; grande e brutal, ele perdeu o manto dourado por matar uma prostituta de porrada no meio de uma fúria embriagada. O outro era exterminador de ratos da Fortaleza Vermelha. Seus verdadeiros nomes se perderam na história. Eles são lembrados (seria melhor que não fossem!) como Sangue e Queijo.

"Queijo conhecia a Fortaleza Vermelha melhor do que o formato do próprio pau", conta Cogumelo. As portas escondidas e túneis secretos que Maegor, o Cruel, tinha construído eram tão familiares para o exterminador quanto os ratos que ele caçava. Usando uma passagem esquecida, Queijo levou Sangue até o coração do castelo, sem ser visto por nenhum guarda. Alguns dizem que a presa era o próprio rei, mas Aegon era acompanhado pela Guarda Real onde quer que fosse, e nem Queijo conhecia uma entrada e uma saída da Fortaleza de Maegor que não fosse pela ponte levadiça que passava sobre o fosso seco e seus formidáveis espigões de ferro.

A Torre da Mão era menos segura. Os dois homens subiram pelas paredes, evitando os lanceiros postados nas portas da torre. Os aposentos de sor Otto não eram de interesse para eles. Foram diretamente para os aposentos da filha dele, um andar abaixo. A rainha Alicent tinha ido morar lá depois da morte do rei Viserys, quando seu filho Aegon se mudou para a Fortaleza de Maegor com sua rainha. Depois que entraram, Queijo amarrou e amordaçou a rainha viúva enquanto Sangue estrangulava sua criada de quarto. Em seguida, eles se sentaram para esperar, pois sabiam que era costume da rainha Helaena levar os filhos para verem a avó todas as noites antes de irem dormir.

Alheia ao perigo, a rainha apareceu quando o crepúsculo se espalhava pelo castelo, acompanhada dos três filhos. Jaehaerys e Jaehaera tinham seis anos e Maelor tinha dois. Quando eles entraram nos aposentos, Helaena estava segurando a mãozinha dele e chamando o nome de sua mãe. Sangue bloqueou a porta e matou os guardas da rainha enquanto Queijo apareceu para pegar Maelor.

— Se gritarem, todos vão morrer — Sangue avisou Sua Graça.

A rainha Helaena manteve a calma, dizem.

— Quem são vocês? — perguntou ela aos dois.

— Cobradores de dívidas — disse Queijo. — Olho por olho, filho por filho. Só queremos um para acertar as contas. Não vamos fazer mal ao restante de vocês, nem a um fio de cabelo. Qual Vossa Graça quer perder?

Quando entendeu o que ele queria dizer, a rainha Helaena suplicou para os homens a matarem no lugar de um dos filhos.

— Uma esposa não é um filho — disse Sangue. — Tem que ser um menino.

Queijo avisou a rainha para escolher logo, antes que Sangue ficasse cansado e estuprasse a garotinha.

— Escolha — disse ele —, senão vamos matar todos.

De joelhos, chorando, Helaena escolheu o mais novo, Maelor. Talvez ela tenha achado que o menino era pequeno demais para entender, ou talvez tenha sido porque o menino mais velho, Jaehaerys, era o primogênito e herdeiro do rei Aegon, o próximo na linha de sucessão ao Trono de Ferro.

— Está ouvindo, garotinho? — sussurrou Queijo para Maelor. — Sua mamãe quer você morto. — Ele deu um sorriso para Sangue, e o espadachim enorme matou o príncipe Jaehaerys, arrancando a cabeça do menino com um único golpe. A rainha começou a gritar.

Estranhamente, o exterminador de ratos e o açougueiro foram fiéis à palavra. Eles não fizeram nenhum mal à rainha Helaena nem aos filhos que sobreviveram, mas fugiram com a cabeça do príncipe nas mãos. Uma gritaria soou, mas Queijo conhecia as passagens secretas que os guardas não conheciam, e os assassinos fugiram. Dois dias depois, Sangue foi capturado no Portão dos Deuses tentando sair de Porto Real com a cabeça do príncipe Jaehaerys em um dos alforjes. Sob tortura, confessou que estava levando a cabeça para Harrenhal, para pegar sua recompensa com o príncipe Daemon. Ele também deu uma descrição da prostituta que alegou que os tinha contratado: uma mulher mais velha, estrangeira pelo sotaque, com capa e capuz, muito pálida. As outras prostitutas a chamavam de Miséria.

Depois de treze dias de tormento, Sangue finalmente pôde morrer. A rainha Alicent ordenou que Larys Pé-Torto descobrisse o nome dele para poder se banhar no sangue de sua esposa e filhos, mas nossas fontes não dizem se isso aconteceu. Sor Luthor Largent e seus mantos dourados procuraram na Rua da Seda de cima a baixo e investigaram e despiram todas as prostitutas de Porto Real, mas não encontraram sinal nem de Queijo nem do Verme Branco. Em sua dor e fúria, o rei Aegon II mandou que todos os exterminadores de ratos da cidade fossem capturados e enforcados, e isso foi feito. (Sor Otto Hightower levou cem gatos para a Fortaleza Vermelha para assumir o lugar deles.)

Embora Sangue e Queijo tenham poupado a vida dela, a rainha Helaena não exatamente sobreviveu ao fatídico crepúsculo. Depois, ela não quis comer, nem tomar banho nem sair de seus aposentos, e não suportava olhar para seu filho Maelor, sabendo que o havia escolhido para morrer. O rei não teve recurso além de tirar o menino dela e dá-lo para a mãe deles, a rainha viúva Alicent, para ser criado como se fosse dela. Aegon e sua esposa passaram a dormir separados, e a rainha Helaena afundou cada vez mais na loucura, enquanto o rei se enfurecia, bebia e se enfurecia.

# A morte dos dragões

## O dragão vermelho e o dourado

A Dança dos Dragões entrou em uma nova fase depois da morte de Lucerys Velaryon nas terras da tempestade e do assassinato do príncipe Jaehaerys diante da própria mãe na Fortaleza Vermelha. Tanto para os pretos quanto para os verdes, sangue invocou sangue em busca de vingança. E, por todo o reino, senhores invocaram seus vassalos, e exércitos se reuniram e começaram a marchar.

Nas terras fluviais, salteadores saíram de Corvarbor sob o estandarte de Rhaenyra* e invadiram o território da Casa Bracken, onde queimaram plantações, dispersaram rebanhos de ovelhas e gado, saquearam vilarejos e profanaram todo septo que encontraram (os Blackwood eram uma das últimas poucas casas ao sul do Gargalo que ainda cultuavam os velhos deuses).

Quando os Bracken reuniram uma força robusta para retaliar, o lorde Samwell Blackwood os surpreendeu durante a marcha, pegando-os desprevenidos em seu acampamento junto a um moinho à beira de um rio. No combate que se seguiu, o moinho foi incendiado, e durante horas homens lutaram e morreram à luz rubra das chamas. Sor Amos Bracken, liderando o exército saído de Barreira de Pedra, derrubou e matou o lorde Blackwood em combate individual, mas também pereceu quando uma flecha de represeiro acertou a fenda do visor de seu elmo e se cravou no crânio dele. Esse dardo supostamente foi lançado por Alysanne, a irmã de dezesseis anos do lorde Samwell, que mais tarde viria a ser conhecida como Aly Black, mas jamais saberemos se isso é fato ou mera lenda da família.

Ambos os lados sofreram muitas outras baixas terríveis no que se tornou conhecido como a Batalha do Moinho Ardente... e quando os Bracken finalmente recuaram e fugiram para suas próprias terras sob o comando de sor Raylon Rivers, o meio-irmão bastardo de sor Amos, descobriram que Barreira de Pedra havia caído durante sua ausência. Sob a liderança do príncipe Daemon, montado em Caraxes, um exército forte composto de homens de Darry, Roote, Piper e Frey havia capturado o castelo de assalto enquanto grande parte do poderio da Casa Bracken estava longe. O lorde

* A princípio, os dois pretendentes ao Trono de Ferro mantiveram o dragão de três cabeças da Casa Targaryen, vermelho sobre preto, mas, ao fim de 129 DC, tanto Aegon quanto Rhaenyra haviam adotado variações para distinguir seus seguidores dos inimigos. O rei mudou a cor do dragão em seu estandarte do vermelho para o ouro, em homenagem às luzidias escamas douradas de seu dragão Sunfyre, enquanto a rainha esquartelou o brasão Targaryen para incluir o da Casa Arryn e o da Casa Velaryon, em homenagem à senhora sua mãe e a seu primeiro marido, respectivamente.

Humfrey Bracken e seus outros filhos tinham sido capturados, junto com a terceira esposa dele e sua amante plebeia. Para que elas não sofressem, sor Raylon se rendeu. Vendo a Casa Bracken submissa e derrotada, os últimos partidários do rei Aegon nas terras fluviais perderam o ímpeto e também baixaram suas espadas.

No entanto, não se pense que o conselho verde estava inerte. Sor Otto Hightower também se mantivera ocupado, conquistando senhores, contratando mercenários, reforçando as defesas de Porto Real e buscando continuamente outras alianças. Após a rejeição das propostas de paz do grande meistre Orwyle, a Mão redobrou seus esforços, enviando corvos a Winterfell e ao Ninho da Águia, a Correrrio, Porto Branco, Vila Gaivota, Ponteamarga, Ilha Bela e mais dezenas de fortalezas e castelos. Mensageiros galoparam a noite inteira até as fortificações mais próximas, para convocar seus senhores e senhoras à corte a fim de jurar lealdade ao rei Aegon. Sor Otto também buscou contato com Dorne, cujo governante, o príncipe Qoren Martell, havia combatido o príncipe Daemon nos Degraus antes, mas o príncipe Qoren rechaçou a oferta.

— Dorne já dançou com dragões — disse ele. — Prefiro dormir com escorpiões.

Mas sor Otto estava perdendo a confiança do rei, que tomou seus esforços por passividade e sua cautela por covardia. O septão Eustace nos relata uma ocasião em que Aegon entrou na Torre da Mão e viu sor Otto escrevendo mais uma carta, ao que o rei tombou o tinteiro no colo do avô e declarou:

— Tronos são conquistados com espadas, não penas. Derrame sangue, não tinta.

Segundo Munkun, a queda de Harrenhal para o príncipe Daemon foi um grande choque para Sua Graça. Até aquele momento, Aegon II acreditara que a causa de sua meia-irmã não tinha esperança alguma. Com Harrenhal, Sua Graça se sentiu vulnerável pela primeira vez. As derrotas subsequentes no Moinho Ardente e em Barreira de Pedra foram novos golpes e fizeram o rei se dar conta de que sua situação era mais perigosa do que as aparências sugeriam. Essa preocupação se agravou quando corvos voltaram da Campina, onde se acreditava que a presença dos verdes era mais forte. A Casa Hightower e Vilavelha estavam firmemente ao lado do rei Aegon, e Sua Graça também tinha a Árvore... mas, em outras partes do Sul, outros senhores declaravam apoio a Rhaenyra, incluindo o lorde Costayne de Três Torres, o lorde Mullendore de Terraltas, o lorde Tarly de Monte Chifre, o lorde Rowan de Bosquedouro e o lorde Grimm de Escudogris.

A voz mais alta dentre esses traidores era a de sor Alan Beesbury, herdeiro do lorde Lyman, que exigia a libertação de seu avô da masmorra onde muitos acreditavam que o antigo mestre da moeda estivesse confinado. De repente, diante de tamanho clamor de seus próprios vassalos, o castelão, o intendente e a mãe do jovem lorde Tyrell de Jardim de Cima, na função de regentes do menino, repensaram o apoio ao rei Aegon e decidiram que a Casa Tyrell não tomaria parte no conflito. Segundo o septão Eustace, o rei Aegon começou a afogar as mágoas em vinho forte. Sor Otto enviou uma mensagem ao sobrinho, o lorde Ormund Hightower, solicitando que ele usasse o poder de Vilavelha para reprimir essa onda de rebeliões na Campina.

Houve outros golpes: o Vale, Porto Branco, Winterfell. Os Blackwood e os outros senhores das terras fluviais afluíram para Harrenhal e a bandeira do príncipe Daemon. As frotas do Serpente Marinha bloquearam a Baía da Água Negra, e todas as manhãs o rei Aegon recebia reclamações de mercadores. A única resposta que Sua Graça tinha para as queixas era mais uma taça de vinho forte.

— Faça alguma coisa — exigiu ele a sor Otto.

A Mão lhe garantiu que *estava* fazendo; ele havia formulado um plano para furar o bloqueio dos Velaryon. Um dos principais pilares da pretensão de Rhaenyra era seu consorte, mas o príncipe Daemon também representava uma de suas maiores fraquezas. O príncipe havia conquistado mais inimigos que amigos durante suas aventuras. Sor Otto Hightower, que fora um dos primeiros desses inimigos, buscou do outro lado do mar estreito mais um dos inimigos do príncipe, o Reino das Três Filhas.

A frota real, sozinha, não detinha forças para romper o controle do Serpente Marinha na Goela, e as ofertas do rei para Dalton Greyjoy de Pyke ainda não haviam conseguido trazer as Ilhas de Ferro para seu lado. Já a frota combinada de Tyrosh, Lys e Myr seria mais do que páreo para os Velaryon. Sor Otto enviou uma mensagem aos magísteres, prometendo exclusividade de comércio em Porto Real se eles conseguissem afastar da Goela os navios do Serpente Marinha e reabrir as rotas marítimas. Para dar sabor ao caldo, ele prometeu também que concederia os Degraus às Três Filhas, ainda que, a bem da verdade, o Trono de Ferro nunca tivesse reivindicado tais ilhas.

Porém a Triarquia nunca agia com celeridade. Na falta de um rei genuíno, todas as decisões importantes desse "reinado" de três cabeças eram tomadas pelo Alto Conselho, que era integrado por onze magísteres de cada cidade, todos eles interessados em demonstrar a própria sagacidade, astúcia e importância, e conquistar qualquer vantagem possível para sua cidade. O grande meistre Greydon, que cinquenta anos mais tarde escreveu a história definitiva do Reino das Três Filhas, descreveu-o como "trinta e três cavalos, cada um puxando para uma direção". Até mesmo questões prementes como guerra, paz e alianças eram sujeitas a debates intermináveis... e o Alto Conselho sequer se encontrava reunido quando os emissários de sor Otto chegaram.

A demora não agradou o jovem rei. Aegon II havia perdido a paciência com a prevaricação do avô. Ainda que sua mãe, a rainha viúva Alicent, falasse em defesa de sor Otto, Sua Graça fez ouvidos moucos a seus apelos. Após convocar sor Otto à sala do trono, ele arrancou-lhe a corrente do pescoço e a jogou para sor Criston Cole.

— Minha nova Mão é um punho de aço — gabou-se ele. — Já chega de escrever cartas.

Sor Criston não perdeu tempo para se fazer valer.

— Não cabe ao senhor solicitar o apoio de seus senhores, como um mendigo suplicando esmola — disse ele a Aegon. — O senhor é o legítimo rei de Westeros, e aqueles que se opõem são traidores. Já passou da hora de eles descobrirem o preço da traição.

Os primeiros a pagar esse preço foram os senhores que definhavam nas masmorras sob a Fortaleza Vermelha, homens que haviam jurado defender os direitos da princesa Rhaenyra e ainda teimavam em não dobrar o joelho para o rei Aegon. Um a um, foram todos arrastados para o pátio do castelo, onde o Magistrado do Rei os aguardava com seu machado. Cada homem recebia uma última chance de jurar lealdade a Sua Graça; apenas os lordes Butterwell, Stokeworth e Rosby aceitaram. Os lordes Hayford, Merryweather, Harte, Buckler e Caswell e a senhora Fell deram mais valor à sua palavra do que à vida e foram decapitados, um a um, junto com oito cavaleiros de terras e dezenas de criados e serviçais. As cabeças foram cravadas em estacas sobre os portões da cidade.

O rei Aegon também desejava vingar o assassinato de seu herdeiro por Sangue e Queijo com um ataque a Pedra do Dragão, descendo à cidadela insular com seu dragão para capturar ou matar sua meia-irmã e os "filhos bastardos" dela. Foi preciso todo o conselho verde para dissuadi-lo da ideia. Sor Criston Cole propôs um caminho diferente. A princesa usurpadora, disse Cole, havia usado métodos furtivos e traiçoeiros para matar o príncipe Jaehaerys; que eles fizessem o mesmo.

— Pagaremos à princesa na mesma moeda sangrenta — disse ele ao rei. O instrumento que o senhor comandante da Guarda Real escolheu para a vingança do rei foi seu irmão juramentado, sor Arryk Cargyll.

Sor Arryk conhecia intimamente a ancestral sede da Casa Targaryen, porque visitara o local com frequência durante o governo do rei Viserys. Muitos pescadores ainda navegavam a Baía da Água Negra, pois a subsistência de Pedra do Dragão dependia do mar; seria simples fazer Cargyll chegar ao vilarejo de pescadores abaixo do castelo. Dali, ele poderia alcançar a rainha. E sor Arryk era gêmeo de sor Erryk, idêntico em todos os detalhes; tanto Cogumelo quanto o septão Eustace afirmam que nem mesmo seus companheiros da Guarda Real conseguiam distingui-los. Quando trajasse o branco, sor Arryk poderia se deslocar livremente por Pedra do Dragão, sugeriu sor Criston; qualquer guarda que o encontrasse por acaso certamente o tomaria pelo irmão.

Sor Arryk não ficou feliz de ser encarregado dessa missão. De fato, pelo que nos informa o septão Eustace, o cavaleiro inquieto visitou o septo da Fortaleza Vermelha na noite em que deveria zarpar, para rezar pelo perdão de nossa Mãe do Céu. Porém, na condição de homem da Guarda Real, tendo jurado obedecer ao rei e ao comandante, a honra o obrigava a ir a Pedra do Dragão vestido com os trajes manchados de sal de um simples pescador.

O propósito verdadeiro da missão de sor Arryk é até hoje incerto. O grande meistre Munkun revela que Cargyll recebera a ordem de matar Rhaenyra, pondo um fim à rebelião com um único golpe, enquanto Cogumelo insiste que o alvo de Cargyll eram os filhos dela, que Aegon II desejava limpar o sangue de seu filho assassinado com o de seus sobrinhos bastardos, Jacaerys e Joffrey "Strong".

Sor Arryk desembarcou sem contratempos, vestiu a armadura e o manto branco e não teve dificuldade para ingressar no castelo disfarçado de seu gêmeo, tal como Criston Cole havia planejado. Contudo, no coração de Pedra do Dragão, a caminho dos aposentos reais, os deuses o puseram frente a frente com o próprio sor Erryk, que compreendeu imediatamente o significado da presença do irmão. Os trovadores cantam que sor Erryk disse "Eu amo você, irmão" ao desembainhar a espada, e que sor Arryk respondeu "E eu amo você, irmão" ao sacar a sua.

Os gêmeos lutaram durante quase uma hora, segundo o grande meistre Munkun; o choque de aço contra aço despertou metade da corte da rainha, mas ninguém podia fazer nada além de observar, impotente, pois era impossível distinguir um irmão do outro. No fim, sor Arryk e sor Erryk infligiram ferimentos fatais um ao outro e morreram abraçados, com lágrimas no rosto.

O relato de Cogumelo é mais curto, grosseiro e debochado. A luta teria durado apenas alguns instantes, segundo nosso bobo. Não houve qualquer declaração de amor fraterno; ambos os Cargyll acusaram um ao outro de traição ao se enfrentarem. Sor Erryk, posicionado acima do irmão na escada em espiral, deu o primeiro golpe fatal, um corte violento na altura do ombro, de cima para baixo, que quase decepou o braço da espada do irmão, mas, ao cair, sor Arryk segurou o manto branco de seu assassino e o puxou o suficiente para cravar uma adaga na barriga dele. Sor Arryk já estava morto quando os primeiros guardas chegaram, mas sor Erryk levou quatro dias para morrer do ferimento da barriga, gritando com dores horríveis e amaldiçoando incessantemente o irmão traidor.

Por motivos óbvios, cantores e historiadores demonstraram nítida preferência pelo relato oferecido por Munkun. Meistres e outros pesquisadores precisam determinar por conta própria qual versão é a mais provável. A esse respeito, o septão Eustace diz apenas que os gêmeos Cargyll mataram um ao outro, nada mais.

Em Porto Real, Larys Pé-Torto Strong, o mestre dos segredos do rei Aegon, havia composto uma lista de todos os senhores que se reuniram em Pedra do Dragão para assistir à coroação da rainha Rhaenyra e tomar parte em seu conselho preto. A sede dos lordes Celtigar e Velaryon se localizava em ilhas; como Aegon II não tinha poderio naval, esses estavam além do alcance de sua ira. Contudo, os senhores pretos cujas terras se encontravam no continente não desfrutavam da mesma proteção.

Com cem cavaleiros e quinhentos homens de armas a serviço da família real, incrementados com o triplo de mercenários experientes, sor Criston marchou contra Rosby e Stokeworth, cujos senhores haviam acabado de se arrepender do apoio oferecido à rainha, e exigiu que eles dessem prova de lealdade e juntassem suas forças às dele. Com esse reforço, as hostes de Cole avançaram contra a cidade costeira murada de Valdocaso, onde os defensores foram pegos de surpresa. A cidade foi saqueada, os navios no porto, incendiados, e o lorde Darklyn, decapitado. Os cavaleiros e homens de armas a seu serviço tiveram a oportunidade de escolher entre jurar suas espadas ao rei Aegon ou partilhar do destino de seu senhor. A maioria preferiu a primeira opção.

O destino seguinte de sor Criston foi Pouso de Gralhas. Advertido da aproximação deles, o lorde Staunton fechou seus portões e desafiou os sitiantes. De trás das muralhas, sua senhoria só pôde observar enquanto seus campos, bosques e vilarejos ardiam e os gados e camponeses eram passados na espada. Quando as provisões dentro do castelo começaram a escassear, ele enviou um corvo a Pedra do Dragão, com um pedido de socorro.

A ave chegou enquanto Rhaenyra e seus pretos choravam a perda de sor Erryk e debatiam a resposta adequada para o último ataque de "Aegon, o Usurpador". Embora estivesse abalada por aquele atentado contra sua vida (ou a de seus filhos), a rainha ainda relutava em atacar Porto Real. Munkun (que, convém lembrar, escreveu muitos anos depois) diz que isso se deveu ao horror da rainha ao assassinato de parentes. Maegor, o Cruel, havia matado o próprio sobrinho Aegon e se viu amaldiçoado desde então, até perder a vida, exangue sobre o trono roubado. O septão Eustace alega que era "o coração materno" de Rhaenyra que a fazia relutar em arriscar a vida dos filhos que lhe restavam. No entanto, apenas Cogumelo estava presente nesses conselhos, e o bobo insiste que Rhaenyra ainda estava tão consternada pela morte do filho Lucerys que se absteve do conselho de guerra e entregou o comando ao Serpente Marinha e à esposa dele, a princesa Rhaenys.

Aqui, a versão de Cogumelo parece a mais provável, pois sabemos que, nove dias depois do pedido de auxílio do lorde Staunton, ouviu-se o som de asas finas acima do mar, e a dragão Meleys surgiu sobre Pouso de Gralhas. A Rainha Vermelha, assim ela era conhecida, por causa das escamas escarlate que lhe cobriam o corpo. As membranas de suas asas eram rosadas, e sua crista, os chifres e as garras, brilhosas como cobre. E, em seu dorso, com armadura de aço e cobre que brilhava ao sol, vinha Rhaenys Targaryen, a Rainha que Nunca Foi.

Sor Criston Cole não se abalou. A Mão de Aegon esperava aquilo, contava com aquilo. Tambores soaram uma ordem, e arqueiros vieram à frente, com arcos longos e bestas, para encher o ar de flechas e setas. Balistas foram apontadas para lançar ao alto dardos de ferro como os que haviam derrubado Meraxes em Dorne. Meleys foi atingida algumas vezes, mas as flechas apenas serviram para enfurecê-la. Ela mergulhou, despejando fogo de um lado a outro. Cavaleiros queimaram em suas selas quando o pelo e o couro e o estribo de seus cavalos se inflamaram. Homens de armas largaram as lanças e fugiram. Alguns tentaram se esconder atrás de escudos, mas nem carvalho nem ferro são capazes de resistir ao sopro de um dragão. Do alto de seu cavalo branco, Sor Criston gritava "Mirem na cavaleira" em meio à fumaça e às chamas. Meleys rugiu, expelindo fios de fumaça pelas narinas, e um corcel se debatia em suas mandíbulas ao ser engolido pelas labaredas.

E então veio um rugido de resposta. Apareceram outras duas formas aladas: o rei sobre Sunfyre, o Dourado, e seu irmão, Aemond, com Vhagar. Criston Cole havia ativado a armadilha, e Rhaenys viera morder a isca. E agora os dentes se fechavam em volta dela.

A princesa Rhaenys não tentou fugir. Com um brado satisfeito e um estalo do chicote, ela virou Meleys para os inimigos. Contra Vhagar apenas, ela talvez tivesse alguma chance, pois a Rainha Vermelha era velha e astuta, e com experiência de combate. Contra Vhagar e Sunfyre juntos, a derrota era certa. Os dragões se chocaram com violência a trezentos metros de altura sobre o campo de batalha, em meio a bolas de fogo que explodiam e floresciam com tamanha intensidade que mais tarde os homens jurariam que o céu estava cheio de sóis. A mandíbula carmesim de Meleys se fechou no pescoço dourado de Sunfyre por um instante, até que Vhagar se abateu sobre eles das alturas. Os três monstros despencaram em espiral ao chão. Eles atingiram o solo com tanta força que caíram pedras das ameias de Pouso de Gralhas, a meia légua de distância.

Quem estava mais perto dos dragões não viveu para contar história. Quem estava mais longe não conseguiu enxergar, devido ao fogo e à fumaça. As chamas levaram horas para abaixar. Porém, daquelas cinzas, apenas Vhagar emergiu ilesa. Meleys estava morta, quebrada pela queda e estraçalhada no chão. E Sunfyre, aquela esplêndida criatura dourada, teve uma das asas quase arrancada do corpo, enquanto seu cavaleiro real sofrera fraturas de costelas, da bacia, e queimaduras que lhe cobriam metade do corpo. O braço esquerdo era o pior. As chamas de dragão haviam ardido com tanta força que a armadura do rei se fundira à carne.

Um corpo que se acreditava pertencer a Rhaenys Targaryen foi encontrado mais tarde junto à carcaça de sua dragão, mas estava tão enegrecido que ninguém pôde ter certeza de que era ela. Amada filha da senhora Jocelyn Baratheon e do príncipe Aemon Targaryen, fiel esposa do lorde Corlys Velaryon, mãe e avó, a Rainha que Nunca Foi viveu sem medo e morreu em meio a sangue e fogo. Tinha cinquenta e cinco anos.

Oitocentos cavaleiros e escudeiros e homens comuns também perderam a vida naquele dia. Outros cem pereceram pouco depois, quando o príncipe Aemond e sor Criston Cole tomaram Pouso de Gralhas e passaram toda a guarnição na espada. A cabeça do lorde Staunton foi levada de volta a Porto Real e empalada sobre o Velho Portão... mas foi a cabeça da dragão Meleys, transportada pela cidade em uma carroça, que inspirou espanto silencioso na multidão. O septão Eustace nos diz que milhares de pessoas saíram de Porto Real depois, até que a rainha viúva Alicent mandou fechar os portões da cidade.

O rei Aegon II não morreu, mas suas queimaduras provocavam tanta dor que há quem diga que ele tenha rezado para morrer. Levado de volta a Porto Real em uma liteira fechada, para ocultar a gravidade dos ferimentos, Sua Graça passou o restante do ano confinado à cama. Septões rezaram por ele, meistres o trataram com poções e leite de papoula, mas Aegon dormia nove horas em dez, acordando apenas por tempo suficiente para ingerir alguma refeição módica e voltar a dormir em seguida. Ninguém podia perturbar seu descanso, salvo sua mãe, a rainha viúva, e a Mão, sor Criston Cole. A esposa dele sequer tentou, tão perdida estava Helaena no luto e na loucura.

Sunfyre, o dragão do rei, era grande e pesado demais para ser transportado e não conseguia voar com a asa ferida, então permaneceu nos campos próximos a Pouso de Gralhas, rastejando pelas cinzas como um imenso monstro dourado. Nos primeiros dias, ele se alimentou das carcaças incineradas dos mortos. Quando essas acabaram, os homens que sor Criston pusera de guarda passaram a lhe trazer bezerros e ovelhas.

— Você precisa governar o reino agora, até seu irmão ficar forte o bastante para assumir a coroa de novo — disse a Mão do Rei ao príncipe Aemond.

E sor Criston não precisou falar duas vezes, segundo Eustace. E assim o caolho Aemond, Assassino de Parentes, assumiu a coroa de ferro e rubis de Aegon, o Conquistador.

— Fica melhor em mim do que nele — proclamou o príncipe. No entanto, Aemond não assumiu o título de rei, apenas de Protetor do Território e príncipe regente. Sor Criston Cole se manteve como Mão do Rei.

Enquanto isso, as sementes que Jacaerys Velaryon havia plantado em seu voo ao Norte tinham começado a dar frutos, e os homens se reuniram em Porto Branco, Winterfell, Vila Acidentada, Vilirmã, Vila Gaivota e nos Portões da Lua. Sor Criston alertou ao novo príncipe regente que, caso essas forças se juntassem às dos senhores das terras fluviais que se encontravam com o príncipe Daemon em Harrenhal, talvez nem mesmo as poderosas muralhas de Porto Real conseguissem resistir.

Os ares que vinham do Sul também eram preocupantes. Obediente à solicitação do tio, o lorde Ormund Hightower enviara de Vilavelha mil cavaleiros, mil arqueiros, três mil homens de armas e milhares de seguidoras de acampamento, mercenários, cavaleiros livres e plebeus, para então sofrer ataques do lorde Alan Tarly e de sor Alan Beesbury. Embora liderassem muito menos homens, os dois Alan o acossaram dia e noite, fazendo incursões em seus acampamentos, matando batedores, provocando incêndios em sua linha de marcha. Mais ao sul, o lorde Costayne havia partido de Três Torres para atacar o comboio de bagagem de Hightower. Para piorar, sua senhoria tinha recebido notícias de que um exército do mesmo tamanho do dele estava descendo sobre o Vago, liderado por Thaddeus Rowan, Senhor de Bosquedouro. O lorde Ormund então decidiu que não poderia prosseguir sem apoio de Porto Real. “Seus dragões são necessários”, escreveu ele.

Extremamente confiante nas próprias habilidades como guerreiro e no poder de sua dragão, Vhagar, Aemond estava ansioso para levar a batalha ao inimigo.

— A ameaça não é a vadia de Pedra do Dragão — disse ele. — Nem Rowan e esses traidores na Campina. O perigo é meu tio. Quando Daemon estiver morto, todos esses idiotas que estão ostentando a bandeira de minha irmã voltarão correndo para seus castelos e deixarão de nos importunar.

A leste da Baía da Água Negra, a rainha Rhaenyra também enfrentava problemas. A morte de seu filho Lucerys fora um golpe devastador para uma mulher já abalada pela gravidez, pelo parto e por um bebê natimorto. Quando chegou a Pedra do Dragão a notícia de que a princesa Rhaenys havia caído, foram trocadas palavras de raiva entre a rainha e o lorde Velaryon, que a culpava pela morte da esposa.

— Devia ter sido você — gritou o Serpente Marinha para Sua Graça. — Staunton chamou você, mas você mandou minha esposa responder e proibiu seus filhos de ir com ela.

Ao que constava para todo o castelo, os príncipes Jace e Joff estavam ansiosos para voar com a princesa Rhaenys em seus próprios dragões até Pouso de Gralhas.

"Só eu fui capaz de alegrar o coração de Sua Graça", alega Cogumelo em seu testemunho. "Nessa hora sombria, eu me tornei o conselheiro da rainha, deixando de lado meu cetro e chapéu pontudo de bobo para lhe proporcionar toda a minha sabedoria e compaixão. Além do conhecimento dos demais, era o bufão que regia sobre todos, um rei invisível de pantalonas."

São afirmações grandiosas para um homem pequeno, e que não foram corroboradas por nenhum de nossos outros cronistas, tampouco pelos fatos. Sua Graça não estava nem um pouco sozinha. Ainda lhe restavam quatro filhos vivos.

— Minha força e meu consolo — disse a rainha sobre eles.

Aegon mais novo, e Viserys, filhos do príncipe Daemon, tinham nove e sete anos, respectivamente. O príncipe Joffrey tinha apenas onze... mas Jacaerys, Príncipe de Pedra do Dragão, estava à beira do décimo quinto dia de seu nome, quando segundo todas as leis de Westeros ele se tornaria um homem-feito.

Foi Jace quem tomou a dianteira então, no final do ano 129 DC. Ciente da promessa feita à Donzela do Vale, ele mandou o príncipe Joffrey voar até Vila Gaivota com Tyraxes. Munkun sugere que o principal motivo para essa decisão foi o desejo de Jace de manter o irmão longe do combate. Isso não agradou Joffrey, que estava determinado a se provar em batalha. Foi apenas quando ouviu que estava sendo enviado para defender o Vale contra os dragões do rei Aegon que o irmão aceitou ir, com relutância. Rhaena, a filha de treze anos do príncipe Daemon com Laena Velaryon, foi escolhida para acompanhá-lo. Conhecida como Rhaena de Pentos, em referência à sua cidade natal, ela não possuía um dragão, pois seu filhote havia morrido alguns anos antes, mas levou três ovos consigo para o Vale, onde rezou todas as noites para que chocassem.

Baela, a irmã gêmea da senhorita Rhaena, permaneceu em Pedra do Dragão. Prometida ao príncipe Jacaerys havia muito tempo, ela se recusou a sair do seu lado, insistindo que lutaria junto dele com seu próprio dragão... embora Bailalua fosse pequeno demais para suportar seu peso. Ainda que Baela tivesse anunciado também a intenção de se casar imediatamente com Jace, nunca houve tal cerimônia. Munkun nos diz que o príncipe não desejava se casar antes do fim da guerra, enquanto Cogumelo alega que Jacaerys já estava casado com Sara Snow, a misteriosa bastarda de Winterfell.

O Príncipe de Pedra do Dragão também tomou medidas para a segurança de seus meios-irmãos, Aegon mais novo, e Viserys, de nove e sete anos. O pai deles, o príncipe Daemon, fizera muitos amigos em suas visitas à Cidade Livre de Pentos, então Jacaerys recorreu ao príncipe daquela cidade do outro lado do mar estreito, que aceitou abrigar os dois meninos até que Rhaenyra conquistasse o Trono de Ferro. Nos últimos dias de 129 DC, os jovens príncipes embarcaram na coca *Alegre Deleite* — Aegon com Tempestade, Viserys agarrado a seu ovo — e zarparam rumo a Essos. O Serpente Marinha enviou sete navios de guerra para atuar como escolta e conduzi-los até Pentos em segurança.

O príncipe Jacaerys logo se reaproximou do Senhor das Marés e o nomeou Mão da Rainha. Juntos, ele e o lorde Corlys começaram a planejar um ataque a Porto Real.

Como Sunfyre continuava em Pouso de Gralhas, ferido e incapaz de voar, e Tessarion estava com o príncipe Daeron em Vilavelha, havia apenas dois dragões maduros para defender Porto Real... e a cavaleira de Dreamfyre, a rainha Helaena, passava os dias na escuridão, chorando, e certamente não podia ser considerada uma ameaça. Com isso, restava apenas Vhagar. Nenhum dragão vivo era páreo para o tamanho e a ferocidade de Vhagar, mas o raciocínio de Jace foi que, se Vermax, Syrax e Caraxes avançassem contra Porto Real, nem "aquela velhota decadente" conseguiria resistir.

Cogumelo não tinha tanta certeza. "Três é mais do que um", o anão alega ter dito ao Príncipe de Pedra do Dragão, "mas quatro é mais do que três, e seis é mais do que quatro, até um bobo sabe." Quando Jace destacou que Tempestade nunca havia sido montado, que Bailalua era apenas um filhote e que Tyraxes estava longe, no Vale, com o príncipe Joffrey, e exigiu que Cogumelo dissesse onde ele propunha que fosse possível achar mais dragões, o anão diz que teria rido e respondido:

— Debaixo dos lençóis e no meio do mato, onde quer que vocês Targaryen tenham derramado sua semente de prata.

A Casa Targaryen havia governado Pedra do Dragão por mais de duzentos anos, desde que o lorde Aenar Targaryen chegara de Valíria com seus dragões. Embora sempre tenha existido o costume de casar irmão e irmã, primo e prima, o sangue da juventude é quente, e não era inédito que homens da casa buscassem prazer junto às filhas (e até mesmo às esposas) de seus súditos, a plebe que habitava os vilarejos sob o Monte Dragão, os lavradores das terras e os pescadores do mar. De fato, até o reinado de Jaehaerys, é possível que o antigo direito da primeira noite tenha sido invocado mais vezes em Pedra do Dragão do que em qualquer outro lugar nos Sete Reinos, embora a Boa Rainha Alysanne certamente teria ficado chocada de saber.

Ainda que a primeira noite fosse motivo de grande insatisfação em outras partes, como a rainha Alysanne havia constatado em suas audiências de mulheres, tal opinião não procedia em Pedra do Dragão, onde os Targaryen eram justamente considerados seres mais próximos dos deuses do que dos homens comuns. Ali, noivas agraciadas com tal bênção na noite do casamento eram alvo de inveja, e as crianças nascidas dessas uniões eram admiradas acima de todas as outras, pois os senhores de Pedra do Dragão costumavam celebrar esses nascimentos com ricos presentes de ouro e seda e terras para a mãe. Dizia-se que esses bastardos afortunados haviam "nascido da semente de dragão" e, com o tempo, vieram a ser conhecidos simplesmente como "sementes". Até mesmo após o fim do direito da primeira noite, alguns Targaryen continuaram se envolvendo com filhas de taberneiros ou esposas de pescadores, então havia sementes e filhos de sementes em abundância em Pedra do Dragão.

Foi a esses que o príncipe Jacaerys recorreu, por recomendação de seu bobo, jurando que qualquer homem que fosse capaz de domar um dragão seria agraciado com terras e riquezas e o título de cavaleiro. Seus filhos se tornariam nobres, suas filhas se casariam com senhores, e os próprios teriam a honra de lutar ao lado do Príncipe de Pedra do Dragão contra o usurpador Aegon II Targaryen e seus aliados traidores.

Nem todos os que atenderam ao chamado do príncipe eram sementes, ou sequer filhos ou netos de sementes. Vários cavaleiros já a serviço da rainha se ofereceram para domar dragões, incluindo o senhor comandante de sua Guarda da Rainha, sor Steffon Darklyn, bem como escudeiros, ajudantes de cozinha, marinheiros, homens de armas, saltimbancos, e duas criadas. Aos triunfos e às tragédias que se seguiram, Munkun deu o nome de "Semeadura" (creditando ao próprio Jacaerys a ideia, não a Cogumelo). Outros preferiam o termo "Semeação Vermelha".

O mais improvável desses pretensos domadores de dragão foi o próprio Cogumelo, cujo testemunho narra detalhadamente sua própria tentativa de montar a velha Asaprata, considerada a mais dócil dentre os dragões sem mestre. Em uma das histórias mais divertidas do anão, Cogumelo acaba correndo pelo pátio de Pedra do Dragão com o traseiro das pantalonas em chamas e quase se afogando ao pular em um poço para apagar o fogo. Improvável, sem dúvida... mas até que proporciona um momento cômico em uma situação pavorosa.

Dragões não são cavalos. Eles não aceitam com facilidade um homem em seu dorso e, quando se sentem irritados ou ameaçados, atacam. A *História verdadeira* de Munkun nos informa que dezesseis homens perderam a vida durante a Semeadura. O triplo dessa quantidade sofreu queimaduras ou mutilações. Steffon Darklyn morreu queimado enquanto tentava montar Fumaresia. O lorde Gormon Massey sofreu o mesmo destino quando se aproximou de Vermithor. Um homem chamado Denys Prateado, cujos cabelos e olhos davam credibilidade à sua afirmação de descender de um filho bastardo de Maegor, o Cruel, perdeu um braço para Roubovelha. Enquanto seus filhos se esforçavam para estancar a ferida, Canibal avançou contra eles, espantou Roubovelha e devorou pai e filhos.

Já Fumaresia, Vermithor e Asaprata estavam acostumados a pessoas e toleravam sua presença. Como já haviam sido montados, estavam mais dispostos a aceitar novos mestres. Vermithor, o dragão do próprio Velho Rei, curvou o pescoço para o bastardo de um ferreiro, um homem enorme chamado Hugh, o Martelo, ou Duro Hugh, enquanto um homem de armas de cabelos claros chamado Ulf, o Branco (por causa do cabelo), ou Ulf, o Ébrio (por causa da bebedeira), montou Asaprata, a amada dragão da Boa Rainha Alysanne. E Fumaresia, que levara Laenor Velaryon, aceitou em seu dorso um rapaz de quinze anos chamado Addam de Casco, cujas origens são discutidas até o dia de hoje entre os historiadores.

Addam e o irmão Alyn (um ano mais novo) haviam nascido de uma mulher chamada Marilda, que era uma filha jovem e bonita de um construtor naval. Figura constante nos estaleiros do pai, a menina era mais conhecida como Ratinha, pois era "pequena, rápida e sempre no caminho". Ainda tinha dezesseis anos quando deu à luz Addam, em 114 DC, e mal completara dezoito quando Alyn nasceu, em 115. Pequenos e rápidos como a mãe, esses bastardos de Casco tinham cabelos de prata e olhos violeta e logo demonstraram ter "sal marinho no sangue" também, crescendo no estaleiro do avô e saindo ao mar como grumetes antes dos oito anos de idade. Addam tinha dez e Alyn, nove quando a mãe deles herdou os estaleiros após a morte do pai, vendeu-os e usou o dinheiro para se lançar ao mar também como dona de uma coca mercantil batizada de *Ratinha*. Astuta como mercadora e audaciosa como capitã, em 130 DC Marilda de Casco já possuía sete navios, e seus filhos bastardos sempre serviam em um ou outro.

Para qualquer um que pusesse os olhos em Addam e Alyn, não havia dúvida de que os dois eram sementes de dragão, embora a mãe se recusasse categoricamente a dizer quem era o pai. Foi apenas quando o príncipe Jacaerys anunciou a busca por novos domadores de dragões que Marilda enfim rompeu o silêncio e declarou que os meninos eram filhos bastardos do falecido sor Laenor Velaryon.

Os dois se pareciam com ele, de fato, e sabia-se que sor Laenor visitara o estaleiro de Casco de tempos em tempos. No entanto, havia muitos em Pedra do Dragão e Derivamarca que encaravam com ceticismo a alegação de Marilda, pois era notório o desinteresse de Laenor Velaryon por mulheres. Porém, ninguém se atreveu a acusá-la de mentirosa... pois foi o próprio pai de Laenor, o lorde Corlys em pessoa, que levou os rapazes ao príncipe Jacaerys para a Semeadura. Depois de enterrar todos os filhos e sofrer a traição dos sobrinhos e primos, o Serpente Marinha parecia mais do que disposto a aceitar esses netos recém-descobertos. E, quando Addam de

Casco montou Fumaresia, o dragão de Laenor, o feito pareceu atestar a veracidade da alegação de sua mãe.

Portanto, não deve causar surpresa alguma que tanto o grande meistre Munkun quanto o septão Eustace afirmem inequivocamente a ascendência de sor Laenor... mas Cogumelo, como sempre, discorda. Em seu testemunho, o bobo oferece a sugestão de que "os ratinhos" tenham sido concebidos não pelo filho do Serpente Marinha, mas pelo próprio Serpente Marinha. Ele ressalta que o lorde Corlys não partilhava das inclinações eróticas de sor Laenor e que os estaleiros de Casco eram um segundo lar para ele, enquanto seu filho os visitava com menos frequência. Segundo Cogumelo, a princesa Rhaenys, esposa dele, tinha o temperamento ígneo de muitos Targaryen e não teria recebido bem a notícia de o senhor seu marido ter gerado bastardos com uma menina da metade de sua idade, e ainda por cima filha de um construtor naval. Assim, sua senhoria tivera a prudência de encerrar seu "caso de estaleiro" com Ratinha após o nascimento de Alyn e exigir que ela mantivesse os meninos longe da corte. Foi apenas com a morte da princesa Rhaenys que o lorde Corlys enfim se sentiu livre para apresentar os bastardos em segurança.

Neste caso, convém dizer, o relato do bobo parece mais provável que as versões oferecidas pelo septão e pelo meistre. Decerto havia muitos na corte da rainha Rhaenyra que nutriam a mesma suspeita. Se for esse o caso, eles contiveram a língua. Pouco após Addam de Casco se revelar capaz de voar com Fumaresia, o lorde Corlys chegou inclusive a solicitar que a rainha Rhaenyra removesse dele e do irmão a mácula de bastardia. Quando o príncipe Jacaerys acrescentou sua própria voz ao pedido, a rainha atendeu. Addam de Casco, semente de dragão e bastardo, tornou-se Addam Velaryon, herdeiro de Derivamarca.

Contudo, não foi esse o fim da Semeação Vermelha. Havia mais, e pior, ainda por vir, com graves consequências para os Sete Reinos.

Era menos fácil reivindicar os três dragões selvagens de Pedra do Dragão do que os que já haviam tido cavaleiros, mas ainda assim houve tentativas. Roubovelha, um dragão "cor de barro" distintamente feio, nascido quando o Velho Rei ainda era jovem, apreciava carne de carneiro e atacava rebanhos desde Derivamarca até o Guaquevai. Ele raramente feria os pastores, a menos que alguém tentasse interferir, mas chegou a devorar um ou outro cão pastor. Fantasma Cinza residia em uma chaminé fumegante no alto do lado oriental do Monte Dragão, preferia peixes e era visto com mais frequência voando baixo sobre o mar estreito, capturando suas presas na água. Um animal cinza-claro e branco, da cor das brumas matinais, era um dragão notoriamente tímido que passava anos longe de homens e suas atividades.

O maior e mais velho dos dragões selvagens era Canibal, chamado assim porque se sabia que ele se alimentava da carcaça de dragões mortos e atacava os ninhos de Pedra do Dragão para se saciar com filhotes recém-nascidos e ovos. Negro como carvão e com olhos de um verde doentio, havia quem dissesse que o Canibal fizera seu covil em Pedra do Dragão antes mesmo da vinda dos Targaryen. (Tanto o grande meistre Munkun quanto o septão Eustace acham essa história extremamente improvável, assim como eu.) Houve uma dúzia de pretensos domadores de dragões que tentaram montá-lo; seu covil estava coberto com os ossos deles.

Nenhuma das sementes de dragão teve a insensatez de perturbar Canibal (qualquer um que tentasse não voltava para contar história). Alguns procuraram Fantasma Cinza, mas não conseguiram encontrá-lo, pois ele era uma criatura muito arredia. Roubovelha foi mais fácil de atrair, mas ele ainda era um animal feroz e furioso e matou mais sementes do que três "dragões de castelo" juntos. Um que pretendia domá-lo (após não ter sucesso em sua busca por Fantasma Cinza) era Alyn de Casco. Roubovelha não quis saber. Quando Alyn saiu correndo do covil do dragão com o manto em chamas, foi apenas a reação rápida do irmão que lhe salvou a vida. Fumaresia afugentou o dragão selvagem enquanto Addam usava o próprio manto para abafar o fogo. Alyn Velaryon levaria as cicatrizes do encontro nas costas e nas pernas pelo resto de sua longa vida. No entanto, ele se considerava afortunado, pois viveu. Várias outras sementes ou aspirantes que pretenderam voar no dorso de Roubovelha acabaram indo parar na barriga do dragão.

No final, o dragão marrom foi apaziguado graças à astúcia e persistência de uma "pequena menina morena" de dezesseis anos, que lhe levou um carneiro recém-abatido todas as manhãs até Roubovelha aprender a aceitá-la e esperá-la. Munkun registra que o nome dessa improvável domadora de dragão era Urtigas. Cogumelo nos informa que era uma bastarda de pais desconhecidos chamada Urti, filha de uma prostituta do cais. Qualquer que fosse seu nome, a menina tinha cabelos negros, olhos castanhos e pele marrom, era magra, desbocada, destemida... e foi a primeira e única cavaleira do dragão Roubovelha.

E assim o príncipe Jacaerys atingiu seu objetivo. Apesar de todas as mortes e dores, das viúvas que ficaram para trás, dos homens queimados que levariam para o resto da vida suas cicatrizes, foram encontrados quatro novos domadores de dragões. Conforme o fim de 129 DC se aproximava, o príncipe se preparou para levantar voo contra Porto Real. A data que ele escolheu para o ataque foi a primeira lua cheia do novo ano.

No entanto, os planos dos homens são meros brinquedos para os deuses. Afinal, enquanto Jace preparava seus planos, uma nova ameaça emergia no Oriente. Os projetos de Otto Hightower haviam produzido frutos; reunido em Tyrosh, o Alto Conselho da Triarquia aceitara a proposta de aliança dele. Os navios de guerra de Shakaro zarparam dos Degraus sob a bandeira das Três Filhas, brandindo os remos rumo à Goela... e, por acaso e pela determinação dos deuses, a coca pentoshi *Alegre Deleite*, que transportava dois príncipes Targaryen, navegou diretamente para suas garras.

Os navios enviados de escolta para proteger a coca foram afundados ou tomados, e a *Alegre Deleite*, capturada. A notícia só chegou a Pedra do Dragão quando o príncipe Aegon apareceu pendurando-se desesperadamente do pescoço de seu dragão, Tempestade. O menino estava pálido de medo, segundo Cogumelo, tremendo como uma folha e fedendo a urina. Com apenas nove anos, ele nunca havia voado antes... e jamais voltaria a voar, pois Tempestade sofrera ferimentos terríveis ao fugir da *Alegre Deleite*, chegando com inúmeras hastes de flechas cravadas na barriga e um dardo de balista atravessado no pescoço. Ele morreu uma hora depois, sibilando conforme seus ferimentos jorravam sangue negro e quente e exalavam fumaça.

O príncipe Viserys, irmão mais novo de Aegon, não tinha como fugir da coca. Esperto, o menino escondeu seu ovo de dragão e vestiu roupas esfarrapadas e manchadas de sal, fingindo ser apenas um grumete comum, mas um dos grumetes verdadeiros do navio o traiu, e ele foi apreendido. Segundo Munkun, foi um capitão tyroshi o primeiro a perceber o que tinha capturado, mas o almirante da frota, Sharako Lohar de Lys, logo tomou o prêmio para si.

O almirante lyseno dividiu sua frota para o ataque. Uma ponta entraria na Goela ao sul de Pedra do Dragão e a outra, ao norte. Nas primeiras horas do quinto dia do ano 130 desde a Conquista de Aegon, a batalha começou. Os navios de Sharako avançaram à frente do sol que surgia acima do horizonte. Ocultos pela ofuscação da luz, eles pegaram de surpresa muitas das galés do lorde Velaryon, abalroando algumas e atacando outras com cordas e ganchos. Ignorando Pedra do Dragão, a esquadra do sul avançou sobre o litoral de Derivamarca, desembarcando homens em Vila Especiaria e enviando navios incendiários pela enseada para atear fogo nos navios que saíssem para enfrentá-los. No meio da manhã, Vila Especiaria já estava em chamas, enquanto homens de armas de Myr e Tyrosh batiam à porta de Maré Alta.

Quando o príncipe Jacaerys chegou com Vermax e se abateu sobre uma fileira de galés lysenas, uma chuva de lanças e flechas subiu para recebê-lo. Os marinheiros da Triarquia já haviam enfrentado dragões antes, quando combateram o príncipe Daemon nos Degraus. Ninguém poderia criticá-los por falta de coragem; eles estavam preparados para enfrentar o fogo de dragão com as armas de que dispunham.

— Matem o cavaleiro, e o dragão vai embora — foi o que disseram os capitães e comandantes.

Um navio pegou fogo, e mais outro. Ainda assim os homens das Cidades Livres lutaram... até que um grito ecoou, e todos olharam para o céu e viram mais vultos alados vindo do Monte Dragão.

Uma coisa é enfrentar um dragão, e outra é enfrentar cinco. Quando Asaprata, Roubovelha, Fumaresia e Vermithor se abateram sobre eles, os homens da Triarquia sentiram a coragem abandoná-los. A fileira de navios se desfez, conforme uma galé após a outra tentava fugir. Os dragões pareciam relâmpagos, cuspindo bolas de fogo, de cor azul e laranja, vermelho e dourado, uma mais luminosa que a outra. Navio após navio explodiu em pedaços ou foi consumido pelas labaredas. Homens aos berros pularam ao mar, envoltos em chamas. Enormes colunas de fumaça negra se ergueram acima da água. Tudo parecia perdido... tudo *estava* perdido...

Mais tarde houve várias histórias diferentes para descrever como e por que o dragão caiu. Alguns afirmavam que um besteiro acertou um dardo de ferro no olho dele, mas essa versão parece estranhamente similar ao modo como Meraxes pereceu, muito tempo antes, em Dorne. Segundo outro relato, um marinheiro no cesto da gávea de uma galé myriana arremessou um gancho quando Vermax fez um rasante acima da frota. Uma ponta se prendeu entre duas escamas e foi enterrada pela velocidade considerável do próprio dragão. O marinheiro havia enrolado a ponta da corrente no mastro, e o peso do navio combinado à força das asas de Vermax abriu um rasgo longo na barriga do dragão. O berro furioso se ouviu até em Vila Especiaria, mesmo com todos os ruídos da batalha. O voo foi interrompido com violência, e Vermax caiu fumegando e rugindo, debatendo-se na água. Os sobreviventes dizem que ele tentou se erguer, mas caiu de cabeça em uma galé incendiada. A madeira se estilhaçou, o mastro caiu, e o dragão, se sacudindo, ficou preso no cordame. Quando o navio adernou e afundou, Vermax afundou junto.

Dizem que Jacaerys Velaryon pulou de cima do dragão e se agarrou a um destroço fumegante por alguns instantes, até que alguns besteiros no navio myriano mais próximo começaram a disparar setas em sua direção. O príncipe foi atingido uma vez, e outra. Mais e mais homens de Myr apontaram suas bestas. Por fim, uma seta lhe atravessou o pescoço, e Jace foi engolido pelo mar.

A Batalha da Goela prosseguiu noite adentro ao norte e ao sul de Pedra do Dragão e é até hoje uma das batalhas navais mais sangrentas de toda a história. Sharako Lohar havia saído dos Degraus com uma frota composta por noventa navios de Myr, Lys e Tyrosh; vinte e oito sobreviveram para se arrastar de volta para casa, dos quais todos salvo três eram lysenos. Posteriormente, as viúvas de Myr e Tyrosh acusaram o almirante de enviar as outras frotas para serem destruídas e poupar a própria, marcando o início da briga que levaria ao fim da Triarquia dois anos mais tarde, quando as três cidades se voltaram umas contra as outras na Guerra das Filhas. Mas isso foge ao escopo de nossa história.

Embora tivesse passado direto por Pedra do Dragão, sem dúvida com a crença de que a ancestral base Targaryen seria forte demais para sofrer um ataque, a frota invasora causou sérios danos a Derivamarca. Vila Especiaria sofreu um saque brutal, suas construções foram incendiadas e, nas ruas da cidade, homens, mulheres e crianças foram assassinados e seus corpos, abandonados para as gaivotas, os ratos e os corvos. A cidade jamais seria reconstruída. Maré Alta também foi incendiada. Todos os tesouros que o Serpente Marinha havia trazido do Leste foram consumidos pelas chamas, e seus servos, abatidos enquanto tentavam fugir do fogo. A frota Velaryon perdeu quase um terço do poderio. Milhares de pessoas morreram. Contudo, nada foi tão dramático quanto a perda de Jacaerys Velaryon, Príncipe de Pedra do Dragão e herdeiro do Trono de Ferro.

O filho mais jovem de Rhaenyra também parecia ter sido perdido. Na confusão da batalha, nenhum dos sobreviventes sabia ao certo em qual navio o príncipe Viserys estava. Pessoas dos dois lados supuseram que ele havia morrido afogado ou queimado ou abatido. E, embora seu irmão, Aegon mais novo, tenha conseguido fugir e sobreviver, o menino havia perdido toda a alegria; ele jamais se perdoaria por saltar sobre Tempestade e abandonar seu irmão mais novo para o inimigo. Está escrito que, quando o Serpente Marinha recebeu os parabéns pela vitória, o velho disse:

— Se isso é uma vitória, rezo para nunca mais vencer.

Cogumelo afirma que dois homens em Pedra do Dragão naquela noite brindaram à chacina em uma taberna fumacenta sob o castelo: os domadores de dragão Hugh, o Martelo, e Ulf, o Branco, que tinham levado Vermithor e Asaprata para a batalha e sobreviveram para se gabar depois.

— Nós somos cavaleiros agora, de fato — alardeou Duro Hugh.

Ulf deu risada e respondeu:

— Uma ova. Devíamos ser senhores.

A menina Urtigas não partilhou da comemoração. Ela voara com os outros, lutara de forma igualmente corajosa, queimara e matara tantos quanto eles, mas seu rosto estava preto de fumaça e manchado de lágrimas quando ela voltou a Pedra do Dragão. E Addam Velaryon, antes conhecido como Addam de Casco, buscou o Serpente Marinha depois da batalha; o que eles conversaram nem mesmo Cogumelo nos diz.

Uma quinzena depois, na Campina, Ormund Hightower se viu cercado por dois exércitos. Thaddeus Rowan, Senhor de Bosquedouro, e Tom Flowers, Bastardo de Ponteamarga, se aproximavam desde o nordeste com uma vasta força de cavaleiros montados, enquanto sor Alan Beesbury, o lorde Alan Tarly e o lorde Owen Costayne haviam se juntado a eles para bloquear sua retirada para Vilavelha. Quando os exércitos se fecharam em torno dele às margens do rio Vinhomel, atacando simultaneamente na dianteira e na retaguarda, o lorde Hightower viu suas fileiras se esfacelarem. A derrota parecia iminente... até que uma sombra correu sobre o campo de batalha, e um rugido terrível ressoou pelo céu, rasgando o som de aço contra aço. Um dragão havia chegado.

O dragão era Tessarion, a Rainha Azul, de cobalto e cobre. Em seu dorso vinha o mais jovem dos três filhos da rainha Alicent: Daeron Targaryen, quinze anos, escudeiro do lorde Ormund, o mesmo rapaz delicado e calmo que fora irmão de leite do príncipe Jacaerys.

A chegada do príncipe Daeron e sua dragão inverteu a maré da batalha. Agora eram os homens do lorde Ormund que atacavam, bradando maldições contra seus inimigos, enquanto os homens da rainha fugiam. Ao fim do dia, o lorde Rowan recuava para o norte com o que restava de suas forças, Tom Flowers jazia morto, queimado, em meio aos juncos, os dois Alan eram prisioneiros, e o lorde Costayne morria com um ferimento provocado pela espada negra de Ousado Jon Roxton, a Fazedora de Órfãos. Enquanto lobos e corvos se alimentavam com os cadáveres, Ormund Hightower ofereceu ao príncipe Daeron um banquete de auroques e vinho forte e o armou cavaleiro com a renomada espada longa valiriana Vigilância, chamando-o de "sor Daeron, o Audaz". O modesto príncipe respondeu:

— É gentileza do senhor, mas a vitória pertence a Tessarion.

Em Pedra do Dragão, um sentimento de prostração e derrota se espalhou sobre a corte preta quando veio a notícia do desastre no Vinhomel. O lorde Bar Emmon chegou inclusive a sugerir que talvez fosse o momento de dobrar o joelho para Aegon II. No entanto, a rainha não quis saber. Apenas os deuses conhecem de fato o coração dos homens, e as mulheres são igualmente estranhas. Arrasada pela perda de um filho, Rhaenyra Targaryen aparentemente encontrou novas forças após a perda de outro. A morte de Jace a endurecera, incinerando seus medos e deixando apenas fúria e ódio. Ainda em posse de mais dragões que o meio-irmão, Sua Graça estava determinada a usá-los agora, a qualquer custo. Ela anunciou a seu conselho preto que despejaria fogo e destruição sobre Aegon e todos os seus aliados até arrancá-lo do Trono de Ferro ou morrer tentando.

Um espírito igualmente determinado havia se formado do outro lado da baía no peito de Aemond Targaryen, que governava em nome do irmão enquanto Aegon se recuperava. Tomado de desdém pela meia-irmã Rhaenyra, Aemond Caolho via uma ameaça mais grave no tio, o príncipe Daemon, e no vasto exército que ele tinha reunido em Harrenhal. Após convocar seus vassalos e o conselho, o príncipe anunciou sua intenção de levar a batalha ao tio e castigar os senhores rebeldes das terras fluviais.

Ele propôs um ataque às terras fluviais a partir do leste e do oeste, obrigando assim os senhores do Tridente a combater em duas frentes ao mesmo tempo. Jason Lannister havia formado uma hoste formidável nas colinas ocidentais; mil cavaleiros com armadura e sete mil arqueiros e homens de armas. Ele desceria do terreno elevado e atravessaria o Ramo Vermelho com fogo e espada, enquanto sor Criston Cole marcharia desde Porto Real, acompanhado pelo próprio príncipe Aemond e Vhagar. Os dois exércitos se encontrariam em Harrenhal para esmagar os "traidores do Tridente". E, se seu tio saísse de trás das muralhas do castelo para enfrentá-los, como decerto faria, Vhagar derrotaria Caraxes, e o príncipe Aemond voltaria à cidade com a cabeça do príncipe Daemon.

Nem todos os integrantes do conselho verde aprovavam o gesto ousado do príncipe. Aemond tinha o apoio de sor Criston Cole, a Mão, e de sor Tyland Lannister, mas o grande meistre Orwyle o instou a enviar uma mensagem a Ponta Tempestade e convocar as forças da Casa Baratheon antes de partir, e Barra de Ferro, o lorde Jasper Wylde, declarou que ele devia convocar o lorde Hightower e o príncipe Daeron do Sul, com o argumento de que "dois dragões são melhores que um". A rainha viúva também defendia cautela, insistindo para que o filho esperasse até seu irmão, o rei, e o dragão Sunfyre, o Dourado, se recuperarem, para que pudessem participar do ataque.

Contudo, o príncipe Aemond não tinha interesse em protelar. Ele declarou que não precisava dos irmãos ou de seus dragões; Aegon estava muito ferido, e Daeron era jovem demais. Sim, Caraxes era uma fera temível, selvagem e astuta e experiente... mas Vhagar era mais velha, mais feroz, e duas vezes maior. O septão Eustace nos diz que o Assassino de Parentes estava determinado a tomar para si a vitória; não pretendia compartilhar a glória com os irmãos, nem com mais ninguém.

E não havia como impedi-lo, pois, enquanto Aegon II não saísse da cama e voltasse a empunhar sua espada, a regência e o poder pertenciam a Aemond. Fiel à decisão, o príncipe partiu do Portão dos Deuses uma quinzena depois, à frente de um exército de quatro mil homens.

— Dezesseis dias de marcha até Harrenhal — proclamou ele. — No décimo sétimo, celebraremos um banquete no salão do Harren Negro, enquanto a cabeça de meu tio nos observa do alto da minha lança.

Do outro lado do reino, obediente à ordem dele, Jason Lannister, Senhor de Rochedo Casterly, desceu das colinas ocidentais, trazendo todas as suas forças ao Ramo

Vermelho e ao coração das terras fluviais. Os senhores do Tridente foram obrigados a sair ao seu encontro.

Daemon Targaryen era um guerreiro velho e experiente demais para aguardar sentado e se permitir ser encurralado atrás de uma muralha, mesmo que fossem as muralhas colossais de Harrenhal. O príncipe ainda tinha amigos em Porto Real, e as notícias dos planos de seu sobrinho chegaram antes mesmo que Aemond houvesse partido. Quando soube que Aemond e sor Criston Cole tinham saído de Porto Real, dizem que o príncipe Daemon deu risada e respondeu "até que enfim", pois já fazia muito tempo que ele previra esse momento. Uma revoada de corvos partiu das torres retorcidas de Harrenhal.

No Ramo Vermelho, o lorde Jason Lannister se viu diante do Senhor de Donzelarrosa, o velho Petyr Piper, e do Senhor de Pouso do Viajante, Tristan Vance. Embora os homens das terras ocidentais estivessem em número maior que o inimigo, os senhores fluviais conheciam o terreno. Três vezes os Lannister tentaram fazer a travessia, e três vezes foram rechaçados; na última tentativa, o lorde Jason sofreu um golpe fatal pelas mãos de um experiente escudeiro, Pate de Folhalonga. (O próprio lorde Piper o armaria cavaleiro mais tarde, chamando-o de Folhalonga, Matador de Leões.) Mas o quarto ataque dos Lannister teve sucesso; dessa vez, foi o lorde Vance quem tombou, morto por sor Adrian Tarbeck, que havia assumido o comando do exército ocidental. Tarbeck e cem cavaleiros escolhidos tiraram suas pesadas armaduras e atravessaram o rio a nado longe da batalha e, depois, cercaram a hoste do lorde Vance para atacá-los por trás. As fileiras dos senhores fluviais se desintegraram, e os homens das terras ocidentais atravessaram o Ramo Vermelho aos milhares.

Enquanto isso, sem conhecimento do moribundo lorde Jason e seus vassalos, frotas de dracares das Ilhas de Ferro chegaram ao litoral dos domínios dos Lannister, sob a liderança de Dalton Greyjoy de Pyke. Cortejado pelos dois pretendentes ao Trono de Ferro, o Lula-Gigante Vermelha havia tomado sua decisão. Seus homens de ferro jamais seriam capazes de tomar Rochedo Casterly, pois a senhorita Johanna havia bloqueado os portões, mas eles tomaram três quartos das embarcações no porto, afundaram o resto e invadiram as muralhas de Lannisporto para saquear a cidade e fugir com uma vasta fortuna e mais de seiscentas mulheres e meninas, incluindo a amante preferida do lorde Jason e suas filhas bastardas.

Já do outro lado do reino, o lorde Walys Mooton liderou cem cavaleiros de Lagoa da Donzela para se juntar aos semibárbaros Crabb e Brune de Ponta da Garra Rachada e aos Celtigar de Ilha da Garra. Eles correram por pinheirais e colinas encobertas até Pouso de Gralhas, onde seu surgimento repentino surpreendeu a guarnição. Após reconquistar o castelo, o lorde Mooton saiu com seus homens mais corajosos ao campo de cinzas ao oeste do castelo para pôr um fim ao dragão Sunfyre.

Os pretensos matadores de dragão expulsaram com facilidade o grupo de guardas que havia sido deixado para alimentar, servir e proteger o dragão, mas o próprio

Sunfyre se revelou mais formidável do que o esperado. Dragões são criaturas desajeitadas no solo, e, devido à asa avariada, o grande monstro dourado era incapaz de levantar voo. Os agressores esperavam encontrar a criatura à beira da morte. No entanto, ele estava dormindo, mas o choque das espadas e o estrondo dos cavalos logo o despertou, e a primeira lança que o atingiu o enfureceu. Sujo de lama, retorcendo-se entre os ossos de inúmeras ovelhas, Sunfyre se retorceu e se enroscou como uma serpente, agitando a cauda, arremessando jatos de fogo dourado contra seus agressores, enquanto lutava para voar. Três vezes ele saltou, e três vezes ele caiu de volta ao chão. Os homens de Mooton o cercaram com espadas e lanças e machados, infligindo muitos ferimentos terríveis... no entanto, parecia que cada golpe apenas servia para deixá-lo mais irado ainda. Os mortos já chegavam a três vintenas quando os sobreviventes fugiram.

Entre os mortos estava Walys Mooton, Senhor de Lagoa da Donzela. Quando seu corpo foi encontrado uma quinzena depois, por seu irmão Manfryd, nada restava além de carne queimada dentro de armadura derretida, cheia de vermes. Porém, em lugar algum naquele campo de cinzas, coberto dos corpos de homens valentes e carcaças carbonizadas e inchadas de cem cavalos, o lorde Manfryd viu o dragão do rei Aegon. Sunfyre tinha desaparecido. E tampouco havia rastros, o que deveria existir se o dragão tivesse se arrastado. Sunfyre, o Dourado, voara de novo, aparentemente... mas homem algum saberia dizer para onde ele fora.

Enquanto isso, o próprio príncipe Daemon Targaryen rumou ao sul nas asas de seu dragão, Caraxes. Voando acima da costa ocidental do Olho de Deus, longe da linha de marcha de sor Criston, ele evitou o exército inimigo, atravessou a Água Negra e virou à direita, seguindo a corrente do rio até Porto Real. E, em Pedra do Dragão, Rhaenyra Targaryen vestiu uma armadura de lustrosas placas negras, montou Syrax e alçou voo conforme uma tempestade fustigava as águas da Baía da Água Negra. No céu acima da cidade, a rainha e seu príncipe consorte se encontraram, voando em círculos sobre a Colina de Aegon.

Ao avistá-los, o povo das ruas abaixo foi tomado de terror, pois logo percebeu que o temido ataque finalmente havia chegado. O príncipe Aemond e sor Criston tinham privado Porto Real de seus defensores quando partiram para reconquistar Harrenhal... e o Assassino de Parentes levara Vhagar, aquela fera assustadora, deixando apenas Dreamfyre e um punhado de filhotes pequenos para resistir aos dragões da rainha. Os dragões jovens nunca haviam sido montados, e a rainha Helaena, cavaleira de Dreamfyre, era uma mulher devastada; era como se a cidade não tivesse dragão algum.

O povo saiu aos milhares pelos portões da cidade, levando consigo seus filhos e bens materiais, para se abrigar no campo. Outras pessoas cavaram poços e túneis sob suas moradas, buracos escuros e úmidos onde esperavam se esconder enquanto a cidade ardia (o grande meistre nos diz que grande parte das passagens secretas e dos porões clandestinos que existem sob Porto Real datam dessa época). Uma revolta

estourou na Baixada das Pulgas. Quando as velas do Serpente Marinha foram avistadas ao leste na Baía da Água Negra, navegando em direção ao rio, todos os septos da cidade começaram a tocar seus sinos, e turbas tomaram as ruas da cidade e saquearam tudo que havia pelo caminho. Dezenas morreram até que os mantos dourados conseguissem restabelecer a paz.

Com a ausência do Senhor Protetor e da Mão do Rei, e o próprio rei Aegon confinado à cama, queimado, imerso em sonhos de papoula, coube à mãe dele, a rainha viúva, cuidar das defesas da cidade. A rainha Alicent não perdeu tempo, fechando os portões do castelo e da cidade, mandando os mantos dourados às muralhas e enviando mensageiros com cavalos rápidos para buscar o príncipe Aemond.

E ela deu ordem também para que o grande meistre Orwyle enviasse corvos a "todos os nossos senhores leais" e os convocasse a defender o legítimo rei. Contudo, quando Orwyle correu para seus aposentos, viu-se diante de quatro mantos dourados. Um homem abafou seus gritos enquanto os outros o espancavam e amarravam. Com um saco sobre a cabeça, o grande meistre foi levado até as celas escuras das masmorras.

Os mensageiros da rainha Alicent não passaram dos portões, onde outros mantos dourados os apreenderam. Sua Graça não sabia, mas os sete capitães que comandavam os portões, escolhidos por sua lealdade ao rei Aegon, haviam sido presos ou mortos no instante em que Caraxes apareceu no céu acima da Fortaleza Vermelha... pois o baixo escalão da Patrulha da Cidade ainda amava Daemon Targaryen, o Príncipe da Cidade que os comandara no passado.

Sor Gwayne Hightower, irmão da rainha Alicent e segundo em comando dos mantos dourados, correu até o estábulo para soar o alarme, mas foi capturado, desarmado e levado até seu comandante, Luthor Largent. Quando Hightower o acusou de vira-manto, sor Luthor riu.

— Daemon nos deu estes mantos — disse ele —, e eles são dourados por dentro e por fora.

Ele então enfiou a espada na barriga de Gwayne e deu ordem para que os portões da cidade fossem abertos para os homens que estavam desembarcando dos navios do Serpente Marinha.

Apesar de toda a suposta força de suas muralhas, Porto Real caiu em menos de um dia. Houve um confronto breve e sangrento no Portão do Rio, onde treze cavaleiros de Hightower e cem homens de armas rechaçaram os mantos dourados e resistiram durante quase oito horas aos ataques tanto de dentro quanto de fora da cidade, mas o gesto heroico foi em vão, pois os soldados de Rhaenyra entraram incontestes pelos outros seis portões. A visão dos dragões da rainha no céu acima extinguiu o moral da oposição, e os últimos legalistas do rei Aegon se esconderam, fugiram ou se renderam.

Um a um, os dragões desceram. Roubovelha pousou no topo da Colina de Visenya, e Asaprata e Vermithor, na Colina de Rhaenys, diante do Fosso dos Dragões. O príncipe Daemon contornou as torres da Fortaleza Vermelha antes de descer com Caraxes no pátio externo. Foi somente quando teve certeza de que os defensores não representavam perigo que ele gesticulou para sua esposa, a rainha, descer com Syrax. Addam Velaryon continuou no ar, voando com Fumaresia em torno das muralhas da cidade, e as batidas das grandes asas finas de seu dragão eram uma advertência a todos no chão de que qualquer sinal de rebeldia seria respondido com fogo.

Ao ver que resistir era inútil, a rainha viúva Alicent saiu da Fortaleza de Maegor com o pai, sor Otto Hightower, sor Tyland Lannister, e o lorde Jasper Wylde, o Barra de Ferro. (O lorde Larys Strong não os acompanhava. De alguma forma, o mestre dos sussurros conseguira desaparecer.) O septão Eustace, testemunha do que se seguiu, nos diz que a rainha Alicent tentou negociar com a enteada.

— Vamos convocar um grande conselho, como o Velho Rei fez antigamente — disse a rainha viúva —, e apresentar a questão da sucessão diante dos senhores do reino.

Mas a rainha Rhaenyra descartou a proposta com desdém.

— Você está me tomando por Cogumelo? — perguntou ela. — Nós duas sabemos qual seria a decisão desse conselho. — Ela então obrigou a madrasta a escolher: rendição ou fogo.

Abaixando a cabeça, derrotada, a rainha Alicent entregou as chaves do castelo e deu ordem para que seus cavaleiros e homens de armas baixassem as espadas.

— A cidade é sua, princesa — teria respondido ela —, mas você não a controlará por muito tempo. Os ratos fazem festa quando o gato se ausenta, mas meu filho Aemond voltará com fogo e sangue.

Os homens de Rhaenyra encontraram a esposa de seu rival, a rainha louca Helaena, trancada no quarto... mas, quando derrubaram as portas dos aposentos do rei, descobriram apenas "a cama dele vazia, e o penico, cheio". Aegon II tinha fugido. E também fugiram seus filhos, a princesa Jaehaera, de seis anos, e o príncipe Maelor, de dois, junto com Willis Fell e Rickard Thorne da Guarda Real. Nem mesmo a rainha viúva parecia saber aonde tinham ido, e Luthor Largent jurou que nenhum deles havia passado pelos portões da cidade.

Contudo, era impossível fazer desaparecer o Trono de Ferro. E a rainha Rhaenyra tampouco dormiria sem reivindicar para si o assento de seu pai. Então foram acesas as tochas da sala do trono, e a rainha subiu os degraus de ferro e se sentou onde antes se sentara o rei Viserys, e antes dele o Velho Rei, e Maegor e Aenys e Aegon, o Dragão, nos dias de outrora. Com uma expressão séria, e ainda de armadura, ela ocupou aquele assento alto enquanto todo homem e toda mulher da Fortaleza Real era levado diante dela e obrigado a se ajoelhar, suplicar perdão e jurar dar a vida e a espada e a honra por ela, sua rainha.

Segundo o septão Eustace, a cerimônia se estendeu por toda aquela noite. Já passava da alvorada quando Rhaenyra Targaryen se levantou e desceu os degraus. "E, conforme o senhor seu marido, o príncipe Daemon, a acompanhava para fora do salão, era possível ver cortes nas pernas e na palma da mão esquerda de Sua Graça", escreveu Eustace. "Gotas de sangue caíam ao chão por onde ela passava, e homens sábios trocaram olhares, embora ninguém se atrevesse a dizer a verdade em voz alta: o Trono de Ferro a rejeitara, e seus dias nele seriam breves."

# A morte dos dragões

## Rhaenyra triunfante

Enquanto Porto Real caía diante de Rhaenyra Targaryen e seus dragões, o príncipe Aemond e sor Criston Cole avançavam contra Harrenhal e as tropas Lannister se aproximavam do oeste sob o comando de Adrian Tarbeck.

Em Solar de Bolotas, os homens das terras ocidentais foram interrompidos brevemente quando o lorde Joseth Smallwood saiu para se juntar ao lorde Piper e os remanescentes de seu exército derrotado, mas Piper morreu na batalha que se seguiu (quando, segundo Cogumelo, seu coração estourou ao ver a cabeça de seu neto preferido na ponta de uma lança), e Smallwood recuou para dentro de seu castelo. Houve uma segunda batalha três dias depois, quando os homens das terras fluviais se reagruparam sob o comando de um cavaleiro andante chamado sor Harry Penny. Esse improvável herói morreu pouco depois, ao mesmo tempo que matou Adrian Tarbeck. Mais uma vez os Lannister venceram, aniquilando os homens das terras fluviais em fuga. Quando o exército ocidental retomou a marcha a Harrenhal, foi sob o comando do idoso lorde Humfrey Lefford, que sofrera tantos ferimentos que precisava dar suas ordens de dentro de uma liteira.

O que o lorde Lefford nem desconfiava era que logo ele se veria diante de um teste mais difícil, pois um novo exército avançava contra eles a partir do Norte: dois mil bárbaros nortenhos, sob o estandarte esquartelado da rainha Rhaenyra. À frente deles vinha o Senhor de Vila Acidentada, Roderick Dustin, um guerreiro tão idoso e grisalho que os homens o chamavam de Roddy Ruína. Seu exército era composto de velhos de barba cinzenta, cota de malha antiga e andrajos de couro, todos guerreiros experientes, todos a cavalo. Eles se chamavam Lobos de Inverno.

— Viemos morrer pela rainha dragão — anunciou o lorde Roderick nas Gêmeas, quando a senhora Sabitha Frey saiu para recebê-los.

Enquanto isso, estradas lamacentas e tempestades atrapalhavam o avanço de Aemond, pois seu exército era composto principalmente de homens a pé, com um extenso comboio de bagagem. A vanguarda de sor Criston venceu uma batalha rápida e brutal contra sor Oswald Wode e os lordes Darry e Roote à margem do lago, mas não enfrentou mais nenhuma resistência. Após dezenove dias de marcha, eles chegaram a Harrenhal... e encontraram os portões do castelo abertos, e nem sinal de Daemon e seus homens.

O príncipe Aemond havia mantido Vhagar com a coluna principal ao longo de toda a marcha, pensando que seu tio poderia tentar atacá-los com Caraxes. Ele chegou a Harrenhal um dia depois de Cole e, naquela noite, celebrou uma grande vitória; Daemon e sua "escória dos rios" haviam fugido para não enfrentar sua ira, declarou Aemond. Não admira, então, que, quando recebeu a notícia da queda de Porto Real, o príncipe tenha se sentido triplamente idiota. Sua fúria foi uma imagem assustadora.

O primeiro a sofrê-la foi sor Simon Strong. O príncipe Aemond não tinha amor algum por aquela laia, e a pressa com que o castelão havia entregado Harrenhal a Daemon Targaryen o convenceu de que o velho era um traidor. Sor Simon alegou inocência, insistindo que era um servo leal e verdadeiro da Coroa. Ele lembrou ao príncipe regente que seu próprio sobrinho-neto, Larys Strong, era Senhor de Harrenhal e mestre dos segredos do rei Aegon. Essas negações apenas inflamaram as suspeitas de Aemond. Ele decidiu que o Pé-Torto também era um traidor. De que outra maneira Daemon e Rhaenyra saberiam do momento de maior vulnerabilidade de Porto Real? Alguém no pequeno conselho havia mandado uma mensagem... e Larys Pé-Torto era irmão de Quebra-Ossos e, portanto, tio dos bastardos de Rhaenyra.

Aemond determinou que sor Simon deveria receber uma espada.

— Que os deuses decidam se você está falando a verdade — disse ele. — Se você for inocente, o Guerreiro lhe dará forças para me derrotar.

O consenso é que o duelo que se seguiu foi completamente unilateral; o príncipe aniquilou o velho e deu seu cadáver para Vhagar comer. E os netos de sor Simon tampouco viveram muito tempo. Um a um, cada homem e menino com sangue Strong nas veias foi capturado e executado, até a pilha com suas cabeças alcançar um metro de altura.

E assim a flor da Casa Strong, uma linhagem ancestral de nobres guerreiros que se diziam descender dos Primeiros Homens, chegou a um fim ignóbil no pátio de Harrenhal. Nenhum Strong legítimo foi poupado, e tampouco nenhum bastardo, exceto, curiosamente, Alys Rivers. Embora a ama de leite fosse duas vezes mais velha (três, se nos fiarmos em Cogumelo), o príncipe Aemond a levou para a cama como prêmio de guerra pouco depois de conquistar Harrenhal, aparentemente dando preferência a ela em vez de qualquer outra mulher do castelo, incluindo muitas criadas bonitas da mesma idade dele.

A oeste de Harrenhal, as batalhas continuavam nas terras fluviais conforme o exército Lannister se arrastava. Graças à idade e à debilidade do comandante, o lorde Lefford, a marcha se reduzira a um passo de lesma, mas, quando se aproximaram da margem ocidental do Olho de Deus, seus homens encontraram um exército imenso no caminho.

Roddy Ruína e seus Lobos de Inverno haviam se unido a Forrest Frey, Senhor da Travessia, e a Ruivo Robb Rivers, conhecido como o Arqueiro de Corvarbor. Os nortenhos contavam com dois mil homens, Frey liderava duzentos cavaleiros e o triplo de homens de armas, e Rivers trazia trezentos arqueiros ao conflito. E mal o lorde Lefford parou para enfrentar o inimigo à sua frente, outros apareceram ao sul, onde Folhalonga, Matador de Leões e um bando maltrapilho de sobreviventes de batalhas anteriores tinham recebido reforços dos lordes Bigglestone, Chambers e Perryn.

Cercado entre esses dois exércitos, Lefford relutou em atacar qualquer um, por receio de perder a retaguarda para o outro. Então ele se colocou de costas para o lago, reforçou as defesas e enviou corvos para o príncipe Aemond em Harrenhal, para pedir assistência. Embora uma dúzia de aves tenha levantado voo, nenhuma chegou ao príncipe; Ruivo Robb Rivers, considerado o melhor arqueiro de toda Westeros, abateu-as uma a uma.

No dia seguinte vieram mais homens das terras fluviais, liderados por sor Garibald Grey, lorde Jon Charlton e Benjicot Blackwood, o novo Senhor de Corvarbor, de onze anos. Com seus contingentes incrementados por essas tropas novas, os homens da rainha concordaram que era chegada a hora de atacar.

— Melhor acabar com esses leões antes que os dragões apareçam — disse Roddy Ruína.

No dia seguinte, ao nascer do sol, começou a batalha terrestre mais sangrenta da Dança dos Dragões. Nos anais da Cidadela, ela se tornou conhecida como a Batalha do Lago, mas, para aqueles que sobreviveram para contar a história, seria chamada para sempre de Banquete dos Peixes.

Atacados por três lados, os homens das terras ocidentais foram empurrados metro a metro para as águas do Olho de Deus. Centenas morreram ali, derrubados na luta em meio aos juncos, e outras centenas se afogaram ao tentar fugir. Ao anoitecer, dois mil homens estavam mortos, incluindo muitos dignos de nota, como os lordes Frey, Lefford, Bigglestone, Charlton, Swyft e Reyne, sor Clarent Crakehall, e sor Emory Hill, Bastardo de Lannisporto. O exército Lannister foi destruído e massacrado, mas a um custo tal que o jovem Ben Blackwood, o pequeno Senhor de Corvarbor, chorou ao ver os mortos amontoados. As baixas mais pesadas aconteceram entre os nortenhos, pois os Lobos de Inverno haviam pedido a honra de liderar o ataque e fizeram cinco investidas contra as fileiras de lanças Lannister. Mais de dois terços dos homens que tinham partido ao sul com o lorde Dustin estavam mortos ou feridos.

Os combates prosseguiram também em outras partes do reino, embora tenham sido conflitos menores do que a grande batalha junto ao Olho de Deus. Na Campina, o lorde Hightower e seu protegido, o príncipe Daeron, o Audaz, continuavam colecionando vitórias, impondo a submissão dos Rowan de Bosquedouro, dos Oakheart de Carvalho Velho, e dos senhores das Ilhas Escudo, pois nenhum se atrevia a enfrentar Tessarion, a Rainha Azul. O lorde Borros Baratheon convocou seus vassalos e reuniu quase seis mil homens em Ponta Tempestade, com a intenção declarada de marchar rumo a Porto Real... porém acabando por liderá-los rumo às montanhas ao sul. Sua senhoria usou o pretexto de incursões dornesas nas terras da tempestade para justificar a decisão, mas foram muitos os que insinuaram que foram os dragões à frente, e não os dorneses atrás, que o fizeram mudar de ideia. No Mar do Poente, os dracares do Lula-Gigante Vermelha se abateram sobre Ilha Bela, assolando a ilha de uma ponta à outra enquanto o lorde Farman se abrigava atrás de suas muralhas e enviava pedidos de socorro que ficaram sem resposta.

Em Harrenhal, Aemond Targaryen e Criston Cole debateram qual seria a melhor maneira de responder aos ataques da rainha. Embora a sede do Harren Negro fosse forte demais para ser tomada de assalto e os senhores das terras fluviais não se atrevessem a sitiá-los por medo de Vhagar, as hostes do rei estavam ficando desabastecidas de comida e ração e eles começaram a perder homens para a fome e doenças. Restavam apenas campos enegrecidos e vilarejos incendiados no campo de visão das muralhas colossais do castelo, e os grupos de caça que se arriscavam a ir mais longe nunca voltavam. Sor Criston insistiu que eles recuassem para o sul, onde o apoio a Aegon era mais forte, mas o príncipe recusou, dizendo que "Apenas um covarde foge de traidores". A perda de Porto Real e do Trono de Ferro o enfurecera, e, quando chegou a Harrenhal a notícia do Banquete dos Peixes, o senhor protetor quase estrangulou o escudeiro que havia trazido a informação. Foi apenas a intervenção de Alys Rivers, sua companheira de cama, que salvou a vida do rapaz. O príncipe Aemond preferia realizar um ataque imediato a Porto Real. Ele insistia que nenhum dos dragões da rainha era páreo para Vhagar.

Sor Criston disse que seria loucura.

— Um contra seis é uma luta de tolos, meu príncipe — declarou ele.

Ele voltou a insistir que marchassem para o sul e unissem forças com o lorde Hightower. O príncipe Aemond poderia se reencontrar com o irmão Daeron e o dragão dele. O que eles sabiam era que o rei Aegon havia escapado das garras de Rhaenyra, então certamente ele recuperaria Sunfyre e se juntaria aos irmãos. E talvez os amigos deles na cidade conseguissem descobrir uma forma de libertar também a rainha Helaena, para que ela pudesse levar Dreamfyre para a luta. Quatro dragões poderiam talvez vencer seis, se um deles fosse Vhagar.

O príncipe Aemond se recusou a considerar essa "opção covarde". Como regente em nome do irmão, ele poderia ter exigido a obediência da Mão, mas não exigiu. Munkun afirma que foi em nome do respeito que ele nutria pelo velho, enquanto Cogumelo sugere que os dois haviam se tornado rivais pelo afeto da ama de leite Alys Rivers, que usara poções de amor e encantos para inflamar suas paixões. O septão Eustace faz eco a Cogumelo, em parte, mas diz que foi apenas Aemond que se apaixonara de tal modo pela mulher Rivers que não suportava a ideia de deixá-la.

Qualquer que fosse o motivo, sor Criston e o príncipe Aemond decidiram seguir caminhos diferentes. Cole assumiria o comando do exército e lideraria os homens para o sul para se juntar a Ormund Hightower e ao príncipe Daeron, mas o príncipe regente não os acompanharia. Ele pretendia travar sua própria guerra, despejando fogo sobre os traidores a partir do céu. Mais cedo ou mais tarde, "a rainha vadia" enviaria um ou dois dragões para impedi-lo, e Vhagar os destruiria.

— Ela não se atreve a mandar *todos* os dragões — insistiu Aemond. — Isso deixaria Porto Real desprovida e vulnerável. E ela tampouco arriscaria Syrax, ou aquele último filhinho dela. Rhaenyra pode se dizer rainha, mas ela tem as partes de uma mulher, o coração fraco de uma mulher, e os medos de uma mãe.

E assim foi que o Fazedor de Reis e o Assassino de Parentes se separaram, cada um para seu próprio destino, enquanto na Fortaleza Vermelha a rainha Rhaenyra Targaryen distribuía recompensas a seus amigos e castigos aos que haviam servido a seu meio-irmão. Sor Luthor Largent, comandante dos mantos dourados, recebeu um título de nobreza. Sor Lorent Marbrand foi nomeado senhor comandante da Guarda da Rainha e encarregado de encontrar seis cavaleiros dignos para servir ao seu lado. O grande meistre Orwyle foi enviado para a masmorra, e Sua Graça escreveu à Cidadela para informá-los de que seu "leal servo" Gerardys era dali em diante "o único e verdadeiro grande meistre". Libertados da mesma masmorra que engoliu Orwyle, os senhores e cavaleiros pretos que continuavam vivos foram agraciados com terras, títulos e honras.

Ofereceu-se uma enorme recompensa por informações que levassem à captura do "usurpador que se diz Aegon II", sua filha Jaehaera, seu filho Maelor, os "falsos cavaleiros" Willis Fell e Rickard Thorne, e Larys Strong, o Pé-Torto. Como isso não produziu o efeito desejado, Sua Graça enviou grupos de "cavaleiros inquisidores" para buscar os "traidores e vilões" que haviam escapado e castigar qualquer homem que os tivesse ajudado.

A rainha Alicent foi presa pelos pulsos e tornozelos com correntes douradas, mas a enteada poupou sua vida "por nosso pai, que já a amou". Já o pai dela não teve tanta sorte. Sor Otto Hightower, que servira a três reis na condição de Mão, foi o primeiro traidor a ser decapitado. Barra de Ferro foi o seguinte no cepo, ainda insistindo que a lei determinava que o filho de um rei vem antes da filha. Sor Tyland Lannister foi entregue aos torturadores, para que eles tentassem recuperar parte do tesouro da Coroa.

Os lordes Rosby e Stokeworth, pretos que se haviam tornado verdes para evitar a masmorra, tentaram voltar para os pretos, mas a rainha declarou que amigos sem fé eram piores que inimigos e exigiu que as "línguas mentirosas" deles fossem arrancadas antes de sua execução. Porém, a morte deles produziu um problema espinhoso relativo à sucessão. Por acaso, os dois "amigos sem fé" deixaram uma filha; Rosby tinha uma donzela de doze anos, e Stokeworth, uma menina de seis. O príncipe Daemon sugeriu que a primeira se casasse com Duro Hugh, o filho de ferreiro (que passara a se chamar Hugh Martelo), e a outra, com Ulf, o Ébrio (agora simplesmente Ulf Branco), mantendo assim as terras delas no campo dos pretos e proporcionando uma recompensa adequada às "sementes" pela bravura deles na batalha.

Mas a Mão da Rainha se opôs, visto que as duas meninas tinham irmãos mais novos. O Serpente Marinha insistiu que a reivindicação da rainha Rhaenyra ao Trono de Ferro era um caso especial; o pai dela a *apontara* como sua herdeira. Os lordes Rosby e Stokeworth não haviam feito nada disso. Caso os filhos fossem deserdados em favor das irmãs, isso iria contra séculos de leis e precedentes e colocaria em questão o direito de dezenas de outros senhores em toda Westeros cujas pretensões poderiam ser consideradas inferiores em relação às de suas irmãs mais velhas.

Foi por medo de perder o apoio desses senhores, afirma Munkun em sua *História verdadeira*, que a rainha decidiu a favor do lorde Corlys, e não do príncipe Daemon. As terras, os castelos e os rendimentos das casas Rosby e Stokeworth foram transferidos para o filho dos dois senhores executados, enquanto Hugh Martelo e Ulf Branco foram armados cavaleiros e receberam pequenas propriedades na ilha de Derivamarca.

Cogumelo diz que Martelo comemorou espancando até a morte um dos cavaleiros da rainha em um bordel na Rua da Seda quando os dois homens brigaram pela donzelice de uma jovem virgem, enquanto Branco saiu bêbado a galope pelos becos da Baixada das Pulgas usando nada além de suas esporas douradas. São histórias como essas que Cogumelo adora contar, e não podemos atestar sua veracidade... mas não há a menor dúvida de que o povo de Porto Real logo veio a detestar os novos cavaleiros da rainha.

Ainda menos apreciado, se é que é possível, era o homem que Sua Graça escolheu para servir como senhor tesoureiro e mestre da moeda: seu antigo aliado Bartimos Celtigar, Senhor de Ilha da Garra. O lorde Celtigar parecia adequado para o cargo: firme e constante em seu apoio à rainha, todos concordavam que ele era incansável, incorruptível e engenhoso, e ainda por cima era muito abastado. Rhaenyra precisava com grande urgência de um homem assim, pois se encontrava com uma necessidade desesperada de dinheiro. Embora os cofres da Coroa estivessem cheios de ouro na ocasião do falecimento do rei Viserys, Aegon II tomara o tesouro junto com a coroa, e Tyland Lannister, seu mestre da moeda, enviara três quartos da fortuna do falecido rei para longe "por segurança". O rei Aegon gastara cada tostão da quantia que restara em Porto Real, deixando apenas um cofre vazio para sua meia-irmã quando ela conquistou a cidade. O restante do tesouro de Viserys fora confiado aos Hightower de Vilavelha, aos Lannister de Rochedo Casterly e ao Banco de Ferro de Braavos e estava longe do alcance da rainha.

O lorde Celtigar imediatamente tratou de encarar o problema; para isso, ele restabeleceu os mesmíssimos impostos que seu antepassado, o lorde Edwell, aplicara durante a regência de Jaehaerys I e acrescentou ainda muitas taxas novas. Os impostos sobre o vinho e a cerveja foram duplicados, e as taxas portuárias triplicaram. Cada comércio dentro das muralhas da cidade foi obrigado a pagar uma taxa para continuar de portas abertas. Estalajadeiros precisavam pagar um veado de prata por leito que tivessem em seus estabelecimentos. As taxas de entrada e saída que o Senhor do Ar havia aplicado foram retomadas, e triplicadas. Criou-se um imposto sobre a propriedade; mercadores ricos em suas mansões ou mendigos em barracos, todos tinham que pagar, dependendo do tamanho do terreno que ocupavam.

— Nem as putas se livram — diziam os populares. — O próximo imposto vai ser sobre a boceta, e depois vai ser o do rabo. Os ratos também vão ter que pagar a parte deles.

Na realidade, o peso das arrecadações do lorde Celtigar foi sentido principalmente por mercadores e comerciantes. Quando a frota Velaryon bloqueara a Goela, uma grande quantidade de navios ficara presa em Porto Real. O novo mestre da moeda da rainha agora cobrava pesadas taxas de todos que desejassem deixar a cidade. Alguns capitães protestaram que já haviam pagado as obrigações, taxas e tarifas necessárias, e inclusive apresentaram documentos para comprovar, mas o lorde Celtigar ignorou seus apelos.

— Pagar dinheiro ao usurpador não prova nada além de traição — disse ele. — Não diminui em nada as obrigações devidas à nossa graciosa rainha.

Aos que se recusavam a pagar, ou que não dispunham de condições, seus navios e carregamentos eram confiscados e vendidos.

Até mesmo as execuções se tornaram fonte de renda. Dali em diante, decretou Celtigar, traidores, rebeldes e assassinos seriam decapitados dentro do Fosso dos Dragões, e seus cadáveres seriam dados de comer aos dragões da rainha. Todos tinham direito de assistir ao destino que aguardava esses homens malignos, mas cada pessoa precisava pagar três centavos no portão para poder entrar.

E assim a rainha Rhaenyra reabasteceu os cofres, a um grande custo. Aegon e o irmão Aemond nunca haviam sido muito apreciados pelo povo da cidade, e muitos portorrealenses ficaram satisfeitos com a volta da rainha... mas amor e ódio são duas faces da mesma moeda, e, conforme cabeças novas começaram a surgir diariamente nas estacas acima dos portões da cidade, seguidas de impostos cada vez mais pesados, a moeda virou. A menina que antes fora celebrada como Deleite do Reino se tornara uma mulher gananciosa e vingativa, diziam os homens, uma rainha tão cruel quanto qualquer rei que a precedera. Um debochado chamou Rhaenyra de "rei Maegor com tetas", e por um século a expressão "Tetas de Maegor" seria um insulto comum em Porto Real.

Com a cidade, o castelo e o trono em seu poder, e defendida por nada menos que seis dragões, Rhaenyra se sentiu segura o bastante para mandar buscar seus filhos. Uma dúzia de navios zarpou de Pedra do Dragão, levando as damas de companhia da rainha, seu "adorado bobo" Cogumelo, e seu filho Aegon mais novo. Rhaenyra encarregou o menino de atuar como seu escanção, para que ele estivesse sempre por perto. Outra frota saiu de Vilavelha com o príncipe Joffrey, o último dos três filhos da rainha com Laenor Velaryon, junto com o dragão dele, Tyraxes (Rhaena, a filha do príncipe Daemon, continuou no Vale como protegida da senhora Arryn, enquanto sua gêmea, a cavaleira de dragão Baela, dividia seus dias entre Derivamarca e Pedra do Dragão). Sua Graça começou a preparar um festejo magnífico para marcar a nomeação formal de Joffrey como Príncipe de Pedra do Dragão e herdeiro do Trono de Ferro.

Até mesmo Verme Branco foi à corte; a meretriz lysena Mysaria emergiu das sombras e fixou residência na Fortaleza Vermelha. Embora nunca tenha recebido um posto oficial no pequeno conselho da rainha, a mulher agora conhecida como senhora Miséria se tornou senhora dos segredos na prática, com olhos e ouvidos em todo bordel, toda taberna, toda casa de pasto em Porto Real, e também nos salões e aposentos dos poderosos. Ainda que os anos tenham alargado seu corpo antes tão esbelto e gracioso, o príncipe Daemon continuou tomado de encanto por ela e a chamava todas as noites... aparentemente com anuência da rainha Rhaenyra.

— Que Daemon sacie seu apetite onde quiser — teria dito ela — e eu farei o mesmo.

(O septão Eustace sugere com certo fastio que os apetites de Sua Graça eram saciados principalmente com confeitos, bolos e empadas de lampreia, visto que Rhaenyra se tornou mais e mais rotunda em seus dias em Porto Real.)

Na plenitude da vitória, Rhaenyra Targaryen nem desconfiava quão poucos eram os dias que lhe restavam. No entanto, a cada vez que ela se sentava no Trono de Ferro, suas lâminas cruéis extraíam sangue de suas mãos, dos braços e das pernas, um sinal que todos sabiam interpretar. O septão Eustace alega que a queda da rainha começou em uma estalagem chamada Cabeça de Porco na cidade de Ponteamarga, na margem norte do Vago, perto da base da antiga ponte de pedra que inspirara o nome do local.

Como Ormund Hightower sitiava Mesalonga a umas trinta léguas ao sudoeste, Ponteamarga estava cheia de homens e mulheres que haviam fugido da marcha de seu exército. A viúva senhora Caswell, cujo marido fora decapitado por Aegon II em Porto Real depois de se recusar a renegar a rainha, fechara os portões do castelo e rejeitara até mesmo cavaleiros ungidos e senhores que chegavam para lhe pedir abrigo. À noite, era possível ver as fogueiras dos homens derrotados entre as árvores ao sul do rio, enquanto o septo da cidade abrigava centenas de feridos. Todas as estalagens estavam lotadas, inclusive a Cabeça de Porco, uma pocilga miserável. Então, quando apareceu vindo do Norte um homem com um cajado em uma das mãos e um menino pequeno nas costas, o estalajadeiro não tinha como acomodá-lo... até que o viajante tirou um veado de prata da bolsa. O estalajadeiro então permitiu que ele e o filho dormissem no estábulo, desde que antes ele o limpasse. O viajante aceitou, deixando no chão seu fardo e o manto para trabalhar a pá e o ancinho em meio aos cavalos.

A avareza de estalajadeiros, senhorios e suas laias é notória. O proprietário do Cabeça de Porco, um cafajeste que atendia pelo nome Ben Bolinhos, pensou se poderia haver mais veados de prata no lugar de onde já saíra um. Enquanto o viajante suava, Bolinhos ofereceu saciar a sede do homem com um caneco de cerveja. O homem aceitou e acompanhou o estalajadeiro até o salão da Cabeça de Porco, sem desconfiar que seu anfitrião havia instruído o cavalariço, que nós conhecemos apenas como Maroto, a revirar o fardo em busca de prata. Maroto não achou nenhum dinheiro, mas sim algo muito mais precioso... um manto pesado de fina lã branca com barras de alvo cetim, enrolado em volta de um ovo de dragão verde-claro com espirais de prata. Pois o "filho" do viajante era Maelor Targaryen, o filho mais novo do rei Aegon II, e o viajante era sor Rickard Thorne da Guarda Real, seu escudo e protetor juramentado.

A artimanha não rendeu nenhuma felicidade a Ben Bolinhos. Quando Maroto entrou de repente na sala de estar com o manto e o ovo nas mãos, gritando a descoberta, o viajante arremessou o conteúdo do caneco no rosto do estalajadeiro, puxou a espada longa da bainha e rasgou Bolinhos do pescoço à virilha. Alguns dos outros fregueses sacaram espadas e adagas também, mas nenhum era cavaleiro, e sor Rickard abriu caminho por todos. Abandonando os tesouros roubados, ele recolheu o "filho", fugiu para o estábulo, roubou um cavalo e escapou a galope da estalagem, determinado a alcançar a velha ponte de pedra e a margem sul do Vago. Ele havia chegado muito longe e certamente sabia que a segurança o aguardava a apenas trinta léguas dali, onde o lorde Hightower estava recolhido sob as muralhas de Mesalonga.

Infelizmente, tanto faria se fossem trinta léguas ou trinta mil, pois a travessia sobre o Vago estava bloqueada, e Ponteamarga pertencia à rainha Rhaenyra. Começou uma comoção. Outros homens saíram a cavalo para perseguir Rickard Thorne, gritando "Assassino, traidor, assassino".

Ao escutarem os gritos, os guardas na base da ponte mandaram sor Rickard parar, mas ele tentou atropelá-los. Quando um homem segurou o estribo do cavalo, Thorne decepou seu braço na altura do ombro e continuou em frente. Mas havia também guardas na margem sul, e estes formaram uma barreira. Dos dois lados os homens se aproximaram, gritando furiosos, brandindo espadas e machados e lanças longas, à medida que Thorne se virava para um lado e para o outro, girando sua montaria roubada, procurando alguma fresta para passar. O príncipe Maelor estava agarrado a ele, berrando.

Foram as bestas que finalmente derrubaram sor Rickard. Uma seta o atingiu no braço, e a outra o varou na garganta. Ele caiu da sela e morreu na ponte, enquanto o sangue enchia sua boca e afogava suas últimas palavras. Até o fim ele segurou o menino que havia jurado defender, até que uma lavadeira chamada Willow Bate-Pedra lhe arrancou o príncipe choroso dos braços.

No entanto, após matar o cavaleiro e capturar o menino, a turba não sabia o que fazer com o prêmio. Alguns lembraram que a rainha Rhaenyra havia oferecido uma grande recompensa pela devolução do príncipe, mas Porto Real estava a muitas léguas de distância. O exército do lorde Hightower ficava muito mais perto. Talvez ele estivesse disposto a pagar mais ainda. Quando alguém perguntou se a recompensa era igual para o menino vivo ou morto, Willow Bate-Pedra segurou Maelor com mais força e disse que ninguém machucaria seu novo filho (segundo Cogumelo, a mulher era um monstro de duzentos quilos, simplória e meio louca, que se chamava assim porque batia as roupas no rio até ficarem limpas). Então Maroto apareceu no meio da multidão, coberto com o sangue do patrão, para declarar que o príncipe era dele, pois fora ele quem encontrara o ovo. O homem que tinha disparado a seta que matara sor Rickard Thorne também o reivindicou para si. E eles começaram a discutir, gritando e empurrando um ao outro por cima do corpo do cavaleiro.

Com tanta gente naquela ponte, não surpreende que tenhamos muitos relatos divergentes a respeito do que sucedeu a Maelor Targaryen. Cogumelo diz que Willow Bate-Pedra segurou o menino com tanta força que quebrou as costas dele e o matou esmagado. Já o septão Eustace sequer menciona Willow. Segundo sua versão, o açougueiro da cidade cortou o príncipe em seis pedaços com o cutelo, para que todo mundo que disputava o menino pudesse levar um pouco. A *História verdadeira* do grande meistre Munkun diz que o menino foi desmembrado pela turba, mas não cita nomes.

A única certeza de que dispomos é que, quando a senhora Caswell e seus cavaleiros enfim apareceram para dispersar a multidão, o príncipe estava morto. A senhora empalideceu ao vê-lo, segundo Cogumelo, e disse que "os deuses vão nos amaldiçoar por isto". Por ordem sua, o cavalariço Maroto e Willow Bate-Pedra foram enforcados no vão central da ponte velha, junto com o dono do cavalo que sor Rickard havia roubado na estalagem, acusado (injustamente) de ter auxiliado a fuga de Thorne. O cadáver de sor Rickard, envolto em seu manto branco, a senhora Caswell enviou de volta a Porto Real, junto com a cabeça do príncipe Maelor. O ovo de dragão ela mandou ao lorde Hightower em Mesalonga, na esperança de aplacar sua ira.

Cogumelo, que queria bem à rainha, diz que Rhaenyra chorou quando a pequena cabeça de Maelor lhe foi apresentada diante do Trono de Ferro. O septão Eustace, que não a queria nada bem, afirma que ela sorriu e deu ordem para que a cabeça fosse queimada, "pois ele era do sangue do dragão". Embora não tenha havido anúncio oficial da morte do menino, a notícia se espalhou pela cidade mesmo assim. E, pouco depois, outra história apareceu também, segundo a qual a rainha Rhaenyra teria mandado entregar a cabeça do príncipe à mãe dele, a rainha Helaena, dentro de um penico. Ainda que não houvesse verdade alguma nessa história, não tardou até ela chegar a todos os lábios de Porto Real. Cogumelo alega que foi por obra do Pé-Torto. "Um homem que coleciona sussurros também pode espalhá-los."

Do lado de fora das muralhas da cidade, os conflitos continuavam em todos os Sete Reinos. Belcastro caiu para Dalton Greyjoy, e com ele se acabou a resistência de Ilha Bela contra os homens de ferro. O Lula-Gigante Vermelha tomou quatro das filhas do lorde Farman como esposas de sal e deu a quinta ("a sem graça") ao irmão Veron. Farman e os filhos foram devolvidos a Rochedo Casterly em troca de seu peso em prata. Na Campina, a senhora Merryweather se rendeu e entregou Mesalonga ao lorde Ormund Hightower; fiel à sua promessa, sua senhoria não causou mal a ela ou à sua família, mas confiscou toda a riqueza do castelo e tudo o que havia de comida, alimentando seus milhares de homens com os grãos dela ao levantar acampamento e marchar rumo a Ponteamarga.

Quando a senhora Caswell apareceu sobre o baluarte de seu castelo para pedir as mesmas condições que a senhora Merryweather havia recebido, Hightower permitiu que o príncipe Daeron respondesse:

— Você receberá as mesmas condições que deu ao meu sobrinho Maelor.

A senhora foi obrigada a ver Ponteamarga ser saqueada. Cabeça de Porco foi o primeiro edifício a ser incendiado. Estalagens, sedes de guildas, armazéns, residências dos ricos e poderosos, tudo foi consumido pelo fogo de dragão. Até o septo foi incendiado, com centenas de feridos ainda no interior. Apenas a ponte foi poupada, pois era necessária para atravessar o Vago. Caso tentassem fugir, as pessoas da cidade eram passadas na espada ou empurradas até o rio para se afogarem.

A senhora Caswell observou de suas muralhas e então deu ordem para que se abrissem os portões.

— Nenhum castelo pode resistir contra um dragão — disse ela à guarnição. Quando o lorde Hightower chegou, viu-a parada acima da guarita do portão com uma corda em volta do pescoço. — Tenha piedade dos meus filhos, senhor — suplicou ela, antes de se jogar da guarita.

Talvez o ato tenha comovido o lorde Ormund, pois os filhos e a filha pequenos da senhora foram poupados e levados com correntes até Vilavelha. Os homens da guarnição do castelo receberam apenas a espada.

Nas terras fluviais, sor Criston Cole abandonou Harrenhal, partindo rumo ao sul pela margem ocidental do Olho de Deus, à frente de três mil e seiscentos homens (morte, doença e deserção haviam reduzido as fileiras que saíram em marcha desde Porto Real). O príncipe Aemond já havia partido, voando no dorso de Vhagar.

O castelo permaneceu vazio por apenas três dias, até a senhora Sabitha Frey o tomar de assalto. Lá dentro, ela encontrou apenas Alyn Rivers, a ama de leite e suposta bruxa que aquecera a cama do príncipe Aemond durante os dias que ele havia passado em Harrenhal e que agora alegava estar grávida de seu filho.

— O bastardo do dragão está dentro de mim — disse a mulher, nua dentro do bosque sagrado com uma das mãos sobre a barriga crescida. — Sinto suas chamas lambendo meu útero.

E seu bebê não foi a única chama acesa por Aemond Targaryen. Desvencilhado de qualquer castelo ou exército, o príncipe caolho estava livre para voar aonde bem desejasse. Era uma guerra tal qual a que Aegon, o Conquistador, e suas irmãs haviam travado, combatida com fogo de dragão, conforme Vhagar descia do céu de outono repetidamente para assolar terras, vilarejos e castelos dos senhores fluviais. A Casa Darry foi a primeira a sofrer a ira do príncipe. Os homens que traziam a colheita foram queimados ou fugiram quando as plantações se incendiaram, e o Castelo Darry foi consumido por uma tempestade de chamas. A senhora Darry e seus filhos mais novos sobreviveram abrigando-se nos porões sob a fortaleza, mas o senhor seu marido e o herdeiro morreram nas ameias, junto com dezenas de espadas e arqueiros juramentados. Três dias depois, Vila do Lorde Harroway foi a seguinte a se perder sob a fumaça. Moinho do Senhor, Fivelanegra, Fivela, Lagoa de Barro, Vauporcino, Mataranha... A fúria de Vhagar se abateu sobre todos esses, até que metade das terras fluviais parecesse arder.

Sor Criston Cole também enfrentou labaredas. Em sua marcha ao sul pelas terras fluviais, ele viu fumaça se erguer à sua frente e na retaguarda. Cada vilarejo que encontrava estava queimado e abandonado. Sua coluna atravessara florestas de árvores mortas que apenas dias antes haviam sido bosques vivos, à medida que os senhores das terras fluviais incendiavam toda a sua linha de marcha. Em cada riacho e lagoa e poço, ele viu morte: cavalos mortos, vacas mortas, homens mortos, inchados e fétidos, contaminando as águas. Em outra parte, seus batedores deram com uma plataforma mórbida onde cadáveres de armadura estavam sentados em trajes pútridos, uma imitação grotesca de banquete. Os convivas eram homens que tinham perecido no Banquete dos Peixes, caveiras sorridentes debaixo de elmos enferrujados conforme a carne verde e podre se desintegrava nos ossos.

Quatro dias depois de sua saída de Harrenhal, os ataques começaram. Arqueiros escondidos entre as árvores eliminaram batedores e retardatários com seus arcos longos. Homens morreram. Homens ficaram para trás da retaguarda e nunca mais foram vistos. Homens fugiram, abandonando escudos e lanças para desaparecer na mata. Homens debandaram para o inimigo. No vilarejo comunal de Olmos Cruzados, encontraram mais um banquete mórbido. Já acostumados a esse cenário, os batedores de sor Criston torceram o nariz e seguiram em frente, sem dar atenção aos mortos apodrecidos... até que os cadáveres se ergueram e os atacaram. Uma dúzia morreu antes que eles percebessem que havia sido um ardil, obra (tal qual se revelou mais tarde) de um mercenário myriano a serviço do lorde Vance, um ex-saltimbanco chamado Trombo Negro.

Isso tudo foi apenas um prelúdio, pois os Senhores do Tridente estavam reunindo suas forças. Quando sor Criston deixou o lago para trás, avançando continente adentro rumo à Água Negra, ele os viu à sua espera no alto de uma elevação rochosa; trezentos cavaleiros montados com armadura, outros tantos homens com arcos longos, três mil arqueiros comuns, três mil homens de armas maltrapilhos das terras fluviais com lanças, centenas de nortenhos armados de machados, malhos, maças e velhas espadas de ferro. No alto, eles ostentavam o estandarte da rainha Rhaenyra.

— Quem são eles? — perguntou um escudeiro quando o inimigo apareceu, pois as únicas armas que exibiam eram as da rainha.

— Nossa morte — respondeu sor Criston Cole, pois aqueles inimigos estavam descansados, bem nutridos, com cavalos e armas melhores, e tinham a vantagem do terreno, enquanto seus próprios homens estavam aos tropeços, doentes e desmoralizados.

Exibindo uma bandeira de paz, a Mão do rei Aegon saiu para negociar com eles. Três desceram da elevação para encontrá-lo. À frente veio sor Garibald Grey, trajando armadura amassada e cota de malha. Pate de Folhalonga o acompanhava, o Matador de Leões que derrotara Jason Lannister, junto com Roddy Ruína, exibindo as cicatrizes que sofrera no Banquete dos Peixes.

— Se eu baixar meus estandartes, vocês prometem poupar nossas vidas? — perguntou sor Criston aos três.

— Fiz minha promessa aos mortos — respondeu sor Garibald. — Falei para eles que construiria um septo com ossos de traidores. Ainda faltam muitos ossos, então...

— Se houver batalha aqui — respondeu sor Criston —, muitos dos seus também vão morrer.

O nortenho Roderick Dustin riu diante dessas palavras, dizendo:

— É por isso que nós viemos. O inverno chegou. É nossa hora de ir. Não tem morte melhor do que com a espada na mão.

Sor Criston tirou sua espada longa da bainha.

— Como queiram. Podemos começar aqui, nós quatro. Eu sozinho contra vocês três. Acham que basta para uma luta?

Mas Folhalonga, Matador de Leões, respondeu:

— Quero mais três. — E, do alto do elevado, Ruivo Robb Rivers e dois de seus arqueiros ergueram seus arcos longos. Três flechas voaram sobre o campo, atingindo Cole na barriga, no pescoço e no peito. — Não quero nenhuma canção sobre sua bravura ao morrer, Fazedor de Reis — declarou Folhalonga. — Dezenas de milhares morreram por sua causa. — Ele estava falando com um cadáver.

A batalha que se seguiu foi uma das mais desequilibradas da Dança. O lorde Roderick levou um berrante de guerra aos lábios e soou a investida, e os homens da rainha desceram gritando do elevado, liderados pelos Lobos de Inverno em seus cavalos peludos do Norte e pelos cavaleiros em seus bucéfalos com armadura. Quando sor Criston morreu, os homens que o haviam seguido desde Harrenhal perderam moral. Eles se dispersaram e fugiram, abandonando seus escudos enquanto corriam. O inimigo veio atrás, abatendo-os às centenas. Mais tarde, sor Garibald teria dito que "foi um abatedouro, não um campo de batalha". Cogumelo, ao ouvir alguém reproduzir suas palavras, chamou o confronto de Baile do Açougueiro, e assim ele se tornou conhecido desde então.

Foi mais ou menos na mesma época que aconteceu um dos incidentes mais curiosos da Dança dos Dragões. Diz a lenda que, na Era dos Heróis, Serwyn do Escudo Espelhado matou o dragão Urrax agachando-se atrás de um escudo tão polido que o monstro viu apenas seu próprio reflexo. Com essa distração, o herói se aproximou o bastante para cravar uma lança no olho do dragão, conquistando assim o nome pelo qual até hoje o conhecemos. Não há dúvidas de que sor Byron Swann, o segundo filho do Senhor de Pedrelmo, já conhecia essa história. Armado com uma lança e um escudo de aço prateado e acompanhado apenas de seu escudeiro, ele tentou matar um dragão da mesma forma que Serwyn havia feito.

Mas aqui surge a confusão, pois Munkun diz que era Vhagar que Swann pretendia matar, para pôr um fim às incursões do príncipe Aemond... porém, convém lembrar que Munkun se baseia sobretudo nos relatos do grande meistre Orwyle, e Orwyle se encontrava na masmorra no momento dessas circunstâncias. Cogumelo, ao lado da rainha na Fortaleza Vermelha, diz que sor Byron se aproximou de Syrax, a dragão de Rhaenyra. O septão Eustace não registra o incidente em sua crônica, mas, anos depois, em uma carta, sugere que o cavaleiro pretendia matar Sunfyre... mas isso decerto é um erro, pois o paradeiro de Sunfyre era desconhecido naquela época. Os três relatos concordam que o ardil que concedera fama eterna a Serwyn do Escudo Espelhado trouxe apenas morte a sor Byron Swann. O dragão — qualquer que tenha sido — percebeu a aproximação do cavaleiro e despejou suas chamas, derretendo o escudo espelhado e assando o homem que se escondia atrás dele. Sor Byron morreu gritando.

No Dia da Donzela do ano 130 DC, a Cidadela de Vilavelha enviou trezentos corvos brancos para anunciar a chegada do inverno, mas Cogumelo e o septão Eustace estão de acordo que era verão para a rainha Rhaenyra Targaryen. Apesar da insatisfação dos portorrealenses, a cidade e a coroa pertenciam a ela. Do outro lado do mar estreito, a Triarquia havia começado a se despedaçar. As ondas eram domínio da Casa Velaryon. Embora as neves tivessem bloqueado os passos das Montanhas da Lua, a Donzela do Vale se mostrara fiel à sua palavra e enviara homens pelo mar para se juntar às tropas da rainha. Outras frotas trouxeram guerreiros de Porto Branco, liderados por Medrick e Torrhen, os filhos do próprio lorde Manderly. Em todas as mãos o poder da rainha Rhaenyra crescia enquanto o do rei Aegon minguava.

Contudo, nenhuma guerra pode ser dada como vencida enquanto ainda houver inimigos a derrotar. O Fazedor de Reis, sor Criston Cole, tinha sido derrubado, mas em algum lugar do reino Aegon II, o rei que ele constituíra, continuava vivo e em liberdade. Jaehaera, a filha de Aegon, também estava foragida. Larys Strong Pé-Torto, o membro mais enigmático e astuto do conselho verde, havia desaparecido. Ponta Tempestade ainda pertencia ao lorde Borros Baratheon, que não era amigo da rainha. Os Lannister também precisavam ser incluídos entre os inimigos de Rhaenyra, ainda que, com a morte do lorde Jason, a aniquilação ou dispersão da maior parte da cavalaria do oeste no Banquete dos Peixes, e os ataques do Lula-Gigante Vermelha em Ilha Bela e na costa ocidental, Rochedo Casterly estivesse em situação de considerável caos.

O príncipe Aemond se tornara o terror do Tridente, descendo dos céus para despejar fogo e morte sobre as terras fluviais, e então desaparecendo e voltando a atacar no dia seguinte a cinquenta léguas de distância. As chamas de Vhagar reduziram Salgueiro Velho e Salgueiro Branco a cinzas, e Salão do Porco se tornou um amontoado de pedras enegrecidas. Em Valeira do Folguedo, trinta homens e trezentas ovelhas morreram sob as chamas da dragão. O Assassino de Parentes voltou então, de repente, para Harrenhal, onde ele queimou todas as estruturas de madeira do castelo. Seis cavaleiros e dezenas de homens de armas pereceram ao tentar matar Vhagar, enquanto a senhora Sabitha Frey só conseguiu se salvar das chamas escondendo-se em uma latrina. Ela fugiu de volta para as Gêmeas logo depois... mas sua prisioneira especial, a bruxa Alys Rivers, escapou com o príncipe Aemond. À medida que as notícias desses ataques se espalhavam, outros senhores passaram a olhar com medo para o céu, perguntando-se quem seria o próximo. O lorde Mooton de Lagoa da Donzela, a senhora Darklyn de Valdocaso e o lorde Blackwood de Corvarbor enviaram mensagens urgentes à rainha, suplicando que ela enviasse dragões para defender suas terras.

No entanto, a maior ameaça ao reinado de Rhaenyra não era Aemond Caolho, e sim o irmão mais novo dele, príncipe Daeron, o Audaz, e o grande exército sulista liderado pelo lorde Ormund Hightower.

As hostes de Hightower haviam atravessado o Vago e avançavam lentamente rumo a Porto Real, massacrando os legalistas da rainha onde e quando os encontrassem e obrigando todas as casas rendidas a acrescentar suas forças à dele. Voando no dorso de Tessarion à frente da coluna principal, o príncipe Daeron se revelara um batedor inestimável, advertindo o lorde Ormund das movimentações do inimigo. Com muita frequência, os homens da rainha se dispersavam ao primeiro sinal das asas da Rainha Azul. O grande meistre Munkun nos informa que o exército sulista era composto de mais de vinte mil homens em sua marcha rio acima, dos quais quase um décimo era de cavaleiros montados.

Ciente de todas essas ameaças, o velho lorde Corlys Velaryon, Mão da rainha Rhaenyra, sugeriu à Sua Graça que havia chegado o momento de conversar. Ele instou a rainha a oferecer perdão aos lordes Baratheon, Hightower e Lannister se eles dobrassem o joelho, jurassem lealdade e entregassem reféns ao Trono de Ferro. O Serpente Marinha propôs que a Fé se encarregasse da rainha viúva Alicent e da rainha Helaena, para que elas pudessem passar o resto de suas vidas em orações e contemplação. Jaehaera, a filha de Helaena, ele próprio poderia assumir como protegida, e, com o tempo, ela se casaria com o príncipe Aegon mais novo, voltando a unir as duas metades da Casa Targaryen.

— E os meus meios-irmãos? — perguntou Rhaenyra, quando o Serpente Marinha apresentou esse plano. — E esse falso rei Aegon, e o assassino de parentes Aemond? Quer que eu os perdoe também, os que roubaram meu trono e mataram meus filhos?

— Poupe-os e os envie à Muralha — respondeu o lorde Corlys. — Permita que eles tomem o preto, prestem um juramento sagrado e vivam os anos que lhes restam como homens da Patrulha da Noite.

— O que é um juramento para um perjuro? — quis saber a rainha Rhaenyra. — Os votos que eles haviam jurado não os incomodaram quando eles tomaram meu trono.

O príncipe Daemon fez eco às ressalvas da rainha. Ele insistiu que a concessão de perdões a rebeldes e traidores apenas plantaria a semente de novas rebeliões.

— A guerra vai acabar quando a cabeça dos traidores estiver cravada em estacas acima do Portão do Rei, e não antes.

Aegon II seria encontrado mais cedo ou mais tarde, "escondido embaixo de alguma pedra", mas eles podiam e deviam levar a guerra a Aemond e Daeron. Os Lannister e os Baratheon também precisavam ser destruídos, para que suas terras e seus castelos fossem entregues a homens que se revelassem mais leais. O príncipe propôs que Ponta Tempestade fosse concedida a Ulf Branco e Casterly Rock, a Hugh Martelo... para horror do Serpente Marinha.

— Metade dos senhores de Westeros se voltará contra nós se fizermos a crueldade de destruir duas casas tão antigas e nobres — disse o lorde Corlys.

Coube à rainha escolher entre seu consorte e sua Mão. Rhaenyra decidiu adotar um meio-termo. Emissários seriam enviados a Ponta Tempestade e Rochedo Casterly, oferecendo "condições justas" e perdões... *depois* de pôr um fim aos irmãos do usurpador, que estavam em campo contra ela.

— Quando eles estiverem mortos, o resto vai dobrar o joelho. Que os dragões deles morram, para que eu possa pendurar as cabeças nas paredes da sala do meu trono. Que os homens os contemplem nos anos que virão, para que saibam o preço da traição.

Porto Real não poderia ficar indefesa, claro. A rainha Rhaenyra continuaria na cidade com Syrax e os filhos Aegon e Joffrey, pessoas que ela não podia arriscar. Joffrey, ainda com menos de treze anos, estava ansioso para se provar como guerreiro, mas, ao ser informado de que Tyraxes precisaria ajudar a mãe dele a defender a Fortaleza Vermelha em caso de ataque, o menino jurou solenemente obedecer. Addam Velaryon, o herdeiro do Serpente Marinha, também permaneceria na cidade, com Fumaresia. Três dragões bastariam para a defesa de Porto Real; o restante sairia para a batalha.

O próprio príncipe Daemon levaria Caraxes ao Tridente, junto com a menina Urtigas e Roubovelha, para encontrar o príncipe Aemond e Vhagar e dar um fim a ambos. Ulf Branco e Hugh Martelo voariam até Tumbleton, a umas cinquenta léguas ao sudoeste de Porto Real, a última fortificação leal entre o lorde Hightower e a cidade, para auxiliar na defesa da cidade e do castelo e destruir o príncipe Daeron e Tessarion. O lorde Corlys sugeriu que talvez o príncipe pudesse ser capturado vivo e mantido como refém; afinal de contas, o filho mais jovem de Alicent havia acabado de completar treze anos. Mas a rainha Rhaenyra foi categórica.

— Ele não será um menino para sempre. Se o deixarmos se tornar um homem, mais cedo ou mais tarde ele tratará de se vingar contra meus filhos.

Esses planos logo chegaram aos ouvidos da rainha viúva e a encheram de terror. Temendo pelos filhos, a rainha Alicent se prostrou diante do Trono de Ferro para suplicar pela paz. Dessa vez, a Rainha Acorrentada sugeriu a ideia de que o reino poderia ser dividido; Rhaenyra ficaria com Porto Real e as terras da coroa, o Norte, o Vale de Arryn, todas as terras banhadas pelo Tridente e as ilhas. Para Aegon II restariam as terras da tempestade, as terras ocidentais e a Campina, que seriam governadas de Vilavelha.

Rhaenyra descartou a proposta da madrasta com desdém.

— Seus filhos poderiam ter desfrutado posições de honra na minha corte, se tivessem sido fiéis — declarou Sua Graça —, mas tentaram me privar do meu direito, e o sangue de meus belos filhos está nas mãos deles.

— Sangue bastardo, derramado na guerra — respondeu Alicent. — Os filhos dos meus filhos eram meninos inocentes, assassinados de forma cruel. Quantos mais precisam morrer para saciar sua sede de vingança?

As palavras da rainha viúva serviram apenas para atiçar o fogo da fúria de Rhaenyra.

— Não admito mais mentiras — advertiu ela. — Fale mais uma vez de bastardia, e mandarei arrancar sua língua.

Ou pelo menos é o que afirma o septão Eustace. Munkun diz o mesmo em sua *História verdadeira*.

Aqui, mais uma vez, Cogumelo diverge. O anão pretende nos convencer de que Rhaenyra mandou cortar imediatamente a língua da madrasta, em vez de fazer uma mera ameaça. O bobo insiste que foi apenas a intervenção da senhora Miséria que a refreou; Verme Branco propôs outro castigo, mais cruel. A esposa e a mãe do rei Aegon seriam acorrentadas e levadas até determinado bordel, onde seriam vendidas para qualquer homem que desejasse se satisfazer com elas. O preço era alto: um dragão de ouro pela rainha Alicent, três dragões pela rainha Helaena, que era mais jovem e bonita. No entanto, Cogumelo afirma que muitas pessoas na cidade acreditavam que isso era barato para manter relações carnais com uma rainha.

— Que elas fiquem lá até engravidarem — teria dito a senhora Miséria. — Elas se sentem tão à vontade para falar de bastardos, então que cada uma tenha o seu próprio.

Embora jamais se possa negar a luxúria dos homens e a crueldade das mulheres, Cogumelo carece de veracidade aqui. Não há dúvida de que tal história tenha sido contada nas tabernas e casas de pasto de Porto Real, mas é possível que ela tenha sido concebida mais tarde, quando o rei Aegon II tratou de justificar a crueldade de suas próprias ações. Convém lembrar que o anão registrou suas histórias muitos anos depois dos acontecimentos narrados e pode ter cometido equívocos. Portanto, não falemos mais das Rainhas de Bordel e voltemos aos dragões que partiram para a guerra. Caraxes e Roubovelha foram ao norte, Vermithor e Asaprata, ao sudoeste.

Junto à nascente do poderoso Vago estava Tumbleton, uma próspera cidade mercantil e sede da Casa Footly. O castelo acima da cidade era robusto, mas pequeno, guarnecido por apenas quarenta homens, mas outros milhares haviam subido o rio desde Ponteamarga, Mesalonga e mais ao sul. A chegada de uma força tão poderosa de senhores fluviais aumentou ainda mais seus números e revigorou sua determinação. Recém-chegados da vitória no Baile do Açougueiro vieram sor Garibald Grey e Folhalonga, Matador de Leões, com a cabeça de sor Criston Cole na ponta de uma lança, Ruivo Robb Rivers e seus arqueiros, os últimos Lobos de Inverno e diversos cavaleiros e senhores menores que detinham terras às margens da Água Negra, incluindo nomes dignos de nota, como Moslander de Antanho, sor Garrick Hall de Vilamédia, sor Merrell, o Audacioso, e o lorde Owain Bourney.

Ao todo, as forças sob o estandarte da rainha Rhaenyra em Tumbleton chegavam a quase nove mil, segundo a *História verdadeira*. Entre outros cronistas, esse número varia entre doze e seis mil, mas, em todos os casos, parece evidente que os homens da rainha estavam em grande desvantagem diante dos números do lorde Hightower. Não há dúvidas de que a vinda dos dragões Vermithor e Asaprata e seus cavaleiros foi muito festejada pelos defensores de Tumbleton. Pouco sabiam eles dos horrores que os aguardavam.

O como, quando e porquê do que veio a se tornar conhecido como as Traições de Tumbleton ainda são tópicos de grande controvérsia, e é provável que jamais se saiba a verdade a respeito de tudo o que aconteceu. Mas parece que certos indivíduos dentre os que chegaram à cidade, fugindo do exército do lorde Hightower, eram na realidade integrantes desse exército, enviados à frente para se infiltrar nas fileiras dos defensores. É indiscutível que dois dos homens da Água Negra que haviam se juntado aos senhores fluviais na marcha rumo ao sul — o lorde Owain Bourney e sor Roger Corne — eram partidários secretos do rei Aegon II. No entanto, a traição deles teria sido de pouca monta, não fosse o fato de que sor Ulf Branco e sor Hugh Martelo também escolheram esse momento para mudar de lado.

A maior parte do que sabemos a respeito desses dois homens veio de Cogumelo. O anão não se abstém de avaliar o baixo caráter desses dois domadores de dragões, pintando o primeiro como um bêbado e o segundo como um bruto. Os dois, diz ele, eram covardes; foi apenas quando viram o exército do lorde Ormund, com suas lanças cintilando à luz do sol e a linha de marcha estendendo-se por muitas léguas, que eles decidiram se unir a ele em vez de enfrentá-lo. Contudo, nenhum dos dois tinha hesitado ao se verem sob nuvens de lanças e flechas em Derivamarca. Talvez fosse a perspectiva de atacar Tessarion que os tenha preocupado. Na Goela, todos os dragões haviam lutado do lado deles. Essa é outra possibilidade... embora tanto Vermithor quanto Asaprata fossem mais velhos e maiores que o dragão do príncipe Daeron e, portanto, tivessem mais chances de vencer em qualquer batalha.

Há quem diga ainda que foi ganância, e não covardia, o que levou Branco e Martelo à traição. A honra de nada significava para eles; era riqueza e poder o que eles desejavam. Após a Goela e a queda de Porto Real, eles se tornaram cavaleiros... mas sua ambição era o título de lorde, e eles desprezavam as propriedades modestas que a rainha Rhaenyra lhes concedera. Quando os lordes Rosby e Stokeworth foram executados, sugeriu-se que Branco e Martelo recebessem as terras e os castelos deles por intermédio do casamento com suas filhas, mas Sua Graça permitira que os filhos dos traidores herdassem tudo. Depois, eles foram provocados com Ponta Tempestade e Rochedo Casterly, mas também essas recompensas lhes foram negadas pela rainha ingrata.

Decerto eles esperavam que o rei Aegon II lhes desse uma recompensa melhor, caso ajudassem a recolocá-lo no Trono de Ferro. É possível inclusive que certas promessas tenham sido feitas nesse sentido, talvez por intermédio do lorde Larys Pé-Torto ou um de seus agentes, embora não haja provas disso nem jamais vá haver. Como nenhum dos dois sabia ler ou escrever, nunca saberemos o que levou os Dois Traidores (como a história viria a chamá-los) a fazer o que fizeram.

Contudo, da Batalha de Tumbleton sabemos muito. Seis mil dos homens da rainha entraram em formação para enfrentar o lorde Hightower no campo, sob o comando de sor Garibald Grey. Eles lutaram com bravura por algum tempo, mas uma chuva devastadora de flechas dos arqueiros do lorde Ormund desbastou suas fileiras, e uma carga tempestuosa de cavalos pesados os quebrou, repelindo os sobreviventes para fugirem de volta para as muralhas da cidade. Ali estavam Ruivo Robb Rivers e seus arqueiros, cobrindo a retirada com seus próprios arcos longos.

Assim que a maior parte dos sobreviventes conseguiu passar pelos portões, Roddy Ruína e seus Lobos de Inverno fizeram uma surtida a partir de um postigo, vociferando seus gritos de guerra assustadores do Norte ao contornar o flanco esquerdo dos atacantes. No caos que se seguiu, os nortenhos abriram caminho através de uma força dez vezes maior que a deles até onde o lorde Ormund Hightower observava de cima de seu cavalo de batalha, sob o dragão dourado do rei Aegon e os estandartes de Vilavelha e de Torralta.

Segundo os bardos, o lorde Roderick estava coberto de sangue dos pés à cabeça ao se aproximar, com escudo rachado e elmo partido, mas veio tão embriagado pela batalha que parecia nem sequer sentir seus ferimentos. Sor Bryndon Hightower, primo do lorde Ormund, se colocou entre o nortenho e seu suserano, decepando o braço do escudo da Ruína na altura do ombro com um golpe terrível de seu machado longo... mas o brutal Senhor de Vila Acidentada continuou lutando, matando tanto sor Bryndon quanto o lorde Ormund antes de morrer. Os estandartes do lorde Hightower caíram, e o povo bradou de alegria, acreditando que a maré tinha virado. Nem mesmo a chegada de Tessarion no campo de batalha os abateu, pois eles sabiam que também dispunham de dois dragões... mas, quando Vermithor e Asaprata subiram ao céu e despejaram suas chamas sobre Tumbleton, os brados de alegria se tornaram gritos de terror.

Foi o Campo de Fogo em miniatura, segundo o grande meistre Munkun.

Tumbleton foi engolida pelas chamas: lojas, casas, septos, pessoas, tudo. Homens caíram queimados da guarita e das ameias, ou tombaram aos berros pelas ruas como tochas humanas. Do lado de fora das muralhas, o príncipe Daeron avançou com Tessarion. Pate de Folhalonga foi derrubado do cavalo e atropelado, e sor Garibald Grey, atingido por uma seta de besta e coberto de fogo de dragão. Os Dois Traidores devastaram a cidade com jatos de fogo de uma ponta à outra.

Sor Roger Corne e seus homens escolheram esse momento para revelar sua verdadeira face e mataram defensores nos portões da cidade antes de abri-los para os atacantes. O lorde Owain Bourney fez o mesmo dentro do castelo, cravando uma lança nas costas de sor Merrell, o Audacioso.

O saque que se seguiu à cidade foi um dos mais selvagens de toda a história de Westeros. Tumbleton, a próspera cidade mercantil, foi reduzida a cinzas e brasas. Milhares arderam, e outros tantos morreram afogados ao tentar atravessar o rio a nado. Mais tarde, alguns diriam que esses tiveram sorte, pois aos sobreviventes não houve qualquer piedade. Os homens do lorde Footly largaram suas espadas e se renderam, mas foram amarrados e decapitados. As mulheres que sobreviveram às chamas foram estupradas repetidas vezes, até mesmo meninas de oito e dez anos. Idosos e meninos foram passados na espada, enquanto os dragões devoravam a carcaça retorcida e fumegante de suas vítimas. Tumbleton nunca se recuperaria; embora os Footly depois viessem a tentar reconstruir sobre as ruínas, a "cidade nova" jamais chegaria a um terço do tamanho da antiga, pois o povo dizia que o próprio solo era assombrado.

A cento e sessenta léguas dali, ao norte, outros dragões voavam acima do Tridente, onde o príncipe Daemon Targaryen e a pequena menina chamada Urtigas caçavam Aemond Caolho sem sucesso. Eles haviam estabelecido base em Lagoa da Donzela, a convite do lorde Manfryd Mooton, que vivia apavorado com a perspectiva de Vhagar atacar sua cidade. Mas o príncipe Aemond atacou Cabeça de Pedra, no sopé das Montanhas da Lua; Salgueirodoce, no Ramo Verde, e Brotadança, no Ramo Vermelho; reduziu Ponte do Arqueiro a cinzas, incendiou Velha Ferry e Moinho da Velha, destruiu o convento de Bechester, sempre desaparecendo no céu antes que os

caçadores conseguissem chegar. Vhagar nunca se demorava, e tampouco os sobreviventes conseguiam entrar em acordo quanto à direção para onde a dragão tinha voado.

Todas as manhãs, Caraxes e Roubovelha saíam de Lagoa da Donzela, subindo às alturas sobre as terras fluviais em círculos mais e mais largos, na esperança de vislumbrar Vhagar mais abaixo... e então voltavam, derrotados, ao entardecer. As *Crônicas de Lagoa da Donzela* nos revelam que o lorde Mooton se atreveu a sugerir que os caçadores se separassem na busca, para cobrir um terreno duas vezes maior. O príncipe Daemon se recusou. Ele lembrou a sua senhoria que Vhagar era a última dos três dragões que Aegon, o Conquistador, havia trazido a Westeros. Embora fosse mais lenta do que era um século antes, ela se tornara quase tão grande quanto o antigo Terror Negro. Suas chamas eram tão intensas que podiam derreter pedra, e nem Caraxes nem Roubovelha eram capazes de se equiparar a ela em ferocidade. Só juntos eles tinham qualquer esperança de derrotá-la. E assim ele manteve a menina Urtigas ao seu lado, dia e noite, no céu e no castelo.

Entretanto, teria sido medo o único motivo por que o príncipe Daemon mantinha Urtigas junto de si? Cogumelo alega que não. Segundo o anão, Daemon Targaryen havia se apaixonado pela pequena bastarda e a levara para a cama.

Até que ponto podemos nos fiar no depoimento do bobo? Urtigas tinha apenas dezessete anos, e o príncipe Daemon, quarenta e nove, mas é notório o poder que jovens donzelas exercem sobre homens mais velhos. Sabemos que Daemon Targaryen não era um consorte fiel à rainha. Até mesmo nosso septão Eustace, de costumeira reticência, relata as visitas noturnas dele à senhorita Mysaria, cuja cama ele desfrutara muitas vezes na corte... supostamente com a anuência da rainha. Convém lembrar também que, na juventude, todos os bordéis de Porto Real sabiam que o lorde Baixada das Pulgas nutria uma apreciação especial por donzelas e reservavam as mais jovens, bonitas e inocentes de suas meninas novas para ele deflorar.

A menina Urtigas era jovem, sem dúvida (embora talvez não tão jovem quanto as que o príncipe havia usufruído no passado), mas parece incerto que tenha sido uma verdadeira donzela. Tendo crescido sem lar, mãe ou dinheiro nas ruas de Vila Especiaria e Casco, é provável que ela tenha oferecido sua inocência pouco após a primeira florida (se não antes), em troca de meia pataca ou um pedaço de pão. E as ovelhas que ela dera a Roubovelha para domá-lo... como ela as teria conseguido, se não erguendo as saias para algum pastor? E Urti tampouco poderia ser chamada de bonita. "Uma menina morena e magrela em um dragão moreno e magrelo", descreve Munkun em sua *História verdadeira* (embora ele nunca a tenha visto). O septão Eustace diz que os dentes dela eram tortos, e o nariz, deformado por uma cicatriz de quando ela fora flagrada roubando. Cogumelo conta que Urtigas nunca se banhava nem trocava de roupa, e que tinha um "odor pungente". Dificilmente seria amante de um príncipe.

Em contraposição a isso temos *O testemunho do Cogumelo*... e, neste caso, as *Crônicas de Lagoa da Donzela* registradas pelo meistre do lorde Mooton. Segundo o meistre Norren, "o príncipe e a menina bastarda" ceavam juntos todas as noites, tomavam o desjejum juntos todas as manhãs, dormiam em quartos contíguos, e o príncipe "mimava a menina tal qual um homem mimaria uma filha", ensinando-lhe "cortesias comuns" e como se vestir e se sentar e escovar o cabelo, e a presenteou com "uma escova de cabelo com cabo de marfim, um espelho prateado, um manto de belo veludo castanho, um par de botas de cavalgar feitas de couro macio como manteiga". O príncipe ensinou a menina a se banhar, diz Norren, e as criadas que lhe preparavam a água diziam que muitas vezes ele a acompanhava na mesma tina, "ensaboando-lhe as costas ou lavando o fedor de dragão dos cabelos, ambos pelados como no dia de seus nomes".

Nada disso constitui prova de que Daemon Targaryen teve relações carnais com a menina bastarda, mas, à luz do que se seguiu, nós definitivamente deveríamos considerar que esta é uma das histórias mais prováveis de Cogumelo. No entanto, como quer que esses dois passassem suas noites, é certo que os dias eram dedicados à exploração nos céus, caçando sem sucesso o príncipe Aemond e Vhagar. Então deixemos ambos por enquanto e voltemos nosso olhar rapidamente para o outro lado da Baía da Água Negra.

Foi mais ou menos por volta dessa época que uma coca mercantil chamada *Nessaria* entrou manquejante no porto sob Pedra do Dragão para realizar consertos e reabastecer. O navio estava voltando de Pentos rumo à Antiga Volantis quando uma tempestade o desviou da rota, segundo a tripulação... mas a essa toada comum de perigos marítimos os volantinos acrescentaram uma nota curiosa. Quando o *Nessaria* cambou para o oeste, o Monte Dragão se assomou adiante, imenso contra o sol poente... e os marujos enxergaram dois dragões lutando, e os rugidos ecoavam dos penhascos negros escarpados do lado oriental da montanha fumegante. Em cada taberna, estalagem e prostíbulo ao longo da costa a história foi contada, repetida e ornamentada, até que todo mundo em Pedra do Dragão já a conhecesse.

Dragões eram objeto de fascínio para os homens da Antiga Volantis; a visão de dois em combate seria algo que os tripulantes do *Nessaria* jamais esqueceriam. As pessoas que nasceram e cresceram em Pedra do Dragão já estavam acostumadas a tais criaturas... contudo, ainda assim, a história dos marinheiros instigou o interesse. Na manhã seguinte, alguns pescadores locais contornaram o Monte Dragão com seus barcos e depois disseram ter visto os restos queimados e arruinados de um dragão morto na base da montanha. Pela cor das asas e escamas, a carcaça pertencia a Fantasma Cinza. O dragão estava partido em dois pedaços e fora retalhado e parcialmente devorado.

Ao ouvir essa notícia, sor Robert Quince, o simpático e notoriamente obeso cavaleiro que a rainha nomeara castelão de Pedra do Dragão em sua ausência, logo apontou Canibal como o responsável. Muitos concordaram, pois sabia-se que o Canibal já havia atacado dragões menores antes, ainda que raramente com tamanha selvageria. Alguns pescadores, com medo de que o assassino pudesse vir atrás deles, insistiram que Quince enviasse cavaleiros ao covil do animal para dar um fim nele, mas o castelão negou.

— Se não o incomodarmos, o Canibal não vai nos incomodar — declarou ele. Para garantir isso, ele proibiu a pesca nas águas diante do lado oriental do Monte Dragão, onde o corpo do dragão morto seguia apodrecendo.

Seu decreto não satisfez sua irrequieta tutelada, Baela Targaryen, a filha do príncipe Daemon com a primeira esposa dele, Laena Velaryon. Aos catorze anos, Baela era uma jovem donzela agitada e voluntariosa, mais menino que moça, e muito filha do pai. Apesar da baixa estatura e do corpo magro, ela desconhecia o medo e vivia para dançar e falcoar e montar. Quando era menor, muitas vezes lhe chamaram a atenção por ficar brigando com escudeiros no pátio, mas, em tempos mais recentes, ela passara a fazer brincadeiras de beijos com eles. Pouco depois de a corte da rainha partir para Porto Real (deixando a senhorita Baela em Pedra do Dragão), Baela fora flagrada permitindo que um ajudante de cozinha enfiasse a mão por baixo de seu justilho. Sor Robert, furioso, mandara o menino para o cepo para perder a mão transgressora. Foi apenas graças à intercessão chorosa da menina que ele foi poupado.

"Ela gosta muito de meninos", escreveu o castelão para o príncipe Daemon, pai de Baela, após o incidente, "e precisa se casar logo, antes que possa oferecer sua virtude para alguém indigno." Contudo, mais ainda do que meninos, a senhorita Baela adorava voar. Desde a primeira vez em que subiu com Bailalua ao céu, menos de meio ano antes, ela voara todos os dias, explorando à vontade todas as partes de Pedra do Dragão e sobrevoando o mar até Derivamarca.

Sempre ansiosa por aventura, a menina agora pretendia descobrir por conta própria o que acontecera de fato do outro lado da montanha. Ela disse a sor Robert que não tinha medo do Canibal. Bailalua era mais jovem e veloz; conseguiria escapar facilmente do outro dragão. Mas o castelão a proibiu de correr esse risco. A guarnição recebeu instruções explícitas; a senhorita Baela não poderia sair do castelo. Quando a flagraram tentando desobedecer à ordem naquela mesma noite, a donzela irritada foi confinada no quarto.

Ainda que a decisão fosse compreensível, foi um infortúnio se vista em retrospecto, pois, se a senhorita Baela tivesse recebido permissão para voar, talvez ela avistasse o barco de pesca que estava contornando a ilha naquele momento. Nele se encontravam um pescador idoso chamado Tom Barbapresa, seu filho, Tom Linguapresa, e dois "primos" de Derivamarca que perderam seus lares quando Vila Especiaria foi destruída. O Tom mais jovem, habilidoso com o caneco e desastrado com a rede, havia passado bastante tempo pagando bebidas para marinheiros volantinos e escutando as histórias sobre os dragões que eles tinham visto brigar.

— Cinza e dourado que eles era, brilhando no sol — disse um homem. E agora, contrariando a proibição de sor Robert, os dois Tom estavam determinados a levar seus "primos" à porção pedregosa onde o dragão morto jazia, queimado e roto, para que pudessem caçar o matador.

Enquanto isso, na margem ocidental da Baía da Água Negra, chegaram a Porto Real as notícias da batalha e da traição em Tumbleton. Dizem que a rainha viúva Alicent riu quando soube.

— Tudo o que eles semearam, agora vão colher — prometeu ela.

No Trono de Ferro, a rainha Rhaenyra empalideceu e deu ordem para que os portões da cidade fossem fechados e trancados; a partir daquele momento, ninguém poderia entrar ou sair de Porto Real.

— Nenhum vira-manto vai se esgueirar para dentro da minha cidade e abrir meus portões para os rebeldes — proclamou Sua Graça.

O exército do lorde Ormund poderia alcançar as muralhas em um ou dois dias; os traidores, com seus dragões, poderiam chegar ainda mais rápido.

Essa perspectiva empolgou o príncipe Joffrey.

— Que venham — anunciou o rapaz, vívido com a arrogância da juventude e ansioso para vingar seus irmãos caídos. — Eu os enfrentarei com Tyraxes.

A ideia alarmou a mãe.

— De modo algum — declarou ela. — Você é novo demais para lutar.

Mesmo assim, ela permitiu que o menino continuasse presente enquanto o conselho preto discutia a melhor forma de lidar com o inimigo que se aproximava.

Restavam seis dragões em Porto Real, mas apenas um estava dentro das muralhas da Fortaleza Vermelha: a dragão da própria rainha, Syrax. Todos os cavalos foram removidos de um estábulo no pátio externo para que ela pudesse usar o espaço. Correntes pesadas a prendiam ao solo. Embora fossem longas o bastante para permitir que ela se deslocasse entre o estábulo e o pátio, as correntes a impediam de voar sem montaria. Syrax já estava muito acostumada a correntes; extremamente bem alimentada, fazia anos que ela não caçava.

Os outros dragões eram mantidos no Fosso dos Dragões. Sob a vasta redoma, quarenta câmaras subterrâneas gigantescas tinham sido escavadas em um grande círculo nas entranhas da Colina de Rhaenys. Pesadas portas de ferro bloqueavam as duas extremidades dessas cavernas artificiais; as internas davam para as areias do fosso e as externas, para a encosta da colina. Caraxes, Vermithor, Asaprata e Roubovelha haviam se instalado ali antes de partir para a batalha. Cinco dragões restavam: Tyraxes, do príncipe Joffrey, Fumaresia, o cinza-claro de Addam Velaryon, os dragões jovens Morghul e Shrykos, pertencentes à princesa Jaehaera (desaparecida) e seu irmão gêmeo, o príncipe Jaehaerys (morto)... e Dreamfyre, a querida da rainha Helaena. Era antigo o costume de que pelo menos um domador de dragão residisse no fosso, de modo a poder sair em defesa da cidade caso fosse necessário. Como Rhaenyra preferia manter os filhos junto de si, essa incumbência recaiu sobre Addam Velaryon.

Mas agora surgiram vozes no conselho preto que questionavam a lealdade de sor Addam. As sementes de dragão Ulf Branco e Hugh Martelo tinham se debandado para o inimigo... mas seriam eles os únicos traidores? Que dizer de Addam de Casco e da menina Urtigas? Eles também haviam nascido bastardos. Seriam de confiança?

O lorde Bartimos Celtigar acreditava que não.

— Bastardos são traiçoeiros por natureza — disse ele. — Corre no sangue deles. Traição é tão fácil para um bastardo quanto lealdade é para homens de nascimento legítimo.

Ele instou Sua Graça a deter os dois domadores de dragão ilegítimos imediatamente, antes que eles pudessem levar seus dragões ao inimigo. Sua opinião encontrou eco em outros, incluídos sor Luthor Largent, comandante da Patrulha da Cidade, e sor Lorent Marbrand, senhor comandante da Guarda da Rainha. Até mesmo os dois homens de Porto Branco, o temível cavaleiro sor Medrick Manderly e seu esperto e corpulento irmão, sor Torrhen, instigaram a desconfiança da rainha.

— Melhor não arriscar — disse sor Torrhen. — Se o inimigo ganhar mais dois dragões, nós estaremos perdidos.

Apenas o lorde Corlys e o grande meistre Gerardys saíram em defesa das sementes de dragão. O grande meistre disse apenas que eles não tinham prova alguma de deslealdade por parte de Urtigas e sor Addam; o mais sábio seria buscar provas antes de emitir qualquer juízo. Lorde Corlys foi muito além, declarando que sor Addam e o irmão Alyn eram "Velaryon genuínos", herdeiros dignos de Derivamarca. Quanto à menina, ainda que possa ser suja e de má aparência, ela havia lutado com bravura na Batalha da Goela.

— Assim como os dois traidores — rebateu o lorde Celtigar.

Os protestos acalorados da Mão e a fria cautela do grande meistre não surtiram efeito. A suspeita da rainha fora despertada. "Sua Graça havia sofrido tantas traições, de tantas pessoas, que sempre tendia a esperar o pior de qualquer um", escreve o septão Eustace. "Traições já não tinham mais a capacidade de surpreendê-la. Ela passara a esperar que acontecesse, até mesmo das pessoas que mais amava."

Pode ser que seja o caso. Contudo, a rainha Rhaenyra não agiu de imediato, preferindo mandar buscar Mysaria, a meretriz e dançarina que era na prática sua senhora dos segredos. Com a pele alva feito leite, a senhora Miséria apareceu diante do conselho, trajando um manto de veludo preto com capuz forrado de seda vermelho-sangue, e aguardou humildemente com a cabeça baixa enquanto Sua Graça lhe perguntava se ela acreditava que sor Addam e Urtigas teriam planos de traí-la. Verme Branco então ergueu os olhos e respondeu com uma voz delicada:

— A menina já a traiu, minha rainha. Neste mesmo instante ela partilha da cama de seu marido, e não tardará até ter um bastardo dele na barriga.

Foi então que a rainha se enfureceu, segundo o septão Eustace. Com uma voz fria feito gelo, ela exigiu que sor Luthor levasse vinte mantos dourados até o Fosso dos Dragões e prendesse sor Addam Velaryon.

— Interrogue-o com firmeza, e aí descobriremos se ele é verdadeiro ou falso, acima de qualquer dúvida. — Quanto à menina Urtigas, a rainha declarou: — Ela é uma criatura comum, coberta do fedor da feitiçaria. Meu príncipe jamais se deitaria com algo tão rasteiro. Basta olhar para ela e ver que não tem uma gota sequer de sangue de dragão. Foi com feitiços que ela conseguiu dominar um dragão, e ela fez o mesmo com o senhor meu marido.

Sua Graça seguiu dizendo que, enquanto estivesse sujeito ao domínio da menina, o príncipe Daemon não era de confiança. Portanto, sua ordem foi enviar imediatamente uma mensagem a Lagoa da Donzela, mas apenas para os olhos do lorde Mooton.

— Que ele a retire da mesa ou da cama e lhe corte a cabeça. Só aí meu príncipe se libertará.

E assim a traição levou a mais traição, para a ruína da rainha. Quando sor Luthor Largent e seus mantos dourados subiram a Colina de Rhaenys com o mandado da rainha, as portas do Fosso dos Dragões se abriram de repente acima deles, e Fumaresia estendeu suas asas cinza-claras e alçou voo, expelindo fumaça das narinas. Sor Addam Velaryon havia sido advertido a tempo de fugir. Frustrado e furioso, sor Luthor voltou imediatamente à Fortaleza Vermelha, onde invadiu a Torre da Mão e agarrou com força o idoso lorde Corlys, acusando-o de traição. E o velho tampouco negou. Amarrado e espancado, mas ainda em silêncio, ele foi arrastado até a masmorra e jogado em uma cela escura para aguardar o julgamento e a execução.

A desconfiança da rainha se abateu também sobre o grande meistre Gerardys, pois, tal como o Serpente Marinha, ele defendera as sementes de dragão. Gerardys negou qualquer participação na traição do lorde Corlys. Sem esquecer seu longo período de serviço leal, Rhaenyra poupou o grande meistre da masmorra e preferiu apenas removê-lo do conselho e enviá-lo de volta a Pedra do Dragão prontamente.

— Não creio que você seja capaz de mentir para mim — disse ela a Gerardys —, mas não posso permitir homens à minha volta que não tenham minha confiança implícita, e agora, quando olho para você, só consigo pensar no seu falatório sobre a menina Urtigas.

Enquanto isso, histórias do massacre em Tumbleton se espalhavam pela cidade... e, junto delas, o terror. Porto Real seria a seguinte, diziam os homens uns aos outros. Dragão lutaria com dragão, e dessa vez a cidade certamente queimaria. Com medo da chegada do inimigo, centenas de pessoas tentaram fugir, mas foram impedidas nos portões pelos mantos dourados. Presos atrás das muralhas, alguns buscaram abrigo em porões profundos para se proteger da tormenta de fogo que temiam ser iminente, enquanto outros se voltaram para as orações, a bebedeira e os prazeres proporcionados pelas coxas de uma mulher. Ao anoitecer, tabernas, bordéis e septos em toda a cidade estavam abarrotados de homens e mulheres que desejavam consolo ou fuga, e que trocavam relatos de horror.

Foi nessa hora sombria que surgiu na Praça dos Sapateiros um tal irmão itinerante, um espantalho descalço vestido com cilício e calças de pano grosseiro, imundo e coberto de sujeira e fedendo a chiqueiro, com uma tigela de esmola pendurada no pescoço por uma lingueta de couro. Ele tinha sido um ladrão, pois, onde antes existira sua mão direita, havia apenas um toco coberto por um pedaço esfarrapado de couro. O grande meistre Munkun sugere que ele tenha sido um Pobre Irmão; embora essa ordem tivesse sido renegada muito antes, Estrelas errantes ainda vagavam pelas vielas dos Sete Reinos. Não temos como saber de onde ele veio. Até mesmo seu nome se perdeu na história. Os que escutaram suas pregações, assim como os que mais tarde viriam a registrar sua infâmia, conheciam-no apenas como Pastor. Cogumelo o chama de "Pastor Morto", pois afirma que o homem era pálido e fétido como um cadáver recém-saído do túmulo.

Quem quer que ele tenha sido, o que quer que tenha sido, esse Pastor maneta se ergueu como um espírito maligno, invocando morte e destruição sobre a rainha Rhaenyra para qualquer um que quisesse escutar. Incansável e destemido, ele pregou durante a noite inteira e até bem entrado o dia seguinte, e sua voz irada ecoava pela Praça dos Sapateiros.

Dragões eram criaturas antinaturais, declarou o Pastor, demônios invocados das profundezas dos sete infernos pelas sinistras artes de feitiçaria de Valíria, "aquela fossa imunda onde irmão se deitava com irmã e mãe com filho, onde homens montavam demônios para ir à batalha enquanto suas mulheres abriam as pernas para cachorros". Os Targaryen haviam escapado da Destruição, fugindo sobre o mar até Pedra do Dragão, mas "os deuses não aceitam insultos", e agora uma segunda destruição era iminente.

— O falso rei e a rainha puta serão aniquilados por todas as suas ações, e seus monstros demoníacos desaparecerão do mundo — trovejou o Pastor.

Todo mundo que se aliasse a eles também morreria. A única esperança para Westeros não sofrer a mesma sina de Valíria era que os dragões e seus mestres fossem exterminados de Porto Real.

A cada hora seu público cresceu. Uma dúzia de pessoas se tornou uma vintena e, depois, uma centena, e ao raiar do dia eram milhares entulhados na praça, empurrando e se apertando para escutar. Muitos empunhavam tochas, e ao anoitecer o Pastor se encontrava envolto em um círculo de fogo. Quem tentava expulsá-lo a gritos era escorraçado pela multidão. Até os mantos dourados foram rechaçados, quando quarenta tentaram esvaziar a praça com lanças.

Em Tumbleton, sessenta léguas ao sudoeste, reinava outro tipo de caos. Enquanto Porto Real tremia de terror, os inimigos que eles temiam ainda não haviam avançado um metro sequer rumo à cidade, pois os legalistas do rei Aegon se viram sem líder, afligidos por divisões, conflitos e dúvidas. Ormund Hightower estava morto, assim como seu primo sor Bryndon, o principal cavaleiro de Vilavelha. Seus filhos continuavam na Torralta, a mil léguas de distância, e ainda por cima eram meninos verdes. E, ainda que o lorde Ormund tivesse apelidado Daeron Targaryen de Daeron, o Audaz, e elogiado sua coragem em batalha, o príncipe ainda era um menino. O filho mais jovem da rainha Alicent havia crescido à sombra dos irmãos mais velhos e estava mais acostumado a obedecer do que a dar ordens. O Hightower mais velho ainda no exército era sor Hobert, outro primo do lorde Ormund, até então responsável apenas pelo comboio de bagagem. Um homem "tão rotundo quanto lento", Hobert Hightower vivera sessenta anos sem jamais se destacar, porém, agora, pretendia assumir o comando do exército por direito de parentesco com a rainha Alicent.

O lorde Unwin Peake, sor Jon Roxton e o lorde Owain Bourney também se apresentaram. O lorde Peake podia se gabar de descender de uma antiga linhagem de guerreiros famosos e contava com cem cavaleiros e novecentos homens de armas sob seu estandarte. Jon Roxton era temido tanto por seu temperamento sombrio quanto por sua lâmina negra, a espada de aço valiriano chamada Fazedora de Órfãos. O lorde Owain, o traidor, insistia que fora sua astúcia que lhes permitira conquistar Tumbleton, e que apenas ele conseguiria tomar Porto Real. Nenhum dos pretendentes era poderoso e respeitado o bastante para conter a selvageria e ganância dos soldados comuns. Enquanto eles discutiam por precedência e riquezas, seus próprios homens se entregavam livremente à orgia de saques, estupros e destruição.

É impossível negar os horrores daqueles dias. Raras foram as ocasiões em toda a história dos Sete Reinos em que uma cidade grande ou pequena foi submetida a um saque tão longo, cruel ou brutal como Tumbleton após as Traições. Sem um líder forte para contê-los, até mesmo homens bons podem se transformar em monstros. Foi o que aconteceu ali. Bandos de soldados perambulavam bêbados pelas ruas, roubando todas as casas e lojas e matando qualquer homem que tentasse impedi-los. Toda mulher era presa fácil para seus desejos, até mesmo velhas e meninas pequenas. Homens ricos eram torturados até a morte para revelarem onde haviam escondido o ouro e as pedras preciosas. Bebês eram arrancados dos braços da mãe e empalados em lanças. Septãs santas eram perseguidas nuas pelas ruas e estupradas, não por um homem, mas por cem; até irmãs silenciosas eram violadas. Nem mesmo os mortos foram poupados.

Em vez de receberem um enterro honrado, os cadáveres eram abandonados para apodrecer e servir de comida para corvos e cães selvagens.

Tanto o septão Eustace quanto o grande meistre Munkun afirmam que o príncipe Daeron ficou enojado por tudo o que viu e exigiu que sor Hobert Hightower pusesse um fim àquilo, mas os esforços de Hightower se revelaram tão fracos quanto o próprio homem. É a natureza do povo seguir a liderança de seus nobres, e até mesmo os pretensos sucessores do lorde Ormund haviam sucumbido à ganância, selvageria e soberba. Jon Roxton se encantou com a bela senhora Sharis Footly, esposa do Senhor de Tumbleton, e a reivindicou como "prêmio de guerra". Quando o senhor seu marido protestou, sor Jon o partiu quase ao meio com Fazedora de Órfãos, dizendo que "ela também faz viúvas" ao rasgar as vestes da senhora Sharis enquanto ela chorava. Apenas dois dias depois, o lorde Peake e o lorde Bourney tiveram uma discussão terrível em um conselho de guerra, e então Peake sacou sua adaga e a cravou no olho de Bourney, declarando "uma vez vira-manto, sempre vira-manto", diante dos olhares horrorizados do príncipe Daeron e de sor Hobert.

No entanto, os piores crimes foram cometidos pelos Dois Traidores, os bastardos domadores de dragão Hugh Martelo e Ulf Branco. Sor Ulf se entregou completamente à bebedeira, "afogando-se em vinho e sangue". Cogumelo afirma que ele estuprava três donzelas por noite. As que não o agradavam eram dadas de comer a seu dragão. O título de cavaleiro que a rainha Rhaenyra lhe dera não era suficiente. E ele tampouco se saciou quando o príncipe Daeron o nomeou Senhor de Ponteamarga. Branco desejava um prêmio maior: queria como sede nada menos que Jardim de Cima, declarando que os Tyrell não haviam tomado parte na Dança e, portanto, deviam ser considerados traidores.

As ambições de sor Ulf eram modestas em comparação às do outro vira-manto, Hugh Martelo. Filho de um ferreiro comum, Martelo era um homem imenso, com mãos tão fortes que se dizia que era capaz de torcer barras de aço para fazer argolas. Embora ele não tivesse muito treinamento na arte da guerra, seu tamanho e sua força faziam dele um inimigo temível. Sua arma preferida era o martelo de guerra, com que ele infligia golpes devastadores. Para as batalhas, ele voava com Vermithor, que havia sido a montaria do próprio Velho Rei; de todos os dragões de Westeros, apenas Vhagar era mais antiga e maior.

Por todos esses motivos, o lorde Martelo (como ele passara a se chamar) passou a sonhar com coroas.

— Por que ser um senhor quando se pode ser um rei? — disse ele aos homens que começaram a se juntar à sua volta.

E no acampamento se ouviu uma profecia de tempos ancestrais que dizia "quando o martelo cair sobre o dragão, um novo rei surgirá, e ninguém se erguerá diante dele". Ainda é mistério a origem dessas palavras (não saíram do próprio Martelo, que não sabia ler nem escrever), mas em poucos dias todo mundo em Tumbleton já havia escutado.

Nenhum dos Dois Traidores parecia disposto a ajudar o príncipe Daeron a atacar Porto Real. Eles tinham um vasto exército, e ainda três dragões, mas a rainha também tinha três dragões (até onde eles sabiam), e seriam cinco quando o príncipe Daemon voltasse com Urtigas. O lorde Peake preferia adiar qualquer avanço até o lorde Baratheon reunir suas tropas de Ponta Tempestade e se juntar a eles, enquanto sor Hobert queria recuar até a Campina para reabastecer as provisões, que se esgotavam a um ritmo acelerado. Nenhum deles parecia preocupado com o fato de que o exército encolhia dia após dia, esvaindo-se como orvalho matinal à medida que cada vez mais homens desertavam, escapando de volta para casa e levando o máximo de butim que conseguissem carregar.

A muitas léguas ao norte, em um castelo acima da Baía dos Caranguejos, outro senhor se viu também deslizando pela lâmina de uma espada. De Porto Real havia chegado um corvo com a mensagem da rainha para Manfryd Mooton, Senhor de Lagoa da Donzela: ele deveria lhe entregar a cabeça da bastarda Urtigas, que fora considerada culpada de traição. "Não faça mal algum ao senhor meu marido, príncipe Daemon da Casa Targaryen", exigia Sua Graça. "Mande-o de volta para mim quando o ato estiver feito, pois precisamos dele com grande urgência."

O meistre Norren, responsável pelas *Crônicas de Lagoa da Donzela*, relata que, ao ler a carta da rainha, o senhor ficou tão abalado que perdeu a voz. Só conseguiu recuperá-la depois de beber três taças de vinho. E então o lorde Mooton mandou chamar o capitão de sua guarda, o irmão, e seu campeão, sor Florian Greysteel, e pediu que o meistre também ficasse. Quando estavam todos reunidos, ele leu a carta em voz alta e pediu a opinião de cada um.

— Isso é fácil — respondeu o capitão da guarda. — O príncipe dorme junto dela, mas está velho. Três homens devem bastar para contê-lo caso ele tente interferir, mas levarei seis para garantir. Meu senhor deseja que isso seja feito hoje à noite?

— Seis homens ou sessenta, ele ainda é Daemon Targaryen — retrucou o irmão do lorde Mooton. — Uma poção de sono na taça de vinho que ele toma à noite seria um método mais sensato. Que ele acorde com ela já morta.

— A menina é apenas uma criança, por mais sórdida que tenha sido sua traição — disse sor Florian, o velho cavaleiro, grisalho e cinzento e sério. — O Velho Rei jamais teria pedido isso de qualquer homem de honra.

— Vivemos tempos sórdidos — disse o lorde Mooton —, e é sórdida essa escolha que a rainha me ofereceu. A menina é uma hóspede sob meu teto. Se eu obedecer, Lagoa da Donzela será amaldiçoada para sempre. Se eu me negar, seremos condenados e destruídos.

Ao qual seu irmão respondeu:

— É possível que sejamos destruídos qualquer que seja a nossa decisão. O príncipe gosta muito dessa menina, e seu dragão está próximo. Um senhor sábio mataria os dois, para evitar que o príncipe queime Lagoa da Donzela em sua fúria.

— A rainha proibiu que ele sofresse qualquer mal — lembrou o lorde Mooton —, e assassinar dois hóspedes na cama é duas vezes mais sórdido do que assassinar um. Eu seria duplamente amaldiçoado. — Ele então deu um suspiro e disse: — Eu queria jamais ter lido esta carta.

E então o meistre Norren se pronunciou:

— Talvez o senhor nunca tenha lido.

O que se disse depois disso, as *Crônicas de Lagoa da Donzela* não registram. Só sabemos que o meistre, um jovem de vinte e dois anos, encontrou o príncipe Daemon e a menina Urtigas durante o jantar naquela noite e lhes mostrou a carta da rainha. "Cansados após um longo dia de caçadas infrutíferas, eles desfrutavam uma refeição simples de carne cozida com beterrabas quando entrei, e conversavam em tons baixos entre si, não sei dizer sobre que assunto. O príncipe me cumprimentou educadamente, mas, enquanto lia, vi a felicidade desaparecer de seus olhos, e uma tristeza se abateu sobre ele, como um peso que era grande demais para suportar. Quando a menina perguntou o que a carta dizia, ele respondeu: 'Palavras de uma rainha, obra de uma puta'. Ele então sacou a espada e perguntou se os homens do lorde Mooton estavam do outro lado da porta, esperando para prendê-los. 'Vim sozinho', respondi, e então perjurei, declarando falsamente que nem sua senhoria nem qualquer outro homem de Lagoa da Donzela sabia do conteúdo do pergaminho. 'Perdoe-me, meu príncipe', falei. 'Falhei com meus votos de meistre.' O príncipe Daemon embainhou a espada e disse 'Você é um meistre ruim, mas um bom homem', e então ele pediu que eu os deixasse e que não revelasse 'nada disto a ninguém até amanhã'."

Não foi registrado o que o príncipe e a menina bastarda fizeram em sua última noite sob o teto do lorde Mooton, mas, ao raiar do dia seguinte, eles apareceram juntos no pátio, e o príncipe Daemon ajudou Urtigas a selar Roubovelha pela última vez. Ela costumava sempre alimentá-lo antes de voar; dragões se submetem com mais facilidade à vontade do mestre quando estão satisfeitos. Naquela manhã, ela lhe deu um bezerro preto, o maior de toda Lagoa da Donzela, e cortou a garganta do animal pessoalmente. O meistre Norren registra que o traje de couro de Urtigas estava manchado de sangue quando ela montou o dragão, e "seu rosto, manchado de lágrimas". Não houve uma palavra sequer de despedida entre homem e moça, mas, quando Roubovelha bateu suas finas asas marrons e subiu ao céu da alvorada, Caraxes ergueu a cabeça e soltou um grito que estourou todas as janelas da Torre de Jonquil. Acima da cidade, Urtigas virou seu dragão rumo à Baía dos Caranguejos e desapareceu nas brumas da manhã, e jamais foi vista de novo em qualquer corte ou castelo.

Daemon Targaryen voltou ao castelo apenas por tempo suficiente para tomar o desjejum com o lorde Mooton.

— Depois de agora, não nos veremos mais — disse ele a sua senhoria. — Agradeço pela hospitalidade. Espalhe por toda a sua terra que voarei para Harrenhal. Se meu sobrinho Aemond tiver a ousadia de me enfrentar, ele poderá me encontrar lá, sozinho.

E assim o príncipe Daemon saiu de Lagoa da Donzela pela última vez. Depois que ele se foi, o meistre Norren buscou o senhor e disse:

— Tire a corrente do meu pescoço e a use para prender minhas mãos. O senhor precisa me entregar à rainha. Quando alertei a traidora e permiti que ela escapasse, eu também me tornei um traidor.

O lorde Mooton se recusou.

— Todos somos traidores aqui.

E, naquela noite, o estandarte esquartelado da rainha Rhaenyra foi removido de cima dos portões de Lagoa da Donzela, e em seu lugar foram desfraldados os dragões dourados do rei Aegon II.

Nenhum estandarte tremulava acima das torres enegrecidas e fortalezas arruinadas de Harrenhal quando o príncipe Daemon desceu do céu para tomar o castelo. Alguns invasores haviam se abrigado nos porões e nas câmaras subterrâneas, mas eles fugiram ao ouvir o som das asas de Caraxes. Depois que o último foi embora, Daemon Targaryen caminhou sozinho pelos salões cavernosos da sede de Harren, acompanhado apenas de seu dragão. A cada noite ele fazia um talho na árvore-coração do bosque sagrado para marcar a passagem de mais um dia. Treze marcas existem ainda naquele represeiro; feridas antigas, profundas e escuras, mas os senhores que regeram Harrenhal desde a época de Daemon dizem que elas sangram novamente a cada primavera.

No décimo quarto dia da vigília do príncipe, uma sombra passou sobre o castelo, mais negra que qualquer nuvem transitória. Todos os pássaros no bosque sagrado voaram assustados, e um vento quente agitou as folhas caídas no pátio. Vhagar havia chegado enfim, e em seu dorso vinha o príncipe caolho Aemond Targaryen, trajando uma armadura negra como a noite com arabescos dourados.

Ele não viera sozinho. Alys Rivers o acompanhava, com o longo cabelo preto caído para trás e a barriga grande com uma criança. O príncipe Aemond traçou duas voltas em torno das torres de Harrenhal e então desceu com Vhagar no pátio externo, a cem metros de Caraxes. Os dragões trocaram olhares venenosos, e Caraxes abriu as asas e chiou, e chamas dançaram entre seus dentes.

O príncipe ajudou a mulher a descer das costas de Vhagar e então se virou para o tio.

— Tio, eu soube que você estava nos procurando.

— Só você — respondeu Daemon. — Quem lhe disse onde me encontrar?

— Minha senhora — respondeu Aemond. — Ela o viu em uma nuvem de tempestade, em um lago de montanha ao entardecer, na fogueira que acendemos para cozinhar nosso jantar. Ela vê muito, minha Alys. Foi insensatez sua vir sozinho.

— Se eu não estivesse sozinho, você não teria vindo — disse Daemon.

— Mas você está, e aqui estou. Você viveu tempo demais, tio.

— Nisso podemos concordar — respondeu Daemon. E então o velho príncipe fez Caraxes curvar o pescoço e subiu com rigidez no dorso do dragão, enquanto o jovem príncipe beijava sua mulher e subia com agilidade em Vhagar, tomando o cuidado de prender as quatro correntes curtas entre o cinto e a sela. Daemon deixou suas correntes soltas. Caraxes chiou de novo, enchendo o ar de labaredas, e Vhagar respondeu com um rugido. Os dois dragões saltaram em uníssono ao ar.

O príncipe Daemon subiu rápido com Caraxes, atiçando-o com um chicote de ponta de aço até eles desaparecerem em uma massa de nuvens. Vhagar, mais velha e muito maior, era também mais lenta, pesada pelo tamanho, e subiu de forma mais gradual, em círculos mais e mais largos que a levaram junto com seu mestre para o céu acima das águas do Olho de Deus. Era tarde, o sol estava a ponto de se pôr, e o lago estava tranquilo, a superfície cintilando como uma chapa de cobre amassado. Cada vez mais ao alto ela se elevava, procurando Caraxes, enquanto Alys Rivers observava do topo da Pira do Rei, em Harrenhal.

O ataque foi súbito como um raio. Caraxes mergulhou sobre Vhagar com um urro agudo que pôde ser ouvido a vinte quilômetros de distância, oculto pelo brilho do sol poente no ponto cego do príncipe Aemond. O Wyrm de Sangue bateu na dragão mais antiga com uma força terrível. Os rugidos ecoaram por todo o Olho de Deus enquanto os dois se agarravam e se debatiam, escuros sob um céu vermelho como sangue. Suas chamas ardiam com tal intensidade que os pescadores abaixo ficaram com medo de que as próprias nuvens tivessem pegado fogo. Presos um ao outro, os dragões caíram na direção do lago. A boca do Wyrm de Sangue se fechou no pescoço de Vhagar, e seus dentes negros se cravaram na carne do dragão maior. Enquanto as garras de Vhagar dilaceravam a barriga de Caraxes e seus dentes lhe arrancavam uma das asas, Caraxes mordeu com mais força, mastigando a ferida à medida que o lago subia até eles com uma velocidade pavorosa.

E, reza a lenda, foi nesse momento que o príncipe Daemon Targaryen passou a perna por cima da sela e pulou de um dragão para outro. Ele trazia na mão Irmã Sombria, a espada da rainha Visenya. Enquanto Aemond Caolho olhava para ele aterrorizado, mexendo nas correntes que o prendiam à sela, Daemon arrancou o elmo do sobrinho e cravou a espada pelo olho cego dele com tanta força que a ponta saiu por trás do pescoço do jovem príncipe. No instante seguinte, os dragões atingiram o lago, produzindo uma tromba-d'água tão alta quanto a Pira do Rei.

Os pescadores que testemunharam a luta disseram que nenhum homem ou dragão poderia sobreviver àquele impacto. E não sobreviveram. Caraxes viveu por tempo suficiente para se arrastar até a margem. Estripado, com uma asa arrancada e cercado de água fumegante, o Wyrm de Sangue encontrou forças para rastejar para fora da água e expirar sob as muralhas de Harrenhal. A carcaça de Vhagar afundou até o leito do lago, e o sangue quente que saía do talho em seu pescoço fez a água ferver em sua sepultura. Quando ela foi encontrada alguns anos mais tarde, após o fim da Dança dos Dragões, os ossos do príncipe Aemond, ainda de armadura, continuavam acorrentados à sela, com Irmã Sombria enfiada até o punho dentro da órbita ocular.

Não há dúvida de que o príncipe Daemon tenha morrido também. Seu corpo nunca foi encontrado, mas o lago possui correntezas peculiares e peixes famintos. Os trovadores cantam que o velho príncipe sobreviveu à queda e depois voltou para a menina Urtigas, a fim de passar o resto da vida ao seu lado. Imagens como essa inspiram belas canções, mas não servem de história. Nem Cogumelo dá qualquer crédito a essa hipótese, e nós tampouco.

Era o vigésimo segundo dia da quinta lua do ano 130 DC quando os dragões dançaram e morreram acima do Olho de Deus. Daemon Targaryen tinha quarenta e nove anos ao morrer; o príncipe Aemond havia acabado de completar vinte. Vhagar, o maior de todos os dragões Targaryen desde a morte de Balerion, o Terror Negro, contara cento e oitenta e um anos na terra. E assim se foi a última criatura viva dos tempos da Conquista de Aegon, quando o crepúsculo e a escuridão engoliram a sede amaldiçoada do Harren Negro. Contudo, foram tão poucas as testemunhas presentes que levaria algum tempo até se espalhar a notícia da derradeira batalha do príncipe Daemon.

# A MORTE DOS DRAGÕES

## RHAENYRA DESTITUÍDA

Em Porto Real, a rainha Rhaenyra se via mais e mais isolada a cada nova traição. Addam Velaryon, suposto vira-manto, havia fugido antes de ser interrogado. Sua fuga era prova de culpa, murmurou Verme Branco. O lorde Celtigar concordou e propôs a imposição de uma multa nova para cada criança nascida de relação ilegítima. Essa multa não apenas reabasteceria os cofres da Coroa, mas talvez livrasse o reino de milhares de bastardos.

Porém, Sua Graça precisava lidar com questões mais urgentes do que o tesouro. Ao exigir a prisão de Addam Velaryon, ela não perdera apenas um dragão e seu cavaleiro, mas também a Mão da Rainha... e mais da metade do exército que havia saído de Pedra do Dragão para tomar o Trono de Ferro era constituído de homens juramentados à Casa Velaryon. Quando se espalhou a notícia de que o lorde Corlys sofria dentro de uma masmorra sob a Fortaleza Vermelha, eles começaram a abandonar a causa da rainha às centenas. Alguns foram até a Praça dos Sapateiros para se juntar à multidão reunida em torno do Pastor, enquanto outros escaparam por poternas ou por cima das muralhas para voltar a Derivamarca. E os que restaram tampouco eram de confiança. Isso ficou evidente quando dois cavaleiros juramentados ao Serpente Marinha, sor Denys Woodwright e sor Thoron True, atacaram a masmorra para tentar liberar seu senhor. Os planos foram denunciados à senhora Miséria por uma prostituta com quem sor Thoron vinha se deitando, e os pretensos salvadores foram capturados e enforcados.

Os dois cavaleiros morreram ao amanhecer, debatendo-se nas muralhas da Fortaleza Vermelha com a corda apertada no pescoço. Nesse mesmo dia, pouco depois do pôr do sol, outro horror se abateu sobre a corte da rainha. Helaena Targaryen, irmã, esposa e rainha do rei Aegon II e mãe de seus filhos, jogou-se da janela de seu quarto na Fortaleza de Maegor e morreu empalada nas estacas de ferro no fundo do fosso seco. Tinha apenas vinte e um anos.

Após meio ano de cativeiro, por que a rainha de Aegon decidiria dar fim à própria vida naquela noite? Cogumelo afirma que Helaena estava grávida após dias e noites sendo vendida como uma prostituta comum, mas essa explicação merece tanto crédito quanto a história das Rainhas de Bordel, ou seja, nenhum. O grande meistre Munkun acredita que o horror de ver a morte de sor Thoron e sor Denys a tenha levado a cometer o ato, mas, se a jovem rainha conhecia os dois, seria apenas na condição de carcereiros, e não há qualquer indicativo de que ela tenha presenciado o enforcamento. O septão Eustace sugere que a senhora Mysaria, o Verme Branco, escolhera essa noite para contar a Helaena a morte violenta do filho Maelor, embora seja difícil conceber por que ela faria isso, se não por simples malevolência.

Os meistres podem debater a respeito da verdade dessas hipóteses... mas, naquela noite fatídica, uma história mais sinistra se espalhou pelas ruas e vielas de Porto Real, em estalagens e bordéis e casas de pasto, e até em septos abençoados. A rainha Helaena havia sido assassinada, diziam os rumores, tal qual seus filhos antes dela. O príncipe Daeron e seus dragões logo chegariam aos portões, e com eles viria o fim do reinado de Rhaenyra. A rainha velha não admitia que a jovem meia-irmã vivesse para se deleitar com sua queda, então mandara sor Luthor Largent agarrar Helaena com suas mãos enormes e brutas e jogá-la pela janela até as estacas abaixo.

Poderíamos perguntar: de onde surgiu essa calúnia venenosa (pois decerto era calúnia)? O grande meistre Munkun a atribui ao Pastor, pois milhares o ouviram declamar contra o crime e a rainha. Mas teria ele inventado a mentira, ou estaria apenas reproduzindo palavras ouvidas de lábios alheios? Segundo Cogumelo, é a segunda opção. O anão afirma que uma difamação tão perniciosa assim só poderia ter sido obra de Larys Strong... pois o Pé-Torto nunca havia saído de Porto Real (como logo se revelaria); ele apenas recuara para as sombras, de onde continuou tecendo tramas e sussurros.

É possível que Helaena tenha sido assassinada? Talvez... mas parece pouco provável que a rainha Rhaenyra fosse a responsável. Helaena Targaryen era uma criatura arrasada que não representava ameaça alguma a Sua Graça. E nossas fontes tampouco relatam qualquer inimizade especial entre as duas. Se Rhaenyra quisesse cometer um assassinato, não teria feito mais sentido que fosse a rainha-viúva Alicent a vítima arremessada às estacas? Ademais, na ocasião da morte da rainha Helaena, temos uma abundância de provas de que sor Luthor Largent, o suposto homicida, estava comendo com trezentos mantos dourados na caserna junto ao Portão dos Deuses.

Mesmo assim, o boato do "assassinato" da rainha Helaena logo chegou aos lábios de metade de Porto Real. O fato de a história ter se espalhado com tanta rapidez demonstra até que ponto a cidade se voltara contra a antes adorada rainha. Rhaenyra era odiada; Helaena fora amada. E o povo da cidade tampouco havia esquecido o cruel assassinato do príncipe Jaehaerys por Sangue e Queijo, e da morte terrível de Maelor em Ponteamarga. Helaena tivera um fim rápido, pela bondade dos deuses; uma das estacas atravessou sua garganta, e ela morreu sem emitir um som sequer. No momento de sua morte, do outro lado da cidade, no topo da Colina de Rhaenys, a dragão Dreamfyre se ergueu de repente, partiu duas das correntes que a prendiam e soltou um rugido que sacudiu o Fosso dos Dragões. Quando a rainha viúva Alicent foi informada do falecimento da filha, ela rasgou as roupas e pronunciou uma maldição terrível contra sua rival.

Naquela noite, um levante sangrento tomou conta de Porto Real.

Os tumultos começaram nos becos e recantos da Baixada das Pulgas, de onde centenas de homens e mulheres saíram de tabernas, bodegas e casas de pasto furiosos, bêbados e assustados. Dali, a turba se espalhou pela cidade, exigindo justiça em nome dos príncipes mortos e da mãe assassinada. Carroças foram reviradas, lojas, saqueadas, casas, roubadas e incendiadas. Mantos dourados que tentassem conter a confusão eram atacados e espancados. Ninguém foi poupado, nobre ou não. Pedaços de lixo foram arremessados contra senhores. Cavaleiros foram derrubados de suas selas. A senhorita Darla Deddings viu o irmão Davos ser esfaqueado no olho quando tentou defendê-la contra três estribeiros que queriam estuprá-la. Marinheiros impedidos de voltar a seus navios atacaram o Portão do Rio e travaram uma batalha intensa com a Patrulha da Cidade. Sor Luthor Largent precisou de quatrocentos lanceiros para dispersá-los. A essa altura, o portão já havia sido despedaçado e cem homens estavam mortos ou quase, e um quarto desses usava manto dourado.

Ninguém foi ao resgate do lorde Bartimos Celtigar, cuja mansão murada era defendida por apenas seis guardas e alguns criados que foram armados às pressas. Quando os rebeldes pularam por cima dos muros, esses defensores duvidosos largaram as armas e fugiram ou se juntaram aos agressores. Arthor Celtigar, um rapaz de quinze anos, ofereceu uma resistência valorosa em uma porta, de espada em punho, e manteve a turba enfurecida afastada por um tempo... até uma criada traidora deixar os rebeldes entrarem por uma porta dos fundos. O garoto corajoso foi morto por uma lança cravada nas costas. O próprio lorde Bartimos lutou para chegar ao estábulo, onde descobriu que todos os cavalos tinham sido mortos ou roubados. Capturado, o detestado mestre da moeda da rainha foi atado a um poste e torturado até revelar onde escondera toda a sua fortuna. Depois, um curtidor chamado Wat anunciou que sua senhoria não havia pagado o "imposto do pau" e precisaria entregar o membro à Coroa como multa.

Na Praça dos Sapateiros, os sons da revolta alcançavam todos os cantos. O Pastor se embebeu da fúria e proclamou que o dia da destruição havia chegado, tal qual ele previra, e invocou a ira dos deuses sobre "essa rainha antinatural que sangra no Trono de Ferro, lambendo os lábios molhados com o sangue de sua doce irmã". Quando uma septã na multidão gritou, suplicando para que ele salvasse a cidade, o Pastor disse:

— Só a misericórdia da Mãe pode salvá-los, mas vocês afastaram a Mãe desta cidade com seu orgulho, sua luxúria, sua cobiça. Agora é o Estranho que chega. Ele vem em um cavalo escuro com olhos de fogo, trazendo na mão um flagelo em chamas para purificar este fosso pecaminoso e expulsar os demônios e todos que se curvam para eles. Escutem! Estão ouvindo o som dos cascos flamejantes? Ele vem! Ele vem!

A multidão ecoou o brado, gritando "*Ele vem! Ele vem!*" enquanto mil tochas enchiam a praça com poças de luz amarela e fumaça. Pouco depois, os gritos se calaram, e no ar da noite o som de cascos de ferro no calçamento ficou mais alto. "Não era um Estranho, eram quinhentos", diz Cogumelo em seu testemunho.

A Patrulha da Cidade chegara a toda a força, quinhentos homens equipados com cota de malha preta, elmo de aço e longos mantos dourados, e armados com espadas curtas, lanças e porretes com espigões. Eles se juntaram em formação no lado sul da praça, atrás de uma muralha de escudos e lanças. À frente vinha sor Luthor Largent, com uma espada longa na mão e montado em um cavalo de batalha com armadura. Centenas de pessoas fugiram por becos e vielas só de avistá-lo. Outras centenas saíram correndo quando sor Luthor deu ordem para que os mantos dourados avançassem.

No entanto, restavam dez mil. A multidão estava tão apertada que muitas pessoas que teriam preferido fugir não conseguiram se mexer e foram empurradas, sacudidas, pisoteadas. Outras avançaram, de braços entrecruzados, e começaram a gritar e insultar, à medida que as lanças avançavam ao compasso lento de um tambor.

— Abram caminho, seus idiotas — berrou sor Luthor para os cordeiros do Pastor. — Vão para casa. Nenhum mal será feito a vocês. Vão para casa. Só queremos esse Pastor.

Alguns dizem que a primeira pessoa a morrer foi um padeiro, que deu um grunhido de surpresa quando uma ponta de lança penetrou sua carne e tingiu seu avental de vermelho. Outros afirmam que foi uma menina pequena, pisoteada pelo cavalo de batalha de sor Luthor. Uma pedra saiu arremessada da multidão e atingiu a testa de um lanceiro. Ouviram-se gritos e brados, caíram paus e pedras e penicos do alto dos telhados, um arqueiro do outro lado da praça começou a disparar flechas. Empurraram uma tocha contra um homem da patrulha, e em um instante seu manto pegou fogo.

Na outra ponta da Praça dos Sapateiros, o Pastor foi afastado por seus acólitos.

— Peguem-no — gritou sor Luthor. — Prendam-no! Peguem-no!

Ele esporeou o cavalo, abrindo caminho pela turba, e seus mantos dourados o seguiram, descartando as lanças para sacar espadas e porretes. Os seguidores do Pastor gritavam, caíam, corriam. Outros também empunhavam armas, facas e adagas, malhos e maços, lanças quebradas e espadas enferrujadas.

Os mantos dourados eram homens grandes, jovens, fortes, disciplinados, equipados com boas armas e armaduras. Por cerca de vinte metros a muralha de escudos resistiu, e eles abriram uma estrada de sangue pela multidão, deixando para trás mortos e moribundos. Mas eram apenas quinhentos, e dez mil haviam se reunido para ouvir o Pastor. Um homem da patrulha caiu, e depois outro. De repente, o povo começou a penetrar as frestas da fileira. Aos berros, o rebanho do Pastor atacou com facas e pedras, e até dentes, avançando contra a Patrulha da Cidade e contornando os flancos, atacando por trás, arremessando telhas de cima de telhados e varandas.

A luta se transformou em revolta, e a revolta, em massacre. Cercados por todos os lados, os mantos dourados se viram presos e dominados, sem espaço para brandir suas armas. Muitos morreram na ponta de suas próprias espadas. Outros foram estraçalhados, mortos a pontapés, pisoteados, despedaçados com enxadas e cutelos. Nem mesmo o temível sor Luthor Largent conseguiu escapar da carnificina. Arrancaram a espada de sua mão, e ele foi puxado da sela, apunhalado na barriga e golpeado até a morte com uma pedra de calçamento; seu elmo e a cabeça estavam tão esmagados que foi apenas pelo tamanho do corpo que ele foi reconhecido quando as carroças de cadáveres passaram no dia seguinte.

Segundo o septão Eustace, naquela longa noite, o Pastor detinha o controle de metade da cidade, enquanto senhores estranhos e reis da desordem se debatiam pelo resto. Centenas de homens se reuniram em volta de Wat, o Curtidor, que cavalgava pelas ruas em um cavalo branco, exibindo a cabeça e a genitália ensanguentada do lorde Celtigar e declarando um fim a todos os impostos. Em um bordel na Rua da Seda, as prostitutas exaltaram seu próprio rei, um menino de cabelos claros de quatro anos chamado Gaemon, supostamente um bastardo do rei desaparecido Aegon II. Para não ficar para trás, um cavaleiro andante chamado sor Perkin, a Pulga, coroou o próprio escudeiro Trystane, um adolescente de dezesseis anos, declarando-o filho bastardo do falecido rei Viserys. Qualquer cavaleiro pode armar outro cavaleiro, e, quando sor Perkin começou a nomear todo mercenário, ladrão e ajudante de açougueiro que se aliasse ao estandarte esfarrapado de Trystane, centenas de homens e meninos apareceram para se oferecer à causa.

Ao amanhecer, havia incêndios por toda a cidade, a Praça dos Sapateiros estava coberta de cadáveres, e bandos de arruaceiros vagavam pela Baixada das Pulgas, invadindo lojas e casas e atacando qualquer pessoa honesta que encontrassem pela frente. Os mantos dourados sobreviventes haviam recuado para as casernas, enquanto cavaleiros de sarjeta, reis saltimbancos e profetas loucos dominavam as ruas. Tal qual baratas, os piores fugiram da luz, escapando para buracos e porões para curar a bebedeira, dividir os butins e lavar o sangue das mãos. Os mantos dourados no Velho Portão e no Portão do Dragão saíram sob o comando de seus capitães, sor Balon Byrch e sor Garth, o Leporino, e ao meio-dia já tinham conseguido restabelecer alguma espécie de ordem nas ruas ao norte e ao leste da Colina de Rhaenys. Sor Medrick Manderly, à frente de cem homens de Porto Branco, fez o mesmo pela região ao nordeste da Colina de Aegon, até o Portão de Ferro.

O resto de Porto Real continuou imerso no caos. Quando sor Torrhen Manderly liderou seus nortenhos até o Gancho, eles viram que a Praça do Peixeiro e a Rua do Rio estavam tomadas pelos cavaleiros de sarjeta de sor Perkin. No Portão do Rio, o estandarte esfarrapado do "rei" Trystane tremulava acima das ameias, enquanto o corpo do capitão e o de três sargentos balançavam do alto da guarita. O restante da guarnição "Pé de Lama" se debandara para sor Perkin. Sor Torrhen perdeu um quarto de seus homens tentando voltar à Fortaleza Vermelha... mas teve uma fuga fácil em comparação com sor Lorent Marbrand, que liderou cem cavaleiros e homens de armas à Baixada das Pulgas. Voltaram dezesseis. Sor Lorent, senhor comandante da Guarda da Rainha, não foi um deles.

Ao anoitecer, Rhaenyra Targaryen se viu acossada por todos os lados, e seu reinado, em ruínas. "A rainha chorou quando lhe disseram que sor Lorent estava morto", declara Cogumelo, "mas se enfureceu quando descobriu que Lagoa da Donzela havia debandado para o inimigo, que a menina Urtigas tinha fugido, que seu próprio querido consorte a traíra, e tremeu quando a senhora Mysaria a alertou da escuridão iminente, que aquela noite seria pior que a anterior. Ao amanhecer, cem homens a acompanhavam na sala do trono, mas foram escapulindo ou sendo dispensados, um a um, até restarem apenas seus filhos. 'Meu fiel Cogumelo', disse Sua Graça a meu respeito, 'quem dera todos os homens fossem leais como você. Você será minha Mão.' Quando respondi que preferia ser seu consorte, ela riu. Jamais se escutou som mais doce. Foi bom ouvi-la rir."

A *História verdadeira* de Munkun não fala nada da risada da rainha, apenas que Sua Graça se alternou entre a fúria e o desespero, agarrando-se com tamanha força ao Trono de Ferro que, ao pôr do sol, ambas as mãos estavam ensanguentadas. Ela entregou o comando da Patrulha da Cidade a sor Balon Byrch, capitão do Portão de Ferro, enviou corvos a Winterfell e ao Ninho da Águia para pedir mais auxílio, exigiu que se redigisse um decreto de proscrição contra os Mooton de Lagoa da Donzela e conferiu ao jovem sor Glendon Goode o posto de senhor comandante da Guarda da Rainha (embora tivesse apenas vinte anos e integrasse as Espadas Brancas havia menos de uma lua, Goode se destacara durante o combate daquele dia na Baixada das Pulgas. Fora ele quem trouxera o corpo de sor Lorent, para que os revoltosos não o profanassem).

O bobo Cogumelo não aparece no relato que o septão Eustace faz do Último Dia, nem na *História verdadeira* de Munkun, mas ambos falam dos filhos da rainha. Aegon, o Jovem, não saiu do lado da mãe, mas raramente dizia qualquer coisa. O príncipe Joffrey, de treze anos, trajava uma armadura de escudeiro e implorava à rainha permissão para ir até o Fosso dos Dragões e montar Tyraxes.

— Quero lutar por você, mãe, como meus irmãos lutaram. Deixe-me provar que sou tão corajoso quanto eles.

Contudo, suas palavras apenas reforçaram a decisão de Rhaenyra.

— Eles foram corajosos, e estão mortos, os dois. Meus meninos lindos.

E, mais uma vez, Sua Graça proibiu o príncipe de sair do castelo.

Ao pôr do sol, as pragas de Porto Real voltaram a sair de seus buracos, esconderijos e porões, e em quantidade maior ainda do que na noite anterior.

Na Colina de Visenya, um exército de prostitutas concedia suas graças livremente a qualquer homem disposto a jurar a espada a Gaemon Cabelo-Claro ("Rei Xota" no linguajar chulo da cidade). No Portão do Rio, sor Perkin ofereceu um banquete de comida roubada a seus cavaleiros de sarjeta e os liderou ao longo da margem, saqueando cais e armazéns e qualquer navio que não tivesse zarpado, enquanto Wat, o Curtidor, liderava a própria turba de vândalos barulhentos contra o Portão dos Deuses. Embora Porto Real ostentasse muralhas enormes e torres robustas, elas haviam sido projetadas para resistir a ataques vindos de fora da cidade, não de dentro. A guarnição no Portão dos Deuses estava especialmente enfraquecida, pois o capitão e um terço do contingente tinham perecido com sor Luthor Largent na Praça dos Sapateiros. Os que continuavam lá, muitos feridos, foram vencidos com facilidade. Os seguidores de Wat saíram ao campo, avançando pela estrada do rei atrás da cabeça apodrecida do lorde Celtigar... a um destino que aparentemente nem Wat sabia bem qual era.

Antes que se passasse uma hora, o Portão do Rei e o Portão do Leão também foram abertos. Os mantos dourados do primeiro haviam fugido, enquanto os "leões" do outro se aliaram à revolta. Três dos sete portões de Porto Real estavam abertos para os inimigos de Rhaenyra.

Entretanto, a ameaça mais grave contra o poder da rainha se encontrava dentro da cidade. Ao anoitecer, o Pastor apareceu uma vez mais para retomar a pregação na Praça dos Sapateiros. Ao que consta, os cadáveres do confronto da noite anterior haviam sido removidos durante o dia, mas não sem que antes lhes roubassem roupas, dinheiro e outros artigos de valor, e em alguns casos também a cabeça. Enquanto o profeta maneta bradava suas imprecações contra "a rainha maligna" na Fortaleza Vermelha, cem cabeças decepadas o encaravam do alto de lanças e estacas afiladas. Segundo o septão Eustace, a multidão era duas vezes maior e três vezes mais temível que a da noite anterior. Assim como a rainha tão desprezada, os "cordeiros" do Pastor olhavam apavorados para o céu, com medo de que os dragões do rei Aegon chegassem antes do fim da noite, seguidos de perto por um exército. Como não acreditavam mais que a rainha fosse capaz de protegê-los, todos olharam para o Pastor em busca de salvação.

Mas o profeta respondeu:

— Quando os dragões vierem, suas carnes queimarão e arderão e se transformarão em cinzas. Suas esposas dançarão em vestidos de fogo, gritando enquanto ardem, indecentes e nuas sob as chamas. E vocês verão seus filhos pequenos chorarem, até os olhos deles derreterem e escorrerem feito geleia pelo rosto, até a pele rosada enegrecer e se rachar sobre os ossos. O Estranho vem, *ele vem*, *ele vem*, para nos flagelar pelos nossos pecados. Orações não aplacarão sua fúria, tal como lágrimas não saciarão a chama dos dragões. Só o sangue poderá fazer isso. Seu sangue, meu sangue, o sangue *deles*. — Ele então ergueu o braço direito e apontou o toco da mão decepada para trás, na direção da Colina de Rhaenys, para a sombra do Fosso dos Dragões contra o fundo de estrelas. — Ali residem os demônios, lá em cima. *Fogo e sangue, sangue e fogo*. Esta cidade é deles. Se querem que seja de vocês, antes é preciso destruí-los. Se querem se livrar do pecado, antes é preciso se banhar em sangue de dragão. Pois apenas o sangue pode saciar as chamas do inferno.

De dez mil bocas emergiu um brado.

— *Matem todos! Matem todos!*

E, como um monstro colossal de dez mil pernas, os cordeiros começaram a avançar, com empurrões e solavancos, agitando tochas, brandindo espadas, facas e outras armas mais grosseiras, andando e correndo por ruas e becos rumo ao Fosso dos Dragões. Algumas pessoas pensaram melhor e voltaram discretamente para casa, mas, para cada uma que saía, apareciam outras três para se juntar aos matadores de dragões. Quando chegou à Colina de Rhaenys, a multidão já estava duas vezes maior.

No alto da Colina de Aegon, do outro lado da cidade, Cogumelo observava o ataque do terraço da Fortaleza de Maegor com a rainha, os filhos dela e membros da corte. A noite estava escura e encoberta, e diz o bobo que eram tantas as tochas que "foi como se todas as estrelas tivessem descido do céu para atacar o Fosso dos Dragões".

Assim que chegaram as notícias de que o rebanho selvagem do Pastor estava em marcha, Rhaenyra enviou mensageiros até sor Balon, no Velho Portão, e sor Garth, no Portão do Dragão, com ordens para eles dispersarem os cordeiros, apreenderem o Pastor e defenderem os dragões reais... mas, no meio de tanto tumulto na cidade, é muito improvável que os mensageiros tenham conseguido alcançá-los. Mesmo se houvessem conseguido, os poucos mantos dourados leais que ainda restavam jamais teriam qualquer chance de sucesso. "Tanto faria se Sua Graça tivesse ordenado que eles impedissem o fluxo da Água Negra", afirma Cogumelo. Quando o príncipe Joffrey implorou que a mãe lhe desse permissão para sair com seus próprios cavaleiros e os de Porto Branco, a rainha negou.

— Se eles tomarem aquela colina, esta vai ser a seguinte — disse ela. — Nós vamos precisar de todas as espadas aqui para defender o castelo.

— Eles vão matar os *dragões* — disse o príncipe Joffrey, angustiado.

— Ou os dragões vão matá-los — respondeu a mãe, sem se abalar. — Eles que queimem. O reino não vai sentir falta nenhuma.

— Mãe, e se eles matarem *Tyraxes*? — perguntou o jovem príncipe.

A rainha não acreditava.

— Eles são pestes. Bêbados e palhaços e ratos de vala. Vão fugir com o primeiro toque de fogo de dragão.

Nesse momento, o bobo Cogumelo se pronunciou.

— Bêbados eles podem ser, mas um homem bêbado não tem medo. Palhaços, sim, mas um palhaço pode matar um rei. Ratos também são, mas mil ratos podem derrubar um urso. Já vi isso acontecer uma vez, ali na Baixada das Pulgas.

Dessa vez, a rainha Rhaenyra não riu. Após recomendar que o bobo contivesse a língua para não perdê-la, Sua Graça se virou para o parapeito de novo. Só Cogumelo viu o príncipe Joffrey ir embora amuado (se seu testemunho é digno de confiança)... e Cogumelo havia sido instruído a conter a língua.

Foi apenas quando as pessoas no terraço ouviram o rugido de Syrax que se percebeu a ausência do príncipe. Era tarde demais.

— Não — teria dito a rainha — eu proíbo, eu *proíbo*. — Mas, enquanto ela falava, Syrax levantou voo no pátio, pousou por um breve instante nas ameias do castelo e se lançou noite adentro levando nas costas o filho dela, de espada em punho.

— Atrás dele! — gritou Rhaenyra. — Todos vocês, todos os homens, todos os meninos, aos cavalos, *aos cavalos*, vão atrás dele. Tragam-no de volta, tragam-no de volta, ele não sabe. Meu filho, meu lindo, meu filho...

Sete homens chegaram a sair da Fortaleza Vermelha naquela noite para a loucura da cidade. Munkun diz que eram homens de honra, movidos pelo dever de obedecer às ordens da rainha. O septão Eustace alega que o coração deles se comovera com o amor de uma mãe pelo filho. Cogumelo declara que eram todos idiotas e oportunistas, ansiosos para receber grandes recompensas, mas "burros demais para acreditar que poderiam morrer". É possível que, enfim, todos os nossos três cronistas tivessem razão, ao menos em parte.

Nosso septão, nosso meistre e nosso bobo estão de acordo quanto ao nome deles. Os Sete que Cavalgaram foram sor Medrick Manderly, herdeiro de Porto Branco; sor Loreth Lansdale e sor Harrold Darke, cavaleiros da Guarda da Rainha; sor Harmon dos Reed, conhecido como Bate-Ferro; sor Gyles Yronwood, um cavaleiro exilado de Dorne; sor Willam Royce, armado com a famosa espada valiriana Lamentação; e sor Glendon Goode, senhor comandante da Guarda da Rainha. Seis escudeiros, oito mantos dourados e vinte homens de armas saíram junto com os sete campeões, mas seus nomes, infelizmente, não chegaram até nós.

Muitos trovadores compuseram inúmeras canções sobre a Cavalgada dos Sete, e muitas histórias foram contadas sobre os perigos que eles enfrentaram ao abrir caminho pela cidade, enquanto Porto Real queimava à sua volta e os becos da Baixada das Pulgas eram cobertos com o vermelho do sangue. Algumas dessas canções até contêm uma parcela de verdade, mas elas não pertencem ao nosso escopo aqui. Houve também canções sobre o último voo do príncipe Joffrey. Há trovadores que encontram glória até mesmo em uma latrina, segundo Cogumelo, mas apenas um bobo pode falar a verdade. Embora seja inquestionável a coragem do príncipe, seu gesto foi insensato.

Não fingiremos compreender o vínculo entre um dragão e seu mestre; mentes mais sábias ponderam acerca desse mistério há séculos. Contudo, sabemos que dragões não são cavalos, que podem ser montados por qualquer homem que lhes ponha uma sela. Syrax era a dragão da rainha. Nunca conhecera outro cavaleiro. Embora ela conhecesse o príncipe Joffrey de vista e cheiro, uma presença familiar que não inspirou agitação ao mexer em suas correntes, a grande dragão amarela não desejava levá-lo em seu dorso. Na pressa de sair antes que alguém pudesse impedi-lo, o príncipe pulara sobre Syrax sem o benefício de sela ou chicote. Supomos que seu objetivo era voar com Syrax para a batalha ou, o que seria mais provável, atravessar a cidade até o Fosso dos Dragões para chegar a Tyraxes, seu próprio dragão. Talvez ele pretendesse soltar também os outros dragões do fosso.

Joffrey nunca chegou à Colina de Rhaenys. No ar, Syrax se virou embaixo dele, esforçando-se para se libertar daquele cavaleiro desconhecido. E, do solo, pedras e lanças e flechas eram arremessadas pelos cordeiros ensanguentados do Pastor, enfurecendo ainda mais a dragão. Sessenta metros acima da Baixada das Pulgas, o príncipe Joffrey escorregou do dorso da dragão e caiu ao chão.

A queda do príncipe chegou a um fim sangrento perto de uma encruzilhada de cinco becos. Ele atingiu um telhado íngreme e rolou por mais uns doze metros em meio a uma tempestade de telhas quebradas. Ao que consta, sua coluna se partiu com a queda, os fragmentos de telha caíram sobre ele feito facas, e sua própria espada se soltou da mão e atravessou-lhe a barriga. Na Baixada das Pulgas, ainda hoje se fala de uma filha de fabricante de velas chamada Robin que segurou o príncipe quebrado nos braços e o consolou enquanto ele morria, mas esse conto é mais lenda que história.

— Mãe, me perdoe — teria dito Joffrey, com seu último suspiro... embora ainda se discuta se ele estava se referindo à sua mãe, a rainha, ou rezando à Mãe do Céu.

E assim pereceu Joffrey Velaryon, Príncipe de Pedra do Dragão e herdeiro do Trono de Ferro, o último filho da rainha Rhaenyra com Laenor Velaryon... ou o último de seus bastardos com sor Harwin Strong, dependendo de qual das verdades prefere-se considerar.

A turba não demorou para avançar contra seu cadáver. A filha do fabricante de velas, se é que existiu, foi afugentada. Saqueadores arrancaram as botas dos pés do príncipe e a espada de sua barriga, e então removeram suas roupas finas e ensanguentadas. Outras pessoas, mais selvagens ainda, começaram a despedaçar o corpo dele. As duas mãos foram decepadas, para que a ralé das ruas pudesse tirar os anéis dos dedos. O pé direito do príncipe foi cortado na altura do tornozelo, e um aprendiz de açougueiro estava serrando o pescoço para levar a cabeça quando os Sete que Cavalgaram chegaram trovejantes. Ali, em meio aos fedores da Baixada das Pulgas, foi travada uma batalha na lama e no sangue pela posse do corpo do príncipe Joffrey.

Os cavaleiros da rainha conseguiram recuperar os restos mortais do príncipe, exceto pelo pé desaparecido, mas três dos sete iniciais caíram no combate. O dornês, sor Gyles Yronwood, foi puxado de cima do cavalo e espancado até a morte, enquanto sor Willam Royce foi derrubado por um homem que saltou de cima de um telhado e caiu em suas costas (sua famosa espada, Lamentação, foi arrancada de sua mão e roubada, e ninguém jamais a encontrou). A sina mais terrível foi a de sor Glendon Goode, atacado por trás por um homem com uma tocha, que ateou fogo ao longo manto branco. Quando as labaredas se espalharam pelas suas costas, o cavalo dele empinou assustado e o jogou no chão, e a turba avançou sobre ele e o despedaçou. Com apenas vinte anos, sor Glendon fora senhor comandante da Guarda da Rainha por menos de um dia.

E, enquanto o sangue corria nos becos da Baixada das Pulgas, outra batalha estourava no Fosso dos Dragões, no topo da Colina de Rhaenys.

Cogumelo não estava enganado: uma multidão de ratos famintos, quando em quantidade suficiente, de fato é capaz de derrubar touros e ursos e leões. Por mais ratos que o touro ou o urso mate, sempre aparecem mais, mordendo as patas do grande animal, agarrando-se à barriga, correndo por cima das costas. E assim foi naquela noite. Os ratos do Pastor estavam armados com lanças, machados longos, porretes com espigões e dezenas de outras variedades de armas, incluindo arcos longos e bestas.

Mantos dourados do Portão do Dragão, obedientes às ordens da rainha, saíram da caserna para defender a colina, mas foram incapazes de atravessar a turba e tiveram que recuar, enquanto o mensageiro enviado ao Velho Portão nunca chegou. O Fosso dos Dragões contava com seu próprio contingente de guardas, os Guardiões de Dragão, mas havia apenas setenta e sete desses guerreiros orgulhosos, e no turno daquela noite eram menos de cinquenta. Suas espadas se embebedaram do sangue dos invasores, mas a diferença numérica era avassaladora. Quando os cordeiros do Pastor arrebentaram as portas (os imensos portões principais, folheados a bronze e ferro, eram fortificados contra investidas, mas a construção tinha várias outras entradas menores) e atravessaram as janelas, os Guardiões de Dragão foram dominados e logo massacrados.

Talvez os invasores tivessem a esperança de alcançar os dragões enquanto eles estivessem dormindo, mas foi impossível com os estrondos do ataque. Os que viveram para contar a história depois descrevem gritos e berros, cheiro de sangue no ar, portas de carvalho e ferro derrubadas por aríetes improvisados e pelos golpes de inúmeros machados. "Raras vezes houve tantos homens correndo com tamanha disposição para suas piras funerárias", escreveu o grande meistre Munkun, "mas a loucura os consumia." Havia quatro dragões abrigados no fosso. Quando os primeiros invasores saíram para a areia, os quatro já estavam acordados e furiosos.

Não há consenso algum entre os cronistas a respeito da quantidade de homens e mulheres que morreram naquela noite sob a grande redoma do Fosso dos Dragões: duzentos ou dois mil, tanto faz. Para cada homem morto, houve dez que sofreram queimaduras e sobreviveram. Trancados dentro do fosso, restringidos pelas paredes e pela redoma e presos por pesadas correntes, os dragões não conseguiram voar, nem usar as asas para evitar ataques e descer sobre seus inimigos. Eles lutaram apenas com chifres e garras e dentes, virando-se para um lado e para o outro como touros em uma arena de ratos na Baixada das Pulgas... mas esses touros cuspiam fogo. "O Fosso dos Dragões se transformou em um inferno de chamas onde homens queimados cambaleavam aos berros em meio à fumaça, enquanto a carne caía de seus ossos enegrecidos", escreve o septão Eustace, "mas, para cada homem que caía, outros dez apareciam, gritando que os dragões precisavam morrer. Um a um, eles morreram."

Shrykos foi a primeira dragão a sucumbir, morta por um homem conhecido como Hobb, o Lenhador, que pulou em seu pescoço e cravou o machado no crânio do animal enquanto Shrykos rugia e se retorcia, tentando derrubá-lo. Foram sete os golpes que Hobb infligiu com as pernas presas em volta do pescoço da dragão, e cada vez que seu machado descia ele berrava o nome de um dos Sete. Foi o sétimo golpe, o golpe do Estranho, que matou Shrykos, atravessando escamas e ossos até o cérebro da criatura... se podemos nos fiar do relato de Eustace.

Consta que Morghul foi morto pelo Cavaleiro Ardente, um brutamontes gigantesco com armadura pesada que correu direto para as chamas do dragão com uma lança na mão e cravou a ponta repetidamente no olho da criatura enquanto o fogo derretia a chapa de aço que o envolvia e lhe devorava o corpo.

Tyraxes, o dragão do príncipe Joffrey, recuou para o fundo de seu covil e assou tantos pretensos matadores de dragão que vieram correndo atacá-lo que logo a entrada ficou bloqueada pelos cadáveres. Mas convém lembrar que cada uma dessas cavernas artificiais tinha duas entradas, uma de frente para as areias do fosso e outra, para a encosta da colina. Foi o próprio Pastor que orientou seus seguidores a arrombar "a porta de trás". Centenas obedeceram, berrando em meio à fumaça com espadas e lanças e machados. Quando Tyraxes se virou, suas correntes se enrolaram, prendendo-o em um emaranhado de aço que limitou fatalmente seus movimentos. Meia dúzia de homens (e uma mulher) mais tarde alegariam ter dado o golpe mortal (tal como seu mestre, Tyraxes sofreu indignidades até na morte, quando os seguidores do Pastor rasgaram as membranas de suas asas e cortaram em tiras irregulares para fazer mantos de pele de dragão).

A última dos quatro dragões no fosso não morreu com tanta facilidade. Reza a lenda que Dreamfyre tinha se libertado de duas das correntes quando a rainha Helaena morreu. As correntes que restavam ela arrebentou então, arrancando as argolas das paredes quando a turba atacou e avançando com dentes e garras, estraçalhando e desmembrando homens e despejando chamas terríveis. Quando outras pessoas se aproximaram, ela levantou voo, contornando o interior cavernoso do Fosso dos Dragões e mergulhando para atacar os homens abaixo. Tyraxes, Shrykos e Morghul haviam matado dezenas, sem dúvida, mas Dreamfyre matou mais do que todos os três juntos.

Centenas de pessoas fugiram aterrorizadas de suas chamas... mas outras centenas, bêbadas ou enlouquecidas ou possuídas com a coragem do próprio Guerreiro, partiram para o ataque. Até mesmo no topo da redoma, a dragão estava bem dentro do alcance de arcos e bestas, e flechas e setas voavam contra Dreamfyre aonde quer que ela fosse, e a uma distância tão curta que algumas chegaram até a atravessar suas escamas. Sempre que ela pousava, homens a cercavam para atacar, fazendo-a voar de novo. Duas vezes a dragão voou até os enormes portões de bronze, encontrando-os sempre fechados, trancados e defendidos por várias lanças.

Sem poder fugir, Dreamfyre voltou ao ataque, arrasando seus atormentadores até as areias do fosso ficarem cobertas de cadáveres carbonizados e o próprio ar se encher de fumaça e do cheiro de carne queimada, mas ainda assim as lanças e flechas voavam. O fim chegou quando uma seta de besta atingiu um dos olhos da dragão. Parcialmente cega, e enlouquecida por uma dúzia de ferimentos menores, Dreamfyre abriu as asas e voou até a grande redoma no topo, numa última tentativa desesperada de sair para o céu aberto. Já fragilizada por jatos de fogo de dragão, a redoma se quebrou com a força do impacto e, pouco depois, metade caiu ao chão, esmagando tanto a dragão quanto os matadores de dragão sob toneladas de pedras e destroços.

O Assalto ao Fosso dos Dragões acabou. Quatro dos dragões Targaryen estavam mortos, porém a um custo tenebroso. Mas o Pastor não triunfara ainda, pois a própria dragão da rainha continuava viva e livre... e, quando os sobreviventes queimados e ensanguentados da carnificina no fosso saíram aos tropeços das ruínas fumegantes, Syrax desceu sobre eles.

Cogumelo era um dos que assistiam a tudo com a rainha Rhaenyra no terraço da Fortaleza de Maegor. "Mil gritos e brados ecoaram pela cidade, misturados ao rugido da dragão", diz ele. "No topo da Colina de Rhaenys, o Fosso dos Dragões ostentava uma coroa de fogo amarelo, que ardia com tanta intensidade que parecia o nascer do sol. Até a rainha tremeu ao observar, e lágrimas brilhavam em seu rosto. Jamais contemplei cena mais terrível, mais gloriosa."

Muitos companheiros da rainha no terraço fugiram, segundo o anão, com medo de que as chamas não fossem demorar a engolir toda a cidade, incluindo a Fortaleza Vermelha no topo da Colina de Aegon. Outros foram ao septo do castelo para rezar por salvação. A própria Rhaenyra abraçou seu último filho vivo, Aegon mais novo, prendendo-o com força junto ao peito. E ela continuaria agarrada a ele... até aquele terrível momento em que Syrax caiu.

Sem correntes nem cavaleiro, Syrax poderia ter voado para longe da insanidade sem problemas. O céu estava à sua disposição. Ela podia ter voltado à Fortaleza Vermelha, saído da cidade, voado para Pedra do Dragão. Foram o barulho e o fogo que a atraíram até a Colina de Rhaenys, os rugidos e gritos dos dragões que morriam, o cheiro de carne queimada? Não temos como saber, assim como não temos como saber por que Syrax decidiu descer sobre a turba do Pastor, arrasando as pessoas com dentes e garras e devorando dezenas, quando poderia ter despejado facilmente uma chuva de fogo das alturas, pois no céu ninguém poderia feri-la. Só podemos relatar o que aconteceu, tal como Cogumelo, o septão Eustace e o grande meistre Munkun registraram.

Existem muitos relatos conflitantes a respeito da morte da dragão da rainha. Munkun dá crédito a Hobb, o Lenhador, e seu machado, embora isso muito provavelmente seja um erro. Seria possível que o mesmo homem matasse dois dragões na mesma noite e da mesma forma? Há quem fale de um lanceiro anônimo, "um gigante banhado de sangue" que saltou do domo quebrado do Fosso dos Dragões sobre as costas de Syrax. Outras pessoas descrevem um cavaleiro chamado sor Warrick Wheaton, que teria cortado uma das asas da dragão com uma espada de aço valiriano (talvez Lamentação). Mais tarde, um besteiro chamado Bean reivindicaria para si a morte, gabando-se em muitas tabernas, até um dos legalistas da rainha se cansar da língua agitada dele e cortá-la.

Talvez todas essas eminências (exceto Hobb) tenham desempenhado algum papel na queda da dragão... mas a história que mais se escuta em Porto Real diz que o matador foi o próprio Pastor. Segundo essa história, enquanto outras pessoas fugiam, o profeta maneta aguardou sozinho e sem medo a vinda do monstro devorador e invocou a ajuda dos Sete, e então o próprio Guerreiro se materializou, com dez metros de altura. Ele trazia na mão uma espada negra feita de fumaça que se transformou em aço no momento do ataque, decepando a cabeça de Syrax. E assim se espalhou a história, inclusive pelo septão Eustace em seu registro sobre aqueles dias sombrios, e assim os trovadores cantaram muitos anos depois.

Segundo Cogumelo, com a perda da dragão e do filho, Rhaenyra Targaryen ficou pálida e inconsolável. Acompanhada apenas do bobo, ela se retirou para seus aposentos enquanto seus conselheiros debatiam. Todos concordavam que Porto Real estava perdida; eles precisavam abandonar a cidade. Com relutância, Sua Graça aceitou ir embora no dia seguinte, ao amanhecer. Como o Portão da Lama estava em mãos inimigas e todos os navios no rio haviam sido incendiados ou afundados, Rhaenyra e um pequeno grupo de seguidores escaparam pelo Portão do Dragão, com a intenção de subir o litoral até Valdocaso. Com ela cavalgavam os irmãos Manderly, quatro cavaleiros sobreviventes da Guarda da Rainha, sor Balon Byrch e vinte mantos dourados, quatro damas de companhia da rainha, e seu único filho sobrevivente, Aegon mais novo.

Cogumelo ficou para trás, junto com outros membros da corte, incluindo a senhora Miséria e o septão Eustace. Sor Garth, o Leporino, capitão dos mantos dourados do Portão do Dragão, foi encarregado da defesa do castelo, uma tarefa para a qual o Leporino demonstrou pouco interesse. Não fazia nem meio dia que Sua Graça fora embora quando Perkin, a Pulga, e seus cavaleiros de sarjeta apareceram diante dos portões e exigiram a rendição do castelo. Embora o inimigo estivesse em número dez vezes maior, a guarnição da rainha ainda poderia ter resistido, mas sor Garth preferiu abaixar os estandartes de Rhaenyra, abrir os portões e confiar na piedade do inimigo.

Pulga se mostrou um homem impiedoso. Garth, o Leporino, foi arrastado até ele e decapitado, assim como outros vinte cavaleiros ainda leais à rainha, incluindo sor Harmon dos Reeds, o Bate-Ferro, que fora um dos Sete que Cavalgaram. E a senhora dos segredos, a senhora Mysaria de Lys, tampouco foi poupada em nome do gênero. Capturada enquanto tentava fugir, Verme Branco foi obrigada a atravessar nua a cidade, da Fortaleza Vermelha até o Portão dos Deuses, enquanto era açoitada. Sor Perkin prometeu que, se ainda estivesse viva quando chegasse ao portão, ela seria poupada e libertada. Ela só conseguiu avançar metade do caminho, morrendo nas ruas sem praticamente mais nenhum pedaço de sua pele branca nas costas.

O septão Eustace temeu pela própria vida. "Foi apenas a misericórdia da Mãe que me salvou", escreve ele, ainda que pareça mais provável que sor Perkin não quisesse provocar a inimizade da Fé. Pulga também libertou todos os prisioneiros encontrados na masmorra sob o castelo, incluindo o grande meistre Orwyle e o Serpente Marinha, o lorde Corlys Velaryon. Os dois estavam presentes no dia seguinte para ver Trystane, o desengonçado escudeiro de sor Perkin, subir ao Trono de Ferro. E também estava a rainha-viúva Alicent, da Casa Hightower. Nas celas sombrias, os homens de sor Perkin encontraram até mesmo sor Tyland Lannister, o antigo mestre da moeda do rei Aegon, ainda vivo... embora os torturadores de Rhaenyra tivessem arrancado seus olhos, as unhas dos pés e das mãos, e suas orelhas, e removido seu sexo.

Larys Strong Pé-Torto, o mestre dos segredos do rei Aegon, estava muito melhor. O Senhor de Harrenhal saiu intacto de seu esconderijo, onde quer que fosse. Tal qual um homem que ressurgia do túmulo, ele atravessou os corredores da Fortaleza Vermelha como se nunca tivesse saído e foi recebido com afeição por sor Perkin, a Pulga, para assumir uma posição de honra ao lado do novo "rei".

A fuga da rainha não trouxe paz a Porto Real. "Três monarcas reinavam na cidade, cada um em sua própria colina, mas para os infelizes súditos não havia lei, justiça ou proteção", diz a *História verdadeira*. "Nenhuma casa era segura, nem a virtude de qualquer donzela." Esse caos persistiu por mais de uma lua.

Meistres e outros eruditos que escrevem sobre esse período costumam se basear em Munkun e falar da Lua dos Três Reis (outros autores preferem a Lua da Loucura), mas esse termo é inadequado, pois o Pastor nunca se declarou rei, dizendo-se apenas um simples filho dos Sete. Contudo, é inegável que ele tenha sido uma forte influência sobre dezenas de milhares de pessoas em meio às ruínas do Fosso dos Dragões.

As cabeças dos cinco dragões que seus seguidores haviam matado foram empaladas em estacas, e todas as noites o Pastor aparecia entre elas para pregar. Como os dragões estavam mortos e a ameaça da imolação deixara de ser iminente, o profeta dirigiu sua ira aos nobres e ricos. Apenas os pobres e humildes veriam os salões dos deuses; senhores e cavaleiros e homens ricos seriam lançados ao inferno por seu orgulho e sua cobiça.

— Dispam-se de seus trajes de seda e cetim e cubram sua nudez com mantos grosseiros — disse ele a seus seguidores. — Descartem seus sapatos e caminhem descalços pelo mundo, tal qual o Pai os criou.

Milhares obedeceram. Mas outros milhares recusaram, e a cada noite a multidão que vinha ouvir o profeta encolhia.

Na outra extremidade da Rua das Irmãs, o curioso reino de Gaemon Cabelo-Claro florescia no topo da Colina de Visenya. A corte desse rei bastardo de quatro anos era composta por prostitutas, saltimbancos e ladrões, enquanto gangues de rufiões, mercenários e bêbados defendiam seu "governo". A Casa dos Beijos, o local que abrigava o trono do rei-menino, proclamou decreto após decreto, cada um mais absurdo que o outro. Gaemon determinou que, dali por diante, meninas seriam iguais a meninos em questões de herança, que os pobres deveriam receber pão e cerveja em épocas de fome, que homens que tivessem perdido algum membro em guerra deveriam receber comida e moradia do senhor para o qual eles haviam lutado quando do momento da perda. Gaemon determinou que maridos que espancassem a esposa também seriam espancados, independentemente do que as esposas tivessem feito para merecer tal castigo. É quase certo que essas determinações foram obra de uma prostituta dornesa chamada Sylvenna Sand, supostamente amante de Essie, a mãe do pequeno rei, se podemos confiar em Cogumelo.

Houve decretos reais também do alto da Colina de Aegon, onde Trystane, a marionete de sor Perkin, ocupava o Trono de Ferro, mas esses foram muito diferentes. O rei escudeiro começou anulando os odiados impostos da rainha Rhaenyra e dividindo o dinheiro do tesouro real entre seus seguidores. Depois, ele cancelou todas as dívidas do trono, concedeu títulos de nobreza a três vintenas de cavaleiros de sarjeta e, em resposta à promessa do "rei" Gaemon de dar pão e cerveja de graça aos famintos, permitiu aos pobres também o direito de caçar coelhos, lebres e cervos da Mata de Rei (mas não alces ou javalis). Enquanto isso, sor Perkin, a Pulga, recrutava dezenas de mantos dourados sobreviventes para servir sob o estandarte de Trystane. Com essas espadas, ele passou a controlar o Portão do Dragão, o Portão do Rei e o Portão do Leão, tendo assim domínio sobre quatro dos sete portões da cidade e mais da metade das torres ao longo das muralhas.

Nos primeiros dias após a fuga da rainha, o Pastor era, de longe, o mais poderoso dos três "reis" da cidade, mas, com o passar das noites, a quantidade de seguidores dele encolheu continuamente. "Foi como se o povo da cidade estivesse acordando de um pesadelo", escreveu o septão Eustace, "e, como pecadores que despertam sóbrios e de ressaca depois de uma noite de orgias e festas ébrias, dispersaram-se envergonhados, escondendo o rosto uns dos outros e tentando esquecer." Embora os dragões estivessem mortos e a rainha, desaparecida, o Trono de Ferro exercia tamanho poder que o povo comum ainda recorria à Fortaleza Vermelha quando sentia fome ou medo. Assim, conforme o poder do Pastor diminuía na Colina de Rhaenys, o poder do rei Trystane Truefyre (como ele passara a se chamar) crescia no topo da Colina de Aegon.

Muito também vinha acontecendo em Tumbleton, e é para lá que agora precisamos dirigir nossa atenção. Quando a notícia dos distúrbios em Porto Real chegou ao exército do príncipe Daeron, muitos senhores mais jovens ficaram ansiosos para avançar contra a cidade imediatamente. Os principais foram sor Jon Roxton, sor Roger Corne e o lorde Unwin Peake... mas sor Hobert Hightower recomendou cautela, e os Dois Traidores se recusaram a participar de qualquer ataque enquanto suas exigências não fossem cumpridas. Ulf Branco, convém lembrar, queria ser agraciado com o grande castelo de Jardim de Cima e todas as terras e rendimentos correspondentes, enquanto Hugh Martelo desejava nada menos que uma coroa.

Esses conflitos alcançaram ponto de ebulição quando Tumbleton soube, tardiamente, da morte de Aemond Targaryen em Harrenhal. Não havia qualquer notícia do rei Aegon II desde a queda de Porto Real para sua meia-irmã, Rhaenyra, e muitos temiam que a rainha o tivesse matado em segredo e escondido o corpo para não ser condenada como assassina de parentes. Com o irmão dele morto também, os verdes se viram sem rei nem líder. O príncipe Daeron era o seguinte na linha sucessória. O lorde Peake declarou que o rapaz deveria ser proclamado Príncipe de Pedra do Dragão imediatamente; outros, partindo do princípio de que Aegon II estava morto, queriam coroá-lo rei.

Os Dois Traidores também sentiam necessidade de um rei... mas Daeron Targaryen não era o que eles queriam.

— Precisamos de um homem forte para nos liderar, não um menino — declarou Hugh Martelo. — O trono deve ser meu. — Quando o Ousado Jon Roxton exigiu saber qual direito ele acreditava ter para se intitular rei, o lorde Martelo respondeu: — O mesmo direito do Conquistador. Um dragão.

E, de fato, com a morte de Vhagar, o maior e mais velho dragão vivo de Westeros inteira era Vermithor, que antes levara o Velho Rei e agora era a montaria do bastardo

Hugh Martelo. Vermithor era três vezes maior que a dragão Tessarion, do príncipe Daeron. Ninguém que os visse juntos poderia negar que Vermithor era uma criatura muito mais temível.

Embora a ambição de Martelo fosse inadequada para alguém de tão baixas origens, o bastardo definitivamente possuía algum sangue Targaryen, e ele se revelara feroz em batalha e generoso para com aqueles que o seguissem, demonstrando o tipo de ostentação que atrai homens para líderes da mesma forma que um cadáver atrai moscas. Eram homens da pior espécie, claro: mercenários, cavaleiros ladrões e outros da mesma laia, homens de sangue sujo e origens incertas que adoravam lutar pela luta em si e viviam para saquear e roubar. Muitos deles haviam escutado a profecia de que o martelo esmagaria o dragão e adotaram a interpretação de que o triunfo de Hugh Martelo estava escrito.

Mas os senhores e cavaleiros de Vilavelha e da Campina se ofenderam com a arrogância da pretensão do traidor, especialmente o próprio príncipe Daeron Targaryen, que ficou tão furioso que jogou um cálice de vinho no rosto de Hugh Martelo. Enquanto o lorde Branco lamentava o desperdício de um bom vinho, o lorde Martelo disse:

— Meninos deviam ser mais educados enquanto homens conversam. Acho que seu pai não lhe deu surras suficientes. Cuidado para eu não compensar a falta.

Os Dois Traidores saíram juntos e começaram a planejar a coroação de Martelo. No dia seguinte, Hugh estava usando uma coroa de ferro negro, para a fúria do príncipe Daeron e dos senhores e cavaleiros legítimos.

Um deles, sor Roger Corne, chegou a ter a audácia de derrubar a coroa da cabeça de Martelo.

— Uma coroa não faz um rei — disse ele. — Você devia usar uma ferradura na cabeça, ferreiro.

Foi uma insensatez. O lorde Hugh não achou graça. Por ordem dele, seus homens seguraram sor Roger no chão, e o bastardo de ferreiro cravou não só uma, mas três ferraduras no crânio do cavaleiro. Quando os amigos de Corne tentaram intervir, adagas e espadas foram desembainhadas, resultando em três homens mortos e uma dúzia de feridos.

Isso superou os limites da paciência dos senhores legalistas do príncipe Daeron. O lorde Unwin Peake e o relativamente relutante Hobert Hightower convocaram outros onze senhores e cavaleiros de terras para uma reunião secreta no porão de uma estalagem em Tumbleton, com o objetivo de discutir o que fazer para refrear a arrogância dos bastardos cavaleiros de dragão. Os conspiradores estavam de acordo em que seria fácil eliminar Branco, que passava mais tempo bêbado que sóbrio e nunca demonstrara nenhuma grande habilidade de luta. Martelo representava um perigo maior, pois ultimamente vivia cercado por lambe-botas, seguidoras de acampamento e mercenários ansiosos para cair em suas graças. O lorde Peake destacou que de pouco adiantaria matar Branco e deixar Martelo vivo; Hugh precisava morrer primeiro. Foram longas e ruidosas as discussões na estalagem sob a placa de Ouriço Sangrento, conforme os senhores debatiam qual seria a melhor maneira de atingir essa meta.

— Qualquer homem pode ser morto — declarou sor Hobert Hightower —, mas e os dragões?

Sor Tyler Norcross disse que, considerando o caos em Porto Real, Tessarion já deveria bastar para permitir que eles reconquistassem o Trono de Ferro. O lorde Peake respondeu que a vitória seria muito mais garantida com Vermithor e Asaprata. Marq Ambrose sugeriu que eles tomassem a cidade e, quando a vitória estivesse certa, eliminassem Branco e Martelo, mas Richard Rodden insistiu que essa opção não seria honrosa.

— Não podemos pedir que esses homens derramem sangue por nós e, depois, matá-los.

Jon Roxton resolveu a questão.

— Vamos matar os bastardos agora — disse ele. — Depois, que os mais valentes entre nós reivindiquem os dragões deles e voem para a batalha. — Ninguém dentro daquele porão duvidou que Roxton estivesse falando de si mesmo.

O príncipe Daeron não esteve presente à reunião, mas os Ouriços (como os conspiradores ficaram conhecidos) não queriam agir sem o consentimento e a aprovação dele. Owen Fossoway, Senhor de Solar da Sidra, foi enviado sob a proteção da noite para despertar o príncipe e levá-lo ao porão, para que os conspiradores pudessem informá-lo do plano. E o antes gentil príncipe sequer hesitou quando o lorde Unwin Peake lhe apresentou as ordens de execução de Hugh Martelo e Ulf Branco e logo aplicou o próprio selo.

Os homens tramam e planejam e conspiram, mas seria bom rezarem também, pois plano algum concebido pelo homem jamais resistiu aos caprichos dos deuses. Dois dias depois, exatamente no dia em que os Ouriços pretendiam agir, Tumbleton acordou na escuridão da noite ao som de gritos e berros. Do lado de fora das muralhas da cidade, os acampamentos estavam em chamas. Colunas de cavaleiros de armadura avançavam desde o norte e o oeste, disseminando destruição, as nuvens despejavam uma torrente de flechas, e um dragão mergulhava do céu, terrível e feroz.

E assim começou a Segunda Batalha de Tumbleton.

O dragão era Fumaresia, montado por sor Addam Velaryon, determinado a provar que nem todos os bastardos são necessariamente vira-mantos. Que melhor forma de fazer isso do que reconquistar Tumbleton dos Dois Traidores, cuja traição o havia maculado? Os cantores dizem que sor Addam voara de Porto Real até o Olho de Deus, onde pousou na sagrada Ilha das Caras e se aconselhou com os Homens Verdes. Pesquisadores precisam se ater aos fatos conhecidos, e o que sabemos é que sor Addam voou longe e rápido, descendo em castelos grandes e pequenos cujos senhores fossem leais à rainha, para formar um exército.

Muitas batalhas e escaramuças já haviam sido travadas nas terras banhadas pelo Tridente, e eram poucas as fortalezas ou cidades que não tivessem pagado sua parcela de sangue... mas Addam Velaryon era incansável e determinado e dotado de grande lábia, e os senhores das terras fluviais conheciam muito bem os horrores que haviam se abatido sobre Tumbleton. Quando sor Addam estava pronto para avançar contra Tumbleton, ele veio à frente de quatro mil homens.

Benjicot Blackwood, o menino de doze anos que era Senhor de Corvarbor, havia se apresentado, assim como a viúva Sabitha Frey, Senhora das Gêmeas, com o pai e os irmãos da Casa Vypren. Os lordes Stanton Piper, Joseth Smallwood, Derrick Darry e Lyonel Deddings tinham formado tropas novas de meninos verdes e homens de barba grisalha, mas todos haviam sofrido pesadas perdas nas batalhas do outono. Hugo Vance, o jovem Senhor de Pouso do Viajante, também viera, com trezentos de seus homens e ainda os mercenários myrianos de Trombo Negro.

Principalmente, a Casa Tully havia entrado na guerra. A descida de Fumaresia em Correrrio enfim convencera sor Elmo Tully, o guerreiro relutante, a convocar seus vassalos em nome da rainha, contra a vontade de seu avô acamado, o lorde Grover.

— Um dragão no pátio faz maravilhas para resolver incertezas — teria dito sor Elmo.

O vasto exército acampado diante das muralhas de Tumbleton era maior que os atacantes, mas havia passado tempo demais em um mesmo lugar. A disciplina tinha relaxado (a bebedeira era endêmica, segundo o grande meistre Munkun, e também havia surtos de doenças), a morte do lorde Ormund Hightower os deixara sem liderança, e os senhores que queriam assumir a posição de comando não entravam em acordo. Eles estavam tão concentrados em suas próprias diferenças e rivalidades que foi quase como se esquecessem o verdadeiro inimigo. O ataque noturno de sor Addam os pegou totalmente de surpresa. Antes que os homens do príncipe Daeron sequer se dessem conta da batalha, o inimigo já estava entre eles, matando-os enquanto eles saíam aos tropeços de suas barracas, selavam os cavalos, se esforçavam para vestir a armadura, prendiam o cinto da espada.

A maior devastação veio com o dragão. Fumaresia desceu repetidamente, cuspindo chamas. Cem barracas logo pegaram fogo, incluindo o esplêndido pavilhão de seda de sor Hobert Hightower, do lorde Unwin Peake e do próprio príncipe Daeron. E a cidade de Tumbleton tampouco foi poupada. Lojas, casas e septos que haviam sido preservados na primeira batalha foram engolidos pelo fogo de dragão.

Daeron Targaryen estava dormindo em sua barraca quando o ataque começou. Ulf Branco estava dentro de Tumbleton, inconsciente depois de uma noite de bebedeira em uma estalagem chamada Texugo Tesudo que ele havia tomado para si. Hugh Martelo também estava na cidade, na cama com a viúva de um cavaleiro morto na primeira batalha. Os três dragões estavam todos do lado de fora da cidade, nos campos do outro lado do acampamento.

Tentaram acordar Ulf Branco do sono embriagado, mas ele se mostrou impossível de despertar. Ele caiu ridiculamente para baixo de uma mesa e passou a batalha inteira roncando. A reação de Hugh Martelo foi mais rápida. Seminu, ele desceu correndo a escada até o pátio, pedindo o martelo, a armadura e um cavalo, para poder sair e montar Vermithor. Seus homens se apressaram para obedecer, enquanto Fumaresia incendiava o estábulo. Mas o lorde Jon Roxton havia tomado o quarto do lorde Footly, junto com a esposa do lorde Footly, e já estava no pátio.

Quando viu Hugh, Roxton percebeu a oportunidade e disse:

— Lorde Martelo, meus pêsames.

Martelo se virou com um olhar furioso.

— Pelo quê? — perguntou ele.

— Você morreu na batalha — respondeu Jon, sacando a Fazedora de Órfãos e enfiando-a com força na barriga de Martelo e então rasgando o bastardo da virilha à garganta.

Uma dúzia de homens de Hugh Martelo chegaram correndo a tempo de vê-lo sucumbir. Até mesmo uma espada de aço valiriano como Fazedora de Órfãos de pouco adianta quando um homem se vê diante de outros dez. Jon Roxton matou três antes de também perecer. Dizem que ele morreu quando escorregou em um pedaço das entranhas de Hugh Martelo, mas talvez esse detalhe seja uma ironia perfeita demais para ser verdade.

Existem três relatos conflitantes quanto à maneira como o príncipe Daeron Targaryen morreu. A mais conhecida afirma que o príncipe saiu aos tropeços de seu pavilhão com as roupas de dormir pegando fogo e foi abatido pelo mercenário myriano Trombo Negro, que esmagou seu rosto com um golpe de sua maça-estrela. Essa versão era a preferida de Trombo Negro, que a contava para quem quisesse ouvir. A segunda versão é mais ou menos parecida, só que o príncipe foi morto com uma espada, não uma maça-estrela, e o assassino não foi Trombo Negro, e sim um homem de armas desconhecido que provavelmente nem se deu conta de quem havia matado. Na terceira alternativa, o valente menino conhecido como Daeron, o Audaz, nem chegou a sair, perecendo quando o pavilhão em chamas desabou em cima dele. Essa é a versão preferida da *História verdadeira* de Munkun, e a nossa.*

No céu acima, Addam Velaryon percebeu que a batalha no chão estava se tornando caótica. Dois dos três cavaleiros de dragão do inimigo estavam mortos, mas ele não teria como saber disso. Contudo, certamente viu os dragões inimigos. Eles ficavam do lado de fora das muralhas da cidade, sem correntes, livres para voar e caçar à

* Qualquer que tenha sido a causa de sua morte, é inquestionável que Daeron Targaryen, o filho mais jovem do rei Viserys I com a rainha Alicent, morreu na Segunda Batalha de Tumbleton. Os príncipes falsos que apareceram durante o reinado de Aegon III, usando seu nome, foram definitivamente desmascarados como impostores.

vontade; Asaprata e Vermithor costumavam se enrolar um no outro nos campos ao sul de Tumbleton, enquanto Tessarion dormia e comia no acampamento do príncipe Daeron a oeste da cidade, a menos de cem metros do pavilhão dele.

Dragões são criaturas de fogo e sangue, e todos três despertaram quando a batalha cresceu à sua volta. Consta que um besteiro lançou uma seta contra Asaprata e dezenas de cavaleiros montados cercaram Vermithor com espadas, lanças e machados, na esperança de eliminar a criatura enquanto ele ainda estava semiconsciente no chão. Eles pagaram pela loucura com a vida. Em outro lugar, Tessarion se lançou ao ar, urrando e cuspindo fogo, e Addam Velaryon virou Fumaresia para enfrentá-la.

Escamas de dragão são praticamente (mas não totalmente) invulneráveis a fogo; elas protegem a carne e a musculatura mais frágeis que ficam por baixo. Conforme o animal envelhece, as escamas ficam mais grossas e duras, conferindo ainda mais proteção, e suas chamas se tornam mais quentes e violentas (enquanto o fogo de um recém-nascido é capaz de atear fogo em palha, as chamas de Balerion ou Vhagar na plenitude de seu poder derretiam, e derreteram, aço e pedra). Assim, quando dois dragões se enfrentam em um combate mortal, muitas vezes eles empregam outras armas que não as chamas: garras negras como ferro, longas como espadas e afiadas como navalhas, mandíbulas tão poderosas que conseguem esmagar até mesmo a couraça de aço de um cavaleiro, caudas flexíveis como chicotes cujos golpes podiam destruir carroças, quebrar a coluna de bucéfalos pesados e arremessar homens a quinze metros de altura.

A batalha entre Tessarion e Fumaresia foi diferente.

A história chamou de Dança dos Dragões a luta entre o rei Aegon II e a meia-irmã Rhaenyra, mas foi apenas em Tumbleton que os dragões de fato dançaram. Tessarion e Fumaresia eram dragões jovens, mais ágeis no ar do que outros mais velhos. Eles voaram um contra o outro repetidamente, e sempre algum desviava no último segundo. Subindo feito águias, mergulhando feito falcões, eles deram voltas, batendo dentes e rugindo, cuspindo fogo, mas sem atacar. Uma vez, a Rainha Azul desapareceu em uma nuvem, voltando a aparecer no instante seguinte, mergulhando contra Fumaresia por trás para lhe queimar a cauda com um jato de chamas cor de cobalto. Ao mesmo tempo, Fumaresia girou, virou e rodou no ar. Em um momento, ele estava abaixo da inimiga, e de repente ele rodopiou no céu e apareceu atrás dela. Os dragões voaram mais e mais alto, enquanto centenas observavam dos telhados de Tumbleton. Uma pessoa disse mais tarde que o voo de Tessarion e Fumaresia mais parecia uma dança de acasalamento do que uma batalha. Talvez fosse.

A dança terminou quando Vermithor subiu ao céu, rugindo.

Com quase cem anos de vida e maior que os dois dragões jovens juntos, o dragão de bronze com as imensas asas bege alçou voo enfurecido, com uma dúzia de ferimentos deixando escapar o sangue fumegante. Sem cavaleiro, ele não distinguia amigos de inimigos e despejou sua ira sobre todos, cuspindo fogo a torto e a direito, lançando-se com selvageria contra qualquer homem que se atrevesse a arremessar uma lança em sua direção. Um cavaleiro tentou fugir, mas Vermithor o abocanhou e deixou seu cavalo galopando sozinho. Os lordes Piper e Deddings, sentados juntos em um barranco baixo, queimaram com seus escudeiros, criados e escudos juramentados quando a Fúria de Bronze reparou neles por acaso.

Logo em seguida, Fumaresia caiu em cima dele.

Dos quatro dragões em campo naquele dia, Fumaresia era o único montado. Sor Addam Velaryon viera para provar sua lealdade destruindo os Dois Traidores e seus dragões, e ali estava um deles logo abaixo, atacando os homens que o haviam acompanhado para a batalha. Ele deve ter se sentido obrigado a protegê-los, ainda que certamente soubesse, no íntimo, que Fumaresia não seria páreo para o dragão mais velho.

Essa não foi nenhuma dança, e sim uma luta até a morte. Vermithor estava voando a menos de dez metros de altura acima da batalha quando Fumaresia o acertou por cima, jogando-o aos rugidos na lama. Homens e meninos correram aterrorizados ou foram esmagados quando os dois dragões se reviraram e atacaram um ao outro. Caudas se debateram e asas se agitaram no ar, mas as criaturas estavam tão emboladas que nenhuma das duas conseguiu se soltar. Benjicot Blackwood assistiu à luta de cima de seu cavalo a cinquenta metros de distância. O tamanho e o peso de Vermithor eram demais para Fumaresia, disse o lorde Blackwood ao grande meistre Munkun muitos anos depois, e ele certamente teria arrebentado o dragão cinza-prateado... se Tessarion não tivesse caído do céu naquele mesmo instante para entrar na luta.

Quem sabe o que se passa pelo coração de um dragão? Teria sido apenas sede de sangue que fez a Rainha Azul atacar? A dragão desceu para ajudar um dos combatentes? Se foi isso, qual? Há quem diga que o vínculo entre um dragão e seu mestre é tão profundo que a criatura partilha dos amores e ódios dele. Mas quem era o aliado ali, e quem era o inimigo? Um dragão sem cavaleiro é capaz de distinguir amigos de inimigos?

Jamais saberemos a resposta a essas perguntas. A história nos conta apenas que três dragões lutaram em meio à lama e ao sangue e à fumaça da Segunda Tumbleton. Fumaresia foi o primeiro a morrer, quando Vermithor cravou os dentes no pescoço dele e arrancou sua cabeça. Depois, o dragão de bronze tentou voar levando o prêmio na boca, mas suas asas destroçadas não conseguiram sustentar seu peso. Depois de um instante, ele caiu e morreu. Tessarion, a Rainha Azul, durou até o pôr do sol. Três vezes ela tentou subir ao céu, e três vezes fracassou. Ao fim da tarde, parecia estar sofrendo, então o lorde Blackwood convocou seu melhor arqueiro, um homem chamado Billy Burley, que se posicionou a cem metros de distância (fora do alcance das chamas da dragão moribunda) e disparou três flechas com seu arco longo para o olho dela, enquanto a criatura jazia indefesa no chão.

Ao anoitecer, a batalha havia terminado. Embora os senhores das terras fluviais tenham perdido menos de cem homens e matado mais de mil dos homens de Vilavelha e da Campina, a Segunda Tumbleton não poderia ser considerada uma vitória total para os atacantes, visto que eles não conseguiram tomar a cidade. As muralhas de Tumbleton continuavam intactas, e, quando os homens do rei conseguiram recuar para dentro e fechar os portões, as forças da rainha não tiveram como invadir a cidade, pois não possuíam equipamentos de sítio nem dragões. Ainda assim, elas infligiram um grande massacre aos inimigos confusos e desorganizados, incendiaram as barracas, queimaram ou capturaram quase todas as carroças, rações e suprimentos, roubaram três quartos dos cavalos de batalha, mataram o príncipe e deram um fim a dois dos dragões do rei.

Quando a lua surgiu, os senhores fluviais abandonaram o campo às aves carniceiras e voltaram a desaparecer pelas colinas. Um deles, o menino Ben Blackwood, levou consigo o corpo destruído de sor Addam Velaryon, encontrado morto ao lado de seu dragão. Seus ossos repousariam em Solar de Corvarbor por oito anos, mas, em 138 DC, seu irmão Alyn os levaria de volta a Derivamarca para serem sepultados em Casco, a cidade em que ele havia nascido. No túmulo está gravada uma única palavra: LEAL. As letras ornamentadas são acompanhadas pelo desenho de um cavalo-marinho e um rato.

Na manhã seguinte à batalha, os Conquistadores de Tumbleton olharam por cima das muralhas da cidade e viram que os inimigos haviam desaparecido. Os mortos estavam espalhados por todos os lados em volta da cidade, e entre os cadáveres estava a carcaça de três dragões. Restava um: Asaprata, a montaria da Boa Rainha Alysanne nos velhos tempos, subira ao céu no começo da carnificina, voando em círculos acima do campo de batalha por horas, pairando nos ventos quentes que subiam dos incêndios. Só à noite ela voltou a descer, pousando ao lado dos primos mortos. Mais tarde, trovadores diriam que três vezes ela tentou levantar a asa de Vermithor com o focinho, como se quisesse fazê-lo voar de novo, mas isso provavelmente é uma fábula. Ao nascer do sol, ela estava circulando inquieta pelo campo, comendo os restos queimados de cavalos, homens e bois.

Oito dos treze Ouriços estavam mortos, incluindo o lorde Owen Fossoway, Marq Ambrose e o Ousado Jon Roxton. Richard Rodden fora atingido com uma flecha no pescoço e morreria no dia seguinte. Restavam quatro dos conspiradores, incluindo sor Hobert Hightower e o lorde Unwin Peake. E, embora Hugh Martelo tivesse morrido, junto com seus sonhos de coroa, restava o segundo traidor. Quando acordou da bebedeira, Ulf Branco descobriu que era o último cavaleiro de dragão e que tinha o último dragão.

— O Martelo morreu, e seu menino também — teria dito ele ao lorde Peake. — Só sobrei eu.

Quando o lorde Peake perguntou quais eram suas intenções, Branco respondeu:

— Vamos marchar, como vocês queriam. Vocês tomam a cidade, e eu tomo o trono maldito, que tal?

Na manhã seguinte, sor Hobert Hightower o chamou para esmiuçar os detalhes do ataque a Porto Real. Ele o presenteou com dois barris de vinho, um tinto dornês e um dourado da Árvore. Embora Ulf, o Ébrio, nunca tivesse experimentado um vinho que não gostasse, sabia-se que ele preferia seleções mais doces. Sem dúvida sor Hobert pretendia bebericar o tinto amargo enquanto o lorde Ulf entornava o dourado da Árvore. Porém, algo na postura de Hightower — ele estava suando e gaguejando e nervoso demais, afirmou depois o escudeiro que os atendia — atiçou a desconfiança de Branco. Atento, ele exigiu que o tinto dornês fosse reservado para mais tarde e insistiu que sor Hobert o acompanhasse com o dourado da Árvore.

A história tem pouco de bom a dizer sobre sor Hobert Hightower, mas ninguém pode questionar a maneira como ele morreu. Em vez de trair os outros Ouriços, ele deixou o escudeiro encher sua taça, bebeu tudo de um gole só e pediu mais. Quando viu Hightower beber, Ulf, o Ébrio, fez jus à sua reputação e virou três taças antes de começar a bocejar. O veneno no vinho era suave. Quando o lorde Ulf adormeceu, para não acordar nunca mais, sor Hobert se levantou de um salto e tentou forçar vômito, mas era tarde demais. Seu coração parou de bater uma hora depois. "Ninguém jamais teve medo da espada de sor Hobert", diz Cogumelo sobre ele, "mas sua taça de vinho era mais mortífera que aço valiriano."

Depois, o lorde Unwin Peake ofereceu mil dragões de ouro para qualquer cavaleiro de família nobre que conseguisse domar Asaprata. Três homens se apresentaram. Quando o primeiro perdeu o braço e o segundo morreu queimado, o terceiro reconsiderou. A essa altura, o exército de Peake, os restos da grande força que o príncipe Daeron e o lorde Ormund Hightower haviam liderado desde Vilavelha, estava caindo aos pedaços, enquanto desertores fugiam de Tumbleton às dezenas com todo o saque que conseguiam carregar. Resignado com a derrota, o lorde Unwin convocou seus senhores e sargentos e deu ordem de retirada.

Addam Velaryon, nascido Addam de Casco, e acusado de traição, salvara Porto Real contra os inimigos da rainha... ao custo da própria vida. No entanto, a rainha não sabia de sua bravura. A fuga de Rhaenyra de Porto Real havia sido afligida por dificuldades. Em Rosby, as portas do castelo foram fechadas quando ela se aproximou, por ordem da jovem cuja pretensão ela negara em favor de um irmão mais novo. O castelão do jovem lorde Stokeworth lhe ofereceu hospitalidade, mas apenas por uma noite.

— Eles vão vir atrás de você — disse ele à rainha —, e não tenho condições de impedi-los.

Metade de seus mantos dourados desertou na estrada, e, certa noite, seu acampamento foi atacado por miseráveis. Embora seus cavaleiros tenham conseguido rechaçar os agressores, sor Balon Byrch foi abatido por uma flecha e sor Lyonel Bentley, um jovem cavaleiro da Guarda da Rainha, sofreu um golpe na cabeça que rachou o elmo. Ele faleceu delirante no dia seguinte. A rainha seguiu viagem rumo a Valdocaso.

A Casa Darklyn havia sido um dos aliados mais fortes de Rhaenyra, mas o custo dessa lealdade fora alto. O lorde Gunthor perdera a vida a serviço dela, assim como o tio dele, Steffon. A própria Valdocaso fora saqueada por sor Criston Cole. Pouco admira, então, que a viúva do lorde Gunthor não tenha demonstrado muita felicidade quando Sua Graça apareceu diante de seus portões. Foi apenas pela intervenção de sor Harrold Darke que a senhora Meredith permitiu a presença da rainha atrás de suas muralhas (os Darke eram parentes distantes dos Darklyn, e sor Harrold tinha servido como escudeiro do falecido sor Steffon), e apenas sob a condição de que ela não ficasse muito tempo.

Enfim sob a proteção das muralhas do Forte Pardo, à beira da enseada, Rhaenyra exigiu que o meistre da senhora Darklyn enviasse uma mensagem ao grande meistre Gerardys em Pedra do Dragão pedindo que um navio fosse buscá-la imediatamente. Três corvos levantaram voo, segundo as crônicas da cidade... porém, conforme os dias se passavam, nenhum navio chegou. Nem qualquer resposta de Gerardys em Pedra do Dragão, para a fúria da rainha. Mais uma vez ela começava a questionar a lealdade de seu grande meistre.

A rainha teve melhor sorte em outro lugar. De Winterfell, Cregan Stark escreveu para dizer que levaria um exército ao sul assim que possível, mas advertiu que levaria algum tempo até conseguir reunir seus homens, "pois meus domínios são grandes, e, com o inverno em nossos portões, temos que juntar a última colheita para não passar fome quando as neves chegarem para ficar". O nortenho prometeu dez mil homens à rainha, "mais jovens e bravos que meus Lobos de Inverno". A Donzela do Vale também prometeu auxílio, ao responder de seu castelo de inverno, os Portões da Lua... mas, como os passos das montanhas estavam bloqueados pela neve, seus cavaleiros teriam que viajar por mar. Se a Casa Velaryon pudesse mandar seus navios até Vila Gaivota, escreveu a senhora Jeyne, ela enviaria um exército a Valdocaso imediatamente. Se não, ela teria de contratar navios de Braavos e Pentos e, para isso, precisaria de dinheiro.

A rainha Rhaenyra não tinha ouro nem navios. Ela perdera a frota quando mandara o lorde Corlys para a masmorra e fugira de Porto Real temendo pela própria vida sem levar uma moeda sequer. Tomada pelo desespero e pelo medo, Sua Graça caminhava chorando pelas ameias de Valdocaso, mais e mais pálida e abatida. Ela não conseguia dormir e se recusava a comer. E não admitia se separar do príncipe Aegon, seu último filho vivo; dia e noite, o menino permanecia sempre ao seu lado, "como uma pequena sombra fraca".

Quando a senhora Meredith deixou claro que a rainha não era mais bem-vinda, Rhaenyra foi obrigada a vender a coroa para levantar dinheiro e comprar passagens em um navio mercante braavosi, o *Violande*. Sor Harrold Darke recomendou que ela se refugiasse com a senhora Arryn no Vale, e sor Medrick Manderly tentou persuadi--la a ir com ele e o irmão, sor Torrhen, para Porto Branco, mas Sua Graça recusou as duas propostas. Ela estava decidida a voltar a Pedra do Dragão. Lá encontraria ovos de dragão, disse ela a seus legalistas; ela precisava ter mais um dragão, caso contrário tudo estaria perdido.

Ventos fortes fizeram o *Violande* chegar mais perto das praias de Derivamarca do que a rainha teria gostado, e três vezes eles passaram quase ao lado de navios de guerra do Serpente Marinha, mas a rainha tomou o cuidado de se manter fora de vista. Finalmente, o braavosi entrou no porto sob o Monte Dragão com a maré da noite. Rhaenyra enviara um corvo de Valdocaso para avisar de sua ida e foi recebida por uma escolta ao desembarcar com o filho Aegon, as damas de companhia e três cavaleiros da Guarda da Rainha (os mantos dourados que a haviam acompanhado desde Porto Real ficaram em Valdocaso, enquanto os Manderly continuaram no *Violande*, pois seguiriam viagem até Porto Branco).

Chovia quando o grupo da rainha saiu ao píer, e não havia praticamente ninguém no porto. Até os bordéis por perto pareciam escuros e desertos, mas Sua Graça não percebeu. Debilitada em corpo e espírito, devastada pelas traições, Rhaenyra Targaryen só queria voltar para sua própria sede, onde imaginava que estaria em segurança com o filho. Pouco desconfiava a rainha que ela estava prestes a sofrer um último golpe, e o mais devastador.

Sua escolta, quarenta homens, estava sob o comando de sor Alfred Broome, um dos homens que Rhaenyra deixara em Pedra do Dragão quando lançara seu ataque a Porto Real. Broome era o cavaleiro mais veterano de sua sede, tendo entrado para a guarnição durante o reinado do Velho Rei. Como tal, ele esperara ser nomeado castelão quando Rhaenyra saiu para tomar o Trono de Ferro... mas, segundo Cogumelo, a personalidade melancólica e a postura amargurada de sor Alfred não inspiravam simpatia nem confiança, então a rainha o preteriu em favor de sor Robert Quince, que era mais afável. Quando Rhaenyra perguntou por que sor Robert não fora recebê-la, sor Alfred respondeu que a rainha encontraria "nosso amigo gordo" no castelo.

E lá ela encontrou... mas o corpo carbonizado de Quince estava irreconhecível quando eles o viram. Foi apenas pelo tamanho que eles souberam quem era, pois sor Robert havia sido imensamente gordo. Eles o viram pendurado das ameias da guarita ao lado do intendente de Pedra do Dragão, do capitão da guarda, do mestre de armas... e da cabeça e do torso do grande meistre Gerardys. Abaixo das costelas não havia nada, e as entranhas do grande meistre se dependuravam da barriga aberta como se fossem serpentes pretas.

O sangue se esvaiu do rosto da rainha quando ela contemplou os corpos, mas o jovem príncipe Aegon foi o primeiro a entender o que aquilo significava.

— Mãe, fuja — gritou ele, mas era tarde demais.

Os homens de sor Alfred atacaram os protetores da rainha. Um machado rachou a cabeça de sor Harrold Darke antes que a espada dele saísse da bainha, e sor Adrian Redfort foi atravessado pelas costas por uma lança. Sor Loreth Lansdale foi o único rápido o bastante para revidar em defesa da rainha, matando os dois primeiros homens que vieram para cima dele antes de ser morto também. Com ele se foi o que restava da Guarda da Rainha. Quando o príncipe Aegon pegou a espada de sor Harrold, sor Alfred rebateu a arma para o lado com desdém.

O menino, a rainha e as damas foram escoltadas diante de lanças pelos portões de Pedra do Dragão até o pátio do castelo. Ali (como Cogumelo descreveria de forma tão memorável muitos anos mais tarde) eles se viram frente a frente com "um homem morto e um dragão moribundo".

As escamas de Sunfyre ainda brilhavam como ouro batido à luz do sol, mas, esparramado no piso de pedra valiriana preta fundida do pátio, era evidente que o dragão que antes fora o mais magnífico a voar pelos céus de Westeros era agora uma criatura devastada. A asa que Meleys praticamente arrancara de seu corpo formava um ângulo estranho, enquanto cicatrizes recentes em seu dorso ainda exalavam fumaça e sangue quando ele se mexia. Sunfyre estava encolhido quando a rainha e seu séquito o viram. Quando ele se mexeu e levantou a cabeça, apareceram ferimentos enormes no pescoço, onde outro dragão havia arrancado pedaços da carne. Na barriga, havia partes em que as escamas tinham dado lugar a escaras, e onde devia estar o olho direito havia apenas um buraco vazio, coberto de sangue negro.

Convém perguntar, como certamente Rhaenyra perguntou, como isso acontecera.

Nós hoje sabemos muito mais do que a rainha. Isso devemos ao grande meistre Munkun, pois foi sua *História verdadeira*, baseada sobretudo nos relatos do grande meistre Orwyle, que revelou como Aegon II chegou a Pedra do Dragão.

Foi o lorde Larys Strong Pé-Torto, que removeu o rei e seus filhos da cidade assim que os dragões da rainha apareceram nos céus acima de Porto Real. Para não saírem por nenhum dos portões da cidade, onde talvez sua passagem fosse vista e lembrada, o lorde Larys os levou por algum caminho secreto de Maegor, o Cruel, que apenas ele conhecia.

Foi o senhor Larys que decidiu que os fugitivos também deveriam se separar, para que, mesmo se um fosse capturado, os outros talvez conseguissem escapar. Sor Rickard Thorne foi instruído a levar o príncipe Maelor, de dois anos, ao lorde Hightower. A princesa Jaehaera, uma doce e simples menina de seis anos, foi encarregada a sor Willis Fell, que jurou levá-la em segurança até Ponta Tempestade. Nenhum dos dois sabia aonde o outro iria, para que ninguém pudesse revelar nada caso fossem capturados.

E somente o próprio Larys sabia que o rei, que trocara seus trajes finos por um manto manchado de pescador, se escondera debaixo de um carregamento de bacalhaus em um esquife de pesca aos cuidados de um cavaleiro bastardo com parentes em Pedra do Dragão. O Pé-Torto concluiu que, quando descobrisse que o rei havia desaparecido, Rhaenyra certamente mandaria homens atrás dele... mas um barco não deixa rastro sobre as ondas, e poucos caçadores sequer pensariam em procurar Aegon na ilha da própria irmã, bem à sombra da fortaleza dela. Segundo Munkun, o grande meistre Orwyle ouvira tudo isso da boca do próprio lorde Strong.

E ali Aegon teria permanecido, oculto, mas inofensivo, amenizando a dor com vinho e escondendo suas cicatrizes de queimadura sob um manto pesado, se Sunfyre não tivesse voado até Pedra do Dragão. Podemos perguntar o que o atraíra de volta ao Monte Dragão, pois muitos já perguntaram. O dragão ferido, com a asa quebrada e parcialmente cicatrizada, teria sido movido por algum instinto primordial que o fizera voltar ao local onde nascera, a montanha fumegante onde ele saíra do ovo? Ou teria ele pressentido a presença do rei Aegon na ilha, de alguma forma, a léguas de distância, além de um mar tempestuoso, e voado até ali para se juntar ao mestre? O septão Eustace chega até a sugerir que Sunfyre pressentiu a *necessidade* desesperada de Aegon. Mas quem pode dizer o que habita o coração de um dragão?

Após o ataque malfadado do lorde Walys Mooton afugentá-lo do campo de cinzas e ossos junto a Pouso de Gralhas, Sunfyre desapareceu para a história por mais de meio ano (alguns relatos comentados nos salões dos Crabb e dos Brune sugerem que o dragão teria se refugiado nos pinheirais escuros e nas cavernas de Ponta da Garra Rachada por algum tempo). Embora a asa rasgada tenha cicatrizado o bastante para voar, ela ficara em um ângulo errado e ainda estava fraca. Sunfyre já não conseguia voar nas alturas, nem passar muito tempo no ar, e precisava se esforçar para percorrer até mesmo distâncias curtas. O bobo Cogumelo diz, cruelmente, que a maioria dos dragões se deslocava pelo céu como águias, mas que Sunfyre se tornara pouco mais que "uma grande galinha dourada com sopro de fogo, pulando e voejando de colina em colina".

No entanto, essa "galinha com sopro de fogo" atravessou a Baía da Água Negra... pois foi Sunfyre que os marinheiros do *Nessaria* tinham visto atacar Fantasma Cinza. Sor Robert Quince dissera que havia sido Canibal... mas Tom Linguapresa, um gago que ouvia mais do que falava, enchera os volantinos de cerveja e percebera todas as vezes que eles mencionaram as escamas douradas do agressor. Canibal, como ele sabia muito bem, era preto feito carvão. Então os Dois Tom e seus "primos" (uma meia verdade, já que apenas sor Marston partilhava do mesmo sangue que eles, pois era filho bastardo da irmã de Tom Barbapresa com o cavaleiro que havia tirado sua donzelice) saíram em seu barco pequeno para procurar o assassino de Fantasma Cinza.

O rei queimado e o dragão mutilado encontraram novas forças um no outro. De um covil oculto na desolada encosta oriental do Monte Dragão, Aegon saía todos os dias ao amanhecer, levantando voo outra vez desde Pouso de Gralhas, enquanto os Dois Tom e o primo Marston Waters voltaram ao outro lado da ilha para procurar homens dispostos a ajudá-los a tomar o castelo. Até mesmo em Pedra do Dragão, antiga sede e fortaleza de Rhaenyra, eles encontraram muitas pessoas que não apreciavam a rainha por motivos bons ou ruins. Alguns choravam irmãos, filhos e pais mortos durante a Semeadura ou na Batalha da Goela, outros aspiravam a riquezas ou prestígio, e ainda outros acreditavam que um filho deve ter precedência sobre uma filha, e que a pretensão de Aegon tinha mais valor.

A rainha tinha levado seus melhores homens consigo para Porto Real. Na ilha, sob a proteção dos navios do Serpente Marinha e das grandes muralhas valirianas, Pedra do Dragão era indevassável, então Sua Graça deixou uma pequena guarnição para defendê-la, composta sobretudo de homens considerados de pouca utilidade: homens grisalhos e meninos verdes, coxos e lentos e aleijados, homens feridos, homens de lealdade duvidosa, homens suspeitos de covardia. Para comandá-los, Rhaenyra nomeou sor Robert Quince, um homem capaz que se tornara velho e gordo.

É consenso que Quince era um defensor ferrenho da rainha, mas alguns dos homens sob suas ordens eram menos leais e nutriam ressentimentos e rancores por faltas antigas, reais ou imaginadas. O mais notável entre esses era sor Alfred Broome. Broome se revelou mais do que disposto a trair a rainha em troca de títulos, terras e ouro caso Aegon II recuperasse o trono. Graças ao longo serviço na guarnição, ele pôde orientar os homens do rei a respeito das forças e fraquezas de Pedra do Dragão, quais guardas podiam ser subornados ou conquistados, quais precisariam ser presos ou mortos.

Quando aconteceu, a queda de Pedra do Dragão levou menos de uma hora. Homens da confiança de Broome abriram uma poterna durante a hora dos fantasmas para permitir que sor Marston Waters, Tom Linguapresa e os homens deles entrassem no castelo despercebidos. Enquanto um grupo tomava o arsenal e outro apreendia os guardas leais e o mestre de armas de Pedra do Dragão, sor Marston surpreendeu o grande meistre Gerardys no viveiro, para que nenhum corvo escapasse com notícias sobre o ataque. O próprio sor Alfred liderou os homens que invadiram os aposentos do castelão para surpreender sor Robert Quince. Enquanto Quince se esforçava para sair da cama, Broome enfiou uma lança em sua imensa barriga pálida. Cogumelo, que conhecia bem os dois homens, afirma que sor Alfred detestava e se ressentia de sor Robert. Isso é bem possível, pois o golpe foi tão forte que a lança saiu pelas costas de sor Robert, atravessou o colchão de penas e palha e se cravou no chão.

Só em um aspecto o plano deu errado. Quando Tom Linguapresa e seus bandidos derrubaram a porta do quarto da senhorita Baela para capturá-la, a menina fugiu pela janela, correndo sobre os telhados e descendo as paredes até chegar ao pátio. Os homens do rei tinham tomado o cuidado de vigiar o estábulo onde ficavam os dragões do castelo, mas Baela havia crescido em Pedra do Dragão e sabia de caminhos e meandros que eles não conheciam. Quando seus perseguidores a alcançaram, ela já havia soltado as correntes de Bailalua e prendido a sela na dragão.

E foi assim que, quando o rei Aegon II voou com Sunfyre por cima do cume fumegante do Monte Dragão e desceu, na expectativa de fazer sua entrada triunfal em um castelo dominado por seus homens, depois que todos os aliados da rainha estivessem presos ou mortos, ele foi recebido por Baela Targaryen, filha do príncipe Daemon com a senhora Laena, e tão destemida quanto o pai.

Bailalua era uma dragão jovem, verde-clara, com articulações nas asas, chifres e crista cor de pérola. Sem contar as asas enormes, ela tinha o mesmo tamanho de um cavalo de batalha, e pesava menos. Mas era muito ágil, e Sunfyre, embora fosse muito maior, ainda penava com uma asa deformada e havia sofrido ferimentos novos de Fantasma Cinza.

Eles se debateram na escuridão que precede a alvorada, sombras no céu que iluminavam a noite com suas labaredas. Bailalua se esquivou das chamas de Sunfyre, de seus dentes, voou intacta por baixo das garras que tentaram pegá-la, e então fez a volta e arranhou o dragão maior por cima, abrindo um ferimento comprido e fumegante nas costas dele e rasgando a asa avariada. As testemunhas no chão disseram que Sunfyre cambaleava no ar, penando para não cair, quando Bailalua virou e voltou a atacá-lo, cuspindo fogo. Sunfyre respondeu com um jorro incandescente de chamas douradas tão intensas que iluminaram o pátio como um segundo sol, um disparo que acertou bem nos olhos de Bailalua. É bem provável que a dragão jovem tenha ficado cega naquele instante, mas continuou voando, chocando-se com Sunfyre em uma confusão de asas e garras. Conforme eles caíam, Bailalua atacou repetidas vezes o pescoço de Sunfyre, arrancando pedaços de carne, enquanto o dragão mais velho cravava suas garras na barriga dela. Envolta em fogo e fumaça, cega e sangrando, Bailalua bateu as asas desesperadamente enquanto tentava se soltar, mas seus esforços apenas desaceleraram a queda.

As testemunhas no pátio correram para se proteger quando os dragões atingiram a pedra dura, ainda lutando. No chão, a agilidade de Bailalua de pouco servia contra o tamanho e o peso de Sunfyre. A dragão verde logo ficou imóvel. O dragão dourado deu um urro vitorioso e tentou se levantar de novo, mas desabou no chão enquanto sangue quente jorrava de seus ferimentos.

O rei Aegon havia pulado da sela quando os dragões estavam ainda a seis metros do chão e quebrou as duas pernas. A senhorita Baela continuou em Bailalua até o solo. Queimada e ferida, a menina ainda teve forças para soltar as correntes da sela e se arrastar para longe enquanto sua dragão se debatia em seus estertores finais. Quando Alfred Broome sacou a espada para matá-la, Marston Waters arrancou a arma de sua mão. Tom Linguapresa a levou para o meistre.

E assim o rei Aegon II conquistou a ancestral sede da Casa Targaryen, mas o preço que ele pagou foi terrível. Sunfyre jamais voaria de novo. Ele continuou no pátio onde havia caído, alimentando-se da carcaça de Bailalua e, depois, de ovelhas que a guarnição abatia para ele. E Aegon II passou o resto da vida tomado de dor... ainda que seja preciso reconhecer que, quando o grande meistre Gerardys lhe ofereceu leite de papoula, ele recusou.

— Nunca mais seguirei esse caminho — disse ele. — E não sou idiota de beber uma poção preparada por você. Você é cria da minha irmã.

Por ordem do rei, a corrente que a princesa Rhaenyra arrancara do grande meistre Orwyle e dera a Gerardys foi usada para enforcá-lo. Ele não teve a morte rápida concedida por uma queda brusca e um pescoço quebrado; foi estrangulado lentamente, debatendo-se enquanto lutava para respirar. Três vezes, quando já estava quase morto, Gerardys foi abaixado para respirar um pouco e erguido de novo logo em seguida. Depois da terceira vez, ele foi destripado e pendurado diante de Sunfyre para que o dragão pudesse se banquetear com as pernas e entranhas, mas o rei exigiu que restasse o bastante do grande meistre para "ele receber minha doce irmã quando ela voltar".

Pouco depois, quando o rei estava no grande salão do Tambor de Pedra, com as pernas quebradas imobilizadas e com talas presas, chegaram os primeiros corvos da rainha Rhaenyra vindos de Valdocaso. Quando Aegon soube que sua meia-irmã voltaria no *Violande*, ele encarregou sor Alfred Broome de preparar uma "recepção apropriada" para o retorno dela.

Nós hoje sabemos de tudo isso. A rainha nada sabia quando desembarcou para a armadilha do irmão.

O septão Eustace (que não apreciava a rainha) disse que Rhaenyra riu quando viu a ruína de Sunfyre, o Dourado.

— Isto é obra de quem? — teria dito ela. — Precisamos agradecer.

Cogumelo (que apreciava muito a rainha) conta outra história. Em seu relato, Rhaenyra diz:

— Como foi que chegou a isso?

Os dois registros concordam que as palavras seguintes saíram do rei.

— Irmã — disse ele de cima de uma sacada. Incapaz de andar, ou sequer de se levantar, ele fora carregado até ali em uma cadeira.

Tendo fraturado o quadril em Pouso de Gralhas, Aegon ficara retorcido e encurvado, seus belos traços se deformaram graças ao leite de papoula, e metade de seu corpo estava coberto de cicatrizes de queimaduras. Contudo, Rhaenyra o reconheceu imediatamente e disse:

— Irmão querido. Eu estava torcendo para você ter morrido.

— Depois de você — respondeu Aegon. — Você é a mais velha.

— Que bom saber que você se lembra disso — rebateu Rhaenyra. — Aparentemente, somos prisioneiros seus... mas não creio que você vá nos deter por muito tempo. Meus senhores leais vão me encontrar.

— Se eles procurarem nos sete infernos, talvez — disse o rei, enquanto seus homens arrancavam o filho de Rhaenyra dos braços dela.

Alguns relatos afirmam que foi sor Alfred Broome quem segurou o braço dela, e outros dizem que foram os dois Tom, o pai Barbapresa e o filho Linguapresa. Sor Marston Waters também testemunhou tudo, trajado com um manto branco, pois o rei Aegon o nomeara cavaleiro da Guarda Real por sua bravura.

Porém, nem Waters nem qualquer um dos outros cavaleiros e senhores presentes no pátio pronunciou uma palavra sequer de protesto quando o rei Aegon II entregou a meia-irmã a seu dragão. Dizem que, a princípio, pareceu que Sunfyre não se interessou pela oferenda, até que Broome espetou o peito da rainha com uma adaga. O odor de sangue atiçou o dragão, que cheirou Sua Graça e então despejou um jorro de fogo tão repentino sobre ela que o manto de sor Alfred pegou fogo quando ele deu um pulo para trás. Rhaenyra Targaryen teve tempo de levantar a cabeça para o céu e gritar um último insulto ao meio-irmão antes que a boca de Sunfyre se fechasse em volta dela, arrancando um braço e um ombro.

O septão Eustace revela que o dragão dourado devorou a rainha em seis mordidas, deixando apenas a perna esquerda a partir da canela "para o Estranho". Elinda Massey, a mais jovem e delicada das damas de companhia de Rhaenyra, supostamente arrancou os próprios olhos ao ver a cena, enquanto Aegon mais novo, o filho da rainha, observou horrorizado, incapaz de se mexer. Rhaenyra Targaryen, Deleite do Reino e Rainha de Meio Ano, deixou este véu de lágrimas no vigésimo segundo dia da décima lua do ano 130 após a Conquista de Aegon. Tinha trinta e três anos.

Sor Alfred Broome recomendou que o príncipe Aegon também fosse morto, mas o rei Aegon proibiu. Ele declarou que, como o menino tinha apenas dez anos, ainda podia ter valor como refém. Embora sua meia-irmã estivesse morta, ela ainda dispunha de aliados em campo que precisavam ser enfrentados antes que Sua Graça pudesse ter qualquer esperança de voltar ao Trono de Ferro. Então o príncipe Aegon foi preso com grilhões no pescoço, nos pulsos e nos tornozelos e levado até a masmorra abaixo de Pedra do Dragão. As damas de companhia da falecida rainha, de nascimento nobre, receberam celas na Torre do Dragão Marinho, onde aguardariam o pagamento de resgates.

— Acabou a necessidade de permanecer escondido — declarou o rei Aegon II. — Enviem corvos a todo o reino para anunciar que a usurpadora está morta e que o legítimo rei está voltando para casa para reivindicar o trono do pai.

# A MORTE DOS DRAGÕES
## O BREVE E TRISTE REINADO DE AEGON II

— Acabou a necessidade de permanecer escondido — declarou o rei Aegon II em Pedra do Dragão, após Sunfyre devorar sua irmã. — Enviem corvos a todo o reino para anunciar que a usurpadora está morta e que o legítimo rei está voltando para casa para reivindicar o trono do pai.

No entanto, até mesmo reis legítimos podem constatar que certas coisas são mais fáceis de proclamar que de realizar. A lua cresceria e minguaria e cresceria de novo antes de Aegon sair de Pedra do Dragão.

Entre ele e Porto Real estava a ilha de Derivamarca, toda a expansão da Baía da Água Negra, e dezenas de navios de guerra Velaryon à espreita. Como o Serpente Marinha era um "hóspede" de Trystane Truefyre em Porto Real e sor Addam estava morto em Tumbleton, o comando da frota Velaryon agora pertencia a Alyn, um rapaz de quinze anos, irmão de Addam e filho mais novo de Ratinha, a filha do construtor naval... mas seria ele amigo ou inimigo? O irmão dele havia morrido em defesa da rainha, mas essa mesma rainha aprisionara o senhor deles, e ela também estava morta. Corvos levaram a Derivamarca a mensagem de que a Casa Velaryon seria perdoada por todas as ofensas anteriores se Alyn de Casco se apresentasse em Pedra do Dragão e jurasse lealdade... mas, enquanto não chegasse uma resposta, seria loucura Aegon II tentar atravessar a baía de navio e correr o risco de ser capturado.

E Sua Graça tampouco desejava navegar até Porto Real. Nos dias que se seguiram à morte de sua meia-irmã, o rei ainda se aferrava à esperança de que Sunfyre se recuperaria o bastante para voar de novo. Mas, aparentemente, o dragão só se debilitou mais e mais, e logo os ferimentos no pescoço começaram a feder. Até a fumaça que ele exalava tinha um cheiro ruim, e mais para o final ele não conseguia mais comer.

No nono dia da décima segunda lua de 130 DC, o magnífico dragão dourado que havia sido a glória do rei Aegon morreu no pátio externo de Pedra do Dragão, onde ele tinha caído. Sua Graça chorou e deu ordem para que sua prima, a senhorita Baela, fosse trazida da masmorra e executada. Foi apenas quando a cabeça dela estava no cepo que o rei mudou de ideia, depois de seu meistre lembrar que a mãe da menina era uma Velaryon, filha do próprio Serpente Marinha. Outro corvo foi enviado a Derivamarca, agora com uma ameaça: se Alyn de Casco não se apresentasse em uma quinzena para se submeter a seu legítimo soberano, a prima dele, a senhorita Baela, seria decapitada.

Enquanto isso, na margem ocidental da Baía da Água Negra, a Lua dos Três Reis chegou a um fim abrupto quando um exército apareceu diante das muralhas de Porto Real. A cidade havia passado mais de meio ano apavorada com a aproximação das hostes de Ormund Hightower... mas, quando o ataque surgiu, não veio de Vilavelha passando por Ponteamarga e Tumbleton, e sim pela estrada do rei desde Ponta Tempestade. Borros Baratheon, ao receber a notícia da morte da rainha, deixara a esposa grávida e as cinco filhas para subir a Mata de Rei com seiscentos cavaleiros e quatro mil homens de armas.

Quando a vanguarda de Baratheon foi vista do outro lado da Torrente da Água Negra, o Pastor conclamou seus seguidores a correr ao rio para impedir a travessia do lorde Borros. Mas apenas algumas centenas vieram escutar esse mendigo que antes pregara para dezenas de milhares, e poucos obedeceram. Do alto da Colina de Aegon, o escudeiro que agora se chamava rei Trystane Truefyre se encontrava nas ameias acompanhado de Larys Strong e sor Perkin, a Pulga, observando as fileiras cada vez maiores de homens da tempestade.

— Não temos forças para resistir a tamanho exército, senhor — disse o lorde Larys ao menino —, mas talvez palavras possam ter mais sucesso que espadas. Permita que eu vá negociar com eles.

E assim o Pé-Torto foi enviado até o outro lado do rio sob uma bandeira de trégua, acompanhado do grande meistre Orwyle e da rainha viúva Alicent.

O Senhor de Ponta Tempestade os recebeu em um pavilhão instalado na margem da Mata de Rei, enquanto seus homens derrubavam árvores para construir jangadas para a travessia. Ali, a rainha Alicent recebeu a excelente notícia de que sua neta, Jaehaera, a única filha sobrevivente de seus filhos Aegon e Helaena, chegara em segurança a Ponta Tempestade com sor Willis Fell da Guarda Real. A rainha viúva chorou lágrimas de felicidade.

Seguiram-se traições e tratados, até se chegar a um acordo entre o lorde Borros, o lorde Larys e a rainha Alicent, com o grande meistre Orwyle como testemunha. O Pé-Torto prometeu que sor Perkin e seus cavaleiros de sarjeta se juntariam aos homens da tempestade para restaurar o rei Aegon II ao Trono de Ferro, com a condição de que todos eles, exceto o usurpador Trystane, fossem perdoados de todo e qualquer crime, incluindo traição, rebelião, roubo, assassinato e estupro. A rainha Alicent aceitou que seu filho, o rei Aegon, se casasse com a senhorita Cassandra, a filha mais velha do lorde Borros, e a tornasse rainha. A senhora Floris, outra filha de sua senhoria, seria prometida a Larys Strong.

O problema da frota Velaryon foi debatido por algum tempo.

— Precisamos incluir o Serpente Marinha nisto — teria dito o lorde Baratheon. — Talvez o velho goste de uma esposa nova e jovem. Ainda tenho duas filhas sem compromisso.

— Ele é três vezes traidor — disse a rainha Alicent. — Rhaenyra jamais teria tomado Porto Real sem sua ajuda. Sua Graça, meu filho, não esqueceu. Quero que ele morra.

— De um jeito ou de outro, ele não vai demorar a morrer — respondeu o lorde Larys Strong. — Vamos fazer as pazes com ele agora e usá-lo como for possível. Quando tudo estiver resolvido e não precisarmos mais da Casa Velaryon, então poderemos dar uma ajuda ao Estranho.

E assim se acordou, vergonhosamente. Os emissários voltaram a Porto Real, e os homens da tempestade vieram logo depois, atravessando a Torrente da Água Negra sem incidentes. O lorde Borros encontrou as muralhas da cidade desguarnecidas, os portões, sem defensores, as ruas e praças, povoadas apenas por cadáveres. Quando subiu a Colina de Aegon com seu porta-estandarte e seus escudos juramentados, ele viu os estandartes esfarrapados do escudeiro Trystane serem puxados das ameias da guarita para dar lugar ao dragão dourado do rei Aegon II. A própria rainha Alicent saiu da Fortaleza Vermelha para recebê-lo, ao lado de sor Perkin, a Pulga.

— Onde está o usurpador? — perguntou o lorde Borros, ao desmontar no pátio externo.

— Preso e acorrentado — respondeu sor Perkin.

Veterano de confrontos sem conta contra os dorneses e da campanha recém-vencida contra um novo Rei Abutre, o lorde Borros Baratheon não perdeu tempo para restabelecer a ordem em Porto Real. Após uma noite de comemoração tranquila na Fortaleza Vermelha, ele avançou no dia seguinte contra a Colina de Visenya e o Rei Xota, Gaemon Cabelo-Claro. Colunas de cavaleiros com armadura subiram a colina por três direções, perseguindo e eliminando os miseráveis, mercenários e bêbados que haviam se aglomerado em torno do pequeno rei. O jovem monarca, que tinha comemorado o quinto dia de seu nome na antevéspera, foi levado à Fortaleza Vermelha deitado no dorso de um cavalo, acorrentado e chorando. Sua mãe caminhava atrás dele, segurando a mão da dornesa Sylvenna Sand à frente de uma longa coluna de prostitutas, bruxas, ladrões, pulhas e bêbados, os membros sobreviventes da "corte" do Cabelo-Claro.

Na noite seguinte foi a vez do Pastor. Advertido do destino das prostitutas e do pequeno rei, o profeta havia convocado seu "exército descalço" para se reunir em torno do Fosso dos Dragões e defender a Colina de Rhaenys "com sangue e ferro". Mas a estrela do Pastor se apagara. Menos de trezentas pessoas atenderam ao seu chamado, e muitas dessas fugiram quando o ataque começou. O lorde Borros liderou seus cavaleiros colina acima pela encosta oeste, enquanto sor Perkin e seus cavaleiros de sarjeta subiram o lado mais íngreme ao sul desde a Baixada das Pulgas. Após abrir caminho pelas fileiras ralas de defensores e entrar nas ruínas do Fosso dos Dragões, eles encontraram o profeta entre as cabeças de dragão (já muito decompostas), cercado por um círculo de tochas, ainda pregando morte e destruição. Quando viu o lorde Borros em seu cavalo de batalha, o Pastor apontou o toco e gritou para ele.

— Nós nos encontraremos no inferno antes de este ano acabar — proclamou o irmão mendicante.

Como Gaemon Cabelo-Claro, ele foi capturado vivo e levado acorrentado de volta para a Fortaleza Vermelha.

E assim a paz voltou a Porto Real, de certo modo. Em nome do filho, "nosso legítimo rei, Aegon, Segundo do Seu Nome", a rainha Alicent impôs um toque de recolher, e seria ilegal ficar nas ruas da cidade após o pôr do sol. A Patrulha da Cidade foi reformada sob o comando de sor Perkin, a Pulga, para aplicar o toque de recolher, enquanto o lorde Borros e seus homens da tempestade ocuparam os portões e as ameias da cidade. Removidos de suas três colinas, os três "reis" falsos amarguravam na masmorra, esperando a volta do rei legítimo. Contudo, essa volta dependia dos Velaryon de Derivamarca. Atrás das muralhas da Fortaleza Vermelha, a rainha-viúva Alicent e o lorde Larys Strong haviam oferecido ao Serpente Marinha a liberdade, perdão pleno por suas traições e uma posição no pequeno conselho do rei se ele reconhecesse Aegon II como rei, dobrasse o joelho e pusesse a seu serviço as espadas e velas de Derivamarca. Porém o velho demonstrara uma intransigência surpreendente.

— Meus joelhos são velhos e duros e não se dobram com facilidade — respondeu o lorde Corlys, antes de apresentar suas próprias condições. Ele queria perdão não só para si mesmo, mas também para todos os que haviam lutado em nome da rainha Rhaenyra, e exigiu ainda que a mão da princesa Jaehaera fosse prometida a Aegon mais novo, para que os dois se casassem e fossem proclamados herdeiros do rei Aegon. — O reino foi dividido — disse ele. — Precisamos uni-lo de novo. — Ele não tinha interesse nas filhas do lorde Baratheon, mas queria que a senhorita Baela fosse libertada imediatamente.

Segundo Munkun, a rainha Alicent ficou furiosa com a "arrogância" do lorde Velaryon, especialmente com a exigência de que o Aegon da rainha Rhaenyra fosse herdeiro do Aegon dela. Alicent já havia sofrido a perda de dois de seus três filhos, e também de sua única filha, durante a Dança e não suportava a ideia de que qualquer filho de sua rival sobrevivesse. Irritada, Sua Graça recordou ao lorde Corlys que ela fizera duas propostas de paz a Rhaenyra, e que essas iniciativas foram desprezadas. Coube ao lorde Larys Pé-Torto botar panos quentes, acalmar a rainha com um pequeno lembrete sobre tudo o que eles tinham conversado na barraca do lorde Baratheon e convencê-la a aceitar as propostas do Serpente Marinha.

No dia seguinte, o lorde Corlys Velaryon, o Serpente Marinha, ajoelhou-se diante da rainha Alicent, que estava sentada nos degraus inferiores do Trono de Ferro, em nome do filho, e ali ele jurou lealdade ao rei por si próprio e por sua casa. Diante dos olhos de deuses e homens, a rainha viúva lhe concedeu perdão real e o restaurou no antigo posto no pequeno conselho, como almirante e mestre dos navios. Corvos foram despachados para Derivamarca e Pedra do Dragão para anunciar o acordo... e no momento exato, pois eles chegaram enquanto o jovem Alyn Velaryon reunia seus navios para atacar Pedra do Dragão e o rei Aegon II se preparava mais uma vez para decapitar Baela, a prima dele.

Nos últimos dias de 130 DC, o rei Aegon II finalmente voltou a Porto Real, acompanhado de sor Marston Waters, sor Alfred Broome, os Dois Tom e a senhorita Baela Targaryen (ainda acorrentada, por receio de que ela atacasse o rei se estivesse solta). Sob a escolta de doze galés de guerra da frota Velaryon, eles vieram em uma antiga e surrada coca mercantil chamada *Ratinha*, cuja proprietária e capitã era Marilda de Casco. Se o relato de Cogumelo for confiável, a escolha da embarcação foi deliberada. "O lorde Alyn poderia ter levado o rei para casa a bordo do *Glória do Lorde Aethan* ou do *Maré Matinal*, ou até do *Menina de Vila Especiaria*, mas quis que ele fosse visto rastejando até a cidade em um rato", diz o anão. "O lorde Alyn era um menino insolente e não amava o rei."

O retorno do rei não foi nada triunfal. Ainda incapaz de andar, Sua Graça foi levado pelo Portão do Rio dentro de uma liteira fechada e carregado pela Colina de Aegon até a Fortaleza Vermelha através de uma cidade silenciosa, com ruas desertas, casas abandonadas e lojas saqueadas. Os degraus estreitos e íngremes do Trono de Ferro também se revelaram inacessíveis; dali por diante, o rei restaurado teria que conceder audiência de uma cadeira de madeira acolchoada na base do trono verdadeiro, com um cobertor por cima das pernas quebradas e deformadas.

Embora estivesse sofrendo muita dor, o rei não se recolheu para seus aposentos de novo, nem recorreu a vinho dos sonhos ou leite de papoula, mas decidiu julgar imediatamente os três "reis efêmeros" que haviam governado em Porto Real durante a Lua da Loucura. O escudeiro foi o primeiro a enfrentar sua ira, condenado a morrer por traição. Trystane, um rapaz valente, se mostrou resistente ao ser arrastado diante do Trono de Ferro, até ver sor Perkin, a Pulga, ao lado do rei. Diz Cogumelo que isso acabou com o moral dele, mas nem assim o jovem alegou inocência ou suplicou piedade; ele pediu apenas que fosse armado cavaleiro antes de morrer. Isso o rei Aegon concedeu, e sor Marston Waters chamou o rapaz (também bastardo) de sor Trystane Fyre ("Truefyre", o nome que o garoto havia escolhido para si, foi considerado presunçoso), e sor Alfred Broome o decapitou com Fogonegro, a espada de Aegon, o Conquistador.

O destino de Gaemon Cabelo-Claro, o Rei Xota, foi mais brando. Como acabara de fazer cinco anos, o menino foi poupado por conta da meninice e adotado como protegido da Coroa. Sua mãe, Essie, que se arrogara o nome de senhora Esselyn durante o breve "reinado" do filho, confessou sob tortura que o pai de Gaemon não era o rei, como havia alegado antes, e sim um marinheiro de cabelo prateado que chegara em uma galé mercantil de Lys. Como eram plebeias e indignas de morrer pela espada, Essie e a prostituta dornesa Sylvenna Sand foram enforcadas nas ameias da Fortaleza

Vermelha, junto com vinte e sete membros da corte do "rei" Gaemon, uma coleção infeliz de ladrões, bêbados, saltimbancos, mendigos, prostitutas e proxenetas.

Por fim, o rei Aegon II dirigiu sua atenção ao Pastor. Quando foi levado diante do Trono de Ferro para ser sentenciado, o profeta se recusou a se arrepender de seus crimes ou admitir traição, apontou o toco da mão amputada para o rei e disse a Sua Graça:

— Nós nos encontraremos no inferno antes de este ano acabar. — As mesmas palavras que havia falado a Borros Baratheon ao ser capturado. Pela insolência, Aegon mandou lhe arrancar a língua com uma pinça quente e então condenou o Pastor e seus "seguidores traiçoeiros" à morte pelo fogo.

No último dia do ano, duzentos e quarenta e um "cordeiros descalços", os seguidores mais fervorosos e dedicados do Pastor, foram cobertos de piche e acorrentados a postes ao longo da via larga e calçada que saía da Praça dos Sapateiros no sentido leste até o Fosso dos Dragões. Enquanto os septos faziam soar seus sinos para marcar o fim do ano velho e a chegada do novo, o rei Aegon II seguiu pela rua (desde então conhecida como Rua do Pastor, em vez do nome antigo, Rua da Colina) em sua liteira, enquanto seus cavaleiros acompanhavam dos dois lados com tochas e ateavam fogo nos cordeiros presos para iluminar o caminho. E assim Sua Graça continuou colina acima até o topo, onde o Pastor estava preso entre as cabeças dos cinco dragões. Com a ajuda de dois membros de sua Guarda Real, o rei Aegon se levantou das almofadas, mancou até o poste onde o profeta fora acorrentado e ateou fogo nele com a própria mão.

"Rhaenyra, a Usurpadora, não existia mais, seus dragões estavam mortos, os reis farsescos tombaram, e ainda assim o reino não estava em paz", escreveu o septão Eustace pouco depois. Como sua meia-irmã estava morta e o único filho sobrevivente dela era um prisioneiro em sua própria corte, é possível que o rei Aegon II esperasse que o restante da oposição desaparecesse... e talvez isso tivesse acontecido se Sua Graça houvesse seguido o conselho do lorde Velaryon e decretado um perdão geral para todos os senhores e cavaleiros que haviam abraçado a causa da rainha.

Infelizmente, o rei não tinha disposição para piedade. Por incentivo da mãe, a rainha viúva Alicent, Aegon II estava decidido a se vingar de todos aqueles que o traíram e depuseram. Ele começou com as terras da coroa, despachando seus próprios homens e os homens da tempestade de Borros Baratheon para avançar contra Rosby, Stokeworth e Valdocaso e as fortalezas e cidades vizinhas. Ainda que, por intermédio de seus intendentes e castelãos, esses senhores acossados não tivessem tardado a trocar o estandarte esquartelado de Rhaenyra pelo dragão dourado de Aegon, cada um foi levado acorrentado até Porto Real e obrigado a jurar lealdade ao rei. E só foram liberados depois de aceitarem pagar um pesado resgate e fornecer reféns apropriados à Coroa.

Essa campanha se revelou um sério equívoco, pois serviu apenas para endurecer o coração dos homens da falecida rainha contra o rei. Logo chegaram a Porto Real informações de que Winterfell, Vila Acidentada e Porto Branco estavam reunindo grandes quantidades de guerreiros. Nas terras fluviais, o idoso e acamado lorde Grover Tully finalmente morrera (de apoplexia após ver que sua casa combatera o rei legítimo na Segunda Tumbleton, segundo Cogumelo), e seu neto Elmo, enfim Senhor de Correrrio, convocara os senhores do Tridente à guerra uma vez mais, para não sofrer o mesmo destino dos lordes Rosby, Stokeworth e Darklyn. A ele se uniram Benjicot Blackwood de Corvarbor, já um guerreiro veterano aos treze anos de idade; sua jovem e feroz tia, Aly Black, com trezentos arqueiros; a senhora Sabitha Frey, a impiedosa e gananciosa Senhora das Gêmeas; o lorde Hugo Vance de Pouso do Viajante; o lorde Jorah Mallister de Guardamar; o lorde Roland Darry de Darry; e, sim, inclusive Humfrey Bracken, Senhor de Barreira de Pedra, cuja casa até então havia defendido a causa do rei Aegon.

Mais graves ainda eram os relatos que chegavam do Vale, onde a senhora Jeyne Arryn havia reunido mil e quinhentos cavaleiros e oito mil homens de armas e enviado emissários a Braavos para providenciar navios que os levariam até Porto Real. Com eles viria um dragão. A senhorita Rhaena da Casa Targaryen, irmã gêmea da Valente Baela, trouxera um ovo de dragão consigo ao Vale... um ovo que se revelara fértil, produzindo uma filhote rosa-clara com chifres e crista pretos. Rhaena a chamou de Manhã.

Embora fosse levar anos até que Manhã crescesse o bastante para ser montada em batalha, a notícia do nascimento era uma grande preocupação para o conselho verde. A rainha Alicent destacou que, se os rebeldes conseguissem ostentar um dragão e os legalistas, não, o povo talvez considerasse que os inimigos eram mais legítimos.

— Preciso de um dragão — disse Aegon II, ao ser informado.

Além da filhote da senhorita Rhaena, restavam apenas três dragões vivos em Westeros inteira. Roubovelha havia desaparecido com a menina Urtigas, mas acreditava-se que estivesse em algum lugar da Ponta da Garra Rachada ou nas Montanhas da Lua. O Canibal ainda assombrava a encosta oriental do Monte Dragão. A última notícia que se tinha de Asaprata era de que ela havia abandonado a desolação de Tumbleton e fora para a Campina, onde teria se abrigado em uma pequena ilha rochosa no meio do Lago Vermelho.

Borros Baratheon destacou que a dragão prateada da rainha Alysanne havia aceitado um segundo cavaleiro.

— Por que não um terceiro? Reivindique a dragão, e sua coroa estará garantida.

Mas Aegon II ainda não conseguia andar ou ficar de pé, que diria montar, e ainda por cima um dragão. E Sua Graça tampouco estava forte o bastante para atravessar o reino todo até Lago Vermelho e passar por regiões infestadas de traidores, rebeldes e miseráveis.

A resposta, evidentemente, era nenhuma resposta.

— Asaprata, não — declarou Sua Graça. — Terei um novo Sunfyre, mais orgulhoso e feroz do que o anterior.

Assim, corvos voaram a Pedra do Dragão, onde os ovos dos dragões Targaryen ficavam sob guarda em câmaras subterrâneas e porões, e alguns eram tão antigos que haviam se transformado em pedra. O meistre de lá escolheu sete (em homenagem aos deuses) que julgou mais promissores e os enviou a Porto Real. O rei Aegon os manteve em seus próprios aposentos, mas nenhum gerou um dragão. Cogumelo alega que Sua Graça se sentou em um "ovo grande, roxo e dourado" durante um dia e uma noite, na esperança de chocá-lo, "mas adiantou tanto quanto se fosse um cocô roxo e dourado".

O grande meistre Orwyle, libertado da masmorra e restituído à corrente de seu posto, nos fornece um relato detalhado do conselho verde restaurado durante esse período conturbado, quando medo e desconfiança se faziam sentir até mesmo dentro da Fortaleza Vermelha. Logo no momento em que a união era uma necessidade urgente, os senhores em torno do rei Aegon II se viram profundamente divididos e incapazes de entrar em acordo quanto à melhor forma de lidar com a tempestade que se formava.

O Serpente Marinha defendia reconciliação, perdão e paz.

Borros Baratheon desprezava essa opção como sinal de fraqueza; ele declarou ao rei e ao conselho que derrotaria os traidores em campo. Só carecia de homens; Rochedo Casterly e Vilavelha precisavam ser instruídos a reunir exércitos novos imediatamente.

Sor Tyland Lannister, o mestre da moeda cego, sugeriu navegar até Lys ou Tyrosh e contratar pelo menos uma companhia de mercenários (não faltava dinheiro a Aegon II, pois sor Tyland havia guardado três quartos da fortuna da Coroa em segurança em Rochedo Casterly, Vilavelha e no Banco de Ferro de Braavos antes que a rainha Rhaenyra tomasse a cidade e o tesouro).

Para o lorde Velaryon, esses esforços eram fúteis.

— Não temos tempo. As sedes do poder em Vilavelha e Rochedo Casterly estão na mão de crianças. Não conseguiremos mais ajuda lá. As melhores companhias livres estão vinculadas por contrato a Lys, Myr ou Tyrosh. Mesmo se sor Tyland conseguisse desvencilhá-las, elas não chegariam aqui em tempo. Meus navios podem impedir que os Arryn alcancem nossa porta, mas quem impedirá os nortenhos e os senhores do Tridente? Eles já estão em marcha. Temos que oferecer condições. Sua Graça deveria absolvê-los de todos os crimes e traições, proclamar Aegon de Rhaenyra seu herdeiro e casá-lo imediatamente com a princesa Jaehaera. É a única maneira.

Entretanto, as palavras do velho caíram em ouvidos surdos. A rainha Alicent havia aceitado com relutância prometer a neta em casamento ao filho de Rhaenyra, mas fizera isso sem o consentimento do rei. Aegon II tinha outros planos. Ele pretendia se casar imediatamente com Cassandra Baratheon, pois "ela me dará filhos fortes, dignos do Trono de Ferro". E ele jamais permitiria que o príncipe Aegon se casasse com sua filha e talvez gerasse filhos que pudessem complicar a sucessão.

— Ele pode tomar o negro e passar seus dias na Muralha — decretou Sua Graça —, ou abrir mão de seu sexo e me servir como eunuco. A escolha é dele, mas não terá filhos. A linhagem da minha irmã precisa terminar.

Até essa opção foi considerada branda demais por sor Tyland Lannister, que recomendou a execução imediata do príncipe Aegon mais novo.

— O menino nunca deixará de ser uma ameaça enquanto estiver respirando — declarou Lannister. — Remova a cabeça dele, e esses traidores ficarão sem rainha, rei ou príncipe. Quanto antes ele morrer, mais rápido essa rebelião termina.

Suas palavras, e as do rei, deixaram o lorde Velaryon horrorizado. O idoso Serpente Marinha, "com uma fúria trovejante", acusou o rei e o conselho de serem "idiotas, mentirosos e perjuros" e saiu da sala.

Borros Baratheon então se ofereceu para trazer ao rei a cabeça do velho, e Aegon II estava prestes a autorizar quando o lorde Larys Strong se pronunciou, lembrando-os de que o jovem Alyn Velaryon, herdeiro do Serpente Marinha, ainda estava em Derivamarca, longe do alcance deles.

— Se matarmos a velha serpente, vamos perder a jovem — disse Pé-Torto —, e também todos aqueles belos navios velozes.

Melhor seria tratar de fazer as pazes imediatamente com o lorde Corlys, para manter a Casa Velaryon sob controle.

— Conceda a promessa da mão da princesa, Majestade — insistiu ele com o rei. — Uma promessa não é um casamento. Aponte o jovem Aegon como seu herdeiro. Um príncipe não é rei. Veja na história quantos herdeiros nunca viveram para subir ao trono. Lide com Derivamarca no devido tempo, quando seus inimigos tiverem sido eliminados e nossas forças estiverem plenas. Ainda não é o momento. Precisamos aguardar e tratá-lo com gentileza.

Ou foram essas as palavras que ele teria pronunciado, segundo Orwyle relatou a Munkun. Nem o septão Eustace nem o bobo Cogumelo estavam presentes no conselho. No entanto, Cogumelo dá sua opinião mesmo assim, dizendo: "Já houve homem mais ardiloso que o Pé-Torto? Ah, aquele ali poderia ter sido um bobo esplêndido. As palavras escorriam de seus lábios como mel no favo, e jamais veneno algum foi tão doce".

O enigma de Larys Strong Pé-Torto intrigou estudantes de história durante gerações, e não é um enigma que conseguiremos desvendar aqui. Onde residia sua verdadeira lealdade? Quais eram seus planos? Ele percorreu toda a Dança dos Dragões, ora de um lado, ora de outro, desaparecendo e ressurgindo, e, de alguma forma, sempre sobrevivia. Quanto do que ele dizia era farsa e quanto era verdade? Ele era apenas um homem que se deixava levar pelo vento, ou partia com algum destino em mente? Podemos perguntar, mas jamais teremos resposta. O último Strong guarda seus segredos.

O que sabemos é que ele era astuto, reservado, mas plausível e simpático sempre que necessário. Suas palavras convenceram o rei e o conselho. Quando a rainha Alicent contestou, perguntando-se em voz alta como reconquistar o lorde Corlys depois de tudo o que fora dito naquele dia, o lorde Strong respondeu:

— Deixe essa tarefa a mim, Vossa Graça. Acredito que sua senhoria me dará ouvidos.

E ele deu. Pois ninguém sabia na ocasião que o Pé-Torto foi direto atrás do Serpente Marinha quando a reunião foi encerrada e lhe revelou a intenção do rei de conceder tudo o que ele havia pedido e depois assassiná-lo, quando a guerra tivesse terminado. E, quando o velho estava prestes a sair de espada em punho em busca de uma vingança sangrenta, o lorde Larys o acalmou com palavras brandas e sorrisos.

— Existe uma maneira melhor — disse ele, recomendando paciência. E assim ele teceu suas teias de mentiras e traições, colocando um contra o outro.

Enquanto complôs e contracomplôs giravam à sua volta, e inimigos se aproximavam por todos os lados, Aegon II seguia ignorante. O rei não era um homem sadio. As queimaduras que ele sofrera em Pouso de Gralhas cobriram metade de seu corpo com cicatrizes. Cogumelo afirma que elas também o deixaram impotente. E ele tampouco conseguia andar. Quando pulou das costas de Sunfyre em Pedra do Dragão, ele fraturou a perna direita em dois pontos e estilhaçou os ossos da esquerda. O grande meistre Orwyle registrou que a direita havia se recuperado bem, mas a esquerda, não. Os músculos dessa perna tinham atrofiado, o joelho se enrijecera, e a carne se esvaiu até restar apenas um graveto murcho tão retorcido que Orwyle acreditava que seria melhor que Sua Graça o amputasse de vez. Porém, o rei não queria saber. Ele era carregado de um lado para outro na liteira. Apenas mais perto do final ele recuperou as forças a ponto de conseguir andar com a ajuda de uma muleta, arrastando a perna ruim.

Em dor constante durante seu último meio ano de vida, Aegon parecia se alegrar apenas com a expectativa de seu casamento iminente. Nem mesmo os malabarismos de seus bobos conseguiam fazê-lo rir, segundo nos diz Cogumelo, o principal desses bobos... embora "Sua Graça de vez em quando sorrisse com meus gracejos e gostasse de me manter por perto para aliviar a melancolia e ajudá-lo a se vestir". Ainda que não fosse mais capaz de ter relações sexuais devido às queimaduras, segundo o anão, Aegon ainda sentia impulsos carnais e, com frequência, ficava olhando de trás de uma cortina enquanto um de seus favoritos copulava com uma criada ou uma senhora da corte. Geralmente era Tom Linguapresa que realizava essa tarefa para ele, afirma o anão; às vezes, alguns cavaleiros do castelo assumiam a posição desonrosa, e em três ocasiões o próprio Cogumelo foi incumbido do serviço. Após essas sessões, de acordo com o bobo, o rei chorava de vergonha e mandava chamar o septão Eustace para absolvê-lo. (Eustace não faz qualquer menção a isto em seu próprio registro dos últimos dias de Aegon.)

Nesse período, o rei Aegon II também determinou que o Fosso dos Dragões fosse restaurado e reconstruído, encomendou duas estátuas imensas de seus irmãos Aemond e Daeron (ele decretou que elas deviam ser maiores que o Titã de Braavos e folheadas a ouro) e realizou uma queima pública de todos os decretos e éditos proclamados pelos "reis efêmeros" Trystane Truefyre e Gaemon Cabelo-Claro.

Enquanto isso, seus inimigos marchavam. Pelo Gargalo vinha Cregan Stark, Senhor de Winterfell, à frente de um vasto exército (o septão Eustace cita "vinte mil bárbaros escandalosos com peles hirsutas", mas Munkun reduz esse número para oito mil em sua *História verdadeira*), enquanto a Donzela do Vale enviou a própria tropa de Vila Gaivota: dez mil homens, sob o comando do lorde Leowyn Corbray e do irmão sor Corwyn, que detinha a famosa espada valiriana Senhora Desespero.

Contudo, a ameaça mais imediata era a dos homens do Tridente. Quase seis mil haviam se reunido em Correrrio quando Elmo Tully convocou seus vassalos. Infelizmente, o próprio lorde Elmo faleceu durante a marcha ao beber alguma água contaminada, depois de apenas quarenta e nove dias como Senhor de Correrrio, mas o título passou a seu filho mais velho, sor Kermit Tully, um jovem inquieto e obstinado que estava ansioso para se provar como guerreiro. Eles estavam a seis dias de marcha de Porto Real, descendo a estrada do rei, quando o lorde Borros Baratheon liderou seus homens da tempestade para confrontá-los, reforçado por homens de Stokeworth, Rosby, Vaufeno e Valdocaso, e ainda dois mil homens e rapazes dos lupanares da Baixada das Pulgas, armados às pressas com lanças e elmos feitos de panelas de ferro.

Os dois exércitos se encontraram a dois dias da cidade, em um lugar onde a estrada do rei passava entre uma floresta e um morro baixo. Vinha chovendo com força havia dias, a grama estava molhada e a terra, macia e lamacenta. O lorde Borros tinha confiança na vitória, pois seus batedores o informaram que os homens das terras fluviais eram liderados por meninos e mulheres. Era quase crepúsculo quando ele viu o inimigo, mas deu ordem de ataque imediato... embora a estrada adiante fosse uma muralha sólida de escudos e a colina à direita fervilhasse de arqueiros. O lorde Borros liderou a investida pessoalmente, dispondo seus cavaleiros em formação de cunha e correndo pela estrada rumo ao centro do inimigo, onde a truta prateada de Correrrio flutuava no estandarte azul e vermelho ao lado do brasão esquartelado da rainha morta. Sua infantaria avançou atrás dele, sob o dragão dourado do rei Aegon.

A Cidadela deu ao confronto que se seguiu o nome de Batalha da Estrada do Rei. Os homens que a travaram a chamaram de Desordem de Lama. Qualquer que seja o nome, a última batalha da Dança dos Dragões se revelaria um confronto unilateral. Os arcos longos na colina abateram os cavalos debaixo dos cavaleiros de sor Borros enquanto eles corriam, derrubando tantos que metade dos cavaleiros nem sequer chegou à muralha de escudos. E os que chegaram constataram que a formação estava desfeita, a cunha, quebrada, e os cavalos, escorregando e tropeçando na lama macia. Embora os homens da tempestade tenham causado grandes estragos com lanças e espadas e machados longos, os senhores das terras fluviais resistiram, à medida que homens novos se adiantavam para ocupar o lugar dos que caíam. Quando a infantaria do lorde Baratheon veio para o confronto, a muralha de escudos vacilou e recuou um pouco, e parecia prestes a se romper... até a floresta à esquerda da estrada estourar com gritos e berros e centenas de homens das terras fluviais saírem dentre as árvores, liderados pelo menino louco Benjicot Blackwood, que nesse dia receberia a alcunha "Ben Sangrento" pela qual seria conhecido pelo resto de sua longa vida.

O próprio lorde Borros continuava montado no meio da carnificina. Quando viu a batalha desandando, o senhor mandou seu escudeiro soar o berrante de guerra, com o sinal para as forças de reserva avançarem. No entanto, ao ouvirem o toque, os homens de Rosby, Stokeworth e Vaufeno largaram os dragões dourados do rei e permaneceram imóveis, a ralé de Porto Real se dispersou feito gansos, e os cavaleiros de Valdocaso se debandaram para o inimigo, atacando os homens da tempestade pela retaguarda. A batalha se tornou caótica em um instante, quando o último exército do rei Aegon se desintegrou.

Borros Baratheon morreu lutando. Derrubado do cavalo quando seu bucéfalo foi abatido por flechas de Aly Black e seus arqueiros, ele lutou a pé, matando soldados sem conta, uma dúzia de cavaleiros e os lordes Mallister e Darry. Quando Kermit Tully o encontrou, o lorde Borros estava exausto, de cabeça exposta (ele havia arrancado o elmo amassado), sangrando de dezenas de ferimentos, e mal conseguia ficar de pé.

— Renda-se, sor — disse o Senhor de Correrrio para o Senhor de Ponta Tempestade —, o dia é nosso.

O lorde Baratheon respondeu com uma praga:

— Prefiro dançar no inferno a usar suas correntes.

E então ele avançou... direto para a bola de ferro cravejada na ponta da maça-estrela do lorde Kermit, que o acertou bem no meio do rosto e lançou um jato mórbido de sangue, osso e cérebro. O Senhor de Ponta Tempestade morreu na lama da estrada do rei, de espada ainda em punho.*

Quando os corvos levaram as notícias da batalha de volta à Fortaleza Vermelha, o conselho verde se reuniu às pressas. Todas as advertências do Serpente Marinha tinham se concretizado. Rochedo Casterly, Jardim de Cima e Vilavelha tardaram a responder à ordem do rei de formar novos exércitos. Quando responderam, ofereceram desculpas e protelações, em vez de promessas. Os Lannister estavam enredados em sua própria guerra contra o Lula-Gigante Vermelha; os Hightower haviam perdido homens demais e não dispunham de comandantes habilitados; a mãe do pequeno lorde Tyrell escreveu para dizer que tinha motivos para desconfiar da lealdade dos vassalos de seu filho e, "sendo meramente uma mulher, eu mesma não sou capaz de liderar um exército na guerra". Sor Tyland Lannister, sor Marston Waters e sor Julian Wormwood haviam sido enviados pelo mar estreito a fim de contratar mercenários em Pentos, Tyrosh e Myr, mas nenhum deles tinha voltado ainda.

Todos os homens do rei sabiam que Aegon II logo estaria nu diante de seus inimigos. Ben Sangrento Blackwood, Kermit Tully, Sabitha Frey e seus camaradas vitoriosos estavam se preparando para retomar a marcha rumo à cidade, e o lorde Cregan Stark e seus nortenhos vinham logo atrás, a apenas alguns dias de distância. A frota braavosi que trazia o exército de Arryn havia saído de Vila Gaivota e navegava rumo à Goela, onde apenas o jovem Alyn Velaryon aguardava... e a lealdade de Derivamarca era incerta.

— Vossa Graça — disse o Serpente Marinha, quando uma pequena parte do antes orgulhoso conselho verde se reuniu — precisa se render. A cidade não resistirá a mais um saque. Salve seu povo e a si mesmo. Se abdicar em favor do príncipe Aegon, ele vai lhe permitir que tome o negro e viva seus últimos anos com honra na Muralha.

— Vai? — perguntou o rei. Segundo Munkun, ele parecia esperançoso.

Sua mãe não tinha esperança alguma.

— Você deu a mãe dele de comer para seu dragão — lembrou ela. — O menino viu tudo.

O rei se virou para ela, desesperado.

— O que você quer que eu faça?

— Você tem reféns — respondeu a rainha viúva. — Corte uma das orelhas do menino e mande-a para o lorde Tully. Avise que ele vai perder um pedaço do corpo para cada quilômetro que eles avançarem.

* Pela graça dos deuses, sete dias depois, a esposa do lorde Borros deu à luz em Ponta Tempestade o filho e herdeiro que ele tanto desejara. O senhor havia deixado instruções de que o bebê deveria se chamar Aegon, se fosse menino, para honrar o rei. Mas, ao receber a notícia da morte do senhor seu marido em batalha, a senhora Baratheon chamou a criança de Olyver, em homenagem a seu próprio pai.

— Sim — disse Aegon II. — Ótimo. Assim será. — Ele chamou sor Alfred Broome, que o servira tão bem em Pedra do Dragão. — Cuide disso, sor. — Enquanto o cavaleiro saía, o rei se virou para Corlys Velaryon. — Mande seu bastardo lutar com bravura, senhor. Se ele falhar, se algum daqueles braavosis passar da Goela, sua preciosa senhorita Baela também vai perder alguns pedaços.

O Serpente Marinha não suplicou, nem praguejou, nem ameaçou. Fez um gesto brusco com a cabeça, levantou-se e foi embora. Cogumelo diz que ele trocou um olhar com o Pé-Torto ao sair, mas Cogumelo não estava presente, e parece extremamente improvável que um homem experiente como Corlys Velaryon fosse agir com tamanho descuido em um momento daqueles.

Pois o tempo de Aegon havia terminado, mesmo que ele ainda não tivesse percebido. Os vira-mantos que o cercavam tinham começado a executar seus planos assim que souberam da derrota do lorde Baratheon na Estrada do Rei.

Enquanto atravessava a ponte levadiça da Fortaleza de Maegor, onde o príncipe Aegon estava detido, sor Alfred Broome viu que sor Perkin, a Pulga, e seis de seus cavaleiros de sarjeta estavam bloqueando o caminho.

— Afaste-se, em nome do rei — exigiu Broome.

— Temos um rei novo agora — respondeu sor Perkin. Ele pôs a mão no ombro de sor Alfred... e deu um empurrão forte, derrubando-o da ponte levadiça para as estacas de ferro abaixo, onde ele agonizou por dois dias até morrer.

Ao mesmo tempo, a senhorita Baela Targaryen estava sendo levada para um lugar seguro por agentes do lorde Larys Pé-Torto. Tom Linguapresa foi surpreendido no pátio do castelo, enquanto saía do estábulo, e prontamente decapitado. "Ele morreu como viveu, gaguejando", diz Cogumelo. O pai dele, Tom Barbapresa, não estava no castelo, mas foi encontrado em uma taberna na Viela da Enguia. Quando protestou que era "só um simples pescador, tomando uma cerveja", seus captores o afogaram em um barril do mesmo líquido.

Tudo isso foi realizado de forma tão limpa, rápida e silenciosa que o povo de Porto Real pouco ou nada percebera do que estava acontecendo atrás das muralhas da Fortaleza Vermelha. Nem mesmo dentro do castelo houve qualquer alarde. Os que haviam sido marcados para morrer foram mortos, enquanto o restante da corte seguiu cuidando de seus assuntos, intocado e ignorante. O septão Eustace nos informa que foram mortos vinte e quatro homens, já a *História verdadeira* de Munkun menciona vinte e um. Cogumelo alega ter visto o assassinato do provador de comida do rei, um homem morbidamente obeso chamado Unmet, e garante que foi obrigado a se esconder dentro de um barril de farinha para não sofrer o mesmo destino, saindo na noite seguinte "coberto de farinha da cabeça aos pés, tão branco que a primeira criada que me viu achou que eu fosse o fantasma de Cogumelo". (Isso soa a invencionice. Por que os conspiradores matariam um bobo?)

A rainha Alicent foi presa na escada enquanto voltava a seus aposentos. Seus captores usavam o cavalo-marinho da Casa Velaryon no gibão e, embora tenham matado os dois homens que a protegiam, não fizeram mal algum à rainha viúva ou às suas damas de companhia. A Rainha Acorrentada foi acorrentada de novo e levada à masmorra, para esperar de acordo com a conveniência do novo rei. A essa altura, o último de seus filhos já estava morto.

Após a reunião do conselho, o rei Aegon II foi levado até o pátio por dois escudeiros fortes. Ali, sua liteira o aguardava, como de costume; com a perna atrofiada, era muito difícil descer escadas, até mesmo de muleta. Sor Gyles Belgrave, o cavaleiro da Guarda Real encarregado de sua escolta, declarou mais tarde que Sua Graça parecia estranhamente cansado ao ser colocado dentro da liteira, com o rosto "pálido e abatido, arfante", mas, em vez de pedir para ser levado de volta a seus aposentos, ele mandou sor Gyles levá-lo ao septo do castelo. "Talvez ele tenha pressentido que o fim estava próximo", escreveu o septão Eustace, "e quisesse rezar pelo perdão de seus pecados."

Soprava um vento frio. Quando a liteira começou a se movimentar, o rei fechou as cortinas para conter o vento. Ali dentro, como sempre, havia um jarro de tinto doce da Árvore, o vinho preferido de Aegon. O rei se serviu de uma taça pequena enquanto a liteira atravessava o pátio.

Sor Gyles e os carregadores só foram perceber que havia algo errado quando chegaram ao septo e as cortinas não se abriram.

— Chegamos, Majestade — disse o cavaleiro.

Não houve resposta, apenas silêncio. Quando um segundo e um terceiro aviso tiveram o mesmo resultado, sor Gyles Belgrave abriu as cortinas e viu o rei morto sobre as almofadas.

— Havia sangue nos lábios dele — afirmou o cavaleiro. — Fora isso, era como se estivesse dormindo.

Meistres e homens comuns ainda hoje debatem qual foi o veneno usado, e quem teria o colocado no vinho do rei (há quem diga que só podia ter sido o próprio sor Gyles, mas era impensável que um cavaleiro da Guarda Real tirasse a vida do rei que ele havia jurado proteger. Unmet, o provador de comida do rei cujo assassinato Cogumelo alega ter visto, parece um candidato mais provável). No entanto, ainda que jamais venhamos a saber que mão envenenou o tinto da Árvore, não há a menor dúvida de que tenha sido por ordem de Larys Strong.

E assim pereceu Aegon da Casa Targaryen, Segundo do Seu Nome, filho primogênito do rei Viserys I Targaryen com a rainha Alicent da Casa Hightower, cujo reinado se revelou tão breve quanto amargo. Ele vivera por vinte e quatro anos e reinara por dois.

Quando a vanguarda do lorde Tully apareceu diante das muralhas de Porto Real dois dias depois, Corlys Velaryon saiu para recebê-los com o príncipe Aegon, soturno, a seu lado.

— O rei está morto — anunciou, com gravidade, o Serpente Marinha —, vida longa ao rei.

Do outro lado da Baía da Água Negra, na Goela, o lorde Leowyn Corbray se encontrava na proa de uma coca braavosi quando viu uma fileira de navios de guerra Velaryon baixar o dragão dourado de Aegon II e içar em seu lugar o dragão vermelho do primeiro, o estandarte que todos os reis Targaryen haviam ostentado até o começo da Dança.

A guerra acabou (embora a paz que se seguiu logo fosse se revelar nada pacífica).

No sétimo dia da sétima lua do ano 131 após a Conquista de Aegon, uma data tida como sagrada para os deuses, o alto septão de Vilavelha pronunciou os votos de casamento quando o príncipe Aegon mais novo, filho mais velho da rainha Rhaenyra com o tio dela, o príncipe Daemon, desposou a princesa Jaehaera, filha da rainha Helaena com o irmão dela, o rei Aegon II, unindo assim os dois lados rivais da Casa Targaryen e encerrando dois anos de traições e carnificina.

A Dança dos Dragões terminou, e o reinado melancólico de Aegon III Targaryen começou.

# O momento posterior
## A hora do lobo

O povo dos Sete Reinos refere-se ao rei Aegon III Targaryen como Aegon, o Azarado, Aegon, o Infeliz, e (com mais frequência) Desgraça dos Dragões, isso quando se lembra dele. Todos esses nomes são adequados. O grande meistre Munkun, que o serviu por boa parte do reinado, o chama de Rei Arrasado, que se encaixa ainda melhor. De todos os homens a se sentarem no Trono de Ferro, ele continua sendo talvez o mais enigmático: um monarca sombrio que falava pouco e fazia menos ainda e teve uma vida cheia de dor e melancolia.

Quarto filho de Rhaenyra Targaryen e o primeiro que ela teve com seu tio e segundo marido, o príncipe Daemon Targaryen, Aegon chegou ao Trono de Ferro em 131 DC e reinou por vinte e seis anos, até sua morte por tuberculose em 157 DC. Ele teve duas esposas e cinco filhos (dois meninos e três meninas), mas não pareceu encontrar muita alegria no casamento nem na paternidade. Na verdade, ele era um homem singularmente melancólico. Não caçava nem falcoava, só cavalgava para viajar, não tomava vinho e tinha um desinteresse tão grande por comida que muitas vezes precisava ser lembrado de comer. Embora permitisse torneios, não participava deles, nem como competidor nem como espectador. Quando adulto, vestia-se de forma simples, quase sempre de preto, e era famoso por usar um cilício por baixo dos veludos e cetins exigidos de um rei.

Mas isso foi muitos anos mais tarde, depois que Aegon III se tornou adulto e assumiu o governo dos Sete Reinos. Em 131 DC, quando seu reinado começou, ele era um menino de dez anos; alto para sua idade, diziam, com "cabelo prateado tão claro que era quase branco e olhos violeta tão escuros que eram quase pretos". Mesmo quando garoto, Aegon raramente sorria e gargalhava menos ainda, afirma Cogumelo, e embora soubesse ser elegante e cortês quando necessário, havia uma escuridão dentro dele que nunca sumia.

As circunstâncias nas quais o rei menino começou seu regime não foram nada auspiciosas. Os senhores fluviais que derrotaram o último exército de Aegon II na Batalha da Estrada do Rei marcharam até Porto Real preparados para uma batalha. Mas lorde Corlys Velaryon e o príncipe Aegon foram encontrá-los com uma bandeira de paz.

— O rei está morto, vida longa ao rei — disse lorde Corlys, e entregou a cidade à misericórdia deles.

Naquela época, assim como agora, os senhores fluviais eram um grupo brigão e turbulento. Kermit Tully, senhor de Correrrio, era o suserano e comandante do exército... mas é preciso lembrar que sua senhoria tinha apenas dezenove anos e era "verde como grama de verão", como os nortenhos poderiam dizer. Seu irmão, Oscar, que matou três homens durante a Desordem de Lama e em seguida foi condecorado cavaleiro no campo de batalha, era mais verde ainda, e amaldiçoado com o tipo de orgulho irritadiço tão comum em segundos filhos.

A Casa Tully era única dentre as grandes casas de Westeros. Aegon, o Conquistador, os fez os Senhores Supremos do Tridente, mas de muitas formas eles continuaram sendo obscurecidos por muitos de seus próprios vassalos. Os Bracken, os Blackwood e os Vance tinham domínios mais amplos e conseguiam reunir exércitos bem maiores, assim como os presunçosos Frey das Gêmeas. Os Mallister de Guardamar pertenciam a uma linhagem mais orgulhosa, os Mooton de Lagoa da Donzela eram bem mais ricos, e Harrenhal, mesmo amaldiçoado e queimado e em ruínas, continuava sendo um castelo mais formidável do que Correrrio, além de ter dez vezes o tamanho dele. A história indistinta da Casa Tully só foi exacerbada pela personalidade dos seus dois últimos senhores... mas agora os deuses tinham dado lugar a uma nova geração de Tully, dois jovens orgulhosos determinados a provarem sua capacidade, lorde Kermit como senhor e sor Oscar como guerreiro.

Cavalgando ao lado deles, das margens do Tridente até os portões de Porto Real, havia um homem ainda mais jovem: Benjicot Blackwood, Senhor de Corvarbor. Ben Sangrento, como seus homens passaram a chamá-lo, só tinha treze anos, uma idade em que a maioria dos garotos bem-nascidos ainda é escudeiro e cuida dos cavalos de seus mestres e tira a ferrugem da cota de malha deles. Ele se tornou senhor cedo, quando seu pai, lorde Samwell Blackwood, foi morto por sor Amos Bracken na Batalha do Moinho Ardente. Apesar da tenra idade, o senhor menino se recusou a delegar autoridade a um homem mais velho. Em Banquete dos Peixes, ele supostamente chorou ao ver tantos mortos, mas não se esquivou da batalha depois, na verdade fez questão de participar. Seus homens ajudaram a tirar Criston Cole de Harrenhal, caçando seus exploradores, ele comandou o centro na Segunda Tumbleton, e durante a Desordem de Lama liderou o ataque pelos flancos vindo da floresta que surpreendeu os homens da tempestade de lorde Baratheon e conquistou a vitória. Em trajes de corte, diziam, lorde Benjicot parecia muito um menino, alto para a idade, mas com corpo franzino, um rosto sensível e comportamento tímido e modesto; usando cota de malha e armadura, o Ben Sangrento era um homem completamente diferente, que já tinha visto mais do campo de batalha aos treze anos do que a maioria dos homens durante toda a vida.

Claro que havia outros senhores e cavaleiros famosos no exército que Corlys Velaryon enfrentou no Portão dos Deuses naquele dia de 131 DC, todos bem mais velhos e alguns mais sábios do que Ben Sangrento Blackwood e os irmãos Tully, mas de alguma forma os três saíram da Desordem de Lama como líderes inquestionáveis.

Unidos pela batalha, os três se tornaram tão inseparáveis que seus homens passaram a se referir a eles coletivamente como "os Rapazes".

Entre seus apoiadores havia duas mulheres extraordinárias: Alysanne Blackwood, chamada Aly Black, irmã do falecido lorde Samwell Blackwood e tia do Ben Sangrento, e Sabitha Frey, a Senhora das Gêmeas, viúva de lorde Forrest Frey e mãe do herdeiro dele, uma "bruxa de feições angulosas e língua ferina da Casa Vypren, que preferia cavalgar a dançar, usava cota no lugar de seda e gostava de matar homens e beijar mulheres", de acordo com Cogumelo.

Os Rapazes só conheciam o lorde Corlys Velaryon de reputação, mas essa reputação era formidável. Depois de chegarem a Porto Real com expectativa de precisar fazer cerco na cidade ou invadi-la, eles ficaram satisfeitos (ainda que surpresos) de recebê-la em uma bandeja dourada... e de saberem que Aegon II estava morto (embora Benjicot Blackwood e sua tia tenham expressado aversão a como ele morreu, pois veneno era visto como a arma de um covarde, desprovido de honra). Gritos de satisfação percorreram o campo quando a notícia da morte do rei se espalhou, e um a um o Senhor do Tridente e seus aliados se adiantaram para se curvar perante o príncipe Aegon e celebrá-lo como rei.

Enquanto os senhores fluviais cavalgavam pela cidade, os plebeus os aclamaram em telhados e sacadas, e garotas bonitas se adiantaram para encher seus salvadores de beijos ("como pantomimeiras em uma farsa", diz Cogumelo, sugerindo que tudo isso foi tramado por Larys Strong). Os mantos dourados fizeram fila nas ruas e baixaram as lanças quando os Rapazes passaram. Dentro da Fortaleza Vermelha, os Rapazes encontraram o corpo do rei morto deitado em um carrinho fúnebre abaixo do Trono de Ferro, com sua mãe, a rainha Alicent, chorando ao lado. O que restava da corte de Aegon tinha se reunido no salão, entre eles lorde Larys Strong Pé-Torto, o grande meistre Orwyle, sor Perkin, a Pulga, Cogumelo, o septão Eustace, sor Gyles Belgrave e quatro outros membros da Guarda Real, e outros senhores menores e cavaleiros domésticos. Orwyle falou por eles e saudou os senhores fluviais como libertadores.

Em todas as outras partes das terras da coroa e pelo mar estreito, os legalistas que restavam do rei morto também estavam se rendendo. Os braavosis desembarcaram com lorde Leowyn Corbray em Valdocaso, com metade da força que a senhora Arryn tinha enviado do Vale; a outra metade desembarcou em Lagoa da Donzela com o irmão dele, sor Corwyn Corbray. As duas cidades deram as boas-vindas aos exércitos de Arryn com banquetes e flores. Stokeworth e Rosby caíram sem derramamento de sangue e baixaram o estandarte do dragão dourado de Aegon II para erguer o dragão vermelho de Aegon III. A guarnição de Pedra do Dragão se mostrou mais teimosa e trancou os portões e jurou resistência. Aguentaram por três dias e duas noites. Na terceira noite, os cavalariços, cozinheiros e servos do castelo pegaram em armas e se ergueram contra os homens do rei, matando muitos ainda dormindo e entregando o resto acorrentado para o jovem Alyn Velaryon.

O septão Eustace nos conta que uma "euforia estranha" tomou conta de Porto Real; Cogumelo só diz que "metade da cidade estava bêbada". O cadáver do rei Aegon II foi entregue às chamas, na esperança de que todos os males e ódios do reinado dele pudessem ser queimados junto com seus restos. Milhares subiram à Colina de Aegon para ouvir o príncipe Aegon proclamar que era hora de paz. Uma coroação luxuosa foi planejada para o menino, seguida de seu casamento com a princesa Jaehaera. Uma revoada de corvos alçou voo da Fortaleza Vermelha, convocando o restante dos legalistas do rei envenenado em Vilavelha, na Campina, em Rochedo Casterly e em Ponta Tempestade para comparecerem em Porto Real e prestar homenagens ao novo monarca. Salvos-condutos foram dados, perdões prometidos. Os novos regentes do reino se viram divididos sobre a questão do que fazer com a rainha viúva Alicent, mas pareciam de acordo sobre todo o resto, e a tranquilidade reinou... por quase uma quinzena.

"Falso Alvorecer" é como o grande meistre Munkun chama esse período, na *História verdadeira*. Uma época de euforia, sem dúvida, mas de curta duração... pois quando lorde Cregan Stark chegou à entrada de Porto Real com seus nortenhos, a alegria terminou e os planos felizes desmoronaram. O senhor de Winterfell tinha vinte e três anos, só um pouco mais velho do que os senhores de Corvarbor e Correrrio... mas Stark era um homem, e eles eram garotos, como todos os que os viam juntos pareciam perceber. Os Rapazes se encolhiam na presença dele, diz Cogumelo. "Sempre que o lobo do Norte entrava em um aposento, Ben Sangrento lembrava que só tinha treze anos, enquanto lorde Tully e seu irmão se agitavam e gaguejavam e ficavam tão vermelhos quanto seus cabelos."

Porto Real tinha recebido os senhores fluviais e seus homens com banquetes e flores e honras. Mas não os nortenhos. Eles estavam em maior quantidade, para começar: um exército com o dobro do tamanho do que os Rapazes lideravam, e com uma reputação temerosa. Em suas cotas de malha e capas de pele, as feições escondidas por trás de barbas densas, eles andaram pela cidade como se fossem ursos armados, diz Cogumelo. A maior parte do que Porto Real sabia sobre os nortenhos era com base em sor Medrick Manderly e seu irmão, sor Torrhen: homens corteses, articulados, bem vestidos, disciplinados e *reverentes*. Os homens de Winterfell nem honravam os verdadeiros deuses, comenta o septão Eustace com horror. Eles desdenhavam dos Sete, ignoravam os dias de festa, debochavam dos livros sagrados, não mostravam reverência nenhuma a septões e septãs, adoravam árvores.

Dois anos antes, Cregan Stark fizera uma promessa para o príncipe Jacaerys. Agora, ele tinha ido fazer valer seu juramento, embora Jace e a rainha, mãe dele, estivessem mortos.

— O Norte se lembra — declarou lorde Stark quando o príncipe Aegon, lorde Corlys e os Rapazes lhes deram as boas-vindas.

— Você veio tarde, meu lorde — disse o Serpente Marinha —, pois a guerra acabou e o rei está morto.

O septão Eustace, que foi testemunha do encontro, diz que o senhor de Winterfell "olhou para o velho Senhor das Marés com olhos tão cinzentos e frios quanto uma tempestade de inverno e disse: 'Pela mão de quem e pela ordem de quem, eu me pergunto?'. Pois os bárbaros tinham ido atrás de sangue e batalha, como descobriríamos em pouco tempo, para nossa infelicidade".

O bom septão não estava errado. Outros haviam iniciado aquela guerra, ouviu-se lorde Cregan falar, mas ele pretendia terminar, continuar indo para o sul e destruir tudo que restasse dos verdes que puseram Aegon II no Trono de Ferro e lutaram para mantê-lo lá. Ele destruiria Ponta Tempestade primeiro, depois atravessaria a Campina para tomar Vilavelha. Quando Torralta tivesse caído, ele levaria seus lobos para o norte pelas margens do Mar do Poente para visitar Rochedo Casterly.

— Um plano ousado — disse o grande meistre Orwyle com cautela quando o ouviu.

Cogumelo prefere "loucura", mas acrescenta que "Aegon, o Dragão, foi chamado de louco quando falou em conquistar Westeros inteira". Quando Kermit Tully observou que Ponta Tempestade, Vilavelha e Rochedo Casterly eram tão fortes quanto a Winterfell do próprio Stark (se não mais) e não cairiam com facilidade (se caíssem), e o jovem Ben Blackwood fez eco ao que ele disse e acrescentou "metade dos seus homens vão morrer, lorde Stark", o Lobo de Winterfell de olhos cinzentos respondeu:

— Eles morreram no dia em que partimos, garoto.

Assim como os Lobos de Inverno, a maioria dos homens que havia marchado para o sul com lorde Cregan Stark não esperava voltar a ver sua casa. As neves já estavam fundas no Gargalo, os ventos frios, aumentando; em fortalezas e castelos e vilarejos humildes por todo o Norte, os grandes e pequenos rezavam a seus deuses-árvores entalhados para que aquele inverno fosse curto. Os que tinham menos bocas para alimentar passavam melhor os dias sombrios, então era antigo o costume no Norte de que os homens velhos, os filhos mais jovens, os solteiros, os sem filhos, os sem-teto e os desesperados saíssem de casa quando a neve começasse a cair, para que seus parentes pudessem viver e ver outra primavera. A vitória era secundária para os homens daquelas tropas de inverno; eles marchavam em busca de glória, de aventura, de pilhagem e, mais do que tudo, de um final digno.

Mais uma vez, coube a Corlys Velaryon, Senhor das Marés, suplicar por paz, perdão e reconciliação.

— A matança já está acontecendo há tempo demais — disse o homem idoso. — Rhaenyra e Aegon estão mortos. Deixem que a disputa morra com eles. Você fala em tomar Ponta Tempestade, Vilavelha e Rochedo Casterly, meu senhor, mas os homens que ocupavam esses assentos foram mortos em batalha, todos eles. São garotos pequenos e bebês de colo que ocupam os lugares deles agora, e não são ameaça para nós. Conceda-lhes termos honrosos e eles se curvarão.

Mas lorde Stark não estava mais inclinado a ouvir essa conversa do que Aegon II e a rainha Alicent antes dele.

— Garotinhos se tornam homens grandes com o tempo — respondeu ele —, e um bebê suga o ódio da mãe junto com o leite. Acabem com esses inimigos agora, senão aqueles de nós que não estiverem no túmulo em vinte anos vão se arrepender da nossa loucura quando esses bebês embainharem as espadas dos pais e vierem atrás de vingança.

Lorde Velaryon não se deixou comover.

— O rei Aegon disse a mesma coisa e morreu por isso. Se tivesse seguido nosso conselho e oferecido paz e perdão a seus inimigos, poderia estar sentado conosco hoje.

— Foi por isso que você o envenenou, meu senhor? — perguntou o Senhor de Winterfell.

Embora Cregan Stark não tivesse história pessoal com o Serpente Marinha, nem boa nem ruim, ele sabia que lorde Corlys havia servido Rhaenyra como Mão da Rainha, que ela o prendera por suspeita de traição, que ele tinha sido liberto por Aegon II e aceito no conselho dele... só para ajudar a levá-lo à morte por envenenamento, ao que parecia.

— Não é surpresa você se chamar Serpente Marinha — prosseguiu lorde Stark —, pois pode rastejar para lá e para cá, mas, ah, suas presas são venenosas. Aegon era perjuro, assassino de parentes e usurpador, mas era rei. Quando não quis seguir seu conselho de covarde, você o eliminou como um covarde faria, desonrosamente, com veneno... e agora vai responder por isso.

Os homens de Stark invadiram a sala do conselho, desarmaram os guardas na porta, tiraram o velho Serpente Marinha da cadeira e o arrastaram até a masmorra. Logo se juntariam a ele Larys Strong Pé-Torto, o grande meistre Orwyle, sor Perkin, a Pulga, e o septão Eustace, junto com outros cinquenta, tanto bem-nascidos quanto plebeus, que Stark achou que não eram de confiança. "Fiquei tentado a voltar para meu barril de farinha", diz Cogumelo, "mas felizmente eu era pequeno demais para o lobo prestar atenção em mim."

Nem mesmo os Rapazes foram poupados da ira de lorde Cregan, embora fossem ostensivamente aliados.

— Por acaso vocês são bebês de fralda para serem paparicados com flores e banquetes e palavras doces? — repreendeu Stark. — Quem disse que a guerra acabou? Pé-Torto? O Serpente? Só porque a vontade deles foi feita? Porque vocês tiveram sua pequena vitória na lama? Guerras terminam quando os derrotados se ajoelham, não antes. Vilavelha se rendeu? Rochedo Casterly devolveu o ouro da Coroa? Vocês dizem que pretendem casar o príncipe com a filha do rei, mas ela continua em Ponta Tempestade, fora do seu alcance. Enquanto ela estiver livre e solteira, o que vai impedir a viúva de Baratheon de coroar uma rainha menina como herdeira de Aegon?

Quando lorde Tully protestou que os homens da tempestade haviam sido vencidos e não tinham forças para reunir outro exército, lorde Cregan lembrou a ele dos três emissários que Aegon II enviou pelo mar estreito e que qualquer um deles poderia voltar no dia seguinte com milhares de mercenários. A rainha Rhaenyra se acreditou vitoriosa depois de tomar Porto Real, disse o nortenho, e Aegon II achou que tinha encerrado a guerra ao dar sua irmã de alimento para um dragão. Mas os homens da rainha resistiram, mesmo depois que a rainha estava morta e "Aegon estava reduzido a ossos e cinzas".

Os Rapazes se viram superados. Acovardados, eles cederam e aceitaram unir suas forças à de lorde Stark quando ele marchasse contra Ponta Tempestade. Munkun diz que eles fizeram isso por vontade própria, convencidos de que o senhor lobo tinha direito. "Eufóricos com a vitória, eles queriam mais", escreve ele na *História verdadeira*. "Eles estavam famintos por mais glória, pela fama com a qual os jovens sonham e que só pode ser conquistada em batalha." Cogumelo tem uma visão mais cínica e sugere que os jovens fidalgotes só estavam morrendo de medo de Cregan Stark.

O resultado foi o mesmo. "A cidade era dele, para fazer o que quisesse", escreve o septão Eustace. "O nortenho a tomou sem nem puxar espada e sem desperdiçar uma flecha. Fossem homens do rei ou da rainha, homens da tempestade ou cavalos-marinhos, senhores fluviais ou cavaleiros de sarjeta, bem-nascidos ou não, todos se curvavam como se tivessem nascido a serviço dele."

Durante seis dias, Porto Real tremeu no fio de uma espada. Nas casas de pasto e tabernas da Baixada das Pulgas, homens faziam apostas sobre por quanto tempo Pé-Torto, Serpente Marinha, Pulga e a rainha viúva ainda teriam suas cabeças. Boatos se espalhavam pela cidade, um atrás do outro. Alguns diziam que lorde Stark planejava levar o príncipe Aegon para Winterfell e casá-lo com uma de suas filhas (uma mentira óbvia, pois Cregan Stark não tinha filhas legítimas na ocasião), outros que Stark pretendia matar o menino para poder se casar com a princesa Jaehaera e reivindicar o Trono de Ferro para si. Os nortenhos queimariam os septos da cidade e obrigariam Porto Real a voltar a adorar os deuses antigos, declararam os septões. Outros sussurraram que o Senhor de Winterfell tinha uma esposa selvagem, que jogava os inimigos em um poço de lobos para vê-los serem devorados.

O clima de euforia havia passado; novamente, o medo dominava as ruas da cidade. Um homem que alegava ser o Pastor renascido surgiu da sarjeta, pedindo a destruição dos nortenhos infiéis. Apesar de não se parecer em nada com o primeiro Pastor (ele tinha duas mãos, para começar), centenas se reuniram para ouvi-lo falar. Um bordel na Rua da Seda pegou fogo quando uma discussão por causa de certa prostituta entre um dos homens de lorde Tully e um dos homens de lorde Stark gerou uma briga sangrenta entre seus amigos e irmãos de armas. Nem os bem-nascidos estavam protegidos nas partes desagradáveis da cidade. O filho mais jovem de lorde

Hornwood, um vassalo de lorde Stark, sumiu com dois companheiros quando estava na Baixada das Pulgas. Eles nunca foram encontrados e podem ter ido parar em uma tigela de castanho, se pudermos acreditar em Cogumelo.

Pouco tempo depois, chegou à cidade a notícia de que Leowyn Corbray tinha saído de Lagoa da Donzela e estava indo para Porto Real, acompanhado de lorde Mooton, lorde Brune e sor Rennifer Crabb. Sor Corwyn Corbray partiu de Valdocaso na mesma hora para se juntar ao irmão na marcha. Com ele foram Clement Celtigar, filho e herdeiro do velho lorde Bartimos, e a senhora Staunton, viúva de Pouso de Gralhas. Em Pedra do Dragão, o jovem Alyn Velaryon estava exigindo a libertação de lorde Corlys (isso era verdade) e ameaçando atacar Porto Real com seus navios se o homem estivesse ferido (parcialmente verdade). Outros boatos diziam que os Lannister estavam em marcha, que os Hightower estavam em marcha, que sor Marston Waters havia desembarcado com dez mil mercenários de Lys e da Antiga Volantis (tudo inverdade). E a Donzela do Vale tinha partido de Vila Gaivota com a senhorita Rhaena Targaryen e seu dragão (verdade).

Conforme exércitos marchavam e espadas eram afiadas, lorde Cregan Stark ficou na Fortaleza Vermelha, conduzindo a investigação sobre o assassinato do rei Aegon II enquanto planejava sua campanha contra os apoiadores restantes do rei morto. O príncipe Aegon, enquanto isso, se viu confinado na Fortaleza de Maegor sem companhia além do menino Gaemon Cabelo-Claro. Quando o príncipe exigiu saber por que não era livre para ir e vir, Stark respondeu que era pela segurança dele.

— A cidade é um ninho de víboras — disse lorde Cregan. — Há mentirosos, vira-mantos e envenenadores nesta corte que o assassinariam tão rapidamente quanto fizeram com seu tio, para garantir o próprio poder.

Quando Aegon protestou que lorde Corlys, lorde Larys e sor Perkin eram amigos, o Senhor de Winterfell respondeu que falsos amigos eram mais perigosos para um rei do que qualquer inimigo, e que a Serpente, o Pé-Torto e a Pulga o salvaram só para usá-lo, para poderem governar Westeros no nome dele.

Com a infalibilidade do olhar histórico, agora observamos os séculos anteriores e dizemos que a Dança tinha acabado, mas isso não parecia tão certo para os que viveram esse momento posterior perigoso e sombrio. Com o septão Eustace e o grande meistre Orwyle presos na masmorra (onde Orwyle havia começado a escrever suas confissões, o texto que forneceria a Munkun a base na qual ele construiria sua monumental *História verdadeira*), só Cogumelo ficou para nos levar além dos relatos da corte e éditos reais. "Os grandes senhores nos teriam dado mais dois anos de guerra", declara o bobo em seu testemunho. "Foram as mulheres que estabeleceram paz. Aly Black, a Donzela do Vale, as Três Viúvas, as Gêmeas do Dragão, foram elas que puseram fim ao derramamento de sangue, e não com espadas ou venenos, mas com corvos, palavras e beijos."

As sementes jogadas ao vento por lorde Corlys Velaryon durante o Falso Alvorecer criaram raízes e deram doces frutos. Um a um, os corvos voltaram, trazendo respostas para as ofertas de paz do velho senhor.

Rochedo Casterly foi o primeiro a responder. Lorde Jason Lannister deixou seis filhos quando morreu em batalha: cinco filhas e um filho, Loreon, um menino de quatro anos. Portanto, a regência do Oeste havia passado para sua viúva, a senhora Johanna, e para o pai dela, Roland Westerling, Senhor do Despenhadeiro. Com os dracares do Lula-Gigante Vermelha ainda ameaçando o litoral, os Lannister estavam mais preocupados em defender Kayce e retomar Ilha Bela do que em renovar a luta pelo Trono de Ferro. A senhora Johanna concordou com todos os termos do Serpente Marinha e prometeu ir pessoalmente a Porto Real para se ajoelhar perante o novo rei em sua coroação e levar duas filhas até a Fortaleza Vermelha, para servirem de damas de companhia para a nova rainha (e de reféns para garantir a futura lealdade dela). Ela também concordou em devolver a porção do tesouro real que Tyland Lannister tinha enviado para o oeste por segurança, desde que sor Tyland recebesse o perdão. Em troca, ela só pediu que o Trono de Ferro "mandasse lorde Greyjoy voltar rastejando para as ilhas dele, restaurar a Ilha Bela para seus senhores de direito e libertar todas as mulheres que ele levou, ou pelo menos as que forem de berço nobre".

Muitos dos homens que sobreviveram à Batalha da Estrada do Rei voltaram para Ponta Tempestade depois. Famintos, cansados, feridos, eles retornaram para casa sozinhos ou em pequenos grupos, e a viúva de lorde Borros Baratheon, a senhora Elenda, só precisou olhar para eles para perceber que tinham perdido o gosto por batalhas. Ela também não desejava botar seu filho recém-nascido Olyver em risco, pois aquele senhorzinho em seu seio era o futuro da Casa Baratheon. Embora digam que a filha mais velha dela, a senhorita Cassandra, tenha chorado lágrimas amargas quando soube que não seria rainha, a senhora Elenda logo aceitou os termos. Ainda fraca do trabalho de parto, ela não podia ir à cidade para a coroação, ela escreveu, mas enviaria o senhor seu pai para prestar as homenagens em seu lugar, e três das suas filhas para serem reféns. Eles iriam acompanhados de sor Willis Fell, junto com sua "carga preciosa", a princesa Jaehaera, de oito anos, a última filha viva de Aegon II e futura noiva do novo rei.

A última a responder foi Vilavelha. A mais rica das grandes casas que se uniram ao rei Aegon II, os Hightower continuavam sendo os mais perigosos, pois eram capazes de formar grandes e novos exércitos rapidamente nas ruas de Vilavelha, e com seus navios de guerra e os de seus parentes, os Redwyne da Árvore, eles também conseguiriam reunir uma frota significativa. Além disso, um quarto do ouro da Coroa ainda estava nos cofres embaixo de Torralta, ouro que poderia facilmente ter sido usado para comprar novas alianças e contratar companhias de mercenários. Vilavelha tinha poder para renovar a guerra; só faltava vontade.

Lorde Ormund havia tomado uma nova esposa recentemente quando a Dança começou, pois a primeira tinha morrido alguns anos antes no parto. Com a morte dele em Tumbleton, suas terras e título passaram para seu filho mais velho, Lyonel, um jovem de quinze anos perto da maioridade. O segundo filho, Martyn, era escudeiro de lorde Redwyne na Árvore; o terceiro estava sendo criado em Jardim de Cima como companheiro de lorde Tyrell e escanção da senhora sua mãe. Os três filhos eram do primeiro casamento de lorde Ormund. Quando os termos de lorde Velaryon foram apresentados a Lyonel Hightower, dizem, o jovem arrancou o pergaminho da mão do meistre e o rasgou em pedacinhos, jurando escrever a resposta com o sangue do Serpente Marinha.

Mas a jovem viúva do senhor seu pai tinha outras ideias. A senhora Samantha era filha de lorde Donald Tarly de Monte Chifre e da senhora Jeyne Rowan de Bosquedouro, duas casas que pegaram em armas pela rainha durante a Dança. Impetuosa e intensa e bela, essa jovem determinada não tinha intenção alguma de abrir mão de sua posição como senhora de Vilavelha e senhora de Torralta. Lyonel tinha apenas dois anos a menos que ela, e (Cogumelo diz) estava apaixonado desde a chegada da moça a Vilavelha para se casar com o pai dele. Embora antes tivesse rechaçado os avanços hesitantes do menino, agora a senhora Sam (como ela seria conhecida por muitos anos) cedeu a ele e permitiu que a seduzisse, depois prometeu se casar com ele... mas só se ele aceitasse a paz, "pois eu morreria de dor se perdesse outro marido".

Diante da escolha entre "um pai morto e frio no chão e uma mulher viva, quente e disposta em seus braços, o garoto demonstrou bom senso surpreendente para alguém tão bem-nascido e escolheu o amor em lugar da honra", diz Cogumelo. Lyonel Hightower capitulou e aceitou todos os termos oferecidos por lorde Corlys, inclusive a devolução do ouro da Coroa (para a fúria de seu primo, sor Myles Hightower, que tinha roubado uma boa parte daquele ouro, embora essa história não nos diga respeito aqui). Houve um grande escândalo quando o jovem senhor anunciou sua intenção de se casar com a viúva do pai, e o alto septão proibiu o casamento como forma de incesto, mas nem isso pôde separar os jovens amantes. Recusando-se a se casar depois disso, o Senhor de Torralta e Defensor de Vilavelha manteve a senhora Sam ao seu lado como amante pelos treze anos seguintes, teve seis filhos com ela e finalmente a tornou sua esposa quando um novo alto septão subiu ao poder no Septo Estrelado e reverteu a decisão do seu predecessor.*

Vamos sair de Torralta agora e voltar a Porto Real, onde lorde Cregan Stark teve seus planos de guerra desfeitos pelas Três Viúvas. "Outras vozes também estavam se fazendo ouvir, vozes mais gentis que ecoavam suavemente pelos corredores da Fortaleza Vermelha", diz Cogumelo. A Donzela do Vale tinha chegado de Vila Gaivota, levando sua protegida, a senhorita Rhaena Targaryen, com um dragão no ombro. O povo de Porto Real, que menos de um ano antes havia matado todos os dragões da cidade, agora ficou arrebatado de ver um. A senhorita Rhaena e sua irmã gêmea Baela se tornaram as queridinhas da cidade da noite para o dia. Lorde Stark não podia confiná-las no castelo, como tinha feito com o príncipe Aegon, e logo descobriu que também não podia controlá-las. Quando elas exigiram permissão para ver "nosso amado irmão", a senhora Arryn lhes deu apoio, e o Lobo de Winterfell cedeu ("um tanto contrariado", diz Cogumelo).**

O Falso Alvorecer veio e foi embora, e agora a Hora do Lobo (como o grande meistre Munkun chama) também estava passando. A situação e a cidade estavam

* Essa é a história que Cogumelo conta, pelo menos. A *História verdadeira* de Munkun atribui uma causa diferente para a mudança de ideia de lorde Lyonel. É preciso lembrar que os Hightower, por mais ricos e poderosos que fossem, eram vassalos juramentados da Casa Tyrell de Jardim de Cima, onde o irmão de sua senhoria, Garmund, era pajem. Os Tyrell não participaram da Dança, por serem regidos por um pequeno senhor embrulhado em cueiros, mas então finalmente se manifestaram e proibiram lorde Lyonel de reunir um exército ou ir para a guerra sem a permissão deles. Se desobedecesse, o irmão dele pagaria por aquele desafio com a vida... pois cada protegido também é refém, como disse um sábio uma vez. É o que o grande meistre Munkun afirma.

** Porém o encontro não foi tão bom quanto as gêmeas esperavam. O príncipe ficou pálido ao ver a dragão da senhorita Rhaena, Manhã, e ordenou que os nortenhos que o protegiam tirassem aquela "criatura maldita" da sua frente.

escapando das mãos de Cregan Stark. Quando lorde Leowyn Corbray e seu irmão chegaram a Porto Real e se juntaram ao conselho governante, acrescentando suas vozes às da senhora Arryn e dos Rapazes, o Lobo de Winterfell muitas vezes se via discordando de todos. Aqui e ali por todo o reino, alguns legalistas teimosos ainda brandiam o dragão dourado de Aegon II, mas eram de pouca importância; a Dança tinha acabado, os outros todos concordavam, e era hora de estabelecer paz e organizar o reino.

Mas lorde Cregan permaneceu inflexível sobre uma coisa: os assassinos do rei não podiam ficar impunes. Por mais indigno que o rei Aegon II pudesse ter sido, o assassinato dele foi alta traição, e os responsáveis tinham que responder por isso. Sua posição foi tão firme, tão irredutível, que os outros cederam primeiro.

— Que seja responsabilidade sua, Stark — disse Kermit Tully. — Não quero parte nisso, mas também não quero que digam que Correrrio se interpôs à justiça.

Nenhum senhor tinha o direito de matar outro senhor, então primeiro era necessário que o príncipe Aegon tornasse lorde Stark a Mão do Rei, com autoridade total de agir no nome dele. Isso foi feito. Lorde Cregan fez todo o resto, enquanto os outros ficaram de lado. Ele não teve a presunção de se sentar no Trono de Ferro, mas sim em um banco simples de madeira ao lado. Um a um, os homens suspeitos de terem participado do envenenamento do rei Aegon II foram levados a ele.

O septão Eustace foi o primeiro levado e o primeiro a ser liberado; não havia prova contra ele. O grande meistre Orwyle teve menos sorte, pois tinha confessado sob tortura ter dado o veneno para Pé-Torto.

— Meu senhor, eu não sabia para que era — protestou Orwyle.

— E também não perguntou — respondeu lorde Stark. — Você não queria saber.

O grande meistre foi julgado como cúmplice e sentenciado à morte.

Sor Gyles Belgrave também foi condenado à morte; se não colocou veneno no vinho do rei, ele permitiu que acontecesse por descuido ou cegueira voluntária.

— Nenhum cavaleiro da Guarda Real deve sobreviver ao seu rei quando esse rei morre por violência — declarou Stark.

Três dos Irmãos Juramentados de Belgrave estiveram presentes na morte do rei Aegon e foram semelhantemente condenados, embora sua cumplicidade no plano não pudesse ser comprovada (os três Guardas Reais que não estavam na cidade foram julgados inocentes).

Vinte e dois personagens menores também foram acusados de terem tido um papel no assassinato do rei Aegon. Os carregadores de liteira de Sua Graça estavam entre eles, junto com o arauto do rei, o guardião das adegas reais e o servo cuja tarefa foi cuidar para que o garrafão do rei estivesse sempre cheio. Todos foram condenados à morte. Também os homens que usaram a espada para matar o provador de alimentos do rei, Ummet (Cogumelo ofereceu provas contra eles), junto com os responsáveis por matar Tom Linguapresa e afogar seu pai em cerveja. A maioria deles eram cavaleiros de sarjeta, mercenários e homens de armas sem mestre e escória das ruas que recebeu o título duvidoso de cavaleiro por sor Perkin, a Pulga, durante o período turbulento. Cada um deles insistiu estar agindo sob ordens de sor Perkin.

Da culpa da Pulga não havia dúvida.

— Uma vez vira-manto, sempre vira-manto — disse lorde Cregan. — Você se insurgiu em uma rebelião contra sua rainha legítima e ajudou a expulsá-la desta cidade e levá-la à morte, pôs seu escudeiro no lugar dela e o abandonou para salvar sua pele inútil. O reino será um lugar melhor sem você. — Quando sor Perkin protestou que tinha sido perdoado por esses crimes, lorde Stark respondeu: — Não por mim.

Os homens que tinham capturado a rainha viúva na escada sinuosa usavam o brasão do cavalo-marinho da Casa Velaryon, enquanto os que libertaram a senhorita Baela Targaryen de sua prisão estavam a serviço de lorde Larys Strong. Os captores da rainha Alicent mataram os guardas dela e foram por isso condenados à morte, mas uma súplica apaixonada da própria senhorita Baela poupou seus salvadores de um destino similar, embora eles também tivessem sujado a espada matando os homens do rei posicionados à porta dela. "Nem mesmo as lágrimas de um dragão poderiam fazer o coração congelado de Cregan Stark derreter, dizem os homens corretamente", relata Cogumelo, "mas quando a senhorita Baela brandiu uma espada e declarou que cortaria a mão de qualquer um que tentasse fazer mal aos homens que a salvaram, o Lobo de Winterfell sorriu para todos verem e concedeu que, se sua senhoria gostava tanto daqueles cachorros, ele permitiria que ela ficasse com eles."

Os últimos a enfrentar o Julgamento do Lobo (como Munkun chama esse procedimento na *História verdadeira*) foram os dois grandes senhores no coração da conspiração: Larys Strong Pé-Torto, Senhor de Harrenhal, e Corlys Velaryon, o Serpente Marinha, Mestre de Derivamarca e Senhor das Marés.

Lorde Velaryon não tentou negar sua culpa.

— O que fiz, fiz pelo bem do reino — disse o velho. — Eu faria a mesma coisa de novo. A loucura tinha que acabar.

Lorde Strong se mostrou menos disposto. O grande meistre Orwyle havia confessado que dera o veneno a sua senhoria, e sor Perkin, a Pulga, jurou que agira sob ordens de Pé-Torto, seguindo os comandos dele, mas lorde Larys não quis conformar nem negar as acusações. Quando lorde Stark perguntou se ele tinha alguma coisa a dizer em sua própria defesa, ele só disse:

— Quando um lobo se deixou comover por palavras?

E assim, lorde Cregan Stark, Mão do rei sem coroa, declarou os lordes Velaryon e Strong culpados de assassinato, regicídio e alta traição, e decretou que eles tinham que pagar por seus crimes com a vida.

Larys Strong sempre foi um homem que seguia o próprio caminho, tinha a própria vontade e mudava de fidelidade como outros homens trocavam de manto.

Ao ser condenado, ficou sem amigos; nenhuma voz foi erguida em sua defesa. Mas foi bem diferente com Corlys Velaryon. O velho Serpente Marinha tinha muitos amigos e admiradores. Até homens que lutaram contra ele durante a Dança falaram a favor naquele momento... alguns por afeição pelo velho, sem dúvida, outros por preocupação pelo que seu jovem herdeiro Alyn poderia fazer se seu amado avô (ou pai) fosse morto. Como lorde Stark se mostrou inflexível, alguns buscaram contorná-lo apelando para o futuro rei, o príncipe Aegon em pessoa. De mais destaque entre eles estavam suas meias-irmãs, Baela e Rhaena, que lembraram ao príncipe que ele teria perdido uma orelha e talvez mais se lorde Corlys não tivesse agido como agiu. "Palavras são como o vento", diz *O testemunho do Cogumelo*, "mas um vento forte pode derrubar carvalhos enormes, e o sussurro de garotas bonitas pode mudar o destino de reinos." Aegon não só concordou em poupar o Serpente Marinha, como chegou ao ponto de restaurar sua posição e suas honras, inclusive um lugar no pequeno conselho.

Mas o príncipe tinha só dez anos e ainda não era rei. Sem coroa e ainda não ungido como rei, os decretos de Sua Graça não tinham peso na lei. Mesmo depois da coroação, ele continuaria sujeito a um regente ou regência até o décimo sexto dia do seu nome. Portanto, lorde Stark estaria em seus direitos se não desse atenção às ordens do príncipe e prosseguisse com a execução de Corlys Velaryon. Ele preferiu não fazer isso, uma decisão que intriga os estudiosos desde então. O septão Eustace sugere que "a Mãe o comoveu a ser misericordioso naquela noite", embora lorde Cregan não adorasse os Sete. Eustace sugere também que o nortenho não queria provocar Alyn Velaryon, temendo sua força no mar, mas isso não parece de acordo com o que sabemos da personalidade de Stark. Uma nova guerra não o incomodaria; de fato, em algumas ocasiões ele demonstrava querer provocar uma.

É Cogumelo quem oferece a explicação mais lúcida para essa leniência surpreendente do Lobo de Winterfell. Não foi o príncipe que o comoveu, alega o bobo, nem a ameaça das frotas Velaryon, nem mesmo as súplicas das gêmeas, mas sim uma barganha feita com a senhora Alysanne da Casa Blackwood.

"Uma criatura magra e alta ela era", diz o anão, "magra como uma vara e com o peito reto como um menino, mas de pernas longas e braços fortes, com uma juba de cachos pretos e densos que caía abaixo da cintura quando solta." Caçadora, domadora de cavalos e arqueira sem igual, Aly Black tinha pouco da suavidade feminina. Muitos achavam que ela era da mesma estirpe de Sabitha Frey, pois elas andavam muito na companhia uma da outra e tinham compartilhado a barraca quando em marcha. Mas, em Porto Real, enquanto acompanhava o jovem sobrinho Benjicot na corte e no conselho, ela conheceu Cregan Stark e passou a gostar do severo nortenho.

E lorde Cregan, viúvo havia três anos, correspondeu. Embora Aly Black não fosse a rainha da beleza e do amor de homem nenhum, o destemor, a força teimosa e a língua ferina dela tocaram o Senhor de Winterfell, que logo começou a procurar sua companhia no salão e no pátio.

— Ela tem cheiro de fumaça, não de flores — Stark disse para lorde Cerwyn, que diziam ser seu melhor amigo.

E assim, quando a senhora Alysanne foi pedir que ele deixasse o édito do príncipe valer, ele ouviu.

— Por que eu faria isso? — lorde Stark supostamente perguntou quando ela fez o pedido.

— Pelo reino — respondeu ela.

— É melhor para o reino que os traidores morram.

— Pela honra do nosso príncipe — falou ela.

— O príncipe é uma criança. Não devia ter se metido nisso. Foi Velaryon quem trouxe desonra a ele, pois agora vai ser dito até o fim dos dias que ele chegou ao trono por assassinato.

— Pela paz — disse a senhora Alysanne —, por todos que vão morrer se Alyn Velaryon procurar vingança.

— Há formas piores de morrer. O inverno chegou, minha senhora.

— Por mim, então — disse Aly Black. — Conceda-me essa graça e jamais pedirei outra. Faça isso e saberei que você é tão sábio quanto forte, tão gentil quanto corajoso. Dê-me isso e lhe darei o que quiser pedir de mim.

Cogumelo diz que lorde Cregan fechou a cara para isso.

— E se eu pedir sua donzelice, minha senhora?

— Não posso dar o que não tenho, meu senhor — respondeu ela. — Perdi minha donzelice na sela quando tinha treze anos.

— Alguns diriam que concedeu a um cavalo um presente que por direito deveria pertencer ao seu futuro marido.

— Alguns são idiotas — respondeu Aly Black —, e ela era uma boa égua, melhor do que a maioria dos maridos que já vi.

A resposta dela agradou lorde Cregan, que riu alto e disse:

— Vou tentar me lembrar disso, minha senhora. Sim, eu concederei essa sua graça.

— E em troca? — perguntou ela.

— Só a peço toda, para sempre — disse o Senhor de Winterfell solenemente. — Peço sua mão em casamento.

— Uma mão por uma cabeça — disse Aly Black, sorrindo... pois Cogumelo nos diz que essa era a intenção dela o tempo todo. — Feito.

E foi mesmo.

A manhã das execuções começou cinza e úmida. Todos os condenados a morrer foram tirados das masmorras acorrentados e levados para o pátio externo da Fortaleza Vermelha. Foram colocados de joelhos enquanto o príncipe Aegon e sua corte observavam.

Quando o septão Eustace guiou os homens condenados em oração, pedindo à Mãe que tivesse misericórdia da alma deles, a chuva começou a cair. "Choveu tanto, e Eustace ficou falando por tanto tempo, que começamos a temer que os prisioneiros pudessem se afogar antes de suas cabeças poderem ser cortadas", diz Cogumelo. Finalmente a oração foi concluída, e lorde Cregan Stark desembainhou Gelo, a grande espada valiriana que era orgulho de sua casa, pois o costume bárbaro do Norte decretava que o homem que deu a sentença também devia brandir a espada, que o sangue deles devia ficar nas mãos dele.

Fosse um grande senhor ou um carrasco qualquer, raramente algum homem havia encarado tantas execuções quanto Cregan Stark naquela manhã, na chuva. Mas tudo deu errado em poucos momentos. Os condenados tinham atraído multidões para ver qual seria o primeiro a morrer, e a escolha caiu em sor Perkin, a Pulga. Quando lorde Cregan perguntou ao ladino ardiloso se ele tinha alguma palavra final, sor Perkin declarou que desejava tomar o negro. Um senhor sulista poderia ou não ter honrado o pedido dele, mas os Stark são do Norte, onde as necessidades da Patrulha da Noite são vistas com muito respeito.

E quando lorde Cregan mandou seus homens botar a Pulga de pé, os outros prisioneiros viram o caminho da libertação e ecoaram o pedido dele. "Todos começaram a gritar na mesma hora", diz Cogumelo, "como um coral de bêbados berrando a letra de uma música da qual não se lembram direito." Cavaleiros de sarjeta e homens de armas, carregadores de liteiras, servos, arautos, o guardião das adegas, três Espadas brancas da Guarda Real, todos os homens de repente demonstraram um desejo profundo de defender a Muralha. Até o grande meistre Orwyle se juntou ao coral dos desesperados. Ele também foi poupado, pois a Patrulha da Noite precisa de homens das letras assim como de homens das espadas.

Só dois homens morreram naquele dia. Um foi sor Gyles Belgrave, da Guarda Real. Diferentemente de seus Irmãos Juramentados, sor Gyles recusou a chance de trocar o manto branco pelo preto.

— Você não estava errado, lorde Stark — disse ele quando sua vez chegou. — Um cavaleiro da Guarda Real não deveria viver mais do que seu rei.

Lorde Cregan cortou a cabeça dele com um único movimento rápido de Gelo.

O próximo (e último) a morrer foi lorde Larys Strong. Quando lhe perguntaram se desejava tomar o preto, ele disse:

— Não, meu senhor. Vou para um inferno mais quente, se isso o satisfizer... mas tenho um último pedido. Quando eu estiver morto, ampute meu pé torto com essa sua maravilhosa espada. Eu o arrastei comigo a vida toda, pelo menos me liberte dele na morte. — Essa graça lorde Stark lhe concedeu.

Assim faleceu o último Strong, e uma casa orgulhosa e antiga chegou ao fim. Os restos de lorde Larys foram dados às irmãs silenciosas; anos depois, seus ossos encontrariam o descanso final em Harrenhal... menos o pé torto, que lorde Stark decretou que deveria ser enterrado separadamente em um cemitério comunitário. Mas antes que isso pudesse ser feito, o pé desapareceu. Cogumelo nos diz que foi roubado e vendido para um feiticeiro, que o usou em seus feitiços. (A mesma história é contada sobre o pé arrancado da perna do príncipe Joffrey em Baixada das Pulgas, o que torna a veracidade das duas narrativas suspeita, a não ser que queiram que acreditemos que todos os pés são possuídos de poderes malignos.)

As cabeças de lorde Larys Strong e sor Gyles Belgrave foram colocadas dos dois lados do portão da Fortaleza Vermelha. Os outros condenados foram devolvidos às celas para esperarem que os arranjos pudessem ser feitos para enviá-los à Muralha. A linha final na história do lamentável reinado do rei Aegon II tinha sido escrita.

O breve serviço de Cregan Stark como Mão do Rei sem coroa terminou no dia seguinte, quando ele devolveu a posição ao príncipe Aegon. Ele poderia ter ficado como Mão do Rei por anos, ou até reivindicado regência até Aegon chegar à maioridade, mas o Sul não era interessante para ele.

— A neve está caindo no Norte — anunciou ele —, e meu lugar é em Winterfell.

# Sob os regentes

## A Mão encapuzada

Cregan Stark deixou de ser a Mão do Rei e anunciou sua intenção de voltar a Winterfell, mas antes que pudesse deixar o Sul ele enfrentou um problema complicado.

Lorde Stark havia marchado para o sul com um grande exército, composto em boa parte de homens indesejados e desnecessários no Norte, cujo retorno traria grandes dificuldades e talvez até morte para os entes queridos que eles deixaram para trás. A lenda (e Cogumelo) nos diz que foi a senhora Alysanne que sugeriu uma resposta. As terras ao longo do Tridente estavam cheias de viúvas, ela lembrou a lorde Stark; mulheres, muitas com o peso de crianças pequenas, que tinham enviado os maridos para a luta com um senhor ou outro, e eles haviam morrido em batalha. Às vésperas do inverno, costas fortes e mãos dispostas seriam bem-vindas em muitos lares.

No final, mais de mil nortenhos acompanharam Aly Black e seu sobrinho lorde Benjicot quando eles voltaram para as terras fluviais depois do casamento real. "Um lobo para cada viúva", brincou Cogumelo. "Ele vai aquecer a cama dela no inverno e roer seus ossos quando a primavera chegar." Mas centenas de casamentos foram feitos na chamada Feira de Viúvas realizada em Corvarbor, Correrrio, Septo de Pedra, Gêmeas e Feirajusta. Os nortenhos que não desejavam se casar juramentaram suas espadas a senhores grandes e pequenos como guardas e homens de armas. Alguns, infelizmente, voltaram-se para o crime e tiveram finais infelizes, mas na maior parte a ideia da senhora Alysanne de fazer casamentos foi um grande sucesso. Os nortenhos estabelecidos em novas casas não só fortaleceram os senhores fluviais que os receberam, sobretudo a Casa Tully e a Casa Blackwood, como também ajudaram a reviver e espalhar a adoração aos velhos deuses no sul do Gargalo.

Outros nortenhos preferiram buscar vida nova e tentar a sorte do outro lado do mar estreito. Alguns dias depois que lorde Stark deixou de ser Mão do Rei, sor Marston Waters voltou sozinho de Lys, para onde tinha sido enviado para contratar mercenários. Ele aceitou com alegria o perdão pelos crimes passados e relatou que a Triarquia havia desmoronado. No auge da guerra, as Três Filhas estavam contratando companhias livres o mais rapidamente que conseguiam, pagando valores que ele não podia cobrir. Muitos dos nortenhos de lorde Cregan viram isso como oportunidade. Por que voltar para uma terra tomada pelo inverno para congelar ou morrer de fome se havia ouro para obter do outro lado do mar estreito? Não uma, mas duas companhias livres nasceram como resultado. A Matilha de Lobos, comandada por Hallis Hornwood, chamado Hal Louco, e Timotty Snow, o Bastardo de Dedos de Sílex, era toda composta por nortenhos, enquanto os Tempestuosos, financiados e liderados por sor Oscar Tully, eram constituídos de homens de todas as partes de Westeros.

Enquanto esses aventureiros estavam se preparando para partir de Porto Real, outros estavam chegando de todos os cantos para a coroação do príncipe Aegon e para o casamento real. Do Oeste vieram a senhora Johanna Lannister e seu pai Roland Westerling, Senhor de Despenhadeiro; do Sul, duas vintenas dos Hightower de Vilavelha, liderados por lorde Lyonel e pela extraordinária senhora Samantha, viúva do pai dele. Embora proibidos de se casar, a paixão deles já era de conhecimento geral, e o escândalo foi tão grande que o alto septão se recusou a viajar com eles e chegou três dias depois na companhia dos lordes Redwyne, Costayne e Beesbury.

A senhora Elenda, viúva de lorde Borros, ficou em Ponta Tempestade com seu bebê, mas enviou suas filhas Cassandra, Ellyn e Floris para representar a Casa Baratheon. (Maris, a quarta filha, entrara para as irmãs silenciosas, informa o septão Eustace. No relato de Cogumelo, isso foi feito depois que a senhora sua mãe mandou remover a língua dela, mas esse detalhe brutal pode ser desconsiderado. A crença persistente de que as irmãs silenciosas não têm língua não passa de mito; é a devoção que mantém as irmãs silenciosas, não uma pinça quente.) O pai da senhora Baratheon, Royce Caron, Senhor de Nocticantiga e Marechal da Marca, escoltou as garotas até a cidade e ficaria com elas como guardião.

Alyn Velaryon também aportou em terra, e os irmãos Manderly voltaram novamente a Porto Branco com cem cavaleiros de mantos verde-azulados. Até do outro lado do mar estreito vieram pessoas, de Braavos e Pentos, de todas as três Filhas, da Antiga Volantis. Das Ilhas do Verão surgiram três príncipes altos e negros de mantos com penas, cujo esplendor era uma maravilha de se ver. Todas as estalagens e estábulos de Porto Real logo ficaram cheios, enquanto do lado de fora das muralhas uma cidade de barracas e pavilhões surgiu para os que não conseguiam encontrar acomodações. Muita bebedeira e fornicação aconteceram, alega Cogumelo; muita oração e jejum e bons trabalhos, relata o septão Eustace. Os taberneiros da cidade ficaram gordos e felizes por um tempo, assim como as prostitutas da Baixada das Pulgas, e suas irmãs de casas mais refinadas na Rua da Seda, embora os plebeus reclamassem do barulho e do fedor.

Um ar desesperado e frágil de irmandade forçada pairava sobre Porto Real nos dias que antecederam o casamento, pois muitos dos clientes espremidos nas tabernas e casas de pasto da cidade tinham assumido lados opostos nos campos de batalha um ano antes. "Se só sangue pode lavar sangue, Porto Real estava cheio de gente não lavada", afirma Cogumelo. Mas houve menos brigas nas ruas do que a maioria esperava, e só três homens mortos. Talvez os senhores do reino enfim tivessem se cansado de guerra.

Com o Fosso de Dragões ainda quase todo em ruínas, o casamento do príncipe Aegon com a princesa Jaehaera foi comemorado ao ar livre, no topo da Colina de Visenya, onde arquibancadas enormes foram erigidas para que os homens e mulheres da nobreza pudessem se sentar com conforto e apreciar uma visão sem obstruções. Foi no sétimo dia da sétima lua do ano 131 depois da Conquista de Aegon, uma data auspiciosa. O alto septão de Vilavelha executou os ritos, e um rugido ensurdecedor soou no meio da plebe quando Sua Santidade declarou o príncipe e a princesa casados. Dezenas de milhares lotaram as ruas para saudar Aegon e Jaehaera quando eles foram carregados em uma liteira aberta para a Fortaleza Vermelha, onde o príncipe foi coroado com um aro de ouro amarelo, simples e sem adornos, e proclamado Aegon da Casa Targaryen, Terceiro de Seu Nome, Rei dos Ândalos, dos Roinares e dos Primeiros Homens e Senhor dos Sete Reinos. O próprio Aegon colocou a coroa na cabeça de sua noiva criança.

Embora fosse um menino sério, o novo rei era inegavelmente bonito, com rosto e corpo magros, cabelo branco-prateado e olhos violeta, enquanto a rainha era uma criança linda. O casamento foi um espetáculo tão extravagante quanto os Sete Reinos não viam desde a coroação de Aegon II no Fosso de Dragões. Só faltavam dragões. Não haveria voo triunfante em torno das muralhas da cidade para aquele rei, nem descida majestosa no pátio do castelo. E os mais observadores repararam em uma ausência. A rainha viúva não estava presente, embora a avó de Jaehaera, Alicent Hightower, devesse ter comparecido.

Como ainda tinha dez anos, o primeiro ato do novo rei foi citar os homens que o protegeriam e defenderiam e que governariam por ele até que chegasse à maioridade. Sor Willis Fell, o único sobrevivente da Guarda Real da época do rei Viserys, foi nomeado Senhor Comandante das Espadas Brancas, com sor Marston Waters em segunda posição. Como os dois homens eram considerados verdes, o restante dos lugares da Guarda Real foi preenchido com pretos. Sor Tyland Lannister, tendo voltado recentemente de Myr, foi indicado Mão do Rei, enquanto lorde Leowyn Corbray foi indicado Protetor do Território. O primeiro tinha sido verde, o segundo tinha sido preto. Acima deles haveria um conselho de regência, consistindo da senhora Jeyne Arryn do Vale, lorde Corlys Velaryon de Derivamarca, lorde Roland Westerling do Despenhadeiro, lorde Royce Caron de Nocticantiga, lorde Manfryd Mooton de Lagoa da Donzela, sor Torrhen Manderly de Porto Branco e o grande meistre Munkun, recém-escolhido pela Cidadela para assumir a corrente do grande meistre Orwyle.

(É relato seguro que ao lorde Cregan Stark também foi oferecido um lugar entre os regentes, mas ele recusou. Omissões evidentes no conselho incluíam Kermit Tully, Unwin Peake, Sabitha Frey, Thaddeus Rowan, Lyonel Hightower, Johanna Lannister e Benjicot Blackwood, mas o septão Eustace insiste que só lorde Peake ficou realmente com raiva por sua exclusão.)

Esse foi um conselho que o septão Eustace aprovava, "seis homens fortes e uma mulher sábia, sete para nos governarem aqui na terra enquanto os Sete acima governam todos os homens do céu". Cogumelo ficou menos impressionado. "Sete regentes eram seis pessoas em excesso", disse ele. "Pena do nosso pobre rei." Apesar das apreensões do bobo, a maioria dos observadores parecia achar que o reinado de Aegon III tinha começado em um tom de esperança.

O restante do ano 131 DC foi uma época de partidas, pois os grandes senhores de Westeros pediram licença de Porto Real um a um para voltarem a suas sedes de poder. Entre os primeiros a partir estavam as Três Viúvas, depois de despedidas lacrimosas de suas filhas, filhos, irmãos e primos que ficariam para servir os novos rei e rainha como acompanhantes e reféns. Cregan Stark liderou seu exército bem diminuído para o norte pela estrada real uma quinzena após a coroação; três dias depois, lorde Blackwood e a senhora Alysanne partiram para Corvarbor, com mil dos nortenhos de Stark atrás. Lorde Lyonel e sua amante, a senhora Sam, cavalgaram para o sul, para Vilavelha, com seus Hightower, enquanto os lordes Rowan, Beesbury, Costayne, Tarly e Redwyne se juntaram para escoltar Sua Alta Santidade ao mesmo destino. Lorde Kermit Tully e seus cavaleiros voltaram a Correrrio, enquanto seu irmão, sor Oscar, partiu com seus Tempestuosos para Tyrosh e as Terras Disputadas.

Mas houve uma pessoa que não partiu como planejado. Sor Medrick Manderly tinha aceitado levar os homens destinados à Muralha até Porto Branco em sua galé *Estrela do Norte*. De lá, eles seguiriam por terra até Castelo Negro. Mas na manhã em que a *Estrela do Norte* partiria, a contagem dos condenados revelou que um homem havia desaparecido. O grande meistre Orwyle, ao que tudo indicava, tinha mudado de ideia sobre tomar o preto. Depois de subornar um dos guardas para soltar seus grilhões, ele vestiu trapos de mendigo e desapareceu nos lupanares da cidade. Sem querer esperar mais, sor Medrick sentenciou o guarda que havia libertado Orwyle a tomar o lugar dele, e a *Estrela do Norte* zarpou para o mar.

No final de 131 DC, o septão Eustace nos conta, uma "calmaria cinzenta" tinha se estabelecido em Porto Real e nas terras da coroa. Aegon III ocupava o Trono de Ferro quando necessário, mas fora isso quase não era visto. A tarefa de defender o reino caiu nas mãos do Senhor Protetor, Leowyn Corbray; o tédio diário do governo nas mãos da Mão cega, Tyland Lannister. Antes tão alto e louro e deslumbrante quanto seu irmão gêmeo, o falecido lorde Jason, sor Tyland ficou tão desfigurado pelas torturas da rainha que as senhoritas recém-chegadas à corte chegaram a desmaiar ao vê-lo. Para poupá-las, a Mão passou a usar um capuz de seda sobre a cabeça em ocasiões formais. Isso talvez tenha sido uma ideia ruim, pois dava a sor Tyland um aspecto sinistro, e em pouco tempo a plebe de Porto Real começou a sussurrar histórias do feiticeiro mascarado maligno da Fortaleza Vermelha.

A inteligência de sor Tyland, porém, continuou afiada. Talvez fosse esperado que ele se tornasse, depois das tormentas, um homem amargo e com sede de vingança, mas isso esteve longe de ser verdade. A Mão alegava uma curiosa falha de memória e insistia que não conseguia lembrar quem era preto e quem era verde, enquanto demonstrava uma lealdade canina ao filho da mesma rainha que o mandou para a tortura. Rapidamente, sor Tyland alcançou um domínio tácito sobre Leowyn Corbray, de quem Cogumelo diz que "tinha o pescoço grosso e a inteligência lenta, mas nunca conheci um homem que peidasse tão alto". Por lei, tanto a Mão quanto o Senhor Protetor estavam sujeitos à autoridade do conselho de regentes, mas conforme os dias passavam e a lua virava e virava de novo, os regentes se reuniam cada vez com menos frequência, enquanto o incansável, cego e encapuzado Tyland Lannister ganhava mais e mais poder para si.

Os desafios que ele enfrentou foram enormes, pois o inverno chegou a Westeros e duraria quatro longos anos, um inverno mais frio e lúgubre do que qualquer outro na história dos Sete Reinos. O comércio do reino também desmoronou durante a Dança, e incontáveis vilarejos, cidades e castelos foram depredados ou destruídos, e bandos de fora da lei e homens arruinados assombravam as estradas e florestas.

Um problema mais imediato era oferecido pela rainha viúva, que se recusava a se reconciliar com o novo rei. O assassinato do último filho dela transformou o coração de Alicent em pedra. Nenhum dos regentes queria que ela fosse executada, alguns por compaixão, outros por medo de que uma execução assim pudesse reacender as chamas da guerra. Mas ela não podia ter permissão de participar da vida da corte como antes. Ela teria chances demais de encher o rei de maldições ou de pegar uma adaga de algum vigia distraído. Alicent não era de confiança nem para ficar na companhia da pequena rainha; quando finalmente pôde compartilhar uma refeição com Sua Graça, ela disse para Jaehaera cortar a garganta do marido quando ele estivesse dormindo, o que fez a criança começar a gritar. Sor Tyland achava que não tinha escolha além de confinar a rainha viúva nos aposentos dela na Fortaleza de Maegor; uma prisão mais gentil, mas uma prisão mesmo assim.

A Mão começou então a recuperar o comércio do reino, e também o processo de reconstrução. Tanto os grandes senhores quanto os plebeus ficaram satisfeitos quando ele aboliu os impostos criados pela rainha Rhaenyra e por lorde Celtigar. Com o ouro da Coroa novamente em segurança, sor Tyland separou um milhão de dragões de ouro para empréstimos aos senhores cujos lares foram destruídos durante a Dança. (Embora muitos tenham aproveitado esse dinheiro, os empréstimos criaram um desentendimento entre o Trono de Ferro e o Banco de Ferro de Braavos.) Ele também ordenou a construção de três celeiros enormes e fortificados em Porto Real, Lannisporto e Vila Gaivota, e a compra de grãos suficientes para enchê-los. (Esse último decreto fez o preço dos grãos subir muito, o que agradou as cidades e senhores com trigo e milho e cevada para vender, mas irritou os proprietários de estalagens e tabernas, e os pobres e famintos em geral.)

Apesar de ter mandado interromper as estátuas enormes do príncipe Aemond e do príncipe Daeron que foram encomendadas por Aegon II (depois que as cabeças dos dois príncipes tinham sido entalhadas), a Mão pôs centenas de pedreiros, carpinteiros e empreiteiros para trabalharem no conserto e restauração do Fosso dos Dragões. Os portões de Porto Real foram fortalecidos por ordem dele, para poderem resistir melhor a ataques de dentro das muralhas da cidade e de fora. A Mão também anunciou financiamento pela Coroa para a construção de cinquenta novas galés de guerra. Quando questionado, ele disse aos regentes que era para oferecer trabalho aos estaleiros e defender a cidade das frotas da Triarquia... mas muitos desconfiavam que o verdadeiro propósito de sor Tyland fosse diminuir a dependência da Coroa da Casa Velaryon de Derivamarca.

A Mão também podia estar pensando em continuar a guerra no Oeste quando botou os construtores navais para trabalhar. Embora a ascensão de Aegon III tenha marcado o final do pior da carnificina da Dança dos Dragões, não é totalmente correto afirmar que a coroação do jovem rei trouxe paz para os Sete Reinos. A luta se estendeu no Oeste pelos três primeiros anos do reinado do rei menino, enquanto a senhora Johanna de Rochedo Casterly prosseguiu resistindo aos ataques dos homens de ferro de Dalton Greyjoy em nome do filho dela, o jovem lorde Loreon. Os detalhes da guerra deles não fazem parte do nosso propósito (para quem quiser saber mais, os capítulos relevantes de *Demônios Marinhos: História dos filhos do deus afogado das ilhas*, do arquimeistre Mancaster, são particularmente bons). Basta dizer que enquanto o Lula-Gigante Vermelha havia se revelado um aliado valioso para os pretos durante a Dança, a chegada da paz demonstrou que os homens de ferro não tinham respeito por eles, da mesma forma que não tiveram pelos verdes.

Embora não tenha se declarado abertamente Rei das Ilhas de Ferro, Dalton Greyjoy não deu a menor atenção aos éditos que vinham do Trono de Ferro naqueles anos... talvez porque o rei fosse um menino e a Mão, um Lannister. Quando recebeu a ordem de parar com as invasões, Greyjoy continuou como antes. Quando mandaram devolver as mulheres que seus homens de ferro tinham sequestrado, ele só respondeu que "só o Deus Afogado pode quebrar o laço entre um homem e suas esposas de sal". Ao ser instruído a devolver Ilha Bela aos antigos senhores, ele respondeu: "se eles vierem de volta do fundo do mar, devolveremos com alegria o que antes era deles".

Quando Johanna Lannister tentou construir uma nova frota de navios de guerra para enfrentar a batalha com os homens de ferro, o Lula-Gigante Vermelha atacou os estaleiros dela e ateou fogo em tudo, e fugiu levando mais cem mulheres. A Mão respondeu com uma repreensão furiosa, à qual Dalton respondeu que "as mulheres do Oeste preferem homens de ferro a leões covardes, ao que parece, pois elas pulam no mar e suplicam para as levarmos conosco".

Do outro lado de Westeros, os ventos da guerra também sopravam no mar estreito. O assassinato de Sharako Lohar de Lys, o almirante que presidiu o desastre da Triarquia na Goela, acabou sendo a fagulha que envolveu as Três Filhas em chamas, inflamando as rivalidades fumegantes de Tyrosh, Lys e Myr em uma guerra aberta. Agora é aceito que a morte de Sharako foi uma questão pessoal; o almirante arrogante foi morto por um de seus rivais pelo favor da cortesã conhecida como Cisne Negro. Mas, na época, a morte dele foi vista como um assassinato político, e os myrianos foram os suspeitos. Quando Lys e Myr entraram em guerra, Tyrosh aproveitou a oportunidade para estabelecer seu domínio nos Degraus.

Para fazer essa reivindicação, o Arconte de Tyrosh chamou Racallio Ryndoon, o exótico capitão-general que tinha comandado as forças da Triarquia contra Daemon Targaryen. Racallio ocupou as ilhas rapidamente e acabou com o reinado do Rei do Mar Estreito... mas decidiu reivindicar a coroa para si, traindo o Arconte e sua cidade natal. A confusa guerra com quatro lados que veio em seguida acabou por fechar a ponta sul do mar estreito para o comércio, isolando Porto Real, Valdocaso, Lagoa da Donzela e Vila Gaivota do comércio com o Leste. Pentos, Braavos e Lorath também foram afetadas e mandaram enviados para Porto Real na esperança de fazer uma grande aliança com o Trono de Ferro contra Racallio e as turbulentas Filhas. Sor Tyland os recebeu com luxos, mas recusou a proposta.

— Seria um erro grave para Westeros se envolver nas brigas intermináveis das Cidades Livres — disse ele para o conselho de regentes.

Aquele fatídico ano de 131 DC terminou com os mares em chamas a leste e oeste dos Sete Reinos e com nevascas caindo em Winterfell e no Norte. E o clima em Porto Real não era feliz. O povo da cidade já havia começado a se desencantar com o rei menino e a pequena rainha, pois nenhum dos dois fora visto depois do casamento, e sussurros sobre "a Mão encapuzada" estavam se espalhando. Embora o "renascido" Pastor tivesse sido levado pelos mantos dourados e desprovido de língua, outros surgiram no lugar dele para espalhar que a Mão do Rei praticava as artes proibidas, bebia sangue de bebês e era, além de tudo, "um monstro que esconde o rosto deformado dos deuses e dos homens".

Dentro das muralhas da Fortaleza Vermelha também houve sussurros sobre o rei e a rainha. O casamento real foi complicado desde o começo. Tanto a noiva quanto o noivo eram crianças; Aegon III tinha agora onze anos, Jaehaera, apenas oito. Depois de casados, eles tiveram bem pouco contato um com o outro, exceto em ocasiões formais, e mesmo isso era raro, pois a pequena rainha detestava sair de seus aposentos. "Os dois têm problemas", declarou o grande meistre Munkun em uma carta para o Conclave. A menina havia testemunhado o assassinato do irmão gêmeo nas mãos de Sangue e Queijo. O rei tinha perdido seus quatro irmãos e viu seu tio dar sua mãe para um dragão comer. "Eles não são crianças normais", escreveu Munkun. "Não há alegria neles, eles não riem nem brincam. A menina molha a cama à noite e chora inconsolavelmente quando é corrigida. As damas dela dizem que ela tem oito anos, mas se comporta como se tivesse quatro. Se eu não tivesse lhe dado leite com sonodoce antes do casamento, tenho certeza de que a menina teria desmaiado no meio da cerimônia."

Sobre o rei, o novo grande meistre disse: "Aegon mostra pouco interesse na esposa ou em qualquer outra garota. Não cavalga, não caça e não participa de justas, mas também não gosta de atividades sedentárias como ler, dançar e cantar. Embora pareça inteligente, ele nunca inicia uma conversa, e quando falam com ele, as respostas são tão breves que parece que o próprio ato de falar lhe é doloroso. Ele não tem amigos além do menino bastardo Gaemon Cabelo-Claro, e raramente dorme à noite. Durante a hora do lobo, ele é muitas vezes encontrado parado na frente de uma janela, olhando para as estrelas, mas quando lhe ofereci *Reinos do céu*, do arquimeistre Lyman, ele não demonstrou interesse. Aegon quase nunca sorri e jamais ri, mas também não exibe sinais de raiva ou medo, exceto no que diz respeito a dragões. A mera menção a um gera nele uma fúria rara. Orwyle costumava chamar Sua Graça de calmo e controlado; eu digo que o menino está morto por dentro. Ele anda pelos corredores da Fortaleza Vermelha como um fantasma. Irmãos, tenho que ser franco. Temo pelo nosso rei e pelo reino".

E os medos dele se mostrariam com fundamento. Por pior que 131 DC tivesse sido, os dois anos seguintes seriam bem piores.

Começou em um tom nefasto quando o antigo grande meistre Orwyle foi descoberto em um bordel chamado Mãe, perto do final mais baixo da Rua da Seda. Sem o cabelo, a barba e a corrente de sua função e atendendo pelo nome de Velho Wyl, ele conquistava seu ganha-pão varrendo, limpando, inspecionando os clientes da casa para ver se tinham sífilis e misturando chá de lua e poções de tanásia e poejo para as "filhas" da Mãe se livrarem de filhos indesejados. Ninguém prestava atenção no Velho Wyl, até que ele decidiu ensinar algumas garotas mais novas da Mãe a ler. Uma das alunas mostrou a nova habilidade para um sargento de manto dourado, que ficou desconfiado e deteve o velho para ser interrogado. A verdade surgiu rapidamente.

A penalidade por desertar a Patrulha da Noite é a morte. Embora Orwyle ainda não tivesse feito o juramento, a maioria o considerava um perjuro mesmo assim. Não houve questão sobre deixá-lo pegar um navio para ir para a Muralha. A sentença original de morte que lorde Stark tinha dado a ele deveria ser aplicada, concordaram os regentes. Sor Tyland não negou isso, mas observou que a posição de magistrado do rei ainda não estava preenchida, e que sendo cego ele era uma má escolha para manejar a espada. Usando isso como pretexto, a Mão confinou Orwyle em uma cela de torre (alta, arejada e confortável demais, alguns acusaram) "até um carrasco adequado ser encontrado". Nem o septão Eustace nem Cogumelo se deixaram enganar; Orwyle servira com sor Tyland nos conselhos verdes de Aegon II, e a amizade antiga e a lembrança de tudo que eles passaram tiveram papel na decisão da Mão. O antigo grande meistre até recebeu uma pena, tinta e pergaminho, para poder dar continuidade às suas confissões. E foi o que ele fez por quase dois anos, anotou a história longa dos reinados de Viserys I e Aegon II que mais tarde seria uma fonte valiosa para o *História verdadeira* de seu sucessor.

Menos de quinze dias depois, chegaram a Porto Real relatos de bandos de selvagens das Montanhas da Lua invadindo o Vale de Arryn em grandes números para pilhar, e a senhora Jeyne Arryn foi embora da corte e seguiu de navio para Vila Gaivota para cuidar da defesa de suas terras e seu povo. Também houve movimentações inquietantes nas Marcas de Dorne, pois Dorne tinha uma nova governante chamada Aliandra Martell, uma garota ousada de dezessete anos que se imaginava "a nova Nymeria" e fazia todos os jovens senhores ao sul das Montanhas Vermelhas desejarem seus afetos. Para lidar com as incursões, lorde Caron também saiu de Porto Real e voltou correndo para Nocticantiga, nas Marcas de Dorne. Assim, os sete regentes viraram cinco. O mais influente deles era claramente o Serpente Marinha, cuja riqueza, experiência e alianças o tornavam o primeiro dentre iguais. O mais impressionante era que ele parecia ser o único homem em quem o jovem rei estava disposto a confiar.

Por todos esses motivos, o reino sofreu um golpe terrível no sexto dia da terceira lua de 132 DC, quando Corlys Velaryon, Senhor das Marés, caiu enquanto subia a escada sinuosa na Fortaleza Vermelha de Porto Real. Quando o grande meistre Munkun foi correndo ajudá-lo, o Serpente Marinha estava morto. Aos setenta e nove anos, ele servira a quatro reis e uma rainha, navegara até os confins da terra, levara a Casa Velaryon a níveis inéditos de riqueza e poder, se casara com uma princesa que poderia ter sido rainha, fora pai de quatro cavaleiros de dragão, construíra cidades e frotas, provara seu valor em momentos de guerra e sua sabedoria em momentos de paz. Os Sete Reinos nunca veriam ninguém igual. Com o falecimento dele, um grande buraco foi aberto no tecido frágil dos Sete Reinos.

O corpo de lorde Corlys foi velado sob o Trono de Ferro por sete dias. Depois, seus restos foram levados até Derivamarca a bordo do *Beijo de Sereia*, capitaneado por Marilda de Casco com seu filho Alyn. Lá, o casco maltratado do velho *Serpente Marinha* foi ao mar mais uma vez e seguiu para as águas profundas a leste de Pedra do Dragão, onde Corlys Velaryon foi sepultado a bordo do mesmo navio que lhe deu seu nome. Disseram depois que quando o casco afundou, o Canibal voou no céu, as asas pretas enormes abertas em uma saudação final. (Um toque emocionante, mas provavelmente um enfeite posterior. Pelo que sabemos sobre Canibal, era mais provável que ele comesse o cadáver do que o saudasse.)

O filho ilegítimo Alyn de Casco, agora Aryn Velaryon, foi o herdeiro escolhido do Serpente Marinha, mas sua sucessão não passou sem contestação. Deve ser lembrado que na época do rei Viserys, um sobrinho de lorde Corlys, sor Vaemond Velaryon, se apresentou como verdadeiro herdeiro de Derivamarca. Essa rebelião lhe custou a cabeça, mas ele deixou uma esposa e filhos. Sor Vaemond era filho do irmão mais velho do Serpente Marinha. Cinco outros sobrinhos, filhos de outro irmão, também apresentaram suas reivindicações. Quando eles levaram seu caso perante o doente e fraco Viserys, cometeram o erro atroz de questionar a legitimidade dos filhos da filha dele. Viserys mandou arrancar a língua de todos por essa insolência, mas deixou que mantivessem as cabeças. Três dos "cinco silenciosos" morreram durante a Dança lutando por Aegon II contra Rhaenyra... mas dois sobreviveram, junto com os filhos de sor Vaemond, e todos se apresentaram então e insistiram que tinham mais direito a Derivamarca do que "esse bastardo de Casco, cuja mãe era uma rata".

Os filhos de sor Vaemond, Daemion e Daeron, levaram suas reivindicações ao conselho em Porto Real. Quando a Mão e os regentes decidiram contra eles, os rapazes tiveram a sabedoria de aceitar a decisão e se reconciliarem com lorde Alyn, que os recompensou com terras em Derivamarca sob a condição de que contribuíssem com navios para sua frota. Os primos silenciosos escolheram um caminho diferente. "Por falta de língua com que fazer o apelo, eles preferiram argumentar com espadas", diz Cogumelo. No entanto, o plano para assassinar o jovem senhor deu errado quando os guardas do castelo Derivamarca se mostraram leais à memória do Serpente Marinha e a seu herdeiro escolhido. Sor Malentine foi morto durante a tentativa, seu irmão foi capturado. Condenado à morte, sor Rhogar salvou a cabeça tomando o preto.

Alyn Velaryon, o filho bastardo de Ratinha, foi instalado formalmente como Senhor das Marés e de Derivamarca. Por causa disso, ele partiu para Porto Real, para reivindicar o lugar do Serpente Marinha entre os regentes. (Mesmo quando menino, nunca faltou ousadia em lorde Alyn.) A Mão agradeceu a ele e o enviou para casa... compreensivelmente, pois Alyn Velaryon tinha apenas dezesseis anos em 132 DC. A posição de lorde Corlys no conselho de regentes já havia sido oferecida a um homem mais velho e mais experiente: Unwin Peake, Senhor de Piquestrela, Senhor de Dustonbury, Senhor de Matabranca.

Sor Tyland tinha uma preocupação mais séria em 132 DC: a questão da sucessão. Apesar de lorde Corlys ser velho e frágil, sua morte serviu de qualquer modo como um lembrete desagradável de que qualquer homem podia morrer a qualquer momento, mesmo reis jovens que pareciam saudáveis, como Aegon III. Guerra, doença, acidentes... havia tantas formas de morrer, e se o rei falecesse, quem o sucederia?

— Se ele morrer sem herdeiro, vamos dançar novamente, por menos que gostemos da música — lorde Manfryd Mooton avisou aos amigos regentes.

O direito da rainha Jaehaera era tão forte quanto o do rei, e mais forte na cabeça de alguns, mas a ideia de colocar aquela criança doce, simples e assustada no Trono de Ferro era loucura, todos concordavam. O próprio rei Aegon, quando perguntavam, citava seu escanção, Gaemon Cabelo-Claro, e lembrava aos regentes que o garoto "tinha sido rei antes". Isso também era impossível.

Na verdade, havia só dois candidatos que o reino provavelmente aceitaria: as meias-irmãs do rei, Baela e Rhaena Targaryen, as gêmeas do príncipe Daemon Targaryen com sua primeira esposa, a senhora Laena Velaryon. As garotas agora tinham dezesseis anos, eram altas e magras, de cabelo prateado, as queridinhas da cidade. O rei Aegon quase nunca punha os pés fora da Fortaleza Vermelha depois da coroação, e sua pequena rainha jamais deixava os aposentos dela, então, durante boa parte do ano anterior, eram Rhaena ou Baela que saíam para caçar ou falcoar, davam esmolas para os pobres, recebiam emissários e visitavam senhores com a Mão do Rei, serviam como anfitriãs em banquetes (que eram bem poucos), bailes de máscaras e bailes (na verdade, nenhum tinha sido realizado ainda). As gêmeas eram as únicas Targaryen que o povo via.

Mas mesmo nisso, o conselho encontrava dificuldade e divergência. Quando Leowyn Corbray disse que a "senhorita Rhaena seria uma rainha esplêndida", sor Tyland observou que Baela foi a primeira a sair do útero da mãe.

— Baela é descontrolada demais — respondeu sor Torrhen Manderly. — Como ela pode governar o reino se não consegue controlar a si mesma?

Sor Willis Fell concordou.

— Tem que ser Rhaena. Ela tem um dragão, a irmã não tem.

— Baela *voou* em um dragão, Rhaena só tem o filhote — respondeu lorde Corbray.

— O dragão de Baela derrubou nosso falecido rei. Há muitos no reino que não terão esquecido isso. Se a coroarmos, vamos reabrir todas as feridas — retrucou Roland Westerling.

Foi o grande meistre Munkun, porém, que pôs um fim ao debate quando disse:

— Meus senhores, não importa. As duas são *garotas*. Aprendemos mesmo tão pouco com a matança? Nós temos que seguir a primogenitura, como o Grande Conselho decidiu em 101. A reivindicação masculina vem antes da feminina.

Mas sor Tyland disse:

— E quem é esse requerente masculino, meu senhor? Parece que matamos todos.

Munkun não tinha resposta, mas disse que pesquisaria o assunto. Assim, a questão crucial da sucessão continuou sem decisão.

Essa incerteza não poupou as gêmeas das atenções de todos os pretendentes, confidentes, companheiros e outros lisonjeiros ansiosos por ficarem próximos das supostas herdeiras do rei, embora as irmãs reagissem a esses lambe-botas de formas bem variadas. Enquanto Rhaena adorava ser o centro da vida na corte, Baela detestava elogios e parecia ter prazer em debochar e atormentar os pretendentes que giravam em torno dela como mariposas.

Quando pequenas, as gêmeas eram inseparáveis e impossíveis de diferenciar, mas quando se separaram, suas experiências as moldaram de formas diferentes. No Vale, Rhaena apreciou uma vida de conforto e privilégio como protegida da senhora Jeyne. Criadas penteavam seu cabelo e lhe preparavam banhos, enquanto cantores compunham odes à beleza dela e cavaleiros participavam de justas querendo seus favores. O mesmo acontecia em Porto Real, onde dezenas de jovens senhores galantes competiam pelos sorrisos dela, artistas imploravam por permissão para desenhá-la ou pintá-la, e as melhores costureiras buscavam a honra de fazer seus vestidos. E aonde Rhaena fosse, Manhã, sua pequena dragão, também ia, muitas vezes enrolada no pescoço dela como uma estola.

O tempo que Baela passou em Pedra do Dragão foi mais conturbado e terminou com fogo e sangue. Quando ela chegou à corte, era uma jovem tão bárbara e obstinada quanto qualquer outra do reino. Rhaena era delgada e graciosa; Baela era magra e ágil. Rhaena amava dançar; Baela vivia para cavalgar... e voar, embora isso tivesse sido tirado dela quando seu dragão morreu. Ela mantinha o cabelo prateado curto como o de um menino, para que não voasse em seu rosto quando ela estivesse cavalgando. Várias vezes fugia de suas damas de companhia para procurar aventuras nas ruas. Ela participava embriagada de corridas de cavalo na Rua das Irmãs, se envolvia em nados ao luar pela Torrente da Água Negra (cujas correntes poderosas eram famosas por afogarem muitos nadadores fortes), bebia com os mantos dourados em seus alojamentos, apostava moedas e às vezes roupas nas arenas de ratazanas da Baixada das Pulgas. Uma vez, ela sumiu por três dias e, ao voltar, se recusou a dizer aonde tinha ido.

O mais grave ainda era que Baela tinha gosto por companhias inadequadas. Como cães de rua, ela as levava para casa na Fortaleza Vermelha e insistia para que recebessem posições no castelo ou passassem a fazer parte de seu séquito. Esses bichinhos de estimação incluíam um jovem malabarista bonito, um aprendiz de ferreiro cujos músculos ela admirava, um mendigo sem pernas de quem ela teve pena, um conjurador de truques baratos que ela achou que fosse feiticeiro de verdade, um escudeiro grosseiro de um cavaleiro andante, até duas jovens garotas de um bordel, gêmeas, "como nós, Rhae". Uma vez, ela apareceu com uma trupe inteira de saltimbancos. A septã Amarys, que foi incumbida de sua instrução religiosa e moral, entrava em desespero, e até o septão Eustace parecia não conseguir controlar a selvageria dela.

— A garota precisa se casar, e logo — disse ele para a Mão do Rei —, senão temo que possa trazer desonra para a Casa Targaryen e vergonha para Sua Graça, seu irmão.

Sor Tyland via sentido no conselho do septão... mas havia perigos também. Não faltavam pretendentes para Baela. Ela era jovem, bonita, saudável, rica e de nascimento mais nobre, e qualquer senhor dos Sete Reinos ficaria feliz de tê-la como esposa. Mas a escolha errada poderia ter consequências graves, pois o marido dela ficaria bem próximo do trono. Um companheiro inescrupuloso, corrupto ou ambicioso demais poderia provocar infinitas guerras e sofrimentos. Mais de vinte candidatos à mão de senhorita Baela foram considerados pelos regentes. Lorde Tully, lorde Blackwood, lorde Hightower (ainda solteiro, embora tivesse tomado a viúva do pai como amante), foram todos citados, assim como uma quantidade de opções menos prováveis, inclusive Dalton Greyjoy (o Lula-Gigante Vermelha se gabava de ter cem "esposas de sal", mas nunca havia tido uma "esposa de pedra"), um irmão mais novo do príncipe de Dorne, e até aquele traste do Racallio Ryndoon. Todos foram descartados por um ou outro motivo.

Finalmente, a Mão e o conselho de regência decidiram conceder a mão da senhorita Baela em casamento a Thaddeus Rowan, lorde de Bosquedouro. Rowan sem dúvida foi uma escolha prudente. Sua segunda esposa havia morrido no ano anterior, e todos sabiam que ele estava procurando uma jovem donzela adequada para o lugar dela. Sua virilidade era inquestionável; ele tinha dois filhos com a primeira esposa e mais cinco com a segunda. Como não tinha filhas, Baela seria a senhora inquestionável do castelo. Os quatro filhos mais novos ainda estavam com ele e precisavam da ajuda de uma mulher. O fato de que todos os filhos de lorde Rowan eram homens contou muito a favor dele; se ele tivesse um filho com a senhorita Baela, Aegon III teria um sucessor óbvio.

Lorde Thaddeus era um homem agradável, energético e alegre, amado e respeitado, um marido dedicado e bom pai para os filhos. Ele lutou pela rainha Rhaenyra durante a Dança e fez isso com habilidade e valor. Era orgulhoso sem ser arrogante, justo em julgamento sem ser vingativo, leal com os amigos, dedicado às questões religiosas sem ser excessivamente devoto, nada inclinado à ambição descontrolada. Se o trono passasse para a senhorita Baela, lorde Rowan seria o consorte perfeito, que a apoiaria com toda a sua força e sabedoria sem tentar dominá-la ou usurpar o lugar dela como governante. O septão Eustace nos conta que os regentes ficaram muito satisfeitos com o resultado de suas deliberações.

Baela Targaryen, quando informada da união, não compartilhou o prazer deles.

— Lorde Rowan tem quarenta anos a mais do que eu, é careca como uma pedra e tem uma barriga que pesa mais do que eu — ela supostamente disse para a Mão. E acrescentou: — Eu me deitei com dois dos filhos dele. O mais velho e o terceiro, eu acho. Não os dois ao mesmo tempo, isso teria sido impróprio.

Se há verdade nisso, não temos como saber. A senhorita Baela era conhecida como sendo deliberadamente provocativa às vezes. Se era esse o propósito, ela teve sucesso. A Mão a mandou de volta para o quarto e postou guardas na porta para garantir que ela ficasse lá até que os regentes pudessem se reunir.

Mas um dia depois ele descobriu, para sua consternação, que Baela havia fugido do castelo por meios secretos (mais tarde, foi descoberto que ela tinha subido em uma janela, trocado de roupa com uma lavadeira e saído a pé pela porta da frente). Quando o alarme soou, ela estava na metade da Baía da Água Negra, depois de contratar um pescador para levá-la até Derivamarca. Lá, ela procurou o primo, o Senhor das Marés, e derramou suas tristezas nos ouvidos dele. Uma quinzena depois, Alyn Velaryon e Baela Targaryen se casaram no septo de Pedra do Dragão. A noiva tinha dezesseis anos e o noivo, quase dezessete.

Vários dos regentes, enfurecidos, insistiram para que sor Tyland apelasse ao alto septão pedindo anulação, mas a reação da Mão foi de resignação distraída. Prudentemente, ele divulgou que o casamento tinha sido arranjado pelo rei e pela corte, por acreditar que era o desafio da senhorita Baela o escândalo, e não a escolha de marido.

— O garoto tem sangue nobre — garantiu ele aos regentes —, e não duvido que se mostre tão leal quanto o irmão.

O orgulho ferido de Thaddeus Rowan foi sufocado com um noivado com Floris Baratheon, uma donzela de catorze anos considerada a mais bonita das "Quatro Tempestades", como as quatro filhas de lorde Borros passaram a ser conhecidas. No caso dela, acabou sendo um termo impróprio. Uma garota doce, ainda que um tanto frívola, ela acabou morrendo no parto dois anos depois. O casamento tempestuoso seria o realizado em Pedra do Dragão, como os anos demonstrariam.

Para a Mão e o conselho de regentes, a fuga na madrugada de Baela Targaryen pela Baía da Água Negra confirmou todas as dúvidas deles sobre ela.

— A garota é selvagem, voluntariosa e desmedida, como temíamos — declarou sor Willis Fell com pesar —, e agora ela se amarrou ao bastardo arrogante de lorde Corlys. Uma serpente como pai, uma rata como mãe... esse vai ser nosso príncipe consorte?

Os regentes concordaram; Baela Targaryen não podia ser a herdeira do rei Aegon.

— Tem que ser senhorita Rhaena — declarou Mooton —, desde que esteja casada.

Desta vez, por insistência de sor Tyland, a menina participou da discussão. A senhorita Rhaena se mostrou tão afável quanto sua irmã foi voluntariosa. Ela se casaria com quem o rei e o conselho desejassem, aceitou ela, embora "me agradaria se ele não fosse tão velho a ponto de não poder me dar filhos, nem tão gordo a ponto de me esmagar na cama. Desde que seja amável e gentil e nobre, sei que vou amá-lo". Quando a Mão perguntou se ela tinha algum favorito entre os senhores e cavaleiros que a cortejavam, ela confessou que "gostava muito" de sor Corwyn Corbray, que conhecera no Vale quando era protegida da senhora Arryn.

Sor Corwyn estava longe de ser a escolha ideal. Segundo filho, ele tinha duas filhas de um casamento anterior. Aos trinta e dois anos, era um homem, não um garoto verde. Mas a Casa Corbray era antiga e honrada, e sor Corwyn era um cavaleiro de tamanha reputação que seu falecido pai lhe deu Senhora Desespero, a espada de aço valiriano dos Corbray. Seu irmão, Leowyn, era Protetor do Território. Isso por si só tornaria difícil que os regentes fizessem objeção. E assim, a união foi selada: um noivado rápido, seguido de um casamento apressado uma quinzena depois. (A Mão teria preferido um noivado mais longo, mas os regentes achavam prudente Rhaena se casar logo, para o caso de a irmã já estar grávida.)

As gêmeas não foram as únicas senhoras do reino a se casarem em 132 DC. No mesmo ano, Benjicot Blackwood, Senhor de Corvarbor, levou um séquito pela estrada real até Winterfell, para ser testemunha do casamento de sua tia, Alysanne, com lorde Cregan Stark. Com o Norte já tomado pelo inverno, a viagem levou o triplo do tempo esperado. Metade dos cavaleiros perderam os cavalos enquanto a coluna lutava pelas tempestades uivantes de neve, e três vezes as carroças de lorde Blackwood foram atacadas por bandos de fora da lei, que levaram boa parte dos alimentos e todos os presentes de casamento. Mas as núpcias em si ficaram famosas por terem sido esplêndidas; Aly Black e seu lobo fizeram seu juramento perante a árvore-coração no bosque sagrado e gelado de Winterfell. Na festa que veio em seguida, Rickon, filho de quatro anos de lorde Stark com a primeira esposa, cantou uma canção para sua nova madrasta.

A senhora Elenda Baratheon, viúva de Ponta Tempestade, também se casou com um novo marido naquele ano. Com lorde Borros morto e Olyver ainda bebê, as invasões dornesas nas terras da tempestade tinham ficado mais numerosas, e os fora da lei da Mata de Rei estavam dando trabalho. A viúva sentia a necessidade das mãos fortes de um homem para manter a paz. Ela escolheu sor Steffon Connington, segundo filho do Senhor de Poleiro do Grifo. Embora fosse vinte anos mais novo do que a senhora Elenda, Connington havia provado seu valor durante a campanha de lorde Borros contra o Rei Abutre e era famoso por ser tão vigoroso quanto bonito.

Nas outras partes, os homens estavam mais preocupados com guerras do que com casamentos. Ao longo do Mar do Poente, o Lula-Gigante Vermelha e seus homens de ferro continuaram invadindo e saqueando. Tyrosh, Myr, Lys e a aliança de três cabeças de Braavos, Pentos e Lorath lutavam umas com as outras nos Degraus e nas Terras Disputadas, enquanto o reino de Racallio Ryndoon fechava a parte de baixo do mar estreito. Em Porto Real, Valdocaso, Lagoa da Donzela e Vila Gaivota, o comércio diminuiu. Mercadores e comerciantes iam cheios de reclamações procurar o rei... que se recusava a vê-los ou não tinha permissão para isso, dependendo de em que relato acreditamos. O espectro da fome ameaçava o Norte, com Cregan Stark e seus senhores vassalos vendo o estoque de alimentos diminuir, enquanto a Patrulha da Noite rechaçava uma quantidade cada vez maior de incursões de selvagens vindos do outro lado da Muralha.

Naquele mesmo ano, uma doença contagiosa horrível se espalhou pelas Três Irmãs. A Febre do Inverno, como era chamada, matou metade da população de Vilirmã. A metade que sobreviveu, acreditando que a doença tinha chegado às margens deles por um baleeiro do Porto de Ibben, se rebelou e matou todos os marinheiros ibbeneses em que conseguiu botar as mãos e pôs fogo em seus navios. Não fez diferença. Quando a doença atravessou a Dentada para Porto Branco, as orações dos septões e as poções dos meistres se mostraram igualmente impotentes contra ela. Milhares morreram, entre eles lorde Desmond Manderly. Seu esplêndido filho, sor Medrick, o melhor cavaleiro do Norte, sobreviveu apenas por quatro dias e acabou sucumbindo à mesma enfermidade. Como sor Medrick não tinha filhos, isso provocou uma consequência mais calamitosa, pois a senhoria caiu para seu irmão, sor Torrhen, que então foi obrigado a abrir mão de seu lugar no conselho de regentes para assumir o comando de Porto Branco. Isso deixou quatro regentes quando no começo eram sete.

Tantos senhores, grandes e pequenos, pereceram durante a Dança dos Dragões que a Cidadela chama esse período corretamente de Inverno das Viúvas. Nunca antes e depois na história dos Sete Reinos tantas mulheres detiveram tamanho poder, governando no lugar de maridos, irmãos e pais mortos, por filhos muito pequenos ou ainda no peito. Muitas das histórias foram coletadas no enorme *Quando as mulheres governaram: senhoras do pós-guerra*, do arquimeistre Abelon. Embora Abelon fale de centenas de viúvas, temos que nos concentrar em poucas. Quatro dessas mulheres tiveram papéis cruciais na história do reino, no final de 132 e no começo de 133 DC, para o bem ou para o mal.

A primeira dessas foi a senhora Johanna, a viúva de Rochedo Casterly, que governou os domínios da Casa Lannister por seu jovem filho, lorde Loreon. Ela apelou repetidas vezes à Mão de Aegon III, gêmeo de seu falecido marido, por ajuda contra os salteadores, mas nada foi feito. Desesperada para proteger seu povo, a senhora Johanna por fim vestiu uma cota de malha de homem para liderar os homens de Lannisporto e de Rochedo Casterly contra o inimigo. As canções contam que ela matou mais de doze homens de ferro embaixo das muralhas de Kayce, mas isso pode ser deixado de lado como trabalho de cantores bêbados (Johanna levou um estandarte para a batalha, não uma espada). Mas a coragem dela ajudou a inspirar os homens do Oeste, pois os invasores logo foram expulsos e Kayce foi salvo. Entre os mortos estava o tio favorito do Lula-Gigante Vermelha.

A senhora Sharis Footley, viúva de Tumbleton, conseguiu um tipo diferente de fama com seus esforços de restaurar a cidade destruída. Governando em nome do filho bebê (meio ano depois de Segunda Tumbleton, ela deu à luz um menino robusto de cabelo escuro que declarou como herdeiro legítimo do falecido marido, embora fosse mais provável que o menino fosse filho de Jon Roxton, o Ousado), a senhora Sharis derrubou as estruturas queimadas de comércios e casas, reconstruiu as muralhas da cidade, enterrou os mortos, plantou trigo e cevada e nabo nos campos onde antes ficavam os acampamentos, e até mandou limpar as cabeças dos dragões Fumaresia e Vermithor e colocá-las expostas na praça da cidade, onde viajantes pagavam um bom dinheiro para vê-las (um tostão para ver, uma estrela para tocar).

Em Vilavelha, o relacionamento entre o alto septão e a viúva de lorde Ormund, a senhora Sam, continuou a piorar quando ela ignorou a ordem de Sua Alta Santidade de se retirar da cama de seu enteado e fazer votos de irmã silenciosa como pena por seus pecados. Com uma ira justa, o alto septão condenou a senhora viúva de Vilavelha como uma fornicadora desavergonhada e a proibiu de pôr o pé no Septo Estrelado até ter se arrependido e procurado perdão. O que senhora Samantha fez foi montar em um cavalo de guerra e entrar no septo quando Sua Alta Santidade estava liderando uma oração. Quando ele exigiu saber o motivo, a senhora Sam respondeu que embora a tivesse proibido de pôr o pé no septo, ele não disse nada sobre as patas de seu cavalo. Em seguida, mandou que seus cavaleiros trancassem as portas; se o septo estava fechado para ela, ficaria fechado para todos. Apesar de tremer e esbravejar e gritar maledicências para "essa prostituta no cavalo", no final o alto septão não teve escolha além de ceder.

A quarta (e última para nossos propósitos) dessas incríveis mulheres veio das torres tortas e fortalezas queimadas de Harrenhal, aquela enorme ruína junto à água do Olho de Deus. Banida e abandonada desde que Daemon Targaryen e seu sobrinho Aemond se encontraram lá para o voo final, a sede maldita do Harren Negro havia se tornado um reduto de renegados fora da lei, cavaleiros ladrões e homens destruídos, que saíam de trás das muralhas para perseguir viajantes, pescadores e fazendeiros. Um ano antes eram poucos, mas agora os números tinham aumentado, e estavam dizendo que uma feiticeira os comandava, uma rainha-bruxa de poder temeroso.

Quando essas histórias chegaram a Porto Real, sor Tyland decidiu que era hora de retomar o castelo. Essa tarefa ele confiou a um cavaleiro da Guarda Real, sor Regis Groves, que partiu da cidade com meia centena de homens experientes. No Castelo de Darry, sor Damon Darry se juntou a ele com número similar. Precipitadamente, sor Regis supôs que isso seria mais do que suficiente para lidar com alguns invasores.

Mas, ao chegar às muralhas de Harrenhal, ele encontrou os portões fechados e centenas de homens armados nas ameias. Havia pelo menos seiscentas almas no castelo, um terço delas era de homens em idade de lutar. Quando sor Regis exigiu falar com o senhor deles, uma mulher saiu para conversar, com uma criança ao lado. A "rainha-bruxa" de Harrenhal não era ninguém além de Alys Rivers, a ama de leite ilegítima que foi a prisioneira e depois amante do príncipe Aemond Targaryen e que agora alegava ser sua viúva. O menino era de Aemond, ela disse ao cavaleiro.

— Bastardo dele? — disse sor Regis.

— Filho legítimo e herdeiro — retorquiu Alys Rivers —, e rei de Westeros por direito.

Ela mandou o cavaleiro "se ajoelhar perante seu rei" e juramentar sua espada a ele. Sor Regis riu disso e respondeu:

— Eu não me ajoelho para bastardos, menos ainda o filhote ilegítimo de um assassino de parentes e de uma vaca leiteira.

O que aconteceu em seguida ainda é questão de discussão. Alguns dizem que Alys Rivers só levantou a mão e sor Regis começou a gritar e segurar a cabeça, até o crânio explodir, espirrando sangue e cérebro. Outros insistem que o gesto da viúva foi um sinal, que fez um arqueiro nas ameias soltar uma flecha que penetrou em um olho de sor Regis. Cogumelo (que estava a centenas de léguas) sugeriu que talvez um dos homens na muralha tivesse a habilidade de usar um estilingue. Bolinhas de chumbo, quando disparadas com força suficiente, são famosas por provocarem o tipo de efeito explosivo que os homens de Groves viram e atribuíram a bruxaria.

Seja como for, sor Regis Grove estava morto em um instante. Meio segundo depois, o portão de Harrenhal se abriu, e uma enxurrada de cavaleiros disparou, gritando. Uma luta sangrenta aconteceu em seguida. Os homens do rei foram afugentados. Sor Damon Darry, por estar com um bom cavalo, uma boa armadura e ser bem treinado, foi um dos poucos a escapar. Os seguidores da rainha bruxa o caçaram por toda a noite até desistirem. Trinta e dois homens viveram para voltar ao Castelo de Darry dos cem que haviam partido.

No dia seguinte, um trigésimo terceiro apareceu. Depois de ser capturado com mais doze, ele foi obrigado a vê-los morrer por tortura um a um antes de ser solto para levar um aviso.

— Tenho que repetir o que ela falou — disse ele, ofegante —, mas vocês não podem rir. A viúva botou uma maldição em mim. Se algum de vocês rir, eu morro. — Quando sor Damon garantiu a ele que ninguém riria, o mensageiro disse: — Não voltem a menos que pretendam se ajoelhar, ela disse. Qualquer homem que chegue perto dos muros dela vai morrer. Há poder nas pedras e a viúva o despertou. Que os Sete nos salvem, ela tem um *dragão*. Eu vi.

O nome do mensageiro não chegou a nós, nem o nome do homem que riu. Mas alguém riu, um dos homens de lorde Darry. O mensageiro olhou para ele, abalado, em seguida segurou a garganta e começou a engasgar. Sem conseguir respirar, ele estava morto em poucos momentos. Supostamente, a marca dos dedos de uma mulher estavam visíveis na pele dele, como se ela estivesse presente, esganando-o.

A morte de um cavaleiro da Guarda Real foi um evento muito perturbador para sor Tyland, embora Unwin Peake tenha desconsiderado a conversa de sor Damon Darry de bruxaria e dragões e atribuído a morte de Regis Groves e seus homens a elementos fora da lei. Os outros regentes concordaram. Uma força maior seria exigida para tirá-los de Harrenhal, concluíram eles quando aquele "pacífico" ano de 132 DC chegou ao fim. Mas antes de sor Tyland poder organizar esse ataque, ou mesmo considerar quem poderia tomar o lugar de sor Regis nos Sete de Aegon, uma ameaça bem pior do que qualquer rainha bruxa caiu sobre a cidade. Pois no terceiro dia de 133 DC, a Febre do Inverno desembarcou em Porto Real.

Independentemente de a febre ter nascido nas florestas escuras de Ib e sido levada para Westeros por um baleeiro, como os homens das Irmãs acreditavam, era certo que estava se deslocando de porto em porto. Porto Branco, Vila Gaivota, Lagoa da Donzela e Valdocaso foram acometidos da doença, um de cada vez; havia relatos de que Braavos também estava sendo devastada. O primeiro sinal da enfermidade era um rubor na face, facilmente confundido pelas bochechas vermelhas que muitos homens exibem depois de expostos ao ar gelado de um dia frio de inverno. Mas a febre vinha em seguida, fraca no começo, mas aumentando, sempre aumentando. Sangria não ajudava, nem alho, nem nenhuma das várias poções, cataplasmas e tinturas usadas. Colocar os doentes em banheiras de neve e água gelada parecia desacelerar o desenvolvimento da febre, mas não a impedia, pelo que os meistres que lutavam com a doença logo descobriram. No segundo dia, a vítima começava a tremer violentamente e reclamar de frio, embora pudesse estar fervendo ao toque. No terceiro dia vinham o delírio e o suor de sangue. No quarto dia, a pessoa estava morta... ou a caminho da recuperação, se a febre sumisse. Só um homem em cada quatro sobrevivia à Febre do Inverno. Desde que os Arrepios arrasaram Westeros durante o reinado de Jaehaerys I, nenhuma pestilência tão terrível era vista nos Sete Reinos.

Em Porto Real, os primeiros sinais da febre fatal foram vistos à margem do rio, entre marinheiros, barqueiros, pescadores, estivadores e prostitutas do porto que faziam seu comércio perto da Torrente da Água Negra. Antes de a maioria ter percebido que estava doente, eles já tinham contaminado todas as partes da cidade, tanto ricos quanto pobres. Quando a notícia chegou à corte, o grande meistre Munkun foi em pessoa examinar alguns dos doentes, para verificar se era mesmo a Febre do Inverno e não alguma doença menor. Alarmado pelo que viu, Munkun não voltou ao castelo por medo de ter sido contaminado por esse contato direto com quarenta prostitutas e estivadores febris. Ele mandou seu acólito com uma carta urgente para a Mão do Rei. Sor Tyland agiu imediatamente e ordenou que os mantos dourados fechassem a cidade e cuidassem para que ninguém entrasse nem saísse até a febre ter passado. Ele também ordenou que os grandes portões da Fortaleza Vermelha fossem trancados, para manter a doença longe do rei e da corte.

Mas a Febre do Inverno não teve respeito pelos portões, nem pelos guardas ou as muralhas do castelo. Embora parecesse ter se tornado um tanto menos potente conforme seguia para o sul, dezenas de milhares de pessoas ficaram febris nos dias seguintes. Três quartos delas morreram. O grande meistre Munkun acabou sendo um dos sortudos e se recuperou... mas sor Willis Fell, senhor comandante da Guarda Real, não resistiu, junto com dois dos seus Irmãos Juramentados. O Senhor Protetor, Leowyn Corbray, se recolheu aos seus aposentos quando foi afetado e tentou curar a si mesmo com vinho aquecido. Ele morreu, junto com sua amante e vários servos. Duas das criadas da rainha Jaehaera ficaram febris e sucumbiram, mas a pequena rainha continuou saudável. O comandante da Patrulha da Cidade morreu. Nove dias depois, o sucessor dele o seguiu para o túmulo. Os regentes também não foram poupados. Lorde Westerling e lorde Mooton ficaram doentes. A febre de lorde Mooton passou e ele sobreviveu, embora muito enfraquecido. Roland Westerling, um homem mais velho, pereceu.

Uma morte talvez tenha sido uma misericórdia. A rainha viúva Alicent da Casa Hightower, segunda esposa do rei Viserys I e mãe dos filhos dele, Aegon, Aemond, Daeron e Helaena, morreu na mesma noite que lorde Westerling, depois de confessar seus pecados para sua septã. Ela sobreviveu a todos os filhos e passou os últimos anos de vida confinada nos aposentos, sem companhia além da septã, as servas que levavam sua comida, e os guardas do lado de fora da porta. Ela recebia livros, agulhas e linha, mas os guardas diziam que Alicent passava mais tempo chorando do que lendo ou costurando. Um dia, ela rasgou todas as roupas que tinha. No fim do ano, passara a falar sozinha, além de ter uma grande aversão à cor verde.

Em seus últimos dias, a rainha viúva pareceu ficar mais lúcida.

— Quero ver meus filhos de novo — disse ela para a septã —, e Helaena, minha doce menina, ah... e o rei Jaehaerys. Vou ler para ele, como fazia quando eu era pequena. Ele dizia que eu tinha uma voz linda. — (Estranhamente, em suas horas finais a rainha Alicent falou muito do Velho Rei, mas nunca de seu marido, o rei Viserys.) O Estranho foi buscá-la em uma noite chuvosa, na hora do lobo.

Todas essas mortes foram registradas fielmente pelo septão Eustace, que toma o cuidado de nos dar as últimas palavras inspiradoras de todos os grandes senhores e nobres damas. Cogumelo também cita os mortos, mas passa mais tempo falando das loucuras dos vivos, como o escudeiro simplório que convenceu uma criada de quarto bonita a ceder a virtude dela para ele dizendo que tinha febre e que "em quatro dias eu vou estar morto, e não gostaria de morrer sem conhecer o amor". O plano deu tão certo que ele o usou com mais seis outras garotas... mas como não morreu, elas começaram a falar, e o esquema dele foi desmascarado. Cogumelo atribui a própria sobrevivência à bebida. "Concluí que, se eu bebesse vinho suficiente, talvez nem soubesse que estava doente, e todo bobo sabe que as coisas que não sabemos não podem nos afligir."

Durante aqueles dias sombrios, dois heróis improváveis surgiram brevemente em cena. Um foi Orwyle, cujos carcereiros libertaram da cela depois de muitos outros meistres terem sido acometidos da febre. A idade avançada, o medo e o longo confinamento o deixaram a sombra do homem que tinha sido, e suas curas e poções não se mostraram mais eficazes do que as dos outros meistres, mas Orwyle trabalhou incansavelmente para salvar os que podia e ajudar na passagem dos que não podia.

O outro herói, para a surpresa de todos, foi o jovem rei. Para horror da Guarda Real, Aegon passou seus dias visitando os doentes, e muitas vezes passava horas com eles, às vezes segurando suas mãos ou refrescando as testas febris com panos frios e úmidos. Embora Sua Graça raramente falasse, ele compartilhava seus silêncios com eles, e ouvia quando contavam histórias de suas vidas, imploravam por perdão ou se gabavam de conquistas, gentilezas e filhos. A maioria dos que ele visitou morreu, mas os que viveram depois atribuíram sua sobrevivência ao toque das "mãos curativas" do rei.

Mas se realmente há magia no toque de um rei, como muitos plebeus acreditam, ela fracassou quando foi mais necessária. O último leito visitado por Aegon III foi o de sor Tyland Lannister. Nos dias mais sombrios da cidade, sor Tyland ficou na Torre da Mão, lutando dia e noite contra o Estranho. Embora cego e ferido, ele sofreu apenas de exaustão até o final... mas cruel como o destino era, quando o pior tinha passado e novos casos da Febre do Inverno haviam se reduzido a quase nenhum, chegou uma manhã em que sor Tyland mandou que seus servos abrissem uma janela.

— Está muito frio aqui — disse ele... mas o fogo na lareira já estava ardendo, e a janela já estava fechada.

A Mão declinou rapidamente após isso. A febre tirou sua vida em dois dias em vez dos quatro de sempre. O septão Eustace estava com ele quando ele morreu, assim como o rei menino que ele tinha servido. Aegon segurou sua mão quando ele deu seu último suspiro.

Sor Tyland Lannister nunca foi amado. Depois da morte da rainha Rhaenyra, ele insistiu com Aegon II para que também matasse o filho dela, Aegon, e certos pretos o odiavam por isso. Mas mesmo depois da morte de Aegon II, ele continuou presente e serviu Aegon III, e certos verdes o odiavam por isso. Tendo sido o segundo a sair do útero da mãe, alguns momentos depois de seu gêmeo Jason, a ele foram negados a glória da senhoria e o ouro de Rochedo Casterly, deixando-o para conquistar seu próprio espaço no mundo. Sor Tyland nunca se casou nem teve filhos, e foram poucos os que o acompanharam em luto quando ele foi levado. O véu que usou para

esconder o rosto desfigurado gerou a história de que a face embaixo era monstruosa e má. Alguns o chamavam de covarde por ter deixado Westeros de fora da guerra das Filhas e por ter feito tão pouco para controlar os Greyjoys no Oeste. Ao tirar três quartos do ouro da Coroa de Porto Real quando era mestre da moeda de Aegon II, Tyland Lannister plantou as sementes do declínio da rainha Rhaenyra, um golpe de engenhosidade que no final lhe custaria os olhos, as orelhas e a saúde, e custaria à rainha o trono e a própria vida. Mas é preciso ser dito que ele serviu o filho de Rhaenyra bem e fielmente como Mão.

# Sob os regentes

## Guerra e paz e exposição de gado

O rei Aegon III ainda era um garoto, longe do décimo terceiro dia do seu nome, mas nos dias seguintes à morte de sor Tyland Lannister ele demonstrou uma maturidade de alguém bem mais velho. Passando por cima de sor Marston Waters, o segundo no comando da Guarda Real, Sua Graça concedeu mantos brancos a sor Robin Massey e sor Robert Darklyn e tornou Massey o senhor comandante. Com o grande meistre Munkun ainda na cidade cuidando das vítimas da Febre do Inverno, Sua Graça se voltou a seu predecessor e instruiu o antigo grande meistre Orwyle a convocar lorde Thaddeus Rowan para comparecer à cidade.

— Eu gostaria de ter lorde Rowan como Mão. Sor Tyland o tinha em alta conta o suficiente para oferecer a ele a mão da minha irmã em casamento, então sei que ele é de confiança. — Ele queria Baela de volta à corte também. — Lorde Alyn será meu almirante, como o avô dele foi.

Orwyle, talvez com esperanças de um perdão real, despachou os corvos rapidamente.

Mas o rei Aegon agiu sem consultar seu conselho de regentes. Só restavam três em Porto Real: lorde Peake, lorde Mooton e o grande meistre Munkun, que voltou correndo para a Fortaleza Vermelha assim que sor Robert Darklyn mandou que os portões fossem reabertos. Manfryd Mooton estava acamado, ainda recuperando as forças depois da batalha com a febre, e pediu que qualquer decisão fosse adiada até que a senhora Jeyne Arryn e o lorde Royce Caron pudessem ser chamados de volta do Vale e das Marcas de Dorne para tomar parte nas deliberações. Mas seus colegas não quiseram saber, e lorde Peake insistiu que os antigos regentes tinham aberto mão de seus lugares no conselho ao partirem de Porto Real. Com o apoio do grande meistre (Munkun mais tarde se arrependeria de ter concordado), Unwin Peake botou de lado todos os compromissos e arranjos do rei, alegando que nenhum menino de doze anos tinha capacidade de decidir questões tão sérias sozinho.

Marston Waters foi confirmado como senhor comandante da Guarda Real, enquanto Darklyn e Massey receberam ordens de devolver seus mantos brancos, para que sor Marston pudesse concedê-los a cavaleiros da escolha dele. O grande meistre Orwyle foi levado de volta à cela, para aguardar sua execução. Para não ofender lorde Rowan, os regentes lhe ofereceram uma posição entre eles; a de juiz e mestre das leis. Eles não tiveram a mesma atitude com Alyn Velaryon, pois claro que não havia a menor chance de um garoto da idade dele e com uma linhagem tão incerta servir como lorde almirante. As posições de Mão do Rei e Protetor do

Território, antes separadas, então foram unidas e ocupadas por ninguém além do próprio Unwin Peake.

Cogumelo nos conta que o rei Aegon III reagiu às decisões dos regentes com um silêncio emburrado e que falou só uma vez, para protestar contra a dispensa de Massey e Darklyn.

— A Guarda Real serve pela vida toda — disse o menino.

— Só quando foram indicados da forma correta, Majestade — respondeu lorde Peake.

De resto, conta o septão Eustace, o rei recebeu os decretos "educadamente" e agradeceu a lorde Peake pela sabedoria dele, pois "eu ainda sou um garoto, como sua senhoria sabe, e ansioso por instrução sobre essas questões". Se seus verdadeiros sentimentos eram diferentes, Aegon preferiu não expressá-los, mas se retirou ao silêncio e à passividade.

Pelo resto de seu tempo de minoridade, o rei Aegon III participou pouco do governo do reino, exceto para colocar sua assinatura e selo nos papéis que lorde Peake levava para ele. Em certas ocasiões formais, Sua Graça era levado para se sentar no Trono de Ferro ou dar boas-vindas a um enviado, mas de resto era pouco visto dentro da Fortaleza Vermelha e nunca fora das muralhas.

Agora é necessário fazermos uma pequena pausa e voltarmos o olhar para Unwin Peake, que, para todos os efeitos, governaria os Sete Reinos na maior parte de três anos, atuando como lorde regente, Protetor do Território e Mão do Rei.

A casa dele estava entre as mais antigas da Campina, as raízes profundas chegando até a Era dos Heróis e os Primeiros Homens. Dentre seus muitos ilustres ancestrais, sua senhoria podia citar lendas como sor Urrathon, o Destruidor de Escudos, lorde Meryn, o Escriba, senhora Yrma da Taça Dourada, sor Barquen, o Sitiante, lorde Eddison Sênior, lorde Eddison Júnior e Lorde Emerick, o Vingador. Muitos Peake serviram como conselheiros em Jardim de Cima quando a Campina era o reino mais rico e mais poderoso de Westeros inteira. Quando o orgulho e o poder da Casa Manderly se tornaram arrogância, foi Lorimar Peake que os botou no lugar deles e os levou a exílio no Norte, e por esse serviço o rei Perceon III Gardener lhe concedeu o antigo assento Manderly em Dunstonbury e as terras que o acompanhavam. O filho do rei Perceon, Gwayne, também tomou a filha de lorde Lorimar como esposa, tornando-a a sétima donzela Peake a se sentar sob a Mão Verde como Rainha da Campina. Ao longo dos séculos, outras filhas da Casa Peake se casaram com Redwyne, Rowan, Costayne, Oakheart, Osgrey, Florent e até Hightower.

Tudo isso acabou com a chegada dos dragões. Lorde Armen Peake e seus filhos pereceram no Campo de Fogo junto do rei Mern e os dele. Com a Casa Gardener extinta, Aegon, o Conquistador, concedeu Jardim de Cima e o comando da Campina à Casa Tyrell, os antigos intendentes reais. Os Tyrell não tinham laços de sangue com os Peake e nenhum motivo para favorecê-los. E assim, o lento declínio dessa casa orgulhosa começou. Um século depois, os Peake ainda tinham três castelos, e suas terras eram amplas e bem povoadas, ainda que não particularmente ricas, mas eles não detinham mais uma posição alta entre os vassalos de Jardim de Cima.

Unwin Peake estava determinado a corrigir isso e restaurar a Casa Peake à sua antiga grandiosidade. Como o pai, que ficou ao lado da maioria do Grande Conselho de 101, ele acreditava que não era posição de uma mulher governar acima de homens. Durante a Dança dos Dragões, lorde Unwin estava entre os mais ferrenhos dos verdes e liderou mil espadas e lanças para manter Aegon II no Trono de Ferro. Quando Ormund Hightower caiu em Tumbleton, lorde Unwin achou que o comando do exército dele devia ter passado a ser seu, mas isso lhe foi negado por tramas de rivais. Ele jamais perdoou o fato e esfaqueou o vira-manto Owain Bourney e planejou os assassinatos dos cavaleiros de dragão Hugh Martelo e Ulf Branco. Figura de destaque entre os Ouriços (embora isso não fosse amplamente divulgado) e um dos três ainda vivos, lorde Unwin provou em Tumbleton que não era homem com quem se brincasse. Ele comprovaria isso novamente em Porto Real.

Depois de elevar sor Marston Waters ao comando da Guarda Real, lorde Peake o persuadiu a conceder mantos brancos para dois parentes seus, seu sobrinho sor Amaury Peake de Piquestrela e seu irmão bastardo sor Mervyn Flowers. A Patrulha da Cidade passou ao comando de sor Lucas Leygood, filho de um dos Ouriços que morreram em Tumbleton. Para substituir os homens que morreram durante a Febre do Inverno e a Lua da Loucura, a Mão concedeu mantos dourados a quinhentos homens dele.

Lorde Peake não era confiante por natureza, e tudo que tinha visto (e de que tinha feito parte) em Tumbleton o convenceu de que seus inimigos o derrubariam se tivessem a menor oportunidade. Sempre atento à própria segurança, ele se cercou de sua guarda pessoal, dez mercenários leais apenas a ele (e ao ouro que lhes dava) que no devido tempo passariam a ser conhecidos como "Dedos". Seu capitão, um aventureiro volantino chamado Tessario, tinha listras de tigre tatuadas no rosto e nas costas, as marcas de um soldado escravo. Os homens o chamavam de Tessario, o Tigre na sua frente, o que o agradava; pelas costas, eles o chamavam de Tessario, o Polegar, o apelido debochado que Cogumelo escolheu para ele.

Depois de estar se sentindo seguro, a nova Mão começou a trazer seus próprios apoiadores, parentes e amigos para a corte, no lugar de homens e mulheres cuja lealdade era menos garantida. Sua tia viúva Clarice Osgrey foi encarregada da casa da rainha Jaehaera, supervisionando suas aias e servas. Sor Gareth Long, mestre de armas de Piquestrela, ganhou o mesmo título na Fortaleza Vermelha e foi encarregado de treinar o rei Aegon para ser cavaleiro. George Graceford, lorde de Salão Santo, e sor Victor Risley, cavaleiro de Clareira Risley, os únicos sobreviventes dos Ouriços fora o próprio lorde Peake, foram indicados senhor confessor e magistrado do rei, respectivamente.

A Mão até chegou ao ponto de dispensar o septão Eustace e trazer um homem mais jovem, o septão Bernard, para cuidar das necessidades espirituais da corte e supervisar a instrução religiosa e moral de Sua Graça. Bernard também era seu parente, pois descendia de uma irmã mais nova de seu bisavô. Depois de dispensado de sua função, o septão Eustace partiu de Porto Real para o Septo de Pedra, a cidade de seu nascimento, onde se dedicou a escrever seu belo (ainda que um tanto volumoso) trabalho, *O reinado do rei Viserys, primeiro de seu nome, e a Dança dos Dragões que veio depois*. Infelizmente, o septão Bernard preferia compor música sacra a registrar as fofocas da corte, e os escritos dele são de pouco interesse para historiadores e estudiosos (e de menos interesse para aqueles que apreciam música sacra, lamentamos dizer).

Nenhuma dessas mudanças agradou ao jovem rei. Sua Graça ficou particularmente insatisfeito com sua Guarda Real. Ele não gostava nem confiava nos dois novos homens, e não tinha esquecido a presença de sor Marston Waters na morte da mãe. O rei Aegon desgostava ainda mais dos Dedos da Mão, se isso é possível, principalmente o comandante insolente e boca suja, Tessario, o Polegar. Esse desgosto virou ódio quando o volantino matou sor Robin Massey, um dos jovens cavaleiros que Aegon desejou indicar para a Guarda Real, em uma briga por um cavalo que os dois homens queriam comprar.

O rei também desenvolveu rapidamente uma forte antipatia pelo novo mestre de armas. Sor Gareth Long era um espadachim habilidoso, mas mestre severo, renomado em Piquestrela por sua rigidez com os garotos que instruía. Os que não atingiam os padrões dele tinham que ficar dias sem dormir, eram mergulhados em banheiras de água gelada, suas cabeças eram raspadas e muitas vezes levavam surras. Nenhuma dessas punições ficou disponível para sor Gareth em sua nova posição. Embora Aegon fosse um aluno emburrado que não demonstrava muito interesse no jogo de espadas nem nas artes da guerra, sua persona real era intocável. Sempre que sor Gareth falava com ele alto demais ou com grosseria demais, o rei simplesmente jogava a espada e o escudo no chão e ia embora.

Aegon só parecia ter uma companhia de quem gostava. Gaemon Cabelo-Claro, seu escanção e provador de alimentos de seis anos, não só compartilhava de todas as refeições do rei, mas muitas vezes o acompanhava até o pátio, como sor Gareth não pôde deixar de notar. Como bastardo nascido de uma prostituta, Gaemon não contava para muita coisa na corte, e quando sor Gareth pediu a lorde Peake para tornar o garoto o bode expiatório do rei, a Mão ficou satisfeita em concordar. Depois disso, qualquer comportamento ruim, preguiça ou truculência da parte do rei Aegon resultava em punição para o amigo dele. O sangue e as lágrimas de Gaemon atingiram o rei como nenhuma das palavras de Gareth Long tinha conseguido, e a melhoria de Sua Graça foi logo notada por todos os homens que o viam no pátio do castelo, mas a raiva do rei pelo professor só aumentou.

Tyland Lannister, cego e aleijado, sempre tratou o rei com deferência e falava com ele com delicadeza, procurando orientar e não dar ordens. Unwin Peake era uma Mão mais severa; era brusco e rigoroso e demonstrava pouca paciência com o jovem monarca, tratando-o "mais como um garoto emburrado do que como um rei", nas palavras de Cogumelo, e sem fazer esforços para envolver Sua Graça no governo diário do reino. Quando Aegon III se recolheu novamente no silêncio, solidão e passividade pensativa, sua Mão ficou satisfeita em ignorá-lo, exceto em certas ocasiões formais, quando a presença dele era exigida.

De forma certa ou errada, sor Tyland Lannister era visto como tendo sido uma Mão fraca e ineficiente, mas de algum modo também sinistra, cheia de tramoias e até monstruosa. Lorde Unwin Peake chegou à posição determinado a demonstrar sua força e retidão.

— Esta Mão não é cega, nem usa véu nem é aleijada — anunciou ele perante o rei e a corte. — Esta Mão ainda pode brandir uma espada. — Ao dizer isso, ele puxou a espada longa da bainha e a ergueu alto, para que todos pudessem ver. Sussurros se espalharam pelo salão. Não era uma lâmina comum que sua senhoria portava, mas uma forjada em aço valiriano: Fazedora de Órfãos, vista pela última vez nas mãos de Ousado Jon Roxton quando ele atacou os homens de Hugh Martelo em um pátio de Tumbleton.

O Dia de Festa do Nosso Pai no Céu é um dia muito propício para fazer julgamentos, ensinam os septões. Em 133 DC, a nova Mão decretou que seria um dia em que os que foram julgados previamente seriam enfim punidos por seus crimes. As prisões da cidade estavam lotadas, quase explodindo, e até as masmorras profundas embaixo da Fortaleza Vermelha estavam quase cheias. Lorde Unwin as esvaziou. Os prisioneiros foram escoltados ou arrastados até a praça na frente dos portões da Fortaleza Vermelha, onde milhares de portorrealenses se reuniram para vê-los receberem sua punição. Com o sério jovem rei e sua Mão severa olhando das ameias, o magistrado do rei começou a trabalhar. Como havia trabalho demais para uma espada fazer sozinha, Tessario, o Polegar e seus Dedos receberam a tarefa de ajudar.

"Tudo teria sido mais rápido se a Mão tivesse mandado chamar os açougueiros da Rua das Moscas", observa Cogumelo, "pois foi trabalho de açougueiro que eles fizeram, cortando e partindo." Quarenta ladrões tiveram as mãos removidas. Oito estupradores foram capados e marcharam nus até a beira do rio com a genitália pendurada no pescoço, para serem botados em navios a caminho da Muralha. Um suspeito de ser Pobre Irmão que pregava que os Sete tinham enviado a Febre do Inverno para punir a Casa Targaryen por incesto perdeu a língua. Duas prostituas sifilíticas foram mutiladas de formas indescritíveis por passarem sífilis para dezenas de homens. Seis servos declarados culpados de roubarem seus senhores perderam o nariz; um sétimo, que abriu um buraco na parede para espiar as filhas de seu senhor nuas, também teve o olho utilizado para espiar arrancado.

Em seguida, vieram os assassinos. Sete foram levados à praça, um sendo um estalajadeiro que tinha matado certos hóspedes (de quem ele achava que ninguém sentiria falta) e roubado seus bens desde a época do Velho Rei. Apesar de os outros assassinos terem sido enforcados imediatamente, as mãos dele foram cortadas e queimadas em sua frente antes de ele ser pendurado em uma forca e estripado enquanto sufocava.

Por fim, vieram os três prisioneiros mais proeminentes, os que a turba esperava com mais ansiedade: outro "Pastor Renascido", o capitão de um navio mercante pentoshi que foi acusado e declarado culpado de levar a Febre do Inverno de Vilirmãs para Porto Real, e o antigo grande meistre, Orwyle, condenado como traidor e desertor da Patrulha da Noite. O magistrado do rei, sor Victor Risley, cuidou de cada um pessoalmente. Ele cortou as cabeças do pentoshi e do falso pastor com seu machado de carrasco, mas o grande meistre Orwyle ganhou a honra de morrer pela espada, por causa da idade, por ser bem-nascido e por seu longo tempo de serviço.

"Quando a Festa do Nosso Pai terminou e a multidão na frente dos portões se dispersou, a Mão do Rei estava bem satisfeita", escreveu o septão Eustace, que partiria para o Septo de Pedra no dia seguinte. "Gostaria eu de poder escrever que a plebe voltou para suas casas e casebres para jejuar e orar e implorar perdão pelos próprios pecados, mas isso estaria longe da verdade. Eufóricos com o sangue, eles procuraram os antros de pecado, e as cervejarias, tabernas e bordéis da cidade ficaram lotados, pois tamanha é a perversidade dos homens." Cogumelo diz a mesma coisa, mas de seu jeito próprio. "Sempre que vejo um condenado ser executado, gosto de ter um garrafão e uma mulher depois, para lembrar a mim mesmo que ainda estou vivo."

O rei Aegon III ficou no alto das ameias do portão durante toda a Festa do Nosso Pai no Céu e não falou nada nem afastou o olhar da sangria abaixo. "O rei parecia feito de cera", observou o septão Eustace. O grande meistre Munkun diz o mesmo. "Sua Graça estava presente, como era seu dever, mas de alguma forma também parecia distante. Alguns dos condenados se viraram para as ameias para gritar pedidos de misericórdia, mas o rei não pareceu os ver, nem ouvir suas palavras de desespero. Não se enganem. Essa festa foi servida a nós pela Mão, e foi ele que se empanturrou com ela."

No meio do ano, o castelo, a cidade e o rei estavam todos sob domínio firme da Mão. Os plebeus estavam quietos, a Febre do Inverno havia passado, a rainha Jaehaera estava recolhida aos seus aposentos, o rei Aegon treinava no pátio de manhã e olhava as estrelas à noite. Mas, fora das muralhas de Porto Real, as desgraças que tinham afetado o reino nos dois anos anteriores só haviam piorado. O comércio minguara até não restar quase nada, a guerra continuava no Oeste, a fome e a febre tomavam conta de boa parte do Norte, e ao sul os dorneses estavam ficando mais ousados e mais problemáticos. Já estava mais do que na hora de o Trono de Ferro mostrar seu poder, decidiu lorde Peake.

A construção de oito dos dez grandes navios de guerra encomendados por sor Tyland tinha sido completada, então a Mão resolveu começar abrindo o mar estreito ao comércio novamente. Para comandar a frota real, ele designou outro tio, sor Gedmund Peake, um guerreiro experiente conhecido como Gedmund Grande Machado por causa de sua arma de preferência. Embora seu renome pela habilidade como guerreiro fosse justo, sor Gedmund tinha pouco conhecimento e experiência com navios, então sua senhoria também convocou o notório marinheiro mercenário Ned Bean (chamado Bean Negro por causa da barba negra densa) para servir como imediato do Grande Machado e aconselhá-lo nos assuntos náuticos.

A situação nos Degraus quando sor Gedmund e Bean Negro zarparam estava no mínimo caótica. Os navios de Racallio Ryndoon tinham sido quase todos destruídos no mar, mas ele ainda governava Pedrassangrenta, a maior das ilhas, e algumas menores. Os tyroshis estavam a ponto de superá-lo quando Lys e Myr fizeram as pazes e lançaram um ataque conjunto contra Tyrosh, forçando o Arconte a chamar de volta seus navios e espadas. A aliança de três cabeças de Braavos, Pentos e Lorath havia perdido uma das cabeças com a retirada dos lorathianos, mas os mercenários pentoshis agora comandavam todas as ilhas dos Degraus que não estavam nas mãos dos homens de Racallio, e os navios de guerra braavosis dominavam as águas entre elas.

Westeros não tinha chance de vencer em uma guerra marítima contra Braavos, lorde Unwin sabia. Ele declarou que seu propósito era dar fim no patife Racallio Ryndoon e em seu reino pirata e estabelecer presença em Pedrassangrenta, para garantir que o mar estreito nunca mais pudesse ser fechado. A frota real — composta de oito navios de guerra novos e umas vinte cocas e galés antigas — não era grande suficiente para conseguir isso, então a Mão escreveu para Derivamarca e instruiu o Senhor das Marés a "pegar as frotas do senhor seu avô e botá-las sob o comando do nosso bom tio Gedmund, para que ele possa abrir as rotas marítimas novamente".

Era isso que Alyn Velaryon havia muito desejava, assim como o Serpente Marinha antes dele, mas quando leu a mensagem, o jovem senhor se irritou e declarou:

— As frotas são minhas agora, e o macaco de Baela tem mais capacidade de comandá-las do que o tio Gedmund.

Mesmo assim, ele fez o que foi pedido e reuniu sessenta galés de guerra, trinta dracares e mais de cem cocas e barcos de pesca para encontrar a frota real quando partiu de Porto Real. Quando a grande frota de guerra passou pela Goela, sor Gedmund enviou Bean Negro até o navio almirante de lorde Alyn, o *Rainha Rhaenys*, com uma carta autorizando-o a assumir o comando dos esquadrões Velaryon "para que possam se beneficiar de seus muitos anos de experiência". Lorde Alyn respondeu. "Eu preferia tê-lo enforcado", ele escreveu para sor Gedmund, "mas detesto desperdiçar uma boa corda de cânhamo assim."

No inverno, ventos fortes do norte costumam soprar no mar estreito, então a frota fez um tempo esplêndido na viagem para o sul. De Tarth, mais doze dracares remaram para aumentar seus números, comandados por lorde Bryndemere, o Estrela da Tarde. Mas as notícias que sua senhoria levou não eram tão boas. O Senhor do Mar de Braavos, o Arconte de Tyrosh e Racallio Ryndoon haviam feito um acordo: eles governariam os Degraus em conjunto, e só os navios licenciados para comércio por Braavos ou Tyrosh teriam permissão de passar.

— E Pentos? — lorde Alyn quis saber.

— Descartada — informou o Estrela da Tarde. — Uma torta dividida em três oferece fatias maiores do que uma dividida em quatro.

Gedmund Grande Machado (que enjoou tanto durante a viagem que os marinheiros o apelidaram de Gedmund Verde) decidiu que a Mão do Rei devia ser informada sobre esse novo alinhamento entre as cidades em guerra. O Estrela da Tarde já tinha enviado um corvo para Porto Real, então Peake decretou que a frota ficaria em Tarth até uma resposta chegar.

— Isso vai nos fazer perder qualquer esperança de pegar Racallio de surpresa — argumentou Alyn Velaryon, mas sor Gedmund foi inflexível. Os dois comandantes se separaram com irritação.

No dia seguinte, quando o sol nasceu, Bean Negro acordou sor Gedmund para informá-lo de que o Senhor das Marés havia sumido. Toda a frota Velaryon tinha zarpado durante a noite. Gedmund Grande Machado deu uma risada debochada.

— Voltou correndo para Derivamarca, eu diria — disse ele.

Ned Bean concordou e chamou lorde Alyn de "menino assustado".

Eles não podiam estar mais enganados. Lorde Alyn tinha levado os navios para o sul, não para o norte. Três dias depois, enquanto Gedmund Grande Machado e sua frota real ainda esperavam a chegada de um corvo na costa de Tarth, uma batalha aconteceu em meio às rochas, falésias e hidrovias emaranhadas dos Degraus. O ataque pegou os braavosis de surpresa, com seu grande almirante e duas vintenas de seus capitães farreando em Pedrassangrenta com Racallio Ryndoon e os enviados de Tyrosh. Metade dos navios braavosis foram tomados, queimados ou afundados enquanto ainda ancorados ou amarrados em docas, outros quando ergueram as velas e tentaram entrar em movimento.

A luta não foi totalmente sem sangue. O *Grande Desafio*, um dromon braavosi enorme de quatrocentos remos, lutou para passar por seis dos navios de guerra menores de Velaryon a fim de chegar a mar aberto, para ser em seguida atacado pelo próprio lorde Alyn. Tarde demais, os braavosis tentaram recuar e se virar para enfrentar o atacante, mas o dromon enorme era pesado na água e lento nas reações, e o *Rainha Rhaenys* o atacou de lado com todos os remos o impulsionando na água.

A proa do *Rainha* acertou a lateral do grande navio braavosi "como um grande punho de carvalho", escreveu um observador mais tarde, quebrando seus remos, destruindo a prancha e o casco, derrubando os mastros, partindo o dromon enorme quase em dois. Quando lorde Alyn gritou para seus remadores recuarem, o mar entrou pelo buraco enorme que o *Rainha* tinha feito, e o *Grande Desafio* afundou em poucos instantes, "e, com ele, o orgulho ferido do Senhor do Mar".

A vitória de Alyn Velaryon foi completa. Ele perdeu três navios nos Degraus (um, infelizmente, foi o *Coração Verdadeiro*, capitaneado por seu primo Daeron, que morreu quando o navio naufragou), mas afundou mais de trinta e capturou seis galés, onze cocas, noventa e sete reféns, enormes quantidades de comida, bebida, armas e moedas, e um elefante que iria para o zoológico do Senhor do Mar. Tudo isso o Senhor das Marés levou para Westeros, junto com o nome que carregaria pelo resto da longa vida: Punho de Carvalho. Quando lorde Alyn navegou com o *Rainha Rhaenys* pela Torrente da Água Negra e entrou pelo Portão do Rio nas costas do elefante do Senhor do Mar, dezenas de milhares ocuparam as ruas da cidade gritando o nome dele e clamando para ver seu novo herói. Nos portões da Fortaleza Vermelha, o rei Aegon III em pessoa apareceu para lhe dar as boas-vindas.

Mas dentro das muralhas a história foi outra. Quando Alyn Punho de Carvalho chegou à sala do trono, o jovem rei tinha sumido. No lugar dele, lorde Unwin Peake olhou de cara feia de cima do Trono de Ferro e disse:

— Seu idiota, triplamente idiota. Se eu ousasse, mandaria arrancar sua maldita cabeça.

A Mão tinha bom motivo para estar com tanta raiva. Por mais barulho que a multidão pudesse fazer para saudar Punho de Carvalho, o ataque precipitado do ousado jovem herói deixou o reino em posição insustentável. Lorde Velaryon podia ter capturado vários braavosis e um elefante, mas não tinha tomado Pedrassangrenta e nenhum dos outros Degraus; os cavaleiros e homens de armas que uma conquista dessas exigiria estavam a bordo dos navios maiores da frota real que ele abandonara na costa de Tarth. A destruição do reino pirata de Racallio Ryndoon era o objetivo de lorde Peake; mas Racallio parecia ter saído mais forte do que nunca. A última coisa que a Mão desejava era guerra com Braavos, a mais rica e poderosa das Nove Cidades Livres.

— Mas foi isso que você nos deu, meu senhor — trovejou Peake. — Você nos deu uma guerra.

— E um elefante — respondeu lorde Alyn com insolência. — Faça o favor de não esquecer o elefante, meu senhor.

O comentário gerou risadinhas nervosas até entre os homens escolhidos pessoalmente por lorde Peake, conta Cogumelo, mas a Mão não achou graça. "Ele não era um homem que gostasse de rir", diz o anão, "e gostava menos ainda que rissem dele."

Embora outros homens pudessem temer provocar a inimizade de lorde Unwin, Alyn Punho de Carvalho sentia-se seguro com sua força. Apesar de ainda mal ser um homem crescido, além de bastardo, ele era casado com a meia-irmã do rei, tinha todo o poder e a riqueza da Casa Velaryon sob seu comando e havia acabado de se tornar o queridinho dos plebeus. Sendo lorde regente ou não, Unwin Peake não ficou com tanta raiva a ponto de achar que poderia fazer mal ao herói dos Degraus e sair ileso.

"Todos os jovens desconfiam que são imortais", escreve o grande meistre Munkun na *História verdadeira*, "e sempre que um jovem guerreiro sente o gosto do inebriante vinho da vitória, a desconfiança vira certeza. Mas a confiança da juventude não conta muito contra a astúcia da idade. Lorde Alyn podia sorrir com as reprimendas da Mão, mas logo teria um bom motivo para temer as reações dela."

Munkun sabia o que escrevia. Sete dias depois do retorno triunfante de lorde Alyn a Porto Real, ele foi homenageado em uma cerimônia luxuosa na Fortaleza Vermelha, com o rei Aegon III sentado no Trono de Ferro e metade da cidade olhando. Sor Marston Waters, senhor comandante da Guarda Real, o fez cavaleiro. Unwin Peake, senhor regente e Mão do Rei, colocou uma corrente dourada de almirante no pescoço dele e lhe ofereceu uma réplica de prata do *Rainha Rhaenys* como agradecimento pela vitória. O próprio rei perguntou se sua senhoria aceitaria servi-lo no pequeno conselho, como mestre dos navios. Lorde Alyn aceitou humildemente.

"E então, os dedos da Mão se fecharam no pescoço dele", diz Cogumelo. "A voz foi de Aegon, mas as palavras eram de Unwin." Seus súditos leais no Oeste eram perturbados havia muito tempo por invasores das Ilhas de Ferro, declarou o jovem rei, e quem era melhor para dar paz ao Mar do Poente do que seu novo almirante? E Alyn Punho de Carvalho, aquele jovem orgulhoso e cabeça dura, viu que não tinha escolha além de navegar com a frota pela extremidade sul de Westeros para conquistar de volta Ilha Bela e acabar com a ameaça de lorde Dalton Greyjoy e seus homens de ferro.

A armadilha foi preparada. A viagem era perigosa e tinha boa chance de cobrar um preço alto das frotas Velaryon. Os Degraus estavam lotados de inimigos que não seriam pegos desprevenidos uma segunda vez. Depois deles, ficavam as costas áridas de Dorne, onde lorde Alyn provavelmente não encontraria porto seguro. E, se chegasse ao Mar do Poente, encontraria o Lula-Gigante Vermelha esperando seus dracares. Se os homens de ferro vencessem, o poder da Casa Velaryon estaria destruído de vez, e lorde Peake jamais precisaria aguentar outra vez a insolência do garoto chamado Punho de Carvalho. Se lorde Alyn triunfasse, Ilha Bela seria devolvida a seus verdadeiros senhores, as terras ocidentais estariam livres de invasores, e os senhores dos Sete Reinos aprenderiam o preço de desafiar o rei Aegon III e sua nova Mão.

O Senhor das Marés deu seu elefante de presente para o rei Aegon III quando foi embora de Porto Real. Ao voltar para Casco para reunir sua frota e pegar provisões para a longa viagem, ele deu adeus à esposa, a senhora Baela, que se despediu com um beijo e a notícia de que estava grávida.

— Chame-o de Corlys, em homenagem ao meu avô — disse lorde Alyn. — Um dia, ele pode se sentar no Trono de Ferro.

Baela riu disso.

— Vou batizá-la de Laena, em homenagem à minha mãe. Um dia, ela pode montar um dragão.

Lorde Corlys Velaryon tinha feito nove viagens famosas no *Serpente Marinha*, como podemos lembrar. Lorde Alyn Punho de Carvalho faria seis, em seis navios diferentes. "Minhas damas", ele os chamaria. Em sua viagem em torno de Dorne até Lannisporto, ele comandou uma galé de guerra braavosi com duzentos remos, capturada nos Degraus e rebatizada de *Senhora Baela* em homenagem à sua jovem esposa.

Alguns podem achar estranho lorde Peake enviar a maior frota dos Sete Reinos nessa missão com a ameaça de uma guerra com Braavos pairando no ar. Sor Gedmund Peake e a frota real tinham sido chamados de volta de Tarth para a Goela, para proteger a entrada da Baía da Água Negra se os braavosis procurassem retaliar Porto Real, mas outros portos e cidades por todo o mar estreito ficaram vulneráveis, então a Mão do Rei enviou o companheiro regente lorde Manfryd Mooton a Braavos para negociar com o Senhor do Mar e devolver o elefante. Seis outros senhores nobres o acompanharam, junto com três vintenas de cavaleiros, guardas, servos, escribas e septões, seis cantores... e Cogumelo, que supostamente se escondeu em um barril de vinho para fugir da melancolia da Fortaleza Vermelha e "encontrar um lugar onde os homens lembravam como se ria".

Naquela época, assim como agora, os braavosis eram um povo pragmático, pois a cidade deles é formada de escravos fugidos onde mil deuses falsos são honrados, mas só o ouro é verdadeiramente adorado. Lucro é mais importante do que orgulho, nas cem ilhas. Depois de chegar, lorde Mooton e seus companheiros ficaram maravilhados com o Titã e foram levados ao famoso Arsenal para testemunhar a construção de um navio de guerra, completado em um único dia.

— Nós já substituímos todos os navios que seu menino almirante roubou ou afundou — gabou-se o Senhor do Mar para lorde Mooton.

Mas depois de demonstrar o poder de Braavos, ele estava mais do que disposto a ser acalmado. Enquanto negociava com lorde Mooton os termos de paz, os lordes Follard e Cressey distribuíam subornos generosos entre os guardiões das chaves, magísteres, sacerdotes e príncipes mercadores da cidade. No final, em troca de uma indenização de tamanho bem razoável, Braavos perdoou a "transgressão não autorizada" de lorde Velaryon, aceitou dissolver a aliança com Tyrosh e romper todos os laços com Racallio Ryndoon e cedeu os Degraus para o Trono de Ferro (como as ilhas estavam sob o controle de Ryndoon e dos pentoshis na ocasião, o Senhor do Mar na verdade vendeu uma coisa que não era dele, mas isso não era incomum em Braavos).

A missão também foi importante de outras formas. Lorde Follard se enamorou de uma cortesã braavosi e decidiu ficar perto dela em vez de voltar para Westeros, sor Herman Rollingford foi morto em um duelo com um sicário que se ofendeu com a cor de seu gibão, e sor Denys Harte supostamente contratou os serviços de um misterioso

Homem Sem Rosto para matar um rival em Porto Real, declara Cogumelo. O próprio bobo divertiu tanto o Senhor do Mar que recebeu uma proposta vultosa para ficar em Braavos. "Confesso que fiquei tentado. Em Westeros, meu talento era desperdiçado com cabriolas para um rei que não sorri nunca, mas em Braavos eles me amariam... demais, infelizmente. Todas as cortesãs me desejariam, e mais cedo ou mais tarde algum sicário se ressentiria do tamanho do meu membro e me perfuraria com seu espetinho pontudo de furar anões. Assim, Cogumelo voltou correndo para a Fortaleza Vermelha, mais bobo ainda."

Foi assim que lorde Mooton voltou para Porto Real com a paz nas mãos, mas a um custo alto. A indenização enorme exigida pelo Senhor do Mar exauriu tanto o tesouro real que lorde Peake logo achou necessário pegar um empréstimo do Banco de Ferro de Braavos para que a Coroa pudesse pagar suas dívidas, e isso, por sua vez, exigiu que ele restabelecesse alguns dos impostos de lorde Celtigar que sor Tyland Lannister tinha abolido, o que irritou os senhores e mercadores e enfraqueceu seu apoio entre os plebeus.

A segunda metade do ano também foi calamitosa, de outras formas. A corte se regozijou quando a senhora Rhaena anunciou que estava esperando um filho de lorde Corbray, mas a alegria virou tristeza uma lua depois, quando ela sofreu um aborto. Havia relatos de fome generalizada no Norte, e a Febre do Inverno chegou a Vila Acidentada, a primeira vez que foi tão para o interior do continente. Um invasor chamado Sylas, o Terrível, liderou três mil selvagens contra a Muralha, eles venceram os irmãos negros no Portão da Rainha e se espalharam pela Dádiva até lorde Cregan Stark partir de Winterfell e receber o apoio dos Glover de Bosque Profundo, dos Flint e Norrey das colinas e de cem patrulheiros da Patrulha da Noite para caçá-los e pôr um fim neles. Mil léguas ao sul, sor Steffon Connington também estava caçando, perseguindo um pequeno grupo de invasores dorneses pelas marcas açoitadas pelo vento. Mas ele foi longe demais e rápido demais, ignorando o que havia à frente até que Wyland Wyl, que só possuía um braço, foi para cima dele, e a senhora Elenda ficou viúva de novo.

No Oeste, a senhora Johanna Lannister esperava dar continuidade à sua vitória em Kayce com outro golpe contra o Lula-Gigante Vermelha. Depois de reunir uma frota improvisada de barcos pesqueiros e cocas abaixo das muralhas de Fogofestivo, ela embarcou cem cavaleiros e três mil homens de armas e os enviou para o mar sob a cobertura da noite para retomar Ilha Bela dos homens de ferro. O plano era que eles desembarcassem despercebidos no sul da ilha, mas alguém os traiu, e os dracares estavam esperando. Lorde Prester, lorde Tarbeck e sor Erwin Lannister comandaram a travessia infeliz. Dalton Greyjoy enviou a cabeça deles para Rochedo Casterly depois e chamou de "pagamento pelo meu tio, embora na verdade ele fosse um glutão e um bêbado e as ilhas estejam melhores sem ele".

Mas isso tudo não foi nada em comparação à tragédia que se abateu sobre a corte e o rei. No vigésimo segundo dia da nona lua de 133 DC, Jaehaera da Casa Targaryen,

Rainha dos Sete Reinos e a última filha sobrevivente do rei Aegon II, faleceu aos dez anos. A pequena rainha morreu da mesma forma que a mãe, depois de se jogar por uma janela na Fortaleza de Maegor nas estacas de ferro que ocupavam o fosso seco abaixo. Empalada no seio e na barriga, ela se contorceu de dor por meia hora antes de poder ser solta, quando partiu desta vida na mesma hora.

Porto Real ficou de luto como só Porto Real podia ficar. Jaehaera era uma criança assustada, e desde o dia em que pôs a coroa, ela se escondeu na Fortaleza Vermelha, mas o povo da cidade se lembrava do casamento e de como a garotinha pareceu corajosa e linda, e assim eles choraram e se lamentaram e rasgaram as vestes e encheram os septos e tavernas e bordéis, para procurar o consolo que pudessem. Lá, a fofoca logo começou, assim como quando a rainha Helaena morreu da mesma forma. A pequena rainha tinha mesmo tirado a própria vida? Mesmo dentro das muralhas da Fortaleza Vermelha, as especulações correram soltas.

Jaehaera era uma criança solitária, com tendência a chorar e de mentalidade um tanto limitada, mas parecia satisfeita em seus aposentos com suas criadas e damas de companhia, seus gatinhos e bonecas. O que poderia tê-la deixado irritada ou triste a ponto de pular da janela em direção àquelas estacas cruéis? Alguns sugeriram que o aborto da senhora Rhaena talvez a tenha deixado tão consternada que ela já não desejava viver. Outros, com inclinação mais cínica, comentaram que podia ter sido inveja pela criança crescendo dentro da senhora Baela que a fez agir.

— Foi o rei — sussurraram outros. — Ela o amava de todo o coração, mas ele não dava atenção a ela, não demonstrava afeição, nem compartilhava os aposentos com ela.

E claro que muitos se recusaram a acreditar que Jaehaera tinha tirado a própria vida.

— Ela foi assassinada — sussurraram —, assim como sua mãe.

Mas, se fosse verdade, quem era o assassino?

Não faltavam suspeitos. Por tradição, sempre havia um cavaleiro da Guarda Real na porta da rainha. Seria uma coisa simples ele entrar e jogar a criança pela janela. Nesse caso, o próprio rei devia ter dado a ordem. Aegon tinha se cansado da choradeira dela e queria uma esposa nova, os homens diziam. Ou talvez desejasse se vingar da filha do rei que havia matado sua mãe. O garoto era sério e circunspecto, ninguém conhecia sua verdadeira natureza. Histórias de Maegor, o Cruel, rolavam livremente.

Outros culpavam uma das damas de companhia da pequena rainha, a senhorita Cassandra Baratheon. A mais velha das "Quatro Tempestades", senhorita Cassandra foi noiva do rei Aegon II por um breve tempo durante o último ano da vida dele (e possivelmente de seu irmão Aemond Caolho antes disso). A decepção a tinha deixado amargurada, diziam seus detratores; antes herdeira do pai em Ponta Tempestade, ela se viu com pouca importância em Porto Real e se ressentia amargamente de ter que cuidar da rainha criança chorona e frágil que culpava por todas as suas infelicidades.

Uma das criadas de quarto da rainha também virou suspeita, quando foi descoberto que ela havia roubado duas bonecas e um colar de pérolas de Jaehaera. Um menino servo que tinha derramado sopa na pequena rainha no ano anterior e levou uma surra por isso foi acusado. Ambos foram questionados pelo senhor confessor e finalmente declarados inocentes (embora o menino tenha morrido durante o interrogatório e a menina tenha perdido a mão por roubo). Nem os criados sagrados dos Sete estavam acima de suspeita. Certa septã da cidade foi ouvida dizendo que a pequena rainha não devia nunca ter filhos, pois mulheres burras tinham filhos burros. Os mantos dourados também a capturaram, e ela desapareceu em uma masmorra.

A dor enlouquece os homens. Agora, podemos dizer com alguma certeza que nenhuma dessas pessoas tomou parte na morte triste da pequena rainha. Se de fato Jaehaera Targaryen foi assassinada (e não há prova nenhuma disso), sem dúvida foi por ordens do único culpado verdadeiramente plausível: Unwin Peake, senhor regente, Senhor de Piquestrela, Senhor de Dustonbury, Senhor de Matabranca, Protetor do Território e Mão do Rei.

Era sabido que lorde Peake compartilhava das preocupações de seu predecessor com a sucessão. Aegon III não tinha filhos, nem irmãos vivos (até onde se sabia), e qualquer homem com olhos podia ver que não havia grande probabilidade de o rei ter herdeiros com a pequena rainha. Se não tivesse, as meias-irmãs do rei continuariam sendo suas parentes mais próximas, mas lorde Peake não permitiria que uma mulher ascendesse ao Trono de Ferro depois de ter lutado e sangrado havia tão pouco tempo para impedir exatamente isso. Se alguma das gêmeas tivesse um filho, claro, o menino iria logo para a primeira posição da sucessão... mas a gravidez da senhora Rhaena terminou em um aborto, e restava apenas a criança crescendo dentro da senhora Baela em Derivamarca. A ideia de que a coroa poderia passar para "a cria de uma libertina e um bastardo" era mais do que lorde Unwin podia aguentar.

Se o rei fosse pai legítimo de um herdeiro, essa calamidade poderia ser evitada... mas antes que isso acontecesse, Jaehaera precisava ser eliminada, para que Aegon pudesse se casar novamente. Lorde Peake não tinha como ter empurrado a menina pela janela, claro, pois estava em outro lugar da cidade quando ela morreu... mas o Guarda Real posicionado na porta da rainha naquela noite era Mervyn Flowers, o irmão bastardo dele.

Ele poderia ter sido peão da Mão? É mais do que possível, sobretudo sob a luz de eventos posteriores, que vamos discutir no devido momento. Filho bastardo, sor Mervyn era visto como um membro obediente, ainda que não especialmente heroico, da Guarda Real; nem campeão nem herói, mas um soldado experiente e uma mão justa com uma espada longa, um homem leal que cumpria as ordens. Mas nem todos os homens são o que parecem, ainda mais em Porto Real. Os que conheciam Flowers melhor viam outros lados dele. Quando não estava a serviço, ele gostava de vinho, diz Cogumelo, que costumava beber com ele. Apesar de ter jurado castidade, ele raramente dormia sozinho, exceto em sua cela na Torre da Espada Branca; e embora fosse um tanto feio, tinha um charme bruto ao qual as lavadeiras e servas reagiam, e quando bêbado até se gabava de ter levado para a cama certas damas bem-nascidas. Como muitos bastardos, ele tinha sangue quente e se enfurecia fácil, e via ofensas onde não houvera intenção de ofender.

Mas nada disso sugeria que Flowers fosse o tipo de monstro que era capaz de tirar uma criança adormecida da cama e jogá-la para uma morte horrível. Até Cogumelo, sempre pronto para pensar o pior de todo mundo, diz isso. Se sor Mervyn fosse matar a rainha, ele teria feito isso com um travesseiro, insiste o bobo... antes de sugerir uma possibilidade bem mais sinistra e mais provável. Flowers jamais empurraria a rainha pela janela, alega o anão, mas poderia ter dado passagem para deixar outra pessoa entrar no quarto, se essa pessoa fosse conhecida dele... alguém, talvez, como Tessario, o Polegar, ou um dos Dedos. E Flowers não sentiria necessidade de perguntar o que queriam com a pequena rainha, não se dissessem que tinham ido por ordem da Mão.

É o que diz o bobo, mas tenhamos certeza de que tudo isso é especulação. A verdadeira história de como Jaehaera Targaryen encontrou seu fim jamais será conhecida. É possível que ela tenha tirado a própria vida em um ataque de desespero infantil. Mas se a causa da morte dela foi mesmo assassinato, por todos esses motivos, o homem por trás de tudo só poderia ter sido lorde Unwin Peake. Sem prova, porém, nada disso teria sido condenatório... se não fosse o que a Mão fez depois.

Sete dias depois que o corpo da pequena rainha foi entregue às chamas, lorde Unwin fez uma visita ao rei de luto, acompanhado do grande meistre Munkun, do septão Bernard e de Marston Waters da Guarda Real. Eles tinham ido informar Sua Graça de que ele devia deixar o preto do luto de lado e se casar de novo "pelo bem do reino". Além disso, a rainha já havia sido escolhida para ele.

Unwin Peake tinha se casado três vezes e tido sete filhos. Só um sobreviveu. Seu primogênito morreu na primeira infância, assim como suas duas filhas com a segunda esposa. Sua filha mais velha viveu o suficiente para se casar, mas morreu no parto aos doze anos. Seu segundo filho foi criado na Árvore, onde serviu lorde Redwyne como pajem e escudeiro, mas aos doze anos se afogou em um acidente de barco. Sor Titus, herdeiro de Piquestrela, foi o único dos filhos de lorde Unwin a crescer até a idade adulta. Depois de ser condecorado cavaleiro por valor na Batalha de Vinhomel por Ousado Jon Roxton, ele morreu apenas seis dias depois em uma briguinha boba com um grupo de homens falidos em quem esbarrou quando estava reconhecendo território. A última filha sobrevivente da Mão era uma menina, Myrielle.

Myrielle Peake seria a nova rainha de Aegon III. Ela era a escolha ideal, declarou a Mão: tinha a mesma idade do rei, era "uma linda garota, gentil", nascida em uma das casas mais nobres do reino, instruída por septãs a ler, escrever e fazer contas. A senhora sua mãe foi fértil, então não havia motivo para achar que Myrielle não daria a Sua Graça filhos fortes.

— E se eu não gostar dela? — perguntou o rei Aegon.

— Você não precisa gostar dela — respondeu lorde Peake —, só precisa se casar com ela, ir para a cama com ela e ter um filho com ela. — E supostamente acrescentou: — Sua Graça não gosta de nabo, mas quando seu cozinheiro prepara, o senhor come, não come?

O rei Aegon assentiu com pesar... mas a notícia se espalhou, como costuma acontecer, e a senhorita Myrielle logo passou a ser conhecida como senhorita Nabo nos Sete Reinos.

Ela nunca seria a rainha Nabo.

Unwin Peake almejou alto demais. Thaddeus Rowan e Manfryd Mooton ficaram ultrajados de ele ter achado que não precisava consultá-los; o lugar de questões dessa importância era no conselho de regentes. A senhora Arryn enviou um bilhete irritado do Vale. Kermit Tully declarou o noivado "presunçoso". Ben Blackwood questionou a pressa; Aegon devia ter pelo menos meio ano de luto pela pequena rainha. Uma missiva breve chegou de Cregan Stark de Winterfell, sugerindo que o Norte poderia olhar com reprovação uma união dessas. Até o grande meistre Munkun começou a hesitar.

— A senhorita Myrielle é uma garota encantadora, e não tenho dúvida de que seria uma rainha esplêndida — disse ele para a Mão —, mas temos que nos preocupar com as aparências, meu senhor. Nós que temos a honra de servir com sua senhoria sabemos que o senhor ama Sua Graça como se fosse seu próprio filho e que faz tudo que faz por ele e pelo reino, mas outros podem dar a entender que o senhor escolheu sua filha por motivos mais ignóbeis... por poder ou para a glória da Casa Peake.

Cogumelo, nosso sábio bobo, observa que há certas portas que não devem ser abertas, pois "nunca sabemos o que pode passar por elas". Peake tinha aberto uma porta de rainha para a filha, mas outros senhores também tinham filhas (assim como irmãs, sobrinhas, primas e até uma mãe viúva ou tia solteira), e antes que a porta pudesse ser fechada, todos passaram empurrando, insistindo que seu próprio sangue ofereceria um consorte real melhor do que a senhorita Nabo.

Relatar todos os nomes citados ocuparia mais páginas do que temos, mas alguns valem ser mencionados. Em Rochedo Casterly, a senhora Johanna Lannister deixou de lado sua guerra com os homens de ferro por tempo suficiente de escrever para a Mão e observar que suas filhas Cerelle e Tyshara eram donzelas de berço nobre e em idade de se casar. A Senhora de Ponta Tempestade, Elenda Baratheon, duas vezes viúva, indicou as próprias filhas, Cassandra e Ellyn. Cassandra já tinha sido noiva de Aegon II e "estava bem preparada para servir como rainha", escreveu ela. De Porto Branco veio um corvo escrito por lorde Torrhen, falando de pactos antigos de casamento entre dragões e tritões "rompidos por um azar cruel" e sugerindo que o rei Aegon poderia consertar as coisas tomando uma Manderly como noiva. Sharis Footly, viúva de Tumbleton, teve a ousadia de se indicar.

Talvez a carta mais ousada tenha vindo da irrepreensível senhora Samantha de Vilavelha, que declarou que sua irmã Sansara (da Casa Tarly) era "vivaz e forte, e já leu mais livros do que metade dos meistres da Cidadela", enquanto sua cunhada Bethany (da Casa Hightower) era "muito bonita, com pele macia e lisa e cabelo lustroso e modos muito doces", embora também "preguiçosa e meio burra, para falar a verdade, embora alguns homens pareçam gostar disso em uma esposa". Ela concluiu sugerindo que talvez o rei Aegon devesse se casar com as duas, "uma para reinar ao lado dele, como a rainha Alysanne com o rei Jaehaerys, e outra para ir para a cama e reproduzir". E no caso de as duas "deixarem a desejar, por qualquer motivo obscuro", a senhora Sam acrescentou os nomes de trinta e uma outras donzelas casadoiras das casas Hightower, Redwyne, Tarly, Ambrose, Florent, Cobb, Costayne, Beesbury, Varner e Grimm, que poderiam ser adequadas como rainhas. (Cogumelo acrescenta que sua senhoria terminou com um adendo ousado que dizia: "também conheço alguns meninos bonitos, se Sua Graça tiver essa inclinação, mas temo que não poderiam lhe dar herdeiros", mas nenhuma das outras crônicas menciona essa afronta, e a carta de sua senhoria se perdeu.)

Diante de tanto tumulto, lorde Unwin foi obrigado a reconsiderar. Apesar de continuar determinado a casar sua filha Myrielle com o rei, ele tinha que fazer isso de um modo que não provocasse os senhores, de cujo apoio precisava. Cedendo ao inevitável, ele subiu no Trono de Ferro e disse:

— Pelo bem do povo, Sua Graça precisa de uma nova esposa, embora nenhuma mulher possa substituir nossa amada Jaehaera no coração dele. A garota com quem o rei Aegon se casar será a Alysanne para o Jaehaerys dele, a Jonquil do Florian dele. Ela vai dormir ao lado dele, parir seus filhos, compartilhar seus trabalhos, refrescar sua testa quando ele estiver doente, envelhecer com ele. É adequado, então, que permitamos que o rei faça essa escolha. No Dia da Donzela faremos um baile do tipo que Porto Real não vê desde a época do rei Viserys. Que as donzelas venham de todos os cantos dos Sete Reinos e se apresentem perante o rei, para Sua Graça escolher a mais adequada para compartilhar de sua vida e seu amor.

Assim, a notícia se espalhou, e uma grande empolgação tomou conta da corte e da cidade, e se propagou pelo reino. Das Marcas de Dorne até a Muralha, pais amorosos e mães orgulhosas olhavam para suas filhas em idade de se casar e se perguntavam se seriam elas, e todas as donzelas bem-nascidas de Westeros começaram a se arrumar e costurar e enrolar o cabelo, pensando: "Por que não eu? Talvez me torne rainha".

Mas mesmo antes de lorde Unwin ter se sentado no Trono de Ferro, ele tinha enviado um corvo para Piquestrela convocando a filha para a cidade. Embora ainda faltassem três luas para o Dia da Donzela, sua senhoria queria Myrielle na corte, com esperanças de que ela fizesse amizade e encantasse o rei, e assim fosse escolhida na noite do baile.

Essa parte é sabida; o que vem agora é boato. Pois era dito que enquanto esperava a chegada da filha, Unwin Peake também pôs em ação vários planos secretos elaborados para minar, difamar, distrair e macular as donzelas que ele julgava as rivais mais prováveis da filha. A sugestão de que Cassandra Baratheon tinha empurrado a rainha pela janela foi ouvida de novo, e os delitos de algumas outras jovens donzelas, reais ou imaginários, se tornaram fofoca na corte. O gosto de Ysabel Staunton por vinho foi divulgado, a história do defloramento de Elinor Massey foi contada e recontada, Rosamund Darry foi acusada de esconder seis mamilos embaixo do corpete (supostamente porque a mãe dela havia se deitado com um cachorro), Lyra Hayford foi acusada de ter sufocado um irmão bebê em um ataque de ciúme, e foi dito que as "três Jeynes" (Jeyne Smallwood, Jeyne Mooton e Jeyne Merryweather) gostavam de usar trajes de escudeiro e visitar bordéis na Rua da Seda, para beijar e acariciar mulheres como se fossem garotos.

Todas essas calúnias chegaram aos ouvidos do rei, algumas pelos lábios do próprio Cogumelo, pois o bobo confessa ter sido pago "generosamente" para envenenar Aegon III contra essas donzelas e outras. O anão ficava muito na companhia de Sua Graça depois da morte da rainha Jaehaera. Embora suas piadas não afastassem a melancolia do rei, Gaemon Cabelo-Claro as adorava, então Aegon muitas vezes o chamava por causa do menino. Em *O testemunho*, Cogumelo diz que Tessario, o Polegar, lhe deu uma escolha entre "prata ou aço", e "para minha vergonha, eu o mandei embainhar a adaga e pegar aquela bolsa gorda".

E palavras não foram o único meio que lorde Unwin empregou para vencer sua guerra secreta pelo coração do rei, se podemos acreditar em boatos. Um cavalariço foi encontrado na cama com Tyshara Lannister pouco depois que o baile foi anunciado; embora Tyshara alegasse que o rapaz tinha entrado pela janela dela sem ser convidado, o exame do grande meistre Munkun revelou que a donzelice dela havia sido perdida. Lucinda Penrose foi atacada por alguns fora da lei quando estava falcoando na Baía da Água Negra, a meio dia de cavalgada do castelo. Seu falcão foi morto, seu cavalo foi roubado, e um dos homens a segurou enquanto outro abria o nariz dela. A bela Falena Stokeworth, uma menina vivaz de oito anos que às vezes brincava de boneca com a pequena rainha, caiu pela escada sinuosa e quebrou a perna, enquanto a senhora Buckler e as duas filhas se afogaram quando o barco que as transportava pela Água Negra afundou. Alguns homens começaram a falar de uma "maldição do Dia da Donzela", enquanto outros mais sábios nas questões do poder viam mãos invisíveis trabalhando e seguraram a língua.

A Mão e seus homens foram responsáveis por essas tragédias e infelicidades, ou foi tudo acaso? No final, não importaria. Desde o reinado do rei Viserys não havia nenhum tipo de baile em Porto Real, e esse seria um baile como nenhum outro. Em torneios, belas donzelas e senhoritas nobres disputavam a honra de serem indicadas a rainha do amor e da beleza, mas esses reinados só duravam uma noite. A donzela que o rei Aegon escolhesse reinaria em Westeros por toda a vida. As bem-nascidas chegaram a Porto Real de fortalezas e castelos de todas as partes dos Sete Reinos.

Em um esforço para limitar a quantidade, lorde Peake decretou que a competição se limitaria a donzelas de sangue nobre com menos de trinta anos, mas, mesmo assim, mais de mil garotas com idade de se casar compareceram à Fortaleza Vermelha no dia indicado, uma maré grande demais para a Mão controlar. Elas vieram mesmo do outro lado do mar; o príncipe de Pentos enviou uma filha, o Arconte de Tyrosh, uma irmã, e as filhas de casas antigas partiram de Myr e até de Antiga Volantis (embora, infelizmente, nenhuma das garotas volantinas tenha chegado a Porto Real, pois foram levadas por corsários das Ilhas Basilisco quando estavam a caminho).

"Cada donzela era mais adorável do que a outra", diz Cogumelo em *O testemunho*, "cintilando e girando com suas sedas e joias, e formaram uma visão deslumbrante ao entrarem na sala do torno. Seria difícil imaginar alguma coisa mais bonita, a não ser talvez que todas tivessem chegado nuas." (Uma delas praticamente foi. Myrmadora Haen, filha de um magíster de Lys, apareceu com um vestido de seda verde-azulada transparente que combinava com seus olhos, só com um cinto de pedras preciosas por baixo. A aparência dela gerou uma onda de choque pelo pátio, mas a Guarda Real a barrou do salão até ela trocar seu traje por um menos revelador.)

Sem dúvida essas donzelas tinham doces sonhos de dançar com o rei, de encantá-lo com sua inteligência, de trocar olhares tímidos por cima de um cálice de vinho. Mas não haveria dança, nem vinho e nem oportunidade para conversa, inteligente ou não. A reunião não era um baile de verdade no sentido comum. O rei Aegon III ficou sentado no Trono de Ferro, vestido de preto com um aro dourado na cabeça e uma corrente de ouro no pescoço, enquanto as donzelas desfilavam na frente dele uma a uma. Quando o arauto do rei anunciava o nome e a linhagem de cada candidata, a garota fazia uma reverência, o rei assentia e era hora de a garota seguinte ser apresentada. "Quando a décima garota foi apresentada, o rei sem dúvida já tinha esquecido as primeiras cinco", diz Cogumelo. "Os pais delas podiam muito bem tê-las colocado de volta na fila para outra apresentação, e alguns dos mais espertos provavelmente fizeram isso mesmo."

Algumas das donzelas mais corajosas tiveram a ousadia de se dirigir ao rei, em uma tentativa de se tornarem mais memoráveis. Ellyn Baratheon perguntou a Sua Graça se ele gostava do vestido dela (sua irmã mais tarde espalhou que a pergunta foi "Gostou dos meus seios?", mas não há verdade nisso). Alyssa Royce disse que tinha vindo de Pedrarruna para estar com ele naquela noite. Patricia Redwyne foi mais longe e disse que sua comitiva tinha viajado da Árvore e fora forçada três vezes a rechaçar ataques de renegados fora da lei.

— Eu disparei uma flecha em um — declarou ela com orgulho. — No traseiro.

A senhorita Anya Weatherwax, de sete anos, informou a Sua Graça que o nome de seu cavalo era Pés Brilhantes e que ela o amava muito, e perguntou se Sua Graça tinha um bom cavalo. ("Sua Graça tem cem cavalos", respondeu lorde Unwin, impaciente.) Outras arriscaram elogios sobre a cidade, o castelo e as roupas dele. Uma donzela do Norte chamada Barba Bolton, filha de Forte do Pavor, disse:

— Se Vossa Graça me enviar de volta para casa, me mande com comida, pois as neves estão profundas e seu povo está morrendo de fome.

A língua mais ousada pertencia a uma dornesa, Moriah Qorgyle de Arenito, que se ergueu da reverência sorrindo e disse:

— Por que Vossa Graça não desce daí e me beija?

Aegon não respondeu a ela. Não respondeu a nenhuma. Deu um aceno para cada donzela, para reconhecer que as tinha ouvido. Em seguida, sor Marston e a Guarda Real as acompanhavam para longe.

Houve música no salão a noite toda, mas quase não dava para ser ouvida com o movimento de passos, o ruído de conversas e de tempos em tempos o som leve e suave de choro. A sala do trono da Fortaleza Vermelha é um aposento amplo, maior do que qualquer outro salão de Westeros exceto o do Harren Negro, mas com mais de mil donzelas presentes, cada uma com seu grupo de pais, irmãos, guardas e criados, logo ficou cheio demais para as pessoas se moverem, e sufocantemente quente, embora lá fora um vento de inverno soprasse. O arauto encarregado de anunciar o nome e a linhagem de cada donzela perdeu a voz e teve que ser substituído. Quatro das candidatas desmaiaram, além de mais de dez mães, vários pais e um septão. Um senhor corpulento caiu e morreu.

"Exposição de Gado do Dia da Donzela" foi como Cogumelo batizou o baile depois. Até os cantores que cantaram tanto sobre ele antes não tiveram muito a cantar conforme o evento se desdobrou, e o próprio rei pareceu mais e mais inquieto enquanto as horas passavam e o desfile de donzelas continuava. "Tudo isso", diz Cogumelo, "era exatamente o que a Mão queria. Cada vez que Sua Graça fazia cara feia, se mexia no trono ou dava outro aceno cansado, a chance de ele escolher a senhorita Nabo aumentava, pensava lorde Unwin."

Myrielle Peake tinha chegado a Porto Real quase uma lua antes do baile, e o pai dela cuidou para que passasse uma parte de cada dia na companhia do rei. De cabelo e olhos castanhos, com rosto largo e sardento e dentes tortos que a tornavam tímida com sorrisos, "senhorita Nabo" tinha catorze anos, um ano a mais do que Aegon. "Ela não tinha grande beleza", diz Cogumelo, "mas era nova e atraente e agradável, e Sua Graça não pareceu ter aversão a ela." Durante os quinze dias precedendo o Dia da Donzela, diz o anão, lorde Unwin arranjou de Myrielle jantar algumas vezes com o rei. Chamado para servir de diversão durante os jantares longos e constrangedores, Cogumelo nos conta que o rei Aegon falava pouco enquanto eles comiam, mas "parecia mais à vontade com a senhorita Nabo do que ficava com a rainha Jaehaera. O que quer dizer nem um pouco à vontade, mas que ele não parecia achar a presença dela desagradável. Três dias antes do baile, ele deu a ela uma das bonecas da pequena rainha. 'Aqui', disse ele quando enfiou a boneca na mão dela, 'pode ficar com isso.' Não foram exatamente as palavras que jovens damas inocentes sonham em ouvir, talvez, mas Myrielle interpretou o presente como sinal de afeição, e o pai dela ficou muito satisfeito".

A senhorita Myrielle levou a boneca quando fez sua aparição no baile, aninhando-a nos braços como se fosse um bebê. Ela não foi a primeira a ser apresentada (essa honra foi para a filha do príncipe de Pentos), nem a última (Henrietta Woodhull, filha de um cavaleiro de terras das Bossas). Seu pai havia providenciado para que ela aparecesse para o rei no final da primeira hora, longe do começo para ele não ser acusado de lhe dar privilégio de posição, mas não tão longe, para que o rei Aegon ainda estivesse razoavelmente disposto. Quando Sua Graça cumprimentou a senhorita Myrielle pelo nome e disse não só "Que bom que veio, senhorita", mas também "Estou feliz de você ter gostado da boneca", o pai dela sem dúvida se animou, acreditando que todos os seus planos cuidadosos tinham rendido frutos.

Mas tudo seria desfeito em um momento pelas meias-irmãs do rei, as mesmas gêmeas cuja sucessão Unwin Peake estava tão determinado a impedir. Menos de doze donzelas faltavam, e a multidão tinha diminuído consideravelmente, quando um trompete repentino comunicou a chegada de Baela Velaryon e Rhaena Corbray. As portas da sala do trono foram abertas, e as filhas do príncipe Daemon entraram com um sopro de ar de inverno. A senhora Baela estava com a barriga enorme, a senhora Rhaena, pálida e magra do aborto, mas raramente elas tinham estado tão parecidas. As duas usavam vestidos de veludo preto macio com rubis no pescoço e o dragão de três cabeças da Casa Targaryen nos mantos.

Montadas em um par de cavalos de guerra pretos como carvão, as gêmeas cavalgaram pela extensão do salão lado a lado. Quando sor Marston Waters da Guarda Real bloqueou a passagem e exigiu que elas desmontassem, a senhora Baela bateu na bochecha dele com o chicote de montaria.

— Sua Graça, meu irmão, pode me dar ordens. Você, não.

No pé do Trono de Ferro, elas pararam. Lorde Unwin se adiantou e exigiu saber o que aquilo significava. As gêmeas não deram atenção a ele, assim como não dariam a um servo.

— Irmão — disse a senhora Rhaena para Aegon —, se for do seu agrado, trouxemos sua nova rainha.

O senhor seu marido, sor Corwyn Corbray, levou a garota. Um ruído de surpresa se espalhou pelo salão.

— A senhorita Daenaera da Casa Velaryon — anunciou o arauto, com a voz já meio rouca —, filha do falecido e lamentado Daeron da mesma casa e da senhora sua esposa, Hazel da Casa Hart, também falecida, protegida de senhora Baela da Casa Targaryen e de Alyn, o Punho de Carvalho da Casa Velaryon, senhor almirante, Senhor de Derivamarca e Senhor das Marés.

Daenaera Velaryon era órfã. Sua mãe fora levada pela Febre do Inverno; seu pai morrera nos Degraus quando seu *Coração Verdadeiro* afundou. O pai dele fora sor Vaelon, decapitado pela rainha Rhaenyra, mas Daeron tinha se reconciliado com lorde Alyn e morreu lutando por ele. Quando ela parou na frente do rei naquele

Dia da Donzela, vestida de seda branca, renda myriana e pérolas, o cabelo comprido brilhando à luz das tochas e as bochechas coradas de empolgação, Daenaera só tinha seis anos, mas era tão linda que tirava o fôlego. O sangue da Antiga Valíria era forte nela, como costuma se ver nos filhos e filhas do cavalo-marinho; o cabelo era prateado misturado com dourado, os olhos, tão azuis quanto o mar do verão, a pele, macia e pálida como neve de inverno. "Ela cintilava", diz Cogumelo, "e quando sorriu, os cantores se animaram, pois sabiam que finalmente estava presente uma donzela merecedora de uma canção." O sorriso de Daenaera transformava seu rosto, os homens concordaram; era doce e ousado e travesso, tudo ao mesmo tempo. Os que viram não puderam deixar de pensar: "Aqui está uma garotinha inteligente, doce e feliz, o antídoto perfeito para a melancolia do rei".

Quando Aegon III retribuiu o sorriso e disse "Obrigado por ter vindo, você é muito bonita", até lorde Unwin Peake devia ter percebido que o jogo estava perdido. As últimas donzelas foram levadas apressadamente para se apresentarem, mas o desejo do rei de pôr um fim ao desfile era tão palpável que a pobre Henrietta Woodhull estava soluçando quando fez a reverência. Ao ser levada embora, o rei Aegon chamou seu jovem escanção, Gaemon Cabelo-Claro. A ele foi dada a honra de fazer o anúncio.

— Sua Graça vai se casar com a senhorita Daenaera da Casa Velaryon! — gritou Gaemon com alegria.

Capturado em uma armadilha montada por ele mesmo, lorde Unwin Peake não teve escolha além de aceitar a decisão do rei com o máximo de graça que pôde. Mas em uma reunião do conselho no dia seguinte, ele deu vazão à sua ira. Ao escolher como noiva uma menina de seis anos, "esse menino emburrado" tinha frustrado todo o propósito do casamento. Anos se passariam até que a garota tivesse idade para ir para a cama, e mais ainda até poder produzir um herdeiro legítimo. Até que isso acontecesse, a sucessão permaneceria indefinida. O principal dever de uma regência era proteger o rei contra as tolices da juventude, declarou ele, "devaneios como esse". Pelo bem do reino, a escolha do rei devia ser descartada, para que Sua Graça pudesse se casar com "uma donzela adequada com idade de ter filhos".

— Como a sua filha? — perguntou lorde Rowan. — Não.

Seus companheiros regentes não foram mais solidários. Pela primeira vez, o conselho permaneceu inflexível e desafiou os desejos da Mão. O casamento aconteceria. O noivado foi anunciado no dia seguinte, enquanto grupos de donzelas decepcionadas saíam pelos portões da cidade para voltarem para casa.

O rei Aegon III Targaryen se casou com a senhorita Daenaera no último dia do ano 133 desde a Conquista de Aegon. A multidão que ocupava as ruas para saudar o casal real foi bem menor do que a que apareceu para Aegon e Jaehaera, pois a Febre do Inverno levou quase um quinto da população de Porto Real, mas os que enfrentaram

os ventos gelados e sopros de neve do dia ficaram encantados com a nova rainha, maravilhados com os acenos felizes, bochechas coradas e sorrisos tímidos e doces. As senhoras Baela e Rhaena, cavalgando logo atrás da liteira real, também foram saudadas com gritos exuberantes. Só alguns repararam na Mão do Rei mais para trás, com "o rosto sombrio como o da morte".

# Sob os regentes

## A viagem de Alyn Punho de Carvalho

Vamos sair de Porto Real por um tempo e voltar no calendário para falar do senhor marido da senhora Baela, Alyn Punho de Carvalho, em sua viagem épica ao Mar do Poente.

As provações e os triunfos da frota Velaryon ao contornar "o traseiro de Westeros" (como lorde Alyn costumava chamar) poderiam preencher um tomo volumoso sozinhos. Para quem procura detalhes da viagem, o livro *Seis vezes no mar: Um relato das grandes viagens de Alyn Punho de Carvalho*, do meistre Bendamure, continua sendo a fonte mais completa e acurada, embora os relatos vulgares da vida de lorde Alyn, chamados *Duro como carvalho* e *Nascido bastardo* sejam enriquecedores e interessantes do jeito deles, ainda que não confiáveis. O primeiro foi escrito por sor Russell Stillman, que foi escudeiro de sua senhoria quando adolescente e depois foi feito cavaleiro por ele antes de perder uma perna na quinta viagem de Punho de Carvalho; e o segundo, por uma mulher conhecida apenas como Rue, que pode ou não ter sido uma septã, e pode ou não ter se tornado uma das amantes de sua senhoria. Não vamos repetir o trabalho deles aqui, salvo em pinceladas superficiais.

Punho de Carvalho exibiu uma cautela consideravelmente maior na volta aos Degraus do que na visita anterior. Alerta para as alianças em constante mudança e para as traições calculadas das Cidades Livres, ele enviou exploradores à frente disfarçados de barcos pesqueiros e mercadores para descobrir o que o aguardava. Eles relataram que a luta nas ilhas tinha praticamente morrido, com um renascido Racallio Ryndoon dominando Pedrassangrenta e todas as ilhas ao sul, enquanto mercenários pentoshis contratados pelo Arconte de Tyrosh controlavam as rochas ao norte e a leste. Muitos dos canais entre as ilhas eram fechados por barragens ou bloqueados pelos cascos dos navios afundados durante o ataque de lorde Alyn. As hidrovias que estavam abertas eram controladas por Ryndoon e seus homens. Lorde Alyn tinha então uma única escolha; ele precisava abrir caminho lutando com o "rainha Racallio" (como o Arconte o nomeara) ou fazer um acordo com ele.

Pouco foi escrito no idioma comum sobre esse aventureiro estranho e extraordinário, Racallio Ryndoon, mas nas Cidades Livres a vida dele foi objeto de dois estudos eruditos e incontáveis músicas, poemas e romances vulgares. Em sua cidade natal, Tyrosh, seu nome continua sendo um anátema para os homens e mulheres de bom sangue até os dias de hoje, enquanto é reverenciado por ladrões, piratas, prostitutas, bêbados e todos da laia deles.

Sabe-se surpreendentemente pouco sobre a juventude dele, e muito do que acreditamos que sabemos é falso ou contraditório. Ele tinha um metro e noventa e oito de altura, supõe-se, com um ombro mais alto do que o outro, o que lhe dava uma postura torta e um gingado. Falava mais de dez dialetos do valiriano, o que sugeria que era bem-nascido, mas também tinha fama de boca suja, o que sugeria que vinha da sarjeta. Assim como muitos tyroshis, ele gostava de tingir o cabelo e a barba. Roxo era sua cor favorita (indicando a possibilidade de uma ligação com Braavos), e a maioria dos relatos sobre ele mencionam cabelo comprido e cacheado em tons de roxo, muitas vezes com mechas laranja. Ele gostava de aromas doces e se banhava com lavanda ou água de rosas.

Parece bem claro que ele era um homem de enorme ambição e enormes apetites. Era um glutão e um bêbado quando em momentos de lazer, um demônio quando em batalha. Conseguia brandir uma espada com as duas mãos, e às vezes lutava com duas ao mesmo tempo. Honrava os deuses: todos os deuses, em toda parte. Sob ameaça de batalha, ele jogava ossos para escolher qual deus amansar com um sacrifício. Embora Tyrosh fosse uma cidade escravagista, ele odiava a escravidão, o que indica que talvez tivesse vindo dessa situação. Quando rico (ele ganhou e perdeu várias fortunas), ele comprava qualquer escrava que chamasse sua atenção, a beijava e a libertava. Era mão aberta com seus homens e não ficava com uma parte maior da pilhagem do que eles. Em Tyrosh, era famoso por jogar moedas de ouro para mendigos. Se um homem admirava alguma coisa dele, fosse um par de botas, um anel de esmeraldas ou uma esposa, Racallio a dava para ele como presente.

Ele tinha uma dezena de esposas e nunca batia nelas, mas às vezes mandava que elas batessem nele. Amava gatinhos filhotes e odiava gatos. Amava mulheres grávidas, mas odiava crianças. De tempos em tempos, ele se vestia com roupas de mulher e bancava a prostituta, embora sua altura e suas costas tortas e sua barba roxa o tornassem mais grotesco do que feminino aos olhos de todos. Às vezes, ele caía na gargalhada no meio de uma batalha. Às vezes, cantava canções obscenas.

Racallio Ryndoon era louco. Mas seus homens o amavam, lutavam por ele, morriam por ele. E, por alguns curtos anos, fizeram dele rei.

Em 133 DC, nos Degraus, "rainha Racallio" estava no auge de seu poder. Alyn Velaryon talvez pudesse tê-lo derrubado, mas teria lhe custado metade de sua força, ele temia, e precisava de todos os homens para ter esperanças de derrotar o Lula-Gigante Vermelha. Portanto, preferiu conversar em vez de batalhar. Separou o *Senhora Baela* da frota e velejou até Pedrassangrenta com uma bandeira de trégua, para tentar conseguir passagem livre para os navios pelas águas de Ryndoon.

Ele acabou conseguindo, apesar de Racallio o manter por mais de uma quinzena em sua fortaleza ampla de madeira em Pedrassangrenta. Se lorde Alyn era prisioneiro ou hóspede, nunca ficou claro, nem mesmo para sua senhoria, pois seu anfitrião era tão inconstante quanto o mar. Um dia ele celebrava Punho de Carvalho como amigo e irmão de armas, e pedia que se juntasse a ele em um ataque a Tyrosh. No outro, jogava os ossos para ver se devia mandar o hóspede para a morte. Ele insistia para que lorde Alyn lutasse com ele em um poço de lama na parte de trás do forte, enquanto centenas de piratas assistiam aos gritos. Quando decapitou um dos próprios homens acusados de espionar para os tyroshis, Racallio entregou a cabeça a lorde Alyn como prova de seu companheirismo, mas no dia seguinte acusou sua senhoria de ser contratado do Arconte. Para provar sua inocência, lorde Alyn foi obrigado a matar três prisioneiros tyroshis. Quando os matou, o "rainha" ficou tão satisfeito que enviou duas de suas esposas ao quarto de Punho de Carvalho naquela noite.

— Dê filhos a elas — ordenou Racallio. — Quero filhos corajosos e fortes como você.

Nossas fontes não sabem se lorde Alyn fez o que ele pediu.

No final, Ryndoon permitiu que a frota Velaryon passasse, mas por um preço. Ele queria três navios, uma aliança escrita em pele de ovelha e assinada em sangue, e um beijo. Punho de Carvalho lhe deu os três navios menos adequados a alto-mar de sua frota, uma aliança escrita em pergaminho e assinada com tinta de meistre e a promessa de um beijo da senhora Baela se o "rainha" os visitasse em Derivamarca. Isso foi suficiente. A frota passou pelos Degraus.

Mas mais provações os aguardavam. A seguinte foi Dorne. Os dorneses ficaram compreensivelmente alarmados com a aparição repentina da grande frota Velaryon nas águas de Lançassolar. No entanto, por falta de forças no mar, eles decidiram ver a chegada de lorde Alyn como visita e não ataque. Aliandra Martell, princesa de Dorne, foi se encontrar com ele, acompanhada de doze de seus favoritos e pretendentes. A "nova Nymeria" tinha acabado de comemorar o décimo oitavo dia do seu nome e ficou supostamente muito atraída pelo jovem, belo e elegante "herói dos Degraus", o ousado almirante que havia humilhado os braavosis. Lorde Alyn pediu água fresca e provisões para os navios, enquanto a princesa Aliandra pediu serviços de natureza mais íntima. *Nascido bastardo* dá a entender que ele os forneceu, *Duro como carvalho*, que não. Nós sabemos que as atenções que a atrevida princesa dornesa concedeu a ele desagradaram os senhores dela e irritaram seus irmãos mais novos, Qyle e Coryanne. Ainda assim, lorde Punho de Carvalho conseguiu barris de água fresca, alimentos suficientes para chegarem a Vilavelha e Árvore e mapas exibindo os redemoinhos mortais que se escondiam na costa sul de Dorne.

Mesmo assim, foi em águas dornesas que lorde Velaryon sofreu suas primeiras perdas. Uma tempestade repentina caiu enquanto a frota passava pelos desertos a oeste da Costa do Sal, espalhando os navios e afundando dois deles. Mais para o oeste, perto da boca do rio Sulfuroso, uma galé danificada aportou para pegar água fresca e fazer certos reparos e foi atacada sob a proteção da escuridão por bandidos, que mataram a tripulação e roubaram os suprimentos.

No entanto, essas perdas foram mais que compensadas quando lorde Punho de Carvalho chegou a Vilavelha. O grande farol no alto de Torralta guiou o *Senhora Baela* e a frota pela Enseada dos Murmúrios até o porto, onde o próprio Lyonel Hightower foi recebê-los e dar as boas-vindas à sua cidade. A cortesia com a qual lorde Alyn tratou a senhora Sam fez lorde Lyonel gostar dele de imediato, e os dois jovens desenvolveram uma amizade rápida que ajudou muito a deixar toda a inimizade entre pretos e verdes para trás. Vilavelha ofereceria vinte navios de guerra para a frota, prometeu Hightower, e seu bom amigo lorde Redwyne da Árvore enviaria trinta. De uma hora para outra, a frota de lorde Punho de Carvalho se tornou consideravelmente mais formidável.

A frota Velaryon ficou bastante tempo na Enseada dos Murmúrios, esperando lorde Redwyne e suas galés prometidas. Alyn Punho de Carvalho gostou da hospitalidade de Torralta, explorou as vielas e ruas antigas de Vilavelha e visitou a Cidadela, onde passou dias olhando mapas antigos e estudando tratados valirianos empoeirados sobre design de navios de guerra e táticas de batalhas no mar. No Septo Estrelado, recebeu a bênção do alto septão, que fez uma estrela de sete pontas em sua testa com óleo sagrado e o enviou para aplicar a ira do Guerreiro sobre os homens de ferro e seu Deus Afogado. Lorde Velaryon ainda estava em Vilavelha quando a notícia da morte da rainha Jaehaera chegou à cidade, seguida poucos dias depois do anúncio do noivado do rei com Myrielle Peake. Àquela altura, ele estava próximo da senhora Sam, assim como de lorde Lyonel, embora continue sendo questão de conjectura se ele teve algum papel na escrita da famosa carta dela. Mas é sabido que ele despachou cartas para a senhora sua esposa em Derivamarca enquanto estava em Torralta. Não sabemos o conteúdo.

Punho de Carvalho ainda era um homem jovem em 133 DC, e homens jovens não são famosos pela paciência. Finalmente, ele decidiu que não esperaria mais lorde Redwyne e deu ordem de zarpar. Vilavelha comemorou quando os navios Velaryon içaram as velas e baixaram os remos e deslizaram pela Enseada dos Murmúrios um a um. Vinte galés de guerra da Casa Hightower foram atrás, comandadas por sor Leo Costayne, um lobo do mar grisalho conhecido como Leão-Marinho.

Dos penhascos cantantes de Coroanegra, onde torres retorcidas e pedras corroídas pelo vento assobiavam acima das ondas, a frota virou para o norte e entrou no Mar do Poente, subindo pela costa oeste passando por Bandallon. Quando cruzaram a boca do Vago, os homens das Ilhas Escudo enviaram galés para se juntarem a eles: três navios de Escudogris e três de Escudossul, quatro de Escudoverde, seis de Escudo de Carvalho. Mas antes que eles pudessem seguir muito para o norte, outra tempestade caiu. Um navio afundou e mais três ficaram tão danificados que não conseguiram ir em frente. Lorde Velaryon reagrupou a frota perto de Paço de Codorniz, onde a senhora do castelo remou para se encontrar com ele. Foi por ela que sua senhoria soube do grande baile que seria realizado no Dia da Donzela.

A notícia também tinha chegado a Ilha Bela, e soubemos que lorde Dalton Greyjoy até brincou com a ideia de enviar uma de suas irmãs para tentar obter a coroa de rainha.

— Uma donzela de ferro no Trono de Ferro — disse ele —, o que poderia ser mais adequado?

Mas o Lula-Gigante Vermelha tinha preocupações mais imediatas. Avisado de antemão sobre a chegada de Alyn Punho de Carvalho, ele havia reunido suas forças para recebê-lo. Centenas de dracares tinham se juntado nas águas ao sul de Ilha Bela, e mais ao redor de Fogofestivo, Kayce e Lannisporto. Depois que enviasse "aquele garoto" para os salões do Deus Afogado no fundo do mar, proclamou o Lula-Gigante Vermelha, levaria sua própria frota pelo caminho que Punho de Carvalho havia percorrido, ergueria seu estandarte nos Degraus, saquearia Vilavelha e Lançassolar e tomaria Derivamarca para si. (Embora Greyjoy não chegasse a ser três anos mais velho do que seu adversário, ele nunca o chamou de outra coisa além de "aquele garoto".) Talvez até tomasse a senhora Baela como esposa de sal, o Senhor das Ilhas de Ferro disse aos capitães, rindo.

— É verdade, tenho vinte e duas esposas de sal, mas nenhuma delas de cabelo prateado.

Tanto da história conta dos feitos de reis e rainhas, altos senhores, cavaleiros nobres, septões sagrados e meistres sábios que é fácil esquecer as pessoas comuns que compartilharam esses momentos com os grandes e poderosos. Mas, de tempos em tempos, homens e mulheres comuns, que não foram abençoados com nascimento nem riqueza nem sagacidade nem sabedoria nem talento com as armas, mudam o destino de reinos. Foi o que aconteceu em Ilha Bela naquele fatídico ano de 133 DC.

Lorde Dalton Greyjoy tinha mesmo vinte e duas esposas de sal. Quatro estavam em Pyke; duas delas lhes tinham dado filhos. As outras eram mulheres do Oeste, capturadas durante suas conquistas, entre elas duas das filhas do falecido lorde Farman, a viúva do cavaleiro de Kayce, e até uma Lannister (de Lannisporto, não uma Lannister de Rochedo Casterly). O restante eram garotas de berço humilde, filhas de pescadores, comerciantes ou homens de armas que de alguma forma chamaram a atenção dele, muitas vezes depois de ele matar os pais, irmãos, maridos ou outros protetores delas. Uma atendia pelo nome de Tess. O nome dela é a única coisa que de fato sabemos. Tinha treze ou trinta anos? Era bonita ou comum? Viúva ou virgem? Onde lorde Greyjoy a encontrou e quanto tempo havia que ela estava entre suas esposas de sal? Ela o desprezava como ladrão e estuprador ou o amava tão loucamente que ficou doida de ciúme?

Nós não sabemos. Os relatos diferem tanto que Tess deve permanecer sendo um mistério para os anais da história. Tudo que se sabe ao certo é que em uma noite chuvosa de vento em Belcastro, quando os dracares se reuniam abaixo, lorde Dalton teve prazer com ela e, depois, enquanto ele dormia, Tess tirou a adaga dele da bainha e cortou sua garganta de uma orelha a outra, depois se jogou nua e ensanguentada no mar faminto abaixo.

E assim pereceu o Lula-Gigante Vermelha de Pyke, na véspera de sua maior batalha... morto não por uma espada de inimigo, mas por sua própria adaga, na mão de uma de suas próprias esposas.

Nem a conquista dele prevaleceu. Quando a notícia de sua morte se espalhou, a frota que ele havia reunido para esperar Alyn Punho de Carvalho começou a se dissolver, quando capitão após capitão fugiu para casa. Dalton Greyjoy não tinha esposa de pedra, então seus únicos herdeiros eram dois filhos pequenos nascidos das esposas de sal que ele havia deixado em Pyke, três irmãs e vários primos, cada um mais ganancioso e ambicioso que o outro. Por lei, a cadeira da Pedra do Mar passou para o mais velho de seus "filhos de sal", mas o menino Toron ainda não tinha seis anos, e sua mãe, como esposa de sal, não poderia agir como regente por ele como uma esposa de pedra poderia. Uma luta pelo poder era inevitável, uma verdade que os capitães dos homens de ferro viram bem quando voltaram correndo para suas ilhas.

Enquanto isso, o povo de Ilha Bela e os cavaleiros que ainda restavam na ilha se ergueram em rebelião. Os homens de ferro que haviam ficado quando seus parentes fugiram foram arrastados da cama e mortos ou levados para o porto, seus navios invadidos e queimados. No espaço de três dias, centenas de ladrões sofreram finais cruéis, sangrentos e repentinos como os que eles tinham infligido a sua presa, até que só Belcastro restou nas mãos dos homens de ferro. A guarnição, composta em boa parte dos companheiros próximos e irmãos de batalha do Lula-Gigante Vermelha, resistiu teimosamente sob o comando do ardiloso Alester Wynch e do gigante estrondoso Gunthor Goodbrother, até que este último matou o primeiro em uma briga por causa da filha de lorde Farman, Lysa, uma das viúvas de sal.

E foi assim que, quando Alyn Velaryon finalmente chegou para libertar o Oeste dos homens de ferro das ilhas, ele se viu sem inimigo. Ilha Bela estava livre, os dracares tinham fugido, a luta havia acabado. Quando o *Senhora Baela* passou embaixo das muralhas de Lannisporto, os sinos da cidade repicaram dando boas-vindas. Milhares correram dos portões para ocupar o litoral, comemorando. A senhora Johanna em pessoa saiu de Rochedo Casterly para oferecer a Punho de Carvalho um cavalo-marinho feito de ouro e outros presentes demonstrando a estima dos Lannister.

Dias de comemoração se seguiram. Lorde Alyn estava ansioso para pegar provisões e partir para a longa viagem para casa, mas os ocidentais não queriam vê-lo ir embora. Com a própria frota destruída, eles ficariam vulneráveis se os homens de ferro voltassem com o sucessor do Lula-Gigante Vermelha, fosse quem fosse. A senhora Johanna chegou a propor um ataque às Ilhas de Ferro; ela ofereceria as espadas e lanças que fossem necessárias, lorde Velaryon só precisaria levá-las às ilhas.

— Deveríamos liquidar todos os homens deles com espadas — declarou sua senhoria — e vender as esposas e os filhos para escravistas do Leste. Que as gaivotas e os caranguejos ocupem aquelas rochas imprestáveis.

Punho de Carvalho não queria saber disso, mas, para agradar seus anfitriões, concordou que o Leão-Marinho, Leo Costayne, ficasse em Lannisporto com um terço da frota até chegar a hora em que os Lannister, os Farman e os outros senhores do Oeste conseguissem reconstruir navios de guerra suficientes para se defenderem contra o eventual retorno dos homens de ferro. Em seguida, içou velas outra vez e levou o restante de sua frota de volta ao mar, para regressar de onde tinha vindo.

Da viagem para casa, não precisamos dizer muito. Perto da boca do Vago, a frota de Redwyne foi finalmente avistada, disparada para o norte, mas ele deu meia-volta depois de uma refeição com lorde Velaryon no *Senhora Baela.* Sua senhoria fez uma breve visita à Árvore, como hóspede de lorde Redwyne, e uma um pouco mais longa a Vilavelha, onde renovou sua amizade com lorde Lyonel Hightower e a senhora Sam, se sentou com escribas e meistres da Cidadela para que eles pudessem anotar os detalhes de sua viagem, foi homenageado por mestres das sete guildas e recebeu outra bênção do alto septão. Mais uma vez, ele navegou pelo litoral seco e quente de

Dorne, desta vez indo para o leste. A princesa Aliandra ficou satisfeita com o retorno dele a Lançassolar e insistiu para ouvir todos os detalhes de suas aventuras, para a fúria das irmãs dela e dos pretendentes ciumentos.

Foi por ela que lorde Punho de Carvalho soube que Dorne tinha entrado para a Guerra das Filhas depois de fazer uma aliança com Tyrosh e Lys contra Racallio Ryndoon... e foi na corte dela em Lançassolar, durante a festa do Dia da Donzela (o mesmo dia em que mil donzelas desfilaram para o rei Aegon III em Porto Real), que sua senhoria foi abordado por um certo Drazenko Rogare, um dos emissários mandados por Lys à corte de Aliandra, que suplicou por uma conversa em particular. Curioso, lorde Alyn aceitou ouvir, e os dois homens saíram para o pátio, onde Drazenko se inclinou tão para perto que sua senhoria disse:

— Fiquei com medo que ele quisesse me beijar.

Mas ele só sussurrou alguma coisa no ouvido do almirante, um segredo que mudou o rumo da história de Westeros. No dia seguinte, lorde Velaryon voltou para o *Senhora Baela* e deu a ordem de içar velas... para Lys.

Seus motivos e o que lhe aconteceu na Cidade Livre vamos revelar no devido tempo, mas agora devemos voltar o olhar para Porto Real novamente. A esperança e os bons sentimentos reinavam na Fortaleza Vermelha quando o ano novo nasceu. Embora mais jovem do que sua predecessora, a rainha Daenaera era uma criança mais feliz, e sua natureza radiante ajudou muito a iluminar as trevas do rei... por um tempo, pelo menos. Aegon III era visto na corte com mais frequência do que de costume, e até saiu do castelo em três ocasiões para mostrar à esposa as vistas que a cidade oferecia (embora se recusasse a levá-la ao Fosso de Dragões, onde a jovem dragão Manhã, da senhora Rhaena, tinha se estabelecido). Sua Graça pareceu adquirir novo interesse nos estudos, e Cogumelo era chamado com frequência para entreter o rei e a rainha no jantar ("O som das risadas da rainha era como música para este bobo, tão doce que até o rei foi visto sorrindo"). Até Gareth Long, o desprezado mestre de armas da Fortaleza Vermelha, comentou a mudança.

— Não precisamos mais bater no menino bastardo com tanta frequência — disse ele para a Mão. — Ao menino nunca faltou força nem velocidade. Agora ele finalmente está demonstrando uma habilidade módica.

O novo interesse do jovem rei pelo mundo até afetou o governo do seu reino. Aegon III passou a ir ao conselho. Embora raramente falasse, sua presença animava o grande meistre Munkun e parecia agradar lorde Mooton e lorde Rowan. Já sor Marston Waters da Guarda Real parecia incomodado com a presença de Sua Graça, e lorde Peake achava que era repreensão. Sempre que Aegon tinha a ousadia de fazer uma pergunta, conta Munkun, a Mão se irritava e o acusava de desperdiçar o tempo do conselho, ou lhe informava que assuntos de tanto peso estavam além da compreensão de uma criança. Não foi surpresa que em pouco tempo Sua Graça começou a se ausentar das reuniões, como antes.

Amargo e desconfiado por natureza, e dotado de um orgulho arrogante, Unwin Peake era um homem muito infeliz em 134 DC. O baile do Dia da Donzela foi uma humilhação, e ele interpretou a rejeição do rei por sua filha Myrielle em favor de Daenaera como afronta pessoal. Ele nunca havia se afeiçoado à senhora Baela, e agora tinha motivo para não gostar da irmã dela também; estava convencido de que as duas estavam tramando contra ele, provavelmente sob comando do marido de Baela, o insolente e rebelde Punho de Carvalho. As gêmeas destruíram com deliberação e malícia os planos dele de garantir a sucessão, ele disse aos seus homens leais, e ao fazer com que o rei tomasse como esposa uma menina de seis anos, elas garantiram que o filho que Baela carregava fosse o próximo na sucessão ao Trono de Ferro.

— Se o bebê for menino, Sua Graça não vai viver por tempo suficiente para ter um herdeiro do seu próprio corpo — disse Peake para Marston Waters uma vez, na presença de Cogumelo.

Pouco tempo depois, Baela Velaryon foi levada ao leito de parto e teve uma saudável menininha. Ela a batizou de Laena, em homenagem à mãe. Mas nem isso ajudou a apaziguar a Mão do Rei por muito tempo, pois menos de uma quinzena depois, os elementos principais da frota de Velaryon voltaram para Porto Real portando uma mensagem críptica: Punho de Carvalho os enviou na frente enquanto partia para Lys para proteger "um tesouro que não tem preço".

Essas palavras inflamaram a desconfiança de lorde Peake. Que tesouro era aquele? Como lorde Velaryon pretendia "protegê-lo"? Com uma espada? Ele estava prestes a começar uma guerra com Lys, como havia feito com Braavos? A Mão tinha enviado um almirante jovem e precipitado para o outro lado de Westeros para livrar a corte dele, mas ali estava o rapaz, prestes a voltar outra vez, "cheio de aclamação não merecida" e talvez uma vasta riqueza junto. (Ouro era sempre um ponto de ressentimento para Unwin Peake, cuja casa era "pobre de terras", rica em pedras e pó e orgulho, mas cronicamente sem dinheiro.) A plebe via Punho de Carvalho como herói, sua senhoria sabia, o homem que dobrou o orgulhoso Senhor do Mar de Braavos e depois o Lula-Gigante Vermelha de Pyke, enquanto por ele as pessoas só tinham ressentimento e insultos. Mesmo dentro da Fortaleza Vermelha, havia muitos que esperavam que os regentes simplesmente removessem lorde Peake da posição de Mão do Rei e colocassem Alyn Velaryon no lugar.

Mas a empolgação ocasionada pelo retorno de Punho de Carvalho era palpável, então a Mão só pôde sentir raiva calado. Quando as velas do *Senhora Baela* foram vistas nas águas da Baía da Água Negra, com o restante da frota Velaryon aparecendo no meio da neblina matinal atrás, todos os sinos de Porto Real começaram a tocar. Milhares de pessoas lotaram as muralhas da cidade para saudar o herói, assim como fizeram em Lannisporto meio ano antes, enquanto outros milhares corriam pelo Portão do Rio para ocupar o litoral. Mas quando o rei expressou o desejo de ir ao porto "para agradecer a meu cunhado pelo seu serviço", a Mão o proibiu e insistiu que não seria adequado Sua Graça ir até lorde Velaryon, que o almirante tinha que vir até a Fortaleza Vermelha para se prostrar diante do Trono de Ferro.

Nisso, assim como na questão do noivado de Aegon com Myrielle Peake, lorde Unwin foi vencido pelos outros regentes. Com objeções enérgicas dele, o rei Aegon e a rainha Daenaera desceram do castelo na liteira, acompanhados da senhora Baela e da filha recém-nascida, de sua irmã Rhaena com o senhor seu marido Corwyn Corbray, do grande meistre Munkun, do septão Bernard, dos regentes Manfryd Mooton e Thaddeus Rowan, dos cavaleiros da Guarda Real e de muitos outros notáveis ansiosos por receber o *Senhora Baela* nas docas.

A manhã estava clara e fria, nos conta o relato. Perante dezenas de milhares de olhos, lorde Alyn Punho de Carvalho viu sua filha Laena pela primeira vez. Depois de beijar a senhora sua esposa, ele pegou a criança dos braços dela e a ergueu alto para a multidão toda ver, e os gritos soaram como trovões. Só então ele devolveu a menina para o colo da mãe e dobrou o joelho para o rei e a rainha. A rainha Daenaera, corando lindamente e gaguejando um pouco, pendurou no pescoço dele uma corrente pesada de ouro cravejada de safiras, "a-azuis como o mar onde o meu senhor conquistou suas vitórias". Em seguida, o rei Aegon III mandou que o almirante se erguesse com as palavras:

— Estamos felizes que tenha voltado em segurança para casa, meu irmão.

Cogumelo diz que Punho de Carvalho estava rindo quando ficou de pé outra vez.

— Majestade — respondeu ele —, o senhor me honrou com a mão da sua irmã, e tenho orgulho de ser seu irmão por casamento. Mas nunca poderei ser seu irmão de sangue. No entanto, existe um que é.

Com um gesto exagerado, lorde Alyn chamou o tesouro que ele trouxera de Lys. Do *Senhora Baela* saiu uma mulher jovem e pálida de extrema beleza, de braços dados com um garoto ricamente trajado quase da mesma idade do rei, as feições escondidas embaixo do capuz de uma capa bordada.

Lorde Unwin Peake não conseguiu mais se conter.

— Quem é esse? — perguntou ele, abrindo caminho. — Quem é você?

O garoto tirou o capuz. Quando a luz do sol cintilou no cabelo prateado-dourado embaixo, o rei Aegon III começou a chorar e se jogou em cima do menino em um abraço apertado. O "tesouro" de Punho de Carvalho era Viserys Targaryen, o irmão perdido do rei, o filho mais novo da rainha Rhaenyra e do príncipe Daemon, dado como morto desde a Batalha da Goela e completamente desaparecido por quase cinco anos.

Em 129 DC, lembramos que a rainha Rhaenyra enviou os dois filhos mais novos para Pentos, para deixá-los fora de perigo, mas o navio que os estava transportando pelo mar estreito caiu nas garras de uma frota de guerra da Triarquia. Apesar de o príncipe Aegon ter escapado em seu dragão, Tempestade, o príncipe Viserys foi levado. A Batalha da Goela aconteceu logo em seguida, e como não houve notícias do jovem príncipe depois, ele foi dado como morto. Ninguém sabia dizer ao certo em que navio ele estava.

Mas apesar de muitos milhares de homens terem morrido na Goela, Viserys Targaryen não foi um deles. O navio que transportava o jovem príncipe sobreviveu à batalha e voltou para Lys, onde Viserys passou a ser prisioneiro do grande almirante da Triarquia, Sharako Lohar. Mas a derrota deixou Sharako em desgraça, e o lyseno logo se viu cercado por inimigos antigos e novos, ansiosos para derrubá-lo. Desesperado por dinheiro e aliados, ele vendeu o garoto para certo magíster daquela cidade, chamado Bambarro Bazanne, em troca do peso de Viserys em ouro e de uma promessa de apoio. O assassinato subsequente do almirante em desgraça trouxe à superfície as tensões e rivalidades entre as Três Filhas, e ressentimentos antigos explodiram em violência com uma série de assassinatos que logo culminaram em uma guerra aberta. No meio do caos que veio em seguida, o magíster Bambarro achou prudente esconder seu prêmio, para que o garoto não fosse levado por um de seus colegas lysenos e nem por rivais de outra cidade.

Viserys foi bem tratado durante seu cativeiro. Embora proibido de sair da mansão de Bambarro, ele dispunha de aposentos próprios, participava das refeições com o magíster e sua família, tinha professores que lhe ensinavam idiomas, literatura, matemática, história e música e até um mestre de armas para instruí-lo no manejo da espada, arte na qual ele logo se destacou. Acredita-se (apesar de nunca ter sido provado) que a intenção de Bambarro era esperar o fim da Dança dos Dragões e pedir resgate para o príncipe Viserys voltar para a mãe (se Rhaenyra triunfasse) ou vender a cabeça dele ao tio (se Aegon II saísse vitorioso).

Mas depois que Lys sofreu uma série de derrotas arrasadoras na Guerra das Filhas, esses planos foram por água abaixo. Bambarro Bazanne morreu nas Terras Disputadas em 132 DC, quando a companhia de mercenários que ele liderava contra Tyrosh se voltou contra ele por uma questão de falta de pagamento. Com sua morte, foi descoberto que ele tinha dívidas enormes, e com base nela seus credores tomaram sua mansão. Sua esposa e filhos foram vendidos como escravos, e seus móveis, roupas, livros e outros bens, inclusive o príncipe cativo, passaram para as mãos de outro nobre, Lysandro Rogare.

Lysandro era patriarca de uma dinastia rica e poderosa de banqueiros e comerciantes, cujas linhagens remontavam a Valíria antes da Destruição. Dentre muitas outras propriedades, os Rogare eram donos de uma famosa casa de travesseiros, o Jardim Perfumado. Viserys Targaryen era tão lindo que dizem que Lysandro Rogare pensou em colocá-lo para trabalhar como cortesão... até o garoto se identificar. Quando soube que tinha um príncipe nas mãos, o magíster mudou os planos rapidamente. Em vez de vender os favores do príncipe, ele o casaria com uma de suas filhas mais novas, a senhorita Larra Rogare, que se tornaria conhecida nas histórias de Westeros como Larra de Lys.

O encontro acidental entre Alyn Velaryon e Drazenko Rogare em Lançassolar ofereceu a oportunidade perfeita para a devolução do príncipe Viserys para o irmão... mas não é da natureza de nenhum lyseno dar de presente algo que possa ser vendido, então primeiro era necessário que Punho de Carvalho fosse para Lys e aceitasse os termos de Lysandro Rogare. "O reino talvez estivesse mais bem servido se fosse a mãe de lorde Alyn àquela mesa em vez do próprio lorde Alyn", observa Cogumelo corretamente. Punho de Carvalho não era negociador. Para garantir o retorno do príncipe, sua senhoria aceitou que o Trono de Ferro pagasse de resgate cem mil dragões de ouro, não pegasse em armas contra a Casa Rogare e seus interesses por cem anos, confiasse ao Banco Rogare de Lys os fundos que estavam atualmente guardados no Banco de Ferro de Braavos, concedesse senhoria a três dos filhos mais novos de Lysandro e, acima de tudo, jurasse por sua honra que o casamento entre Viserys Targaryen e Larra Rogare não seria descartado por motivo algum. Com tudo isso lorde Alyn Velaryon concordou, e confirmou com sua assinatura e seu selo.

O príncipe Viserys tinha sete anos quando foi levado do *Alegre Deleite*. Tinha doze no retorno, em 134 DC. Sua esposa, a bela jovem que saiu de braços dados com ele do *Senhora Baela*, tinha dezenove anos, sete a mais do que ele. Embora fosse dois anos mais novo do que o rei, Viserys era mais maduro do que seu irmão mais velho em alguns aspectos. Aegon III nunca havia demonstrado interesse carnal em nenhuma de suas rainhas (compreensivelmente, no caso da rainha Daenaera, que ainda era uma criança), mas Viserys já tinha consumado seu casamento, como contou com orgulho para o grande meistre Munkun durante a festa dada em homenagem à sua volta para casa.

O retorno do irmão direto do mundo dos mortos provocou uma mudança milagrosa em Aegon III, conta Munkun. Sua Graça não tinha se perdoado de verdade por ter abandonado Viserys ao seu destino quando saiu voando do *Alegre Deleite* no dragão antes da Batalha da Goela. Apesar de só ter nove anos na época, Aegon vinha de uma longa linhagem de guerreiros e heróis e fora criado com histórias de feitos ousados e explorações audaciosas, e nenhuma delas incluía fugir de uma batalha abandonando seu irmão mais novo para morrer. No fundo, o Rei Arrasado se sentia indigno de se sentar no Trono de Ferro. Ele não havia conseguido salvar o irmão, a mãe e nem a pequena rainha de mortes horríveis. Como podia ter a presunção de salvar um reino?

O retorno de Viserys também colaborou muito para aliviar a solidão do rei. Quando menino, Aegon idolatrava os três meios-irmãos mais velhos, mas era com Viserys que ele dividia o quarto, as aulas e os jogos. "Parte do rei tinha morrido com o irmão na Goela", escreveu Munkun. "Está evidente que a afeição de Aegon por Gaemon Cabelo-Claro nasceu do desejo de substituir o irmãozinho que ele havia perdido, mas só quando Viserys foi devolvido a ele foi que Aegon pareceu vivo e inteiro outra vez." O príncipe Viserys voltou a ser o companheiro constante do rei Aegon, como quando eles eram pequenos, juntos em Pedra do Dragão, enquanto Gaemon Cabelo-Claro foi deixado de lado e esquecido, e até a rainha Daenaera foi negligenciada.

O retorno do príncipe perdido também resolveu a questão da sucessão. Como irmão do rei, Viserys era o herdeiro inegável, na frente de qualquer filho nascido de Baela Velaryon ou de Rhaena Corbray, e na frente das próprias gêmeas. A escolha do rei Aegon de uma garota de seis anos como segunda esposa não parecia mais tão preocupante. O príncipe Viserys era um jovem animado e adorável, dotado de grande charme e vitalidade sem fim. Apesar de não ser tão alto, tão forte e nem tão bonito quanto o irmão, ele passava a todos que o conheciam a impressão de ser mais inteligente e mais curioso do que o rei... e sua esposa não era criança, e sim uma bela jovem já com idade para ter filhos. Que Aegon ficasse com sua esposa criança; Larra de Lys tinha uma chance de dar filhos a Viserys em pouco tempo, garantindo assim a dinastia.

Por todos esses motivos, o rei e a corte e a cidade se alegraram com a chegada do príncipe, e lorde Alyn Velaryon se tornou mais amado do que nunca por tirar o rei Viserys do cativeiro em Lys. Mas a alegria deles não foi compartilhada pela Mão do Rei. Enquanto lorde Unwin se dizia satisfeito com o retorno do irmão de Sua Graça, ele estava furioso com o preço que Punho de Carvalho aceitara pagar por ele. O jovem almirante não tinha autoridade de aceitar "termos tão altos", insistiu Peake; só os regentes e a Mão tinham poder de falar pelo Trono de Ferro, não qualquer "idiota com uma frota".

A lei e a tradição estavam do lado dele, admitiu o grande meistre Munkun quando a Mão levou sua insatisfação ao conselho... mas o rei e o povo pensavam diferente, e seria o auge da loucura repudiar o pacto de lorde Alyn. Os outros regentes concordaram. Eles votaram novas honras para Punho de Carvalho, confirmaram a legitimidade do casamento do príncipe Viserys com a senhora Larra, aceitaram pagar ao pai dela o resgate em dez parcelas anuais e transferiram uma soma alta em ouro de Braavos para Lys.

Para lorde Unwin Peake, isso pareceu outra crítica humilhante. Tendo acontecido tão perto da Exposição de Gado do Dia da Donzela e do repúdio do rei por sua filha Myrielle em favor da criança Daenaera, foi mais do que seu orgulho era capaz de suportar. Talvez sua senhoria achasse que poderia dobrar seus colegas regentes de acordo com sua vontade ao ameaçar renunciar ao cargo de Mão do Rei, mas o conselho aceitou a renúncia dele com animação e indicou o franco, honesto e respeitado lorde Thaddeus Rowan em seu lugar.

Unwin Peake se retirou para sua sede em Piquestrela para meditar sobre os males que achava que havia sofrido, apesar de sua tia, a senhora Clarice, seu tio, Gedmund Peake, o Grande Machado, Gareth Long, Victor Risley, Lucas Leygood, George Graceford, o septão Bernard e muitos de seus outros indicados não o seguirem e continuarem servindo em suas respectivas posições, assim como seu irmão bastardo, sor Mervyn Flowers e seu sobrinho, sor Amaury Peake, pois Irmãos Juramentados da Guarda Real serviam por toda a vida. Lorde Unwin até cedeu Tessario e seus "Dedos" para seu sucessor; o rei tinha sua guarda, declarou ele, e a Mão também devia ter.

# A Primavera Lysena e o fim da regência

A paz reinou em Porto Real pelo restante daquele ano, maculada apenas pela morte de Manfryd Mooton, Senhor de Lagoa da Donzela e último dos regentes originais do rei Aegon. Sua senhoria estava com a saúde fraca havia um tempo, pois nunca chegara a recuperar a força depois da Febre do Inverno, e seu falecimento gerou poucos comentários. Para assumir o lugar dele no conselho, lorde Rowan procurou sor Corwyn Corbray, marido da senhora Rhaena. A irmã dela, a senhora Baela, tinha voltado para Derivamarca com lorde Alyn e a filha. Não muito tempo depois, o príncipe Viserys deixou a corte entusiasmada ao anunciar que a senhora Larra estava esperando um bebê. Porto Real inteira se alegrou.

Mas, fora da cidade, 134 DC não seria um ano a ser lembrado com carinho. Ao norte do Gargalo, o inverno ainda prendia os territórios em seu punho gelado. Em Vila Acidentada, lorde Dustin fechou os portões quando centenas de aldeões famintos se reuniram do lado de fora da muralha. Porto Branco estava melhor, pois seu porto permitia que alimentos fossem trazidos do sul, mas os preços subiram tanto que os homens bons começaram a se vender para comerciantes de escravos do outro lado do mar para que suas esposas e filhos pudessem comer, enquanto os homens piores venderam as esposas e os filhos. Mesmo na vila de inverno, abaixo das muralhas de Winterfell, os nortenhos tiveram que recorrer a cachorros e cavalos para se alimentar. O frio e a fome levaram um terço da Patrulha da Noite, e quando milhares de selvagens atravessaram o mar gelado a leste da Muralha, outras centenas de irmãos negros pereceram em batalha.

Nas Ilhas de Ferro, uma luta selvagem por poder sucedeu a morte do Lula-Gigante Vermelha. Suas três irmãs e os homens com quem elas se casaram pegaram Toron Greyjoy, o menino na Cadeira de Pedra do Mar, e mataram a mãe dele, enquanto os primos se juntaram com os senhores de Harlaw e Pretamare para levar ao poder o meio-irmão de Toron, Rodrik, e os homens de Grande Wyk se manifestaram por um impostor chamado Sam Sal, que alegava ser descendente da linhagem negra.

A luta sangrenta de três lados vinha acontecendo por meio ano quando sor Leo Costayne chegou até eles com sua frota, levando mil espadas e lanças dos Lannister a Pyke, Grande Wyk e Harlaw. Lorde Punho de Carvalho tinha se recusado a fazer parte da vingança da Casa Lannister contra os homens de ferro, mas o velho Leão-Marinho se mostrou mais receptivo aos pedidos da senhora Johanna... balançado, talvez, pela promessa de casamento dela, se ele entregasse as Ilhas de Ferro ao comando de seu filho. Mas isso se mostrou além do poder de sor Leo. Costayne morreu nas colinas rochosas de Grande Wyk, pela mão de Arthur Goodbrother, e três quartos dos navios dele foram capturados ou afundados nos mares cinzentos e frios de lá.

Apesar de o desejo da senhora Johanna de matar todos os homens de ferro com uma espada ter se frustrado, nenhum homem podia duvidar que os Lannister haviam pagado suas dívidas quando a luta terminou. Centenas de dracares e barcos pesqueiros foram queimados, e a mesma quantidade de casas e vilarejos. As esposas e filhos dos homens de ferro que tinham causado tanto caos nas terras ocidentais eram mortos onde encontrados. Entre os mortos havia nove dos primos do Lula-Gigante Vermelha, duas das três irmãs e seus maridos, lorde Drumm de Velha Wyk e lorde Goodbrother de Grande Wyk, assim como os lordes Volmark e Harlaw de Harlaw, Botley de Fidalporto, e Stonehouse de Velha Wyk. Milhares mais morreriam de fome antes do fim do ano, pois os Lannister também levaram muitas toneladas de grãos e peixe salgado estocados, e se desfizeram do que não podiam carregar. Embora Toron Greyjoy ainda estivesse na Cadeira de Pedra do Mar quando seus defensores rechaçaram o ataque dos Lannister nas muralhas de Pyke, seu meio-irmão, Rodrik, foi capturado e levado para Rochedo Casterly, onde a senhora Johanna mandou capá-lo e o tornou o bobo de seu filho.

Do outro lado de Westeros, outra luta pela sucessão aconteceu no final do ano 134, quando a senhora Jeyne Arryn, a Donzela do Vale, morreu em Vila Gaivota de um resfriado que se espalhou em seu peito. Aos quarenta anos, ela faleceu no Convento de Maris, na ilha rochosa que ficava no cais de Vila Gaivota, nos braços de Jessamyn Redfort, sua "querida companheira". No leito de morte, sua senhoria ditou um último testamento, indicando seu primo, sor Joffrey Arryn, como herdeiro. Sor Joffrey a serviu lealmente durante dez anos como Cavaleiro do Portão Sangrento, defendendo o Vale contra os selvagens das colinas.

Mas Sor Joffrey era só um primo de quarto grau. O parente mais próximo era o primo direto da senhora Jeyne, sor Arnold Arryn, que tinha duas vezes tentado depô-la. Preso depois da segunda rebelião fracassada, sor Arnold estava agora um tanto louco, depois de muitos anos nas celas do céu do Ninho da Águia e nas masmorras embaixo dos Portões da Lua... mas seu filho, sor Eldric Arryn, era são, astuto e ambicioso, e se apresentou para fazer a reivindicação do pai. Muitos senhores do Vale defenderam o estandarte dele e insistiram que as leis estabelecidas de herança não podiam ser deixadas de lado pelo "capricho de uma mulher moribunda".

Um terceiro requerente apareceu na pessoa de um Isembard Arryn, patriarca dos Arryn de Vila Gaivota, um ramo ainda mais distante daquela grande casa. Depois de um rompimento com o nobre rei durante o reinado de Jaehaerys, os Arryn de Vila Gaivota entraram no campo do comércio e ficaram ricos. Homens brincavam que o falcão nos braços de Isembard era feito de ouro, e ele logo ficou conhecido como Falcão

Dourado. Ele usou essa riqueza então para subornar senhores menores a fim de que apoiassem sua reivindicação e para trazer mercenários pelo mar estreito.

Lorde Rowan fez o que pôde para aliviar essas confusões: mandou que os Lannister saíssem das Ilhas de Ferro, enviou alimentos para o Norte e convocou os requerentes Arryn para irem a Porto Real e apresentarem seus casos para os regentes, mas seus esforços surtiram pouco efeito. Os Lannister e os Arryn ignoraram seus decretos, e bem poucos alimentos chegaram a Porto Branco para aliviar a fome. Apesar de benquistos, nem Thaddeus Rowan nem o garoto que ele servia eram temidos. No fim do ano, muitos na corte tinham começado a sussurrar que não eram os regentes que governavam o reino, mas os cambistas de Lys.

Embora a corte e a cidade ainda gostassem do irmão do rei, o inteligente e galante menino Viserys, o mesmo não podia ser dito sobre sua esposa lysena. Larra Rogare tinha estabelecido residência na Fortaleza Vermelha com o marido, mas no coração continuou sendo uma dama de Lys. Embora fluente em alto valiriano e nos dialetos de Myr, Tyrosh e Antiga Volantis, além de seu idioma lyseno, a senhora Larra não fazia esforços para aprender o idioma comum e preferia contar com tradutores para comunicar seus desejos. Suas damas de companhia eram todas lysenas, assim como seus servos. Os vestidos que ela usava vinham todos de Lys, até as roupas de baixo; os navios do pai dela levavam as mais novas modas lysenas para ela três vezes por ano. Ela até tinha seus próprios protetores. Espadas lysenas a protegiam dia e noite, sob o comando de seu irmão Moredo e de um mudo altíssimo das arenas de luta de Meereen chamado Sandoq, a Sombra.

Tudo isso a corte e o reino poderiam ter acabado aceitando com o tempo, se a senhora Larra também não tivesse insistido em continuar adorando seus deuses. Ela não queria saber de adorar os Sete, nem os deuses antigos dos nortenhos. Sua adoração era reservada a alguns dos muitos deuses de Lys: a deusa gata de seis seios, Pantera, Yndros do Crepúsculo, que era homem de dia e mulher à noite, a criança pálida Bakkalon da Espada, o sem rosto Saagael, o doador de sofrimento.

Suas damas, seus servos e seus guardas se juntavam à senhora Larra em certos horários para prestar homenagens a essas deidades estranhas e antigas. Gatos eram vistos indo e vindo dos aposentos dela com tanta frequência que os homens começaram a dizer que eram espiões, ronronando para ela com vozes suaves sobre tudo que acontecia na Fortaleza Vermelha. Foi até dito que a própria Larra podia se transformar em gato, para andar pelas sarjetas e telhados da cidade. Boatos mais sombrios logo surgiram. Os acólitos de Yndros supostamente podiam se transformar de homem em mulher e de mulher em homem pelo ato do amor, e sussurros se espalharam de que sua senhoria muitas vezes usava essa habilidade em orgias no crepúsculo, para poder visitar os bordéis na Rua da Seda como homem. E todas as vezes que uma criança sumia, os ignorantes se olhavam e falavam da sede insaciável por sangue de Saagael.

Menos amados do que Larra de Lys eram os três irmãos que foram com ela para Porto Real. Moredo comandava a guarda da irmã, enquanto Lotho cuidou de estabelecer uma filial do Banco Rogare no alto da Colina de Visenya. Roggerio, o mais novo, abriu uma opulenta casa de travesseiros lysena chamada Sereia, ao lado do Portão do Rio, e a encheu de papagaios das Ilhas do Verão, de macacos de Sothoryos e de cem garotas (e garotos) exóticas, de todos os cantos da terra. Embora seus favores custassem dez vezes mais do que qualquer outro bordel ousava cobrar, Roggerio nunca ficava sem clientes. Tanto grandes senhores quanto mercadores comuns falavam das belezas e maravilhas encontradas atrás das portas entalhadas e pintadas do Sereia... inclusive, alguns diziam, uma sereia de verdade. (Quase tudo que sabemos da miríade de maravilhas do Sereia chegou a nós por Cogumelo, que é o único dentre nossos escritores que está disposto a confessar ter visitado o bordel em pessoa em muitas ocasiões e feito uso dos muitos prazeres de lá em aposentos suntuosos.)

Do outro lado do mar, a Guerra das Filhas finalmente chegou ao fim. Racallio Ryndoon fugiu para o sul, para as Ilhas Basilisco, com o restante dos apoiadores. Lys, Tyrosh e Myr dividiram as Terras Disputadas. E os dorneses passaram a dominar a maior parte dos Degraus. Os myrianos sofreram grandes perdas com esses novos arranjos, enquanto o Arconte de Tyrosh e a princesa de Dorne ganharam mais. Em Lys, casas antigas caíram e muitos magísteres bem-nascidos foram rebaixados e arruinados, ao passo que outros se ergueram e tomaram as rédeas do poder. O principal entre eles foi Lysandro Rogare e seu irmão Drazenko, arquiteto da aliança dornesa. As ligações de Drazenko com Lançassolar e de Lysandro com o Trono de Ferro tornaram os Rogare os príncipes de Lys em tudo, menos no nome.

No fim de 134 DC, alguns temiam que eles pudessem acabar governando Westeros também. O orgulho e a pompa e o poder deles se tornaram o assunto de Porto Real. Homens começaram a sussurrar sobre os engodos deles. Lotho levou homens com ouro, Roggerio os seduziu com pele perfumada, Moredo os assustou até se submeterem perante o aço. Mas os irmãos não passavam de marionetes nas mãos da senhora Larra; eram ela e seus deuses lysenos estranhos que moviam as cordinhas deles. O rei, a pequena rainha e o jovem príncipe... eles eram só crianças, cegos para o que estava acontecendo ao redor, enquanto a Guarda Real e os mantos dourados e até a Mão do Rei foram comprados.

Era o que as histórias diziam. Como todas as histórias assim, tinham uma parcela de verdade, muito misturada com medo e falsidade. Que os lysenos eram orgulhosos, ávidos e ambiciosos não há dúvida. Que Lotho usou seu banco e Roggerio usou seu bordel para conquistarem amigos para sua causa nem precisa ser dito. Mas, no final, eles eram pouco diferentes de muitos dos outros senhores e damas da corte de Aegon III, todos atrás de poder e riqueza à sua maneira. Embora mais bem-sucedidos que seus rivais (por um tempo, pelo menos), os lysenos eram só uma de várias facções competindo por influência. Se a senhora Larra e os irmãos fossem westerosis, eles talvez fossem admirados e celebrados, mas seu nascimento estrangeiro, jeito estrangeiro e deuses estrangeiros os tornavam objeto de desconfiança e de suspeita.

Munkun se refere a esse período como Ascensão Rogare, mas esse termo só era usado em Vilavelha, entre os meistres e arquimeistres da Cidadela. As pessoas que viveram nesse tempo chamaram de Primavera Lysena... pois a primavera fez mesmo parte dele. No começo de 135 DC, o Conclave enviou corvos brancos de Vilavelha para anunciar o fim de um dos invernos mais longos e cruéis que os Sete Reinos já tinham passado.

A primavera é sempre uma estação de esperanças, de renascimento e renovação, e a primavera de 135 DC não foi diferente. A guerra nas Ilhas de Ferro acabou, e lorde Cregan Stark de Winterfell pegou uma quantia enorme emprestada do Banco de Ferro de Braavos para comprar comida e sementes para seu povo faminto. Só no Vale a luta continuou. Furioso com a recusa dos requerentes de Arryn de irem a Porto Real e submeterem sua disputa para a avaliação dos regentes, lorde Thaddeus Rowan enviou mil homens para Vila Gaivota sob o comando de seu colega regente, sor Corwyn Corbray, para restaurar a paz do rei e resolver a questão da sucessão.

Enquanto isso, Porto Real vivenciou um período de prosperidade como não se via em muitos anos, e muito graças à Casa Rogare de Lys. O Banco Rogare estava pagando juros altos a toda verba depositada com eles, levando mais e mais senhores a confiarem seu ouro aos lysenos. O comércio também prosperou, quando navios de Tyrosh, Myr, Pentos, Braavos e particularmente de Lys lotaram as docas da Água Negra, trazendo sedas e especiarias, renda myriana, jade de Qarth, marfim de Sothoryos e muitas outras coisas estranhas e maravilhosas dos cantos da terra, inclusive luxos raramente vistos antes nos Sete Reinos.

Outras cidades portuárias compartilharam da recompensa; Valdocaso, Lagoa da Donzela, Vila Gaivota e Porto Branco também viram seu comércio se expandir, assim como Vilavelha no sul e até Lannisporto no Mar Poente. Em Derivamarca, a cidade de Casco passou por um renascimento. Dezenas de novos navios foram construídos e zarparam, e a mãe de lorde Punho de Carvalho ampliou muito suas frotas mercantes e começou a trabalhar em uma mansão palaciana com vista para o porto que Cogumelo chamou de Casa da Ratinha.

Do outro lado do mar estreito, Lys estava prosperando sob a "tirania de veludo" de Lysandro Rogare, que assumiu para si o título de "Primeiro-Magíster Vitalício". E quando seu irmão Drazenko se casou com a princesa Aliandra Martell de Dorne, e foi intitulado por ela príncipe consorte e Senhor dos Degraus, a ascensão da Casa Rogare chegou ao ápice. Homens começaram a falar sobre Lysandro, o Magnífico.

Durante o primeiro quarto de 135 DC, dois eventos importantes foram ocasião de grande alegria por todos os Sete Reinos de Westeros. No terceiro dia da terceira lua daquele ano, o povo de Porto Real acordou com uma imagem que não era vista desde os dias sombrios da Dança: um dragão nos céus acima da cidade. A senhora Rhaena, aos dezenove anos, estava voando em sua dragão Manhã pela primeira vez. Naquele dia, ela contornou a cidade uma vez antes de voltar ao Fosso dos Dragões, mas em todos os dias seguintes ela foi ficando mais ousada e voou mais longe.

Mas só uma vez Rhaena pousou com Manhã dentro da Fortaleza Vermelha, pois nem os melhores esforços do príncipe Viserys puderam persuadir seu irmão, o rei, a ver a irmã voar (embora a rainha Daenaera tivesse ficado tão entusiasmada com Manhã que foi ouvida dizendo que queria um dragão para ela). Pouco tempo depois, Manhã levou a senhora Rhaena pela Baía da Água Negra até Pedra do Dragão, onde, como ela disse, "dragões e quem os monta são bem-vindos".

Menos de quinze dias depois, Larra de Lys deu à luz um filho, o primogênito do príncipe Viserys. A mãe tinha vinte anos e o pai só tinha treze. Viserys chamou o filho de Aegon em homenagem ao irmão, o rei, e pôs um ovo de dragão no berço dele, como tinha se tornado costume com todos os filhos legítimos nascidos na Casa Targaryen. Aegon foi ungido com os sete óleos pelo septão Bernard no septo real, e os sinos da cidade soaram em celebração ao nascimento dele. Presentes foram enviados de todos os cantos do reino, mas nenhum tão generoso quanto os dados ao bebê pelos tios lysenos. Em Lys, Lysandro, o Magnífico, declarou dia de festa em homenagem ao neto.

Mas mesmo com tanta alegria, sussurros de descontentamento começaram a ser ouvidos. Esse novo filho da Casa Targaryen tinha sido ungido na Fé, mas em pouco tempo a cidade soube que a mãe dele pretendia que ele fosse abençoado pelos deuses dela também, e boatos dessas cerimônias obscenas no Sereia e de sacrifício de sangue na Fortaleza de Maegor começaram a ser ouvidos nas ruas de Porto Real. O problema poderia ter terminado aí, com falação, mas pouco tempo depois uma série de desastres aconteceu com o reino e com a família real, um logo depois do outro, até que mesmo os homens que debochavam dos deuses, como Cogumelo, começaram a questionar se os Sete tinham se virado em fúria contra a Casa Targaryen e os Sete Reinos.

O primeiro presságio da época de trevas a caminho foi visto em Derivamarca, quando o ovo de dragão apresentado para Laena Velaryon no nascimento gerou um filhote. Mas o orgulho e o prazer dos pais dela logo viraram cinzas; o dragão que saiu do ovo era uma monstruosidade, um wyrm sem asas, parecendo um verme, e cego. Momentos depois de sair da casca, a criatura se virou contra o bebê no berço e arrancou um pedaço sangrento do braço dela. Enquanto Laena gritava, lorde Punho de Carvalho arrancou o "dragão" de cima dela, jogou-o no chão e o cortou em pedacinhos.

A notícia desse nascimento monstruoso e as consequências sangrentas foram muito perturbadoras para o rei Aegon, e logo resultaram em palavras de raiva entre Sua Graça e o irmão. O príncipe Viserys ainda tinha seu ovo de dragão. Embora nunca tivesse se desenvolvido, o príncipe o havia guardado ao longo dos anos de exílio e cativeiro, pois era de muita importância para ele. Quando Aegon ordenou que nenhum ovo de dragão permanecesse no castelo, Viserys ficou furioso. Mas a vontade do rei prevaleceu, como deve ser; o ovo foi enviado para Pedra do Dragão, e o príncipe Viserys se recusou a falar com o rei Aegon por uma virada da lua.

Sua Graça ficou muito consternado com a briga com o irmão, conta Cogumelo, mas o que aconteceu em seguida o deixou de luto e arrasado. O rei Aegon estava apreciando um jantar tranquilo em seu solar com sua pequena rainha Daenaera e seu amigo Gaemon Cabelo-Claro, e o anão os estava distraindo com uma música boba sobre um urso que bebeu demais quando o menino bastardo começou a reclamar de uma cólica nas entranhas.

— Vá correndo buscar o grande meistre Munkun — ordenou o rei a Cogumelo.

Quando o bobo voltou com o grande meistre, Gaemon tinha desmaiado e a rainha Daenaera estava gemendo, "minha barriga também está doendo".

Gaemon servia havia muito tempo como provador das comidas do rei Aegon, e como escanção, e Munkun logo declarou que ele e a pequena rainha eram vítimas de envenenamento. O grande meistre deu a Daenaera um purgante poderoso, que provavelmente salvou sua vida. Ela vomitou incontrolavelmente a noite toda, chorando e se contorcendo de dor, e ficou exausta e fraca demais para sair da cama no dia seguinte, mas conseguiu que seu organismo fosse limpo. Mas Munkun chegou tarde demais para Gaemon Cabelo-Claro. O menino morreu em uma hora. Nascido bastardo em um bordel, o "Rei Xota" havia reinado pouco tempo, do alto de uma colina, durante a Lua da Loucura, tinha visto sua mãe ser morta e serviu Aegon III como escanção, bode expiatório e amigo. Achavam que ele só tinha nove anos na ocasião de sua morte.

Depois, o grande meistre Munkun deu o que restava do jantar a uma jaula de ratos e determinou que o veneno tinha sido assado na massa das tortas de maçã. Felizmente, o rei nunca gostou muito de doces (e nem de nenhuma outra comida, para falar a verdade). Os cavaleiros da Guarda Real na mesma hora foram para as cozinhas da Fortaleza Vermelha e detiveram uma dezena de cozinheiros, confeiteiros, auxiliares e servas e os entregaram para George Graceford, o senhor confessor. Sob tortura, sete confessaram que tentaram envenenar o rei... mas cada relato era diferente do outro, e não houve concordância sobre onde eles conseguiram o veneno, e nenhum dos detidos citou corretamente o prato que tinha sido envenenado, então lorde Rowan descartou com relutância as confissões como "inúteis até para limpar a bunda". (A Mão estava em estado péssimo mesmo antes do envenenamento, pois havia acabado de sofrer uma tragédia pessoal quando sua jovem esposa, a senhora Floris, morreu no parto.)

Apesar de o rei ter passado menos tempo com o escanção depois do retorno do irmão a Westeros, a morte de Gaemon Cabelo-Claro deixou Aegon inconsolável. Uma coisa boa adveio disso, pois ajudou a resolver a briga entre o rei e seu irmão Viserys, que rompeu o silêncio teimoso para consolar Sua Graça em sua dor e se sentou com ele junto à cama da rainha. Mas isso não ajudou muito. Depois, foi Aegon quem ficou em silêncio, pois sua antiga melancolia estava de volta, e ele pareceu perder todo o interesse na corte e no reino.

O golpe seguinte caiu longe de Porto Real, no Vale de Arryn, quando sor Corwyn Corbray determinou que o testamento da senhora Jeyne devia prevalecer e declarou sor Joffrey Arryn o legítimo Senhor do Ninho da Águia. Quando os outros requerentes se mostraram intransigentes e se recusaram a aceitar a determinação dele, sor Corwyn aprisionou o Falcão Dourado e seus filhos e executou Eldric Arryn, mas de alguma forma o pai maluco de sor Eldric, sor Arnold, o enganou e fugiu para Pedrarruna, onde tinha trabalhado como escudeiro na infância. Gunthor Royce, conhecido no Vale como Gigante de Bronze, era um homem velho, tão teimoso quanto destemido; quando sor Corwyn chegou para arrancar sor Arnold do esconderijo dele, lorde Gunthor vestiu a antiga armadura de bronze e saiu a cavalo para confrontá-lo. As palavras ficaram acaloradas, viraram xingamentos e ameaças. Quando Corbray puxou Senhora Desespero — se para atacar Royce ou apenas o ameaçar jamais saberemos — um arqueiro nas ameias de Pedrarruna soltou uma flecha e o perfurou no peito.

Matar um dos regentes do rei era ato de traição, similar a atacar o próprio rei. Além disso, sor Corwyn era tio de Quenton Corbray, o poderoso e marcial Senhor de Lar do Coração, assim como o amado marido da senhora Rhaena, a cavaleira de dragão, cunhado da gêmea dela, a senhora Baela, e assim, por casamento, parente de Alyn Punho de Carvalho. Com sua morte, as chamas da guerra surgiram novamente pelo Vale de Arryn. Os Corbray, os Hunter, os Crayne e os Redfort apoiaram o herdeiro escolhido da senhora Jeyne, sor Joffrey Arryn, enquanto os Royces de Pedrarruna e sor Arnold, o Herdeiro Louco, tiveram a adesão dos Templeton, Tollett, Coldwater e Dutton, junto com os senhores dos Dedos e das Três Irmãs. Vila Gaivota e a Casa Grafton ficaram firmes no apoio ao Falcão Dourado, apesar do cativeiro.

A resposta de Porto Real não demorou a chegar. Lorde Rowan enviou uma última revoada de corvos para o Vale, ordenando que os senhores que apoiavam o Herdeiro Louco e o Falcão Dourado baixassem as armas imediatamente, para não provocarem "o desprazer do Trono de Ferro". Como não houve resposta, a Mão se aconselhou com Punho de Carvalho e fez planos para pôr fim à rebelião à força.

Com a chegada da primavera, achava-se que a estrada de altitude pelas Montanhas da Lua ficaria novamente transitável. Cinco mil homens partiram pela Estrada do Rei, sob o comando de sor Robert Rowan, filho mais velho de lorde Thaddeus. Convocados de Lagoa da Donzela, Darry e Vaufeno, eles aumentaram de número ao longo da marcha e, depois que atravessaram o Tridente, seiscentos Frey e mil Blackwood sob o comando do próprio lorde Benjicot se juntaram a eles, deixando-os com uma força de nove mil homens para entrar nas montanhas.

Um segundo ataque aconteceu pelo mar. Em vez de fazer uso da frota real comandada por sor Gedmund Peake, o Grande Machado, tio de seu predecessor, a Mão se voltou para a Casa Velaryon para pedir os navios. Punho de Carvalho comandaria a frota em pessoa, enquanto sua esposa, a senhora Baela, seguiria para Pedra do Dragão para consolar sua gêmea agora viúva (além de cuidar para que a senhora Rhaena não tentasse vingar a morte do marido em pessoa com Manhã).

O exército que lorde Alyn tinha que levar até o Vale seria comandado pelo irmão da senhora Larra, Moredo Rogare, anunciou lorde Rowan. Ninguém duvidava que lorde Moredo era um lutador temível; alto e severo, com cabelo louro-branco e olhos azuis ardentes, ele era a imagem de um guerreiro da Antiga Valíria, os homens diziam, e carregava uma espada longa de aço valiriano que chamava de Verdade.

Mas, apesar de sua capacidade, a indicação do lyseno não foi nem um pouco popular. Enquanto seus irmãos Roggerio e Lotho eram fluentes no idioma comum, a compreensão de Moredo da língua era no máximo limitada, e a sabedoria de pôr um lyseno no comando de um exército de cavaleiros westerosis foi amplamente questionada. Os inimigos de lorde Rowan na corte, entre os quais muitos homens que deviam sua posição a Unwin Peake, reagiram rápido e disseram que isso era prova das fofocas ouvidas por meio ano, de que Thaddeus Rowan tinha se vendido a Punho de Carvalho e aos Rogare.

Essas especulações não teriam importado se os ataques ao Vale tivessem sido bem-sucedidos. Mas não foram. Embora Punho de Carvalho tenha derrotado facilmente os mercenários marítimos do Falcão Dourado e capturado o porto de Vila Gaivota, os atacantes perderam centenas de homens ao tomar as muralhas do porto em um ataque repentino, e o triplo nas lutas de casa em casa que vieram em seguida. Depois que seu tradutor foi morto durante a batalha nas ruas, Moredo Rogare passou a ter muita dificuldade de se comunicar com as próprias tropas; os homens não entendiam suas ordens, e ele não entendia os relatos deles. Deu-se o caos.

Enquanto isso, do outro lado do Vale, a estrada de altitude pelas montanhas estava bem menos aberta do que se supunha. A hoste de sor Robert Rowan se viu lutando por camadas profundas de neve nos desfiladeiros mais altos, o que reduziu a velocidade dos avanços dele, e várias vezes a bagagem sofreu ataque dos bárbaros nativos das montanhas (descendentes dos Primeiros Homens expulsos do Vale pelos ândalos milhares de anos antes).

— Eles eram esqueletos com pele, armados com machados de pedra e clavas de madeira — disse Ben Blackwood mais tarde —, mas tão famintos e tão desesperados que não podiam ser detidos, por mais quantidades que matássemos.

Em pouco tempo, o frio e a neve e os ataques noturnos começaram a cobrar seu preço.

No alto das montanhas, o impensável aconteceu uma noite, quando lorde Robert e seus homens se reuniam encolhidos em volta das fogueiras. Nas encostas acima, a boca de uma caverna era visível da estrada, e doze homens subiram para ver se ela poderia oferecer algum abrigo do vento. Os ossos espalhados na boca da caverna deveriam tê-los feito hesitar, mas eles foram em frente... e despertaram um dragão.

Dezesseis homens faleceram na luta que veio em seguida, e outras três vintenas sofreram queimaduras antes do wyrm marrom furioso sair voando e fugir mais para o interior das montanhas com "uma mulher maltrapilha agarrada nas costas". Essa foi a última aparição conhecida de Roubovelha e sua companheira, Urtigas, registrada nos anais de Westeros... embora os selvagens das montanhas ainda contem histórias de uma "bruxa do fogo" que morava em um vale escondido, longe de todas as estradas e vilarejos. Um dos clãs mais bárbaros da montanha passou a adorá-la, dizem os contadores de histórias; jovens provavam sua coragem levando presentes para ela e só eram reconhecidos como homens quando voltavam com queimaduras que provassem que eles tinham enfrentado a mulher-dragão em sua toca.

O encontro com o dragão não foi o último perigo enfrentado pelo exército de sor Robert. Quando eles chegaram ao Portão Sangrento, um terço da tropa tinha perecido em ataques de selvagens ou morrido de frio ou fome. Entre os mortos estava sor Robert Rowan, esmagado por uma rocha que caiu quando os homens de um clã derrubaram metade de uma montanha sobre a coluna. Ben Sangrento Blackwood assumiu o comando com a morte dele. Embora ainda lhe faltasse meio ano para chegar à idade adulta, lorde Blackwood àquela altura já tinha tanta experiência de guerra quanto homens com o quádruplo de sua idade. No Portão Sangrento, a entrada do Vale, os sobreviventes encontraram comida, calor e boas-vindas... mas sor Joffrey Arryn, Cavaleiro do Portão Sangrento e sucessor escolhido da senhora Jeyne Arryn, viu na mesma hora que a travessia deixou os homens de Blackwood incapacitados para combater. Longe de ajudarem na guerra, eles seriam um fardo.

Enquanto a luta no Vale de Arryn continuava, a promessa da Primavera Lysena sofria outro golpe horrível centenas de léguas ao sul, com a morte quase simultânea de Lysandro, o Magnífico, em Lys e de seu irmão Drazenko em Lançassolar. Apesar de haver o mar estreito entre eles, os dois Rogare morreram em dias seguidos, ambos sob circunstâncias suspeitas. Drazenko faleceu primeiro, engasgado com um pedaço de bacon. Lysandro se afogou quando sua barcaça opulenta afundou enquanto o transportava do Jardim Perfumado de volta ao palácio. Embora alguns insistam que as mortes foram acidentes infelizes, muitos mais viram o modo e o momento dessas mortes como prova de um plano para derrubar a Casa Rogare. Os Homens Sem Rosto de Braavos eram vistos como prováveis responsáveis pelas mortes; não se sabia de assassinos mais adequados em nenhum lugar do mundo.

Mas se os Homens Sem Rosto realmente cometeram esses atos, sob as ordens de quem agiram? O Banco de Ferro de Braavos era suspeito, assim como o Arconte de Tyrosh, Racallio Ryndoon, e vários príncipes mercadores e magísteres de Lys que todos sabiam que tinham se irritado com a "tirania de veludo" de Lysandro, o Magnífico. Alguns chegaram ao ponto de sugerir que o primeiro-magíster havia sido eliminado pelos próprios filhos (ele tinha seis filhos legítimos, três filhas e dezesseis bastardos). Mas os irmãos foram exterminados de forma tão habilidosa que nem foi possível provar que foi assassinato.

Nenhum dos postos pelos quais Lysandro exercia seu domínio sobre Lys era hereditário. Seu cadáver comido por caranguejos mal tinha sido tirado do mar quando seus velhos inimigos, falsos amigos e antigos aliados começaram a luta pela sucessão.

Dentre os lysenos, guerras são lutadas com planos e venenos e não com exércitos, dizem corretamente. Pelo resto daquele ano sangrento, os magísteres e príncipes mercadores de Lys fizeram uma dança mortal, subindo e caindo em intervalos quase quinzenais. Era comum que as quedas fossem fatais. Torreo Haen foi envenenado com a esposa, a amante, as filhas (uma delas a donzela cujo vestido transparente provocou aquele escândalo todo no Baile do Dia da Donzela), irmãos e apoiadores no banquete que ele deu para comemorar sua ascensão à posição de primeiro-magíster. Silvario Pendaerys foi esfaqueado no olho ao sair do Templo do Comércio, enquanto seu irmão, Pereno, foi enforcado em uma casa de travesseiros enquanto uma escrava lhe dava prazer com a boca. O gonfaloneiro Moreo Dagareon foi morto por seus próprios guardas de elite, e Matteno Orthys, um adorador fervoroso da deusa Pantera, foi atacado e parcialmente devorado por seu amado gato-das-sombras quando a jaula dele foi deixada aberta uma noite.

Apesar de os filhos de Lysandro não poderem herdar as posições dele, o palácio ficou para sua filha Lysara, os navios, para o filho Drako, a casa de travesseiros, para o filho Fredo, a biblioteca, para a filha Marra. Toda a prole dividiu a riqueza representada pelo Banco Rogare. Até os bastardos receberam a parte deles, embora menos do que o alocado aos filhos e filhas legítimos. Mas o controle real do banco ficou para o filho de Lysandro, Lysaro... de quem se escreveu verdadeiramente que "tinha o dobro da ambição e metade da capacidade do pai".

Lysaro Rogare aspirava a governar Lys, mas não tinha a astúcia nem a paciência de passar décadas no acúmulo lento de riqueza e poder, como seu pai Lysandro fizera. Com os rivais morrendo ao redor, Lysaro primeiro tratou de se proteger e comprou mil Imaculados dos traficantes de escravos de Astapor. Esses guerreiros eunucos eram famosos como os melhores soldados a pé do mundo, treinados para a obediência absoluta, e seus donos não precisavam ter medo de desafio nem de traição.

Depois de se cercar por esses protetores, Lysaro garantiu sua escolha como gonfaloneiro, conquistando os plebeus com entretenimento generoso e os magísteres com subornos maiores do que qualquer um deles já tinha visto. Quando essas despesas esgotaram sua fortuna pessoal, ele começou a desviar ouro do banco. A intenção dele, como mais tarde revelou, era provocar uma guerra curta e vitoriosa com Tyrosh ou Myr. Como gonfaloneiro, a glória da conquista acrescentaria aos feitos dele e lhe permitiria ocupar a posição de primeiro-magíster. Ao saquear Tyrosh ou Myr, ele obteria ouro suficiente para repor os fundos que havia tirado do banco e se tornar o homem mais rico de Lys.

Era um plano idiota e logo deu errado. A lenda alega que foram os homens contratados do Banco de Ferro de Braavos que começaram a sugerir primeiro que o Banco Rogare podia estar indo mal, mas independentemente de quem iniciou o rumor, isso logo era ouvido por Lys inteira. Os magísteres e príncipes mercadores da cidade passaram a exigir a devolução de seus depósitos; poucos no começo, depois mais e mais, até um rio de dinheiro estar saindo dos cofres de Lysaro... um rio que logo secou. Àquela altura, Lysaro já tinha sumido. Tendo que enfrentar a ruína, ele fugiu de Lys na calada da noite com três escravos de cama, seis servos e cem dos seus Imaculados, e abandonou a esposa, as filhas e o palácio. Compreensivelmente alarmados, os magísteres da cidade foram na mesma hora tomar o Banco Rogare, mas descobriram que não restava nada além de uma casca vazia.

A queda da Casa Rogare foi rápida e brutal. Os irmãos e irmãs de Lysaro alegaram não terem tido participação no roubo do banco, mas muitos duvidaram das alegações de inocência. Drako Rogare fugiu para Volantis em uma de suas galés enquanto sua irmã Marra fugiu para o templo de Yndros, usando trajes de homem e pedindo abrigo lá, mas todos os seus irmãos foram capturados e levados a julgamento, até os bastardos. Quando Lysara Rogare protestou, dizendo "Eu não sabia", o magíster Tigaro Moraqos respondeu "Deveria", e a multidão rugiu em aprovação. Metade da cidade foi arruinada.

E o dano não ficou restrito a Lys. Quando a notícia da queda da Casa Rogare chegou a Westeros, senhores e mercadores logo perceberam que o dinheiro que tinham confiado a ela havia se perdido. Em Vila Gaivota, Moredo Rogare agiu rapidamente, cedeu seu comando a Alyn Punho de Carvalho e navegou para Braavos. Lotho Rogare foi preso por sor Lucas Leygood e seus mantos dourados ao tentar partir de Porto Real; todas as suas cartas e livros foram confiscados, junto com cada peça de ouro e prata que restavam nos cofres no topo da Colina de Visenya. Enquanto isso, sor Marston Waters da Guarda Real invadia Sereia com dois de seus Irmãos Juramentados e cinquenta guardas. Os clientes do bordel foram expulsos para a rua, muitos deles nus (Cogumelo estava entre os expulsos, como o próprio admitiu), enquanto lorde Roggerio foi levado sob a mira de uma lança no meio da multidão agitada. Na Fortaleza Vermelha, o dono de bordel e o banqueiro foram aprisionados na Torre da Mão; seu parentesco com a esposa do príncipe Viserys os poupou dos horrores das celas negras naquele momento.

Primeiro, foi suposto que a Mão tinha ordenado a prisão deles. Com a morte de sor Corwyn no Vale, só lorde Rowan e o grande meistre Munkun restavam como regentes. Esse equívoco durou apenas algumas horas, pois naquela mesma noite lorde Rowan se juntou aos Rogare no cativeiro. Nem os Dedos, supostos protetores da Mão, o defenderam. Quando sor Mervyn Flowers entrou nas câmaras do conselho para prender sua senhoria, Tessario, o Tigre, mandou que seus homens ficassem parados. A única resistência foi oferecida pelo escudeiro de lorde Rowan, que foi logo dominado. "Poupem o garoto", suplicou lorde Thaddeus, e eles fizeram isso... mas só depois que Flowers cortou uma das orelhas do rapaz, "para ensinar a ele a não portar aço contra a Guarda Real".

A lista dos capturados e detidos para julgamento como suspeitos de traição não terminou aí. Três dos primos de lorde Rowan e um de seus sobrinhos também foram presos, junto com duas vintenas de cavalariços, criados e cavaleiros empregados a serviço dele. Todos foram pegos de surpresa e cederam sem resistir. Mas quando sor Amaury Peake se aproximou da Fortaleza de Maegor com doze homens de armas, ele encontrou Viserys Targaryen em pessoa na ponte levadiça, um machado de guerra na mão. "Era um machado pesado, e o príncipe, um garoto um tanto esguio de treze anos", conta o bobo Cogumelo. "Era de duvidar que o rapaz conseguisse levantar o machado, e mais ainda atacar com ele."

— Se veio buscar a senhora minha esposa, sor, dê meia-volta e vá embora — disse o jovem príncipe —, pois você não passará enquanto eu ainda estiver de pé.

Sor Amaury achou essa demonstração de desafio mais divertida do que ameaçadora.

— Sua senhora é necessária para interrogatório em ligação com a traição dos irmãos — disse ele ao príncipe.

— E quem é que a está solicitando? — perguntou o príncipe.

— A Mão do Rei — respondeu sor Amaury.

— Lorde Rowan? — perguntou Viserys.

— Lorde Rowan foi removido da posição. Sor Marston Waters é a nova Mão do Rei.

Naquele momento, o próprio Aegon III saiu pelo portão da fortaleza e parou ao lado do irmão.

— Eu sou o rei — lembrou-lhes Sua Graça —, e não escolhi sor Marston como minha Mão.

A intervenção de Aegon pegou sor Amaury de surpresa, conta Cogumelo, mas depois de um momento de hesitação, ele disse:

— Sua Graça ainda é um garoto. Até chegar à maioridade, Majestade, seus senhores leais precisam tomar essas decisões em seu lugar. Sor Marston foi escolhido por seus regentes.

— Lorde Rowan é meu regente — insistiu o rei.

— Não mais — disse sor Amaury. — Lorde Rowan traiu sua confiança. A regência dele chegou ao fim.

— Por autoridade de quem? — perguntou Aegon.

— Da Mão do Rei — disse o cavaleiro branco.

O príncipe Viserys riu disso (pois o rei Aegon nunca ria, para a consternação de Cogumelo) e disse:

— A Mão indica o regente e o regente indica a Mão, e assim damos voltas e voltas... mas o senhor não passará, sor, nem tocará na minha esposa. Vá embora, ou prometo que todos os seus homens morrerão aqui.

Nesse momento, sor Amaury Peake ficou sem paciência. Ele não podia se permitir ser atrapalhado por dois garotos, um de quinze e outro de treze anos, o mais velho desarmado.

— Chega — disse ele, e ordenou que seus homens movessem os garotos para o lado. — Sejam gentis com eles e cuidem para que não sejam feridos por nossas mãos.

— Isso cairá sobre seus ombros, sor — avisou o príncipe Viserys. Ele enfiou o machado fundo na madeira da ponte levadiça, recuou e disse: — Não passem do machado senão morrerão.

O rei o segurou pelo ombro e o levou para a segurança da fortaleza, e uma sombra saiu para a ponte levadiça.

Sandoq, a Sombra, viera de Lys com a senhora Larra, presente do pai dela, o magíster Lysandro. De pele e cabelo negros, ele tinha quase dois metros e dez de altura. Seu rosto, que ele costumava deixar escondido por trás de um véu preto de seda, era um amontoado de cicatrizes brancas finas, e seus lábios e língua haviam sido removidos, deixando-o ao mesmo tempo mudo e horrendo de se olhar. Diziam que ele tinha sido vitorioso em cem lutas nas arenas mortais de Meereen, que já havia arrancado a garganta de um inimigo com os dentes depois que sua espada se quebrou, que bebia o sangue dos homens que matava, que nas arenas matara leões, ursos, lobos e serpes sem arma alguma além das pedras que encontrava na areia.

Essas histórias são aumentadas cada vez que são recontadas, claro, e não temos como saber no quanto disso podemos acreditar. Apesar de Sandoq não saber ler nem escrever, Cogumelo conta que gostava de música e muitas vezes se sentava nas sombras do quarto da senhora Larra tocando notas doces e tristes em um instrumento estranho de cordas de amagodouro e ébano que era quase da altura dele. "Às vezes eu conseguia fazer a senhora rir, apesar de ela não entender mais do que umas poucas palavras na nossa língua", diz o bobo, "mas quando Sombra tocava, ela sempre chorava, e é estranho dizer que ela gostava mais disso."

Foi um tipo diferente de música que Sandoq, a Sombra, tocou nos portões da Fortaleza de Maegor, quando os guardas de sor Amaury partiram para cima dele com espadas e lanças. Naquela noite, seus instrumentos escolhidos foram um escudo preto alto feito de madeira, couro curtido e ferro, e uma espada curva enorme com cabo de osso de dragão, cuja lâmina escura brilhava à luz das tochas com as ondulações distintas de aço valiriano. Os inimigos uivaram e xingaram e berraram ao partir para cima dele, mas a Sombra não fez ruído nenhum além do som do aço, passando por eles como um gato silencioso, a lâmina assobiando para a esquerda e para a direita e para cima e para baixo, arrancando sangue a cada golpe, cortando a cota de malha como se fosse de papel. Cogumelo, que alega ter visto a batalha do telhado acima, testemunha que "não pareceu muito uma luta de espadas, mas sim um fazendeiro colhendo grãos. A cada golpe, mais plantas caíam, mas essas plantas eram na verdade homens vivos que gritavam e praguejavam ao cair". Os homens de sor Amaury não eram desprovidos de coragem, e alguns viveram o suficiente para dar seus golpes, mas a Sombra, sempre em movimento, aparava as lâminas deles no escudo e o usava para empurrá-los para trás, para fora da ponte, para as estacas famintas abaixo.

Que seja dito isto sobre sor Amaury Peake: a morte dele não desgraçou a Guarda Real. Três de seus homens estavam mortos na ponte levadiça e mais dois se contorciam nas estacas abaixo quando Peake tirou a própria espada da bainha. "Ele estava usando armadura de escamas brancas por baixo do manto branco", conta Cogumelo, "mas seu elmo era aberto e ele não tinha levado escudo, e Sandoq o fez pagar gravemente pelo que lhe faltava". A Sombra fez da luta uma dança, diz o bobo; entre cada ferimento novo que provocava em sor Amaury, ele matava um dos homens restantes, antes de se virar novamente para o cavaleiro branco. Mas Peake lutou com valor teimoso, e perto do fim, por meio momento, os deuses lhe deram sua oportunidade, quando o último dos guardas de alguma forma pôs a mão na espada de Sandoq e a arrancou da Sombra para cair com tudo da ponte. De joelhos, sor Amaury cambaleou até ficar de pé e partiu para cima do inimigo desarmado.

Sandoq arrancou o machado de Viserys da madeira onde o príncipe o tinha enfiado e partiu a cabeça e o elmo de sor Amaury no meio, do cume ao pescoço. Deixando o cadáver para cair nas estacas, a Sombra parou o suficiente para empurrar os mortos e moribundos da ponte levadiça antes de recuar para a Fortaleza de Maegor, onde o rei ordenou que a ponte fosse erguida, a porta levadiça, fechada e os portões, bloqueados. O castelo dentro do castelo estava seguro.

E permaneceria assim por dezoito dias.

O restante da Fortaleza Vermelha estava nas mãos de sor Marston Waters e sua Guarda Real, enquanto fora do castelo sor Lucas Leygood e seus mantos dourados mantinham vigilância rigorosa em Porto Real. Ambos se apresentaram perante a fortaleza na manhã seguinte, para exigir que o rei abandonasse o santuário.

— Vossa Graça está enganado se pensa que pretendemos fazer mal a ele — disse sor Marston enquanto os cadáveres dos homens que Sandoq havia matado eram tirados do fosso. — Nós só agimos para proteger Vossa Graça de falsos amigos e traidores. Sor Amaury tinha feito um juramento de protegê-lo, de dar a vida pela sua, se necessário. Ele era um homem leal a Vossa Graça, como eu sou. Não merecia uma morte assim, nas mãos desse animal.

O rei Aegon não se deixou comover.

— Sandoq não é animal — respondeu ele das ameias. — Ele não pode falar, mas ouve e obedece. Eu ordenei que sor Amaury fosse embora, e ele se recusou. Meu irmão o avisou do que aconteceria se ele passasse do machado. Os juramentos da Guarda Real incluem obediência, pelo que eu pensava.

— Nós somos juramentados para obedecer ao rei, Majestade, é verdade — respondeu sor Marston —, e quando Vossa Graça for um homem crescido, meus irmãos e eu vamos pegar nossas espadas se assim nos ordenar. Mas enquanto for criança, nós temos por juramento que obedecer à Mão do Rei, pois a Mão fala com a voz do rei.

— Lorde Thaddeus é minha Mão — insistiu Aegon.

— Lorde Thaddeus vendeu seu reino a Lys e deve responder por isso. Vou agir como Mão até chegar a hora de a culpa ou a inocência dele poder ser provada. — Sor Marston desembainhou a espada e se apoiou em um joelho, dizendo: — Juro por minha espada, aos olhos dos deuses e homens, que ninguém lhe fará mal enquanto eu estiver ao seu lado.

Se o senhor comandante acreditava que essas palavras afetariam o rei, ele não poderia estar mais errado.

— Você ficou ao meu lado enquanto o dragão comia minha mãe — respondeu Aegon. — Não fez nada além de assistir. Não vou deixar você assistir enquanto matam a esposa do meu irmão. — Ele saiu das ameias, e nenhuma palavra de Marston Waters pôde induzi-lo a voltar naquele dia, nem no seguinte e nem no seguinte.

No quarto dia, o grande meistre Munkun apareceu junto a sor Marston.

— Eu suplico, Majestade, que acabe com essa loucura infantil e saia, para que possamos servi-lo.

O rei Aegon olhou para ele e não disse nada, mas seu irmão foi menos reticente e mandou o grande meistre enviar "mil corvos" para que o reino pudesse saber que o rei estava sendo mantido prisioneiro em seu próprio castelo. O grande meistre não respondeu. E os corvos não levantaram voo.

Nos dias seguintes, Munkun fez vários outros apelos, garantindo a Aegon e Viserys que tudo tinha sido feito dentro da lei, sor Marston foi de súplicas a ameaças e a barganhas, e o septão Bernard foi levado para rezar em voz alta para a Velha iluminar o caminho do rei de volta à sabedoria, mas nada deu resultado. Esses esforços geraram pouca ou nenhuma reação do rei além de um silêncio teimoso. Sua Graça só se entregou à raiva uma vez, quando seu mestre de armas, sor Gareth Long, fez sua tentativa de convencer o rei a ceder.

— E se eu não ceder, quem você vai punir, sor? — gritou o rei Aegon para ele. — Você pode espancar o pobre Gaemon, mas não vai mais arrancar sangue dele.

Muitos questionaram a aparente paciência da nova Mão e seus aliados durante esse impasse. Sor Marston tinha várias centenas de homens dentro da Fortaleza Vermelha, e os mantos dourados de sor Lucas Leygood eram mais de dois mil. A Fortaleza de Maegor era um reduto formidável, claro, mas fracamente protegido. Dos lysenos que foram para Westeros com a senhora Larra, só Sandoq, a Sombra e mais seis restavam ao lado dela, o resto tinha ido embora com seu irmão Moredo para o Vale. Alguns homens leais a lorde Rowan foram para a fortaleza antes de os portões serem fechados, mas não havia um cavaleiro, escudeiro ou homem de armas entre eles, nem entre os atendentes do rei. (Havia um cavaleiro da Guarda Real dentro da fortaleza, mas sor Raynard Ruskyn era prisioneiro depois de ter sido dominado e ferido pelo lyseno no começo do desafio do rei.) Cogumelo nos conta que as damas da rainha Daenaera vestiram cota de malha e pegaram lanças para ajudar a passar a ideia de que o rei Aegon tinha mais defensores do que tinha, mas isso não podia enganar sor Marston e seus homens por muito tempo, se é que chegou a enganá-los.

Assim, a pergunta precisa ser feita: por que Marston Waters não simplesmente invadiu a fortaleza? Ele tinha mais do que homens suficientes. Embora alguns fossem ser perdidos para Sandoq e os outros lysenos, até a Sombra acabaria sendo dominado no final. Mas a Mão se segurou e continuou suas tentativas de encerrar o "cerco secreto" (como esse confronto passaria a ser conhecido) com palavras, quando espadas quase certamente poderiam ter levado a uma conclusão rápida.

Alguns vão dizer que a relutância de sor Marston foi simples covardia, que ele temia enfrentar a lâmina do gigante lyseno Sandoq. Isso parece improvável. Às vezes é dito que os defensores da Fortaleza de Maegor (o próprio rei em alguns relatos, o irmão dele em outros) ameaçaram enforcar o Guarda Real prisioneiro ao primeiro sinal de ataque... mas Cogumelo chama isso de "mentira básica".

A explicação mais provável é a mais simples. Marston Waters não era um grande cavaleiro nem um bom homem, a maioria dos estudiosos concorda. Embora nascido bastardo, ele chegou a ser cavaleiro e conseguiu uma posição modesta no séquito do rei Aegon II, mas sua ascensão provavelmente teria terminado aí se não fosse seu parentesco com certos pescadores de Pedra do Dragão, o que fez Larys Strong o escolher dentre cem cavaleiros melhores para esconder o rei durante a ascendência de Rhaenyra. Nos anos seguintes, Waters de fato subiu muito e se tornou senhor comandante da Guarda Real no lugar de cavaleiros de nascimento melhor e bem mais renome. Como Mão do Rei, ele seria o homem mais poderoso do reino até Aegon III chegar à maioridade... mas no momento crucial ele hesitou, sentindo o peso de seus juramentos e de sua honra de bastardo. Sem querer desonrar o manto branco que usava ordenando um ataque ao rei que ele tinha jurado proteger, sor Marston renegou escadas, ganchos e investidas e continuou botando sua confiança em palavras lógicas (e talvez na fome, pois os suprimentos dentro da fortaleza não podiam durar muito mais).

Na manhã do décimo segundo dia do cerco secreto, Thaddeus Rowan foi levado acorrentado para confessar seus crimes.

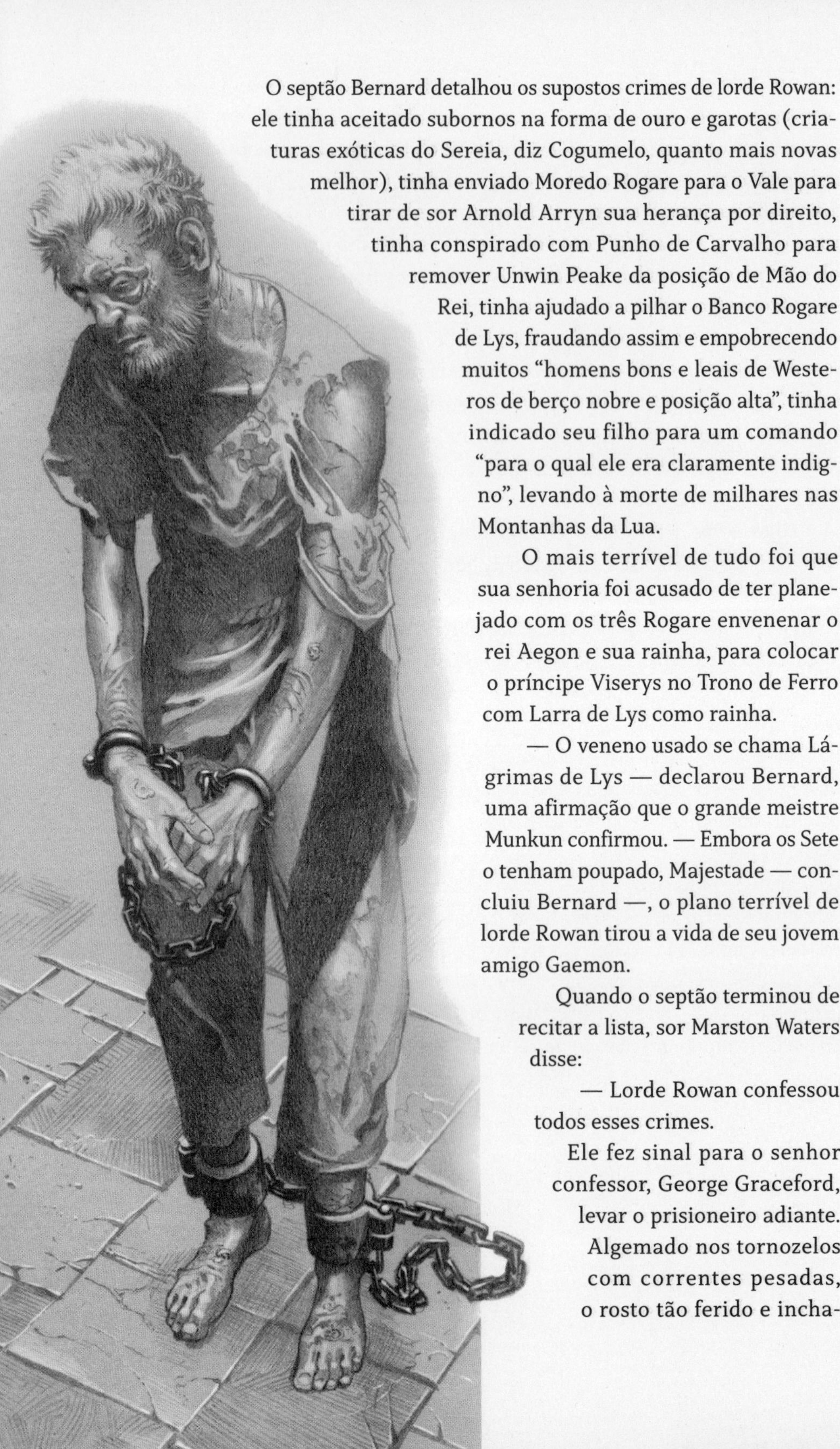

O septão Bernard detalhou os supostos crimes de lorde Rowan: ele tinha aceitado subornos na forma de ouro e garotas (criaturas exóticas do Sereia, diz Cogumelo, quanto mais novas melhor), tinha enviado Moredo Rogare para o Vale para tirar de sor Arnold Arryn sua herança por direito, tinha conspirado com Punho de Carvalho para remover Unwin Peake da posição de Mão do Rei, tinha ajudado a pilhar o Banco Rogare de Lys, fraudando assim e empobrecendo muitos "homens bons e leais de Westeros de berço nobre e posição alta", tinha indicado seu filho para um comando "para o qual ele era claramente indigno", levando à morte de milhares nas Montanhas da Lua.

O mais terrível de tudo foi que sua senhoria foi acusado de ter planejado com os três Rogare envenenar o rei Aegon e sua rainha, para colocar o príncipe Viserys no Trono de Ferro com Larra de Lys como rainha.

— O veneno usado se chama Lágrimas de Lys — declarou Bernard, uma afirmação que o grande meistre Munkun confirmou. — Embora os Sete o tenham poupado, Majestade — concluiu Bernard —, o plano terrível de lorde Rowan tirou a vida de seu jovem amigo Gaemon.

Quando o septão terminou de recitar a lista, sor Marston Waters disse:

— Lorde Rowan confessou todos esses crimes.

Ele fez sinal para o senhor confessor, George Graceford, levar o prisioneiro adiante. Algemado nos tornozelos com correntes pesadas, o rosto tão ferido e inchado que estava irreconhecível, lorde Thaddeus não se moveu de primeira, até lorde Graceford o espetar com a ponta da adaga, quando ele disse com voz rouca:

— Sor Marston fala a verdade, Sua Graça. Eu confessei tudo. Lotho me prometeu cinquenta mil dragões quando a tarefa fosse executada e mais cinquenta quando Viserys subisse ao trono. O veneno foi dado a mim por Roggerio.

A fala dele foi tão hesitante, as palavras, tão arrastadas, que alguns nas ameias acharam que sua senhoria estava bêbado, até que Cogumelo observou que todos os dentes dele tinham sido arrancados.

A confissão deixou o rei Aegon III sem palavras. Tudo que o garoto pôde fazer foi olhar, com tanto desespero no rosto que Cogumelo teve medo de Sua Graça estar prestes a pular das ameias às estacas abaixo, para se juntar à sua primeira rainha.

Coube ao príncipe Viserys responder.

— E minha esposa, a senhora Larra — gritou ele —, ela também foi parte desse plano, meu senhor?

Lorde Rowan assentiu pesadamente.

— Foi — disse ele.

— E eu? — perguntou o príncipe.

— Sim, você também — respondeu sua senhoria em tom monótono... uma resposta que pareceu surpreender Marston Waters, ao mesmo tempo que desagradou amplamente lorde George Graceford.

— E Gaemon Cabelo-Claro, foi ele quem pôs o veneno na torta, imagino — disse Viserys com desembaraço.

— Se agrada ao meu príncipe — murmurou Thaddeus Rowan.

Nesse momento, o príncipe se virou para o rei, seu irmão, e disse:

— Gaemon foi tão culpado quanto o resto de nós... de nada.

O anão Cogumelo gritou:

— Lorde Rowan, foi o senhor quem envenenou o rei Viserys?

E a antiga Mão assentiu:

— Foi, meu senhor. Eu confesso.

O rosto do rei ficou rígido.

— Sor Marston — disse ele —, esse homem é minha Mão e é inocente de traição. Os traidores aqui são os que o torturaram para levá-lo a fazer essa falsa confissão. Prenda o senhor confessor se o senhor ama seu rei... senão vou saber que o senhor é tão falso quanto ele.

As palavras dele ecoaram pelo pátio interno e, naquele momento, o problemático Aegon III pareceu ser integralmente um rei.

Até hoje, alguns garantem que sor Marston Waters não passava de um peão, um simples cavaleiro honesto usado e enganado por homens mais sutis do que ele, enquanto outros argumentam que Waters era parte do plano desde o começo, mas se voltou contra os companheiros quando sentiu a maré virando contra eles.

Seja qual for a verdade, sor Marston fez o que o rei mandou. Lorde Graceford foi capturado pela Guarda Real e arrastado para a masmorra que ele comandava quando acordou naquele dia. As correntes de lorde Rowan foram retiradas, e todos os cavaleiros e servos dele foram tirados da masmorra e levados para a luz do sol.

Acabou não sendo necessário sujeitar o senhor confessor a tormentas; a visão dos instrumentos foi o suficiente para ele entregar os nomes dos outros conspiradores. Entre os que ele citou estavam o falecido sor Amaury Peake e sor Mervyn Flowers da Guarda Real, Tessario, o Tigre, o septão Bernard, sor Gareth Long, sor Victor Risley, sor Lucas Leygood dos mantos dourados com seis dos sete capitães dos portões da cidade e até três das damas da rainha.

Nem todos se entregaram pacificamente. Uma batalha curta e feroz aconteceu no Portão dos Deuses quando os homens foram buscar Lucas Leygood, deixando nove mortos, entre eles o próprio Leygood. Três dos capitães acusados fugiram antes de poderem ser capturados, junto com doze de seus homens. Tessario, o Tigre, também decidiu fugir, mas foi capturado em uma taverna portuária perto do Portão do Rio enquanto negociava com o capitão de um baleeiro ibbenês uma passagem até o Porto de Ibben.

Sor Marston decidiu confrontar Mervyn Flowers em pessoa.

— Nós dois somos bastardos, além de Irmãos Juramentados — ele foi ouvido dizendo para sor Raynard Ruskyn.

Ao saber da acusação de Graceford, sor Mervyn disse:

— Você deve querer meu aço. — E puxou a espada longa da bainha e ofereceu o cabo para Marston Waters.

Mas, quando sor Marston pegou a espada, sor Mervyn segurou seu pulso, puxou uma adaga com a outra mão e a enfiou na barriga de Waters. Flowers não chegou nem até o estábulo, onde um homem de armas bêbado e dois cavalariços jovens o encontraram montado em seu corcel. Ele os matou, mas o barulho atraiu outros correndo, e o cavaleiro bastardo foi finalmente dominado e apanhou até morrer, ainda usando o manto branco que tinha envergonhado.

Seu senhor comandante, sor Marston Waters, não viveu muito mais do que ele. Ele foi encontrado na Torre da Espada Branca em uma poça do próprio sangue e carregado até o grande meistre Munkun, que o examinou e declarou que o ferimento era mortal. Apesar de Munkun o costurar da melhor maneira que pôde e lhe dar leite de papoula, Waters faleceu na mesma noite.

Lorde Graceford tinha citado sor Marston como um dos conspiradores também, insistindo que "aquele maldito vira-manto" estava com eles desde o começo, uma acusação que Waters não podia mais contestar. O restante dos conspiradores foi jogado nas celas negras para esperar julgamento. Alguns declararam inocência, enquanto outros alegaram, assim como sor Marston, que agiram pela crença honesta de que Thaddeus Rowan e os lysenos eram traidores. Mas alguns se mostraram mais acessíveis. Sor Gareth Long foi o mais valioso e declarou em voz alta que Aegon III era um fraco indigno de segurar uma espada e menos ainda de se sentar no Trono de Ferro. O septão Bernard argumentou pela Fé; os lysenos e seus deuses estrangeiros bizarros não tinham lugar nos Sete Reinos. Sempre foi a intenção que a senhora Larra morresse junto com os irmãos, disse ele, para que Viserys ficasse livre para ter uma rainha westerosi adequada.

O mais franco dos conspiradores foi Tessario, o Polegar. Ele agiu por ouro e garotas e vingança, disse ele. Roggerio Rogare o baniu do Sereia por ter batido em uma das prostitutas dele, assim ele pediu o bordel e a masculinidade de Roggerio como seu preço, e essas coisas lhe foram prometidas. Mas quando seus inquisidores perguntaram quem fez essa promessa, Tessario não teve resposta além de um sorriso... um sorriso que virou careta e depois grito quando ele ouviu a pergunta novamente, sob tortura. O primeiro nome que ele deu foi o de Marston Waters, mas na continuação do interrogatório citou George Graceford e, um pouco depois, Mervyn Flowers. Cogumelo diz que o Tigre estava a ponto de dar um quarto nome, talvez o verdadeiro, quando não resistiu mais.

Mas um nome não foi mencionado, apesar de pairar acima da Fortaleza Vermelha como uma nuvem. Em *O testemunho do Cogumelo*, o bobo diz claramente o que poucos ousavam dizer na época: que devia ter havido outro conspirador, senhor e comandante do resto, o homem que pôs tudo aquilo em ação de longe, usando os outros como peões. O "jogador nas sombras", Cogumelo o chama. "Graceford era cruel, mas não era inteligente, Long tinha coragem, mas não era ardiloso, Risley era um beberrão, Bernard era um idiota devoto, o Polegar era um maldito volantino, pior do que os lysenos. As mulheres eram mulheres, e a Guarda Real estava acostumada a obedecer a ordens, não a dá-las. Lucas Leygood amava se gabar do manto dourado e podia beber e brigar e trepar com os melhores deles, mas não era conspirador. E todos tinham laços com um homem: Unwin Peake, Senhor de Piquestrela, Senhor de Dustonbury, Senhor de Matabranca, que já tinha sido Mão do Rei."

Sem dúvida os outros tiveram as mesmas desconfianças quando o plano para matar o rei foi desmascarado. Vários dos traidores tinham laços de sangue com a antiga Mão, enquanto outros deviam suas posições a ele. E conspiração não era novidade para Peake, pois ele já tinha planejado o assassinato de dois cavaleiros de dragões sob a insígnia dos Ouriços Sangrentos. Mas Peake estava em Piquestrela durante o cerco, e nenhum de seus supostos peões falou seu nome, então o envolvimento dele continua sem provas até hoje.

A atmosfera de desconfiança estava tão densa na Fortaleza Vermelha que Aegon III só saiu da Fortaleza de Maegor seis dias depois que seu irmão Viserys desvendou a falsa confissão de lorde Rowan. Só quando ele viu o grande meistre Munkun enviar um bando de corvos para convocar duas vintenas de senhores leais a Porto Real foi que Sua Graça permitiu que a ponte fosse baixada novamente. Eles estavam com tão poucos alimentos na fortaleza que a rainha Daenaera tinha chorado até dormir à noite, e duas das damas dela estavam tão fracas de fome que tiveram que ser auxiliadas na hora de atravessar o fosso.

Quando o rei saiu, lorde Graceford tinha dado os nomes, muitos dos traidores haviam sido capturados, outros tinham fugido, e Marston Waters, Mervyn Flowers e Lucas Leygood estavam mortos. Pouco tempo depois, Thaddeus Rowan voltou a residir na Torre da Mão... mas ficou claro para todos que sua senhoria não estava em condições de retomar seu dever como Mão do Rei. As coisas que haviam sido feitas a ele na masmorra o arrasaram. Em um momento, ele podia parecer ter voltado a ser quem era, saudável e animado, mas começava a chorar incontrolavelmente no momento seguinte. Cogumelo, que podia ser tão cruel quanto era inteligente, debochava do velho e o acusava de crimes distantes para arrancar dele confissões ainda mais absurdas. "Lembro que uma noite o fiz confessar a Destruição de Valíria", diz o anão em *O testemunho*. "A corte morreu de rir, mas quando penso nisso agora, fico vermelho de vergonha."

Depois de uma fase da lua, com lorde Rowan demonstrando pouco ou nenhum sinal de melhoria, o grande meistre Munkun persuadiu o rei a retirá-lo da posição. Rowan partiu para sua sede em Bosquedouro, prometendo voltar a Porto Real quando tivesse recuperado a saúde, mas morreu na estrada em companhia dos dois filhos. Pelo restante daquele ano, o grande meistre serviu como regente e Mão, pois o reino precisava ser governado, e Aegon ainda não tinha chegado à maioridade. Mas, como meistre, com a corrente e juramentado para servir, Munkun achava que não cabia a ele julgar grandes senhores e cavaleiros ungidos, então os traidores acusados ficaram na masmorra aguardando uma nova Mão.

À medida que o ano foi acabando e abrindo caminho para o novo, senhores após senhores foram chegando a Porto Real, atendendo ao chamado do rei. Os corvos haviam feito seu trabalho. Embora nunca tenha sido constituída formalmente como um Grande Conselho, a reunião de senhores de 136 DC foi a maior concentração de nobres nos Sete Reinos desde que o Velho Rei convocou os senhores do reino para comparecerem a Harrenhal em 101 DC. Porto Real logo ficou a ponto de explodir, para a alegria dos estalajadeiros, das prostitutas e dos mercadores da cidade.

A maioria dos presentes veio das terras da coroa, das terras fluviais, das terras da tempestade... e do Vale, onde lorde Punho de Carvalho e Ben Sangrento Blackwood tinham finalmente forçado o Falcão Dourado, o Herdeiro Louco, o Gigante de Bronze e todos os apoiadores dele a se curvarem e se submeterem a Joffrey Arryn como seu suserano (Gunthor Royce, Quenton Corbray e Isembard Arryn estavam entre os que acompanharam lorde Alyn para a reunião, junto com o próprio lorde Arryn.) Johanna Lannister enviou um primo e três vassalos para falarem pelo Oeste, Torrhen Manderly foi de navio de Porto Branco com duas vintenas de cavaleiros e primos, e Lyonel Hightower e a senhora Sam foram de Vilavelha com um acompanhamento de seiscentos homens. Mas o maior grupo foi o que acompanhou lorde Unwin Peake, que levou mil de seus homens e quinhentos mercenários. ("De que ele poderia estar com medo?", debochou Cogumelo.)

Sob a sombra do Trono de Ferro vazio (pois o rei Aegon preferiu não ir à corte), os senhores tentaram escolher novos regentes para governarem até Sua Graça chegar à maioridade. Depois de mais de quinze dias de reunião, eles não haviam chegado mais perto de uma conclusão do que no começo. Sem a mão forte de um rei para guiá-los, alguns senhores manifestaram queixas antigas, e as feridas parcialmente cicatrizadas da Dança começaram a sangrar outra vez. Os homens fortes tinham inimigos demais, senhores menores eram desprezados por serem pobres ou fracos. Até que, em desespero para chegar a um acordo, o grande meistre Munkun sugeriu que três regentes fossem escolhidos por sorteio. Quando o príncipe Viserys acrescentou sua voz à de Munkun, a proposta foi adotada. No sorteio, saíram Willam Stackspear, Marq Merryweather e Lorent Grandison, e se podia dizer verdadeiramente deles que eram tão inofensivos quanto insignificantes.

A seleção da Mão do Rei era uma questão mais importante, que os senhores reunidos não estavam dispostos a deixar para os novos regentes. Havia alguns, sobretudo da Campina, que pediam que Unwin Peake fosse chamado para servir como Mão novamente, mas foram logo calados quando o príncipe Viserys declarou que seu irmão preferiria um homem mais jovem e "com menos chance de encher sua corte de traidores". O nome de Alyn Velaryon também foi citado, mas ele foi considerado jovem demais. Kermit Tully e Benjicot Blackwood foram recusados pelo mesmo motivo. Os senhores então se voltaram para o nortenho, Torrhen Manderly, Senhor de Porto Branco... um homem desconhecido para a maioria, mas por esse mesmo motivo sem inimigos ao sul do Gargalo (exceto talvez por Unwin Peake, que tinha memória boa).

— Sim, eu aceito — disse lorde Torrhen —, mas vou precisar de um homem que seja bom com dinheiro, se vou ter que lidar com aqueles ladrões lysenos e o banco maldito deles.

Quem se manifestou foi Punho de Carvalho, para oferecer o nome de Isembard Arryn, o Falcão Dourado do Vale. Para agradar lorde Peake e seus apoiadores, Gedmund Peake, o Grande Machado, foi indicado senhor almirante e mestre dos navios (disseram que Punho de Carvalho ficou mais intrigado do que com raiva e que declarou que a escolha era boa, pois "sor Gedmund adora pagar por navios, e eu adoro navegá-los"). Sor Raynard Ruskyn se tornou senhor comandante da Guarda Real, enquanto sor Adrian Thorne foi escolhido para comandar os mantos dourados. Anteriormente capitão do Portão do Leão, Thorne foi o único dos sete capitães de Lucas Leygood a não ser acusado de envolvimento na conspiração.

E assim foi feito. Só faltava Aegon III botar o selo dele, o que ele fez sem objeção na manhã seguinte, antes de se recolher outra vez ao esplendor solitário de seus aposentos.

Sua nova Mão começou imediatamente a cuidar das questões do reino. Sua primeira tarefa era desafiadora: fazer o julgamento dos acusados de envenenamento de Gaemon Cabelo-Claro e de planejar traição contra o rei. Quarenta e duas pessoas foram acusadas, pois os citados por lorde Graceford, por sua vez, citaram outros nomes quando interrogados com severidade. Dezesseis tinham fugido e oito haviam morrido, restando dezoito para serem julgados. Treze deles já tinham confessado algum grau de envolvimento nos crimes, pois os inquisidores do rei eram muito persuasivos. Cinco continuavam a insistir em sua inocência e declaravam que de fato acreditaram que a traição tinha sido de lorde Rowan, e assim se juntaram à conspiração para salvar Sua Graça dos lysenos que pretendiam matá-lo.

Os julgamentos duraram trinta e três dias. O príncipe Viserys esteve presente o tempo todo, muitas vezes acompanhado da esposa, a senhora Larra, com a barriga inchada com o segundo filho, e de seu filho Aegon com a ama de leite. O rei Aegon só foi três vezes, nos dias que o julgamento tratou de Gareth Long, George Graceford e do septão Bernard; ele não demonstrou interesse no resto, e nunca perguntou sobre o destino deles. A rainha Daenaera não compareceu nenhuma vez.

Sor Gareth e lorde Graceford foram condenados a morrer, mas os dois preferiram tomar o negro. Lorde Manderly decretou que eles deviam ser colocados a bordo do próximo navio que seguisse para Porto Branco, de onde poderiam ser levados para a Muralha. O alto septão tinha escrito para pedir clemência para o septão Bernard, "para que ele pudesse expiar seus pecados por oração, contemplação e bons trabalhos", então Manderly o poupou do machado do carrasco. Bernard foi capado e condenado a andar descalço de Porto Real até Vilavelha com a masculinidade pendurada no pescoço.

— Se ele sobreviver, Sua Alta Santidade pode fazer o uso que quiser dele — decretou a Mão.

(Bernard sobreviveu e passou o resto da vida como escriba, copiando livros sagrados no Septo Estrelado sob voto de silêncio.)

Os mantos dourados que tinham sido acusados e capturados (vários haviam fugido) preferiram imitar sor Gareth e lorde Graceford e tomaram o negro em vez de perderem a cabeça. A mesma escolha foi feita pelos Dedos sobreviventes... menos sor Victor Risley, que já tinha sido Magistrado do Rei e fez uso do seu direito como cavaleiro ungido de pedir um julgamento por batalha "para que eu possa provar minha inocência pelo uso do meu corpo, aos olhos dos deuses e dos homens". Sor Gareth Long, o primeiro e mais importante a citar Risley como parte da conspiração, foi levado de volta ao tribunal para confrontá-lo.

— Você sempre foi um tolo, Victor — disse sor Gareth quando sua espada longa foi colocada na mão.

O antigo mestre de armas acabou com o antigo carrasco rapidamente, e se voltou com um sorriso para os condenados nos fundos da sala do trono e perguntou:

— Mais alguém?

Os casos mais perturbadores foram das três mulheres acusadas, todas senhoras bem-nascidas e damas da rainha. Lucinda Penrose (a que foi atacada enquanto falcoava antes do Baile do Dia da Donzela) admitiu que quis Daenaera morta, dizendo "se meu nariz não tivesse sido aberto, seria ela me servindo, não eu servindo a ela. Nenhum homem me quer agora por causa dela". Cassandra Baratheon confessou que compartilhou a cama muitas vezes com sor Mervyn Flowers, e às vezes, por ordem de sor Mervyn, com Tessario, o Tigre, "mas só quando ele pedia". Quando Willam Stackspear sugeriu que talvez ela fosse parte da recompensa que haviam prometido ao volantino, a senhorita Cassandra caiu no choro. Mas até a confissão dela pareceu pequena perto da confissão da senhorita Priscella Hogg, uma garota triste e um tanto simples de catorze anos, robusta e baixa e de rosto comum, que de alguma forma tinha metido na cabeça que o príncipe Viserys se casaria com ela se Larra de Lys estivesse morta.

— Ele sorri sempre que me vê — disse ela para o tribunal —, e uma vez, quando passou por mim na escada, o ombro dele roçou nos meus seios.

Lorde Manderly, o grande meistre Munkun e os regentes questionaram as três mulheres detalhadamente, talvez (como Cogumelo especula) para tentar chegar ao nome de uma quarta mulher, até então não citada: a senhora Clarice Osgrey, tia viúva de lorde Unwin Peake. A senhora Clarice supervisionava todas as damas, acompanhantes e criadas da rainha Daenaera, como tinha feito com as damas da rainha Jaehaera, e conhecia bem muitos dos conspiradores confessos (Cogumelo diz que ela e George Graceford eram amantes e sugere que sua senhoria ficava tão excitada com tortura que às vezes se juntava ao senhor confessor na masmorra para ajudar no trabalho dele). Se ela estivesse envolvida, era provável que Unwin Peake também estivesse. Mas toda a sondagem deles não deu em nada, e quando lorde Torrhen perguntou diretamente se a senhora Clarice tinha sido cúmplice, as três mulheres condenadas só balançaram a cabeça que não.

Apesar de serem parte inquestionável da conspiração, os papéis desempenhados pelas três mulheres foram comparativamente menores. Por esse motivo, e por causa do sexo, lorde Manderly e os regentes decidiram lhes oferecer misericórdia. Lucinda Penrose e Priscella Hogg foram condenadas a terem os narizes cortados, com o acordo de que a punição seria cancelada caso elas passassem a se dedicar à Fé, desde que permanecessem fiéis aos votos.

O nascimento nobre de Cassandra Baratheon a poupou da mesma punição; afinal, ela era a filha mais velha do falecido lorde Borros e irmã do atual Senhor de Ponta Tempestade, e já tinha sido noiva do rei Aegon II. Apesar de a mãe dela, a senhora Elenda, não estar bem o suficiente para comparecer ao julgamento, ela tinha enviado três dos vassalos de seu filho para falar por Ponta Tempestade. Através deles (e de lorde Grandison, cujas terras e fortaleza também eram das terras da tempestade), ficou combinado que a senhorita Cassandra se casaria com um cavaleiro menor chamado sor Walter Brownhill, que comandava alguns pedaços de terra em Cabo da Fúria de um castelo muitas vezes descrito como feito de "lama e raízes de árvores". Três vezes viúvo, sor Walter tinha tido dezesseis filhos com as esposas anteriores, treze ainda vivos. A senhora Elenda achava que cuidar dessas crianças e de quaisquer outros filhos e filhas que pudesse dar a sor Walter impediria Cassandra de elaborar qualquer outra traição. (E impediu mesmo.)

Isso concluiu o último dos julgamentos de traição, mas a masmorra debaixo da Fortaleza Vermelha ainda não tinha sido esvaziada. O destino dos irmãos da senhora Larra, Lotho e Roggerio, permanecia sem decisão. Embora inocentes de alta traição, assassinato e conspiração, eles ainda eram acusados de fraude e roubo; o colapso do Banco Rogare levou à ruína de milhares, em Westeros e também em Lys. Embora ligados à Casa Targaryen por casamento, os irmãos não eram reis nem príncipes, e a senhoria deles era composta de cortesias vazias, lorde Manderly e o grande meistre Munkun concordaram; eles seriam julgados e punidos.

Nisso, os Sete Reinos estavam bem atrás da Cidade Livre de Lys, onde o colapso do Banco Rogare levou inexoravelmente à ruína da casa que Lysandro, o Magnífico, tinha construído. O palácio que ele havia deixado para a filha Lysara foi confiscado, junto com as mansões dos outros filhos e toda a mobília dentro. Algumas das galés comerciais de Drako Rogare souberam da queda da casa a tempo de desviar o rumo para Volantis, mas para cada navio salvo nove se perderam, junto com sua carga e os cais e armazéns dos Rogare. A senhora Lysara foi privada de seu ouro, pedras preciosas e vestidos, a senhora Marra, de seus livros. Fredo Rogare viu os magísteres tomarem o Jardim Perfumado enquanto tentava vendê-lo. Seus escravos foram vendidos, junto com os dos irmãos, legítimos e bastardos. Quando isso se mostrou insuficiente para pagar mais do que um décimo das dívidas deixadas pelo colapso do banco, os Rogare foram vendidos como escravos com seus filhos. As filhas de Fredo e Lysaro logo iriam parar no Jardim Perfumado, onde tinham brincado quando crianças, mas como escravas de cama, não proprietárias.

Nem Lysaro Rogare, arquiteto da desgraça da família, escapou ileso. Ele e seus guardas eunucos foram capturados na cidade de Volon Therys, em Roine, enquanto esperavam um barco que os levaria para o outro lado do rio. Leais até o fim, os Imaculados morreram todos lutando para protegê-lo... mas só vinte haviam ficado com ele (Lysaro tinha levado cem quando fugiu de Lys, mas foi obrigado a vender a maioria no caminho), e eles logo se viram cercados na luta confusa e sangrenta no porto. Depois de capturado, Lysaro foi enviado rio abaixo para Volantis, onde os Triarcas o ofereceram para seu irmão Drako por um certo preço. Drako recusou e sugeriu que os volantinos o vendessem de volta para Lys. E assim Lysaro Rogare voltou a Lys, acorrentado a um remo na barriga de um navio escravagista volantino.

Durante seu julgamento, quando perguntaram o que ele tinha feito com todo o ouro que havia roubado, Lysaro riu e começou a apontar para certos magísteres na assembleia e a dizer:

— Usei para subornar aquele, aquele, aquele e aquele.

Ele chegou a indicar doze homens antes de ser silenciado. Isso não o salvou. Os homens que ele tinha comprado votaram junto com o restante para condená-lo (e ficaram com os subornos, pois os magísteres de Lys colocavam a avareza na frente da honra, como se sabe bem).

Lysaro foi sentenciado a ser acorrentado nu a um pilar na frente do Templo do Comércio, onde todos os prejudicados por ele teriam permissão de açoitá-lo, o número de chibatadas atribuído a cada pessoa a ser determinado pela extensão de suas perdas. E assim foi. Está registrado que sua irmã Lysara e seu irmão Fredo estavam entre os que fizeram uso da chibata, enquanto outros lysenos fizeram apostas sobre o horário da morte dele. Lysaro faleceu na sétima hora do primeiro dia de açoites. Seus ossos ficariam acorrentados ao pilar por três anos, até seu irmão Moredo retirá-los e enterrá-los na cripta da família.

Nesse sentido, pelo menos, a justiça lysena se mostrou consideravelmente mais severa do que a dos Sete Reinos. Muitos em Westeros gostariam de ver Lotho e Roggerio Rogare sofrerem o mesmo destino horrível de Lysaro, pois o colapso do Banco Rogare empobreceu grandes senhores e também humildes comerciantes... mas mesmo os que mais os desprezavam não tinham como oferecer provas de que algum dos dois sabia dos atos do irmão em Lys, nem que se beneficiaram dos roubos dele.

No fim, o banqueiro Lotho foi julgado como culpado de roubo, por pegar ouro e pedras preciosas e prata que não eram dele e não conseguir devolver tudo quando requerido. Lorde Manderly lhe deu a escolha de tomar o negro ou perder a mão direita como se fosse um ladrão comum.

— Bendito seja Yndros por eu ser canhoto — disse Lotho, preferindo a mutilação.

Nada pôde ser provado contra seu irmão Roggerio, mas lorde Manderly o sentenciou a sete chibatadas mesmo assim.

— Por que motivo? — perguntou Roggerio, perplexo.

— Por ser um lyseno três vezes maldito — respondeu Torrhen Manderly.

Depois que as sentenças foram executadas, os dois irmãos foram embora de Porto Real. Roggerio fechou o bordel e vendeu o prédio, os tapetes, as cortinas, as camas e outros móveis, até os papagaios e macacos, e usou o dinheiro para comprar um navio, um dracar de pesca grande chamado *Filha da Sereia*. Assim, sua casa de travesseiros renasceu, desta vez com velas. Durante anos, Roggerio navegou pelo mar estreito, vendendo vinho com especiarias, alimentos exóticos e prazer carnal aos habitantes dos grandes portos e das aldeias pesqueiras. Seu irmão, Lotho, sem uma das mãos, foi acolhido pela senhora Samantha, amante de lorde Lyonel Hightower, e voltou com ela para Vilavelha. Os Hightower não tinham confiado um grama de ouro que fosse aos lysenos, e assim continuaram sendo uma das casas mais ricas de Westeros inteira, atrás talvez só dos Lannisters de Rochedo Casterly, e a senhora Sam queria saber como fazer melhor uso do ouro que possuía. Assim nasceu o Banco de Vilavelha, que deixou a Casa Hightower ainda mais rica.

(Moredo Rogare, o mais velho dos três irmãos que tinham ido com a senhora Larra para Porto Real, estava em Braavos durante os julgamentos, negociando com os guardiões das chaves do Banco de Ferro. Antes de o ano acabar, ele viajaria de navio para Tyrosh, cheio de ouro braavosi, e contrataria navios e espadas para outro ataque a Lys. Mas essa história fica para outra ocasião, pois passa longe do nosso alcance.)

O rei Aegon III não apareceu nem uma vez para se sentar no Trono de Ferro durante os julgamentos dos irmãos, mas o príncipe Viserys foi todos os dias se sentar ao lado da esposa. O que Larra de Lys achava da justiça da Mão nem Cogumelo nem as crônicas da corte podem nos contar, exceto que ela chorou quando lorde Torrhen deu seu veredito, a única vez em que ela foi vista derramando uma lágrima.

Pouco tempo depois, os senhores começaram a partir, cada um de volta à sua sede, e a vida voltou a ser como antes em Porto Real, sob os novos regentes e a nova Mão do Rei... embora mais o segundo do que os primeiros. "Os deuses escolheram nossos novos regentes", observou Cogumelo, "e parece que esses deuses são tão burros quanto os senhores." Ele não estava errado. Lorde Stackspear adorava falcoar, lorde Merryweather amava festas e lorde Grandison amava dormir, e cada homem achava que os outros dois eram idiotas, mas no final não fez diferença, pois Torrhen Manderly se mostrou uma Mão honesta e capaz, de quem era correto dizer que era brusco e glutão, mas justo. O rei Aegon nunca gostou dele, é verdade, mas Sua Graça não era confiante por natureza, e os eventos dos anos anteriores só serviram para aumentar suas desconfianças. Também não se pode dizer que lorde Torrhen tinha muito apreço pelo rei, a quem se referia como "aquele garoto emburrado" quando escrevia para a filha em Porto Branco. Mas Manderly passou a gostar do príncipe e era louco pela rainha Daenaera.

Embora a regência do nortenho tenha sido comparativamente curta, ficou longe de ser tediosa. Com a ajuda considerável do Falcão Dourado, Isembard Arryn, Manderly executou uma grande reforma nos impostos, obtendo mais renda para a Coroa e algum alívio para os que pudessem provar que tinham sofrido perdas pela queda do Banco Rogare. Com o senhor comandante, ele restaurou a Guarda Real de sete homens e concedeu mantos brancos a sor Edmund Warrick, sor Dennis Whitfield e sor Agramore Cobb, para ocuparem os lugares de Marston Waters, Mervyn Flowers e Amaury Peake. Ele repudiou formalmente o pacto que Alyn Punho de Carvalho tinha assinado para garantir a libertação do príncipe Viserys, alegando que o acordo fora feito não com a Cidade Livre de Lys, mas com a Casa Rogare, que não se podia dizer mais que existia.

Com sor Gareth Long na Muralha, a Fortaleza Vermelha precisava de um novo mestre de armas. Lorde Manderly indicou um jovem espadachim chamado sor Lucas Lothston. Neto de um cavaleiro andante, sor Lucas era um professor paciente que logo se tornou favorito do príncipe Viserys e até conquistou certo respeito contrariado do rei Aegon. Para senhor confessor, Manderly indicou o meistre Rowley, um jovem com rosto de menino recém-chegado de Vilavelha, onde havia estudado com o arquimeistre Sandeman, famoso por ser o curandeiro mais sábio da história de Westeros. Foi o grande meistre Munkun quem pediu que Rowley fosse indicado.

— Um homem que sabe aliviar a dor também vai saber infligi-la — disse ele para a Mão —, mas também é importante que tenhamos um senhor confessor que veja o trabalho como dever, não como prazer.

Na véspera do Dia do Ferreiro, Larra de Lys deu ao príncipe Viserys um segundo filho, um menino grande e cheio de energia que o príncipe chamou de Aemon. Uma festa foi dada em comemoração ao nascimento, e todos se alegraram com o nascimento desse novo príncipe... exceto talvez por seu irmão Aegon, de um ano e meio, que foi descoberto batendo no bebê com o ovo de dragão que tinha sido colocado no berço. O bebê não sofreu nenhum mal, pois o choro de Aemon fez a senhora Larra ir lá correndo e desarmar e brigar com o filho mais velho.

Pouco tempo depois, lorde Alyn Punho de Carvalho ficou inquieto e começou a fazer planos para a segunda de suas seis grandes viagens. Os Velaryon tinham confiado boa parte de seu ouro a Lotho Rogare e perdido mais do que metade de sua riqueza em consequência. Para restaurar sua fortuna, lorde Alyn reuniu uma grande frota de mercadores, com doze de suas galés de guerra para protegê-los, com a intenção de navegar até a Antiga Volantis passando por Pentos, Tyrosh e Lys, e visitar Dorne na volta para casa.

Dizem que ele e a esposa brigaram antes da viagem, pois a senhora Baela tinha sangue de dragão e ficava com raiva rapidamente e ouvira o senhor seu marido falar muito sobre a princesa Aliandra de Dorne. Mas, no final, eles se reconciliaram, como sempre acontecia. A frota zarpou no meio do ano, liderada por Punho de Carvalho em uma galé que ele batizou de *Ousada Marilda*, em homenagem à sua mãe. A senhora Baela ficou em Derivamarca com o segundo filho de lorde Alyn crescendo na barriga.

O décimo sexto dia do nome do rei estava chegando. Com o reino em paz e a primavera florescendo, lorde Torrhen Manderly decidiu que o rei Aegon e a rainha Daenaera deviam fazer uma viagem real para marcar a chegada da sua maioridade. Seria bom para o garoto ver as terras que governava, argumentou a Mão, se mostrar para seu povo. Aegon era alto e bonito, e a jovem e doce rainha poderia oferecer o charme que pudesse faltar ao rei. O povo a amaria, o que só podia beneficiar o solene jovem rei.

Os regentes concordaram. Planos para a grande viagem foram feitos, para durar um ano inteiro, e essa viagem levaria Sua Graça a partes do reino que nunca tinham visto um rei. De Porto Real eles seguiriam para Valdocaso e Lagoa da Donzela, e de lá pegariam um navio para Vila Gaivota. Depois de uma visita ao Ninho da Águia, eles voltariam a Vila Gaivota e velejariam para o Norte, com uma parada nas Três Irmãs.

Porto Branco daria ao rei e à rainha boas-vindas de um tipo que eles nunca tinham visto, prometeu lorde Manderly. Então poderiam seguir para o norte, para Winterfell, talvez até visitar a Muralha, antes de voltar para o sul, pela estrada do rei até o Gargalo. Sabitha Frey os receberia nas Gêmeas, eles poderiam visitar lorde Benjicot em Solar de Corvarbor, e claro que, se visitassem os Blackwood, eles teriam que passar a mesma quantidade de tempo com os Bracken. Algumas noites em Correrrio e eles atravessariam as colinas para o oeste, para visitar a senhora Johanna em Rochedo Casterly.

De lá, eles seguiriam pela estrada costeira até a Campina... Jardim de Cima, Bosquedouro, Carvalho Velho... havia um dragão em Lago Vermelho, Aegon não gostaria disso, mas Lago Vermelho seria facilmente evitável... uma visita a uma das sedes de Unwin Peake poderia ajudar a abrandar a antiga Mão. Em Vilavelha, o alto septão em pessoa sem dúvida poderia ser convencido a dar ao rei e à rainha sua bênção, e o lorde Lyonel e a senhora Sam apreciariam a oportunidade de mostrar ao rei que os esplendores da cidade deles brilhavam mais do que os de Porto Real.

— Vai ser uma viagem como o reino não vê há mais de um século — disse o grande meistre Munkun para Sua Graça. — A primavera é uma época de novos começos, Majestade, e isso vai marcar o verdadeiro começo do seu reinado. Das Marcas de Dorne até a Muralha, todos vão saber que Vossa Graça é o rei e que Daenaera é a rainha.

Torrhen Manderly concordou.

— Vai ser bom para o rapaz sair desse maldito castelo — declarou ele, com Cogumelo ouvindo. — Ele vai poder caçar e falcoar, subir em uma ou duas montanhas, pescar salmões na Faca Branca, ver a Muralha. Festas todas as noites. Não faria mal ao garoto botar um pouco de carne em cima daqueles ossos. Ele que experimente uma boa cerveja do norte, tão densa que dá para cortar com faca.

Os preparativos para as comemorações do dia do nome do rei e para a viagem real em seguida consumiram toda a atenção da Mão e dos três regentes nos dias seguintes. Listas dos senhores e cavaleiros que desejavam acompanhar o rei foram feitas, rasgadas e refeitas. Cavalos receberam ferraduras, armaduras foram polidas, carroças e casas rolantes foram consertadas e repintadas, estandartes foram costurados. Centenas de corvos voavam indo e vindo pelos Sete Reinos, com todos os senhores e cavaleiros de terras suplicando pela honra de uma visita real. O desejo da senhora Rhaena de acompanhar a viagem em seu dragão foi delicadamente recusado, enquanto sua irmã Baela declarou que iria junto quer fosse desejada, quer não. Até as roupas que o rei e a rainha usariam foram cuidadosamente pensadas. Nos dias em que a rainha Daenaera usasse verde, foi decidido que Aegon usaria o preto de sempre. Mas quando a pequena rainha usasse o vermelho e preto da Casa Targaryen, o rei colocaria um manto verde, para que ambas as cores pudessem ser vistas aonde quer que eles fossem.

Algumas questões ainda estavam sendo discutidas quando o dia do nome de Aegon finalmente chegou. Uma grande festa aconteceria naquela noite na sala do trono, e a antiga Guilda dos Alquimistas havia prometido exibições de piromancia como o reino jamais tinha visto.

Mas ainda era manhã quando o rei Aegon entrou nas câmaras do conselho onde lorde Torrhen e os regentes estavam debatendo se incluíam ou não Tumbleton na viagem.

Quatro cavaleiros da Guarda Real acompanharam o jovem rei até as câmaras do conselho. Sandoq, a Sombra, também, com seu véu e em silêncio, carregando sua grande espada. Sua presença ameaçadora provocou medo no aposento. Por um momento, até Torrhen Manderly ficou sem palavras.

— Lorde Manderly — disse o rei Aegon no silêncio repentino —, faça a gentileza de me dizer quantos anos eu tenho.

— Vossa Graça faz dezesseis anos hoje — respondeu lorde Manderly. — Está um homem crescido. É hora de assumir o governo dos Sete Reinos com as suas próprias mãos.

— Eu farei isso — disse o rei Aegon. — Você está sentado na minha cadeira.

A frieza no tom dele surpreendeu todos os homens presentes, o grande meistre Munkun escreveria anos depois. Confuso e abalado, Torrhen Manderly removeu o peso considerável da cadeira na cabeceira da mesa do conselho, com um olhar inquieto para Sandoq, a Sombra. Enquanto segurava a cadeira para o rei, ele disse:

— Majestade, estávamos falando da viagem...

— Não vai haver viagem — declarou o rei depois que se sentou. — Não vou passar um ano sobre um cavalo, dormindo em camas estranhas e trocando cortesias vazias com senhores bêbados, sendo que metade deles ficaria feliz de me ver morto se lhes rendesse algum lucro. Se algum homem pedir para falar comigo, vai me encontrar no Trono de Ferro.

Torrhen Manderly insistiu.

— Majestade — disse ele —, essa viagem faria muito para conquistar o amor da plebe pelo senhor.

— Eu quero dar à plebe paz e alimentos e justiça. Se isso não for suficiente para conquistar o amor dela, que Cogumelo faça uma viagem. Ou talvez possamos enviar um urso dançante. Alguém me disse uma vez que os plebeus não amam nada tanto quanto amam um urso dançante. Pode cancelar também essa festa de hoje. Mande os senhores para casa, para suas próprias fortalezas, e dê a comida aos famintos. Barrigas cheias e ursos dançantes serão minha política. — Aegon se voltou então para os três regentes. — Lorde Stackspear, lorde Grandison, lorde Merryweather, agradeço pelo seu serviço. Considerem-se liberados. Não vou precisar mais de regentes.

— E Vossa Graça vai precisar de uma Mão? — perguntou lorde Manderly.

— Um rei deve ter uma Mão de sua própria escolha — disse Aegon III, levantando--se. — Você me serviu bem, não há dúvida, assim como serviu minha mãe antes de mim, mas foram meus senhores que o escolheram. Pode voltar para Porto Branco.

— Com satisfação, Majestade — disse Manderly, com uma voz que o grande meistre depois chamaria de rosnado. — Não tomo uma cerveja decente desde que cheguei a este fosso de castelo.

Ele tirou a corrente indicativa de sua posição e a pôs na mesa do conselho.

Menos de quinze dias depois, lorde Manderly tomou um navio para Porto Branco com um pequeno grupo de espadas juramentadas e servos... entre eles, Cogumelo. O bobo tinha passado a gostar do grande nortenho, ao que parecia, e aceitou com alegria a proposta de posição em Porto Branco em vez de ficar com um rei que raramente sorria e nunca ria. "Eu era bobo, mas nunca tão bobo de ficar com aquele bobo", conta ele.

O anão acabaria vivendo mais que o rei que havia abandonado. Os volumes finais de *O testemunho*, cheios de relatos detalhados da vida dele em Porto Branco, sua estada na corte do Senhor do Mar de Braavos, sua viagem ao Porto de Ibben e seus anos em meio aos saltimbancos do *Dama Sibilante*, são valiosos por si sós, embora menos úteis para nosso objetivo aqui... então, infelizmente, o homenzinho com a língua ferina desaparece agora da nossa história. Apesar de nunca ter sido o mais confiável dos cronistas, o anão falava verdades que mais ninguém ousava dizer, além de muitas vezes ser engraçado.

Cogumelo nos conta que a coca que lorde Manderly e seu grupo usou para viajar se chamava *Sal Contente*, mas o clima a bordo do navio estava longe de contente quando eles chegaram ao Norte na direção de Porto Branco. Torrhen Manderly nunca tinha gostado "daquele garoto emburrado", como as cartas para sua filha deixavam claro, e nem perdoaria o rei pela maneira brusca como foi dispensado, nem pela forma como Sua Graça "assassinou" a viagem real, cujo fim abrupto sua senhoria viu como uma afronta pessoal muito humilhante.

Momentos depois de tomar o governo dos Sete Reinos nas próprias mãos, o rei Aegon III transformou em inimigo um homem que estava entre seus servos mais leais e dedicados.

E foi assim que o governo dos regentes chegou a um final lamurioso, quando o reinado arrasado do Rei Arrasado começou.

# A sucessão Targaryen

## Datada dos anos após a Conquista de Aegon

| | | |
|---|---|---|
| 1-37 | Aegon I | o Conquistador, o Dragão |
| 27-42 | Aenys I | filho de Aegon I e Rhaenys |
| 42-48 | Maegor I | o Cruel; filho de Aegon I e Visenya |
| 48-103 | Jaehaerys I | o Velho Rei, o Conciliador; filho de Aenys |
| 103-129 | Viserys I | neto de Jaehaerys |
| 129-131 | Aegon II | filho mais velho de Viserys [A ascensão de Aegon II foi disputada por sua meia-irmã Rhaenyra, dez anos mais velha. Os dois pereceram na guerra entre eles, conhecida pelos cantores como Dança dos Dragões.] |
| 131-157 | Aegon III | o Desgraça dos Dragões; filho de Rhaenyra [O último dos dragões Targaryen morreu durante o reinado de Aegon III.] |
| 157-161 | Daeron I | o Jovem Dragão, o Rei Rapaz; filho mais velho de Aegon III [Daeron conquistou Dorne, mas não conseguiu mantê-lo, e morreu jovem.] |
| 161-171 | Baelor I | o Amado, o Abençoado; septão e rei, segundo filho de Aegon III |
| 171-172 | Viserys II | irmão mais novo de Aegon III |
| 172-184 | Aegon IV | o Indigno; filho mais velho de Viserys [Seu irmão mais novo, o príncipe Aemon, o Cavaleiro do Dragão, era o campeão e, segundo alguns, o amante da rainha Naerys.] |
| 184-209 | Daeron II | o Bom; filho da rainha Naerys, com Aegon ou Aemon [Daeron uniu Dorne ao reino casando-se com a princesa dornesa Myriah.] |

| | | |
|---|---|---|
| 209-221 | Aerys I | segundo filho de Daeron II [Não deixou herdeiros.] |
| 221-233 | Maekar I | quarto filho de Daeron II |
| 233-259 | Aegon V | o Improvável; quarto filho de Maekar |
| 259-262 | Jaehaerys II | segundo filho de Aegon V, o Improvável |
| 262-283 | Aerys II | o Rei Louco; único filho de Jaehaerys II |

Aí termina a linhagem dos reis dragões, quando Aerys II é destronado e assassinado, junto com seu herdeiro, o príncipe coroado Rhaegar Targaryen, morto por Robert Baratheon no Tridente.

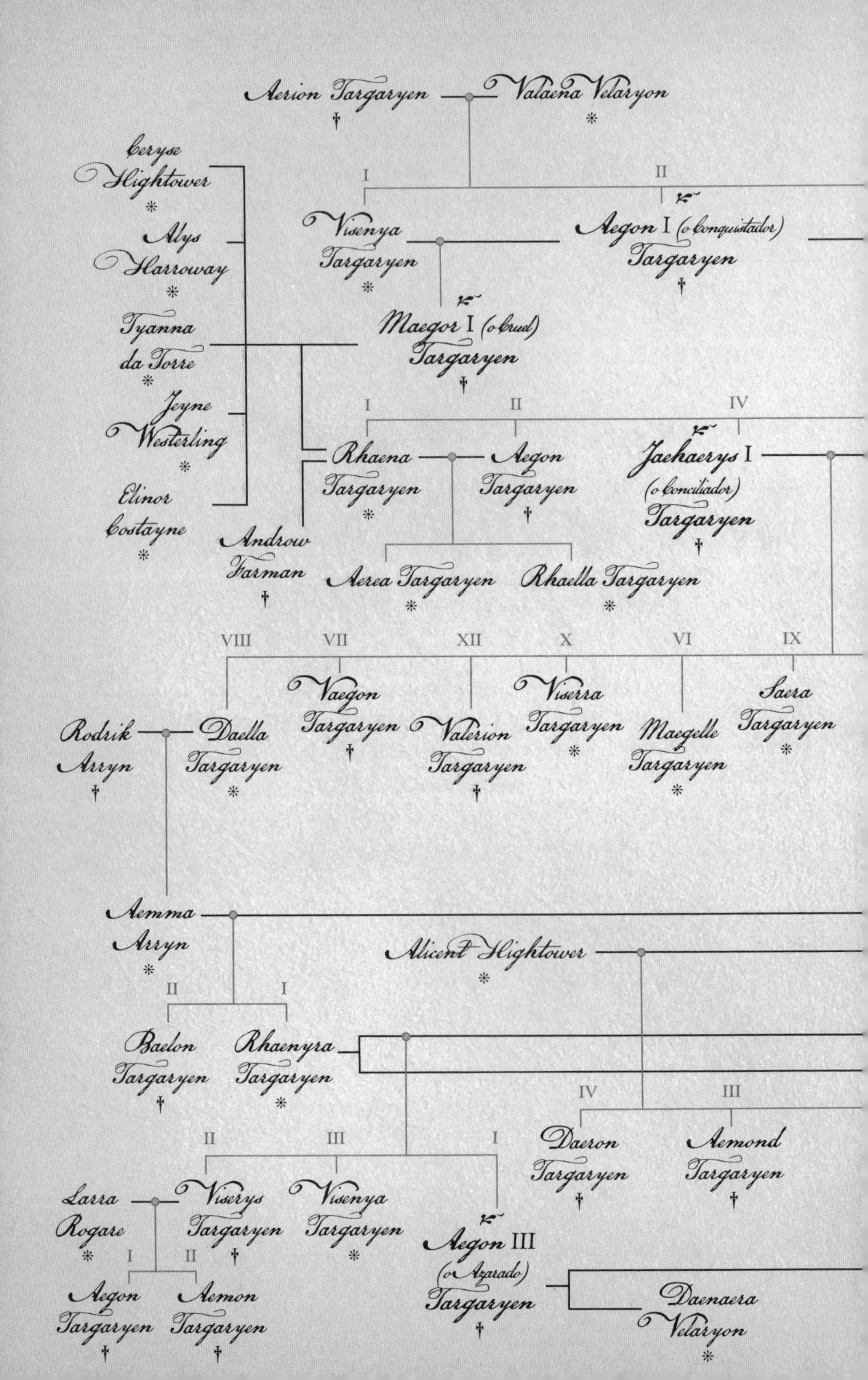

Aerion Targaryen
Valaena Velaryon
Ceryse Hightower
Alys Harroway
Tyanna da Torre
Jeyne Westerling
Elinor Costayne
I
II
Visenya Targaryen
Aegon I (o Conquistador) Targaryen
Maegor I (o Cruel) Targaryen
I
II
IV
Rhaena Targaryen
Aegon Targaryen
Jaehaerys I (o Conciliador) Targaryen
Androw Farman
Aerea Targaryen
Rhaella Targaryen
VIII
VII
XII
X
VI
IX
Vaegon Targaryen
Viserra Targaryen
Saera Targaryen
Rodrik Arryn
Daella Targaryen
Valerion Targaryen
Maegelle Targaryen
Aemma Arryn
Alicent Hightower
II
I
Baelon Targaryen
Rhaenyra Targaryen
IV
III
II
III
I
Daeron Targaryen
Aemond Targaryen
Larra Rogare
Viserys Targaryen
Visenya Targaryen
Aegon III (o Azarado) Targaryen
I
II
Aegon Targaryen
Aemon Targaryen
Daenaera Velaryon

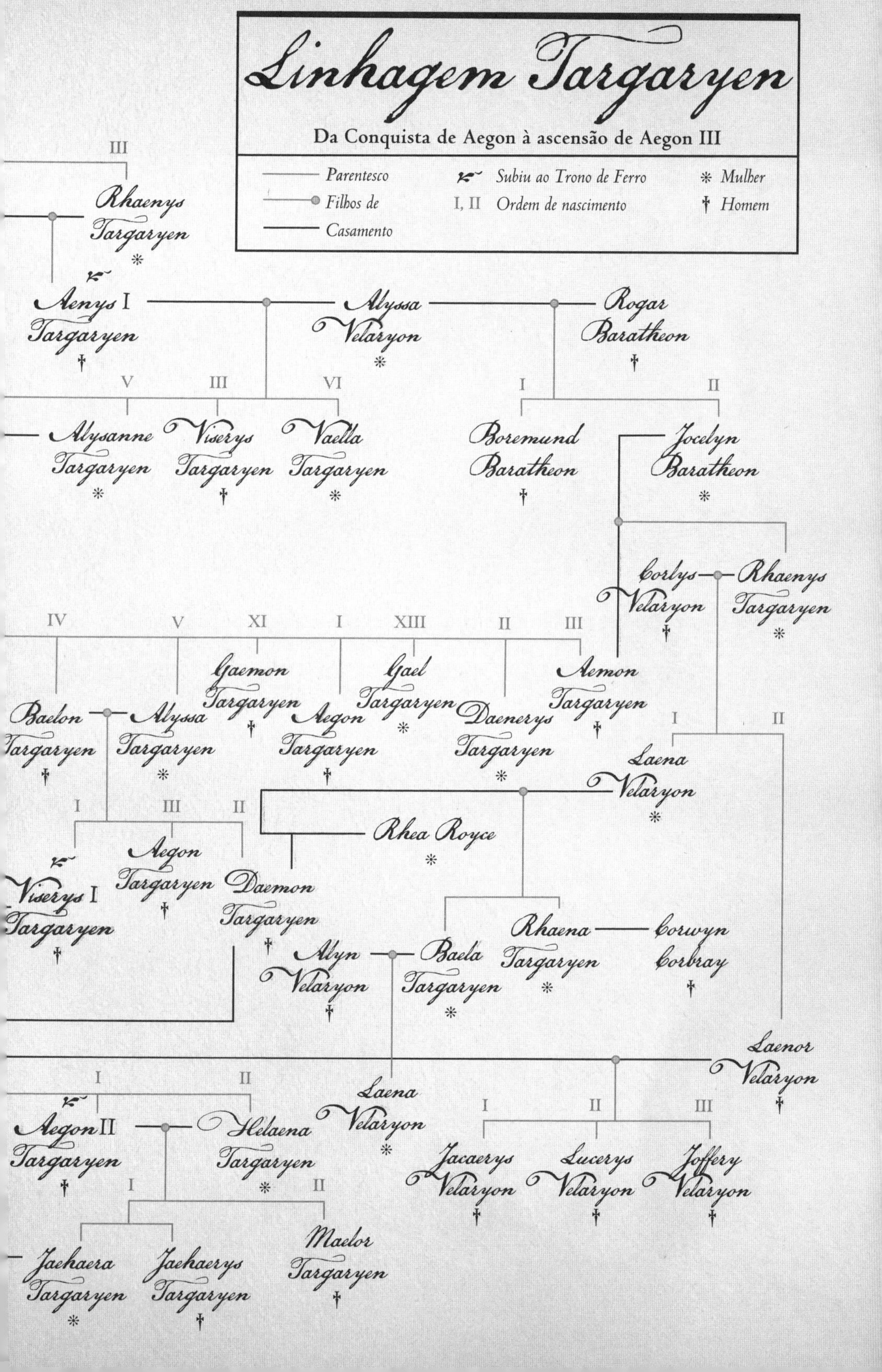
Linhagem Targaryen
Da Conquista de Aegon à ascensão de Aegon III
Parentesco
Filhos de
Casamento
Subiu ao Trono de Ferro
I, II Ordem de nascimento
* Mulher
† Homem
III
Rhaenys Targaryen *
Aenys I Targaryen †
Alyssa Velaryon *
Rogar Baratheon †
V
III
VI
I
II
Alysanne Targaryen *
Viserys Targaryen †
Vaella Targaryen *
Boremund Baratheon †
Jocelyn Baratheon *
Corlys Velaryon †
Rhaenys Targaryen *
IV
V
XI
I
XIII
II
III
Baelon Targaryen †
Alyssa Targaryen *
Gaemon Targaryen †
Aegon Targaryen †
Gael Targaryen *
Daenerys Targaryen *
Aemon Targaryen †
I
II
Laena Velaryon *
I
III
II
Rhea Royce *
Viserys I Targaryen †
Aegon Targaryen †
Daemon Targaryen †
Rhaena Targaryen *
Corwyn Corbray †
Alyn Velaryon †
Baela Targaryen *
Laenor Velaryon †
I
II
Aegon II Targaryen †
Helaena Targaryen *
Laena Velaryon *
I
II
III
Jacaerys Velaryon †
Lucerys Velaryon †
Joffery Velaryon †
I
II
Jaehaera Targaryen *
Jaehaerys Targaryen †
Maelor Targaryen †

1ª EDIÇÃO [2018] 17 reimpressões

ESTA OBRA FOI COMPOSTA PELA ABREU'S SYSTEM EM CAPITOLINA REGULAR E IMPRESSA EM OFSETE PELA LIS GRÁFICA SOBRE PAPEL PÓLEN DA SUZANO S.A. PARA A EDITORA SCHWARCZ EM AGOSTO DE 2024

A marca FSC® é a garantia de que a madeira utilizada na fabricação do papel deste livro provém de florestas que foram gerenciadas de maneira ambientalmente correta, socialmente justa e economicamente viável, além de outras fontes de origem controlada.